AF644652

McGraw Hill edge COURSEWARE

क्या है

McGraw Hill Edge Courseware बहुविध शिक्षण और मूल्यांकन समाधान प्रदानकर पाठकों को समग्र और बदलते परीक्षा रुझानों के अनुकूल परीक्षा तैयारी के लिए विश्वसनीय सामग्री और अभिनव शिक्षण उपलब्ध कराता है। यह कोर्सवेयर परीक्षार्थियों के लिए मैकग्रॉ हिल की विशिष्ट पुस्तकों को अत्याधुनिक डिजिटल संसाधनों और नवीनतम जानकारी के साथ प्रस्तुत करता है। यह परीक्षार्थियों को विषयवस्तु की गहन समझ प्रदानकर अधिगम और स्मरण क्षमता को बढ़ाता है और उनके प्रदर्शन का मूल्यांकन करके उन्हें सुधार की संभावनाओं के बारे में अवगत कराता है, जिससे अंततः उनका आत्मविश्वास बढ़ता है। यह कोर्सवेयर नवाचार (innovation) के क्षेत्र में अग्रणीय है। यह परीक्षार्थियों को सफलता हेतु मार्गदर्शन प्रदानकर अधिगम विधि में क्रांतिकारी बदलाव लाता है!

McGraw Hill Edge Courseware
के साथ अपनी क्षमता को अनलॉक करें

वैचारिक वीडियो (Conceptual Videos)
अमूर्त विचारों को आकर्षक दृश्यात्मक कहानी में बदलने के लिए

अध्ययन सहायक सामग्री (Study Aids)
दृश्य सारांश, माइंड मैप, फ्लैश कार्ड, इन्फोग्राफ़िक्स आदि के साथ अधिगम को सरल बनाने के लिए

ज्ञान संवर्धन सामग्री (Knowledge Enrichment Content)
विशेष पठन सामग्री के साथ सफलता के लिए अपना रास्ता तैयार करें

विगत वर्षों के प्रश्न (Previous Years' Questions)
विस्तृत व्याख्याओं के साथ PYQs के व्यापक संग्रह से अभ्यास करने के लिए

मॉक टेस्ट (Mock Tests)
वास्तविक परीक्षा स्थितियों का अनुकरण करने और आत्मविश्वास बढ़ाने के लिए

प्रदर्शन विश्लेषण (Performance Analytics)
डेटा-संचालित अंतर्दृष्टि के साथ परीक्षा की तैयारी को अनुकूलित करने के लिए

लाइव इंटरैक्टिव सत्र (Live Interactive Sessions)
इंटरैक्टिव सत्रों के माध्यम से लेखक से बहुमूल्य जानकारी प्राप्त करने के लिए

ई-बुक एक्सेस (eBook Access)
अध्ययन सामग्री को कभी भी, कहीं भी आसानी से ऐक्सेस करने के लिए

Courseware on भारतीय कला एवं संस्कृति के साथ आपको क्या मिलता है?

भारतीय कला एवं संस्कृति पर कोर्सवेयर यू.पी.एस.सी. उम्मीदवारों के लिए सावधानीपूर्वक डिज़ाइन किया गया एक संपूर्ण अधिगम समाधान है।

- अधिगम को बेहतर करनेवाले **50+ लेखक-संकलित संकल्पनात्मक वीडियो**
- समग्र शिक्षण हेतु **ज्ञान संवर्धन सामग्री (Knowledge Enrichment Content)**
- वर्ष 2025 की परीक्षाओं सहित **400+ एकीकृत अध्यायवार UPSC PYQs** (प्रारंभिक और मुख्य परीक्षा)
- परीक्षा की तैयारी के लिए **500+ अभ्यास प्रश्न**
- **वार्षिक समसामयिकी** कंटेंट का ऐक्सेस
- निःशुल्क और अनन्य **पूर्ण रंगीन ई-बुक** का ऐक्सेस

स्कैन करें

इस कोर्सवेयर के बारे में और अधिक जानकारी हेतु दिए गये QR कोड को स्कैन करें

निवेदन

जालसाज़ी का विरोध करें और सफलता के लिए एक मज़बूत आधार तैयार करें।

पुस्तकें हमारी सबसे अच्छी दोस्त होती हैं, यही वह कहावत है, जिसे सुनकर हम सब बड़े हुए हैं, हालाँकि पायरेसी के चोर लगातार 'हमारे सबसे अच्छे दोस्त' के साथ जालसाज़ी कर रहे हैं। हमारी सभी पुस्तकों और उनसे संबंधित ऑनलाइन पूरक संसाधनों का कॉपीराइट हमारे पास सुरक्षित हैं और हम किसी को भी इन्हें कॉपी करने का कोई अधिकार नहीं देते हैं, पायरेसी पुस्तकों की चोरी करने जैसा है। ज्ञान वास्तविकता से आता है, आइए, इस जालसाज़ी को हतोत्साहित करें। इसलिए, हम अपने सभी पाठकों से पायरेटेड पुस्तकों को रोकने और प्रामाणिक पुस्तकों को **चुनने का निवेदन करते हैं।**

पायरेटेड पुस्तकों की पहचान कैसे करें?

1 पुस्तक का ट्रांसपेरेंसी कोड

Scan with the Transparency app XXXXXXXX

आप बधाई के पात्र हैं! आपने जो पुस्तक ख़रीदी है, वह ट्रांसपेरेंसी के द्वारा सुरक्षित है। अमेज़न द्वारा ट्रांसपेरेंसी एक इकाई-स्तरीय उत्पाद क्रमवार सेवा है, जो एक इकाई की प्रामाणिकता की पुष्टि करती है और आपको ख़रीदे गये उत्पाद के बारे में समग्र जानकारी प्राप्त करने में सक्षम बनाती है। कृपया पुस्तक के पिछले कवर पर ट्रांसपेरेंसी लोगो और कोड देखें (ट्रांसपेरेंसी बारकोड एक चौकोर कोड है जो "T" प्रतीक की बग़ल में पाया जाता है)। पुस्तक की प्रामाणिकता सत्यापित करने के लिए आप ट्रांसपेरेंसी ऐप के साथ बारकोड को स्कैन कर सकते हैं। बस App Store या Google Play से ट्रांसपेरेंसी ऐप डाउनलोड करें और ऐप के साथ बारकोड को स्कैन करें। पुस्तक के प्रामाणिक होने के रूप में सत्यापित होने पर ऐप एक हरे रंग का चेकमार्क दिखायेगा।

2 कवर और स्पाइन

- देखें और महसूस करें (नयी या इस्तेमाल की गयी पुस्तक)
- कवर पर धुँधली तस्वीरें
- सामने चिपकाया गया होलोग्राम
- ख़राब स्पाइन (सिकुड़न) या इसके निचले भाग पर एयर पॉकेट
- अस्पष्ट ISBN/बार कोड
- McGraw Hill Edge के एक्सक्लूसिव कवरेज के लिए मिटा हुआ/ग़ैर-कार्यात्मक यूनिक कूपन कोड

3 टेक्स्ट/प्रिंटिंग/बाइंडिंग

- पृष्ठों की असमान स्याही
- ख़राब गुणवत्ता या धुँधली तस्वीरें/छवियाँ/चार्ट
- निम्नस्तरीय गुणवत्ता और अपारदर्शिता
- ग़लत संरेखणवाले पृष्ठ
- पृष्ठों का ग़ायब होना
- निम्नस्तरीय जिल्द गुणवत्ता

आप इस वीडियो पर जाकर देख सकते हैं कि पायरेटेड पुस्तक की पहचान कैसे करें।

पायरेसी की पहचान करने के बारे में अधिक जानकारी के लिए, https://www.mheducation.co.in/piracy पर जायें। पायरेटेड पुस्तक की रिपोर्ट करने के लिए, बैक कवर पर दिये गये व्हाट्सएप कोड पर 'Hi' भेजें या हमें support.india@mheducation.com पर लिखें।

रिपोर्ट की गयी पायरेटेड पुस्तकों की जाँच उनकी चोरी से निपटने के लिए की जाती है।

आइए, पायरेसी के चोरों से लड़ें और असली पुस्तक का इस्तेमाल करने का संकल्प करें!

6वाँ संस्करण

2026-2027

COURSEWARE ON

भारतीय कला एवं संस्कृति

सिविल सेवा एवं अन्य प्रतियोगी परीक्षाओं के लिए

नितिन सिंघानिया, आईएएस

McGraw Hill

McGraw Hill Education (India) Private Limited

Published by McGraw Hill Education (India) Private Limited
Registered Office: Anjana Complex No: 5/90 A, Butt Road, St. Thomas Mount, Chennai – 600016

Courseware on Bhartiya Kala evam Sanskriti, 6e

Print Edition:
ISBN (13): 978-93-6444-367-8
ISBN (10): 93-6444-367-5

E-Book Edition:
ISBN (13): 978-93-6444-489-7
ISBN (10): 93-6444-489-2

1 2 3 4 5 6 7 8 9 D103074 29 28 27 26 25

Printed and bound in India.

Typeset at APS Compugraphics, 4G, PKT 2, Mayur Vihar Phase-III, Delhi 96
and printed at Rajkamal Electric Press, Kundli, Haryana-131 028

Cover Designer: Yaman
Cover Image Source: Images and media used in this publication are sourced under license from Wikimedia Commons (Creative Commons Attribution 4.0), Shutterstock, and Adobe Stock.

Visit us at: www.mheducation.co.in
Write to us at: support.india@mheducation.com
CIN: U80302TN2010PTC111532
Toll Free Number: 1800 103 5875

परम श्रद्धेय दादीजी एवं दादाजी व

माँ एवं पिताजी को समर्पित.....

लेखक के विषय में

नितिन सिंघानिया वर्ष 2013 बैच के आईएएस अधिकारी हैं तथा वर्तमान में मुर्शिदाबाद ज़िले के ज़िला मजिस्ट्रेट और कलेक्टर के पद पर कार्यरत हैं। उन्होंने कोलकाता के प्रेसीडेंसी कॉलेज से अर्थशास्त्र (इकोनॉमिक्स) में स्नातक और अप्लाइड इकोनॉमिक्स में स्नातकोत्तर की उपाधि प्राप्त की है तथा वे एक चार्टर्ड अकाउंटेंट और कंपनी सचिव भी हैं। वे सिविल सेवा एवं अन्य प्रतियोगी परीक्षाओं के लिए *भारतीय अर्थव्यवस्था* नामक बेस्टसेलिंग पुस्तक के लेखक भी हैं।

छठे संस्करण की भूमिका

इस पुस्तक के पूर्व संस्करणों पर रचनात्मक प्रतिक्रिया और निरंतर भरोसा जताने के कारण मैं अपने पाठकों का हार्दिक ऋणी हूँ। आपके प्रोत्साहन ने ही मुझे **भारतीय कला एवं संस्कृति पर कोर्सवेयर का यह छठा संस्करण** प्रस्तुत करने के लिए प्रेरित किया है। यह कोर्सवेयर नयी अवधारणाओं, तथ्यों और शैक्षणिक उपकरणों से समृद्ध है तथा एक एकीकृत एवं आकर्षक अधिगम अनुभव प्रदान करता है।

भारत की सांस्कृतिक विविधता की व्यापकता को देखते हुए, क्या शामिल किया जाए और क्या नहीं, इसका चयन करना हमेशा एक चुनौतीपूर्ण कार्य रहा है। फिर भी, मैंने इस संस्करण को सिविल सेवा परीक्षा और अन्य प्रतियोगी परीक्षाओं की तैयारी कर रहे उम्मीदवारों के लिए एक **व्यापक और संपूर्ण समाधान** बनाने का प्रयास किया है। इस संस्करण में पूर्व संस्करणों की विद्वत्तापूर्ण गहनता को यू.पी.एस.सी. की नवीनतम आवश्यकताओं के अनुरूप अद्यतन व परीक्षा-केंद्रित अध्ययन सामग्री के साथ समन्वित किया गया है।

इस कोर्सवेयर में **पाँच खंडों में 31 अध्याय** हैं, जिन्हें भारत की कला, वास्तुकला, साहित्य, संगीत, विज्ञान एवं प्रौद्योगिकी और सांस्कृतिक विरासत का व्यापक कवरेज प्रदान करने के लिए सावधानीपूर्वक डिज़ाइन किया गया है। इसमें वर्ष 2025 तक के **13 वर्षों से अधिक समय के PYQs (UPSC द्वारा आयोजित सिविल सेवा, CAPF, CDS और NDA प्रवेश परीक्षाओं के)** सम्मिलित हैं, जिन्हें त्वरित संशोधन के लिए एक **अलग करने योग्य शब्दावली चार्ट (ग्लोसरी चार्ट)** के रूप में सम्मिलित किया गया है।

समृद्ध एवं रुचिकर दृश्यों, इन्फ़ोग्राफ़िक्स, मानचित्रों, फ़्लोचार्ट और आरेखों से सुसज्जित, इस कोर्सवेयर में *परीक्षा की दृष्टि से महत्त्वपूर्ण तथ्य, क्या आप जानते हैं, संस्कृति संक्षेपण, विरासत स्मरण, वीडियो अंतर्दृष्टि* और *पुस्तक के अतिरिक्त* जैसी शिक्षण सुविधाएँ समाविष्ट हैं, जिनसे वैचारिक स्पष्टता और पाठकों का जुड़ाव दोनों सुनिश्चित होते हैं।

इस संस्करण में **50+ लेखक-संकलित वैचारिक वीडियो, 400+ PYQs (वर्ष 2025 की परीक्षाओं सहित), 500+ CBT-आधारित अभ्यास प्रश्न, वार्षिक करेंट अफ़ेयर्स** और निर्बाध ऐक्सेस के साथ एक **पूर्ण-रंगीन ई-बुक** शामिल हैं। इन सभी विशेषताओं के साथ यह कोर्सवेयर अब तक का सबसे विस्तृत और विश्वसनीय संस्करण है। समग्र और त्वरित संशोधन में सहायतार्थ एक **संशोधित अलग करने योग्य शब्दावली चार्ट (ग्लोसरी चार्ट)** को भी इसमें सम्मिलित किया गया है।

आभार के रूप में, मैं सभी संबंधित विद्वानों, शोधकर्ताओं और मेरी समझ को समृद्ध करने में योगदान करनेवाले विभिन्न सरकारी एवं ऑनलाइन स्रोतों के प्रति हार्दिक आभार व्यक्त करता हूँ। पश्चिम बंगाल सरकार और भारत सरकार में सेवा से अर्जित मेरे अनुभव इस कार्य की विषयवस्तु को आकार देने में महत्त्वपूर्ण भूमिका में रहे हैं।

इस यात्रा में निरंतर प्रेरणादायी रहे अपने माता-पिता के प्रति मैं अपनी गहन श्रद्धा व्यक्त करता हूँ। उनके बिना मैं कुछ भी नहीं हूँ। मैं अपनी पत्नी सुदीप्ता सिंघानिया का भी विशेष आभार व्यक्त करता हूँ, जिन्होंने इस पुस्तक से संबंधित कंटेंट निर्माण, संपादन (एडिटिंग) और शोध (रिसर्च) में विशेष योगदान दिया। मैं अपने भाई-बहनों नैन्सी, नोयल एवं अपने सुपुत्रों नमित और नमय का भी आभारी हूँ, जिन्होंने मेरे इस कार्य के दौरान धैर्य रखा तथा मुझे समय, प्रेम और सहयोग दिया।

मैं, *श्री आर.एस. अग्रवाल सर, वाजीराम ऐंड रवि संस्थान, ALS संस्थान और विज़न आईएएस* के प्रोत्साहन के लिए कृतज्ञतापूर्वक आभार व्यक्त करता हूँ। इसके अतिरिक्त मैं, श्री सुशील कुमार, सुश्री अथिरा, सुश्री गायत्री, श्री मुरारी पोद्दार, सुश्री इसिता, श्री अर्का अधिकारी, श्री चंदन झा एवं कई अन्य लोगों का उनकी सहायता और अंतर्दृष्टि के लिए धन्यवाद करता हूँ।

'भारतीय कला एवं संस्कृति' पुस्तक के इस संस्करण में विशेष सहयोग के लिए साहित्यकार सृंजय (संजय मिश्र) के प्रति मैं कृतज्ञतापूर्वक आभार व्यक्त करता हूँ।

मैं, जनाब तनवीर अहमद, श्री निखिल वढेरा, श्री धर्मेन्द्र शर्मा, श्री राहुल बनर्जी, श्रीमती सौम्या श्वेता और मैकग्रॉ हिल एजुकेशन इंडिया की पूरी टीम का भी तहे दिल से आभार व्यक्त करता हूँ, जिन्होंने इस संस्करण को जीवंत बनाने में अमूल्य सहयोग दिया।

मुझे पूरा भरोसा है कि यह छठा संस्करण पाठकों के लिए और भी अधिक मूल्यवान् एवं रूचिकर साबित होगा। मैं आगामी संस्करणों को अधिकाधिक सार्थक बनाने के लिए ईमेल के माध्यम से आपके सुझावों और प्रतिक्रियाओं का स्वागत करता हूँ।

सभी पाठकों को हार्दिक शुभकामनाएँ तथा आपके कल्याण एवं बेहतरी हेतु प्रार्थनाएँ।

नवंबर, 2025

सादर प्रणाम !!!

नितिन सिंघानिया

nitinsinghania.ca@gmail.com

रुझान विश्लेषण

सिविल सेवा की प्रारंभिक परीक्षा में वर्ष-वार अंक

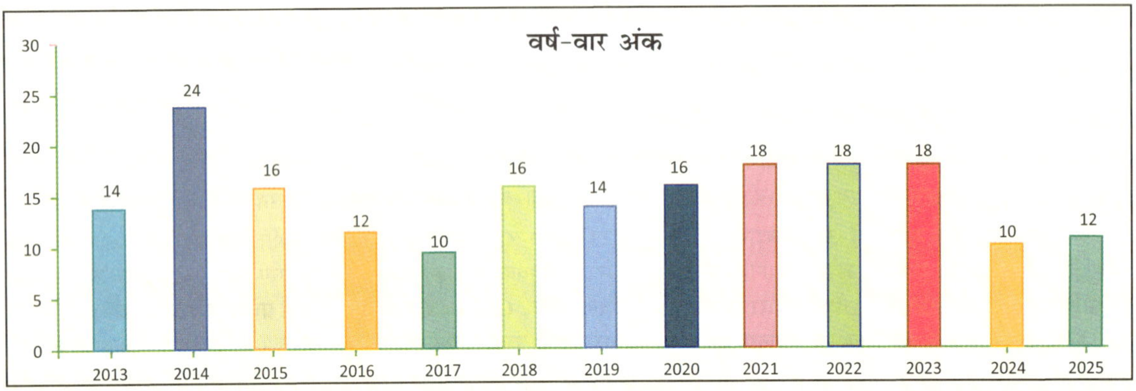

***टिप्पणी :** वर्ष 2011 में संघ लोक सेवा आयोग (UPSC) ने प्रारंभिक परीक्षा के पैटर्न एवं पाठ्यक्रम में कुछ परिवर्तन किये। नयी योजना में भारतीय कला एवं संस्कृति को सामान्य अध्ययन के प्रथम प्रश्नपत्र में सम्मिलित किया गया है, जिसमें प्रत्येक प्रश्न 2 अंकों का होता है।*

सिविल सेवा की मुख्य परीक्षा में वर्ष-वार अंक

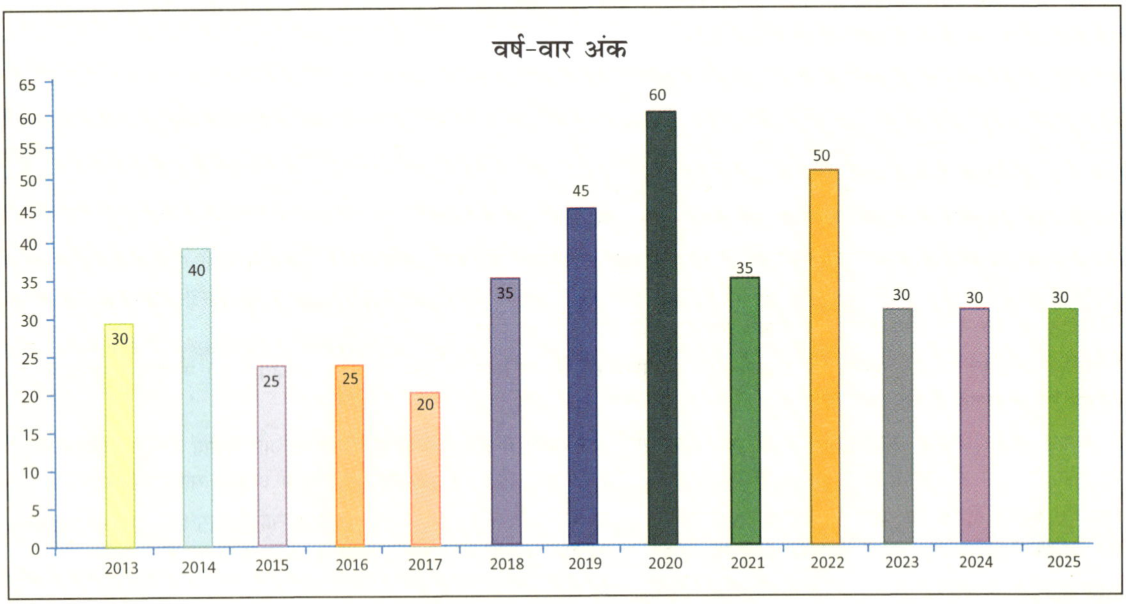

टिप्पणी : *वर्ष 2013 में, संघ लोक सेवा आयोग (UPSC) ने मुख्य परीक्षा के पैटर्न एवं पाठ्यक्रम में कुछ परिवर्तन किये। नयी योजना में भारतीय संस्कृति एवं विरासत को सामान्य अध्ययन के प्रथम प्रश्नपत्र में सम्मिलित किया गया है। यह प्रश्नपत्र कुल 250 अंकों का होता है।*

विषय सूची

McGraw Hill Edge Courseware पर उपलब्ध निम्नलिखित विषयों पर **अतिरिक्त पाठ्य सामग्री** के लिए स्कैन करें।

1. भारत में जनजातीय संस्कृति
2. भारत के प्रसिद्ध व्यक्तित्व
3. विदेश में भारतीय संस्कृति
4. सांस्कृतिक पर्यटन और सरकारी हस्तक्षेप

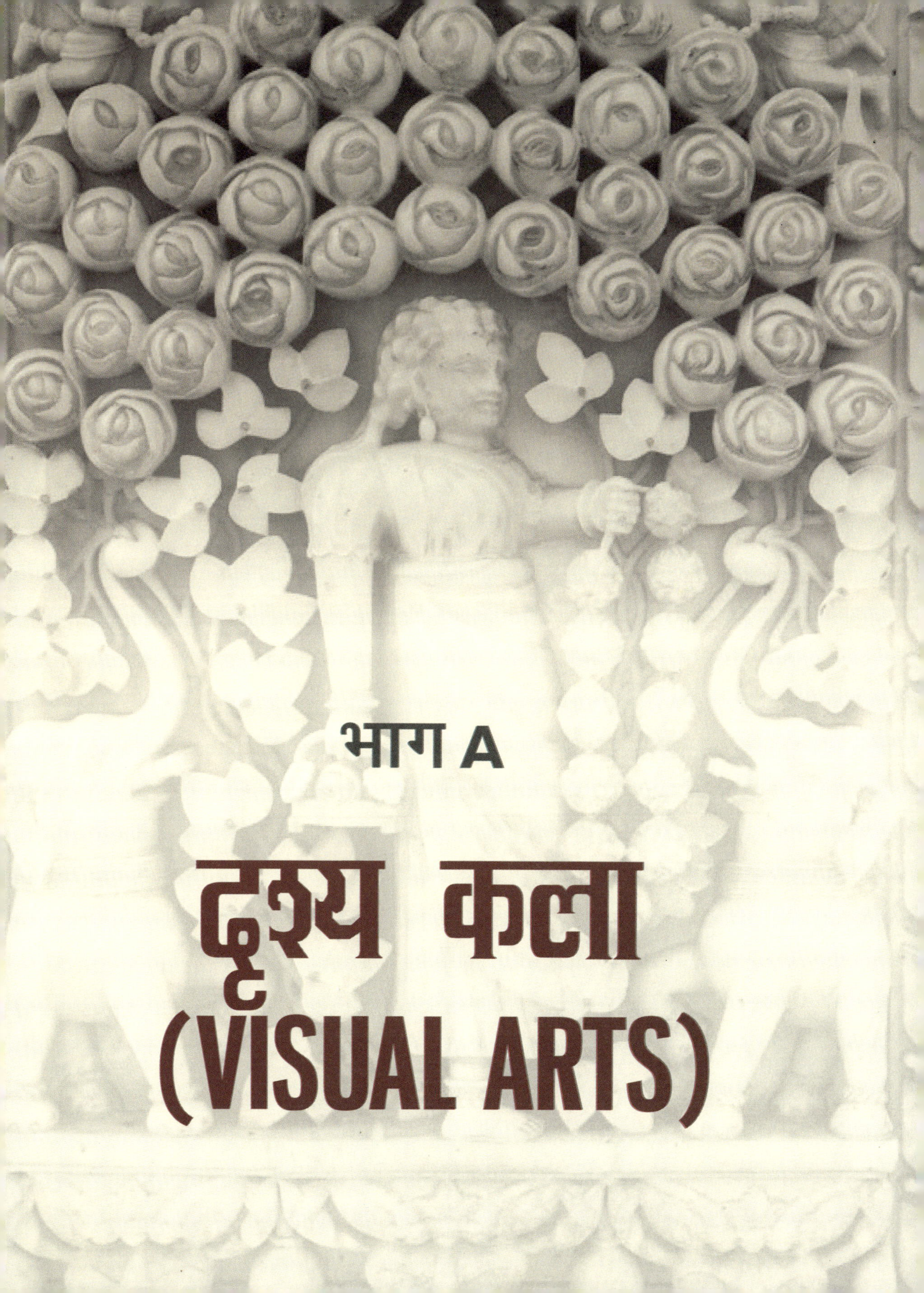

भाग A

दृश्य कला (VISUAL ARTS)

1

भारत में प्रागैतिहासिक संस्कृतियाँ

अध्याय की रूपरेखा

- भारतीय पाषाण काल
- पुरापाषाण काल (25 लाख ई.पू. - 10000 ई.पू.)
- निम्न पुरापाषाण काल (1,00,000 ई.पू. तक)
- मध्य पुरापाषाण काल (100,000 ई.पू. - 40,000 ई.पू.)
- उच्च पुरापाषाण काल (40,000 ई.पू.-10,000 ई.पू.)
- मध्यपाषाण काल (10,000 ई.पू. से 7,000 ई.पू.)
- नवपाषाण काल (नव पाषाण युग)
- ताम्रपाषाण काल (ताम्र पाषाण युग)

भारत में, प्रागैतिहासिक संस्कृतियों को औज़ारों में प्रयुक्त तकनीक के आधार पर निम्नलिखित तीन प्रमुख कालों में वर्गीकृत किया गया है: **पुरापाषाण, मध्यपाषाण, और नवपाषाण**। ये काल मानव इतिहास की प्रमुख तकनीकी प्रगति को दर्शाते हैं, जिनमें साधारण पाषाण औज़ारों के उपयोग के समय से लेकर कृषि के आगमन और स्थायी बस्तियों के निर्माण तक, अंततः ताम्रपाषाण और **सिंधु घाटी सभ्यता** के उदय से पहले **लौह युग** सम्मिलित है। **सर जॉन लुबॉक** ने अपनी वर्ष **1865 की पुस्तक**, *प्रिहिस्टोरिक टाइम* (Prehistoric Times) में, प्रिहिस्टरी (हिंदी अर्थ - प्रागैतिहासिक काल) नामक अध्ययन के एक नये क्षेत्र की शुरुआत की घोषणा की। उन्होंने पाषाण काल की अवधि को दो भागों में वर्गीकृत किया : पुरापाषाण काल (Palaeolithic) और नवपाषाण काल (Neolithic)।

प्राचीन इतिहास को तत्कालीन समय में मानव द्वारा प्रयुक्त औज़ारों के अनुसार विभिन्न अवधियों में विभाजित किया जा सकता है।

1. **निम्न पुरापाषाण काल** (Lower Palaeolithic Period): 100,000 ई.पू. तक
2. **मध्य पुरापाषाण काल** (Middle Palaeolithic Period): 100,000 ई.पू. – 40,000 ई.पू.
3. **उच्च पुरापाषाण काल** (Upper Palaeolithic Period): 40,000 ई.पू. – 10,000 ई.पू.
4. **मध्यपाषाण काल** (Mesolithic Period): 10,000 ई.पू. - 7000 ई.पू.
5. **नवपाषाण काल** (Neolithic Period): 7000 ई.पू. - 2000 ई.पू.
6. **ताम्रपाषाण काल** (Chalcolithic Period): 3000 ई.पू. - 700 ई.पू.
7. **लौह युग** (Iron Age): 1500 ई.पू. - 200 ई.पू.

भारत में लिखित ऐतिहासिक काल लगभग 2500 ई.पू. में फली-फूली, सिंधु घाटी सभ्यता से आरंभ हुआ।

क्या आप जानते हैं?

भारत में खोजा गया **सबसे पुराना** पुरापाषाणकालीन औज़ार, **पल्लवरम हस्त-कुठार**, ब्रिटिश पुरातत्वविद् *रॉबर्ट ब्रूस फ़ूटे* को मिला था। उन्हें **'भारतीय प्रागैतिहासिक काल का जनक'** कहा जाता है।

भारतीय पाषाण काल

प्रागैतिहासिक काल, जिसे पाषाण युग के नाम से भी जाना जाता है, अभिलेखों के लिखे जाने से पहले का समय माना जाता है। विभिन्न पुरातात्विक खोज इस काल की जानकारी के प्राथमिक स्रोत हैं।

भूवैज्ञानिक समयावधि, पत्थर के औज़ारों की तकनीक एवं प्रकार और जीवन-यापन के तरीक़ों पर आधारित, भारत में पाषाण काल को मुख्यत: तीन चरणों में विभाजित किया गया है :

1. **पुरापाषाण काल** (Paleolithic) (25 लाख ई.पू. - 10,000 ई.पू. तक)
2. **मध्यपाषाण काल** (Mesolithic) (10,000 ई.पू. - 7000 ई.पू.)
3. **नवपाषाण काल** (Neolithic) (7000 ई.पू. - 2000 ई.पू. तक)

पुरापाषाण काल (25 लाख ई.पू. - 10000 ई.पू.)

पुरापाषाण काल, जिसे प्राचीन पाषाण युग भी कहा जाता है, मानव इतिहास का **सबसे प्रारंभिक और सर्वाधिक समयावधि** वाला काल है। इस दौरान, प्रागैतिहासिक मानव ने **आदिम पाषाण औज़ार** निर्मित किये, भोजन की तलाश एवं शिकार करके जीवनयापन किया तथा अपने परिवेश के साथ तालमेल बिठाना शुरू किया। पुरापाषाण काल की मुख्य विशेषताएँ इस प्रकार हैं -

1. ऐसा माना जाता है, कि भारत के लोग '**नीग्रिटो**' जाति के थे और खुले स्थानों, नदी घाटियों, गुफाओं और शैलाश्रयों में रहते थे। वे भोजन की तलाश में रहते थे, जंगली फल और सब्ज़ियाँ खाते थे तथा शिकार करते थे।
2. इस काल में मानव को घर बनाने, मिट्टी के बर्तन बनाने या कृषि के विषय में कोई जानकारी नहीं थी। बाद में उन्होंने आग पर नियंत्रण करना सीखा।
3. उच्च पुरापाषाण काल के दौरान चित्रकला के रूप में कलात्मक अभिव्यक्ति के प्रमाण सामने आये।
4. प्रारंभिक मानव खुरदुरे, अपरिष्कृत पत्थरों जैसे हस्त कुठार (handaxes), खंडक (Choppers), फलक (Blades), तक्षणी (burins) और खुरचनी (scrapers) का उपयोग करते थे।

> **क्या आप जानते हैं?** भारत में **पुरापाषाण कालीन** लोगों को '**क्वार्टजाइट**' मानव भी कहा जाता है, क्योंकि वे अपने पत्थर के औज़ारों को बनाने के लिए क्वार्टजाइट नामक मज़बूत पत्थर का उपयोग करते थे।

भारत में पुरापाषाण काल को प्रयुक्त पाषाण औज़ारों की विशेषताओं और तत्कालीन समय में हुए जलवायु परिवर्तनों के आधार पर तीन चरणों में वर्गीकृत किया गया है :

1. **निम्न पुरापाषाण काल** (Lower Palaeolithic Period): 100,000 ई.पू. तक
2. **मध्य पुरापाषाण काल** (Middle Palaeolithic Period): 100,000 ई.पू. - 40,000 ई.पू.
3. **उच्च पुरापाषाण काल** (Upper Palaeolithic Period): 40,000 ई.पू. - 10,000 ई.पू.

निम्न पुरापाषाण काल (1,00,000 ई.पू. तक)

निम्न पुरापाषाण कालीन उपकरण

- **औज़ार :** हस्त कुठार (हाथ की कुल्हाड़ी), विदारणी (Cleavers), खंडक (Choppers), खुरचनी (Scrapers), आदि।
- इसमें मुख्यत: **हिमयुग (Ice Age)** शामिल है।
- लोग **ख़ानाबदोश शिकारी-संग्राहक** प्रवृत्ति के थे, जो गुफाओं में निवास करते थे।
- औज़ार निर्माण के लिए **चूना पत्थर (limestone)** का भी उपयोग किया जाता था।
- ऐसे आवास भी पाये गये हैं, जिनमें गुफाएँ एवं शैलाश्रय दोनों शामिल हैं।

निम्न पुरापाषाण कालीन उल्लेखनीय स्थल

स्थल / स्थान	मुख्य उपकरण / विशेषताएँ	महत्त्व
ईसामपुर, हुंसगी घाटी, कर्नाटक *(पाषाण औज़ार निर्माण का केंद्र)*	अशूली (Acheulian) कार्यशाला और खदान; हस्त कुठार, विदारणी (Cleavers), चूना पत्थर से बने शल्क (flakes); प्रस्तर औज़ार निर्माण का मलबा	भारत में अब तक का सबसे **बड़ा पुरापाषाण स्थल**; सबसे पुरानी ज्ञात अशूली कार्यशाला; औज़ार निर्माण प्रक्रिया और व्यवहारगत जटिलता के प्रत्यक्ष प्रमाण।
अत्तिरमपक्कम चेन्नई के पास, तमिलनाडु	स्तरीकृत परतों में अशूली औज़ार, प्रस्तर शल्क और हस्त कुठार	भारत के सर्वाधिक पुराने पुरापाषाण कालीन स्थलों में से एक, प्रारंभिक मानव उपस्थिति और औज़ारों के विकास को दर्शाता है।
बेलन घाटी, उत्तर प्रदेश	नदी की तलहटी के पास अशूली औज़ार और आवास स्तर	नदी के किनारे बस्तियों और बाद के पुरापाषाण चरणों में निरंतरता के प्रमाण।
आदमगढ़ पहाड़ियाँ, मध्य प्रदेश	हस्त कुठार, विदारणी, शल्क; स्तरीकृत अनुक्रम	निम्न पुरापाषाण काल से मध्यपाषाण काल तक सांस्कृतिक अनुक्रम दर्शाता है।

क्या आप जानते हैं? अशूली औज़ार (Acheulian tools), प्रस्तर-औज़ार उद्योग के उत्पाद हैं। इस प्रकार के औज़ारों की विशेषता सममित, द्विमुखी हस्त कुठार और विदारणी हैं।

मध्य पुरापाषाण काल (100,000 ई.पू. - 40,000 ई.पू.)

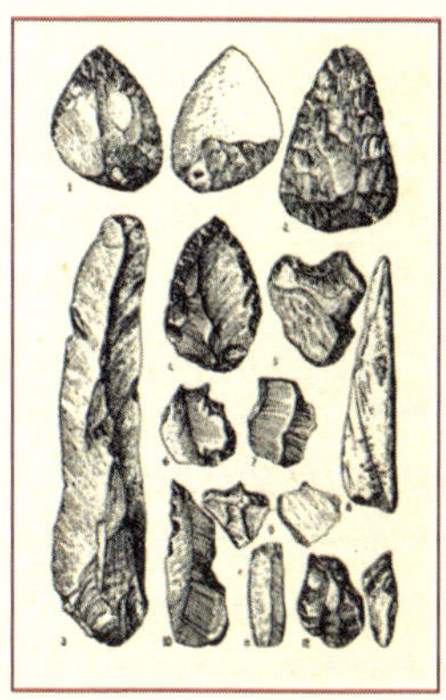

मध्य पुरापाषाण कालीन उपकरण

- **औज़ार :** इस काल के औज़ार मुख्यत: शल्कों (flakes) या पत्थर के छोटे टुकड़ों से बने होते थे। इस दौरान प्रयोग किये जानेवाले औज़ारों में शल्क, फलक (Blade), वेधक (Pointers), खुरचनी और छेदक (borers) थे।
- इस दौरान अन्य औज़ारों की तुलना में, **हस्त कुठार** का उपयोग कम हो गया।
- लोग ख़ानाबदोश शिकारी-संग्राहक प्रवृत्ति के थे।
- इस समय में औज़ार अधिक सुगठित, हलके और चिकने होते गये।
- भारत में मध्य पुरापाषाण संस्कृति का चरण शल्क औज़ार बनानेवाले उद्योगों द्वारा चिह्नित है। वर्ष 1956 में, **एच. डी. सांकलिया** ने सबसे पहले **नेवासा (महाराष्ट्र)** के **प्रवरा**

और बाद में उत्तरी कर्नाटक की **गोदावरी घाटी** में पाये गये इन शल्क औज़ारों का दस्तावेज़ीकरण और प्रदर्शन किया। उन्होंने इस उद्योग का नाम मॉस्टरियन की तरह नेवासियन रखा।

- मध्य पुरापाषाण काल के औज़ार, शल्क औज़ार (flake core), गोलाकार/चक्राभ औज़ार और विशिष्ट लेवलॉइस विधि से प्राप्त शल्क और शल्क-फलक (flake-blades) से बनाये जाते थे। कुछ क्षेत्रों में, उत्तर अशूली (Acheulian) पाषाण औज़ार परंपराएँ आज भी मौजूद हैं, जो द्विमुखी शल्कीकरण, द्वितीयक सीमांत पुनर्रचना और साथ ही छोटे हस्त कुठार और विदारणी के विकास को दर्शाती हैं।

क्या आप जानते हैं? **लेवेलॉइस तकनीक, शल्क औज़ार** बनाने की एक उन्नत विधि है।

मध्य पुरापाषाण स्थल

स्थल/स्थान	क्षेत्र/राज्य	मुख्य उपकरण / विशेषताएँ	महत्त्व/टिप्पणी
नेवासा	अहमदनगर ज़िला, महाराष्ट्र	कैल्सेडोनी और जैस्पर से बने शल्क उपकरण, खुरचनी (scrapers) और वेधनी (Points) यानी नुकीली वस्तुएँ	एच.डी. सांकलिया द्वारा उत्खनन; अशूली से मध्य पुरापाषाण उद्योग में संक्रमण को दर्शाता है।
बेलन घाटी	मिर्ज़ापुर-इलाहाबाद क्षेत्र, उत्तर प्रदेश	शल्क उपकरण, खुरचनी, वेधक (borers); क्वार्टजाइट और चर्ट से निर्मित	निम्न पुरापाषाण और मध्यपाषाण काल से लेकर उच्च पुरापाषाण काल तक के स्तरीकृत सांस्कृतिक अनुक्रम के लिए महत्त्वपूर्ण।
नर्मदा घाटी	मध्य प्रदेश	शल्क उपकरण, वेधनी (नुकीली वस्तुएँ), खुरचनी; होमो इरेक्टस नार्मडेन्सिस के जीवाश्म मिले	नर्मदा मानव (मध्य प्लीस्टोसीन जीवाश्म) की खोज; मध्य भारत में प्रारंभिक मानव के महत्त्वपूर्ण साक्ष्य।
डीडवाना	नागौर ज़िला, राजस्थान	क्वार्ट्ज़ाइट और चर्ट पर आधारित शल्क-आधारित उपकरण; कोर, खुरचनी	महत्त्वपूर्ण रेगिस्तानी सीमांत स्थल; निम्न पुरापाषाण काल से मध्य पुरापाषाण काल तक की निरंतरता।
चिरकी-नेवासा बेसिन	महाराष्ट्र	शल्क और फलक उद्योग; स्थानीय रूप से उपलब्ध कच्चे माल का उपयोग	मध्य पुरापाषाण काल के विभिन्न उपकरणों का उत्पादन किया, जिसके कारण मध्य और प्रायद्वीपीय भारतीय उद्योगों का वर्णन करने के लिए "**नेवासियन उद्योग**" नाम का प्रयोग किया जाने लगा।
लूनी नदी बेसिन	राजस्थान	छोटे शल्क उपकरण, वेधनी और कोर	शुष्क और अर्ध-शुष्क वातावरण के अनुकूलन के प्रमाण।
सोन नदी घाटी	मध्य प्रदेश / उत्तर प्रदेश सीमा	बजरी निक्षेप से प्राप्त शल्क उपकरण और फलक	औज़ार मानकीकरण को दर्शानेवाला महत्त्वपूर्ण उत्तर भारतीय स्थल।
तिरुनेलवेली बेसिन	तमिलनाडु	**लेवलॉइस तकनीक** से निर्मित, क्वार्टजाइट और **चर्ट शल्क औज़ार**	मध्य पुरापाषाण संस्कृति के दक्षिणी विस्तार का संकेत देते हैं।
अत्तिरमपक्कम	चेन्नई के पास, तमिलनाडु	**लेवललॉइस तकनीक** का उपयोग करके बनाये गये **फलक और शल्क औज़ार उद्योग** ने अशूली (Acheulian) औज़ारों का स्थान लिया।	तकनीकी विकास और क्षेत्रीय निरंतरता को दर्शाता है।

उच्च पुरापाषाण काल (40,000 ई.पू.-10,000 ई.पू.)

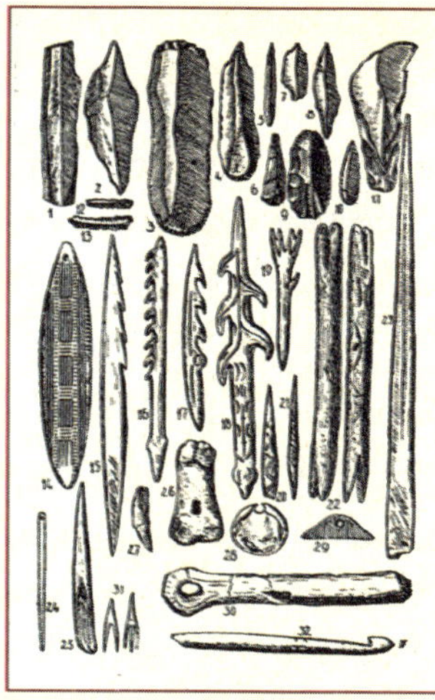

उच्च पुरापाषाण कालीन उपकरण

- यह काल तकनीकी और औज़ारों के नवाचारों, जैसे कि **तक्षणी** (burins), हार्पून, **समानांतर-पक्षीय ब्लेड** और सुइयों सहित बड़ी संख्या में **अस्थि औज़ारों** के निर्माण के लिए जाना जाता है।
- इस समयावधि में छोटे औज़ारों का प्रचलन अधिक था।
- **होमो सेपियंस** का उदय इसी काल में हुआ।
- यह काल **औज़ारों और प्रौद्योगिकी में प्रगति** के लिए जाना जाता है, जिसमें सुइयों, हार्पून, समानांतर-पक्षीय ब्लेड, मछली पकड़ने के उपकरण और तक्षणी या उत्कीर्णक जैसे असंख्य अस्थि औज़ारों का निर्माण शामिल है।

उल्लेखनीय उच्च पुरापाषाण स्थल

स्थल/स्थान	क्षेत्र/राज्य	मुख्य उपकरण / विशेषताएँ	महत्त्व / टिप्पणी
भीमबेटका शैलाश्रय	रायसेन ज़िला, **मध्य प्रदेश**	**फलक (blade) और तक्षणी उपकरण** और प्रारंभिक शैल कला	मध्य पुरापाषाण काल से लेकर उच्च पुरापाषाण काल तक निरंतर निवास; **कला और प्रतीकात्मक गतिविधि के प्रारंभिक साक्ष्य**।
बेलन घाटी	मिर्ज़ापुर-इलाहाबाद क्षेत्र, **उत्तर प्रदेश**	फलक, खुरचनी, वेधनी	अशूली से मध्यपाषाण काल तक सांस्कृतिक निरंतरता दर्शाती है; बदलती जलवायु के प्रति मानव अनुकूलन के प्रमाण।
पटने	जलगाँव ज़िला, **महाराष्ट्र**	फलक उद्योग, मनके, **शुतुरमुर्ग के अंडों के खोल पर कला**	**एस. एन. राजगुरू** द्वारा उत्खनन; **शुतुरमुर्ग के अंडों के खोल** पर उत्कीर्णन प्राप्त हुआ - भारत की सबसे प्राचीन प्रतीकात्मक कला।
बाघोर I	सीधी ज़िला, **मध्य प्रदेश**	पत्थर की धारियाँ, ज्यामितीय, गोलाकार पत्थर की संरचना	भारत में **आनुष्ठानिक गतिविधि का सबसे प्राचीन साक्ष्य** माना जाता है (संभवतः एक मंदिर)।
कुरनूल गुफाएँ	**आंध्र प्रदेश**	**अस्थि औज़ार**, धारदार औज़ार, पशु अवशेष	दक्षिण भारत में **शिकार अर्थव्यवस्था** और गुफा निवास का संकेत देते हैं।
महादेव पहाड़ियाँ/आदमगढ़	होशंगाबाद, **मध्य प्रदेश**	धारदार और तक्षणी औज़ार; आवास निक्षेप	**मध्य और उच्च पुरापाषाण काल के चरणों के अतिव्यापन** को दर्शाता है।
गोदावरी घाटी स्थल	**तेलंगाना और आंध्र प्रदेश**	धारदार और शल्क औज़ार, सूक्ष्म पाषाण उपकरण, क्वार्ट्ज और चर्ट उपकरण	उच्च पुरापाषाण संस्कृति के **दक्षिणी विस्तार** का संकेत देते हैं।
चित्रकूट क्षेत्र	**मध्य प्रदेश-उत्तर प्रदेश सीमा**	लंबे फलक (blade), खुरचनी, तक्षणी	महत्त्वपूर्ण **उत्तर भारतीय उच्च पुरापाषाण स्थल**; खुले वातावरण में कार्यशाला के साक्ष्य।
राजस्थान (डीडवाना, लूनी बेसिन)	**राजस्थान**	फलक उपकरण, सूक्ष्म पाषाण उपकरण, तक्षणी	शुष्क और **अर्ध-शुष्क वातावरण के अनुकूलन** का संकेत देते हैं।
तिरुनेलवेली बेसिन	**तमिलनाडु**	फलक और सूक्ष्म पाषाण उपकरण	उत्तर पुरापाषाण संस्कृति के सबसे **दक्षिणी विस्तार** का प्रतिनिधित्व करते हैं।

मध्यपाषाण काल (10,000 ई.पू. से 7,000 ई.पू.)

- यह काल पुरापाषाण (प्राचीन पाषाण काल) और नवपाषाण (नवीन पाषाण काल) के बीच का था।
- इस काल में तापमान और वैश्विक **तापन में वृद्धि** के परिणामस्वरूप बर्फ़ पिघली तथा इससे वनस्पतियों एवं जीव-जंतुओं के जीवन में परिवर्तन हुए।
- **समय सीमा :** लगभग 10,000 ई.पू. से 7,000 ई.पू.
- **प्रयुक्त औज़ार :** छोटे, अधिक सटीक उपकरण जिन्हें सूक्ष्म **पाषाण उपकरण** (Microliths) कहा जाता है (जो आमतौर पर चकमक पत्थर या चर्ट से बने छोटे प्रस्तर औज़ार होते हैं) शिकार और मछली पकड़ने जैसे उद्देश्यों के लिए बनाये गये थे। **हड्डियों और सींग से बने उपकरण** मध्यपाषाण समुदायों द्वारा प्रयुक्त औज़ारों की एक अन्य श्रेणी का प्रतिनिधित्व करते हैं।

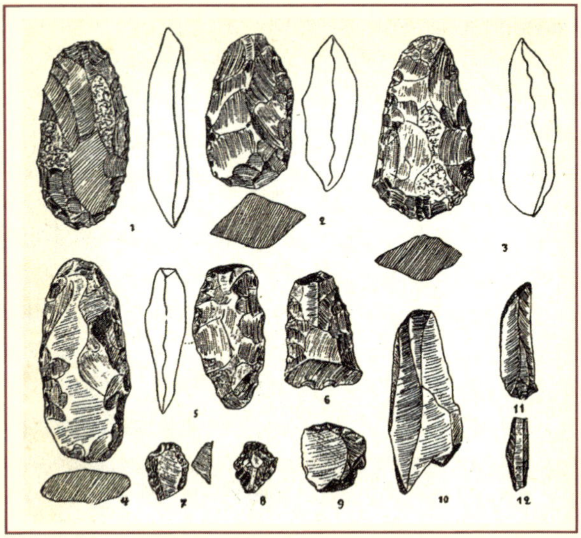

सूक्ष्म पाषाण उपकरण (Microlith)

- **जीवनशैली :** इस काल में, लोग मुख्य रूप से शिकार एवं मछली पकड़ने पर निर्भर थे तथा भोजन की तलाश में रहते थे, लेकिन अंततः उन्होंने पशु पालन भी शुरू कर दिया।
- **ए. सी. एल. कार्लाइल**, जिन्होंने भारतीय पुरातत्व सर्वेक्षण के प्रारंभिक महानिदेशक, अलेक्जेंडर कनिंघम की सहायता की, ने मध्य भारत के विंध्य पर्वतीय क्षेत्रों में स्थित गुफाओं और शैलाश्रयों में कई छोटे प्रस्तर औज़ारों की खोज की।
- सूक्ष्म पाषाण उपकरणों और विभिन्न मध्यपाषाण औज़ारों की प्रारंभिक खोज ए. सी. एल. कार्लाइल ने की थी। उन्होंने उत्तर प्रदेश के एक ज़िले, **मिर्ज़ापुर** में स्थित शैलाश्रयों में सूक्ष्म पाषाण उपकरण, शैल कला, पीसने के निशानवाले रंगद्रव्य के टुकड़े, मानव अवशेष, जानवरों की हड्डियाँ, राख और कोयला पाया।

क्या आप जानते हैं?

- **सूक्ष्म पाषाण** उपकरण, एक छोटा पत्थर का औज़ार होता है, जो आमतौर पर चकमक पत्थर (flint) या चर्ट से बनाया जाता है, जिसकी लंबाई लगभग एक सेंटीमीटर और चौड़ाई आधा सेंटीमीटर होती है। प्रागैतिहासिक मानव ने यूरोप, अफ्रीका, एशिया और ऑस्ट्रेलिया में सूक्ष्म पाषाण उपकरणों का निर्माण किया। इन सूक्ष्म पाषाण उपकरणों का उपयोग भाले की नोक (वेधनी) और तीर के सिरे के रूप में किया जाता था।
- **सूक्ष्म पाषाण** उपकरण मुख्यतः **मध्यपाषाण काल** से जुड़े हैं।

- मध्यपाषाण काल में लोग जानवरों की खाल से बने **वस्त्र पहनने लगे** थे।
- मध्यपाषाण काल के लोगों का कला से अत्यधिक लगाव था तथा उन्होंने **शैलचित्रों** का निर्माण शुरू किया, जिनमें मुख्य रूप से जंगली जानवरों और शिकार के दृश्यों के साथ-साथ नृत्य और भोजन की तलाश के चित्रण भी शामिल थे। ये शैलचित्र धार्मिक विश्वासों के विकास की अंतर्दृष्टि प्रदान करते हैं और लैंगिक आधार पर श्रम विभाजन का भी संकेत देते हैं।
- गंगा के मैदानों में प्रारंभिक मानव बस्ती इसी काल में बसी थी।
- अधिकांश मध्यपाषाण स्थलों पर **मृद्भांड** (मिट्टी के बर्तन) नहीं पाये गये, लेकिन **गुजरात के लंघनाज** में हस्तनिर्मित मृद्भांड पाये गये हैं।

भारत में उल्लेखनीय मध्यपाषाण स्थल

स्थल/स्थान	क्षेत्र/राज्य	मुख्य उपकरण / विशेषताएँ	महत्त्व / टिप्पणी
बागोर	राजस्थान	सूक्ष्म पाषाण उपकरण, पशुओं की हड्डियाँ, झोपड़ियाँ, शवाधान	भारत का **सबसे बड़ा मध्यपाषाण स्थल**; प्रारंभिक पशुपालन (भेड़, गाय, बकरी) और स्थायी बस्ती के साक्ष्य
लंघनाज	गुजरात	मानव शवाधान, सूक्ष्म पाषाण उपकरण, जंगली जानवरों की हड्डियाँ	**हस्तनिर्मित मृद्भांड** मिले
आदमगढ़ की पहाड़ियाँ	मध्य प्रदेश	सूक्ष्म पाषाण उपकरण, चित्रों सहित शैलाश्रय	शैल कला और आवास साक्ष्य; उत्तर पुरापाषाण काल से निरंतरता
सराय नाहर राय	उत्तर प्रदेश	सूक्ष्म पाषाण उपकरण, पशुओं की हड्डियाँ, मानव शवाधान	गंगा घाटी का महत्त्वपूर्ण स्थल; सामूहिक क़ब्रगाह और सामुदायिक जीवन के साक्ष्य
महादाहा	उत्तर प्रदेश	सूक्ष्म पाषाण उपकरण, कंकाल, आवास तल	पालतूकरण और सामाजिक संगठन के साथ बसे हुए समुदाय को दर्शाता है।
दमदमा	उत्तर प्रदेश	सूक्ष्म पाषाण उपकरण, मानव कंकाल, जीव-जंतु अवशेष	आहार विविधता और विस्तारित बसावट का पता चलता है।
तेरी स्थल	तमिलनाडु	सूक्ष्म पाषाण उपकरण, लाल रेत के टीले, सीपियाँ	दक्षिणी तटीय अनुकूलन और सीपियों के संभावित प्रारंभिक व्यापार को दर्शाता है।
चोपानी मांडो	बेलन घाटी, उत्तर प्रदेश	सूक्ष्म पाषाण उपकरण, अस्थि उपकरण, झोपड़ियों के फ़र्श,	लाल निशानोंवाली जली हुई मिट्टी के टुकड़ों से पता चलता है कि लोग घास-मिट्टी और मिट्टी की बनी झोपड़ियों में रहते थे।
बीरभानपुर	पश्चिम बंगाल	सूक्ष्म पाषाण उपकरण, आवास निक्षेप	पूर्वी भारतीय मध्यपाषाण स्थल, जो विस्तृत भौगोलिक विस्तार दर्शाता है।
पादरी और लोटेश्वर	गुजरात	सूक्ष्म पाषाण उपकरण, जीव-जंतु अवशेष, मृद्भांड (बाद के स्तरों में)	प्रारंभिक कृषि गतिविधियों और प्रारंभिक कृषकों के साथ संपर्क का संकेत देते हैं।

कृपया ध्यान दें : *मध्यपाषाणकालीन शैल कला का विवरण, चित्रकला, अध्याय में दिया गया है।*

नवपाषाण काल (नव पाषाण युग)

- "नियोलिथिक एज" शब्द ग्रीक शब्दों "नियो" (अर्थात् नवीन) और "लिथिक" (अर्थात् पत्थर) से मिलकर बना है। फलस्वरूप, इस काल को "नवपाषाण काल (New Stone Age)" कहा जाता है। इस काल को **"नवपाषाण क्रांति (Neolithik revolution)"** भी कहा जाता है क्योंकि इस समयावधि में मानव की सामाजिक और आर्थिक जीवनशैली में कई महत्त्वपूर्ण परिवर्तन हुए, जो शिकार और संग्रहण से खाद्य उत्पादन की ओर बदलाव का प्रतीक थे।
- **अवधि :** लगभग 7000 ई.पू. से 2000 ई.पू.
- **प्रयुक्त औज़ार :** दरांती, कुल्हाड़ी और चक्की जैसे परिष्कृत प्रस्तर औज़ार, साथ ही तीर के सिरे (नोक), खुरचनी, सुई और छेदक (borers) जैसे सूक्ष्म पाषाण उपकरण और अस्थि औज़ार।
- **जीवनशैली :** एक स्थायी आवासवाला अस्तित्व, जिसमें कृषि, पशुपालन, पहियेदार परिवहन की शुरुआत, मृद्भांडों का उत्पादन और प्रारंभिक ग्राम समुदायों का उदय शामिल था।
- **मृद्भांड :** जैसे-जैसे कृषि का उदय हुआ, लोगों को अपने खाद्यान्नों का भंडारण करने और अपने उत्पादों को तैयार और उपभोग करने की आवश्यकता महसूस हुई। इसलिए, इस काल में, मृद्भांडों का प्रचलन प्रमुख हो गया। इस काल

के मृद्‌भांडों को धूसर मृद्‌भांड, काले पॉलिश वाले मृद्‌भांड और साँचे में मुद्रित मृद्‌भांडों (mat-impressed ware) में वर्गीकृत किया गया है। नवपाषाण काल के प्रारंभिक चरणों में, मृद्‌भांड (मिट्टी के बर्तन) हाथ से बनाये जाते थे, लेकिन बाद में बर्तन बनाने के लिए पैर से चलनेवाले पहियों का इस्तेमाल किया जाने लगा।

- **आवास और स्थायी जीवन :** नवपाषाण काल के लोग मिट्टी और सरकंडों से बने आयताकार या गोलाकार घरों में रहते थे। उनमें नाव बनाने, सूत और ऊन कातने एवं कपड़ा बुनने का कौशल भी था। नवपाषाण काल में एक अधिक स्थायी जीवन शैली का उदय हुआ, जिसने सभ्यता के उद्‌भव की नींव रखी।

नवपाषाण कालीन औज़ार

भारत में उल्लेखनीय नवपाषाण स्थल

स्थल/स्थान	क्षेत्र/राज्य	मुख्य उपकरण/विशेषताएँ	महत्त्व/टिप्पणी
मेहरगढ़	पाकिस्तान	प्रारंभिक कृषि **(गेहूँ, जौ, जई)**, पालतू पशु, मिट्टी की ईंटों से बने घर, अलंकृत क़ब्रें	**स्थायी कृषि की ओर अग्रसर सबसे प्राचीन ज्ञात नवपाषाण स्थल**; सिंधु सभ्यता का पूर्ववर्ती; पशुओं **(बकरी, भेड़, मवेशी)** का पालन-पोषण
बुर्जहोम	जम्मू और कश्मीर	गड्ढेवाले आवास (गर्तवास), हड्डी के औज़ार, पत्थर की कुल्हाड़ियाँ, पालतू कुत्तों के शव-क़ब्रिस्तान	ठंडी जलवायु के लिए विशिष्ट **गर्तवास** (pit-houses); उत्तर भारत की नवपाषाण संस्कृति को दर्शाते हैं।
महगड़ा	उत्तर प्रदेश	गोलाकार झोपड़ियाँ, पॉलिश किए हुए प्रस्तर औज़ार, पालतू मवेशी	गंगा घाटी में प्रारंभिक बसे हुए जीवन और पशुपालन को दर्शाते हैं।
कोल्डिहवा	उत्तर प्रदेश	मृद्‌भांडों और अस्थि औज़ारों पर चावल की भूसी के निशान	**भारत में चावल की खेती** (ओरिजा सातिवा) के सबसे पुराने प्रमाण।
बेलन घाटी	उत्तर प्रदेश	पालतू जानवरों, मृद्‌भांडों और सूक्ष्म पाषाण उपकरणोंवाले नवपाषाण काल के स्तर	मध्यपाषाण काल से नवपाषाण काल तक की निरंतरता दर्शाता है; स्थायी कृषि।
उत्नूर	तेलंगाना	मिट्टी की झोपड़ियाँ, पत्थर की कुल्हाड़ियाँ, राख के टीले, मवेशियों की हड्डियाँ	दक्षिण भारत की विशिष्ट राख-टीला संस्कृति।
कल्लूर	कर्नाटक	राख के टीले, बाजरे की खेती और हस्तनिर्मित मृद्‌भांड	बाजरे पर आधारित खेती; बाद के चरण में लोहे के उपयोग का सबसे पहला प्रमाण।
मास्की/मस्की	कर्नाटक	पत्थर की कुल्हाड़ियाँ, बाजरे के दाने, जानवरों की हड्डियाँ	दक्षिणी नवपाषाण परिसर का एक हिस्सा।
संगनाकल्लू	कर्नाटक	पत्थर के औज़ार, राख के ढेर, मवेशी पालन के साक्ष्य	प्रायद्वीपीय भारत की सबसे बड़ी नवपाषाण बस्तियों में से एक।
वाटगल	कर्नाटक	सूक्ष्म पाषाण उपकरण उद्योग, कलश समाधि और विस्तारित समाधि, क़ब्र के सामान के रूप में बर्तन, **सुपारी के बीज**	दक्षिण एशिया में **सुपारी के उपयोग के प्रारंभिक साक्ष्य**
बुदिहाल	कर्नाटक	राख के टीले, चर्ट के औज़ार, पीसने के बड़े ख़ाँचे, हड्डी के औज़ार, बच्चों की क़ब्रें	**सामुदायिक भोज** के साक्ष्य मिले; **बेर, चेरी और आँवले के बीज** मिले

इस प्रकार, संक्षेप में:

पाषाण काल	भूवैज्ञानिक काल	निर्वाह प्रकार	भारतीय पाषाण/औज़ार के प्रकार
निम्न पुरापाषाण काल	निम्न प्लीस्टोसीन काल	शिकार और संग्रहण	हस्त कुठार, कंकड़, विदारणी (क्लीवर)
मध्य पुरापाषाण काल	मध्य प्लीस्टोसीन काल	शिकार और संग्रहण	शल्क औज़ार (**लेवालोइस** तकनीक)
उच्च पुरापाषाण काल	उच्च प्लीस्टोसीन काल	शिकार और संग्रहण	धारदार (blade) औज़ार, तक्षणी
मध्य पाषाण काल	होलोसीन काल	शिकार और संग्रहण, पशुपालन और मछली पकड़ना	सूक्ष्म पाषाण उपकरण
नवपाषाण काल	होलोसीन काल	पौधे और पशुपालन, खाद्य उत्पादन	केल्ट/सेल्ट (कुल्हाड़ी जैसा एक पुरातन हथियार)

ताम्रपाषाण काल (ताम्र पाषाण युग)

भारत में ताम्रपाषाण काल, जिसे ताम्रपाषाण युग (Chalcolithic Age या Stone Copper Age) भी कहा जाता है, सामान्यत: लगभग 3000 ई.पू. से 700 ई.पू. तक की समयावधि में था, हालाँकि इसके कुछ प्रारंभिक चरण, जैसे गणेश्वर-जोधपुरा संस्कृति, 2800 ई.पू. तक देखे जा सकते हैं। इस काल की विशेषता ताँबे और पत्थर दोनों से बने औज़ारों का संयोजन है, जो प्रारंभिक धातु युग और नवपाषाण काल से कांस्य युग की ओर बदलाव का प्रतीक है।

- **प्रारंभिक चरण :** राजस्थान में गणेश्वर-जोधपुरा संस्कृति सहित कुछ प्रारंभिक ताम्रपाषाण संस्कृतियाँ, 2800-2200 ई.पू. तक पुरानी मानी जाती हैं।

ताम्रपाषाण काल की प्रमुख विशेषताएँ

- **धातु और पत्थर का उपयोग :** समुदाय अपनी दैनिक गतिविधियों के लिए पत्थर के औज़ारों और बर्तनों के साथ ताँबे का भी उपयोग करते थे।
- **ग्रामीण बस्तियाँ :** ताम्रपाषाण समाज मुख्यत: ग्रामीण थे, जो पहाड़ियों और नदियों के पास स्थित बस्तियों में निवास करते थे।
- **खेती और जीविका :** कृषि, शिकार, मछली पकड़ना और पशुपालन इन समुदायों की अर्थव्यवस्था के आधार थे।
- **क्षेत्रीय संस्कृतियाँ :** प्रमुख ताम्रपाषाण संस्कृतियों में राजस्थान की आहड़-बनास संस्कृति के साथ-साथ मध्य भारत और महाराष्ट्र की जोर्वे/जोरवे और मालवा संस्कृतियाँ शामिल हैं।
- **तकनीकी परिवर्तन :** यह काल एक महत्त्वपूर्ण तकनीकी कड़ी के रूप में कार्य करता था, जो पाषाण-औज़ारों पर निर्भर नवपाषाण काल को परवर्ती कांस्य युगीन सभ्यताओं से जोड़ता था।

क्या आप जानते हैं? ताँबे के भंडार की वस्तुओं में सबसे रहस्यमयी कलाकृति एंथ्रोपोमॉर्फ है। यह उत्तर प्रदेश के मुरादाबाद ज़िले के मदारपुर में मिली थी।

महत्त्वपूर्ण ताम्रपाषाण स्थल

स्थल/स्थान	क्षेत्र/राज्य	मुख्य उपकरण/विशेषताएँ	महत्त्व/टिप्पणी
आहड़ (बनास संस्कृति)	राजस्थान	काले और लाल मृद्भांड, ताम्र औज़ार, मिट्टी के घर और प्रस्तर फलक	बनास संस्कृति से संबद्ध; ताम्र आधारित ग्रामीण बस्ती, प्रारंभिक धातुकर्म साक्ष्य।
बालाथल	राजस्थान	क़िलेबंद बस्ती, ताम्र औज़ार, मवेशियों की हड्डियाँ और अन्न भंडार	क़िलेबंदी और उन्नत वास्तुकला को दर्शाता है।
गिलुंड	राजस्थान	टेराकोटा मूर्तियाँ, मुहर के निशान, भंडारण संरचनाएँ	महत्त्वपूर्ण आहड़-बनास संस्कृति स्थल; शिल्प विशेषज्ञता और व्यापार के साक्ष्य।
कायथा	मध्य प्रदेश	चित्रित मृद्भांड, ताम्र औज़ार, प्रस्तर फलक	**मध्य भारत का सबसे प्रारंभिक ताम्रपाषाण स्थल**; आहड़ और मालवा संस्कृतियों के बीच संक्रमणकालीन।

स्थल/स्थान	क्षेत्र/राज्य	मुख्य उपकरण/विशेषताएँ	महत्त्व/टिप्पणी
नवदाटोली	मध्य प्रदेश	गोलाकार झोपड़ियाँ, सूक्ष्म पाषाण उपकरण और चित्रित मृद्भांड	मालवा संस्कृति से संबंधित; यह कृषि (गेहूँ, जौ, दालें) और पालतू पशुओं को दर्शाता है।
अर्नाबाद (मालवा संस्कृति)	मध्य प्रदेश	चित्रित मृद्भांड, ताँबे के औज़ार और मनके	विकसित ग्रामीण जीवनवाला विशिष्ट मालवा संस्कृति स्थल।
इनामगाँव	महाराष्ट्र	घर, अन्न भंडार, ताम्र और प्रस्तर औज़ार, बैलों की अंत्येष्टि	जोरवे संस्कृति का विशिष्ट स्थल; मिश्रित खेती, सिंचाई और आनुष्ठानिक अंत्येष्टि के साक्ष्य।
जोरवे	महाराष्ट्र	ज्यामितीय डिज़ाइनोंवाले चित्रित लाल मृद्भांड, ताँबे के औज़ार	दक्कन की **सबसे विकसित ताम्रपाषाण संस्कृति** शिल्प विशेषज्ञता और लंबे समय तक बसावट को दर्शाती है।
नेवासा	महाराष्ट्र	जोरवे और मालवा के मृद्भांड, सूक्ष्म पाषाण उपकरण, ताँबे के औज़ार	नवपाषाण काल से ताम्रपाषाण काल तक की निरंतरता को दर्शाते हैं।
दैमाबाद	महाराष्ट्र	कांस्य मूर्तियाँ (भैंस, हाथी, गैंडा, रथ), विशाल बस्ती	दक्कन का सबसे बड़ा ताम्रपाषाण स्थल; प्रारंभिक कांस्य उपयोग और व्यापार नेटवर्क के साक्ष्य।
सावल्दा	महाराष्ट्र	चित्रित लाल मृद्भांड, हस्तनिर्मित बर्तन, ताम्र औज़ार	जोरवे पूर्व ताम्रपाषाण संस्कृति; संक्रमणकालीन चरण।
गणेश्वर-जोधपुरा	राजस्थान	400 से अधिक ताम्र औज़ार (तीर के सिरे, मछली के काँटे), सूक्ष्म पाषाण उपकरण, मृद्भांड	हड़प्पा ताम्र आपूर्ति नेटवर्क से जुड़ा, एक प्रमुख धातु-कार्य केंद्र।
नोकोडा और ओजियाना	राजस्थान	ताम्र वस्तुएँ, चित्रित मिट्टी के बर्तन	आहार-बनास सांस्कृतिक परिसर का एक भाग।
प्रभास पाटन (सोमनाथ)	गुजरात	काले और लाल मृद्भांड, ताम्र औज़ार	पश्चिमी तटीय ताम्रपाषाण संस्कृति स्थल।
तेक्कलकोटा	कर्नाटक	ताँबे के औज़ार, मृद्भांड और जानवरों की हड्डियाँ	ताम्रपाषाण संस्कृतियों का दक्षिणी विस्तार।

यू.पी.एस.सी. विगत वर्षों के बहुविकल्पीय प्रश्न

1. 'लेवेलोइस तकनीक' के संबंध में निम्नलिखित कथनों पर विचार कीजिए: **(CDS II, 2023)**
   1. यह छिद्रित हड़प्पा मिट्टी के बर्तन बनाने से संबंधित है।
   2. यह प्रागैतिहासिक परतदार औज़ार बनाने से संबंधित है।

   ऊपर दिये गये कथनों में से कौन सा/से सही है/हैं?

   (a) केवल 1 (b) केवल 2
   (c) 1 और 2 दोनों (d) न तो 1 और न ही 2

2. पुरापाषाणकालीन औज़ारों के संदर्भ में निम्नलिखित कथनों पर विचार कीजिए: **(CDS II, 2023)**
   1. इसमपुर कर्नाटक के गुलबर्गा ज़िले में स्थित पत्थर के औज़ार निर्माण का एक प्रसिद्ध केंद्र था और कामता हल्ला नामक एक छोटी मौसमी नदी के किनारे स्थित था।
   2. पुरापाषाणकालीन ब्लेड एक परतदार औज़ार होता है, जिसकी लंबाई उसकी चौड़ाई के दोगुने से अधिक होती है।

   ऊपर दिये गये कथनों में से कौन सा/से सही है/हैं?

   (a) केवल 1 (b) केवल 2
   (c) 1 और 2 दोनों (d) न तो 1 और न ही 2

3. 'नवपाषाण काल' के संदर्भ में निम्नलिखित में से कौन सा कथन सही नहीं है? **(CAPF, 2023)**

   (a) इस काल की विशिष्ट विशेषताओं में घिसे और पॉलिश किये हुए पत्थर के औज़ार, कृषि, पशुपालन और मिट्टी के बर्तन शामिल थे।
   (b) इस काल को 'नव पाषाण युग' के नाम से भी जाना जाता है।
   (c) ये विशिष्ट विशेषताएँ उपमहाद्वीप के विभिन्न भागों में लगभग एक ही समय में प्रकट हुईं।
   (d) कृषि के सबसे प्राचीन साक्ष्य लगभग 8000 ईसा पूर्व मेहरगढ़ से मिलते हैं।

उत्तरमाला

1. (b) 2. (c) 3. (c)

2

भारतीय वास्तुकला

अध्याय की रूपरेखा

- भारतीय वास्तुकला
- भारतीय वास्तुकला का वर्गीकरण
- हड़प्पायी कला और वास्तुकला
- हड़प्पा सभ्यता के अंतर्गत नगर नियोजन
- कुछ महत्त्वपूर्ण पुरातात्त्विक स्थल और उनका महत्त्व
- मौर्यकालीन वास्तुकला
- दरबारी कला
- महल या क़िला
- स्तम्भ
- मौर्य काल के उल्लेखनीय स्तंभ
- स्तूप
- लोकप्रिय कला
- गुफा स्थापत्य कला
- मौर्योत्तर कला एवं वास्तुकला
- शैलकृत गुफाएँ
- गुप्त काल
- गुफा वास्तुकला
- अजंता की गुफाएँ
- एलोरा की गुफाएँ
- बाघ गुफाएँ
- जूनागढ़ की गुफाएँ
- मंडपेश्वर की गुफाएँ
- उदयगिरि की गुफाएँ, विदिशा
- कुछ अन्य उल्लेखनीय गुफा वास्तुकलाएँ
- एलिफैंटा गुफाएँ
- उंदावल्ली गुफाएँ
- स्तूप
- मंदिरों की वास्तुकला

वास्तुकला का वास्तु शब्द संस्कृत की 'वस्' धातु से व्युत्पन्न है, जिसका अर्थ रहना, बसना, निवास करना होता है, अर्थात् वास्तु का अर्थ होता है- घर, आवास, निवास आदि। वास्तुकला से तात्पर्य इमारतों के डिज़ाइन और निर्माण से है तथा इसमें **विभिन्न प्रकार की सामग्रियों** जैसे पत्थर, लकड़ी, काँच, धातु और रेत के **मिश्रण** का उपयोग किया जाता है।

भारतीय वास्तुकला

भारतीय कला और वास्तुकला की कहानी; विकास की कहानी है। प्राचीन सिंधु घाटी सभ्यता से लेकर ब्रिटिश शासन तक, भवनों और मूर्तियों की अपनी स्वयं की एक कहानी है। महान् साम्राज्यों का उद्भव और पतन, विदेशी शासकों का आक्रमण, (जो धीरे-धीरे स्वदेशी बन गये) विभिन्न संस्कृतियों और 'शैलियों' का संगम आदि भारतीय वास्तुकला और मूर्तिकला के विकास में परिलक्षित होते हैं।

विभिन्न युगों में किसी देश के विकास के विभिन्न चरण उसकी वास्तुकला में प्रतिबिंबित होते हैं। किसी क्षेत्र की स्थापत्य संबंधी संरचनाएँ भी समाज की अपनी संस्कृति और परंपरा के प्रति झुकाव दर्शाती हैं। भारत में अधिकांश कलात्मक और स्थापत्य संबंधी अवशेष धार्मिक प्रकृति के हैं। भारत में चट्टानों को काटकर बनायी गयीं संरचनाएँ प्राचीन भारतीय कला का प्रभावशाली नमूना प्रदर्शित करती हैं। भारत में गुफाएँ विभिन्न धर्मों से जुड़ी हुई हैं और विभिन्न शैलियों के बीच स्थापत्यकला संबंधी अंतर प्रस्तुत करती हैं।

भारतीय वास्तुकला का वर्गीकरण

- **प्राचीन भारत**
  - हड़प्पाई कला
  - मौर्यकालीन कला
  - मौर्योत्तर कला
  - गुप्तकालीन कला
  - दक्षिण भारतीय कला
- **मध्यकालीन भारत**
  - दिल्ली सल्तनत
  - मुग़ल काल
- **आधुनिक भारत**
  - इंडो-गॉथिक शैली
  - नव-रोमन शैली

हड़प्पायी कला और वास्तुकला

ईसा पूर्व तीसरी सहस्राब्दी के उत्तरार्द्ध में सिंधु नदी के तट पर एक समृद्ध सभ्यता का प्रादुर्भाव हुआ, जो आगे चलकर उत्तर-पश्चिम और पश्चिम भारत के विशाल भाग में फैल गयी। इसे हड़प्पा सभ्यता या सिंधु घाटी सभ्यता के रूप में जाना जाता है। जीवंत कल्पना और कलात्मक संवेदनशीलता इस प्राचीन सभ्यता की विशिष्टता थी, जो उत्खनन स्थलों पर पायी गयीं अनेकानेक **मूर्तियों, मोहरों, मृद्भाण्डों, आभूषणों आदि** से प्रकट होती है। इस सभ्यता के दो प्रमुख स्थल- हड़प्पा और मोहनजोदड़ो, **शहरी नियोजन** के आरंभिक और सर्वोत्तम उदाहरणों में से एक हैं। सड़कों का नियोजित नेटवर्क, मकान तथा जल निकास प्रणाली इस युग के दौरान विकसित नियोजन और अभियांत्रिकी कौशल का प्रमाण है।

हड़प्पा सभ्यता के अंतर्गत नगर नियोजन

हड़प्पा और मोहनजोदड़ो के अवशेष, नगर नियोजन की उल्लेखनीय समझ को प्रकट करते हैं। यहाँ के नगर **आयताकार ग्रिड पैटर्न** पर आधारित थे। सड़कें उत्तर-दक्षिण और पूर्व-पश्चिम दिशा में जाती थीं और एक-दूसरे को **समकोण** काटती थीं।

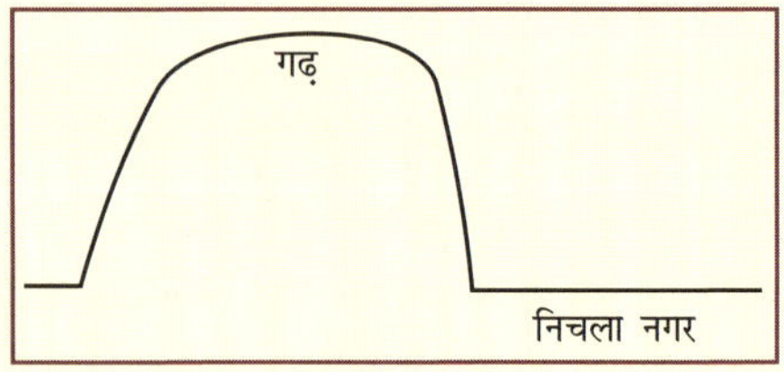

गढ़ व निचला नगर

उत्खनन स्थलों में मुख्य रूप से **तीन प्रकार के भवन** पाये गये हैं – *आवास गृह, सार्वजनिक भवन और सार्वजनिक* स्नानागार। निर्माण के

लिए हड़प्पायी लोग मानकीकृत आयामोंवालीं **मिट्टी की पक्की ईंटों** का उपयोग करते थे। भली-भाँति पकी हुई ईंटों की कई परतें बिछायी जाती थीं और इसे **जिप्सम के गारे** का उपयोग करके एक साथ जोड़ा जाता था।

नगर दो भागों में विभाजित था- **ऊँचे गढ़ (दुर्ग)** तथा **निचला** नगर। *पश्चिमी भाग* में **ऊँचाई पर स्थित गढ़ी** का उपयोग विशाल आयामोंवाले भवनों, जैसे-*अन्नागार, प्रशासनिक भवन, स्तम्भोंवाला हॉल* और *आँगन* आदि के लिए किया जाता था। गढ़ी में स्थित कुछ भवन संभवत: *शासकों और अभिजात वर्गों के आवास* थे। हालाँकि, सिंधु घाटी सभ्यता के स्थलों में मिस्र और मेसोपोटामिया सभ्यता के विपरीत शासकों के लिए मंदिर या महल जैसे बड़े स्मारक नहीं हैं। **अन्नागार, बुद्धिमत्ता के साथ वायुसंचार वाहिकाओं सहित ऊँचे चबूतरों** के साथ डिज़ाइन किये गये थे। इससे अनाज के भंडारण में मदद के साथ ही कीटों से उनकी रक्षा करने में भी सहायता मिलती थी।

हड़प्पायी नगरों की एक प्रमुख विशेषता **सार्वजनिक स्नानागारों** का प्रचलन था। इससे उनकी संस्कृति में कर्मकांडीय पवित्रता के महत्त्व का संकेत मिलता है। इन स्नानागारों के चारों ओर **दीर्घाओं** और *कक्षों* का समूह था। सार्वजनिक स्नानागारों का सबसे प्रसिद्ध उदाहरण **मोहनजोदड़ो के उत्खनित अवशेषों में 'बृहत् स्नानागार'** है।

मोहनजोदड़ो का बृहत् स्नानागार

नगर के निचले भाग में, एक-कक्षीय छोटे भवन पाये गये हैं। इनका उपयोग संभवत: *श्रमिक वर्ग के लोगों* द्वारा आवास के रूप में किया जाता था। कुछ घरों में सीढ़ियाँ भी थीं, जिससे संकेत मिलता है कि ये संभवत: दो *मंज़िला* भवन थे। अधिकांश भवनों में निजी कुएँ और स्नानगृह थे और वायुसंचार की भी उचित व्यवस्था थी।

हड़प्पा सभ्यता की सबसे प्रमुख विशेषता उसकी **उन्नत जल निकासी व्यवस्था** थी। प्रत्येक घर से निक़लनेवालीं छोटी नालियाँ मुख्य सड़क के साथ चलनेवालीं बड़ी नालियों से जुड़ी थीं। नियमित साफ़-सफ़ाई और रखरखाव के लिए **नालियों को** *शिथिल रूप से ढका* गया था। नियमित दूरियों पर **मलकुण्ड (सिसपिट)** बनाये गये थे। व्यक्तिगत और सार्वजनिक दोनों प्रकार की *स्वच्छता* पर प्रभावशाली बल दिया गया। कई स्थानों पर कुओं की उपस्थिति भी देखी गयी है।

क्या आप जानते हैं? कई विद्वानों का तर्क है कि टिग्रिस-युफ्रेट्स (दजला-फ़रात) घाटी के मेसोपोटेमियाई लोग सिंधु घाटी सभ्यता को 'मेलुहा' कहते थे। मेसोपोटामिया में सिंधु घाटी सभ्यता की कई मोहरें मिली हैं।

आइए, अब हम अलग-अलग हड़प्पा स्थलों पर चर्चा करते हैं, जिनकी खुदाई की गयी है और वहाँ मिलीं चीज़ों पर :

स्थल का नाम	आधुनिक स्थान (राज्य/देश)	नदी/क्षेत्र	उत्खननकर्ता/वर्ष	प्रमुख खोजें/अद्वितीय विशेषताएँ	टिप्पणी/महत्त्व
हड़प्पा	मोंटगोमरी ज़िला, **पंजाब (पाकिस्तान)**	**रावी** नदी	दया राम साहनी (1921)	अन्न भंडार, कुएँ, पुरुष धड़ (लाल बलुआ पत्थर), ताबूत में दफ़नाए गये शव, खिलौना गाड़ियाँ, मातृदेवी, गोलाकार चबूतरे	पहला खोजा गया स्थल - हड़प्पा सभ्यता नाम दिया गया; कुओं की संख्या कम

स्थल का नाम	आधुनिक स्थान (राज्य/देश)	नदी/क्षेत्र	उत्खननकर्ता/वर्ष	प्रमुख खोजें/अद्वितीय विशेषताएँ	टिप्पणी/महत्त्व
मोहनजोदड़ो	लरकाना ज़िला, **सिंध (पाकिस्तान)**	**सिंधु** नदी	आर.डी. बनर्जी (1922)	बृहत् स्नानागार, बृहत् अन्न भंडार (मूल रूप से हम्माम या गर्म हवा का स्नानागार), पुरोहित महाविद्यालय, काँसे की नर्तकी, दाढ़ीवाले पुरोहित-राजा, पशुपति मुहर, पासा, सभा भवन	**सबसे बड़ी बस्ती;** सबसे सुनियोजित शहर; प्रशासन और धर्म का केंद्र; जलरोधन के शुरुआती उदाहरणों में से एक; बड़ी संख्या में कुएँ
धोलावीरा	कच्छ, **गुजरात (भारत)**	**मनहर और मंदसर** नदियों के बीच	जे.पी. जोशी (1967-68)	हड़प्पा लिपिवाला साइनबोर्ड, स्टेडियम, क़िलेबंदी, उत्तर-दक्षिण नगर नियोजन; **तीन भागों** (एक्रोपोलिस, मध्य नगर और निचला नगर) में विभाजित नगर; **गढ़ में प्रस्तर स्तंभों** के अवशेष, जो केवल धोलावीरा में ही पाये जाते हैं	तीसरा सबसे बड़ा हड़प्पा स्थल; अद्वितीय जल संचयन और प्रबंधन प्रणाली। जलाशय, बाँध। नवीनतम खोजा गया शहर।
कालीबंगा	हनुमानगढ़, **राजस्थान (भारत)**	**घग्गर (सरस्वती)** नदी	ए. घोष (1953)	समकोण पर दो खाँचोंवाला जुता हुआ खेत, जो अंतर-फ़सल का संकेत देता है; बड़ी संख्या में अग्नि वेदियाँ; काली चूड़ियाँ; गढ़ और निचले नगर का क़िला, क़ब्रिस्तान और गोलाकार गड्ढे।	कृषि और अनुष्ठानिक अग्नि पूजा के साक्ष्य।
लोथल	अहमदाबाद ज़िला, **गुजरात (भारत)**	**भोगवा** नदी और साबरमती नदी के बीच	एस.आर. राव (1957)	नगर परिसर अलग नहीं, बाज़ार की गलियाँ, चावल की भूसी, मनके का कारख़ाना, हाथीदाँत और शंख की कार्यशालाएँ, अग्नि वेदियाँ, क़ब्रिस्तान, गोदाम, टेराकोटा की मुहरें	जल स्तर को नियमित बनाये रखने के लिए जलद्वार (स्लुइस गेट) और स्पिल चैनल सहित **गोदी (डॉकयार्ड)**। मेसोपोटामिया के साथ विदेशी व्यापार के लिए एक महत्वपूर्ण **बंदरगाह शहर।**
राखीगढ़ी	हिसार ज़िला, **हरियाणा (भारत)**	घग्गर-हकरा बेसिन	अमरेंद्र नाथ (1997-2000)	भारत में सबसे बड़ा हड़प्पा स्थल; ईंटों का कुआँ, अग्नि वेदियाँ, जल निकासी; मणिकारी (लैपिडरी) कार्यशाला; लकड़ी के ताबूतवाला क़ब्रिस्तान	संभवतः एक प्रमुख **शहरी और राजनीतिक केंद्र। हड्डी और हाथीदाँत के काम** के स्पष्ट प्रमाण।
बनावली	फ़तेहाबाद, **हरियाणा (भारत)**	**सरस्वती (घग्गर)** नदी	आर.एस. बिष्ट (1973)	क़िलेबंद शहर, कई अग्नि-वेदियाँ, जौ के अवशेष, खिलौना गाड़ियाँ; मुहरें केवल निचले शहर में पायी गयीं; **जौहरी का घर**	प्रारंभिक से परिपक्व हड़प्पा संस्कृति का संक्रमणकालीन स्थल। बहु-कमरेवाला घर जिसमें रसोईघर, एक पात्रवाला **शौचालय** है, जो ऐसा प्रतीत होता है कि वॉशबेसिन का काम करता था।

स्थल का नाम	आधुनिक स्थान (राज्य/देश)	नदी/क्षेत्र	उत्खननकर्ता/वर्ष	प्रमुख खोजें/अद्वितीय विशेषताएँ	टिप्पणी/महत्त्व
रोपड़	पंजाब (भारत)	**सतलुज नदी**	वाई.डी. शर्मा	मानव क़ब्रगाह, ताँबे के औज़ार, मृद्भांड	हड़प्पा + वैदिक सांस्कृतिक निरंतरता।
चन्हूदड़ो	सिंध (पाकिस्तान)	**सिंधु** नदी के पास	एन.जी. मजूमदार (1931)	मोती का कारख़ाना, मुहर का कारख़ाना, काँसे और हाथीदाँत की वस्तुएँ	औद्योगिक शहर; **बिना किसी क़िलेबंदीवाला एकल टीला;** कोई गढ़ नहीं; शिल्प गतिविधि का महत्वपूर्ण केंद्र
कोट दीजी	सिंध (पाकिस्तान)	**सिंधु** नदी	एफ़.ए. ख़ान (1955)	क़िलेबंद पूर्व-हड़प्पा नगर, लाल और काले मृद्भांड	शहरी विकास को दर्शानेवाला महत्वपूर्ण पूर्व-हड़प्पा स्थल।
अमरी	सिंध (पाकिस्तान)	सिंधु नदी के पास	एन.जी. मजूमदार	प्रारंभिक मृद्भांड, क़िलेबंदी, रक्षात्मक दीवारें; **गैंडे की हड्डियाँ**	ताम्रपाषाण और हड़प्पा संस्कृति के बीच संक्रमणकालीन चरण।
सुत्कागेंडोर	मकरान तट, **बलूचिस्तान (पाकिस्तान)**	अरब सागर के पास	ए. स्टीन	क़िलेबंद तटीय बस्ती	**सबसे पश्चिमी** हड़प्पा स्थल - मेसोपोटामिया और फ़ारस के साथ समुद्री व्यापार।
बालाकोट	बलूचिस्तान, **पाकिस्तान**	अरब सागर के पास	जी.एफ़. डेल्स	सीप उद्योग, मछली अवशेष, तटीय व्यापार	तटीय स्थल; **समुद्री व्यापार** के साक्ष्य।
आलमगीरपुर	मेरठ ज़िला, उत्तर प्रदेश (भारत)	हिंडन नदी (यमुना की सहायक नदी)	वाई.डी. शर्मा	मिट्टी की ईंटों की संरचनाएँ, मृद्भांड, टेराकोटा केक	**सबसे पूर्वी** हड़प्पा स्थल; उत्तर चरण की बस्ती।
रंगपुर	राजकोट के पास, गुजरात (भारत)	सौराष्ट्र	एस.आर. राव	चावल की भूसी के निशान, उत्तर हड़प्पाकालीन मृद्भांड	**चावल की खेती के साक्ष्य।**
सुरकोटड़ा	कच्छ, **गुजरात (भारत)**	**धुद** नदी के पास	जे.पी. जोशी (1964)	क़िलेबंदी, घोड़े की हड्डियाँ (विवादास्पद), मिट्टी के घर; गढ़ परिसर अलग नहीं	**घोड़े के पालतू** होने के साक्ष्य (विवादास्पद)।
देसलपुर (गुंथली)	भुज के पास, **गुजरात (भारत)**	-	पी. पंड्या (1963)	क़िलेबंद छोटा शहर, मुहरें, टेराकोटा मूर्तियाँ	कच्छ क्षेत्र के कुछ अन्य स्थलों में कुंतसी, बागसरा, शिकारपुर, कानमेर और जूनी कुरान शामिल हैं।
भिर्राना	फ़तेहाबाद, **हरियाणा (भारत)**	घग्गर-हकरा	एल.एस. राव	बहु-कक्षीय गृह परिसर, मिट्टी की संरचनाएँ, ताँबे की कलाकृतियाँ, गोलाकार तंदूर और चूल्हा, एक गोजातीय पशु की खोपड़ी, उत्कीर्णित महिला आकृतिवाला मज़बूत लाल बर्तन	सबसे प्राचीन हड़प्पा बस्ती (लगभग 7500 ईसा पूर्व), **प्रारंभिक कृषि से लेकर शहरी चरण तक की निरंतरता दर्शाती है।**
मांडा	अखनूर, **जम्मू और कश्मीर (भारत)**	**चिनाब** नदी	जे.पी. जोशी (1976)	लाल मृद्भांड, औज़ार	**सबसे उत्तरी हड़प्पा** स्थल।

स्थल का नाम	आधुनिक स्थान (राज्य/देश)	नदी/क्षेत्र	उत्खननकर्ता/वर्ष	प्रमुख खोजें/अद्वितीय विशेषताएँ	टिप्पणी/महत्त्व
दैमाबाद	अहमदनगर, **महाराष्ट्र (भारत)**	**प्रवरा** नदी (गोदावरी की सहायक नदी)	बी.पी. बोपर्डिकर	कांस्य रथ, गैंडा, भैंसा और हाथी की मूर्तियाँ	**सबसे दक्षिणी** हड़प्पा स्थल; उत्तर हड़प्पा काल।
कुणाल	फ़तेहाबाद, **हरियाणा (भारत)**	सरस्वती बेसिन	भारतीय पुरातत्त्व सर्वेक्षण	ताँबे की वस्तुएँ, सोने के मनके, चाँदी के आभूषण	**आभूषणों का भंडार**
मिताथल	भिवानी, **हरियाणा (भारत)**	घग्गर क्षेत्र	-	मिट्टी की ईंटों के घर, मृद्भांड	संक्रमणकालीन संस्कृति; निरंतरता दर्शाती है।
नौशारो	बलूचिस्तान, पाकिस्तान	मेहरगढ़ के पास	जे.एफ़. जारिगे	मिट्टी की ईंटों के घर, ताँबे के औज़ार, मृद्भांड बनाने का पहिया	**मेहरगढ़** से जुड़ा; शहरी जीवन के विकास को दर्शाता है।
अल्लाहदीनो	पाकिस्तान	कराची के पास	-	बहु-कक्षीय भवन, छोटे व्यासवाले कुएँ	सोने, चाँदी, काँसे, गोमेद और इंद्रगोप (कार्नेलियन) के आभूषणों से भरा **एक छोटा टेराकोटा बर्तन**
मेहरगढ़ (पूर्व-हड़प्पा)	बलूचिस्तान, **पाकिस्तान**	बोलन दर्रा	फ़्रांसीसी पुरातत्त्वविद्	प्रारंभिक कृषि, पशुओं का पालन, गेहूँ और जौ, आभूषणों से युक्त क़ब्रें	**नवपाषाण-ताम्रपाषाण;** हड़प्पा काल का सबसे प्राचीन कृषि गाँव।

महत्त्वपूर्ण तथ्य

परीक्षोपयोगी

- बलूचिस्तान क्षेत्र में निर्मित *गबरबंद* (तटबंध) भारी वर्षा का संकेत देते हैं।
- किसानों द्वारा उगाये जानेवाले पौधों में क्षेत्रीय विविधताएँ थीं। मोहनजोदड़ो और हड़प्पा में गेहूँ; मोहनजोदड़ो, हड़प्पा और कालीबंगा में जौ; और हड़प्पा में तिल पाये गये हैं। हड़प्पा में तरबूज़ के बीज, मटर और खजूर के भी प्रमाण मिले हैं। चावल हड़प्पा, कालीबंगा, लोथल और रंगपुर में पाया गया है। हड़प्पा, सुरकोटड़ा और शोरतुघई में बाजरा की पहचान की गयी है। इन लोगों को अंगूर और हिना *(मेहंदी)* दोनों की जानकारी थी। कपास भी उगाया जाता रहा होगा।
- प्रारंभिक और परिपक्व हड़प्पा चरण की **पादप अर्थव्यवस्था के विस्तृत प्रमाण बालू (हरियाणा** में) से मिले हैं।
- यहाँ पाये गये फ़सल अवशेषों में विभिन्न प्रकार के जौ, गेहूँ, चावल, कुल्थी, मूँग, चना, मटर, मूंग, तिल, खरबूज़ा, तरबूज़, खजूर, अंगूर और लहसुन के प्रारंभिक साक्ष्य शामिल हैं।
- **कालीबंगा में प्रारंभिक हड़प्पा स्तर के एक जुते हुए खेत की खोज** हुई है। **बहावलपुर और बनावली** में **हल के टेराकोटा मॉडल** इस उपकरण के उपयोग के अन्य प्रमाण देते हैं।
- **शोर्तुघई** में **सिंचाई नहरें** मिली हैं।
- हड़प्पा स्थलों पर पाये गये जंगली जानवरों की हड्डियों में हिरण, सूअर (pig), शूकर (boar), भेड़, बकरी और संभवतः गधे की कई प्रजातियाँ शामिल हैं। कछुए और मछली की हड्डियाँ भी मिली हैं। **गैंडे की हड्डियाँ केवल अमरी** में ही मिली हैं।
- बाघों को अक्सर मूर्तियों में दर्शाया जाता है, जबकि तेंदुओं को बहुत कम दिखाया है। ख़रगोश, मोर, कबूतर, बत्तख़, बंदर और जंगली पक्षियों को मृद्भांडों पर बनी मूर्तियों और चित्रों में दर्शाया गया है।
- हड़प्पा स्थलों से पालतू जानवरों के भी कई अवशेष मिले हैं, जैसे कूबड़वाले और बिना कूबड़वाले मवेशी, बैल, भेड़ और बकरी। **मवेशी और भैंस/महिष** (buffaloes) सबसे महत्त्वपूर्ण पालतू जानवर थे।
- हड़प्पा, लोथल, सुरकोटड़ा, कुंतसी एवं कालीबंगा में और मोहनजोदड़ो में सतही स्तर पर घोड़े के अवशेष मिले हैं। हालाँकि, हड़प्पा सभ्यता में **घोड़े की कोई महत्त्वपूर्ण भूमिका** नहीं थी।

कुछ महत्त्वपूर्ण पुरातात्त्विक स्थल और उनका महत्त्व

- **चंद्रकेतुगढ़ :** यह **पश्चिम बंगाल** के उत्तर 24 परगना ज़िले में विद्याधरी नदी के पास स्थित एक पुरातात्त्विक स्थल है। यह अद्भुत **टेराकोटा** मूर्तिकला से भरपूर सबसे चर्चित और रहस्यमय स्थलों में से एक है। चंद्रकेतुगढ़ से मौर्य, कुषाण

और गुप्त काल के उत्तरी काले पॉलिशवाले बर्तन (एनबीपीडब्ल्यू) के अवशेष और मूर्तियाँ, साथ ही अंकित और स्वर्ण मुद्राएँ भी प्राप्त हुई हैं। इस स्थल की टेराकोटा कला अद्भुत परिशुद्धता और शिल्प कौशल का प्रदर्शन करती है।

- **सोठी सीसवाल संस्कृति :** सोठी, **पूर्व-चतुर्थ शताब्दी ईसा पूर्व** की बस्तियों का एक प्रारंभिक पुरातात्त्विक स्थल है। यह **राजस्थान** में स्थित है। सीसवाल हरियाणा के हिसार में स्थित है। यह लगभग 3800 ईसा के समय का पूर्व **ताम्रपाषाण युगीन** सांस्कृतिक स्थल है। इस स्थल के मृद्भांडों में **'कालीबंगा के छह वस्त्र'** प्रदर्शित हैं। **लोहारी राघो** हरियाणा का एक अन्य स्थल है, जो सोठी सीसवाल सांस्कृतिक काल से संबंधित है।
- **बुर्जहोम पुरातात्त्विक स्थल :** यह **कश्मीर घाटी** में स्थित एक नवपाषाण स्थल है। पुरातात्त्विक उत्खनन से यहाँ 3000 ईसा पूर्व और 1000 ईसा पूर्व के बीच सांस्कृतिक महत्त्व के विभिन्न चरणों का पता चला है।
- **दोयांग धनसिरी घाटी :** यह प्राचीन पुरातात्त्विक स्थल **असम** में स्थित है। दोयांग नदी धनसिरी की एक सहायक नदी है। दोयांग धनसिरी घाटी दूसरी-तीसरी शताब्दी से दक्षिण-पूर्व एशियाई और भारतीय मुख्य भूमि के बीच एक महत्त्वपूर्ण **व्यापारिक कड़ी** के रूप में कार्य करती रही है।

वीडियो अंतर्दृष्टि

चंद्रकेतुगढ़ पर वैचारिक वीडियो के लिए स्कैन करें

- **अंबादेवी शैलाश्रय :** यह विशाल गुफा स्थल **मध्य प्रदेश** के सतपुड़ा पर्वतमाला में स्थित है। इन गुफाओं में कई शैलोत्कीर्ण चित्र (petroglyphs) और शैलचित्र (rock Paintings) पाये गये हैं। सबसे प्राचीन शैलचित्र लगभग 20,000 वर्ष पुराने हैं।
- **सुघ प्राचीन टीला :** यह स्थल **हरियाणा** के यमुनानगर ज़िले में यमुना नदी के पश्चिमी तट पर स्थित है। सुघ टीले का उल्लेख **ह्वेनसांग** के यात्रा वृत्तांत में मिलता है।
- **इनामगाँव :** यह स्थल **महाराष्ट्र** में भीमा नदी की सहायक घोड़ नदी के तट पर स्थित है और 3600 से 2700 वर्ष पूर्व यहाँ बसा हुआ था। यहाँ गेहूँ, जौ, चावल, दालें, बाजरा, मटर और तिल के बीज मिले हैं। यहाँ गाय, भैंस और बकरी सहित कई जानवरों की **हड्डियाँ** मिली हैं, और संभवत: इनका उपयोग भोजन के रूप में किया जाता था। इस बात के प्रमाण मिले हैं कि आँवला, जामुन और बेर जैसे फल एकत्र किये जाते थे तथा ताम्रपाषाण कालीन कृषि बस्तियों के प्रमाण जोर्वे संस्कृति की पहचान करने में मदद करते हैं।
- **दाओजली हाडिंग :** यह **असम** में स्थित एक नवपाषाण स्थल है, जिसका निर्माण लगभग 2700 वर्ष पूर्व किया गया था। इस स्थल की अनूठी विशेषता यहाँ पाये गये **डोरी-चिह्नित मृद्भांड** (cord-marked pottery) हैं।
- **ब्रह्मगिरि:** यह कर्नाटक के चित्रदुर्ग ज़िले में स्थित है। इस स्थल की कई बार खुदाई की गयीं, जिसमें 1947 में भारतीय पुरातत्त्व सर्वेक्षण (एएसआई) की ओर से मोर्टिमर व्हीलर द्वारा की गयी खुदाई भी शामिल है। यहाँ से अनेक टेराकोटा मनके, मृद्भांड और एक मध्ययुगीन प्रस्तर मंदिर मिला है। यहाँ सूक्ष्म पाषाण (माइक्रोलिथिक), नवपाषाण, लौह युग, मौर्य, चालुक्य और होयसला संस्कृति के निशान भी पाये गये हैं।
- **सनौली के योद्धा :** 2005 में, भारतीय पुरातत्त्व सर्वेक्षण ने उत्तर प्रदेश के सनौली गाँव से कुछ प्राचीन कलाकृतियाँ खोजीं। 2018 में किये गये परीक्षण उत्खनन को गेरुए रंग के बर्तनों की संस्कृति (ओसीपी) से संबंधित माना गया है। कार्बन डेटिंग परीक्षणों से पुष्टि हुई है कि यह क़ब्रिस्तान, जहाँ एक आदिवासी योद्धा वंश के 125 शव मिले हैं, लगभग 4000 साल पुराना है और वे तकनीकी रूप से उन्नत हथियारों का इस्तेमाल करते थे।

- **मंगर बानी :** यह एक पुरापाषाणकालीन पुरातात्त्विक स्थल है, जो दिल्ली-हरियाणा सीमा पर मंगर गाँव में स्थित है और असोला भट्टी वन्यजीव अभयारण्य से सटा हुआ है। इस क्षेत्र में गुर्जर समुदाय निवास करता है। मंगेर बानी भारत का सबसे बड़ा नवपाषाण दक्षिण एशियाई पाषाण युगीन स्थल है, जहाँ गुफा चित्रकला 20,000-40,000 वर्ष पुरानी है। पुरातत्त्वविदों का मानना है कि मंगेर बानी गुफा चित्रकलाएँ उच्च पुरापाषाण युग की हैं।

मौर्यकालीन वास्तुकला

श्रमण परंपरा के अंग *बौद्ध धर्म एवं जैन धर्म* के आगमन के साथ ही गंगा घाटी का धार्मिक और सामाजिक परिदृश्य परिवर्तित होने लगा। चूँकि दोनों धर्म वैदिक युग की 'वर्ण प्रथा' और 'जाति प्रथा' का विरोध करते थे, इसलिए इन्हें उन **क्षत्रिय शासकों** का संरक्षण प्राप्त हुआ, जो ब्राह्मणवादी वर्चस्व से सजग हो चुके थे। जैसे ही मौर्यों ने अपनी सत्ता की स्थापना की, तो राज्य के संरक्षण और व्यक्तिगत पहल के अंतर्गत विकसित स्थापत्य कला और मूर्तिकला के बीच स्पष्ट सीमांकन दृष्टिगोचर होने लगता है। इस प्रकार, मौर्य कला को निम्न प्रकार में वर्गीकृत किया जा सकता है :

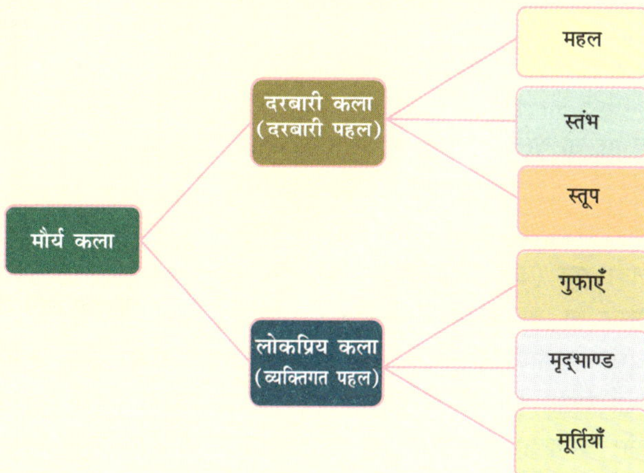

दरबारी कला

मौर्य **शासकों** ने राजनीति के साथ-साथ धार्मिक कारणों से बड़ी संख्या में स्थापत्य कार्यों का शुभारंभ किया। इन स्थापत्य कार्यों को दरबारी कला के रूप में संदर्भित किया जाता है।

महल या क़िला

मौर्य साम्राज्य भारत में सत्ता में आनेवाला पहला 'शक्तिशाली साम्राज्य था। **पाटलिपुत्र** (वर्तमान बिहार में पटना) के पास **कुम्रहार** और **बुलंदीबाग़** में पुरातात्त्विक स्थलों की खुदाई की गयी, जो मौर्य साम्राज्य का वैभव प्रतिबिंबित करते हैं। उत्खनन में प्राप्त पाटलिपुत्र राजधानी भारतीय कला में **यूनानी प्रभाव** (Greek influence) को दर्शाती है। कुम्रहार की खुदाई में एक महल के अवशेष प्राप्त हुए हैं। चंद्रगुप्त मौर्य का महल ईरान में 'पर्सेपोलिस' के 'अकेमीनियन (Achaemanian)' महलों से प्रेरित था। इसकी मुख्य निर्माण सामग्री **लकड़ी** थी। *मेगास्थनीज* ने इस महल का वर्णन मानव जाति की महानतम रचनाओं में से एक के रूप में किया था।

कुम्रहार में अशोक का महल

इसी प्रकार, *कुम्रहार* स्थित *अशोक का महल* भी एक विशाल संरचना थी। इसमें एक ऊँचा केन्द्रीय स्तंभ था और यह एक तीन मंज़िला लकड़ी का ढाँचा था। महल की दीवारों को नक़्क़ाशियों और मूर्तियों से सजाया गया था।

स्तम्भ

अशोक के शासनकाल के दौरान स्तंभों पर शिलालेख – राजकीय प्रतीक के रूप में या युद्ध में जीत के उपलक्ष्य में– अति महत्त्वपूर्ण हो गये। साथ ही उन्होंने राजकीय उपदेशों का प्रचार करने के लिए भी स्तम्भों का उपयोग किया।

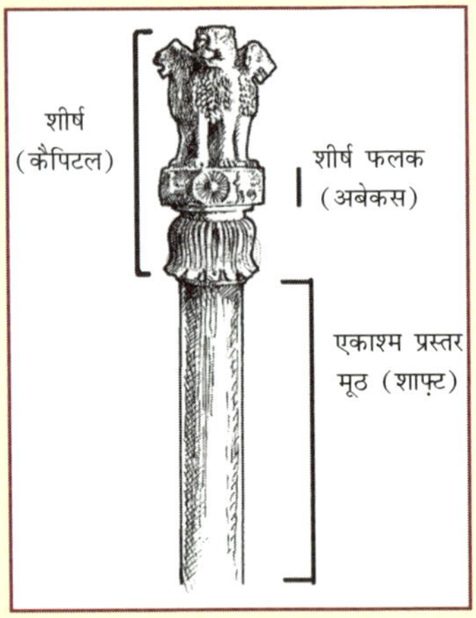

अशोक स्तंभ की आधारभूत संरचना

वीडियो अंतर्दृष्टि

अशोक स्तंभ शिलालेख पर वैचारिक वीडियो के लिए स्कैन करें

औसतन 40 फ़ीट ऊँचे, ये स्तम्भ सामान्यत: **चुनार के बलुआ पत्थर** या प्रस्तर से बनाये गये थे और इसमें **शाफ़्ट (Shaft) तथा कैपिटल (capital)** सम्मिलित थे। इसमें लंबा **मूठ (Shaft)** आधार का निर्माण करता था, जो कि **प्रस्तर के एक ही खण्ड** अथवा **एकाश्म प्रस्तर** से बना होता था। इसके सबसे ऊपर *कमल,* या *घंटे के आकार* में **शीर्ष या ललाट (capital)** रखा जाता था। घंटे के आकार के शीर्ष या ललाट ईरानी स्तम्भों से प्रभावित थे, क्योंकि ये स्तंभ अत्यधिक पॉलिशदार और चमकदार थे। ललाट के ऊपर *वृत्ताकार या आयताकार आधार* होता था, जिस पर **पशु मूर्ति** होती थी, उसे **अबेकस (abacus)** या शीर्ष फलक कहा जाता था।

मौर्य काल के उल्लेखनीय स्तंभ

स्थान/स्थल	वर्तमान राज्य/देश	मुख्य विशेषताएँ/शीर्षक डिजाइन	संबद्ध शिलालेख/अभिलेख	महत्त्व/टिप्पणियाँ
सारनाथ	उत्तर प्रदेश	एक गोलाकार स्तंभ पर पीठ से पीठ सटाकर खड़ा चार सिंहों का स्तंभ, जिस पर बैल, घोड़ा, सिंह, हाथी की नक़्क़ाशी और धर्मचक्र (पहिया) अंकित है।	इसमें अशोक का संघभेद (Schism) अभिलेख है।	भारत का राष्ट्रीय प्रतीक; धर्मचक्र प्रवर्तन (बुद्ध का प्रथम उपदेश) का प्रतिनिधित्व करता है।
वैशाली (कोल्हुआ)	बिहार	एकल सिंह स्तंभ; अबेकस नहीं	इसमें स्तंभ शिलालेख VI है	बुद्ध के अंतिम उपदेश के स्थल को चिह्नित करता है; अशोक के तीर्थ स्थलों को दर्शाता है।
लौरिया नंदनगढ़	बिहार	घण्टाकार आधारवाला एकल सिंह स्तंभ	स्तंभ शिलालेख I-VI	प्राचीन स्तूपों के पास पाये गये; मौर्यकालीन पॉलिश का उत्कृष्ट उदाहरण।
लौरिया अरेराज (बेतिया)	बिहार	घण्टाकार आधार पर सिंह शीर्ष	स्तंभ शिलालेख I-VI	लौरिया नंदनगढ़ स्तंभ के समान; चंपारण ज़िले में स्थित।
रामपुरवा	बिहार-नेपाल सीमा	दो स्तंभ मिले: एक बैल शीर्षवाला, दूसरा सिंह शीर्षवाला	बैल स्तंभ पर कोई अभिलेख नहीं	उत्कृष्ट बैल मूर्तिकला के लिए प्रसिद्ध, अत्यधिक पॉलिश और यथार्थवादी।

स्थान/स्थल	वर्तमान राज्य/देश	मुख्य विशेषताएँ/शीर्षक डिजाइन	संबद्ध शिलालेख/अभिलेख	महत्त्व/टिप्पणियाँ
लुम्बिनी (रुम्मिनदेई)	नेपाल	शीर्ष रहित; अबेकस अनुपस्थित	स्मारक शिलालेख	बुद्ध के जन्मस्थान को चिह्नित करता है; अशोक की गाँव की यात्रा और कर छूट का विवरण देता है।
निगाली सागर	नेपाल	खंडित स्तंभ	स्मारक शिलालेख	अशोक द्वारा बुद्ध कनकमुनि के स्तूप के विस्तार करने का उल्लेख।
दिल्ली-टोपरा स्तंभ (मूल रूप से टोपरा से)	हरियाणा / अब फ़िरोज़ शाह कोटला, दिल्ली	कोई पशु-शीर्ष संरक्षित नहीं	प्रमुख शिलालेख (13-14) मूल रूप से यहाँ उत्कीर्ण	फ़िरोज़ शाह तुग़लक़ (14वीं शताब्दी ई.) द्वारा दिल्ली लाया गया।
दिल्ली-मेरठ स्तंभ (मूल रूप से मेरठ से)	उत्तर प्रदेश / अब दिल्ली	कोई शीर्ष नहीं	लघु शिलालेख / संघभेद (Schism) शिलालेख	फ़िरोज़ शाह तुग़लक़ द्वारा दिल्ली स्थानांतरित किया गया।
कौशांबी (इलाहाबाद - प्रयागराज स्तंभ)	उत्तर प्रदेश	सिंह शीर्ष (खंडित)	अशोक शिलालेख, समुद्रगुप्त की प्रयाग प्रशस्ति, जहाँगीर के शिलालेख, बीरबल माघ मेला शिलालेख	बाद के शासकों - गुप्त शासकों और जहाँगीर द्वारा पुनः उपयोग किया गया। राजनीतिक निरंतरता दर्शाता है।
साँची	मध्य प्रदेश	चार सिंहोंवाला शीर्ष, जिसके शीर्ष भाग में हंसों की आकृतियाँ हैं	शिलालेखों के दो समूह : अशोक का संघभेद (Schism) शिलालेख, सजावटी शंख लिपि में एक और गुप्तकालीन शिलालेख।	महान् स्तूप के पास स्थित; सजावटी और प्रतीकात्मक स्तंभ।
बोधगया	बिहार	हाथी शीर्ष (खंडित)	कोई नहीं	संभवतः बुद्ध के ज्ञानोदय स्थल को दर्शाता है।

राष्ट्रीय प्रतीक (National Emblem)

सारनाथ स्तंभ का शीर्ष फलक (abacus) और पशु भाग भारत का आधिकारिक **राष्ट्रीय प्रतीक** है। यह ऐसा ही 26 जनवरी, 1950 को अपनाया गया था। सारनाथ स्तंभ के शीर्ष फलक में, चार दिशाओं को निरूपित करते हुए चार पशु – **चौकड़ी भरता अश्व** (पश्चिम), **हाथी** (पूर्व), **वृषभ** (दक्षिण) और **सिंह** (उत्तर) दर्शाये गये हैं। ये पशु अनंत काल तक अस्तित्त्व का पहिया घुमाते हुए एक दूसरे का पीछा करते हुए प्रतीत होते हैं।

हाथी, रानी माया का स्वप्न, एवं उनके गर्भ में प्रवेश करता हुआ श्वेत हाथी दर्शाता है। बैल वृष राशि का चिह्न दर्शाता है, जिस महीने में बुद्ध का जन्म हुआ था। अश्व कंथक अश्व को निरूपित करता हैं, जिसका बुद्ध ने राज्य से दूर जाने के लिए उपयोग किया था। सिंह ज्ञान-प्राप्ति दर्शाता है।

मुंडक उपनिषद् से लिया गया **सत्यमेव जयते** शब्द, जिसका अर्थ 'सत्य की सदा विजय होती है' है, **देवनागरी लिपि** में शिलालेख के नीचे उत्कीर्ण है।

चार सिंह सभी दिशाओं में धम्म का प्रसार करते हुए बुद्ध को प्रतीकबद्ध करते हैं। इसे बुद्ध द्वारा दिये गये पहले धर्मोपदेश की स्मृति में बनवाया गया था तथा इसे धम्मचक्रप्रवर्तन के नाम से जाना जाता है।

स्तूप

स्तूप बनाने की परंपरा बौद्ध-पूर्व काल की है और स्तूपों का केवल बौद्ध महत्त्व नहीं था। स्तूप आमतौर पर अवशेषों का भंडार होते थे और बौद्ध परंपरा में ये एक मन्नत और स्मारक संरचना होती थी।

बुद्ध की मृत्यु के बाद 9 स्तूप बनवाये गये थे। इनमें से 8 में उनकी मेधी में बुद्ध के अवशेष थे, जबकि नौवें में वह बर्तन था, जिसमें मूल रूप से इन अवशेषों को रखा गया था। स्तूप के विभिन्न भागों को प्रदर्शित करनेवाला मूलभूत आरेख दायीं ओर दिया गया है।

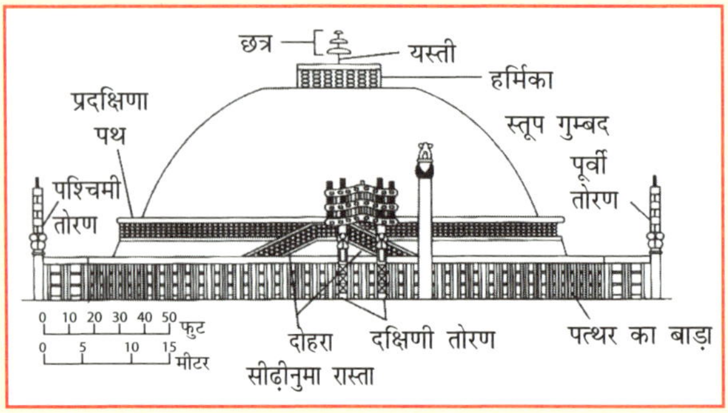

विभिन्न भागों के साथ स्तूप की आधारभूत संरचना

स्तूप का कोर, कच्ची ईंटों का बना होता था, जबकि बाहरी सतह का निर्माण पकी ईंटों से किया जाता था और इसे प्लास्टर की मोटी परत से ढका जाता था। **मेधी** और **तोरणों** को लकड़ी की मूर्तियों द्वारा सजाया गया था। श्रद्धालुओं द्वारा पूजा के प्रतीक के रूप में **प्रदक्षिणा-पथ** के चारों ओर चक्कर लगाया जाता है।

उदाहरण: मध्य प्रदेश का **साँची का स्तूप** अशोक के स्तूपों में सबसे प्रसिद्ध है। उत्तर प्रदेश में पिपरहवा का स्तूप सबसे प्राचीनतम स्तूप है। उत्तर प्रदेश में **पिपरहवा स्तूप** सबसे पुराना है। **देउर कोठार** (मध्य प्रदेश में) एक अन्य स्थान है, जो अपने बौद्ध स्तूपों के लिए जाना जाता है और इसका श्रेय मौर्य सम्राट् अशोक को दिया जाता है। देउर कोठार स्तंभ पर छह पंक्तियोंवाला ब्राह्मी शिलालेख **ऐतिहासिक बुद्ध का सबसे पहला साक्ष्य माना जाता है।**

क्या आप जानते हैं? बुद्ध की मृत्यु के बाद बनाये गये *9 स्तूपों में स्थान* राजगृह, वैशाली, कपिलवस्तु, अलकप्प, रामग्राम, वेथपीड़ा *(Vethapida)*, पावा, कुशीनगर और पीपली वन हैं।

विरासत स्मरण

साँची में बौद्ध स्मारक

- प्राचीन काल में **काकनाय/काकणाय** के नाम से प्रसिद्ध साँची, वर्तमान में **मध्य प्रदेश** में स्थित है। यहाँ **तीसरी शताब्दी ईसा पूर्व से छठी शताब्दी ईसवी** तक बौद्ध कला और स्थापत्य कला के उल्लेखनीय साक्ष्य पाये गये है।
- हालाँकि, साँची के स्मारक लंबे समय तक वीरान रहे, आख़िरकार 1851 में पुरातत्त्वविद् **अलेक्जेंडर कनिंघम** और **फ़्रेडरिक चार्ल्स मैसी** ने साँची और इसके आसपास के स्तूपों का पहला औपचारिक सर्वेक्षण और उत्खनन कार्य आरंभ करवाया।
- यह ध्यान देने योग्य है कि तत्कालीन भोपाल की शासक **शाहजहाँ बेगम** और उनकी उत्तराधिकारी **सुल्तान जहाँ बेगम** ने साँची के प्राचीन स्थल के संरक्षण के लिए धन मुहैया कराया और प्रयास किये।
- 1912 और 1919 के बीच, अँगरेज़ पुरातत्त्वविद् और भारतीय पुरातत्त्व सर्वेक्षण के निदेशक **सर जॉन मार्शल** की देखरेख में इन संरचनाओं का जीर्णोद्धार किया गया।
- साँची पहाड़ी के अवशेषों में कई स्तूप, मंदिर और मठ शामिल हैं।

वीडियो अंतर्दृष्टि

साँची में बौद्ध स्मारक पर वैचारिक वीडियो के लिए स्कैन करें

- यहाँ के सबसे बड़े स्तूप, जिसे **स्तूप संख्या 01 या बृहत्/महान् स्तूप** के नाम से जाना जाता है, का ईंटों से बना केंद्र (कोर) मौर्य सम्राट् **अशोक** के शासनकाल के दौरान बनाया गया था। उल्लेखनीय है कि सम्राट् अशोक की पत्नी *देवी* पास के प्राचीन शहर विदिशा के एक व्यापारी की पुत्री थी। इस स्तूप का केंद्र एक साधारण अर्धगोलाकार ईंटों की संरचना थी तथा इसके शीर्ष पर छत्र था, जिसका उद्देश्य अवशेषों को सम्मान और निशान या स्मृतिचिह्न (relics) प्रदान करना था।
- उत्तरवर्ती **शुंग राजवंश** के शासनकाल में, ईंटों की संरचना का आकार दोगुना कर दिया गया और इसे बलुआ पत्थर की पट्टियों से ढक दिया गया। एक **प्रदक्षिणा पथ** (circumambulatory path), एक पत्थर की रेलिंग (या **वेदिका**), और स्तूप के ऊपर एक **हर्मिका** या चौकोर रेलिंग निर्मित की गयी। हर्मिका के ऊपर छत्र या तीन-स्तरीय छतरी स्थापित की गयी थी, जो बौद्ध धर्म के तीन रत्नों : **बुद्ध, धम्म और संघ** का प्रतिनिधित्व करती थी।
- **सातवाहन राजवंश** ने पहली शताब्दी ईसा पूर्व और दूसरी शताब्दी ईसवी के बीच, बृहत् स्तूप में चार पत्थर के **प्रवेश द्वार या तोरण** बनवाये। ये इसकी चारों दिशाओं (दक्षिण, उत्तर, पूर्व और पश्चिम) में स्थित थे। प्रत्येक प्रवेश द्वार में दो स्तंभ पाये गये हैं, जिनके शीर्ष तीन भव्य रूप से अलंकृत चौखटों को सहारा देते हैं। तोरणों पर की गयी समृद्ध और जटिल नक़्क़ाशी **बुद्ध के जीवन और जातक कथाओं के दृश्यों** को दर्शाती है।
- स्तूप की अन्य उल्लेखनीय सजावटी और स्थापत्य संबंधी विशेषताओं में **वहालकड़ा** और **किंजल्किनी** शामिल हैं। **वहालकड़ा** स्तूप की संरचना चार दिशाओं में एक अग्रभागवाली या सजावटी है, जिस पर अक्सर लताएँ और पुष्प पट्टियाँ बनी पायी गयी हैं। **किंजल्किनी**, स्तूप की सजावट में प्रयुक्त एक हज़ार कमल के फूलों की माला को दर्शाती है, जो पवित्रता और ज्ञानोदय की प्रतीक है।
- इस परिसर में स्थित अन्य दो स्तूप, जिन्हें **स्तूप संख्या 2** और **स्तूप संख्या 3** के नाम से जाना जाता है, शुंग वंश के शासनकाल के दौरान निर्मित प्रतीत होते हैं। ऐसा कहा जाता है कि बुद्ध के महान् शिष्यों, **सारिपुत्र** और **महामोग्गल्लायन** के अवशेष स्तूप संख्या 3 में रखे गये थे। पुरातत्त्वविद् **अलेक्जेंडर कनिंघम** ने अपनी पुस्तक '***द भिलसा टोप्स***' में इन अवशेषों का उल्लेख किया है। यह पुस्तक स्थापत्य अवशेषों के माध्यम से बौद्ध इतिहास के बारे में जानने का एक प्रयास थी।
- तोरण या प्रवेशद्वार पर स्थित, ब्राह्मी लिपि में **सिरी-शातकर्णी शिलालेख**, सातवाहन राजा शातकर्णी द्वितीय के कारीगरों द्वारा दक्षिणी तोरण के शीर्ष द्वारों में से एक के उपहार का उल्लेख करता है।
- इस बृहत् स्तूप के तोरण पर, **शालभंजिका** की एक सजावटी यक्षी आकृति देखी जा सकती है, जो **उर्वरता, शुभता और वसंत ऋतु के आगमन** की प्रतीक है। हिंदू, बौद्ध और जैन कला में पायी जानेवालीं ये कोष्ठक आकृतियाँ (bracket figures) सजावटी हैं, जो अक्सर मंदिर के स्तंभों और प्रवेशद्वारों को सुशोभित करती हैं, तथा कभी-कभी नृत्य या संगीत जैसी विभिन्न गतिविधियों में भी प्रदर्शित की जाती होंगी।
- **गुप्त काल** (चौथी शताब्दी ईसवी में) के दौरान, इस बृहत् स्तूप की रेलिंग पर **चंद्रगुप्त द्वितीय** का एक विजय शिलालेख स्थापित किया गया था। इसी परिसर के अंदर एक **मंदिर संख्या 17** का भी निर्माण गुप्त काल के दौरान किया गया था तथा इसे मंदिर वास्तुकला के प्रारंभिक चरण का एक उदाहरण माना जाता है, जिसमें सपाट छत एक सामान्य विशेषता थी।
- साँची परिसर में, सुंदरतापूर्वक पॉलिश किये हुए बलुआ पत्थर से बना एक **सिंह शीर्ष स्तंभ** भी देखा जा सकता है। इसे मौर्य सम्राट् अशोक ने बनवाया था तथा यह सारनाथ के सिंह शीर्ष स्तंभ के समान है। इस स्तंभ के शीर्ष पर भी चार सिंह एक के पीछे एक सटे हुए हैं, लेकिन इसमें एक सपाट अबेकस है, जिस पर **हंसों और ज्वाला ताड़पत्रों (flame palmettes) के एकांतर जोड़े** उत्कीर्णित हैं।
- लगभग 250 ईसा पूर्व के इस स्तंभ में शिलालेखों के दो समूह भी मौजूद हैं : एक में अशोक के विभाजन शिलालेख हैं, जिनमें संघ या संप्रदाय में असहमति के लिए दंड की चेतावनी है तथा दूसरा **सजावटी शंख लिपि में गुप्तकालीन शिलालेख** है। यद्यपि **जेम्स प्रिंसेप** ने अशोक के स्तंभों पर अंकित ब्राह्मी लिपि को पढ़ लिया था, परन्तु शंख लिपि या शंख के आकार की लिपि को अभी तक नहीं पढ़ा जा सका है।
- यह ध्यान रखना महत्त्वपूर्ण है कि अशोक के **विभाजनकारी शिलालेख साँची, सारनाथ और इलाहाबाद** (मूलत: कौशाम्बी में) के स्तंभों पर अंकित पाये गये थे।
- **1989 में**, साँची के बौद्ध स्मारकों को **यूनेस्को विश्व धरोहर स्थल** घोषित किया गया था।
- साँची स्तूप को ₹200 के भारतीय मुद्रा नोट पर दर्शाया गया है।

लोकप्रिय कला

राजकीय संरक्षण के अतिरिक्त, गुफा स्थापत्य कला, मूर्तिकला और मृद्भाण्डों की कला को **व्यक्तिगत प्रयास** से भी अभिव्यक्ति मिली। इन्हें एक साथ कला और स्थापत्य कला के लोकप्रिय रूपों के रूप में वर्गीकृत किया जाता है।

गुफा स्थापत्य कला

इस अवधि में चट्टानों को काटकर बनायी गयी गुफा स्थापत्य कला का उद्भव देखा गया। मौर्य काल के दौरान, जैन और बौद्ध भिक्षु **सामान्यतः** इन गुफाओं का **विहार यानी निवास स्थल** के रूप में उपयोग करते थे। जबकि आरंभिक गुफाओं का उपयोग आजीवक करते थे, वहीं बाद में ये बौद्ध मठों के रूप में लोकप्रिय हो गये। मौर्य काल के दौरान की गुफाओं की विशेषता **अत्यधिक पॉलिशदार** भीतरी दीवारें व **अलंकृत प्रवेश द्वार थे।**

बराबर गुफाओं में अलंकृत प्रवेश द्वार

बराबर और नागार्जुनी गुफाएँ

- ये बिहार के जहानाबाद ज़िले में स्थित प्राचीन शैलकृत गुफाओं का एक समूह हैं और भारत में शैलकृत वास्तुकला के सबसे पुराने ज्ञात उदाहरण हैं, जिनका इतिहास तीसरी शताब्दी ईसा पूर्व का है, जो मौर्य साम्राज्य के सम्राट् अशोक और उनके पोते दशरथ के शासनकाल के दौरान निर्मित हुए थे।
- बराबर पहाड़ियों में 4 गुफाएँ और पास की नागार्जुनी पहाड़ियों में 3 गुफाएँ स्थित हैं, जिनका ऐतिहासिक महत्त्व है। ये गुफाएँ सरल संरचना योजना की हैं तथा इनके भीतरी भाग सादे, लेकिन अत्यधिक पॉलिश किये हुए हैं।
- ये गुफाएँ मूल रूप से आजीवक संप्रदाय के तपस्वियों के उपयोग के लिए बनायी गयी थीं, जो जैन धर्म और बौद्ध धर्म के समकालीन थे।
- बराबर पहाड़ियों की गुफाओं में अशोक के समय के तीन गुफा शिलालेख पाये गये हैं। इन शिलालेखों में अशोक द्वारा कुछ गुफाओं को आजीवक तपस्वियों को समर्पित करने का उल्लेख है। पास की नागार्जुनी पहाड़ियों में, अशोक के उत्तराधिकारी, उनके पोते दशरथ द्वारा आजीवकों को तीन गुफाएँ समर्पित करने का अभिलेख है।

वीडियो अंतर्दृष्टि

बराबर और नागार्जुनी गुफाओं की वास्तुकला पर वैचारिक वीडियो के लिए स्कैन करें

- यह ध्यान देने योग्य है कि बराबर और नागार्जुनी गुफाओं में भित्ति चित्र नहीं मिले हैं।
- बराबर पहाड़ियों की अधिकांश गुफाओं में दो कक्ष हैं, जो पूरी तरह से ग्रेनाइट से तराशे गये हैं, जिनकी आंतरिक सतह अत्यधिक पॉलिश की हुई है और उनमें रोमांचक प्रतिध्वनि प्रभाव हैं।
- चट्टानों को काटकर बनाये गये कक्षों पर बराबर समूह के लिए *'राजा पियादस्सी'* और नागार्जुनी समूह के लिए *'देवानाम्पिय दशरथ'* के नाम से समर्पण शिलालेख अंकित हैं।
- बराबर पहाड़ियों में चार गुफाएँ हैं, जिनके नाम हैं – लोमस ऋषि गुफा, सुदामा गुफा, कर्ण चौपड़ और विश्वकर्मा गुफा।
- लोमस ऋषि गुफा में, मेहराब जैसा अग्रभाग लकड़ी और फूस की झोपड़ियों का एक आदर्श पुनर्निर्माण है। द्वार पर, नक्क़ाशीदार हाथी घुमावदार कँगनी के साथ एक पंक्ति में स्तूप के प्रतीकों की ओर बढ़ते प्रतीत होते हैं। मेहराब पर

लगे एक संस्कृत शिलालेख के अनुसार, मौखरी वंश के एक हिंदू शासक अनंतवर्मन ने इस गुफा में कृष्ण की एक मूर्ति समर्पित की थी।

- लोमश ऋषि गुफा पर कोई अशोक शिलालेख नहीं है, शायद इसलिए क्योंकि संरचनात्मक चट्टान खिसकने की समस्याओं के कारण इसका निर्माण कभी पूरा नहीं हो पाया। बराबर की अन्य तीन गुफाओं में अशोक के शिलालेख हैं।
- सुदामा गुफा में दो कमरे हैं और इसे भी सम्राट् अशोक ने आजीवकों को समर्पित किया था।
- भारत में प्रारंभिक गुफा वास्तुकला के विकास की जानकारी बराबर पहाड़ियों में स्थित लोमश ऋषि और सुदामा गुफाओं के प्रारंभिक संदर्भ बिंदु से मिलती है।
- लोमश ऋषि और सुदामा, दोनों गुफाएँ स्पष्ट रूप से काष्ठ स्थापत्य के नमूने पर आधारित थीं।
- कर्ण चौपड़ में पॉलिश की हुई सतहोंवाला एक आयताकार कमरा है। प्रवेश कक्ष में गुप्त वंश के एक शिलालेख पर 'दरिद्र कंतारा' (या भिखारियों की गुफा) लिखा है।
- विश्वकर्मा गुफा, जिसे विश्वमित्र भी कहा जाता है, तक चट्टान पर उकेरे गये *'अशोक के चरणों'* द्वारा पहुँचा जा सकता है और अशोक ने इसे आजीवकों के शासनकाल में भेंट किया था। विश्वकर्मा एकमात्र ऐसी गुफा भी है, जिस पर अशोक के बाद का कोई 'ऐतिहासिक' शिलालेख नहीं हैं।
- पास की नागार्जुनी पहाड़ियों की गुफाएँ बराबर गुफाओं से कुछ दशक बाद बनायी गयी थीं तथा अशोक के पोते और उनके उत्तराधिकारी दशरथ मौर्य द्वारा, आजीवक संप्रदाय के लिए, समर्पित की गयी थीं, जैसा कि वहाँ के शिलालेखों से ज्ञात होता है।
- नागार्जुनी पहाड़ियों पर तीन गुफाएँ हैं : गोपिका गुफा, वदथी गुफा और वापिया गुफा।
- ह्वेनसांग ने पटना से गया की अपनी यात्रा के दौरान इन गुफाओं का दौरा किया था।

क्या आप जानते हैं?

मौर्यकालीन पॉलिश

अत्यधिक परिष्कृत, चमकदार पॉलिश मौर्य कला, वास्तुकला और मूर्तियों की एक महत्त्वपूर्ण विशेषता है। असाधारण परिशुद्धता के साथ अत्यधिक पॉलिश की गयी सतहों को सभी कलाकृतियों में देखा जा सकता है। मौर्यकालीन पॉलिश बराबर गुफाओं, दीदारगंज यक्षी, अशोक के स्तंभों और कई अन्य वास्तुकलाओं और मूर्तियों में पायी जा सकती है।

मौर्यकालीन पॉलिश लोहानीपुर धड़ (मौर्य और कुषाण काल), मसरह शेर, बोधगया के हीरे के सिंहासन आदि जैसी मूर्तियों में भी देखी जा सकती है। किंतु, इस प्रकार की पॉलिशिंग से जुड़ी उच्च लागत के कारण मौर्य काल के पश्चात् इस पॉलिशिंग तक़नीक को छोड़ दिया गया।

मौर्योत्तर कला एवं वास्तुकला

दूसरी शताब्दी ईसा पूर्व में मौर्य साम्राज्य के पतन के बाद, भारत के विभिन्न भागों में छोटे-छोटे राजवंशों का उदय हुआ। इनमें उत्तर में **शुंग, कण्व, कुषाण** और **शक** प्रमुख थे, जबकि दक्षिणी और पश्चिमी भारत में **सातवाहन, इक्ष्वाकु, आभीर** और **वाकाटक** ने प्रसिद्धि प्राप्त की। इसी प्रकार, धार्मिक परिदृश्य में *शैव, वैष्णव* और *शाक्त,* जैसे ब्राह्मण संप्रदायों का उद्भव देखा गया। साथ ही इस अवधि की कला ने बदलते सामाजिक-राजनीतिक परिदृश्य को भी परिलक्षित करना आरंभ किया। चट्टानों को काटकर बनायी गयीं गुफाओं और स्तूपों के रूप में स्थापत्य कला जारी रही, लेकिन साथ ही कुछ राजवंशों ने अपनी स्वयं की कुछ अनूठी विशेषताएँ प्रचलित कीं। इसी प्रकार, मूर्तिकला की विभिन्न 'शैलियों का उद्भव हुआ और मौर्योत्तर काल में मूर्तिकला अपने **चरमोत्कर्ष** पर पहुँच गयी।

शैलकृत गुफाएँ

मौर्य काल की भाँति चट्टानों से बनायी गयीं गुफाओं का निर्माण मौर्योत्तर काल में भी जारी रहा। हालाँकि, इस अवधि में चट्टानी गुफाओं के **दो** प्रकारों, अर्थात् **चैत्य और विहार** का विकास देखा गया। यह विहार बौद्ध और जैन भिक्षुओं के लिए **आवासीय कक्ष** होते थे और इनका विकास मौर्य साम्राज्य के दौरान हुआ था। चैत्य कक्षों का विकास इस अवधि के दौरान हुआ था। चैत्य मुख्य रूप से समतल छतोंवाले चतुष्कोणीय कक्ष थे और **प्रार्थना कक्ष** के रूप में इनका उपयोग किया जाता था। इन गुफाओं में खुले प्रांगण तथा बारिश से बचाने के लिए पत्थर-रोड़ी की दीवारें भी थीं। इन्हें मानव और पशु आकृतियों से अलंकृत किया गया था।

मौर्योत्तर काल के दौरान उल्लेखनीय वास्तुकला

राजवंश/संरक्षक	प्रमुख स्थल एवं उदाहरण	मुख्य विशेषताएँ/महत्त्व
सातवाहन (प्रथम ईसा पूर्व - द्वितीय ईसा पूर्व)	कार्ले, भाजा, नासिक, बेडसा, कोंडाने, पीतलखोरा (महाराष्ट्र)	बौद्ध (हीनयान) गुफाएँ; चैत्य और विहार; पत्थर में लकड़ी के अग्रभाग की नक़ल; घोड़े की नाल का मेहराब; व्यापारी और गिल्ड द्वारा दान; कार्ले चैत्य - सबसे बड़ी प्रारंभिक बौद्ध गुफा।
पश्चिमी क्षत्रप/इंडो-ग्रीक	जुन्नार, कान्हेरी, कुडा, उम्ररकोट (गुजरात-महाराष्ट्र)	सरल विहार एवं चैत्य; शिलालेखों में यवन (यूनानी) दानदाताओं का उल्लेख है; मज़बूत व्यापारिक संबंध; कान्हेरी में कुण्ड सहित 100 से अधिक गुफाएँ हैं। कान्हेरी गुफाएँ मुंबई के पास संजय गांधी राष्ट्रीय उद्यान के अंदर स्थित हैं।
इक्ष्वाकु	नागार्जुनकोंडा, गुंटुपल्ली, घंटाशाला (आंध्र प्रदेश)	हीनयान से महायान में परिवर्तन; मूर्तिकला उभारोंवाले स्तूप; प्रारंभिक मूर्ति पूजा; ईंटों से निर्मित मठों का आरंभ।
प्रारंभिक तमिल/पांड्य क्षेत्र	काझुगुमलाई, सित्तन्नवासल, तिरुचिरापल्ली (तमिलनाडु)	शैलकृत जैन गुफाएँ, तमिल-ब्राह्मी शिलालेख, तपस्वी आश्रम और प्रारंभिक दक्षिणी गुफा परंपरा।
प्रारंभिक पल्लव (संक्रमणकालीन)	मंडगपट्टू, महेंद्रवाड़ी, मामंदूर (तमिलनाडु)	प्रथम हिंदू शैलकृत मंदिर; शिलालेख से पता चलता है 'ईंट, लकड़ी या धातु नहीं'; बौद्ध गुफाओं से हिंदू मंदिर वास्तुकला में परिवर्तन।

नासिक की गुफाएँ

नासिक की गुफाएँ 23 बौद्ध गुफाओं का समूह हैं, जिन्हें **''पांडव लेनी''** या **''त्रिरश्मि लेनी''** भी कहा जाता है। इन्हें संभवतः प्रथम शताब्दी ईसा पूर्व से तृतीय शताब्दी ईसवी के दौरान बनाया गया था तथा हीनयान संप्रदाय से संबंधित हैं। हालाँकि, बाद में इन गुफाओं पर महायान संप्रदाय का भी प्रभाव देखा जा सकता है। हीनयान संप्रदाय के अंतर्गत, बुद्ध की उपस्थिति **सिंहासन और पदचिह्न** जैसे रूपांकनों और प्रतीकों के उपयोग के माध्यम से दर्शायी गयी है। और बाद में, इन गुफाओं में बुद्ध की मूर्तियाँ भी बनायी गयीं, जो महायान बौद्ध धर्म का प्रभाव निरूपित करती हैं। यह स्थल **जल प्रबंधन की उत्कृष्ट प्रणाली** को भी दर्शाता है, जो ठोस चट्टानों से काटकर बनाये गये तालाबों की उपस्थिति से इंगित होता है।

नासिक में गुफा 3 सबसे महत्त्वपूर्ण गुफा है, जिसे **गौतमीपुत्र विहार (लगभग 150 ई.)** के नाम से जाना जाता है। गुफा 3 वासिष्ठिपुत्र पुलुमावी (सातवाहन राजा) के शासन-काल की अवधि में बौद्ध संघ को समर्पित थी।

उदयगिरि और खंडगिरि गुफाएँ, ओडिशा

- ओडिशा में उदयगिरि और खंडगिरि गुफाओं के वर्तमान स्वरूप का विकास मुख्यत: पहली शताब्दी ईसा पूर्व के महा मेघवाहन वंश के कलिंग राजा खारवेल के योगदान के कारण माना जाता है। हालाँकि, यहाँ चट्टान काटने का कार्य सोमवंश के काल तक जारी रहा, जिसने 9वीं से 12वीं शताब्दी ईसवी तक शासन किया।
- उदयगिरि–खंडगिरि गुफाओं का समूह दो निकटवर्ती पहाड़ियों पर और आधुनिक भुवनेश्वर शहर के पास स्थित है।
- यहाँ, हमें बलुआ पत्थर की पहाड़ी में 30 से अधिक गुफाएँ मिलती हैं, जिनमें से कुछ मानव निर्मित हैं और कुछ प्राकृतिक हैं।

वीडियो अंतर्दृष्टि

उदयगिरि और खंडगिरि गुफाएँ, ओडिशा पर वैचारिक वीडियो के लिए स्कैन करें

आइए, सबसे पहले उदयगिरि गुफाओं पर विस्तार से चर्चा करें :

- उदयगिरि गुफा परिसर में लगभग 18 गुफाएँ हैं तथा इनका निर्माण राजा खारवेल ने करवाया था, जो निजी जीवन में जैन धर्म का पालन करते थे। कुमारी पर्वत शृंखला पर बनी इन गुफाओं में जैन भिक्षुओं को निवास और ध्यान करने का स्थान दिया गया था।
- रानी गुफा यहाँ की सबसे बड़ी और सबसे लोकप्रिय गुफा है, जो दो मंज़िली है। इसके मध्य भाग के ऊपरी भाग में उभरी हुई आकृतियाँ हैं, जो एक राजा की विजय यात्रा को दर्शाती हैं। इस गुफा में यवन योद्धाओं की मूर्तियाँ भी हैं, जहाँ प्राचीन काल में यवन शब्द का अर्थ यूनानीभाषी लोगों से था।
- उदयगिरि समूह की अगली महत्त्वपूर्ण गुफा गुफा संख्या 14 है, जिसे हाथीगुम्फा के नाम से जाना जाता है। यह एक विशाल प्राकृतिक गुफा है, जिसमें ऐतिहासिक दृष्टि से अत्यंत महत्त्वपूर्ण सत्रह पंक्तियों का एक शिलालेख है, जो जैन राजा खारवेल के जीवन और उपलब्धियों का वर्णन करता है। यह हाथीगुम्फा शिलालेख प्राकृत भाषा और ब्राह्मी लिपि में उत्कीर्ण किया गया था तथा यह कलिंग शासक खारवेल के बारे में एकमात्र प्रमाण है।
- 17 पंक्तियोंवाले इस शिलालेख का पाठ जैन नमोकार मंत्र से शुरू होता है और उसके बाद राजा खारवेल के तीन मुख्य विषयों – उनकी सैन्य उपलब्धियाँ, उनके परोपकारी कार्य और जैन धर्म के एक उत्साही अनुयायी व संरक्षक होने पर केंद्रित है।

इस शिलालेख में, राजा खारवेल को एक उपासक के रूप में वर्णित किया गया है, जो जैन पूजा के प्रति समर्पित थे और साथ ही, वे सभी धार्मिक संप्रदायों का सम्मान करते थे, जैसा कि शिलालेखों में 'पसंद' शब्द के उल्लेख से स्पष्ट होता है।

हाथीगुम्फा शिलालेख के बारे में एक बात ध्यान देने योग्य है कि इसमें कलिंग क्षेत्र पर मौर्य आक्रमण का उल्लेख पूरी तरह से अनदेखा किया गया है।

- उदयगिरि परिसर में एक अन्य प्रमुख गुफा गणेश गुम्फा है, जिसका नाम गणेश की नक़्क़ाशीदार आकृति के कारण रखा गया है और यह मूर्तियों एवं नक़्क़ाशी के लिए भी प्रसिद्ध है।
- यहाँ स्थित मनकापुरी गुम्फा दो मंज़िली है। यहाँ तीन शिलालेख हैं और उनमें से एक में राजा खारवेल के परिवार और वंश का वर्णन है।

खंडगिरि गुफा समूह वहाँ की समीपवर्ती पहाड़ी पर स्थित है और इसमें कुल मिलाकर लगभग 15 गुफाएँ हैं।

- त्रिशूल गुम्फा में – गुफा की दीवारों पर चौबीस जैन तीर्थंकरों की मूर्तियाँ उकेरी गयी हैं। तीर्थंकर ऋषभ देव की मूर्ति यहाँ प्रमुख है।

- तोतोवा गुम्फा दो सुंदर रूप से सुसज्जित गुफाएँ हैं, जिनके प्रवेश द्वार पर दो रक्षक, दो बैल और दो सिंह हैं। प्रवेश द्वार के ऊपर, मेहराब पर तोते की आकृतियाँ उकेरी गयी हैं।
- अनंत गुम्फा खंडगिरि की सबसे बड़ी गुफा है तथा यह सुंदर नक़्क़ाशीदार मेहराबों, स्तंभों और पैनलों के लिए प्रसिद्ध है। यहाँ महिलाओं, हाथियों, एथलीटों और फूल लिए हुए हंसों की भव्य मूर्तियाँ देखी जा सकती हैं।

खंडगिरि की तुलना में, उदयगिरि समूह में अधिक सुंदर और बेहतर रखरखाववाले गुफा मंदिर हैं।

मौर्योत्तर स्तूप

मौर्योत्तर काल में स्तूप, *विशाल* और *अधिक अलंकृत* होते गये। लकड़ी और ईंट के स्थान पर *प्रस्तर* का अधिक-से-अधिक उपयोग किया जाने लगा। शुंग राजवंश ने स्तूपों के सुंदरतापूर्वक अलंकृत प्रवेश द्वारों के रूप में तोरण का निर्माण आरंभ किया। तोरणों को जटिल आकृतियों और पैटर्नों के साथ उत्कीर्णित किया जाता था और जो **हेलेनिस्टिक** (Hellenistic or Greek) **प्रभाव** के साक्ष्य हैं।

मौर्योत्तर काल के उल्लेखनीय स्तूपों में निम्नलिखित शामिल हैं :

स्तूप/स्थल	स्थान/राजवंश	मुख्य विशेषताएँ और विवरण
साँची स्तूप (संख्या 1)	मध्य प्रदेश - शुंग और सातवाहन	मूलतः मौर्यकालीन (अशोककालीन केंद्र); विस्तृत और पत्थर से जड़ा हुआ; जातक कथाओं और पुष्प रूपांकनों के साथ चार समृद्ध नक़्क़ाशीदार द्वार (तोरण) और वेदिका (रेलिंग) जोड़ी गयी।
भरहुत स्तूप	मध्य प्रदेश - शुंग काल	प्रारंभिक आख्यानात्मक उभारों में जातक कथाएँ, यक्ष-यक्षी आकृतियाँ, दाता शिलालेख; बुद्ध का प्रतीकात्मक चित्रण (केवल प्रतीक)।
बोधगया वेदिका (रेलिंग)	बिहार - शुंग काल	बोधि वृक्ष के चारों ओर पत्थर की वेदिका और स्तंभ; कमल, हाथी और बोधि वृक्ष पूजा के दृश्यों की नक़्क़ाशी।
अमरावती स्तूप	आंध्र प्रदेश - सातवाहन काल	सफ़ेद चूना पत्थर का विशाल स्तूप; जटिल आख्यानात्मक पटल; बुद्ध को प्रतीकात्मक और मानवीय दोनों रूपों में दर्शाया गया है; बौद्ध कला का प्रारंभिक प्रतीकात्मक चरण।
नागार्जुनकोंडा स्तूप	आंध्र प्रदेश - इक्ष्वाकु (सातवाहन के बाद)	कई स्तूपोंवाला मठ परिसर; गांधार-प्रभावित उभार; प्रतीकात्मक और मानवरूपी चरणों के बीच संक्रमण।
जग्गय्यापेटा स्तूप	आंध्र प्रदेश - सातवाहन काल	प्राकृत और ब्राह्मी में प्रारंभिक शिलालेख; अवशेष सिंगारदान (बेंमज); अलंकृत ढोल और वेदिका पटल।
भट्टीप्रोलु स्तूप	आंध्र प्रदेश - प्रारंभिक सातवाहन	दक्षिण भारत में सबसे प्राचीन ब्राह्मी शिलालेख; स्फटिक सिंगारदानों में अवशेष; बौद्ध कला के दक्कन रूपांतर को दर्शाता है।
शाजी-की-ढेरी (कनिष्क का स्तूप)	पेशावर, पाकिस्तान - कुषाण काल	कनिष्क द्वारा निर्मित; सबसे ऊँचे प्राचीन स्तूपों में से एक; त्रि-स्तरीय आधार और स्वर्ण-मंडित छत्र; गांधार शैली की मूर्तिकला।
धर्मराजिका स्तूप	तक्षशिला - कुषाण काल	विस्तारित पूर्व संरचना; अवशेष कक्ष; गचकारी (stucco) की सजावट और बुद्ध की मूर्तियाँ।

कृपया ध्यान दें : ***अमरावती और नागार्जुनकोंडा*** *की वास्तुकला का विवरण अध्याय-6 में दिया गया है।*

गुप्त काल

चौथी शताब्दी ईसवी में गुप्त साम्राज्य के आविर्भाव को बहुधा **''भारत का स्वर्णिम युग''** भी कहा जाता है। यद्यपि आरंभिक गुप्त शासक बौद्ध थे और उन्होंने बौद्ध वास्तुकला की परंपरा को जारी रखा। लेकिन मंदिरों की वास्तुकला उत्तरवर्ती गुप्तकाल में हिंदू शासकों के संरक्षण में प्रसिद्ध हुई। इस अवधि में मंदिरों की वास्तुकला अपने शिखर पर पहुँची। इसी प्रकार बौद्ध और जैन कला भी गुप्त काल में अपने **शिखर** पर पहुँची।

मुख्य रूप से उत्तरवर्ती गुप्त शासक ब्राह्मण धर्म के पोषक/संरक्षक थे। फिर भी उन्होंने अन्य धर्मों के लिए अनुकरणीय सहिष्णुता का प्रदर्शन किया। इस काल में भारत के उत्तरी और मध्य भाग में *विष्णु*, दक्षिणी भाग में *शिव* और भारत के पूर्वी भाग और साथ ही साथ मालाबार समुद्र तट या भारत के दक्षिण-पश्चिम भाग में *शक्ति*, जैसे **तीन मुख्य देवी/देवताओं** की पूजा की जाती थी।

गुफा वास्तुकला

गुप्त काल के दौरान, गुफाओं का वास्तुशास्त्रीय विकास निरंतर होता रहा। तथापि, गुफाओं की दीवारों पर **भित्ति चित्रों** का प्रयोग एक अतिरिक्त विशेषता बन गयी। **भित्ति चित्रों के** सर्वाधिक बेहतरीन उदाहरणों में से कुछ अजन्ता और ऐलोरा की गुफाओं में देखे जा सकते हैं। गुप्त काल की एक अन्य उल्लेखनीय गुफा वास्तुकला मध्य प्रदेश की उदयगिरि गुफाएँ हैं।

अजंता की गुफाएँ

- महाराष्ट्र के औरंगाबाद ज़िले में सहयाद्रि पहाड़ियों में वाघोरा नदी की घाटी में अजंता का शानदार शैलकृत बौद्ध स्थल स्थित है।
- एक ब्रिटिश लेफ़्टिनेंट जॉन स्मिथ ने 1819 में एक शिकार के दौरान इन गुफाओं की खोज की थी।
- अजंता में 29 बौद्ध गुफाएँ हैं - 5 सातवाहन काल (लगभग दूसरी शताब्दी ईसा पूर्व से पहली शताब्दी ईसवी) की और 24 वाकाटक काल (लगभग पाँचवीं से छठी शताब्दी ईसवी) की हैं। सभी गुफाएँ घोड़े की नाल के आकार में व्यवस्थित हैं। उनमें से केवल 5 (गुफाएँ 9, 10, 19, 26 और 29) चैत्य (पूजा स्थल) थे, बाक़ी विहार (भिक्षुओं के निवास स्थान) थे। गुफा संख्या 1 भारत में अब तक निर्मित सबसे भव्य शैलकृत विहार है, जिसे वाकाटक राजा हरिषेण ने संरक्षण दिया था।
- सबसे प्रारंभिक उत्खनन सातवाहनों द्वारा किये गये थे और ये बौद्ध धर्म के हीनयान (थेरवाद) चरण से संबंधित हैं। यहाँ उपासना हेतु एक स्तूप है।

वीडियो अंतर्दृष्टि

अजंता गुफाओं की वास्तुकला और चित्रकला पर वैचारिक वीडियो के लिए स्कैन करें

- द्वितीय चरण के उत्खनन वाकाटक वंश, विशेष रूप से हरिषेण (लगभग 460-477 ई.) के शासनकाल के प्रमुख योगदान को दर्शाते हैं तथा बौद्ध धर्म के महायान चरण से संबंधित हैं। वाकाटक, गुप्त राजवंश के समकालीन थे।
- कुछ गुफाएँ दो मंज़िलीं हैं, जो उन्नत अभियांत्रिकी और संरचना योजना को दर्शाती हैं (उदाहरण के लिए, गुफा 6)।
- गुफा 26 में एक विशाल स्तूप है, जिस पर उच्च नक़्क़ाशीदार बैठे हुए बुद्ध की प्रतिमा अंकित है। बायीं दीवार पर, बुद्ध लेटी हुई मुद्रा में हैं, जो *परिनिर्वाण* (अंतिम निर्वाण) का प्रतीक है और उनके चारों ओर शोकग्रस्त आकृतियाँ हैं।
- चैत्यों की तरह, विहारों में भी मूर्तिकला अलंकरण की प्रचुरता दिखाई देती है। विहार में एक उपासना कक्ष का निर्माण इस काल की एक नवीनता है।

- मूल रूप से, अधिकांश गुफाओं में भित्ति चित्र (पहले से सूखी हुई सतहों पर की गयी चित्रकारी) थे, लेकिन वर्तमान में इनमें से कुछ ही बचे हैं। फ्रेस्को सेको तकनीक का प्रयोग छह रंगों - सफ़ेद, लाल, पीला, काला, हरा और नीला - के साथ किया गया है।
- गुफाओं के भित्ति चित्रों में बुद्ध, बोधिसत्व और जातक के साथ-साथ यक्ष, गंधर्व और अप्सराओं से जुड़े दृश्य दर्शाये गये हैं। यहाँ चित्रित सर्वाधिक उल्लेखनीय दृश्य वेस्सन्तर जातक और बोधिसत्व पद्मपाणि (करुणामय बुद्ध को कमल धारण करते हुए दर्शाते हुए) और वज्रपाणि के हैं। अन्य उल्लेखनीय चित्रों में मरती हुई राजकुमारी (गुफा 16 में); राजा जनक और उनकी रानी (गुफा 1 में); मार का प्रलोभन (गुफा 26 में) शामिल हैं।
- धार्मिक दृश्यों के अलावा, यहाँ रोज़मर्रा के जीवन, जानवरों और प्रकृति के भी कई दृश्य हैं।
- अजंता की गुफाओं का उल्लेख चीनी बौद्ध यात्री फाह्यान (जो चौथी-पाँचवीं शताब्दी में चंद्रगुप्त द्वितीय के शासनकाल में आये थे) और ह्वेनसांग (जो सातवीं शताब्दी में आये थे) के यात्रा वृत्तांतों में मिलता है।
- इन गुफाओं को 1983 में यूनेस्को विश्व धरोहर स्थल घोषित किया गया था।

एलोरा की गुफाएँ

क्या आप जानते हैं?

बड़ौदा शिलालेख में कृष्णराज द्वारा निर्मित कैलास मंदिर का हवाला देते हुए एलापुरा या एलोरा का उल्लेख किया गया है। कर्कराज द्वितीय द्वारा प्रदान किया गया यह ताम्रपत्र, एलापुरा स्थित कैलासनाथ मंदिर के लिए कृष्णराज के संरक्षण का वर्णन करता है और मंदिर को एक ऐसे आश्चर्य के रूप में वर्णित करता है, जिसने देवताओं एवं वास्तुकारों को भी चकित कर दिया था। यह शिलालेख इसकी भव्यता पर प्रकाश डालता है और इस स्थल की प्राचीनता को स्थापित करता है।

- एलोरा की गुफाएँ अजंता की गुफाओं से लगभग 100 किलोमीटर दूर स्थित हैं तथा ये महाराष्ट्र में सह्याद्रि पर्वतमाला का हिस्सा हैं।
- ये शैलकृत गुफाएँ लगभग पाँचवीं और ग्यारहवीं शताब्दी ईसवी के बीच निर्मित की गयी थीं। अजंता की गुफाओं की तरह, ये भारत में समृद्ध वास्तुकला और भित्ति चित्रों के प्रमुख उदाहरणों में से एक हैं, हालाँकि ये अजंता की गुफाओं की तुलना में बहुत नवीन हैं।
- एल्लोरपुरम के पुराने नाम का संक्षिप्त रूप एलोरा है, जिसे कभी-कभी वेरुल या एलुरा भी कहा जाता है। इस शब्द का पुराना रूप 812 ईसवी के बड़ौदा शिलालेख जैसे ऐतिहासिक संदर्भों में पाया गया है।
- एलोरा की कुल 34 गुफाओं में से, महायान और वज्रयान परंपरा की 12 बौद्ध गुफाएँ (अर्थात् गुफाएँ 1-12), 17 हिंदू गुफाएँ (अर्थात् गुफाएँ 13-29) और जैन धर्म के दिगंबर संप्रदाय से संबंधित 5 जैन गुफाएँ (अर्थात् गुफाएँ 30-34) हैं। इस प्रकार, यह अनुमान लगाया जा सकता है कि एलोरा धार्मिक सह-अस्तित्व के सबसे शानदार उदाहरणों में से एक है।
- गुफा संख्या 1-12 वाकाटक और चालुक्य वंश द्वारा निर्मित बौद्ध गुफाएँ हैं। यह एक रोचक तथ्य होगा कि इन 12 बौद्ध गुफाओं में से केवल एक ही प्रार्थना कक्ष (अर्थात् चैत्य) है, बाक़ी मठ (या विहार) हैं।

वीडियो अंतर्दृष्टि

एलोरा गुफाओं की वास्तुकला और चित्रकला पर वैचारिक वीडियो के लिए स्कैन करें

- यहाँ की बौद्ध गुफाओं में तारा, महामयूरी, अक्षोभ्य, अवलोकितेश्वर, मैत्रेय और अमिताभ जैसी कई मूर्तियाँ हैं। इनमें केंद्रीय आकृति बुद्ध की है, जो तीन पवित्र मुद्राओं में पायी जाती हैं : ध्यान मुद्रा, उपदेश मुद्रा और दाहिने हाथ की तर्जनी से धरती को स्पर्श करते हुए (जिसे भूमि-स्पर्श मुद्रा कहते हैं)।
- बौद्ध गुफाओं में, गुफा संख्या 10 उल्लेखनीय है, जो एक चैत्य है और 'विश्वकर्मा गुफा' के नाम से जानी जाती है। इसे बढ़ई की गुफा भी कहा जाता है, क्योंकि इसकी चट्टान को लकड़ी के बीम जैसा रूप दिया गया है। इस गुफा में एक विशाल, बैठे हुए बुद्ध की मुद्रा में, एक मन्नत स्तूप के सामने नक़्क़ाशी की गयी है।

- गुफा 12, जिसे तीन थाल के नाम से जाना जाता है, तीन मंज़िलोंवाली है तथा इसमें बड़े पैमाने पर मूर्तियाँ प्रदर्शित हैं। यहाँ के एक पैनल में सात मानुषी बुद्धों की एक पंक्ति दर्शायी गयी है। दूसरे पैनल में सात ध्यानी बुद्धों को दिखाया गया है।
- कैलास मंदिरवाली गुफा 16 का हिंदू महत्त्व बहुत अधिक है। यह एक अखंड मंदिर संरचना है, जिसे एक ही ठोस चट्टान या एकाश्म से तराशा गया है तथा यह भगवान् शिव को समर्पित है। इस मंदिर का निर्माण राष्ट्रकूट वंश के कृष्ण प्रथम ने 8वीं शताब्दी में करवाया था। इसे दुनिया का सबसे बड़ा एकाश्म हिंदू मंदिर माना जाता है। इस दो मंज़िले मंदिर में एक शिवलिंग है, जिसमें एक सपाट छतवाला मंडप है, जो 16 स्तंभों पर टिका हुआ है, साथ ही एक द्रविड़ शिखर भी है। मंदिर के बाहरी भाग में शैव और वैष्णव देवताओं की प्रतिमाएँ हैं और प्रांगण में ध्वजदंड सहित दो विशाल स्तंभ और एक नंदी मंडप है। गुफा संख्या 16 में सुंदर मूर्तियों में रावण द्वारा कैलास पर्वत को हिलाना, शिव-पार्वती का विवाह समारोह और देवी दुर्गा द्वारा महिषासुर का वध शामिल हैं। अन्य प्रमुख मूर्तियों में भगवान् शिव का नटराज (ब्रह्मांडीय नर्तक), लिंगोद्भव (जो शिव के एक अनंत प्रकाश स्तंभ के रूप में उद्भव का संकेत देता है), अंधकसुरवध और कल्याणसुंदर के रूप में चित्रण शामिल हैं, जबकि वैष्णव मूर्तियों में भगवान् विष्णु के विभिन्न अवतारों को दर्शाया गया है।
- एलोरा गुफाओं की एक प्रमुख विशेषता अतिरिक्तंग-भैरव मूर्ति है- जो भगवान् शिव के कंकाल रूप का प्रतिनिधित्व करती है।
- गुफा संख्या 15 में दशावतार मंदिर नामक एक और वास्तुशिल्प चमत्कार है।
- गुफा संख्या 21, जिसे रामेश्वर लीना के नाम से भी जाना जाता है, कलचुरी राजवंश द्वारा किया गया एक और प्रारंभिक उत्खनन है। प्रवेश द्वार के दोनों ओर गंगा और यमुना देवियों की विशाल मूर्तियाँ हैं, जो दो प्रमुख हिमालयी नदियों के धार्मिक महत्त्व को दर्शाती हैं।
- गुफा संख्या 29, जिसे धूमर लेना भी कहा जाता है, एलोरा के सबसे प्रारंभिक और महानतम उत्खननों में से एक है।
- गुफा संख्या 30, 32 और 33 जैन गुफाएँ हैं तथा इनमें क्रमशः छोटा कैलास, इंद्र सभा और जगन्नाथ सभा शामिल हैं, और इनका निर्माण यादव वंश द्वारा करवाया गया था।
- एलोरा में कई शिलालेख छठी शताब्दी के बाद के हैं, जिनमें से सबसे प्रसिद्ध आठवीं शताब्दी के राष्ट्रकूट राजा दंतिदुर्ग का एक शिलालेख है, जो गुफा संख्या 15 के अग्र मंडप की पिछली दीवार पर है, जिसमें लिखा है कि उन्होंने उस मंदिर में प्रार्थना की थी।
- एलोरा गुफा परिसर को 1983 में यूनेस्को विश्व धरोहर स्थल घोषित किया गया था।

बाघ गुफाएँ

मध्य प्रदेश के धार ज़िले में बाघनी नदी के तट पर स्थित, यह नौ बौद्ध गुफाओं का एक समूह है, जिसका विकास लगभग पाँचवीं-छठी शताब्दी ईसवी में, अर्थात् मुख्यतः गुप्त काल के दौरान हुआ था। यहाँ की अधिकांश गुफाएँ विहार हैं और कुछ ही चैत्य हॉल हैं। वास्तुकला की दृष्टि से यह अजंता गुफाओं से काफ़ी मिलती-जुलती है। यहाँ बाहरी वास्तुकला की तुलना में आंतरिक भित्तिचित्रों पर अधिक बल दिया गया है। यहाँ की दीवारों और छतों पर जातक कथाओं, बोधिसत्वों और दिव्य आकृतियों के चित्र अंकित हैं। छत के पैनलों पर पुष्प और ज्यामितीय आकृतियाँ हैं। यहाँ की सबसे महत्त्वपूर्ण गुफा रंग महल (गुफा संख्या 4) है। बाघ गुफाओं में भित्तिचित्र आध्यात्मिकता से ज़्यादा भौतिकवादी हैं।

वीडियो अंतर्दृष्टि

बाघ गुफा चित्रों पर वैचारिक वीडियो के लिए स्कैन करें

क्या आप जानते हैं?

बाघ गुफा चित्रों में हल्लिसलास्य नृत्य भी दर्शाया गया है, जो एक शास्त्रीय भारतीय नृत्य शैली है, जिसे शाही दरबारों, मंदिरों और समारोहों में प्रदर्शित किया जाता था। गुप्त काल में, इसे अक्सर कला और मूर्तिकला में एक भक्ति या दरबारी नृत्य के रूप में दर्शाया जाता था।

जूनागढ़ की गुफाएँ

ये बौद्ध गुफाएँ गुजरात के जूनागढ़ में स्थित हैं। वास्तव में यहाँ गुफाओं के स्थान पर तीन भिन्न प्रकार के स्थल पाये जाते हैं, जैसे– 1. खपरा कोड़िया 2. बाबा प्यारे, 3. ऊपरकोट। जूनागढ़ गुफाओं की एक अद्वितीय विशेषता प्रार्थना स्थल के सामने 30-35 फुट ऊँचे नगर दुर्ग की उपस्थिति है, जिसे **''ऊपर कोट''** के नाम से जाना जाता है।

मंडपेश्वर की गुफाएँ

ये गुफाएँ मुंबई के निकट बोरिवली में स्थित हैं और इन्हें मोंटपेरिर (Montperir) गुफाओं के नाम से भी जाना जाता है। इन्हें परवर्ती गुप्त काल में **ब्राह्मण गुफा** के रूप में विकसित किया गया था। हालाँकि, बाद के काल में यह **ईसाई गुफा में परिवर्तित हो गयी।** इस स्थल के अवशेषों में नटराज, सदा शिव और अर्द्धनारीश्वर की मूर्तियाँ सम्मिलित हैं। चर्च और उसका समाधि क्षेत्र गुफा के पूर्ववर्ती भाग के ऊपर स्थित है।

उदयगिरि की गुफाएँ, विदिशा *(इन्हें भ्रमवश उड़ीसा की उदयगिरि-खंडगिरी की गुफाएँ न समझें)*

- उदयगिरि गुफाएँ मध्य प्रदेश में विदिशा के पास स्थित हैं। गुप्त वंश के चंद्रगुप्त द्वितीय के संरक्षण में पाँचवीं शताब्दी के आरंभ में निर्मित, ये गुफाएँ अपने शैलकृत शरणस्थलों (sanctuaries), शिलालेखों और मूर्तियों के लिए उल्लेखनीय हैं।
- इस स्थल में लगभग 20 गुफाएँ हैं, जिनमें से अधिकांश शैलकृत हैं और इनमें प्राचीनतम हिंदू मूर्तियों में से एक है।
- इनमें से कुछ गुफाओं, विशेष रूप से गुफा संख्या 5 में, भगवान् विष्णु के वराह अवतार **(boar incarnation)** की विशाल प्रतिमा है।
- गुफा संख्या 6, 7 और 20 में गुप्त लिपि में संस्कृत शिलालेख हैं, जिनमें से एक गुप्त संवत् 82 (401-02 ईसवी) और दूसरा गुप्त संवत् 106 (425-26 ईसवी) का है। इनमें से दो में प्रसिद्ध गुप्त सम्राट् चंद्रगुप्त द्वितीय का नाम अंकित है। गुफा संख्या 7 के शिलालेख में कहा गया है कि सम्राट् ने अपनी विजय के दौरान इस स्थान का दौरा किया था तथा इस गुफा का निर्माण वीरसेन ने करवाया था।

वीडियो अंतर्दृष्टि

उदयगिरी गुफाएँ, विदिशा (मध्य प्रदेश) पर वैचारिक वीडियो के लिए स्कैन करें

- गुफा 6 को स्थानीय जनजाति के मुखिया, संकनिका द्वारा उत्कीर्ण एक शिलालेख के नाम पर संकनिका गुफा के नाम से जाना जाता है, जो चंद्रगुप्त द्वितीय की उत्तर-पूर्वी मालवा क्षेत्र पर विजय का वर्णन करता है। यहाँ गणेश की मूर्ति को देवता की सबसे प्राचीन ज्ञात प्रतिमाओं में से एक माना जाता है।
- गुफा 7 को स्थानीय रूप से तवा गुफा कहा जाता है, क्योंकि यह विशाल तवे जैसा दिखनेवाला एक बड़ा सपाट पत्थर है।
- गुफा 5 उदयगिरि की सबसे प्रसिद्ध गुफा है, जिसे वराह गुफा भी कहा जाता है। यह उस पौराणिक कथा को दर्शाती है, जिसमें राक्षस

वराह अवतार (गुफा नंबर 5)

हिरण्याक्ष ने पृथ्वी देवी, भूदेवी को गहरे ब्रह्मांडीय महासागर में छिपा दिया था। भगवान् विष्णु वराह अवतार के रूप में प्रकट हुए और राक्षस का वध करके पृथ्वी देवी को ब्रह्मांडीय जल से बाहर निकाला।

- गुफा 13 में लेटे हुए विष्णु की बड़ी चट्टान पर उकेरी गयी एक प्रतिमा है, जो एक सर्प की कुंडली में लेटे हुए हैं और उनका सिर उनके चार हाथों में से एक की हथेली पर टिका हुआ है। यह लेटे हुए विष्णु की सबसे प्राचीन और सबसे बड़ी प्रतिमाओं में से एक है।
- गुफा 1 वास्तुकला की दृष्टि से महत्त्वपूर्ण है, क्योंकि यह हिंदू मंदिर वास्तुकला के प्रारंभिक चरण का प्रतिनिधित्व करती है। यह एक छोटा मंदिर है, जिसके सामने एक साधारण बरामदा है, जिसे स्थानीय रूप से सूरज-गुफा के नाम से जाना जाता है। इस गुफा में एक खड़े जैन तीर्थंकर की प्रतिमा भी स्थापित है।

इस प्रकार, उदयगिरि गुफाएँ गुप्तकालीन कला, धर्म और राजनीतिक सत्ता के प्रतीक के रूप में मौजूद हैं, जिनमें पौराणिक विषयों का शाही शिलालेखों के साथ सम्मिश्रण है।

कुछ अन्य उल्लेखनीय गुफा वास्तुकलाएँ

एलिफैंटा गुफाएँ

- पवित्र एलीफेंटा गुफाएँ, अरब सागर में एलीफेंटा द्वीप पर स्थित प्राचीन शैलकृत गुफाओं का एक नेटवर्क हैं तथा महाराष्ट्र में मुंबई से लगभग 11 किलोमीटर पूर्व में स्थित हैं। इन गुफाओं को देखने के लिए गेटवे ऑफ़ इंडिया से नाव द्वारा यात्रा करनी पड़ती है। एलीफेंटा द्वीप को घारापुरी के नाम से भी जाना जाता है।
- इन गुफाओं को वर्ष 1987 में यूनेस्को विश्व धरोहर स्थल घोषित किया गया था तथा ये अपनी प्रभावशाली मूर्तियों और नक़्क़ाशी, विशेष रूप से भगवान् शिव को समर्पित, के लिए प्रसिद्ध हैं।
- एलिफैंटा द्वीप में 5 हिंदू गुफाएँ, कुछ बौद्ध स्तूप टीले और 2 बौद्ध गुफाएँ हैं, जिनमें जल कुंड हैं।
- इनमें से अधिकांश गुफाएँ 5वीं और 8वीं शताब्दी ईसवी के बीच की हैं, तथा विद्वान् इन्हें विभिन्न हिंदू राजवंशों से संबंधित मानते हैं।
- पुर्तगाली यात्री (16वीं शताब्दी में) इन गुफाओं का विवरण देनेवाले पहले यूरोपीय लोगों में से थे। उन्होंने इस द्वीप का नाम 'एलिफैंटा' इसलिए रखा क्योंकि यहाँ कभी एक बेसाल्ट से बनी विशाल हाथी की प्रतिमा स्थित थी, जिसे अब मुंबई के विक्टोरिया गार्डन में स्थानांतरित कर दिया गया है।
- ये गुफाएँ भारतीय इतिहास के प्रारंभिक मध्यकाल के दौरान, विशेष रूप से शैव धर्म से संबंधित, प्रमुख धार्मिक और सांस्कृतिक परिवर्तनों को दर्शाती हैं। गुफा संख्या 1 की दीवारों पर एक प्रतिष्ठित विशाल अखंड त्रिमूर्ति प्रतिमा मौजूद है, जो त्रिमुखी शिव का प्रतिनिधित्व करती है, जिसमें भगवान् शिव को सृष्टिकर्ता, संरक्षक और संहारक के रूप में दर्शाया गया है। यह त्रिमूर्ति एक उत्कृष्ट कृति है तथा इसे सदाशिव और महेशमूर्ति के नाम से भी जाना जाता है।

वीडियो अंतर्दृष्टि

एलीफेंटा गुफाओं पर वैचारिक वीडियो के लिए स्कैन करें

क्या आप जानते हैं?

इनमें से अधिकांश प्रतिष्ठित मूर्तियाँ एलोरा और बादामी की गुफाओं में भी मौजूद हैं। इनमें जहाँ एलोरा महाकाव्यात्मक है और बादामी रचनात्मक है, वहीं एलीफेंटा की मूर्तियाँ दार्शनिक और प्रतीकात्मक महत्त्व की हैं।

- शिलाचित्रों में, नटराज (या नृत्य के देवता) और योगीश्वर (या योग के देवता) की एक प्रमुख मूर्ति भी मौजूद है। वहाँ मौजूद अन्य मूर्तियों में कल्याणसुंदर (या भगवान् शिव और पार्वती का विवाह), कैलास पर्वत को हिलाते हुए रावण, गंगाधर के रूप में शिव और अर्धनारीश्वर (जो आधे शिव और आधे पार्वती हैं) की एक मूर्ति शामिल है।

उंदावल्ली गुफाएँ

- उंदावल्ली गुफाएँ, कृष्णा नदी के किनारे एक पहाड़ी पर बलुआ पत्थर से तराशी गयीं एकाश्मिक चार मंज़िली शैलकृत वास्तुकला हैं तथा आंध्र प्रदेश के गुंटूर ज़िले में स्थित हैं। ये गुफाएँ विजयवाड़ा शहर के दक्षिण-पश्चिम में स्थित हैं। इन गुफाओं का निर्माण संभवतः गुप्त काल के दौरान चौथी-पाँचवीं शताब्दी में किया गया था। प्रारंभ में, इन गुफाओं को जैन निवास के रूप में आकार दिया गया था, क्योंकि पहली मंज़िल पर अभी भी जैन शैली बरकरार है; विहार में जैन भिक्षुओं की मूर्तियाँ प्रदर्शित हैं और तीर्थंकर मूर्तियाँ भी हैं। गुफा का यह पहला स्तर एक नक़्क़ाशीदार विहार है और इसमें बौद्ध कलाकृतियाँ भी हैं।

वीडियो अंतर्दृष्टि

उंदावल्ली गुफाओं पर वैचारिक वीडियो के लिए स्कैन करें

- उंदावल्ली गुफाओं का परवर्ती विकास विष्णुकुंडिन वंश से जुड़ा है, जिसने 5वीं और 7वीं शताब्दी के बीच शासन किया। मूल रूप से विदर्भ के वाकाटकों के जागीरदार, विष्णुकुंडिनों ने लगभग 429 ईसवी में अपनी स्वतंत्रता स्थापित की और उनकी राजधानी पहले अमरावती और बाद में विजयवाड़ा थी। उन्होंने इस क्षेत्र में हिंदू धर्म का पुनरुद्धार किया।
- उंदावल्ली के शैलकृत मंदिर हिंदू त्रिदेवों को समर्पित हैं; हालाँकि, यहाँ के प्रमुख देवता अनंतशयन विष्णु हैं। उंदावल्ली गुफा एक चार मंज़िली संरचना है, जिसकी प्रत्येक मंज़िल पर कला और वास्तुकला की प्रभावशाली कृतियाँ हैं।

स्तूप

गुप्त काल में स्तूपों के विकास में गिरावट देखी गयी। हालाँकि, वाराणसी के निकट सारनाथ स्थित धमेक स्तूप इस काल के पूर्ववर्ती स्तूपों के जीर्णोद्धार का एक उत्कृष्ट उदाहरण है। इसे उस स्थान के रूप में चिह्नित किया गया है, जहाँ बुद्ध ने अपना पहला उपदेश दिया था। *(सारनाथ विषय के अंतर्गत अध्याय-6 में अधिक जानकारी दी गयी है)*

मंदिरों की वास्तुकला

वर्गाकार गर्भगृह और खम्भों से युक्त द्वारमंडप के विकास के साथ गुप्त काल में मंदिरों की वास्तुकला का आविर्भाव हुआ। प्रारम्भिक चरणों में मंदिर सपाट छतवाले, एक ही पत्थर को काट कर बनाये गये होते थे। कालांतर में तक्षित (गढ़े हुए) 'शिखरों' से युक्त मंदिरों का क्रमिक विकास हुआ। इस क्रमिक विकास को **पाँच** चरणों में विभाजित किया जा सकता है :

प्रथम चरण

इस चरण में विकसित मंदिरों की विशेषताएँ निम्नलिखित हैं :

- मंदिरों में **सपाट छत** होती थी।
- मंदिरों का आकार **वर्गाकार** होता था।
- द्वार मंडप (Portico) को **उथले स्तंभों** पर निर्मित किया जाता था।
- संपूर्ण संरचना को **कम ऊँचाई के मंचों (जगती)** पर निर्मित किया जाता था।

उदाहरण : साँची में निर्मित मंदिर संख्या 17 (मध्य प्रदेश)

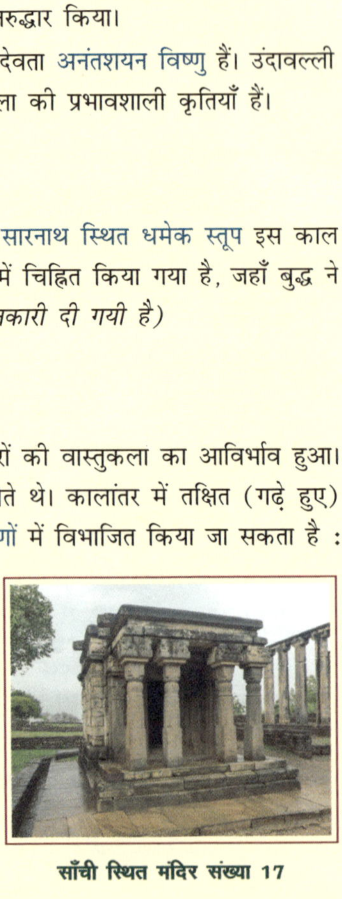

साँची स्थित मंदिर संख्या 17

द्वितीय चरण

इस चरण में निर्मित मंदिरों में, अधिकतर विशेषताएँ पूर्व चरण की ही बनी रहीं। तथापि, **मंच (वेदी) अधिक ऊँचे या उभार प्रदान किये हुए होते थे।** कहीं-कहीं **दो मंज़िले मंदिर** के उदाहरण भी प्राप्त हुए हैं। इस चरण का एक और महत्त्वपूर्ण संयोजन गर्भ गृह के चारों ओर **ढका हुआ मार्ग** था। इस मार्ग को **प्रदक्षिणा-पथ** के रूप में प्रयोग किया जाता था।

उदाहरण: मध्य प्रदेश में **नचना कुठार** का **पार्वती मंदिर** (पन्ना ज़िला)।

तृतीय चरण

इस चरण में सपाट छतों के स्थान पर **शिखरों** का उद्भव हुआ। यद्यपि, वे अभी भी बहुत कम ऊँचाई के होते थे और लगभग वर्गाकार, अर्थात् वक्ररेखीय थे। मंदिरों को बनाने की **पंचायतन शैली** का आरम्भ अब हो गया था।

दशावतार मंदिर, देवगढ़

मंदिर बनाने की **पंचायतन शैली** में प्रमुख देवता के मंदिर के साथ चार *गौण* देव *मं*दिर होते थे। महत्त्वपूर्ण है कि प्रमुख मंदिर वर्गाकार होता था और इसके सामने लम्बा मंडप होता था, जिससे इसका आकार आयताकार हो जाता था। गौण देव मंदिरों को मंडप के प्रत्येक ओर एक-दूसरे के सम्मुख स्थापित किया जाता था। इस प्रकार मंदिर का भू-विन्यास **क्रूस** (Crucified shape) **के आकार** का हो जाता था।

उदाहरण: **देवगढ़** का दशावतार मंदिर (उ.प्र.), ऐहोल का दुर्गा मंदिर (कर्नाटक) इत्यादि।

चतुर्थ चरण

इस चरण के मंदिर लगभग एक जैसे ही थे, एकमात्र अंतर यह हुआ कि मुख्य मंदिर अधिक *आयताकार* हो गया।

उदाहरण: महाराष्ट्र में **तेर मंदिर** या विक्रम मंदिर।

पंचम चरण

इस चरण में बाहर की ओर उथले आयताकार किनारोंवाले *वृत्ताकार मंदिरों* का निर्माण आरम्भ हुआ था। उल्लेखनीय है कि इससे पहले के चरणों की शेष सभी विशेषताएँ जारी रहीं।

उदाहरण: बिहार में राजगीर का **मनियार मठ**। (बिहार)

मनियार मठ, राजगीर

मंदिर वास्तुकला की शैलियाँ

मंदिर वास्तुकला की शैलियाँ

- नागर शैली
- द्रविड़ शैली
- नायक शैली
- वेसर शैली

हिंदू मंदिर के मूल रूप में निम्नलिखित अवयव सम्मिलित हैं:

- **मंदिर गर्भ:** इसे **गर्भ गृह** के नाम से भी जाना जाता है, जो सामान्य रूप से एक कक्षिका; अर्थात् छोटा कक्ष होता है, जिसमें मंदिर के प्रमुख देवता को स्थापित किया जाता है।
- **मंडप:** यह मंदिर का प्रवेश स्थल होता है। यह कोई द्वार, मंडप या सभा भवन हो सकता है और इसे सामान्य रूप से बड़ी संख्या में पूजा करनेवाले लोगों को स्थान देने हेतु अभिकल्पित किया जाता है।
- **शिखर:** यह पर्वत जैसा शिखर होता है। इसके आकार पिरामिडीय से वक्ररेखीय तक विभिन्न प्रकार के हो सकते हैं।
- **वाहन:** यह प्रमुख देवता का आसन या वाहन होता है और इसे **पवित्रतम स्थल** (गर्भगृह) के ठीक सामने स्थापित किया जाता था।

तथापि, स्थानीय शासकों के संरक्षण में भारत के विभिन्न क्षेत्रों में वास्तुकला की विभिन्न शैलियाँ विकसित हुईं। इसें हम निम्न संदर्भ में देख सकते हैं।

वास्तुकला की नागर शैली

पाँचवीं शताब्दी ईसवी से भारत के उत्तरी भाग में मंदिर *वास्तुकला* की एक भिन्न शैली विकसित हुई, जिसे *नागर शैली* के रूप में जाना जाता है। नागर शैली के अंतर्गत भी देश के पश्चिमी, मध्य और पूर्वी भागों में विभिन्न उप-शैलियों का उद्भव हुआ। **नागर शैली की कुछ विशेषताएँ** हैं:

- सामान्य रूप से मंदिर निर्माण करने में **पंचायतन शैली** का अनुपालन किया गया, इसके अंतर्गत मुख्य मंदिर के सापेक्ष क्रूस (crucified) आकार के भू-विन्यास पर गौण देव मंदिरों की स्थापना की जाती थी।
- मुख्य देव मंदिर के सामने **सभाकक्ष या मंडप स्थित होते थे।**
- *गर्भ गृह* के बाहर, देवी **गंगा और यमुना** की प्रतिमाओं को स्थापित किया जाता था।
- सामान्यत: मंदिर परिसर में **जल का कोई टैंक** या जलाशय **नहीं** होता था।
- मंदिरों को सामान्य रूप से **भूमि से ऊँचे बनाये गये मंच** (वेदी) पर निर्मित किया जाता था।
- मंडपों के निर्माण में **स्तम्भों** का प्रयोग किया जाता था।
- शिखर सामान्य रूप से **तीन प्रकार** के होते थे:

1. ***लैटिना या रेखा-प्रासाद:*** वे आधार पर *वर्गाकार* होते थे और शीर्ष पर स्थित बिन्दु की ओर; दीवारें अन्दर की ओर वक्रित हो जाती थीं।
2. ***फमसाना:*** इस प्रकार के शिखर का *आधार अधिक चौड़ा* होता था और लैटिना की अपेक्षा उनकी *ऊँचाई कम* होती थी। वे शीर्ष बिंदु की ओर सीधी रेखा में ढलान निर्मित करते थे।

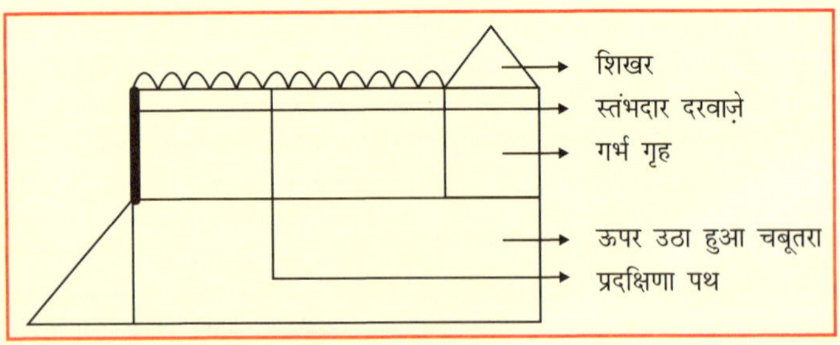

आधारभूत नागर वास्तुकला

3. ***वल्लभी:*** इनका *आधार आयताकार* होता था और छतें गुंबदाकार *प्रकोष्ठ* का निर्माण करती थीं। इन्हें अर्द्धगोलाकार छतें भी कहा जाता था।

- शिखर का ऊर्ध्वाधर *शीर्ष* एक क्षैतिज नालीयुक्त चक्र के रूप में समाप्त होता था, जिसे **आमलक** कहा जाता था। इसके ऊपर एक गोलाकार आकृति को स्थापित किया जाता था, जिसे *कलश* कहा जाता है।
- मंदिर के अंदर, दीवार को तीन क्षैतिज भागों में विभाजित किया गया था, जिन्हें **रथ** कहा जाता था। ऐसे मंदिर *त्रिरथ* मंदिर के रूप में जाने जाते थे। बाद में *पंचरथ, सप्तरथ* और यहाँ तक की *नवरथ* मंदिर भी बनाये जाने लगे। मंदिर के इन विभिन्न भागों में कथात्मक मूर्तियाँ (narrative sculptures) बनायी जाती थीं।
- गर्भ गृह के चारों ओर *प्रदक्षिणा पथ* होता था, जो ढका हुआ होता था।
- सामान्यत: मंदिर परिसर चारदीवारी से घिरा **नहीं** होता था और प्रवेश द्वार भी नहीं होता था।

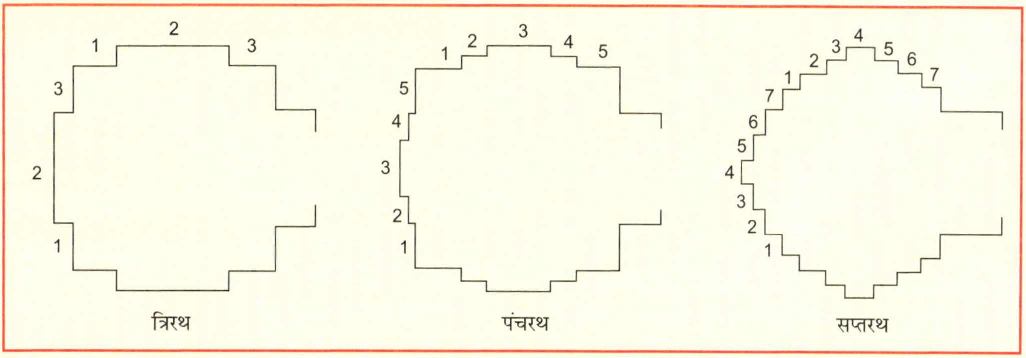

मंदिरों में त्रिरथ, पंचरथ और सप्तरथ भित्तियाँ

नागर शैली के अंतर्गत उभरीं **तीन उप-शैलियाँ :**

1. ओडिशा शैली

- ओडिशा में अपनायी जानेवाली मंदिर वास्तुकला की शैली को **कलिंग शैली** के रूप में जाना जाता है तथा यह **नागर शैली के अंतर्गत विकसित एक उप-शैली** है।
- जब हम किसी ओडिशाई मंदिर की मुख्य विशेषताओं की बात करते हैं, तो हमें एक **विमान (या गर्भगृह)** दिखाई देता है। इसमें देवता विराजमान होते हैं, जो शिखर से सुसज्जित होते हैं। गर्भगृह और उसके ऊपर स्थित वक्रीय शिखर को **देउल** कहा जाता है। संरचनात्मक रूप से, देउल लगभग तब तक लंबवत रहता है जब तक कि वह अचानक अंदर की ओर मुड़ नहीं जाता।
- मंदिर में अग्र मंडप को **जगमोहन** कहा जाता है। यह भक्तों के एकत्र होने और अनुष्ठानों में भाग लेने के लिए एक हॉल होता है। ओडिशा के मंदिरों की बाहरी दीवारें आमतौर पर भव्य रूप से सजी होती थीं, लेकिन

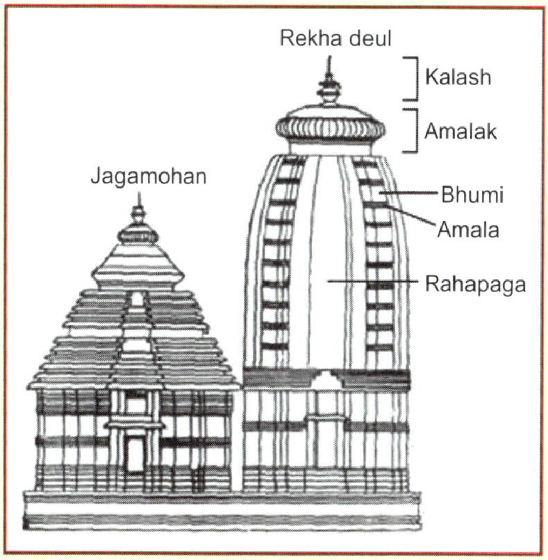

ओडिशा वास्तुकला विद्यालय के अंतर्गत एक मंदिर की मूल संरचना

आंतरिक भाग आमतौर पर बिलकुल ख़ाली होते हैं। ओडिशा के मंदिरों में आमतौर पर **चारदीवारी** होती है।

- *शैलोद्भव राजवंश* द्वारा 7वीं शताब्दी ईसवी में निर्मित **परशुरामेश्वर मंदिर** जैसे प्राचीनतम मंदिर, न्यूनतम अलंकरण के साथ सरल डिज़ाइन प्रदर्शित करते हैं।
- जैसे-जैसे समय बीतता गया, वास्तुकला अधिक जटिल और विस्तृत होती गयी, जो 8वीं और 13वीं शताब्दी के बीच अपने चरम पर पहुँच गयी। इस काल में लिंगराज मंदिर, जगन्नाथ मंदिर और कोणार्क सूर्य मंदिर जैसे स्मारकीय मंदिरों का निर्माण हुआ।

सूर्य मंदिर, कोणार्क

- खजुराहो के मंदिरों की तरह कोणार्क और भुवनेश्वर के मंदिरों में भी कामप्रवणता का तत्त्व प्रमुख है।
- ओडिशा के मंदिर तीन प्रकार के देउल या शिखर को दर्शाते हैं : **रेखा देउल, पीढ़ा देउल और खाखरा देउल।** रेखा देउल प्रकार के मंदिर में एक घुमावदार शिखरवाला मीनार जैसा गर्भगृह होता था। पीढ़ा देउल प्रकार के मंदिर में एक चौकोर आकार का हॉल होता था, जिसकी पिरामिड जैसी छत होती थी, जिसका उपयोग अनुष्ठानों के लिए किया जाता था। खाखरा देउल में एक बैरल के आकार का मंदिर होता है, जिसे अक्सर देवी पूजा से संबंधित माना जाता है।
- 7वीं शताब्दी में, *शैलोद्भव राजवंश* द्वारा निर्मित **भुवनेश्वर स्थित श्री परशुरामेश्वर मंदिर**, कलिंग मंदिर वास्तुकला के **प्रारंभिक उदाहरणों में से एक** है। इस मंदिर में एक साधारण **रेखा देउल और एक जगमोहन** है। इसकी दीवारें हिंदू देवी-देवताओं, पुष्प आकृतियों और पौराणिक दृश्यों की जटिल नक़्क़ाशी से सुसज्जित हैं।

वीडियो अंतर्दृष्टि

ओडिशा मंदिर शैली पर वैचारिक वीडियो के लिए स्कैन करें

- **भुवनेश्वर स्थित वैताल मंदिर**, जिसका निर्माण **9वीं शताब्दी ईसवी में भौम कारा वंश** की *रानी त्रिभुवन-महादेवी* ने करवाया था, अपनी ***खाखरा देउल शैली*** और विशिष्ट **बैरल के आकार की छत** के कारण अद्वितीय है। *देवी चामुंडा* को समर्पित इस मंदिर का वातावरण अँधेरे से युक्त और रहस्यमयी है, जहाँ दीवारें तांत्रिक छवियों, देवताओं की नक़्क़ाशी और दैनिक जीवन के दृश्यों से सुसज्जित हैं।
- अगला मंदिर **भुवनेश्वर स्थित मुक्तेश्वर मंदिर** है, जिसका निर्माण 10वीं शताब्दी में ***सोमवंशी साम्राज्य*** के तहत किया गया था। इसे अक्सर **'ओडिशा वास्तुकला का रत्न'** कहा जाता है। इस छोटे, लेकिन सुंदर मंदिर के प्रवेश द्वार पर एक सुंदर नक़्क़ाशीदार **मंगलतोरण** (या धनुषाकार द्वार), इसके शिखर पर जटिल नक़्क़ाशी और एक सुसंतुलित जगमोहन है।
- 11वीं शताब्दी में **सोमवंशी राजवंश** द्वारा निर्मित **भुवनेश्वर स्थित राजरानी मंदिर** अपनी कलात्मक सुंदरता के लिए प्रसिद्ध है, लेकिन इसमें कोई **अधिष्ठात्री देवता** नहीं है। इसका नाम इसके निर्माण में प्रयुक्त *लाल-सुनहरे बलुआ पत्थर, जिसे राजरानी कहा जाता है*, से लिया गया है।
- भुवनेश्वर का **सबसे बड़ा मंदिर लिंगराज मंदिर** है, जिसका निर्माण 11वीं शताब्दी में **सोमवंशी राजवंश** की तीन पीढ़ियों द्वारा करवाया गया था तथा यह भगवान् शिव को समर्पित ओडिशा के सबसे भव्य मंदिरों में से एक है। यह पूर्ण विकसित कलिंग शैली का उदाहरण है तथा इसका निर्माण **रेखा देउल** शैली में किया गया था।

> **क्या आप जानते हैं?** मंदिर अभिलेखों के अनुसार, *अवंती* के राजा *इंद्रद्युम्न* ने पुरी में जगन्नाथ का मुख्य मंदिर बनवाया था।

- 12वीं शताब्दी में, पूर्वी गंग राजा **अनंतवर्मन चोडगंग** द्वारा पुरी में **पुरुषोत्तम मंदिर या जगन्नाथ मंदिर** के पुनर्निर्माण के साथ, देवता पुरुषोत्तम (जिन्हें बाद में जगन्नाथ के नाम से जाना गया) की उपासना को एक शाही पंथ का दर्जा दिया गया। यह मंदिर **पीढ़ा देउल** वास्तुकला का एक स्मारकीय उदाहरण है तथा इसमें कई मंदिर एवं हॉल शामिल हैं।
- एक और असाधारण **कोणार्क सूर्य मंदिर** का निर्माण **पूर्वी गंग वंश** के **राजा नरसिंहदेव प्रथम** ने 13वीं शताब्दी में करवाया था। कोणार्क मंदिर को **1984 में यूनेस्को विश्व धरोहर स्थल** घोषित किया गया था। यह पुरी शहर से लगभग 35 किलोमीटर उत्तर-पूर्व में बंगाल की खाड़ी के वर्तमान **चंद्रभागा तट** के पास स्थित है। सूर्य देव के विशाल रथ के रूप में निर्मित, इस मंदिर में वर्ष के 12 महीनों का प्रतिनिधित्व करनेवाले 12 नक़्क़ाशीदार पहिये, सात घोड़े और अद्भुत मूर्तियों से सजी दीवारें हैं, जिनमें से कुछ कामुक मिथुन दृश्यों को दर्शाती हैं। यूरोपीय नाविकों के वृत्तांतों में इस कोणार्क सूर्य मंदिर को '**कृष्ण पैगोडा (ब्लैक पैगोडा)**' कहा जाता था, क्योंकि यह एक विशाल, स्तरित मीनार सदृश दिखता था, जो काले रंग का दिखाई देता था। सूर्य मंदिर के सामने, दो सिंह मूर्तियाँ हैं, जो हाथियों को अपने नीचे कुचलने का दृश्य प्रस्तुत कर रही हैं तथा इन्हें *गजसिंह* के नाम से जाना जाता है।
- **वलय-रकाब** का उपयोग यहाँ की अश्व मूर्तियों में कई परिष्कृत और ऐतिहासिक रूप से महत्त्वपूर्ण वास्तुशिल्प तत्त्वों में से एक है।

> **क्या आप जानते हैं?** वलय-रकाब (**Ring-Stirrup**), जिसे गोलाकार रकाब या वलय भी कहा जाता है, स्तंभों और बीम जैसी कंक्रीट संरचनाओं में प्रयुक्त सुदृढ़ीकरण लोहे/स्टील का एक बंद, गोलाकार विपाश (लूप) होता है। भारतीय वास्तुकला में, वलय-रकाब मुख्य रूप से घुड़सवार सेना और हथियारों के चित्रण में पाये जाते हैं, जैसे कि **कोणार्क मंदिर** की अश्व मूर्तियों में, **खजुराहो के मंदिरों** में और यहाँ तक कि 13वीं शताब्दी से **दिल्ली सल्तनत की सेनाओं** में भी।

- कोणार्क मंदिर की अद्भुत सुंदरता को देखकर, नोबेल पुरस्कार विजेता **रवींद्र नाथ टैगोर** ने एक बार लिखा था – '*यहाँ पत्थर की भाषा मानव की भाषा से भी बढ़कर है।*'
- भारतीय सांस्कृतिक विरासत में इसके महत्त्व को दर्शाने के लिए, कोणार्क सूर्य मंदिर को **₹10 के भारतीय मुद्रा नोट** पर दर्शाया गया है।
- प्रसिद्ध चीनी यात्री **ह्वेनसांग** ने अपने वृत्तांतों में *चेलितालो* नामक एक तटीय शहर का उल्लेख किया था, जिसे आधुनिक पुरी कहा जाता है। इसी प्रकार, **पेरिप्लस ऑफ़ द एरिथ्रियन सी, कौटिल्य के अर्थशास्त्र** और **जातक कथाओं** जैसे प्राचीन ग्रंथों में **कलिंग** का वर्णन किया गया है। **टॉलेमी' जियोग्राफ़ी** में **पालुर** को कलिंग के एक महत्त्वपूर्ण बंदरगाह के रूप में वर्णित किया गया है।

2. खजुराहो शैली

- खजुराहो के आसपास का क्षेत्र प्राचीन काल में **वत्स**, मध्यकाल में **जेजाभुक्ति** और 14वीं शताब्दी से **बुंदेलखंड** के नाम से जाना जाता है। चौथी और छठी शताब्दी ईसवी के बीच गुप्त काल के दौरान, कला का पुनरुत्थान हुआ, जिसके प्रमुख केंद्र **भूमरा, खोह, नचना और देवगढ़** थे, जहाँ सभी महत्त्वपूर्ण मंदिर स्थित थे।
- **चंदेल वंश ने 9वीं और 13वीं शताब्दी ईसवी** के बीच मध्य भारत में शासन किया। वे मध्य भारत के सबसे स्थिर राज्यों में से एक थे और राष्ट्रकूट, प्रतिहार और पालों के समकालीन थे।
- शिलालेख, इस वंश के प्रारंभिक राजाओं का संबंध खजुराहो (Kharjju-ravahaka), जो उनकी राजधानी थी, से दर्शाते हैं। चंदेल साम्राज्य के **प्रमुख प्रारंभिक शासक जयशक्ति और विजयशक्ति** थे।

- जयशक्ति को *जेज्जक* या *जेजा* के नाम से भी जाना जाता था तथा उनके नाम पर चंदेल रियासत को *जेजाभुक्ति* के नाम से जाना जाने लगा। हर्ष और यशोवर्मन के शासनकाल में इसका विस्तार जारी रहा; हालाँकि, ऐसा प्रतीत होता है कि उन्होंने पाल शासक देवपाल के प्रभुत्व को स्वीकार कर लिया था।
- प्रतिहारों और पालों के पतन के साथ, चंदेलों ने अपनी स्वतंत्रता का दावा करने के लिए इसका लाभ उठाया। पहले स्वतंत्र चंदेल राजा, धंग ने महाराजाधिराज की उपाधि धारण की। उनके शासनकाल में खजुराहो के कई मंदिर निर्मित हुए।
- खजुराहो के सभी मंदिर **नागर शैली की मंदिर वास्तुकला** में निर्मित हैं, जो इस काल में अपने चरमोत्कर्ष पर पहुँची।
- खजुराहो के मंदिर **महीन दानेवाले बलुआ पत्थर** से बने थे, जिनमें **पीले, गुलाबी और हलके पीले रंग** के विभिन्न रंग समूहों का प्रयोग किया जाता था।
- यहाँ के मंदिर **शैव, वैष्णव और जैन संप्रदायों** से संबंधित हैं।
- ये शानदार मंदिर हैं, जिनमें कोई दीवार नहीं है तथा ये एक ऊँचे चबूतरे पर बने हैं। चतुर्भुज मंदिर को छोड़कर सभी मंदिर सूर्योदय की ओर मुख किये हुये हैं।

वीडियो अंतर्दृष्टि

खजुराहो स्मारक समूह पर वैचारिक वीडियो के लिए स्कैन करें

- बचे हुए मंदिरों में से छह भगवान् शिव को, आठ भगवान् विष्णु को, एक भगवान् गणेश को, एक भगवान् सूर्य को और चार जैन तीर्थंकरों को समर्पित हैं। सभी मंदिरों में से, **मतंगेश्वर मंदिर** एक सक्रिय उपासना स्थल बना हुआ है।
- पहले के कम भव्य मंदिरों के समूह में **चौसठ-योगिनी, ब्रह्मा, वराह और लालगु** शामिल हैं। दूसरा समूह, जो पूरी तरह से बलुआ पत्थर की संरचनाओं से बना है, में **लक्ष्मण और दुलदेव मंदिर** और **महादेव मंदिर** शामिल हैं। ये आंशिक रूप से ग्रेनाइट और आंशिक रूप से बलुआ पत्थर से बने हैं।
- **पार्श्वनाथ, विश्वनाथ, जगदम्बी और चित्रगुप्त** जैसे कई अन्य मंदिर भी हैं। स्थापत्य और मूर्तिकला की उत्कृष्टता का चरम कंदरिया-महादेव मंदिर में देखा जा सकता है।
- खजुराहो में एक सूर्य मंदिर भी है, जिसे **चित्रगुप्त मंदिर** के नाम से जाना जाता है।
- खजुराहो के हिंदू और जैन दोनों मंदिरों में विविध प्रकार की कलाकृतियाँ हैं, जिनमें मंदिर की दीवारों पर **मैथुन नक़्क़ाशी** के माध्यम से दर्शाये गये कामप्रवण तत्त्व भी शामिल हैं।
- खजुराहो के विष्णु को समर्पित स्मारकों में कुछ मूर्तियों में *व्याल* शामिल हैं, जो सिंह के शरीरवाले **हाइब्रिड काल्पनिक पशु** हैं और ये अन्य भारतीय मंदिरों में भी पाये जाते हैं।
- भगवान् शिव को समर्पित **कंदरिया-महादेव मंदिर** खजुराहो का सबसे बड़ा और **सबसे ऊँचा** स्मारक है।
- इसी तरह, **चौसठ-योगिनी मंदिर** खजुराहो की **सबसे प्राचीन** इमारत है। इसकी गोलाकार और खुली संरचनाएँ तांत्रिक और शैव परंपराओं को दर्शाती हैं।

क्या आप जानते हैं?

चौसठ योगिनी मंदिर, भारत में **खुले आकाशवाले मंदिरों** का एक आकर्षक समूह है, जो असंख्य योगिनियों की उपासना के लिए समर्पित हैं। ये योगिनियाँ **शक्ति और तांत्रिक परंपराओं** से जुड़ी दिव्य महिला प्रतिमाएँ हैं। ये मंदिर भारतीय मंदिर-वास्तुकला में असाधारण हैं, आमतौर पर **गोलाकार या कई जगह आयताकार घेरेवाले** और विभिन्न क्षेत्रीय राजवंशों के शासनकाल के लगभग 9वीं-11वीं शताब्दी ईसवी के हैं। भारत में लगभग 13 चौसठ योगिनी मंदिर बचे हैं, जो **मध्य प्रदेश** (सर्वाधिक संख्या में), **उत्तर प्रदेश, ओडिशा और तमिलनाडु** में है।

- राजस्थान में 10वीं शताब्दी का **भंड/भांड देव मंदिर** खजुराहो स्मारकों की शैली में बनाया गया था। इसे अक्सर **'छोटा खजुराहो'** कहा जाता है।
- 11वीं शताब्दी के फ़ारसी यात्री **अल-बरूनी** ने खजुराहो का उल्लेख जजाहुति की राजधानी के रूप में किया है। **इब्न बतूता**, जो 14वीं शताब्दी में भारत आये थे, ने खजुराहो को 'कजरा' कहा था।
- 13वीं शताब्दी में चंदेल राजवंश के पतन के तुरंत बाद यह मंदिर नगरी जनमानस की चेतना से लुप्त हो गयी।

(बायें से) विश्वनाथ मंदिर, खजुराहो, खजुराहो की कामोद्दीपक मूर्तियाँ

- 1838 में, एक ब्रिटिश इंजीनियर **टी.एस. बर्ट ने 'खजराओ नामक स्थान के चमत्कारों'** की खोज में जंगल में प्रवेश किया। बाद में, **एलेक्जेंडर कनिंघम** के नेतृत्व में इन मंदिरों की खोज की गयी।
- अपनी उत्कृष्ट वास्तुकला, मंदिर स्वरूपों की विविधता और चंदेल सभ्यता के प्रमाण के कारण, खजुराहो के स्मारकों को **1986 में यूनेस्को की विश्व धरोहर सूची** में शामिल किया गया था।

3. सोलंकी शैली (जिसे मारू-गुर्जर शैली के नाम से भी जाना जाता है)

गुजरात और राजस्थान सहित भारत के उत्तर-पश्चिमी भाग में *सोलंकी शासकों* के संरक्षण में यह शैली विकसित हुई। इस शैली की निम्नलिखित विशेषताएँ हैं -

- मंदिर की दीवारें नक़्क़ाशी **रहित** है।
- *गर्भ गृह* अन्दर और बाहर दोनों तरफ़ से *मंडप* से जुड़ा होता है।
- बरामदें में सजावटी धनुषाकार द्वार होते हैं, जिन्हें *तोरण* कहा जाता है।
- इन मंदिरों की एक अनूठी विशेषता है, मंदिर परिसर में **उपस्थित बावड़ी**, जिसे *सूर्य-कुंड* कहा जाता था।
- बावड़ी की सीढ़ियों पर छोटे-छोटे मंदिर हैं। इन मंदिरों में लकड़ी की नक़्क़ाशी की गयी है।

सूर्य मंदिर, मोढेरा

- सोलंकी शासकों ने इन मंदिरों के निर्माण में विभिन्न पत्थरों का प्रयोग किया, जैसे- बलुआ पत्थर, काला बेसाल्ट और नरम संगमरमर।
- अधिकांश मंदिर **पूर्व-मुखी** हैं। मंदिरों को इस तरह बनाया गया है कि विषुवों के दौरान सूरज की किरणें सीधे मुख्य मंदिर पर पड़ती हैं।

उदाहरण : मोढेरा का सूर्य मंदिर, गुजरात (1026-27 में चौलुक्य अथवा सोलंकी वंश के भीम-I द्वारा बनवाया गया)।

दक्षिण भारत में मंदिर वास्तुकला

जिस प्रकार उत्तरी भारत में नागर वास्तुकला शैली और विभिन्न उप-शैली का उदय हुआ, उसी प्रकार प्रायद्वीपीय भारत में भी मंदिर वास्तुकला की एक विशिष्ट शैली का उदय हुआ, जिसे **द्रविड़ वास्तुकला शैली** के रूप में जाना जाता है। आइए, राजवंशवार इसमें वास्तुकला के योगदान पर चर्चा करें :

पल्लव काल की वास्तुकला

- दक्षिण भारत में मंदिर वास्तुकला का आरंभ पल्लव शासक **महेंद्रवर्मन प्रथम** (610 ई.-630 ई.) के शासनकाल में हुआ। पल्लव वंश के दौरान विकसित मंदिरों में अलग-अलग शासकों की शैलीगत अभिरुचि परिलक्षित होती थी और इन्हें कालानुक्रमिक रूप से **चार चरणों** में वर्गीकृत किया जा सकता है। प्रख्यात पुरातत्त्वविद् **ए. एच. लॉन्गहर्स्ट** ने पल्लव वास्तुकला, जिसमें महाबलीपुरम में पायी गयी वास्तुकला भी शामिल है, को **चार कालानुक्रमिक शैलियों : महेंद्रवर्मन शैली** (610 ई. और 640 ई. के बीच), **मामल्ल शैली** (640 ई. और 670 ई. के बीच, नरसिंह वर्मन प्रथम के अधीन), **राजसिंह शैली** (674 ई. और 800 ई. के बीच) और **नंदीवर्मन शैली** (800 ई. और 900 ई. के बीच) में विभाजित किया है।

महाबलीपुरम में स्मारकों का समूह

- महाबलीपुरम या मामल्लपुरम शहर वर्तमान में **कोरोमंडल तट** पर और **तमिलनाडु में चेन्नई से लगभग 60 किमी दक्षिण-पश्चिम** में स्थित है।
- मामल्लपुरम का नाम 7वीं शताब्दी के **पल्लव राजा नरसिंहवर्मन प्रथम** के नाम पर रखा गया था, जिन्हें मामल्ल की उपाधि दी गयी थी, जिसका अर्थ है एक महान् नायक।
- **पल्लव राजवंश** एक प्राचीन भारतीय राजवंश था, जिसने चौथी से नौवीं शताब्दी ईसवी के दौरान दक्षिण भारत के कुछ हिस्सों, विशेषकर तमिलनाडु क्षेत्र पर शासन किया और **काँचीपुरम** को अपनी **राजधानी** बनाया।
- **पल्लव राजवंश के अधीन, महाबलीपुरम कई अद्भुत वास्तुकलाओं के साथ फला-फूला**, ख़ासकर सातवीं-आठवीं शताब्दी ईसवी के दौरान।

वीडियो अंतर्दृष्टि

महाबलीपुरम स्मारक समूह पर वैचारिक वीडियो के लिए स्कैन करें

- महाबलीपुरम के अधिकांश स्मारकों की एक प्रमुख विशेषता यह है कि **वे एक ही चट्टान को तराशकर बनाये गये अखंड शैल मंदिर हैं।**
- प्रारंभिक **महेंद्रवर्मन शैली** के अंतर्गत, शैल मंदिरों में स्तंभोंवाले हॉल या मंडप होते थे, जिनके अंत में एक गर्भगृह होता था।

क्या आप जानते हैं?

एलोरा गुफाओं में चट्टानों को काटकर बनाया गया **कैलास मंदिर**, जिसका निर्माण 8वीं शताब्दी में राष्ट्रकूट वंश के कृष्ण प्रथम द्वारा किया गया था, महाबलीपुरम की अधिकांश वास्तुकलाओं की तरह ही **अखंड (एकाश्म) था।**

- अगले चरण में, अर्थात् **नरसिंहवर्मन प्रथम** के शासनकाल के दौरान इनका प्रमुख विकास देखा गया। मंडप अब अलग-अलग रथों या शैल मंदिरों में विभाजित हो गये, जैसे **पंच रथ** या एक ही परिसर में पाँच मंदिरों का समूह।
- **पंच रथ** परिसर में एक ही चट्टान को तराशकर बनाये गये पाँच मंदिरों का एक समूह है, जिनमें सभी मंदिर ज्ञात योजना और ऊँचाई के मौजूदा विकल्पों के साथ निर्मित किये गये। प्रत्येक मंदिर का नाम पौराणिक पांडवों और उनकी पत्नी द्रौपदी के नाम पर रखा गया है। **द्रौपदी रथ** एक साधारण झोपड़ी जैसी संरचना है, जबकि अर्जुन रथ एक द्वितल विमान है, जिसमें

एक मुखमंडप है। **भीम रथ** आयताकार है, जिसकी छत एक शकटाकार (वैगन-वॉल्टेड) छत के साथ है। **धर्मराज रथ** एक त्रितल विमान है, जबकि **नकुल-सहदेव रथ** एक अर्धवृत्ताकार योजना और ऊँचाईवाला है, जो वास्तुकार की प्रयोगात्मक प्रवृत्ति को दर्शाता है।

- सातवीं शताब्दी के उत्तरार्ध के अखंड शैलकृत मंदिर का एक और उदाहरण इसी शहर में स्थित **गणेश रथ** है। इसे शुरू में एक शिव लिंग के साथ बनाया गया था, लेकिन अब शिव लिंग को हटा दिये जाने के बाद इसे भगवान् गणेश के रूप में स्थापित किया गया है।
- महाबलीपुरम में मौजूद अन्य उल्लेखनीय शैलकृत गुफा मंदिर **वराह मंडप** और **महिषासुरमर्दिनी मंडप** हैं।
- शहर में एक बहुत प्रसिद्ध **विशाल खुली हवा में उभरी हुई आकृति** भी मौजूद है, जो दो शिलाखंडों पर उकेरी गयी है। दोनों चट्टानों पर, आदमक़द आकार के लोगों और हाथियों सहित कई आकृतियाँ हैं। इस उभरी हुई आकृति के दृश्य की इतिहासकारों द्वारा दो अलग-अलग तरीक़ों से व्याख्या की गयी है - एक **गंगा के अवतरण के रूप में** और **दूसरा अर्जुन की तपस्या के रूप में।** इसके निकट एक छोटी ढलान पर एक बड़ा शिलाखंड टिका हुआ है, जिसे स्थानीय रूप से **कृष्ण की मक्खन की गेंद** के रूप में जाना जाता है।
- एक अन्य महत्त्वपूर्ण वास्तुकला मामल्लपुरम या महाबलीपुरम शहर में **शोर मंदिर परिसर** है, जो बंगाल की खाड़ी को देखता हुआ प्रतीत होता है तथा इसे 8वीं शताब्दी ईसवी के बाद के पल्लव राजा **राजसिंह** के शासनकाल से संबंधित माना जाता है। उनके शासनकाल के दौरान, मंदिर की शैलकृत तकनीक को **संरचनात्मक मंदिरों** द्वारा बदल दिया गया था। इस शोर मंदिर परिसर में तीन मंदिर क्षेत्र हैं, जिनमें एक पत्थर का शिवलिंग, एक सोमस्कंद मूर्ति, अर्थात्, उमा और स्कंद के साथ भगवान् शिव, और अंतिम भगवान् विष्णु के रूप में है, जिन्हें सर्प अनंत पर आराम करते हुए दर्शाया गया है।
- **प्रसिद्ध इतालवी या वेनिस यात्री मार्को पोलो** ने बंदरगाह शहर महाबलीपुरम का उल्लेख **'सात पैगोडा'** के रूप में किया था, जो महाबलीपुरम के तट पर स्थित सात पैगोडा या मंदिरों का संकेत था, जिनमें से एक, **शोर मंदिर**, अब भी मौजूद है।
- **निकोलाओ मनुची**, जो स्वयं एक वेनिस यात्री थे और कभी इस स्थल पर नहीं गये थे, लेकिन उन्होंने दूर से स्मारकों को देखा और उनके बारे में सुना था, ने चीनी और बर्मी बौद्ध पैगोडा डिज़ाइनों को हिंदू मंदिरों के साथ मिला दिया और यह मान लिया कि ये मंदिर चीनियों द्वारा बनाये गये थे।
- **अवंतीसुंदरी कथा** में, 7वीं-8वीं शताब्दी के संस्कृत विद्वान् **दंडिन** *(जो तमिलनाडु में रहते थे और पल्लव दरबार से जुड़े थे)* ने मामल्लपुरम में एक विष्णु मूर्ति की मरम्मत के लिए कलाकारों की प्रशंसा की।
- 1984 में, यूनेस्को ने इस शहर को **'महाबलीपुरम में स्मारकों का समूह'** नाम से **विश्व धरोहर स्थल** (जिसका यह हक़दार भी है) का दर्जा दिया।

तमिलनाडु में अन्य उल्लेखनीय पल्लव वास्तुकला स्थल

स्थल/मंदिर	काल/शासक	विवरण
मंडगपट्टू गुफा मंदिर, विल्लुपुरम	महेंद्रवर्मन प्रथम (610-630 ई.)	**प्राचीनतम पल्लव शैलकृत मंदिर;** ब्रह्मा, विष्णु और शिव को समर्पित; शिलालेख में दावा किया गया है कि 'ईंट नहीं, लकड़ी नहीं, धातु नहीं, गारा नहीं' - **दक्षिण भारत में पाषाण वास्तुकला की शुरुआत।**
काँचीपुरम के निकट मामंदुर गुफा मंदिर	महेंद्रवर्मन प्रथम	चार गुफा मंदिरों की शृंखला; प्रारंभिक शैलकृत मंदिर; एक में महेंद्रवर्मन प्रथम से संबंधित उपाधि उभार और शिलालेख हैं, जो ग्रंथ लिपि में लिखे गये हैं। इनमें महेंद्रवर्मन प्रथम की शाही **उपाधियों** का उल्लेख है, जैसे: **'विचित्रचित्त'** (जिज्ञासु, कला और वास्तुकला का संरक्षक); **'गुणभार'** (सद्गुणों से परिपूर्ण); **'शत्रुमल्ल'** (शत्रुओं का नाश करनेवाला)

स्थल/मंदिर	काल/शासक	विवरण
कुडुमियानमलाई गुफा मंदिर	महेंद्रवर्मन प्रथम	**संगीतमय शिलालेख** (रागों के लिए) संकेतवाला गुफा मंदिर; कला और संगीत का सम्मिश्रण करता प्रारंभिक पल्लव शैलकृत मंदिर
दलवनूर गुफा मंदिर, विल्लुपुरम	महेंद्रवर्मन प्रथम	राजा महेंद्रवर्मन प्रथम को **'विचित्रचित्त'** *(जिज्ञासु)* वर्णित करनेवाले शिलालेखवाला छोटा शैलकृत मंदिर
कैलासनाथ मंदिर, काँचीपुरम	नरसिंहवर्मन द्वितीय (राजसिंह) (लगभग 700-728 ई.)	पहला विशाल संरचनात्मक मंदिर (शैलकृत नहीं); बलुआ पत्थर से निर्मित; प्रारंभिक द्रविड़ शैली; विस्तृत नक़्क़ाशी; शिव को समर्पित; परवर्ती चोल मंदिरों का पूर्ववर्ती।

क्या आप जानते हैं?

क्या आप जानते हैं : **काँचीपुरम के कैलासनाथ मंदिर** के अवशेष और **पनमलाई के तलागीश्वर (शिव) मंदिर** के अवशेष अत्यंत महत्त्वपूर्ण हैं, क्योंकि ये **पल्लव भित्ति चित्रों के केवल दो जीवंत उदाहरण** हैं।

चोलकालीन वास्तुकला

परीक्षोपयोगी

- 9वीं शताब्दी ईसवी में, चोल साम्राज्य दक्षिण में एक प्रमुख शक्ति के रूप में उभरा और उनका मुख्य नियंत्रण क्षेत्र **चोलमंडलम** बन गया - जो तंजावुर के आसपास और पूर्वी तट तक का क्षेत्र था, जिससे पुर्तगालियों ने ***कोरोमंडल*** नाम प्राप्त किया।
- पल्लवों की मंदिर निर्माण की विरासत को जारी रखते हुए, बाद के चोलों ने साम्राज्य भर में बड़ी संख्या में भव्य मंदिरों का निर्माण करके इसे और आगे बढ़ाया। जहाँ पल्लव मंदिर अधिकांशतः उनकी राजधानी काँचीपुरम और उसके आसपास स्थित थे, वहीं चोल मंदिर दक्षिण में, **तंज़ोर या तंजावुर** के आसपास केंद्रित थे।

चोल या द्रविड़ शैली की मंदिर वास्तुकला की विशेषताएँ :

a. नागर मंदिरों के विपरीत, द्रविड़ शैली के मंदिर **ऊँची चारदीवारी** से घिरे होते थे।

b. सामने की दीवार में एक ऊँचा प्रवेश **द्वार** होता था, जिसे **गोपुरम** कहा जाता था।

c. मंदिर परिसर का निर्माण **पंचायतन शैली** में किया जाता था, जिसमें एक प्रधान मंदिर तथा **चार गौण मंदिर** होते थे।

d. द्रविड़ शैली के मंदिरों में पिरामिडनुमा शिखर होते थे, जो घुमावदार नहीं, बल्कि ऊपर की तरफ़ सीधे होते थे। शिखर को **विमान** कहा जाता था।

e. विमान के शीर्ष पर एक अष्टकोण आकार का *शिखर* होता था। यह नागर मंदिर के *कलश* के समान है, लेकिन यह गोलाकार नहीं होता था।

f. द्रविड़ वास्तुकला के अंतर्गत केवल मुख्य मंदिर के शीर्ष पर **विमान** होता था। इसमें नागर वास्तुकला के विपरीत अन्य सहायक मंदिरों पर *विमान* नहीं होता था।

g. सभा-हॉल *गर्भ गृह* से एक गलियारे द्वारा जुड़ा होता था, जिसे **अंतराल** कहा जाता था।

h. *गर्भ गृह* के प्रवेश द्वार पर **द्वारपाल**, *मिथुन* और *यक्ष* की मूर्तियाँ होती थीं।

i. मंदिर परिसर के अंदर **जलाशय** की उपस्थिति द्रविड़ शैली की अद्वितीय विशेषता थी।

j. मंदिर के आधार पर **शेरों की आकृति** चोल मंदिरों की एक विशिष्टता है।

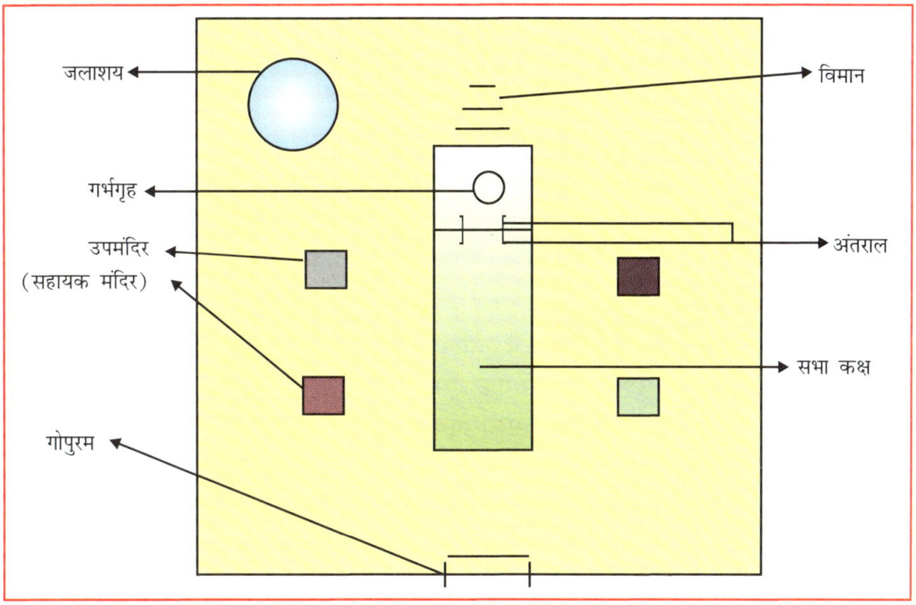

- चोल मंदिर निर्माण के प्रारंभिक चरण की जानकारी **नारत्तैमलाई/नार्थमलाई** में स्थित **शिव मंदिर** से मिलती है। इस मंदिर का निर्माण चोल राजा विजयालय ने 9वीं शताब्दी के मध्य में करवाया था। इसमें एक **विमान** (गर्भगृह के ऊपर पिरामिडनुमा मीनार) था, जो **अर्धमंडप** से जुड़ा हुआ था। मुख्य मंदिर छह सहायक मंदिरों से घिरा है, जिन्हें ***परिवारालय*** कहा जाता है। प्रवेश द्वार के दोनों ओर द्वारपाल हैं।

वीडियो अंतर्दृष्टि

चोल मंदिरों पर वैचारिक वीडियो के लिए स्कैन करें

- अगले चरण का प्रतिनिधित्व **राजा आदित्य प्रथम और परांतक प्रथम** द्वारा 9वीं शताब्दी के अंत और 10वीं शताब्दी के प्रारंभ में निर्मित मंदिरों द्वारा किया जाता है। इनमें **ब्रह्मपुरेश्वर मंदिर, नागेश्वरस्वामी मंदिर और कोरंगनाथ मंदिर** शामिल हैं। इस चरण में विमान और अर्धमंडप के साथ **अंतराल** या द्वार और **मुखमंडप** या बरामदे का निर्माण भी सम्मिलित है। भित्तिस्तंभ बाहरी दीवारों को आलों में विभाजित करते हैं, जिन्हें देवकोष्ठ कहा जाता है, जिनमें विभिन्न देवताओं की मूर्तियाँ होती हैं।
- तीसरा चरण चोल रानी **शेम्बियन महादेवी** से जुड़ा है, जो अपने पति गंदारादित्य और अपने पुत्र उत्तम प्रथम के शासनकाल के दौरान मंदिर वास्तुकला की एक प्रमुख संरक्षक थीं। इस चरण के दौरान बड़ी संख्या में ईंट के मंदिरों का पत्थर में पुनर्निर्माण किया गया।
- चोल मंदिर वास्तुकला का सर्वोत्तम उदाहरण **तंजावुर का बृहदेश्वर मंदिर** है, जिसका निर्माण 11वीं शताब्दी के प्रारंभ में किया गया था। चोल राजा **राजराज प्रथम** द्वारा निर्मित होने के कारण, इसे **राजराजेश्वर मंदिर** के नाम से भी जाना जाता है।
- इस शिव मंदिर में 60 मीटर ऊँचा एक विशाल विमान और एक विशाल पिरामिडनुमा शिखर है। यह अपने युग की सबसे बड़ी और भव्य संरचनाओं में से एक थी। मुख्य मंदिर में स्तंभोंवाला बरामदा, स्तंभोंवाला मुखमंडप और अर्धमंडप, एक अंतराल और गर्भगृह (sanctum

क्या आप जानते हैं?

बृहदीश्वर मंदिर को **पेरिया कोविल और दक्षिण मेरु** भी कहा जाता है।

sanctorum) शामिल हैं। बाहरी दीवारों का अलंकरण कहीं अधिक विस्तृत है। मंदिर विशाल आयताकार घेरे और बड़े गोपुरम् या मंदिर के प्रवेश द्वारों के साथ खड़ा है। मंदिर के सामने एक विशाल नंदी मंडप है, जिसमें **नंदी की एक विशाल अखंड प्रतिमा** है, जो देश में दूसरी सबसे बड़ी है। सबसे बड़ी नंदी प्रतिमा आंध्र प्रदेश के लेपाक्षी वीरभद्र मंदिर में पायी गयी है।

- बृहदेश्वर मंदिर परिसर में कई शिलालेख भी मिले हैं। मंदिर की पूरी संरचना ग्रेनाइट से बनी है, जो इसे **दुनिया का पहला पूर्णतः ग्रेनाइट से बना मंदिर** बनाती है। भित्तिचित्र और पुराणों एवं महाकाव्यों के दृश्यों की लघु मूर्तियाँ, जो मुख्यतः **शैव धर्म** से संबंधित हैं, लेकिन हिंदू धर्म की **वैष्णव और शाक्त परंपराओं** से भी संबंधित हैं, चोल साम्राज्य के समावेशी चरित्र को प्रदर्शित करती हैं।
- राजराज के पुत्र राजेंद्र प्रथम ने **11वीं शताब्दी में कलिंग की गंगा** की अपनी सफल यात्रा के बाद, अपनी **नयी राजधानी गंगैकोंडचोलपुरम् में बृहदेश्वर** नाम से एक ऐसा ही शिव मंदिर बनवाया। इसकी तुलना तंजावुर स्थित मंदिर से नहीं की जा सकती; क्योंकि यह अधूरा था, इसका निचला विमान और शिखर अंदर की ओर मुड़े हुए हैं, हालाँकि दीवारें मूर्तियों से अधिक अलंकृत हैं।
- चोल मंदिर वास्तुकला का अंतिम चरण 12-13वीं शताब्दी का है, जहाँ गोपुरम् विमान से अधिक प्रभावशाली हो गया। **चिदंबरम मंदिर (भगवान् शिव को समर्पित** और कुलोत्तुंग प्रथम के शासनकाल में निर्मित) इस चरण का एक प्रसिद्ध उदाहरण है।
- **दारासुरम स्थित एक अन्य प्रसिद्ध ऐरावतेश्वर मंदिर**, जिसका निर्माण 12वीं शताब्दी में राजराज द्वितीय ने करवाया था और जिसका नाम **इंद्र के श्वेत हाथी** के नाम पर रखा गया था, भी भगवान् शिव को समर्पित है। यह हिंदू धर्म की वैष्णव और शाक्त परंपराओं के साथ-साथ शैव धर्म के भक्ति आंदोलन के **63 नयनारों** से जुड़ी किंवदंतियों को भी श्रद्धापूर्वक प्रदर्शित करता है।
- इस मंदिर की एक प्रमुख विशेषता **राजगंभीर तिरुमंडपम** या शाही प्रांगण है, जिसमें जटिल नक़्क़ाशीदार स्तंभ, ग्रेनाइट पत्थरों से बनी लंबी सीढ़ियाँ और घोड़ों द्वारा खींचे जानेवाले सुंदर रथ हैं।
- एक **तमिल शिलालेख** है जिसमें मंदिर, देवताओं, दैनिक पूजा पद्धतियों, दान, मनाये जानेवाले त्योहारों और मंदिर के प्रशासन के तरीक़े का वर्णन है। **किसी मंदिर के प्रशासन के लिए इस तरह के विस्तृत दिशानिर्देश** इतिहास में अभूतपूर्व हैं। राजा राजराज चोल ने मंदिर के त्योहारों को मनाने के लिए ग्रहों की चाल के आधार पर तिथियों की घोषणा करने हेतु **'प्रेंकणी'** नामक एक खगोलशास्त्री को भी नियुक्त किया था।
- उपर्युक्त मंदिरों में से, तीन चोल मंदिरों को **'महान् जीवंत चोल मंदिर'** शीर्षक के अंतर्गत यूनेस्को विश्व धरोहर स्थल घोषित किया गया है। तंजावुर स्थित बृहदेश्वर मंदिर को पहली बार 1987 में विश्व धरोहर स्थल के रूप में अंकित किया गया था। अन्य दो मंदिर, गंगैकोंडचोलपुरम् स्थित बृहदेश्वर मंदिर और दारासुरम स्थित ऐरावतेश्वर मंदिर, 2004 में इस स्थल के विस्तार के रूप में सम्मिलित किये गये थे।
- महत्त्वपूर्ण जानकारी :

नाम और स्थान	मुख्य देवता	निर्माता और वर्ष	विश्व मंदिर घोषित
बृहदेश्वर मंदिर, तंजावुर	भगवान् शिव	राजराज प्रथम द्वारा, 1010 ई. में	1987
बृहदेश्वर मंदिर, गंगैकोंडचोलपुरम	भगवान् शिव	राजेंद्र प्रथम द्वारा, 1035 ई. में	2004
ऐरावतेश्वर मंदिर, दारासुरम	भगवान् शिव	राजराज द्वितीय द्वारा, 12वीं शताब्दी में	2004

राजा की पूर्ण शक्ति, आध्यात्मिकता और विचारों की समझ ने ही इन तीन भव्य मंदिरों को चोलों के **'महान् जीवंत मंदिर'** के रूप में प्रसिद्धि दिलायी। यह कहना अतिशयोक्ति नहीं होगी कि चोल साम्राज्य और भारत की आत्मा इनमें निवास करती रही है।

बृहदीश्वर मंदिर, तंजावुर

विरासत स्मरण

चेर वास्तुकला

- संगम काल के दौरान लगभग चौथी शताब्दी ईसा पूर्व से बारहवीं शताब्दी ईसवी तक चेरों ने आधुनिक केरल और तमिलनाडु के कुछ हिस्सों पर शासन किया। प्रारंभिक चेरों की राजधानी **वंजी** (वर्तमान तमिलनाडु में) थी और उनके महत्त्वपूर्ण बंदरगाह **तोंडी और मुसिरी** थे। महोदयपुरम (आधुनिक **कोडुंगल्लूर**) बाद के चेरों की राजधानी थी। चेरों का प्रतीक चिह्न **'धनुष और बाण'** था। चेर राजाओं को **केरलपुत्र** भी कहा जाता था।
- उथियन चेरालथन सबसे प्राचीन ज्ञात चेर शासक था। चेर राजवंश अपने **विकेन्द्रीकृत प्रशासन** और **कुशल कराधान प्रणाली** के लिए जाना जाता था। चेर न केवल एक शक्तिशाली राजवंश थे, बल्कि उन्होंने कला, साहित्य और वास्तुकला में भी महत्त्वपूर्ण योगदान दिया। संगम साहित्य, **थिरुनेल्ली मंदिर, वडक्कुनाथन मंदिर, कोडुंगल्लूर भगवती मंदिर, कंडियूर शिव मंदिर** जैसे भव्य मंदिर और समुद्री व्यापार के लिए जहाज़ निर्माण उनके गौरवशाली शासन को दर्शाते हैं। ये मंदिर द्रविड़ शैली में बनाये गये थे, जिनकी विशेषता ग्रेनाइट या बलुआ पत्थर से निर्मित अष्टकोणीय या आयताकार मंदिर होते हैं, जिनमें एक प्रमुख प्रवेश द्वार होता था।

मंदिर वास्तुकला की अन्य शैलियाँ

वेसर शैली

वेसर शैली को वास्तुकला की **कर्नाटक शैली** के नाम से भी जाना जाता है। इस शैली में नागर शैली और द्रविड़ शैली, दोनों की विशेषताओं का **सम्मिश्रण** था। इसी सम्मिश्रण के परिणामस्वरूप वेसर नामक एक **संकर (हाइब्रिड) शैली** का उद्भव हुआ।

वेसर शैली के मंदिर बनानेवाले **तीन उल्लेखनीय राजवंश** निम्नलिखित थे :

- बादामी का प्रारंभिक चालुक्य राजवंश - बादामी शैलकृत गुफा मंदिर परिसर, ऐहोल और पट्टडकल के मंदिर।
- **राष्ट्रकूट राजवंश** (750-983 ईसवी) - एलोरा गुफा परिसर में कैलासनाथ मंदिर
- **होयसल राजवंश** (1050-1300 ईसवी) - बेलूर, हलेबिड और सोमनाथपुरा के मंदिर।

आइए, उपर्युक्त उल्लेखनीय वास्तुकला पर एक-एक करके चर्चा करें :

ऐहोल के चालुक्य मंदिर और शिलालेख

- **कर्नाटक में मालप्रभा नदी** के तट पर स्थित, ऐहोल को अक्सर **'हिंदू मंदिर वास्तुकला का उद्‌गम स्थल'** कहा जाता है।
- यह मुख्यत: **छठी-आठवीं शताब्दी ईसवी के दौरान** निर्मित कई **प्रारंभिक चालुक्य राजवंशीय** मंदिरों का घर है, जिनमें से प्रत्येक मंदिर भारत में प्रारंभिक मंदिर निर्माण के विकास और निपुणता को दर्शाता है। बाद में 14वीं शताब्दी में, विजयनगर साम्राज्य, जो शक्तिशाली हुआ, ने इन स्थापत्य कला के चमत्कारों की सुरक्षा और संरक्षण के लिए क़दम उठाये।
- ऐहोल 543 ईसवी तक **प्रारंभिक चालुक्यों की पहली राजधानी** रहा, जिसके बाद राजा पुलकेशिन प्रथम ने राजधानी को वातापी या वर्तमान बादामी में स्थानांतरित कर दिया।

वीडियो अंतर्दृष्टि

ऐहोल मंदिरों और शिलालेखों पर वैचारिक वीडियो के लिए स्कैन करें

- ऐहोल का नाम **अय्यावोल या अय्यावोल 500** नामक एक शक्तिशाली व्यापारी संघ के नाम पर पड़ा, जो प्राचीन काल में दक्षिण भारत के वलंजियार और मणिग्रामन जैसे अन्य महत्त्वपूर्ण संघों (या व्यापारी संघों) में से एक था। अय्यावोल या अय्यावोल 500 के ये 500 राजा तमिलनाडु, कर्नाटक और आंध्र प्रदेश के व्यापारिक समुदायों के बीच व्यापारिक संबंध स्थापित करते थे और वे अन्य देशों के साथ लंबी दूरी के समुद्री व्यापार में भी संलग्न थे। 9वीं और 14वीं शताब्दी के बीच दक्षिण भारत में विभिन्न शिलालेख मंदिरों को दिये गये उनके दान का विवरण देते हैं और उनकी व्यापारिक गतिविधियों पर प्रकाश डालते हैं। अय्यावोल **वीर-बनजू-धर्म** के रक्षक थे, जो वीर या कुलीन व्यापारियों का धर्म या क़ानून है।
- तत्कालीन समय के कारीगर मंदिर बनाने के लिए चट्टानों को काटते थे। इस संबंध में, ऐहोल में 120 से अधिक मंदिर हैं, जिनमें से प्रत्येक की बनावट और संरचना अद्वितीय है।
- प्रसिद्ध **दुर्गा मंदिर** परिसर में, सबसे उल्लेखनीय दुर्गा मंदिर है, जिसका नाम संभवत: पास के एक क़िले (या दुर्ग) के नाम पर रखा गया है और माना जाता है कि यह देवी दुर्गा को नहीं, बल्कि सूर्य देव आदित्य को समर्पित है। इसका निर्माण संभवत: 7वीं-8वीं शताब्दी ईसवी के आसपास चालुक्य राजा **विजयादित्य** के शासनकाल में किया गया था। इसका आकार अर्धवृत्ताकार है, जिसके बारे में माना जाता है कि यह बौद्ध चैत्यों से प्रेरित है। दुर्गा मंदिर के स्तंभों और आलों पर कई ऊँची नक़्क़ाशीदार मूर्तियाँ हैं, जिनमें प्रेमी युगल, नरसिंह, अर्धनारीश्वर, गरुड़ पर सवार विष्णु, विष्णु का वराह अवतार, महिषमर्दिनी और हरिहर (आधे शिव और आधे विष्णु) शामिल हैं।
- दुर्गा परिसर में मौजूद एक अन्य महत्त्वपूर्ण स्मारक **लाड खान मंदिर** है, जिसके बारे में माना जाता है कि इसका निर्माण लगभग 7वीं-8वीं शताब्दी ईसवी में किया गया था और संभवत: इसका नाम वहाँ रहनेवाले लाड खान नामक एक सेनापति के नाम पर रखा गया था। इसमें शिवलिंग जैसे दो मंडप हैं - मुखमंडप और सभामंडप और इसकी भू-आकृति वर्गाकार है, जो किसी ग्राम पंचायत भवन जैसी है और शिखर के बजाए एक छतवाला मंदिर है। इस शिव मंदिर की ढलानदार दो-स्तरीय छत, जो पत्थर के लट्ठों से सुसज्जित है, निश्चित रूप से प्राचीन काल की काष्ठ संरचनाओं से प्रेरित है। यहाँ ध्यान देने योग्य महत्त्वपूर्ण बात यह है कि ऐहोल के लाड खान मंदिर में **अय्यावोल व्यापारी संघ** का उल्लेख करनेवाला एक **शिलालेख** पाया गया है।

लाड खान मंदिर, ऐहोल

- **रावण फड़ी** ऐहोल में सबसे प्राचीन शैलकृत गुफा मंदिरों में से एक है, जिसका निर्माण छठी शताब्दी ईसवी पूर्व में किया गया था। रावण फड़ी गुफा मंदिर की दीवारों पर कई उभरी हुई मूर्तियाँ मौजूद हैं। इस स्थल पर सबसे महत्त्वपूर्ण मूर्तियों में से एक **नटराज** की है, जिसके चारों ओर सप्तमातृकाओं की आदमक़द से भी बड़ी आकृतियाँ हैं।
- ऐहोल में कई अन्य प्रमुख मंदिर परिसर स्थित हैं, जिनमें **मल्लिकार्जुन मंदिर परिसर, रामलिंगेश्वर मंदिर परिसर, गलगनाथ मंदिर समूह और कोंतिगुड़ी मंदिर समूह** शामिल हैं।
- इस शृंखला में अगला मंदिर **ऐहोल में मेगुती पहाड़ी** पर स्थित एक **बौद्ध स्मारक** है। यह आंशिक रूप से चट्टानों को काटकर बनाया गया दो मंज़िला मंदिर है। इस मंदिर के सामने एक क्षतिग्रस्त बुद्ध प्रतिमा है, जिसका कोई सिर नहीं है। मेगुती पहाड़ी पर एक जैन मंदिर भी स्थित है।
- मेगुती पहाड़ी पर स्थित जैन मंदिर की दीवारों पर एक अत्यंत महत्त्वपूर्ण **ऐहोल शिलालेख या ऐहोल प्रशस्ति** विद्यमान् है, जिसकी रचना दरबारी कवि **रविकीर्ति** ने **चालुक्य राजा पुलकेशिन द्वितीय** के सम्मान में की थी और यह संस्कृत भाषा और प्राचीन कन्नड़ चालुक्य लिपि में लिखा गया था। यह शिलालेख एक प्रभावशाली विस्तृत ग्रंथ है, जो मैसूर के गंगों, कोंकण के अलुपा, बनवासी के कदंबों और कुणाल द्वीप पर पुलकेशिन द्वितीय की विजयों का वर्णन करता है। इसमें प्रसिद्ध हिंदू कवियों **भारवि और कालिदास** का भी उल्लेख है। इस मेगुती मंदिर शिलालेख की तुलना अक्सर चीनी तीर्थयात्री ह्वेनसांग के अभिलेखों से की जाती है।

दुर्गा मंदिर, ऐहोल

इसलिए, ऐहोल ने भारतीय मंदिर वास्तुकला के विकास में एक महत्त्वपूर्ण भूमिका निभाई, यही कारण है कि इसे यूनेस्को की विश्व धरोहर स्थलों की संभावित सूची में '*मंदिर वास्तुकला का विकास - ऐहोल-बादामी-पट्टडकल*' शीर्षक के अंतर्गत शामिल किया गया है।

बादामी शैलकृत गुफा मंदिर

- बादामी शैलकृत गुफा मंदिर परिसर उत्तरी कर्नाटक के बागलकोट ज़िले में **मालप्रभा नदी** के पास स्थित है और इस गुफा मंदिर परिसर के साथ एक मानव निर्मित **अगस्त्य झील** भी स्थित है।
- बादामी शहर वास्तव में एक आधुनिक नाम है और इसे पहले **'वातापी'** के नाम से जाना जाता था, जो **प्रारंभिक चालुक्य वंश** की दूसरी राजधानी हुआ करती थी। प्रारंभिक चालुक्यों की पहली राजधानी **ऐहोल** थी।
- प्रारंभिक चालुक्यों ने **छठी से आठवीं शताब्दी ईसवी** तक दक्षिणी महाराष्ट्र और उत्तरी कर्नाटक के क्षेत्र में शासन किया।
- **पुलकेशिन प्रथम** इस वंश का प्रथम शासक था और माना जाता है कि वह वैदिक धर्म का अनुयायी था। उसने इस गुफा मंदिर परिसर का निर्माण शुरू किया था, जिसे उसके पुत्र **कीर्तिवर्मन प्रथम** ने आगे बढ़ाया और बाद में उसके भाई **मंगलेश** ने पूरा किया।
- गुफा मंदिर परिसर को **मुलायम लाल बलुआ पत्थर** से तराशा गया है और वर्तमान में परिसर में **चार शैलकृत गुफा मंदिर** स्थित हैं, जिनमें से तीन **ब्राह्मण मूल** के हैं, जिनमें शैव और वैष्णव दोनों धर्मों के तत्त्व हैं और एक **जैन मूल** का है।

वीडियो अंतर्दृष्टि

बादामी गुफा मंदिरों पर वैचारिक वीडियो के लिए स्कैन करें

- **गुफा 1**, जो ब्राह्मण विषय-वस्तु पर आधारित है, में हमें **नटराज के रूप में शिव** की मूर्तियाँ, चतुर्भुज के साथ **महिषासुर मर्दिनी** की मूर्तियाँ और **अर्धनारीश्वर** की मूर्तियाँ मिली हैं।
- **गुफा 2**, गुफा 1 के समान है और मुख्य रूप से भगवान् विष्णु को समर्पित है। इसमें **वामन अवतार** या विष्णु के वराह अवतार की एक मूर्ति है, जिसे त्रिविक्रम के नाम से भी जाना जाता है। इसमें एक प्रमुख हिंदू मूर्ति **हरिहर** भी है, जो अर्ध-शिव और अर्ध-विष्णु की मिश्रित छवि है।

क्या आप जानते हैं?

त्रिविक्रम - भगवान् विष्णु का वामन अवतार, जो हिंदू पौराणिक कथाओं के अनुसार भगवान् विष्णु के अनेक अवतारों में से एक है।
हरिहर - आधे शिव और आधे विष्णु का संयुक्त रूप।
अर्धनारीश्वर - शिव और उनकी पत्नी पार्वती का संयुक्त रूप।

- छत और द्वार की नक़्क़ाशी में **अग्नि, इंद्र, वरुण** जैसे कई **वैदिक देवी-देवताओं** और गजलक्ष्मी की प्रसिद्ध भारतीय मूर्ति और स्वस्तिक प्रतीकों की नक़्क़ाशी है।
- **सबसे बड़ी गुफा गुफा संख्या 3** है, जिसमें भगवान् विष्णु के अवतारों - वराह अवतार, त्रिविक्रम और नरसिंह अवतार - को खड़ी मुद्रा में दर्शाया गया है। यहाँ **हरिहर** की मूर्ति भी प्रदर्शित है। यहाँ ध्यान देने योग्य एक महत्त्वपूर्ण बात यह है कि गुफा संख्या 3 दक्कन क्षेत्र का सबसे प्राचीन हिंदू मंदिर है।
- गुफा 3 में, 578 ईसवी के **राजा मंगलेश का एक शिलालेख** मिला है। प्राचीन कन्नड़ भाषा में लिखा गया यह चार पंक्तियों का शिलालेख, पास के एक गाँव की आय से प्राप्त अनुदान का विवरण प्रस्तुत करता है। यह शिलालेख इतिहासकारों के लिए बादामी और चालुक्य राजवंशों के बारे में जानकारी का एक महत्त्वपूर्ण स्रोत बन गया है।
- **गुफा 4 जैन धर्म के पूजनीय तीर्थंकरों** को समर्पित है। **यहाँ मौजूद प्रमुख मूर्तियों में पार्श्वनाथ, महावीर, बाहुबली और अन्य तीर्थंकरों की प्रतीकात्मक मूर्तियाँ शामिल हैं।**
- अगस्त्य झील के आसपास, बादामी में अतिरिक्त गुफाएँ हैं, जिनमें से एक बौद्ध गुफा हो सकती है। अगस्त्य झील के किनारे एक **भूतनाथ मंदिर** भी स्थित है।

इस प्रकार, निष्कर्षत:, बादामी गुफा मंदिर धार्मिक बहुलवाद और प्रारंभिक चालुक्यों की समावेशिता के प्रतीक हैं। हालाँकि यह अभी भी यूनेस्को का विश्व धरोहर-स्थल नहीं है, फिर भी इसे यूनेस्को द्वारा '*मंदिर वास्तुकला का विकास - ऐहोल-बादामी-पट्टडकल*' शीर्षक के अंतर्गत अपनी **संभावित सूची** में शामिल किया गया है।

पट्टडकल में स्मारक समूह

- **पट्टडकल में स्मारक समूह** 1987 से यूनेस्को का विश्व धरोहर-स्थल है और यह **कर्नाटक** राज्य में स्थित है। यह अपनी उल्लेखनीय **चालुक्य वास्तुकला** के लिए प्रसिद्ध है, जिसमें **उत्तर भारतीय नागर** शैली और **दक्षिण भारतीय द्रविड़ मंदिर** वास्तुकला शैली का मिश्रण है।
- मंदिरों का शहर पट्टडकल बागलकोट ज़िले में **मालप्रभा नदी** के किनारे स्थित है तथा ऐतिहासिक रूप से यह चालुक्य वंश के शाही राज्याभिषेक और समारोहों या **पट्टाभिषेक** के लिए एक स्थल के रूप में कार्य करता था।
- ऐहोल और बादामी की तरह, पट्टडकल के स्मारक या मंदिर भी मुख्य रूप से **प्रारंभिक चालुक्य वंश** से जुड़े हैं और इनका निर्माण मुख्यत: 7वीं-8वीं शताब्दी ईसवी के दौरान किया गया था।

वीडियो अंतर्दृष्टि

पट्टडकल स्मारक समूह पर वैचारिक वीडियो के लिए स्कैन करें

- पट्टडकल में ही चालुक्यों द्वारा अपनी वर्षों की मेहनत के फलस्वरूप स्थापत्य कला की उत्कृष्ट कृति का निर्माण किया गया था।
- पट्टडकल में **9 हिंदू मंदिर** और **1 जैन मंदिर** प्रमुख रूप से स्थित हैं।
- यहाँ के हिंदू मंदिर मुख्यतः **भगवान् शिव** को समर्पित हैं, हालाँकि इसमें वैष्णव और शाक्त धर्म के तत्त्व भी पाये जाते हैं।
- **विरुपाक्ष मंदिर** इनमें सबसे बड़ा और सबसे अधिक मूर्तिकलावाला मंदिर है। इस शिव मंदिर का निर्माण रानी लोकमहादेवी ने 8वीं शताब्दी ईसवी में अपने पति, चालुक्य राजा विक्रमादित्य द्वितीय द्वारा पल्लवों की राजधानी काँचीपुरम पर विजय के उपलक्ष्य में करवाया था। इस मंदिर में एक स्तंभयुक्त हॉल, एक पूर्वकक्ष और परिक्रमा के लिए एक बंद मार्ग सहित गर्भगृह है। विरुपाक्ष मंदिर का शिखर द्रविड़ शैली में बना है और बाहरी दीवारों पर बने आलों में बारीक और गहरी नक्क़ाशी है, जिनमें से अधिकांश भगवान् शिव से जुड़ी हैं।
- इसी तरह का एक **मल्लिकार्जुन मंदिर,** आकार में छोटा होने के बावजूद, रानी त्रिलोक महादेवी द्वारा बनवाया गया था। मंदिर की दीवारों पर समुद्र मंथन और महिषासुरमर्दिनी की सुंदर नक्क़ाशी है।
- भगवान् शिव को समर्पित एक अन्य प्रसिद्ध पापनाथ मंदिर, अपनी योजना में विरुपाक्ष मंदिर के समान है, लेकिन इसका शिखर उत्तर भारतीय नागर शैली में बना है। बाहरी दीवारों पर भारतीय महाकाव्य रामायण के दृश्यों को दर्शानेवाले कई पैनल उकेरे गये हैं।
- चालुक्यों द्वारा निर्मित हिंदू मंदिरों के विपरीत, पट्टडकल का **जैन नारायण मंदिर राष्ट्रकूट वंश** द्वारा 9वीं शताब्दी ईसवी के दौरान बनवाया गया था।

इस प्रकार, निष्कर्षतः, पट्टडकल के मंदिर चालुक्यों के एकीकरण और प्रयोग के प्रति झुकाव को दर्शाते हैं, जिसके परिणामस्वरूप मंदिर निर्माण की उत्तर और दक्षिण भारतीय स्थापत्य शैलियों का विलय हुआ। यह विशेष रूप से पट्टडकल, ऐहोल और बादामी की वास्तुकला को एक साथ देखने पर स्पष्ट होता है। **ऐहोल** ने उन अवधारणाओं के लिए **ऊष्मालय (इनक्यूबेटर)** का काम किया, जिन्होंने इन शैलियों के एकीकरण का मार्ग प्रशस्त किया। छठी-सातवीं शताब्दी के दौरान **बादामी** में इन अवधारणाओं को और **परिष्कृत** किया गया। अंततः, इसका **एक परिपक्व चरण पट्टडकल के स्मारकों** में परिणत हुआ।

कर्नाटक में होयसल के पवित्र मंदिर समूह

- **होयसल के पवित्र समूह, कर्नाटक में होयसल राजवंश के मंदिरों** के एक समूह को संदर्भित करते हैं, जिनका निर्माण **12वीं-13वीं शताब्दी ईसवी** के दौरान किया गया था। ये मंदिर अपनी **उत्कृष्ट वास्तुकला और विस्तृत प्रतिमा-विज्ञान** के लिए जाने जाते हैं। यहाँ के मंदिर की दीवारों पर मौजूद जटिल नक्क़ाशी हतप्रभ कर देनेवाली है।
- होयसल साम्राज्य ने 11वीं और 14वीं शताब्दी ईसवी के बीच वर्तमान कर्नाटक के एक बड़े हिस्से, तमिलनाडु के कुछ हिस्सों और दक्षिण-पश्चिमी तेलंगाना पर शासन किया। उनकी राजधानी शुरू में **बेलूर** में स्थित थी, लेकिन बाद में इसे द्वारसमुद्र (जो आधुनिक **हलेबिड** है) में स्थानांतरित कर दिया गया।
- होयसल काल दक्षिण भारतीय कला, वास्तुकला और साहित्य के विकास के लिए एक महत्त्वपूर्ण युग था। वर्तमान में बचे हुए 100 से अधिक मंदिरों में निम्नलिखित प्रमुख हैं :

वीडियो अंतर्दृष्टि

कर्नाटक में होयसल के पवित्र समूहों पर वैचारिक वीडियो के लिए स्कैन करें

मंदिर का नाम	स्थान	समर्पित
चेन्नाकेशव मंदिर	बेलूर (कर्नाटक), **यागाची नदी** के तट पर	भगवान् विष्णु
होयसलेश्वर मंदिर	हलेबिड (कर्नाटक), **द्वारसमुद्र झील** के तट पर	भगवान् शिव
चेन्नाकेशव मंदिर	सोमनाथपुरा (कर्नाटक), **कावेरी नदी** के तट पर	भगवान् विष्णु

- उपर्युक्त तीनों मंदिरों को **2023 में यूनेस्को विश्व धरोहर-स्थल** के रूप में अंकित किया गया था।
- होयसल शासक **जैन और हिंदू धर्म** के अनुयायी थे और उन्होंने कन्नड़ और संस्कृत में साहित्य के विकास को संरक्षण दिया, जिसमें जैन और ब्राह्मण कवियों का उल्लेखनीय योगदान था।
- होयसल साम्राज्य के महत्त्वपूर्ण शासकों में **नृप काम-प्रथम, नृप काम-द्वितीय और विष्णुवर्धन** शामिल हैं।
- सबसे उल्लेखनीय शासक 12वीं शताब्दी ईसवी के **विष्णुवर्धन** थे। उन्होंने दार्शनिक रामानुजाचार्य के प्रभाव में जैन धर्म से वैष्णव धर्म अपना लिया था और उन्होंने ही चोलों पर अपनी विजय के उपलक्ष्य में बेलूर में चेन्नाकेशव मंदिर और हलेबिड में होयसलेश्वर मंदिर का निर्माण करवाया था।
- आइए, अब होयसल की स्थापत्य शैली के प्रमुख पहलुओं पर चर्चा करें :
- होयसल मंदिरों की एक उल्लेखनीय विशेषता ***क्लोराइट शिस्ट (या सोपस्टोन)*** का उपयोग था। यह पत्थर नरम होता है और उत्खनन के समय आसानी से तराश लिया जाता है, लेकिन समय के साथ यह कठोर हो जाता है।
- होयसल मंदिर सामान्यतः ***जगती*** नामक एक ऊँचे चबूतरे पर बनाये जाते थे। जगती **ताराकार (या तारे के आकार)** की होती है और इस पर बने मंदिर की दीवारें **टेढ़ी-मेढ़ी** होती हैं।
- होयसल मंदिरों में एक केंद्रीय स्तंभयुक्त हॉल के चारों ओर कई मंदिर होते हैं, जो एक जटिल तारे के आकार का निर्माण करते हैं। तारे के आकार के चार फुट ऊँचे चबूतरे के चारों ओर मंदिर को घेरे हुए एक विस्तृत चबूतरा है। यह छत **प्रदक्षिणापथ** या परिक्रमा पथ का कार्य करती है।
- बाहरी दीवारें मूर्तिकला के **भित्तिचित्रों** से ढकी हैं, जिन पर रामायण और महाभारत महाकाव्यों के दृश्य, पौराणिक दृश्य, पशु और यहाँ तक कि पुष्प आकृतियाँ भी अंकित हैं। मंदिर के मंडपों के अंदर ख़राद से बने स्तंभों का उपयोग किया गया है।
- मंदिर में हाथियों, सिंहों, स्क्रोल्स, घोड़ों, मकरों, हंसों और देवताओं की विभिन्न **भित्तिचित्र शृंखलाएँ** हैं। नंदी मंडप और एक अलग कल्याणी (या मंदिर तालाब) अपने औपचारिक उपयोग के लिए प्रसिद्ध हैं।

चेन्नाकेशव मंदिर, सोमनाथपुरा

- होयसल मंदिर **वेसर वास्तुकला शैली** में निर्मित हैं। इन मंदिरों में द्रविड़ आकृति के साथ-साथ मध्य भारत में प्रचलित भूमिज शैली और उत्तरी एवं पश्चिमी भारत की नागर परंपराओं का भी पर्याप्त प्रभाव है।
- हलेबिड में एक चारदीवारीवाला परिसर है, जिसमें होयसल काल के **तीन जैन बसदी (या तीन जैन मंदिर)** भी हैं।
- **दासोजा, चवना और मल्लिथम्मा** होयसल वंश के कुछ प्रमुख वास्तुकार और मूर्तिकार थे।

- विजयनगर साम्राज्य या 'विजय नगरी' की स्थापना **1336 ईसवी में** दो भाइयों **हरिहर और बुक्का** ने तुगलक शासन के विरुद्ध अपने विद्रोह के बाद की थी। **हम्पी, इस साम्राज्य की राजधानी** बनी।
- विजयनगर साम्राज्य पर **चार राजवंशों का शासन** था:
  1. **संगम वंश** (1336 और 1485 ईसवी के बीच): हरिहर प्रथम द्वारा स्थापित।
  2. **सलुव वंश** (1485 से 1503 ईसवी तक): सलुव नरसिंह द्वारा स्थापित।
  3. **तुलुव राजवंश** (1491 से 1570 ई. तक): इसकी स्थापना तुलुव नरसा नायक ने की थी। प्रसिद्ध राजा कृष्णदेव राय इसी राजवंश के थे।
  4. **अरविदु राजवंश** (1542 से 1646 ई. के बीच): इसकी स्थापना तिरुमाला ने की थी।

वीडियो अंतर्दृष्टि

हम्पी स्मारक समूह पर वैचारिक वीडियो के लिए स्कैन करें

- विजयनगर के शासकों ने शहर की क़िलेबंदी की, नदी पर बाँध बनाये एवं इसके जल को ठोस चट्टान से बने एक जलसेतु के माध्यम से प्रवाहित किया और बंजर भूमि को कृषि योग्य और शानदार स्थल में बदल दिया। संगम शासकों द्वारा निर्मित **हिरिया नहर**, सबसे प्रमुख जल संरचनाओं में से एक थी, जो तुंगभद्रा पर बने बाँध से जल खींचती थी और घाटी की सिंचाई करती थी।
- विजयनगर साम्राज्य में मंदिर वास्तुकला का विकास हुआ तथा इसमें चोल, होयसल, पांड्य, चालुक्य और यहाँ तक कि बीजापुर की इंडो-इस्लामिक शैली की स्थापत्य कला का भी समावेश था।
- विजयनगर साम्राज्य के मंदिर परिसरों की एक अनूठी विशेषता स्तंभोंवाले मंडपों की क़तारों से घिरा **चौड़ा रथ-पथ** थीं।
- 1500 ईसवी तक, हम्पी बीजिंग के बाद **दुनिया का दूसरा सबसे बड़ा मध्ययुगीन शहर** बन गया, और संभवत: तत्कालीन समय में भारत का सबसे समृद्ध शहर था, जिसने फारस और पुर्तगाल के व्यापारियों को आकर्षित किया।
- प्रसिद्ध फ़ारसी यात्री **अब्दुर रज़्ज़ाक**, जिन्होंने 15वीं शताब्दी में विजयनगर के राजा देवराय द्वितीय के शासनकाल के दौरान हम्पी का दौरा किया था, ने अपने संस्मरणों में उल्लेख किया है कि '*आँख की पुतली ने कभी ऐसा स्थान नहीं देखा और बुद्धि के कान को कभी यह पता नहीं चला कि दुनिया में इसके बराबर कुछ भी मौजूद है।*' बाज़ारों के बारे में, अब्दुर रज़्ज़ाक ने उल्लेख किया कि **यहाँ हर जगह गुलाब बिकते हैं** और लोग गुलाबों के बिना नहीं रह सकते।
- 16वीं शताब्दी के पुर्तगाली यात्री **डोमिंगो पेस** (जिन्होंने राजा कृष्णदेवराय के शासनकाल के दौरान विजयनगर का दौरा किया था) ने **हम्पी की समृद्धि की तुलना रोम से की** और इसके बाज़ारों और महलों की प्रशंसा की। उन्होंने बताया कि इस महानगरीय शहर के बाज़ारों में आपको हर तरह के माणिक, हीरे, मोती, कपड़े, घोड़े आदि मिल जाएँगे। एक अन्य इतालवी व्यापारी, **लुडोविको डी वर्थेमा** ने 16वीं शताब्दी के आरंभ में अपनी यात्रा के दौरान हम्पी को 'दूसरा स्वर्ग' कहा था। **निकोलो डी कोंटी, अफानसी निकितिन और फ़र्नाओ नुनिज** जैसे उल्लेखनीय विदेशी यात्रियों ने भी अपने लेखनों में विजयनगर साम्राज्य की प्रमुखता का उल्लेख किया है।

क्या आप जानते हैं?

- वेनिस के एक यात्री, **निकोलो डी कोंटी** ने देव राय प्रथम के शासनकाल के दौरान लगभग 1420 ई. में हम्पी का दौरा किया था।
- 15वीं शताब्दी में भारत आये रूसी व्यापारी, **अफानसी निकितिन** ने अपनी पुस्तक '*अ जर्नी बियॉन्ड द थ्री सीज*' में बहमनी सल्तनत और विजयनगर साम्राज्य का वर्णन किया है।
- **डोमिंगो पेस,** एक पुर्तगाली यात्री, तुलुव शासक कृष्णदेवराय के शासनकाल के दौरान, लगभग 1520 ई. में हम्पी आया था।
- **फ़र्नाओ नुनिज,** एक पुर्तगाली-यहूदी यात्री, तुलुव शासक अच्युत देव राय के शासनकाल के दौरान, 1535-37 ई. तक हम्पी में रहा।

- एक पुर्तगाली लेखक और यात्री, **डुआर्टे बारबोसा** ने 16वीं शताब्दी में अपनी यात्रा के दौरान विजयनगर के राजाओं की धार्मिक सहिष्णुता का उल्लेख किया। उन्होंने कहा कि '*राजा ने 'हर व्यक्ति' को बिना किसी परेशानी और बिना किसी पूछताछ के, चाहे वह ईसाई हो, यहूदी हो, मूर हो या हिंदू हो, अपने धर्म के अनुसार आने-जाने और रहने की अनुमति दी।*
- विजयनगर साम्राज्य 16वीं शताब्दी के आरंभ में तुलुव वंश के राजा **कृष्णदेवराय** के अधीन अपने गौरव के चरम पर पहुँच गया। वे वास्तुकला और साहित्य के भी एक महान् संरक्षक थे। उन्होंने **अमुक्तमाल्यद** की भी रचना की, जो तेलुगु में एक दार्शनिक काव्यात्मक कृति है, जिसमें भगवान् कृष्ण और भक्त 'अंडाल' की प्रेम कथा का चित्रण है।

आइए, अब हम्पी में पाये गये प्रमुख स्मारकों पर एक-एक करके चर्चा करें :

- विजयनगर के संरक्षक देवता भगवान् शिव को समर्पित भव्य **विरुपाक्ष मंदिर** में 50 मीटर ऊँचा गोपुरम् है। इसका निर्माण संगम काल में शुरू किया गया था, जिसका बाद में तुलुव वंश के राजा कृष्णदेवराय ने विस्तार किया। यहाँ स्थित **राय गोपुरम्** या विशाल प्रवेश द्वारों को मंदिर वास्तुकला में पहली बार राजा कृष्णदेवराय ने ही शामिल किया था।
- विट्ठल रूप में पूजे जानेवाले भगवान् विष्णु को समर्पित सबसे सुंदर **विट्ठल मंदिर परिसर** का निर्माण राजा कृष्णदेवराय ने करवाया था। इस परिसर में एक प्रतिष्ठित और अत्यंत प्रसिद्ध **प्रस्तर रथ** मौजूद है। यद्यपि यह एकाश्म नहीं है, फिर भी यह इतना सुंदर है कि इसे **50 रुपये के भारतीय मुद्रा नोट** पर स्थान मिला है। परिसर के **रंग मंडप** में संगीतमय स्तंभों की उपस्थिति, यहाँ आनेवाले यात्रियों और वास्तुकारों द्वारा अत्यधिक प्रशंसित है। मंदिर परिसर में **कल्याण मंडप** भी है, जो एक विवाह मंडप को संदर्भित करता है और अक्सर विभिन्न समारोहों और आयोजनों के लिए उपयोग किया जाता है। विजयनगर साम्राज्य के मंदिर स्तंभों में उत्कीर्ण एक प्रमुख मूर्ति, **यलि** (अंशतः घोड़ा, अंशतः सिंह) नामक एक पौराणिक प्राणी है, जिसके बारे में कहा जाता है कि वह एक संरक्षक जीव है, जो मनुष्यों की भौतिक और आध्यात्मिक, दोनों तरह से रक्षा करता है।

महानवमी डिब्बा, हम्पी

- हम्पी में मौजूद एक और विशाल एवं ऊँचा मंच **महानवमी डिब्बा** है, जिसका उपयोग **आनुष्ठानिक उद्देश्यों** के लिए किया जाता था। पुर्तगाली यात्री डोमिंगो पेस ने लिखा है कि इसे **राजा कृष्णदेवराय** ने 16वीं शताब्दी के आरंभ में **ओडिशा में अपने विजयी सैन्य अभियान** के उपलक्ष्य में बनवाया था। यहीं पर राजा ने महानवमी उत्सव के 9 दिन मनाये थे, जो महिषासुर पर दुर्गा की विजय का प्रतीक है - अर्थात्, अज्ञान के भ्रम पर ज्ञान की विजय। यह वह अवसर था जब राजा सेनाओं का निरीक्षण करते थे और युद्ध के लिए उनकी तैयारी की जाँच करते थे। यहाँ तीन-स्तरीय सीढ़ीदार चबूतरे की दीवारों पर दैनिक जीवन के विभिन्न दृश्यों को दर्शातीं कई मूर्तियाँ देखी जा सकती हैं।

कमल महल

- **देवराय द्वितीय** द्वारा निर्मित **हज़ारा राम मंदिर**, भगवान् राम को समर्पित है। इस मंदिर की दीवारों पर रामायण का नक़्क़ाशीदार चित्रण है। यहाँ के स्तंभों पर चोट लगने पर **विभिन्न मधुर ध्वनियाँ** निक़लती हैं।

- मंदिरों के साथ-साथ, **कमल महल** जैसी अन्य उल्लेखनीय संरचनाएँ भी हैं, जिसकी छत धनुषाकार है तथा इसके निर्माण में **भारतीय-इस्लामी प्रभाव** दिखाई देता है। यह महल जनाना प्रांगण में बना है तथा विजयनगर साम्राज्य की शाही महिलाओं के लिए आरक्षित था। हम्पी में एक गुंबददार संरचना भी एक महत्त्वपूर्ण स्थल है जिसमें शाही **हाथी** रखे जाते थे। यहाँ सीढ़ीदार डिज़ाइन और भारतीय-इस्लामी मेहराबोंवाला **रानी का स्नानागार** भी है।
- हम्पी में शेष (साँप) पर **लक्ष्मी नरसिंह** की ***एकाश्म*** शैलकृत विशाल मूर्ति, भारतीय मूर्तिकला की उत्कृष्ट कृतियों में से एक मानी जाती है।
- इतिहास में आगे, 16वीं शताब्दी के उत्तरार्ध में, विजयनगर साम्राज्य, आदिल शाही, निज़ाम शाही, क़ुतुब शाही और बरीद शाही राजवंशों के गठबंधन द्वारा पराजित हुआ। इस संयुक्त आक्रमण के परिणामस्वरूप, 1565 में तालीकोटा के युद्ध में राजधानी पर विजय प्राप्त की गयी, लूटपाट की गयी और उसे नष्ट कर दिया गया, जिसके बाद हम्पी खंडहरों में तब्दील हो गया। बाद में, राजधानी को **पेनुकोंडा** और उसके बाद **चंद्रगिरी** स्थानांतरित कर दिया गया, लेकिन इसके बाद हम्पी कभी अपनी समृद्धि पुनः नहीं पा सका।
- हम्पी के खंडहरों को **1800 में कर्नल कॉलिन मैकेंजी** नामक एक पुरातत्त्व इंजीनियर द्वारा प्रकाश में लाया गया, जो भारत के पहले महासर्वेक्षक भी थे। हम्पी की खोज में योगदान देनेवाले एक अन्य पुरातत्त्वविद् अलेक्जेंडर री थे।
- पुरातत्त्वविद् **रॉबर्ट सेवेल** ने 1900 में हम्पी के बारे में अपना विद्वत्तापूर्ण ग्रंथ '***ए फ़ॉरगॉटन एम्पायर***' प्रकाशित किया।
- वर्ष 1986 में, **यूनेस्को** ने '**हम्पी में स्मारकों के समूह**' के नाम से हम्पी को **विश्व धरोहर स्थल** का दर्जा दिया।

विट्ठलस्वामी मंदिर परिसर के अंदर पत्थर का रथ

नायक शैली

- नायक विजयनगर साम्राज्य के सामंत थे। 1565 में तालिकोटा के युद्ध के बाद, विजयनगर साम्राज्य का अवसान हो गया। इसके बाद, मदुरै के नायकों ने अधिक स्वायत्तता प्राप्त की और अपने राज्य स्थापित किये और **16वीं से 18वीं शताब्दी** तक शासन किया।
- नायक, कला के महान् संरक्षक थे, उन्होंने दिल्ली के सुल्तानों द्वारा पहले लूटे गये मंदिरों का पुनरुद्धार किया और मंदिर वास्तुकला की एक नयी स्थापत्य शैली की स्थापना की, जिसे **नायक शैली** के रूप में जाना जाता है।
- नायक शैली **उत्तरकालीन विजयनगर शैली का विस्तार** है और स्थानीय चोल और पांड्य परंपराओं से प्रभावित थी। यह कहा जा सकता है कि पल्लव और चोल प्रारंभिक द्रविड़ वास्तुकला के अग्रदूत थे, जबकि **नायक उत्तरकालीन द्रविड़ वास्तुकला के अग्रदूत थे।**
- **मदुरै, तंजावुर, तिरुचिरापल्ली, जिंजी और इक्केरी** ऐसे केंद्र थे, जहाँ नायक वास्तुकला संरचनाएँ प्रमुखता से पायी जाती हैं।
- नायक वास्तुकला मुख्यतः **17वीं शताब्दी में राजा थिरुमलाई नायक** के शासन में फली-फूली।

वीडियो अंतर्दृष्टि

मीनाक्षी मंदिर : नायक शैली मंदिर वास्तुकला पर वैचारिक वीडियो के लिए स्कैन करें

- मंदिर की संपूर्ण संरचना ऊँची दीवारोंवाले एक आयताकार परिसर में स्थित थी। इस परिसर में पूर्व और पश्चिम दिशाओं में स्थित **गोपुरम्** या विशाल प्रवेशद्वारों से प्रवेश किया जा सकता है। बाद में, संकेंद्रित आयताकार संरचनाएँ सम्मिलित की गयीं जो ऊँची दीवारों के भीतर समाहित हो गयीं तथा इसमें आंतरिक और बाहरी परिधि के बीच एक और खुला स्थान सामने आया। इसके केंद्र में चार दीवारों को चार प्रवेश द्वारों से सजाया गया था। प्रत्येक दीवार में पिछलेवाले से बड़ा एक गोपुरम् था। बाहरी ओर, दो बड़ी महत्त्वपूर्ण संरचनाएँ, स्तंभोंवाला हॉल और एक चौकोर जल कुंड निर्मित थे।
- मंदिर के मुख्य भाग के निर्माण के लिए आमतौर पर **ग्रेनाइट** का उपयोग किया जाता था, जबकि अधिरचनाओं और गोपुरमों के लिए **गचकारी (stucco)** (या ईंटों पर गारे) से बने अलंकरण का उपयोग किया जाता था।
- नायक के स्थापत्य डिज़ाइन में **बड़े गोपुरम्, विशाल मंदिर तालाबों** और विस्तृत गलियारों, जिन्हें **प्राकर्म** कहा जाता है, पर विशेष ज़ोर दिया गया है, जो जुलूसों और भक्तिपूर्ण परिक्रमा (या प्रदक्षिणा) को सुगम बनाते हैं।

क्या आप जानते हैं? भारतीय मंदिर वास्तुकला में **प्राकर्म मंदिर के गर्भगृह के चारों ओर का बाहरी भाग** होता है। ये बंद या खुले हो सकते हैं और आमतौर पर सबसे भीतरी प्राकर्म के लिए बंद होते हैं। रामेश्वरम स्थित **श्री रामनाथस्वामी मंदिर**, जिसमें बड़े गलियारों का एक बाहरी समूह है, दुनिया का सबसे लंबा प्राकर्म है।

- नायक कथात्मक और मिश्रित स्तंभों का उपयोग करते थे तथा गोपुरम् पर योद्धाओं, देवताओं और जानवरों को चित्रित करनेवाले भारी चित्र बनाये जाते थे – विशेष रूप से **यलि**, जो एक मिश्रित सिंह आकृति है जो नायक स्थापत्य पहचान का प्रतीक बन गयी।

क्या आप जानते हैं? तमिल साहित्य में, **यलि** एक **पौराणिक जीव** है, जिसका शरीर बिल्ली जैसा, **सिर सिंह का,** दाँत हाथी के और पूँछ साँप की है। यलि को सिंह, बाघ या हाथी से भी अधिक शक्तिशाली बताया गया है। यलि को एक रक्षक जीव कहा जाता है, जो मनुष्यों की भौतिक/शारीरिक और आध्यात्मिक दोनों तरह से रक्षा करता है।

- **मीनाक्षी मंदिर** नायक शैली की वास्तुकला के सर्वोत्तम उदाहरणों में से एक है। हालाँकि मंदिर की नींव ऐतिहासिक हैं, लेकिन वर्तमान परिसर की अधिकांश संरचना का 17वीं शताब्दी में तिरुमाला नायक द्वारा मरम्मत, जीर्णोद्धार और विस्तार किया गया था। **वैगई नदी** के तट पर स्थित यह मंदिर देवी **मीनाक्षी,** जो **पार्वती** का एक रूप हैं और उनके पति **सुंदरेश्वर**, जो भगवान् **शिव** के एक रूप हैं और उनके भाई अङगर, जो भगवान् विष्णु के एक रूप हैं, को समर्पित है। यह मंदिर पौराणिक रूप से महत्त्वपूर्ण है क्योंकि यह हिंदू धर्म के शैव, शाक्त और वैष्णव संप्रदायों के संगम का प्रतिनिधित्व करता है। मीनाक्षी मंदिर **पाडल पेट्रा स्थलम** में से एक है।

क्या आप जानते हैं? पाडल पेट्रा स्थलम भगवान् शिव के 276 मंदिर हैं, जिनका उल्लेख छठी-नौवीं शताब्दी ईसवी के तमिल शैव **नयनारों** के श्लोकों में मिलता है।

- इसमें एक मंदिर कुंड है, जिसे **पोतरामराय कुलम** या स्वर्ण-कमल कुंड के नाम से जाना जाता है। **मीनाक्षी मंदिर परिसर** में **14 गोपुरम्** मौजूद हैं और यहाँ तक कि **तमिलनाडु राज्य चिह्न** का डिज़ाइन भी मीनाक्षी मंदिर के गोपुरम् पर आधारित है।
- तमिलनाडु के अन्य उल्लेखनीय मंदिर, जिनमें नायक शासकों का अपार योगदान रहा है, वे हैं श्रीरंगम शहर में कावेरी नदी के तट पर स्थित, रंगनाथ (भगवान् विष्णु का एक रूप) को समर्पित **श्री रंगनाथस्वामी मंदिर** और रामेश्वरम में स्थित भगवान् शिव को समर्पित **श्री रामनाथस्वामी मंदिर।**

मीनाक्षी मंदिर, मदुरै

संस्कृति संक्षेपण

मदुरै में हर साल अप्रैल-मई में प्रसिद्ध **चिथिरई उत्सव** मनाया जाता है। महीने भर चलनेवाला यह उत्सव शहर के सबसे महत्त्वपूर्ण वार्षिक उत्सवों में से एक है, जो देवी मीनाक्षी और भगवान् सुंदरेश्वर (शिव) के विवाह और भगवान् कल्लझगर (विष्णु) के आगमन की याद में मनाया जाता है।

वास्तुकला की पाल और सेन शैली

बंगाल क्षेत्र में, वास्तुकला की शैली को पाल और सेन वास्तुकला शैली के रूप में जाना जाने लगा। 8वीं और 12वीं सदी ईसवी की अवधि के बीच पाल और सेन वंश के संरक्षण के अधीन इस शैली का विकास हुआ। पाल मुख्यत: बौद्ध शासक थे, जो महायान परंपरा का पालन करते थे, लेकिन बहुत सहिष्णु थे और उन्होंने दोनों धर्मों को संरक्षण दिया। पाल राजाओं ने बहुत सारे विहारों, चैत्यों और स्तूपों का निर्माण करवाया। सेन हिंदू थे और उन्होंने हिंदू देवी-देवताओं के मंदिरों का निर्माण करवाया और साथ ही बौद्ध वास्तुकला को भी बनाये रखा। इस प्रकार, यह वास्तुकला **दोनों धर्मों का प्रभाव** परिलक्षित करती है।

सोमपुर महाविहार

पाल शासकों के अंतर्गत स्मारक हैं :

- पाल शासकों के अधीन नालंदा, जगद्दल, ओदंतपुरी और विक्रमशिला विश्वविद्यालयों का विकास हुआ।
- बांग्लादेश में सोमपुर महाविहार उनके द्वारा विकसित भव्य मठ है।

सेन शासकों के अधीन वास्तुकला की विशेषता है :

- बाँस की झोपड़ियों की भाँति भवनों की **वक्राकार या ढलुआँ छत** है। इसे लोकप्रिय रूप से ''बंग्ला छत'' के रूप में जाना जाता है और बाद में मुग़ल वास्तु कला द्वारा इसे अपनाया गया।
- मुख्य भवन निर्माण सामग्री के रूप में पकी ईंटें और मिट्टी, जिन्हें **टेराकोटा ईंटें** कहा जाता है, का प्रयोग किया जाता था।
- इस क्षेत्र के मंदिरों का **लंबा, वक्राकार शिखर** होता था, जिसके शीर्ष पर विशाल उड़ीसा शैली सदृश आमलक होता था।
  - इस क्षेत्र की मूर्तियों के लिए, प्रस्तर और धातुओं, दोनों का उपयोग किया गया। यद्यपि पाषाण प्रमुख घटक था।
  - अपनी **अत्यधिक चमकदार सज्जा (फ़िनिशिंग)** के कारण मूर्तियाँ अद्वितीय थीं।

उदाहरण : बराकर में सिद्धेश्वर महादेव मंदिर, बिष्णुपुर (पश्चिम बंगाल) के आसपास के मंदिर आदि।

भारत के प्रमुख मंदिरों की सूची

मंदिर का नाम	अवस्थिति (स्थान)	समर्पित	द्वारा निर्मित (नाम, वंश व अवधि)	विशेषता
वेंकटेश्वर मंदिर (इसे सात पहाड़ियों का मंदिर भी कहा जाता है)	तिरुपति ज़िला चितूर, (आंध्र प्रदेश)	भगवान् श्री वेंकटेश्वर (विष्णु के अवतार)	तमिल शासक, राजा तोंडाइमान, बाद में चोल वंश के राजाओं द्वारा विकसित	दान और धन-संपत्ति के संदर्भ में विश्व का सबसे समृद्ध मंदिर। माना जाता है कि भगवान् स्वयं इस स्थान पर प्रकट हुए थे। यही कारण है कि इसे **स्वयं व्यक्त विग्रह** कहा जाता है।
श्री भ्रमराम्भा मल्लिकार्जुन मंदिर	श्रीशैलम, आंध्र प्रदेश	भगवान् शिव और पार्वती	सातवाहन वंश का अभिलेखीय प्रमाण। विजयनगर साम्राज्य के **राजा हरिहर** के शासनकाल के दौरान आधुनिक परिवर्धन किया गया।	शैववाद और शक्तिवाद, दोनों हिंदू संप्रदायों के लिए महत्त्वपूर्ण। यह **मंदिर ज्योतिर्लिंग और शक्तिपीठ, दोनों रूप में सम्मानीय है।** यहाँ देवता की चमेली फूल (स्थानीय रूप से मल्लिका कहा जाता है) से पूजा की जाती है, जिससे मुख्य देवता को **मल्लिकार्जुन** के रूप में जाना जाता है।
श्री रंगनाथस्वामी मंदिर	नेल्लोर, आंध्र प्रदेश	भगवान् रंगनाथ (भगवान् विष्णु का विश्राम करनेवाला रूप)	12वीं सदी	मंदिर के मुख्य द्वार से पहले एक विशाल मीनार है, जिसे **गालिगोपुरम** कहा जाता है, जिसका अर्थ "पवन मीनार" है और जो लगभग 70 फीट ऊँचा है।
कामाख्या मंदिर (कामरूप कामाख्या के रूप में भी जाना जाता है)	गुवाहाटी, असम के पश्चिमी भाग में नीलाचल पहाड़ी में स्थित।	माँ कामाख्या	8वीं-17वीं सदी	51 शक्ति पीठों में सबसे पुराने शक्तिपीठों में से एक। **तांत्रिक उपासकों** के लिए महत्त्वपूर्ण तीर्थस्थल।
नेघोरितिंग शिव देउल	देरगाँव, असम	भगवान् शिव	8वीं-9वीं सदी ईसवी के दौरान बना, आगे 1687 ईसवी में इसे अहोम राजा ने फिर से बनवाया था।	मंदिर का प्रमुख आकर्षण यहाँ रहनेवाले बंदर हैं। यह मंदिर **रीसस बंदरों का घर** है।
हयग्रीव माधव मंदिर	हाजो, असम में मोनीकूट पहाड़ी पर स्थित	नरसिम्हा	वर्तमान मंदिर संरचना का निर्माण राजा रघुदेव नारायण ने 1583 ईसवी में करवाया था। वहीं कुछ इतिहासकारों के अनुसार पाल वंश के राजा ने इसका निर्माण करवाया था।	कुछ बौद्धों का मानना है कि बुद्ध ने इसी स्थान पर निर्वाण प्राप्त किया था। यह मंदिर **हिंदू और बौद्ध धर्म दोनों का उपदेश देता** है, जो बौद्ध भिक्षुओं को भी आकर्षित करता है।
द्वारकाधीश मंदिर	द्वारका, गुजरात	भगवान् कृष्ण	लगभग 2200 वर्ष पुराना है	यह पुष्टिमार्ग सम्प्रदाय का मंदिर है। यह **चार धाम तीर्थस्थानों में से एक** है। चार धामों में अन्य तीन हैं - **बद्रीनाथ, पुरी और रामेश्वरम**।

मंदिर का नाम	अवस्थिति (स्थान)	समर्पित	द्वारा निर्मित (नाम, वंश व अवधि)	विशेषता
बहुचरा माता	बहुचराजी शहर मेहसाना ज़िला, गुजरात में	बहुचर माता	1783 ईसवी	बहुचरा माता मंदिर भारत में **किन्नर समुदाय** का संरक्षक हैं।
भोरमदेव मंदिर	चौरा गाँव, छत्तीसगढ़	भगवान् शिव	1089 ईसवी	यहाँ की कामविषयक मूर्तियों ने खजुराहो मंदिर और ओडिशा के कोणार्क सूर्य मंदिर की भाँति विशिष्ट शैली प्रदान की है, इसलिए भोरमदेव मंदिर को ''**छत्तीसगढ़ का खजुराहो**'' कहा जाता है।
पद्मनाभस्वामी मंदिर	तिरुवनंतपुरम, केरल	भगवान् विष्णु		प्रवेश के लिए एक **सख़्त ड्रेस कोड** का पालन करना होता है। लक्ष दीपम उत्सव प्रति छह वर्ष में एक बार मनाया जाता है।
सबरीमाला मंदिर	पेरियार टाइगर रिजर्व, केरल	अय्यप्पन, विष्णु और शिव के एक अवतार	12वीं शताब्दी ईसवी से पहले	दुनिया की सबसे बड़ी वार्षिक **तीर्थयात्राओं में से एक। तीर्थयात्री काले और नीले रंग के वस्त्र पहनते हैं** और तीर्थयात्रा पूरी होने तक दाढ़ी नहीं बनाते हैं।
सास-बहू मंदिर (सहस्त्रबाहु मंदिर भी कहा जाता है)	ग्वालियर, मध्य प्रदेश	दो अलग - अलग मंदिरों में भगवान् विष्णु और भगवान् शिव	कच्छपघात वंश के राजा महिपाल द्वारा 11वीं सदी में।	राजा की पत्नी ने भगवान् विष्णु की पूजा की थी, लेकिन उसके पुत्र की पत्नी शिव की भक्त बन गयी, इसलिए भगवान् शिव का दूसरा मंदिर बनवाया गया।
विट्ठल मंदिर या विठोबा मंदिर	पंढरपुर, महाराष्ट्र	भगवान् विट्ठल, जिन्हें विष्णु और उनकी पत्नी रखुमई का एक रूप माना जाता है	13वीं सदी में होयसाल साम्राज्य द्वारा	2014 में, यह मंदिर पुजारी के रूप में **पिछड़े वर्ग के लोगों और महिलाओं** को आमंत्रित करनेवाला भारत का पहला मंदिर बना। **वार्षिक तीर्थयात्रा - वारी -वारकरी**
करणी माता मंदिर	देशनोक, राजस्थान	देवी दुर्गा	महाराजा गंगा सिंह द्वारा	इसे **चूहों का मंदिर** भी कहा जाता है, क्योंकि इस मंदिर परिसर में 25000 से भी अधिक चूहे पाये जाते हैं।
रंगनाथस्वामी मंदिर	श्रीरंगम, तमिलनाडु	भगवान् विष्णु	-	कावेरी नदी में एक द्वीप पर स्थित। यह वैष्णव परंपरा का मंदिर है।
उनाकोटी गुफा मंदिर	उनाकोटी की गुफाएँ, त्रिपुरा	भगवान् शिव	600-700 ईसवी	चट्टान पर अद्भुत नक़्क़ाशी और भित्ति चित्र देखे जा सकते हैं।
दक्षिणेश्वर मंदिर	कोलकाता, पश्चिम बंगाल	देवी काली	1855 ईसवी	यह मंदिर आध्यात्मिक संत रामकृष्ण परमहंस द्वारा स्थापित है।

क्या आप जानते हैं?

भारत के वे मंदिर, जो कामप्रवण मूर्तियों के लिए प्रसिद्ध हैं

1. खजुराहो मंदिर, मध्य प्रदेश
2. सूर्य मंदिर, कोणार्क, ओडिशा
3. विरुपाक्ष मंदिर, कर्नाटक
4. सूर्य मंदिर, मोढेरा, गुजरात
5. सत्यमूर्ति पेरुमल मंदिर, तमिलनाडु
6. लिंगराज मंदिर, ओडिशा
7. राजरानी मंदिर, ओडिशा
8. जैन मंदिर, रणकपुर, राजस्थान
9. मार्कंडेश्वर, महाराष्ट्र
10. तिरुपंतका मंदिर, कर्नाटक
11. कैलास मंदिर, एलोरा
12. नंदा देवी मंदिर, अल्मोडा

पुस्तक के अतिरिक्त

'भारत के बाहर के प्रमुख मंदिरों' से संबंधित पाठ्य सामग्री के लिए स्कैन करें।

संस्कृति संक्षेपण

भारत में 12 ज्योतिर्लिंग (भगवान् शिव को समर्पित)

ज्योतिर्लिंग	स्थान	राज्य
सोमनाथ मंदिर	सौराष्ट्र	गुजरात
नागेश्वर ज्योतिर्लिंग	देवभूमि द्वारका ज़िला	गुजरात
मल्लिकार्जुन स्वामी	श्रीशैलम	आंध्र प्रदेश
महाकालेश्वर	उज्जैन	मध्य प्रदेश
ओंकारेश्वर	खंडवा ज़िला	मध्य प्रदेश
काशी विश्वनाथ मंदिर	वाराणसी	उत्तर प्रदेश
केदारनाथ	केदारनाथ	उत्तराखंड
बैद्यनाथ मंदिर	देवघर	झारखंड
रामेश्वर	रामेश्वरम	तमिलनाडु
घृष्णेश्वर मन्दिर	एलोरा के पास, औरंगाबाद	महाराष्ट्र
त्र्यंबकेश्वर मंदिर	नासिक ज़िला	महाराष्ट्र
भीमाशंकर	पुणे	महाराष्ट्र

पुस्तक के अतिरिक्त

भारत के 12 ज्योतिर्लिंगों' से संबंधित पाठ्य सामग्री के लिए स्कैन करें।

प्रमुख बौद्ध तीर्थस्थल

परीक्षोपयोगी

स्थल का नाम (राज्य)	महत्त्व
लुम्बिनी (नेपाल, उत्तर प्रदेश सीमा के निकट)	563 ईसा पूर्व में **सिद्धार्थ गौतम** का जन्मस्थान; अशोक स्तंभ शिलालेख (स्मारक) (249 ईसा पूर्व) अशोक की तीर्थयात्रा की पुष्टि करता है; यूनेस्को विश्व धरोहर-स्थल; पवित्र उद्यान और मायादेवी मंदिर का उत्खनन।
बोधगया (बिहार)	बोधि वृक्ष के नीचे **बुद्ध के ज्ञानोदय** का स्थल; अशोक द्वारा निर्मित **महाबोधि मंदिर** (यूनेस्को स्थल), गुप्त वंश द्वारा पुनर्निर्मित; वज्रासन (हीरा सिंहासन) ज्ञानोदय का प्रतीक; सभी बौद्ध संप्रदायों के लिए प्रमुख तीर्थस्थल।

स्थल का नाम (राज्य)	महत्त्व
सारनाथ (उत्तर प्रदेश)	**बुद्ध के प्रथम उपदेश** का स्थल - **धम्मचक्र प्रवर्तन; धमेक स्तूप, चौखंडी स्तूप, अशोक का सिंह शीर्ष** (भारत का राष्ट्रीय प्रतीक); **'बौद्ध परिपथ'** का एक भाग।
कुशीनगर (उत्तर प्रदेश)	**बुद्ध के महापरिनिर्वाण का स्थल; महापरिनिर्वाण स्तूप** और **निर्वाण मंदिर**; उत्खनन से गुप्तकालीन अवशेष प्राप्त हुए हैं; यूनेस्को नामांकन जारी है; मल्ल राज्य से संबद्ध।
पिपरहवा (उत्तर प्रदेश)	शाक्य वंश की राजधानी **कपिलवस्तु** से संबंधित; बुद्ध के अस्थि-खंडों से युक्त अवशेष पेटिका की खोज (1898); **ब्राह्मी शिलालेख** और **अशोक से संबंध स्पष्ट।**
श्रावस्ती (उत्तर प्रदेश)	बुद्ध ने यहाँ **जेतवन मठ में 24 वर्षा ऋतुएँ (वस्स)** बितायीं; यह कई चमत्कारों (जुड़वाँ चमत्कार, जल और अग्नि का महान् चमत्कार) का स्थल है; उत्खनन से **मौर्य-गुप्त स्तर** और कुषाणों के शिलालेख प्राप्त हुए हैं।
नालंदा (बिहार)	विश्व का **सबसे प्राचीन विश्वविद्यालय** (5वीं-12वीं शताब्दी), **गुप्त वंश** के शासनकाल में स्थापित, **पाल राजाओं** द्वारा विस्तारित; **ह्वेनसांग (ह्वेन त्सांग)** और **इत्सिंग** द्वारा भ्रमण किया गया; महायान-वज्रयान का प्रमुख केंद्र; बख़्तियार ख़िलजी (1200 ईसवी) द्वारा जला दिया गया। यूनेस्को विश्व धरोहर स्थल।
विक्रमशिला (बिहार)	**पाल राजा धर्मपाल (8वीं शताब्दी)** द्वारा स्थापित; **वज्रयान बौद्ध धर्म** में विशेषज्ञता; **अतिश दीपंकर** जैसे गुरुओं ने यहाँ शिक्षा दी; नालंदा के समान स्थापत्य; उत्खनन से स्तूप और मन्नत के मंदिर प्राप्त हुए हैं।
ओदंतपुरी (बिहार)	**पाल शासक गोपाल प्रथम (8वीं शताब्दी)** द्वारा स्थापित; नालंदा के बाद दूसरा प्रमुख **महाविहार;** तांत्रिक बौद्ध धर्म का केंद्र; **बख़्तियार ख़िलजी के आक्रमण** के दौरान ध्वस्त।
पुष्पगिरि (ओडिशा)	**ह्वेनसांग** द्वारा उल्लिखित; **पाँच महान् महाविहारों** में से एक; **ललितगिरि-रत्नागिरि परिसर** के निकट पुरातात्त्विक अवशेष; **महायान शिक्षा** का महत्त्वपूर्ण केंद्र।
ललितगिरि (ओडिशा)	ओडिशा का सबसे प्राचीन बौद्ध स्थल (प्रथम ईसा पूर्व-12वीं ईसवी); **बुद्ध की अस्थियों** से भरे अवशेष संदूक़ मिले; **हीरक त्रिभुज** का एक भाग (रत्नागिरि, उदयगिरि सहित)। हीनयान से महायान और वज्रयान में परिवर्तन दर्शाता है।
रत्नागिरि (ओडिशा)	**गुप्त-पाल संरक्षण** में फला-फूला; प्रमुख **वज्रयान केंद्र; तारा और अवलोकितेश्वर की कांस्य प्रतिमाएँ** प्राप्त हुईं; विशाल मठ परिसर और स्तूप उत्खनित।
सिरपुर (छत्तीसगढ़)	उत्खनन से मठ, स्तूप और **टेराकोटा मुहरें** प्राप्त हुई हैं; **ह्वेनसांग** ने इनका भ्रमण किया था; **महायान-वज्रयान** परंपराओं से जुड़ा; **पांडुवंशी राजाओं** के अधीन फला-फूला।
साँची (मध्य प्रदेश)	अशोक द्वारा निर्मित **विशाल स्तूप; सातवाहनों और शुंगों** के अधीन विस्तृत; नक़्क़ाशीदार **तोरण जातक कथाओं** को दर्शाते हैं; यूनेस्को विश्व धरोहर-स्थल; प्रारंभिक **हीनयान वास्तुकला** का प्रमुख उदाहरण।
भरहुत (मध्य प्रदेश)	**भरहुत स्तूप** (द्वितीय ईसा पूर्व) के लिए जाना जाता है; शुंग काल की उत्कृष्ट **आख्यानात्मक नक़्क़ाशी; जातक कथाओं** का प्रारंभिक चित्रण; **प्राकृत और ब्राह्मी लिपि** में शिलालेखों में दानदाताओं का उल्लेख है।
अमरावती (आंध्र प्रदेश)	इसमें **महान् अमरावती स्तूप (महाचैत्य)** स्थित है; **आंध्र कला शैली** का केंद्र; सफ़ेद चूना पत्थर की मूर्तियाँ; **सातवाहनों** द्वारा संरक्षित; महायान चरण के लिए महत्त्वपूर्ण।
नागार्जुनकोंडा (आंध्र प्रदेश)	**इक्ष्वाकु वंश** के अधीन **प्रमुख महायान केंद्र;** स्तूप, विहार और शिलालेख पाये गये; जिसे कभी **विजयपुरी** कहा जाता था; **नागार्जुन सागर बाँध** में जलमग्न (संरचनाएँ स्थानांतरित)।
सलिहुंडम (आंध्र प्रदेश)	**चार स्तूपों और मठों के खंडहरोंवाला** तटीय बौद्ध स्थल; **हीनयान** → **महायान** → **वज्रयान** से विकास दर्शाता है; शिलालेखों में **श्रीलंका के व्यापारिक संबंधों** का उल्लेख है।
गुंटापल्ली (आंध्र प्रदेश)	**सातवाहन युगीन** प्रारंभिक **शैलकृत गुफाएँ, स्तूप, विहार;** आंध्र प्रदेश के सबसे प्राचीन बौद्ध गुफा स्थलों में से एक; मठ-व्यापारिक संबंधों का खुलासा करता है।
बराबर और नागार्जुनी गुफाएँ (बिहार)	**भारत की सबसे प्राचीन शैलकृत गुफाएँ (मौर्य काल); अशोक और दशरथ** द्वारा आजीवकों को समर्पित, लेकिन बाद में बौद्धों द्वारा उपयोग की गयीं; पॉलिश और शिलालेख शैली ने बाद की बौद्ध गुफाओं को प्रभावित किया।

स्थल का नाम (राज्य)	महत्त्व
भाजा गुफाएँ (महाराष्ट्र)	दूसरी ईसा पूर्व की **हीनयान गुफाएँ; काष्ठ स्थापत्य कला की नक़ल** का प्रारंभिक उदाहरण; गुंबददार छतवाला **महत्त्वपूर्ण चैत्य-गृह**; सातवाहन काल के व्यापारियों के शिलालेख।
कार्ला गुफाएँ (महाराष्ट्र)	**भारत में सबसे बड़ा शैलकृत चैत्य हॉल; सातवाहन संरक्षण** में निर्मित; अग्रभाग समृद्ध रूप से अलंकृत; शिलालेखों में **नहपान (क्षत्रप शासक)** का उल्लेख है।
अजंता गुफाएँ (महाराष्ट्र)	यूनेस्को विश्व धरोहर-स्थल; **हीनयान और महायान** कला का मिश्रण (दूसरी ईसा पूर्व-छठी ईसवी); **भित्ति चित्र (murals), लेपचित्र (frescoes), जातक चित्रण; सातवाहन और वाकाटक** द्वारा संरक्षण प्राप्त।
एलोरा गुफाएँ (महाराष्ट्र)	34 गुफाएँ (12 बौद्ध, 17 हिंदू, 5 जैन); **बौद्ध गुफाएँ** वज्रयान प्रभाव दर्शाती हैं; **यूनेस्को विरासत** का हिस्सा; **राष्ट्रकूटों** के शासनकाल में उत्कीर्ण।
पिथलकोरा गुफाएँ (महाराष्ट्र)	प्राचीनतम बौद्ध गुफा स्थलों में से एक; स्तूपों और विहारोंवाली 14 गुफाएँ; **लकड़ी से चट्टानी वास्तुकला** में परिवर्तन दर्शाती हैं; ब्राह्मी में शिलालेख।
कान्हेरी गुफाएँ (महाराष्ट्र)	मुंबई के पास **संजय गांधी राष्ट्रीय उद्यान** के अंदर 100 से अधिक गुफाएँ; **निरंतर मठवासी गतिविधि** के प्रमाण **(1 ईसा पूर्व-10 ईसवी);** शिलालेखों में **सातवाहन-त्रैकुटक संरक्षण** का उल्लेख है; पश्चिमी व्यापार मार्ग का हिस्सा।
पांडवलेनी गुफाएँ (महाराष्ट्र)	नासिक के पास; प्रारंभिक **हीनयान गुफाएँ**; शिलालेखों में **नहपान और गौतमीपुत्र शातकर्णी** का उल्लेख है; व्यापारियों और शासकों द्वारा संरक्षण को दर्शाया गया है।
जुन्नार (महाराष्ट्र)	**200 से अधिक शैलकृत गुफाएँ**; भारत का सबसे बड़ा गुफा परिसर; शिलालेखों से सातवाहन व्यापार संरक्षकों का पता चलता है; कोंकण व्यापार मार्ग पर प्रमुख मठ केंद्र।
नागपट्टिनम (तमिलनाडु)	**दक्षिण भारत में** बौद्ध धर्म के **पहले और अंतिम केंद्रों में से एक; चूड़ामणि विहार**, एक प्रमुख **महायान** बौद्ध मठ, जिसका निर्माण **श्रीविजय राजा श्री मार विजयतुंग** वर्मन ने **चोल राजा राजराज प्रथम** के सहयोग से 1006 ई. में करवाया था।
धौली (ओडिशा)	**कलिंग युद्ध स्थल (261 ईसा पूर्व); अशोक के शिलालेख; अशोक के बौद्ध धर्म में धर्मांतरण** का प्रतीक; यहाँ का **शैलकृत हाथी** भारत की सबसे प्राचीन शैलकृत मूर्तियों में से एक है।

भारत के प्रमुख बौद्ध मठ

मठ का नाम (राज्य)	महत्त्व
घुम मठ (पश्चिम बंगाल)	भारत का सबसे पुराना तिब्बती मठ (1850 ई. में **लामा शेरब ग्यात्सो** द्वारा स्थापित); **गेलुग (पीली टोपी)** संप्रदाय का अनुयायी; **15 मीटर ऊँची मैत्रेय बुद्ध प्रतिमा** प्रतिष्ठित; पूर्वी भारत में तिब्बती बौद्ध शिक्षा का एक महत्त्वपूर्ण केंद्र।
रुमटेक मठ (सिक्किम)	मूलतः **16वीं शताब्दी** में निर्मित, **16वें करमापा द्वारा (1960 के दशक में)** पुनर्निर्मित; **कर्म काग्यू वंश** का केंद्र; **धर्म चक्र केंद्र** के रूप में जाना जाता है; यहाँ दुर्लभ पांडुलिपियाँ और अवशेष हैं; भारत में तिब्बती बौद्ध ध र्म का एक प्रमुख केंद्र।
पेमायांग्त्से मठ (सिक्किम)	**1705 ई. में ल्हात्सुन चेम्पो** द्वारा स्थापित, **न्यिंग्मा (लाल टोपी)** संप्रदाय से संबंधित; इसमें **जंगडोग पलरी मॉडल** है, जो गुरु पद्मसंभव के दिव्य महल का प्रतीक है; सिक्किम के राजाओं द्वारा संरक्षित।
एनचे मठ (सिक्किम)	**20वीं शताब्दी** के प्रारंभ में **सिदकेओंग तुल्कु** के शासनकाल में निर्मित; तांत्रिक संत **लामा द्रुपथोब कार्पो** से संबद्ध; **चाम (मुखौटा) नृत्यों** और **आनुष्ठानिक तंत्र-मंत्र** के लिए प्रसिद्ध; न्यिंग्मा संप्रदाय का अनुयायी।
तवांग मठ (अरुणाचल प्रदेश)	**भारत का सबसे बड़ा मठ**, जिसकी स्थापना **1681 ई.** में **पाँचवें दलाई लामा** के शासनकाल में **मेराक लामा लोद्रे ग्यात्सो** ने की थी; **गेलुग्पा** संप्रदाय का अनुयायी; इसमें बहुमूल्य **थांगका, पांडुलिपियाँ** और एक विशाल सभा भवन है; पूर्वोत्तर भारत में बौद्ध प्रभाव का प्रतीक।
बोमडिला मठ (अरुणाचल प्रदेश)	**1965** में **त्सोना गोंट्से रिनपोछे** द्वारा स्थापित; **गेलुग्पा संप्रदाय** से संबद्ध; **मोनपा जनजाति** के लिए एक सांस्कृतिक और मठवासी केंद्र के रूप में कार्य करता है; तिब्बत के त्सोना गोंट्से मठ पर आधारित।

मठ का नाम (राज्य)	महत्त्व
अलची मठ (लद्दाख)	**11वीं शताब्दी ईसवी में रिनचेन जंगपो ('महान् अनुवादक')** द्वारा स्थापित; लद्दाख का सबसे पुराना मठ; **कश्मीरी शैली के भित्तिचित्रों और लकड़ी की नक्क़ाशी** के लिए अद्वितीय; प्रारंभिक **भारतीय-तिब्बती बौद्ध कला** को संरक्षित करता है; **यूनेस्को की संभावित सूची में**।
स्पितुक मठ (लद्दाख)	**11वीं शताब्दी ईसवी** में ओड-डे (अतीशा के भाई) द्वारा स्थापित; **गेलुग्पा संप्रदाय** से संबंधित; इसमें **देवी काली की एक विशाल प्रतिमा** है, जिसका अनावरण **गुस्तोर महोत्सव** के दौरान किया गया था; लेह के निकट एक महत्त्वपूर्ण धार्मिक स्थल।
शे मठ (लद्दाख)	**17वीं शताब्दी ईसवी में राजा देलदान नामग्याल** द्वारा निर्मित; **शे महल परिसर** का हिस्सा; इसमें **12 मीटर ऊँची तांबे से मढ़ी हुई शाक्यमुनि बुद्ध की प्रतिमा** स्थापित है; लद्दाख में शाही बौद्ध संरक्षण का प्रतिनिधित्व करता है।
धनकर मठ (स्पीति घाटी, हिमाचल प्रदेश)	लगभग **10वीं शताब्दी ईसवी** में निर्मित, स्पीति और पिन नदियों के बीच रणनीतिक रूप से स्थित; **स्पीति की पुरानी राजधानी** के रूप में कार्य करता था; इसमें **वैरोचन (ध्यानी बुद्ध)** की प्रतिमा है; यह **गेलुग्पा संप्रदाय** से संबंधित है; क़िले जैसी संरचना।
नाको मठ (किन्नौर, हिमाचल प्रदेश)	**11वीं शताब्दी ईसवी में रिनचेन जंगपो** द्वारा स्थापित; इसमें **कदम शैली की चित्रकारी और गचकारी** (stucco) है; वास्तुकला की दृष्टि से ताबो जैसा; ट्रांस-हिमालयी बौद्ध मार्ग पर एक महत्त्वपूर्ण पड़ाव।
क्ये (Key) मठ (स्पीति घाटी, हिमाचल प्रदेश)	स्पीति का सबसे बड़ा मठ; **11वीं शताब्दी ईसवी** में स्थापित; **गेलुग्पा संप्रदाय** का अनुयायी; **प्राचीन ग्रंथ, भित्ति चित्र और थांगका** हैं; आक्रमणों और भूकंपों के कारण कई बार पुनर्निर्मित।
ताबो मठ (स्पीति घाटी, हिमाचल प्रदेश)	**राजा येशे ओ** के शासनकाल में **रिनचेन जंगपो** द्वारा **996 ई.** में स्थापित; भारत का सबसे पुराना निरंतर संचालित मठ; अपनी भित्तिचित्र कला के लिए **'हिमालय का अजंता'** के नाम से जाना जाता है; **यूनेस्को की संभावित सूची में।**
नमद्रोलिंग मठ (ब्यलाकुप्पे, कर्नाटक)	दक्षिण भारत में सबसे बड़ा **न्यिंग्मा संप्रदाय** का मठ; तिब्बती शरणार्थियों के लिए **पेनोर रिनपोछे (1963)** द्वारा स्थापित; स्वर्ण मंदिर के रूप में जाना जाता है; इसमें पद्मसंभव, बुद्ध शाक्यमुनि और अमितायुस की भव्य प्रतिमाएँ हैं।

प्रमुख जैन तीर्थ स्थल ------------------------------------> परीक्षोपयोगी

स्थल का नाम (राज्य)	महत्त्व
पालिताना मंदिर और शत्रुंजय पहाड़ियाँ (गुजरात)	सबसे पवित्र **जैन तीर्थस्थल** (श्वेताम्बर संप्रदाय); **ऋषभनाथ (प्रथम तीर्थंकर)** को समर्पित; 11वीं और 20वीं शताब्दी के बीच निर्मित **800 से अधिक संगमरमर के मंदिर।**
शिखरजी/पारसनाथ पहाड़ी (झारखंड)	**सबसे पवित्र जैन तीर्थस्थलों** में से एक; **20 तीर्थंकरों ने यहाँ मोक्ष प्राप्त किया;** दोनों संप्रदायों के लिए पवित्र; **पारसनाथ पर्वतमाला** पर स्थित, यह एक **वन्यजीव अभयारण्य** भी है।
गिरनार पहाड़ियाँ (गुजरात)	**16 मंदिरों** का परिसर; सबसे बड़ा **नेमिनाथ (22वें तीर्थंकर)** को समर्पित; इसमें **अशोक के शिलालेख** हैं; **जैन और हिंदू** दोनों के लिए पवित्र।
पावापुरी (बिहार)	वह स्थान, जहाँ **महावीर ने निर्वाण प्राप्त किया; जल मंदिर** (तालाब में संगमरमर का मंदिर) का स्थल; प्रमुख वार्षिक तीर्थस्थल।
दिलवाड़ा मंदिर, माउंट आबू (राजस्थान)	**संगमरमर के मंदिर (11वीं-13वीं शताब्दी); जटिल नक्क़ाशी** के लिए प्रसिद्ध; पाँच मंदिर - **विमल शाही, लूना शाही, पित्तलहार, पार्श्वनाथ, महावीर स्वामी।**
श्रवणबेलगोला (कर्नाटक)	यहाँ **गोम्मतेश्वर (बाहुबली)** की **57 फुट ऊँची प्रतिमा** स्थापित है (10वीं शताब्दी, **गंग वंश**); प्रति 12 वर्ष में **महामस्तकाभिषेक** उत्सव का स्थल।
रणकपुर मंदिर (राजस्थान)	**15वीं शताब्दी** में **राणा कुंभा** के अधीन **धरण शाह** द्वारा निर्मित; **आदिनाथ** को समर्पित; इसमें **1,444 विशिष्ट नक्काशीदार स्तंभ** हैं; होयसल जैसी वास्तुकला।

स्थल का नाम (राज्य)	महत्त्व
बावनगजा (मध्य प्रदेश)	इसमें एक ही चट्टान से उकेरी गयी **आदिनाथ** की **84 फुट ऊँची अखंड प्रतिमा** है (10वीं शताब्दी); **सबसे ऊँची प्राचीन जैन मूर्तियों में से एक।**
शांतिनाथ मंदिर परिसर, देवगढ़ (उत्तर प्रदेश)	इसमें **31 जैन मंदिर (9वीं-17वीं शताब्दी)** हैं; **बुंदेलखंड क्षेत्र** की समृद्ध प्रतिमा-कला; प्रमुख श्वेताम्बर स्थल।
ग्वालियर, चंदेरी और खजुराहो (मध्य प्रदेश)	**चट्टान में बनीं जैन मूर्तियाँ (7वीं-15वीं शताब्दी); ग्वालियर क़िले** में 100 से अधिक मूर्तियाँ हैं; यह मध्य भारत में **जैन कला** के प्रसार को दर्शाता है।
उदयगिरि और खंडगिरि गुफाएँ (ओडिशा)	**राजा खारवेल (द्वितीय-प्रथम ईसा पूर्व)** के शासनकाल में निर्मित **शैलकृत गुफाएँ; जैन वास्तुकला** का सबसे प्राचीन उदाहरण; **हाथीगुम्फा शिलालेख** में उनकी विजयों का उल्लेख है।
कंकली टीला, मथुरा (उत्तर प्रदेश)	**अयागपता मन्नत पट्टिकाओं** का स्थल **(प्रथम ईसा पूर्व-तृतीय ईसवी); मूर्ति पूजा** और **त्रिरत्न प्रतीकों** के प्रारंभिक साक्ष्य।
चौसा (बिहार), हाँसी (हरियाणा), अकोटा (गुजरात)	**जैन कांस्य प्रतिमाओंवाले** स्थल **(5वीं-9वीं ई.); धातुकर्म कौशल** और **शाही संरक्षण** को दर्शाते हैं।
नसियाँ मंदिर (अजमेर, राजस्थान)	इसे **सोनीजी की नसियाँ** भी कहा जाता है; **19वीं ई.** में निर्मित; **ऋषभदेव** को समर्पित; **जैन ब्रह्माण्डिकी के स्वर्ण-लेपित मॉडल** के लिए प्रसिद्ध।
हाथी सिंह मंदिर (अहमदाबाद, गुजरात)	**19वीं ई.** में **सेठ हाथी सिंह** द्वारा निर्मित; **धर्मनाथ (15वें तीर्थंकर)** को समर्पित; सुंदर **मारू-गुर्जर वास्तुकला।**
चित्तनवासल गुफाएँ (तमिलनाडु)	**जैन गुफा स्थल (दूसरी ईसा पूर्व-9वीं ई.);** इसमें अजंता के समान **भित्तिचित्र** हैं; **प्राचीन तमिल क्षेत्र में जैन उपस्थिति** के प्रमाण।
मांगी-तुंगी (महाराष्ट्र)	प्राचीन **शैल मूर्तियोंवाला द्वि-शिखर स्थल; अहिंसा की प्रतिमा (108 फ़ीट, 2016) विश्व की सबसे ऊँची जैन मूर्ति** है।
तरंगा पहाड़ी मंदिर (गुजरात)	**आचार्य हेमचंद्र** के अधीन **कुमारपाल (चालुक्य वंश)** द्वारा निर्मित; **सोलंकी वास्तुकला** की उत्कृष्ट कृति।
मुक्तागिरी मंदिर (मध्य प्रदेश)	**सतपुड़ा पहाड़ियों** में **दिगंबर मंदिरों** का समूह; दर्शनीय तीर्थ घाटी; **मध्यकाल** से निरंतर उपासना।
अहिच्छत्र (उत्तर प्रदेश)	**जैन अवशेषों और अयागपट्टोंवाला (प्रथम ईसा पूर्व-प्रथम ईसवी)** प्राचीन स्थल; **उत्तर भारत में प्रारंभिक जैन धर्म** के प्रमाण।
कुंडलपुर (बिहार)	**महावीर के जन्मस्थान और जीवन** से संबद्ध; **प्राचीन मंदिर** का स्थल; उत्खनन से **प्रारंभिक जैन बस्ती** की पुष्टि होती है।
नवगढ़ तीर्थ (उत्तर प्रदेश-मध्य प्रदेश सीमा)	**अरनाथ (18वें तीर्थंकर)** की मूर्ति स्थापित; **चंदेलकालीन** वास्तुकला; **भूमिगत मंदिर** शामिल हैं।
चंद्रावती जैन मंदिर (उत्तर प्रदेश)	**चंद्रप्रभा (आठवें तीर्थंकर)** का माना जानेवाला **जन्मस्थान; 9वीं-10वीं शताब्दी के खंडहर,** जिनमें मूर्तियाँ और शिलालेख हैं।

मध्यकालीन भारत में वास्तुकला

712 ईसवी में सिंध पर अरब विजय के साथ ही भारत की पश्चिमी सीमाओं पर मुसलमान शासकों का आगमन आरंभ हो गया। 12वीं शताब्दी ईसवी तक दिल्ली के सिंहासन पर एक इस्लामिक शासक ने अधिकार कर लिया। इसने भारतीय इतिहास में मध्यकाल के आरंभ का श्रीगणेश किया। आगामी वर्षों में भारतीय वास्तुकला व्यापक परिवर्तन से गुज़री। जिसमें नये शासकों की रुचियों और वरीयताओं को प्रतिबिंबित करनेवाले, सुलेखन और जड़ाऊ कामवाले अलंकरण आदि जैसे नवीन तत्त्व प्रचलित हुए, लेकिन साथ ही स्थानीय वास्तुकारों ने स्थानीय वास्तु परंपराओं के कुछ पहलुओं को बनाये रखा।

इस प्रकार, आगे की वास्तुकला में हम भारतीय शैली के साथ फ़ारसी शैली का संगम देखते हैं। इसे **इंडो-इस्लामिक वास्तुकला या भारतीय-अरबी वास्तुकला** के रूप में जाना जाता है।

इंडो-इस्लामिक वास्तुकला की कुछ **विशेषताएँ** इस प्रकार हैं :

अरबेस्क डिज़ाइन

- इस अवधि के दौरान मेहराब और गुंबदों के उपयोग ने प्रमुखता प्राप्त की। इसे वास्तुकला की **'मेहराबदार' शैली** के रूप में जाना गया और जिसने वास्तुकला की पारंपरिक लिंटल-शहतीर शैली का स्थान ग्रहण किया।
- इस्लामिक शासकों ने मस्जिदों और मक़बरों के चारों ओर **मीनारों का उपयोग** प्रचलित किया।
- उनके निर्माणों में जोड़नेवाले पदार्थ के रूप में **गारे** (mortar) का उपयोग किया जाता था।
- इंडो-इस्लामिक वास्तुकला में मानव और पशु आकृतियों का प्रयोग **बहुत कम हुआ**।
- हिंदू वास्तुकला जहाँ बहुत संकीर्ण हो गयी थी, वहीं इंडो-इस्लामिक वास्तुकला ने इसमें **विशालता, व्यापकता** और **बृहदता** का समावेश किया।
- जहाँ पिछली संरचनाओं में अलंकरण के साधन के रूप में मूर्तियों का उपयोग किया जाता था, वहीं इंडो-इस्लामिक वास्तुकला में अलंकरण के साधन के रूप में **सुलेखन का उपयोग किया जाता** था।
- अलंकरण के लिए **अरबेस्क विधि** (Arabesque Pattern) का भी उपयोग किया जाता था। अरबेस्क से आशय ज्यामितीय वानस्पतिक अलंकरण के प्रयोग से है और इसकी विशेषता एक सतत् तना होता है। यह पत्तेदार, द्वितीयक तने की श्रृंखला का निर्माण करते हुए नियमित अंतराल पर विभाजित होता है और द्वितीयक तना भी पुनः विभाजित होता है या इसे मुख्य तने से मिलाने के लिए वापस मोड़ा जाता है। जिससे एक सजावटी पैटर्न का निर्माण होता है।

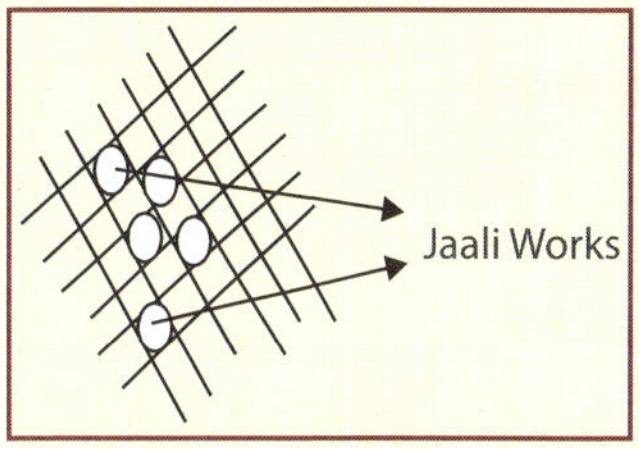

जाली का काम

- सजावटी पैटर्न से लेकर **समरूपता** की भावना आत्मसात् करने तक, इस अवधि की वास्तुकला में भारी पैमाने पर ज्यामिति के सिद्धांतों का उपयोग किया गया।
- भवनों में **जाली का जटिल काम** किया गया था। यह इस्लाम धर्म में ***प्रकाश के महत्त्व*** का प्रतीक है।
- इस अवधि की वास्तुकला की एक महत्त्वपूर्ण विशेषता आँगन के फूलों, फ़व्वारों और छोटी नालियों के रूप में परिसर में **पानी का उपयोग** था। पानी का मुख्य रूप से *तीन प्रयोजनों* के लिए उपयोग किया जाता था :
  - धार्मिक प्रयोजन
  - परिसर के शीतलन के लिए
  - सजावटी उद्देश्य।
- इस्लामिक शासकों ने बाग़ों की **चारबाग़ शैली** का प्रचलन किया। इसमें एक वर्गाकार खण्ड चार समान बाग़ों में विभाजित किया जाता था।

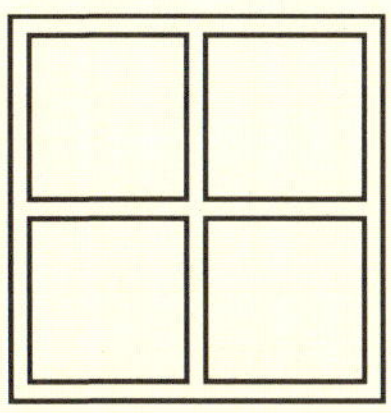

चारबाग़ शैली

पित्रा-दूरा का नमूना

- इस अवधि की वास्तुकला में प्रस्तर की दीवारों में सजावट के लिए क़ीमती रंगीन पत्थरों और रत्नों को जड़ने के लिए **पित्रा-दूरा** (Pietra-dura) **तक़नीक** का भी उपयोग किया गया था।
- एक और अनूठी विशेषता भवनों में **foreshortening (अग्रलघुता) तक़नीक** का प्रयोग था। इस तक़नीक का प्रयोग इस प्रकार किया जाता था कि शिलालेख दूर होते हुए भी पास नज़र आते थे।

मेहराबदार शैली और लिंटल-शहतीर शैली के बीच अंतर

आधार	लिंटल-शहतीर शैली	मेहराबदार शैली (इंडो-इस्लामिक वास्तुकला के तहत प्रयोग किया जाता था।)
प्रवेश	इसकी विशेषता **लिंटल** का उपयोग था 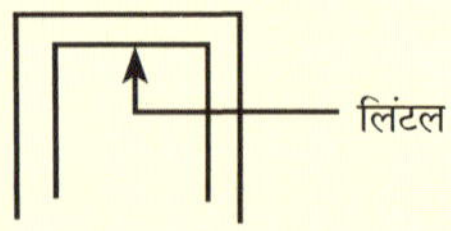	इसकी विशेषता मेहराब और गुंबद का उपयोग था।
शीर्ष	मंदिरों के शीर्ष पर **शिखर** का उपयोग। **शिखर** सामान्यतः शंक्वाकार या वक्राकार होते थे।	मस्जिदों के शीर्ष पर **गुंबद** का उपयोग। गुंबद सामान्यतः अर्द्ध-गोलाकार होते थे।
मीनार	**मीनारें नहीं होती थीं।**	सामान्यतः मस्जिदों के चारों कोनों पर **मीनारें** होती थीं।
निर्माण सामग्री	सभी निर्माणों का प्राथमिक घटक **प्रस्तर** था।	निर्माण हेतु ईंट, चूना प्लास्टर और गारे का उपयोग आरंभ हुआ।

दिल्ली सल्तनत काल के दौरान वास्तुकला

दिल्ली सल्तनत काल यानी 1206-1526 ईसवी के दौरान वास्तुकला को दो व्यापक श्रेणियों में वर्गीकृत किया जा सकता है :

1. **साम्राज्यिक शैली :** दिल्ली के शासकों द्वारा संरक्षित।
2. **प्रांतीय शैली :** स्थानीय शासकों और सरदारों द्वारा संरक्षित।

साम्राज्यिक शैली

इस अवधि के दौरान शासन करनेवाले विभिन्न राजवंशों के अधीन वास्तुकला की साम्राज्यिक शैली का विकास हुआ। प्रत्येक शासक ने अपनी स्वयं की कुछ रुचियाँ आरोपित कीं, लेकिन बनावट या शैली मोटे तौर एक जैसी बनी रही।

- **ग़ुलाम वंश :** ग़ुलाम वंश या इल्बरी राजवंश **1206 से लेकर 1290 ईसवी** तक सत्ता में बना रहा। उनके शासनकाल के दौरान वास्तुकला की शैली को **मामलुक शैली** के रूप में जाना गया।
- इस अवधि के दौरान, अधिकांश निर्माण *तत्कालीन हिंदू संरचनाओं के पुनः प्रतिरूपण* थे। उन्होंने कई स्मारकों का निर्माण भी करवाया था। **क़ुतुब मीनार** इसका एक प्रमुख उदाहरण है। इस 5 मंज़िली संरचना का निर्माण क़ुतुब-उद्-दीन ऐबक ने आरंभ कराया था, किन्तु वह केवल इसका भू-तल ही बनवा पाया था। अगली तीन मंज़िलें इल्तुतमिश द्वारा पूरी करवायी गयीं और 5वीं मंज़िल फ़िरोज़ शाह तुग़लक़ द्वारा बनवायी गयी।

  अन्य उदाहरण : (i) **क़ुतुब मीनार परिसर में क़ुव्वत-उल-इस्लाम मस्जिद, जो एक जैन मंदिर से परिवर्तित की गयी थी,** एवं (ii) अजमेर में अढ़ाई-दिन-का-झोंपड़ा आदि।

अढ़ाई दिन का झोंपड़ा, अजमेर

क़ुतुब मीनार और अलाई दरवाज़ा, दिल्ली

❖ **ख़िलजी वंश:** ख़िलजी वंश ने 1290 ईसवी से लेकर 1320 ईसवी तक शासन किया और वास्तुकला की **सेल्जुक शैली** की स्थापना की। इस अवधि के निर्माण की विशेषता **लाल बलुआ प्रस्तर** का प्रयोग था। इसके साथ ही, **मेहराबदार शैली** ने इसी अवधि से प्रमुखता पायी। सभी निर्माण कार्यों में जोड़नेवाली सामग्री के रूप में **गारे** का प्रमुखता से उपयोग किया जाने लगा था।

उदाहरण : अलाउद्दीन ख़िलजी द्वारा निर्मित अलाई दरवाज़ा, सीरी का क़िला, आदि।

वीडियो अंतर्दृष्टि

कुतुब मीनार परिसर में स्मारक पर वैचारिक वीडियो के लिए स्कैन करें

❖ **तुग़लक़ वंश :** यह दिल्ली सल्तनत काल के दौरान वास्तुकला के लिए **संकट काल** था। हालाँकि, फिर भी कुछ निर्माण कार्य किये गये थे, जिसमें **धूसर बलुआ प्रस्तर** का उपयोग किया गया था। इस अवधि के दौरान भवन की *मज़बूती* पर अधिक ध्यान तथा अलंकरण पर कम बल दिया गया। प्रवेश द्वार के डिज़ाइन में मेहराब और सरल दोनों विधियों का संयोजन किया गया था। तुग़लक़ों ने **'बैटर'** (batter) के रूप में ज्ञात निर्माण की शैली का प्रचलन किया था, जिसकी विशेषता भवनों को अधिक मज़बूत दिखाने के लिए *ढलवाँ दीवारें* थीं।

उदाहरण : तुग़लक़ाबाद, जहाँपनाह और फ़िरोज़ाबाद के नगर।

❖ **लोदी वंश :** लोदी वंश के अंर्तगत, वास्तुकला में पश्चगामी प्रवृत्ति जारी रही। इस अवधि के दौरान **मूलतः मक़बरों** का निर्माण आरंभ किया गया। हालाँकि, इस अवधि की वास्तुकला की एक महत्त्वपूर्ण विशेषता **दोहरे गुंबदों** (double dome) का प्रचलन था, जो शीर्ष गुंबद के अंदर एक खोखले गुंबद से मिलकर बना होता था।

दोहरी गुंबद वास्तुकला

दोहरे गुंबदों का उपयोग करने के कारण थे :

- संरचना को मज़बूती देना, और;
- गुंबद की भीतरी ऊँचाई कम करना।

इस चरण के दौरान बनाये गये मक़बरे किसी भी भव्य अलंकरण के बिना **कठोर और सादे** थे। इन्हें लगभग 15 मीटर के व्यास के साथ **अष्टकोणीय आकार** में बनाया गया था, जिन्हें ढलवाँ बरामदे से सहारा दिया जाता था।

उदाहरण : लोदी गार्डन, सिकंदर लोदी द्वारा स्थापित आगरा नगर आदि।

वास्तुकला की प्रांतीय 'शैलियाँ'

इस अवधि के दौरान इंडो-इस्लामी शैली ने स्थानीय स्थापत्य शैलियों को भी प्रभावित करना आरंभ कर दिया था। बंगाल, बीजापुर, जौनपुर और माँडू वास्तुकला के विकास के महत्त्वपूर्ण केंद्र बन चुके थे।

वीडियो अंतर्दृष्टि

गौर और पांडुआ में स्मारकों समूह पर वैचारिक वीडियो के लिए स्कैन करें

❖ **बंगाल शैली (1203-1573 ईसवी) :** वास्तुकला की बंगाल शैली की विशेषता **ईंटों** और **काले बेसाल्ट** का प्रयोग था। इस अवधि के दौरान बनी मस्जिदों में ढलवाँ **'बंग्ला छतों'** का उपयोग जारी रहा, जिसका पहले मंदिरों के लिए उपयोग किया जाता था।

उदाहरण : क़दम रसूल मस्जिद, ज़िला मालदा (पश्चिम बंगाल) स्थित अदीना मस्जिद आदि।

- **जौनपुर शैली (1394-1479 ईसवी) : शर्क़ी शासकों** के संरक्षण में जौनपुर, कला और सांस्कृतिक गतिविधियों का महान् केंद्र बन गया था। वास्तुकला की इस शैली को **शर्क़ी शैली** के रूप में भी जाना जाता था, इस शैली में भी पठान शैली की भाँति *मीनारों के प्रयोग से बचा गया* था। यहाँ के भवनों की एक **अनूठी विशेषता** प्रार्थना हॉल के केंद्र और बग़ल के खण्डों में विशाल स्क्रीनों पर चित्रित मोटे और सशक्त अक्षरों का उपयोग है।

अटाला मस्जिद, जौनपुर

उदाहरण : अटाला मस्जिद, जौनपुर

- **मालवा शैली (1405-1569 ईसवी) :** मालवा के पठार में स्थित धार और माँडू के नगर वास्तुकला के प्रमुख स्थल बन गये थे। यहाँ के भवनों की सबसे प्रमुख विशेषता **विभिन्न रंगों के प्रस्तरों** और संगमरमरों का प्रयोग था। भवनों में *विशालकाय खिड़कियाँ* लगी थीं, जो शायद **यूरोपीय प्रभाव** का परिणाम थीं, जो मेहराब एवं स्तंभों के शैलीकृत प्रयोग से अलंकृत थीं।

यहाँ तक कि *सीढ़ियों* का उपयोग भी निर्माण का सौंदर्यबोध बढ़ाने के लिए किया गया था। हालाँकि, वास्तुकला की इस शैली में *मीनारों का उपयोग नहीं किया गया* था।

वास्तुकला की पठान शैली के रूप में भी ज्ञात मालवा शैली निम्नलिखित विशेषताओं के चलते इस अवधि के **पर्यावरण अनुकूलन के सर्वश्रेष्ठ नमूनों** में से एक है :

- **विशालकाय खिड़कियों** का उपयोग भवनों और कक्षों को भली-भाँति हवादार बनाता था।
- मंडप **थोड़े धनुषाकार** होते थे। यह विशेषता उन्हें *हवादार बनाती थी और गर्मियों* के दौरान भी ये भवन ठंडे बने रहते थे।
- परिसर में जल भंडारण हेतु *'बावली' के रूप* में ज्ञात **कृत्रिम जलाशयों** का निर्माण करवाया जाता था।
- निर्माण हेतु **स्थानीय स्तर पर उपलब्ध सामग्री** का उपयोग किया जाता था।
- तुग़लक़ों द्वारा प्रचलित **बैटर (batter) प्रणाली** का उपयोग करके *भवनों* को मज़बूत बनाया जाता था।

वीडियो अंतर्दृष्टि

माांडू स्मारकों के समूह पर वैचारिक वीडियो के लिए स्कैन करें

उदाहरण : रानी रूपमती का मंडप, हिंडोला महल, अशरफ़ी महल आदि।

रानी रूपमती का महल, माँडू

हिंडोला महल, माँडू

- **बीजापुर शैली (1490-1656 ईसवी) :** आदिल शाह के संरक्षण के अंतर्गत बीजापुर शैली या वास्तुकला की *दक्कन शैली* का विकास हुआ। उसने अनेक मस्जिदों, मक़बरों और महलों का निर्माण करवाया था। इनका अनूठापन **3-मेहराबोंवाले अग्रभाग** और **बल्बनुमा गुंबदों** का उपयोग था। ये सभी लगभग गोलाकार और सँकरी गर्दनवाले थे। उन्होंने **कार्निस का प्रयोग** भी प्रचलित किया। बीजापुर शैली की एक **प्रमुख विशेषता** *इसकी छतों का व्यवहार* था। छतें किसी भी स्पष्ट सहारे के बिना टिकी थीं। **लोहे के क्लैम्पों** और गारे के मज़बूत प्लास्टर का उपयोग भवनों को मज़बूती देने के लिए किया गया था। दीवारें समृद्ध नक़्क़ाशियों से अलंकृत थीं।

  उदाहरण : बीजापुर स्थित *गोल गुम्बद (यह आदिल शाह का मक़बरा है)*।

क्या आप जानते हैं?

भारत में मरमरश्रावी गैलरी
(Whispering Gallery in India)

इस तरह से बनी होती है, जहाँ फुसफुसाहट की आवाज़ को भी गैलेरी के अन्य हिस्सों में स्पष्ट रूप से सुना जा सकता है। उदाहरण:

1. *गोल गुम्बज, बीजापुर।*
2. *विक्टोरिया मेमोरियल, कोलकाता।*
3. *गोलघर अन्न भंडार, पटना।*

गोल गुम्बज, बीजापुर

मुग़ल वास्तुकला

मुग़ल शासक कला और स्थापत्य कला के महान् संरक्षक थे। उनके अधीन वास्तुकला ने पुन: अपना महत्त्वपूर्ण स्थान ग्रहण कर लिया, क्योंकि उन्होंने नये भवनों का निर्माण महान् उद्देश्य और कलात्मक अभिप्रेरणा के साथ करवाया था।

बाबर

बाबर ने पानीपत और रुहेलखंड में मस्जिदों का निर्माण आरंभ करवाया था। दोनों मस्जिदें 1526 ईसवी में बन कर तैयार हुईं। फिर भी, उसका शासनकाल किसी भी नयी शैली या तक़नीकी को प्रेरित करने के लिए बहुत अल्पकालिक था।

काबुली बाग़ मस्जिद : 1526 में पानीपत की लड़ाई में सुल्तान इब्राहिम लोदी पर अपनी जीत को चिह्नित करने के लिए बाबर ने इस मस्जिद को 1527 में पानीपत (वर्तमान हरियाणा) में बनवाया था।

1504 ईसवी में काबुल पर अपनी विजय के पश्चात् बाबर ने **काबुल में बाग़-ए-बाबर** का निर्माण कराया। यह विश्व के सबसे पुराने जीवंत मुग़ल उद्यानों में से एक है।

वीडियो अंतर्दृष्टि

हुमायूं का मकबरा पर वैचारिक वीडियो के लिए स्कैन करें

हुमायूँ

हुमायूँ के शासनकाल की विशेषता शेरशाह सूरी के विरुद्ध निरंतर सत्ता संघर्ष था। इसलिए वह कला और स्थापत्य कला की ओर अधिक ध्यान नहीं दे पाया। उसने **दीनपनाह** नामक नगर की नींव डालीं, लेकिन वह इसे पूरा नहीं कर पाया। इस अवधि की वास्तुकला में फ़ारसी शैली छायी रही।

हुमायूँ का मक़बरा : इस मक़बरे का निर्माण हुमायूँ की मृत्यु के बाद 1558 ईसवी में **बेगा बेगम** ने करवाया था। UNESCO ने 1993 में मक़बरे को विश्व धरोहर-स्थल घोषित किया।

शेरशाह

अपने सक्षिप्त शासनकाल में शेरशाह ने कुछ स्मारकों का निर्माण कराया। उसने दिल्ली में **क़िला-ए-कुहुनाह (पुराने क़िले का मस्जिद)** बनवाया। उसने पाकिस्तान में प्रसिद्ध **रोहतास क़िले** का निर्माण कराया। अपने शासन को चिह्नित करने के लिए, उसने अफ़ग़ान शैली में **पटना में शेर शाह सूरी मस्जिद** का निर्माण कराया।

उसका शासनकाल लोदी शैली की वास्तुकला के मुग़ल शैली की वास्तुकला की ओर संक्रमण का काल है। उसने एक प्राचीन मौर्य मार्ग का पुनर्निर्माण और विस्तार कराया और उसका नया नाम **सड़क-ए-आज़म** (महान् सड़क) रखा गया, जिसे बाद में **ग्रैंड ट्रंक रोड** के नाम से जाना गया। उसने यात्रियों के लिए पर्याप्त सरायों और पेड़ों की उपस्थिति सुनिश्चित की। **शेरशाह सूरी का मक़बरा** उसके जन्मस्थल **सासाराम** में बनाया गया, जो लाल बलुआ पत्थर से निर्मित और एक झील के किनारे स्थित है। शेरशाह के शासन में भी सल्तनत युग की निर्माण परम्परा चलती रही। अकबर द्वारा 1556 में दिल्ली का तख़्त ग्रहण करने के पश्चात् मुग़ल कला और वास्तुकला का स्वर्ण युग प्रारम्भ हुआ।

अकबर

अकबर ने कला और स्थापत्य कला के विकास में गहरी रुचि ली। अकबर के शासनकाल के दौरान निर्माण कार्यों की प्रमुख विशेषता **लाल बलुआ प्रस्तर** का उपयोग था। उसने 'Tudor Arch' ('चतुष्कोणीय मेहराब') के उपयोग का भी प्रचलन किया। अकबर के शासनकाल के दौरान किये गये कुछ प्रमुख निर्माण कार्य इस प्रकार वर्णित हैं :

आगरा का क़िला

यह अकबर के शासनकाल के दौरान आरंभ किये गये पहले निर्माण कार्यों में से एक था। हालाँकि, इस क़िले के अंदर अब भी वर्तमान अधिकांश संरचनाएँ शाहजहाँ के शासनकाल के दौरान बनवायी गयी थीं। यहाँ के कुछ प्रमुख भवन हैं:

- शाहजहाँ द्वारा बनवायी गयी मोती मस्जिद।
- शाहजहाँ द्वारा बनवाया गया दीवान-ए-आम। (सार्वजनिक दर्शकों का हॉल)
- शाहजहाँ द्वारा बनवाया गया दीवान-ए-ख़ास। (निजी दर्शकों का हॉल)
- जहाँगीरी महल
- शीश महल (तुर्की स्नान घर)

आगरा का क़िला

क़िले के अंदर बग़ीचों को **चारबाग़ शैली** के अनुसार बनवाया गया था। अकबर इस क़िले के परिसर का उपयोग अपने हरम में 5000 से भी अधिक स्त्रियों के निवास स्थल के रूप में करता था। यह क़िला 1565 और 1573 ईसवी के बीच बनाया गया था।

फ़तेहपुर सीकरी

- फतेहपुर सीकरी उत्तर प्रदेश के आगरा ज़िले में स्थित है। इसकी स्थापना 1571 में मुग़ल सम्राट् अकबर ने अपने विजयी गुजरात अभियान के बाद आगरा के बाद नयी राजधानी के रूप में की थी। यह 1571 से 1585 तक कुछ समय के लिए मुग़ल साम्राज्य की राजधानी रहा, जिसके बाद राजधानी पहले **लाहौर** और बाद में पुनः **आगरा** स्थानांतरित कर दी गयी।
- फ़तेहपुर सीकरी परिसर में स्थित **बुलंद दरवाज़ा**, दुनिया का सबसे ऊँचा प्रवेश द्वार है, जिसे सम्राट् अकबर ने गुजरात पर अपनी विजय के उपलक्ष्य में बनवाया था। यह गुजरात स्थित जामा मस्जिद का भव्य प्रवेश द्वार है। यह मुख्य रूप से लाल

वीडियो अंतर्दृष्टि

फ़तेहपुर सीकरी पर वैचारिक वीडियो के लिए स्कैन करें

और हलके भूरे बलुआ पत्थर से निर्मित है और ज्यामितीय आकृतियों एवं फ़ारसी शिलालेखों से सुसज्जित है। इसमें उत्कीर्णित एक प्रसिद्ध कहावत है : '*दुनिया एक पुल है, इस पर से गुज़र जाओ, लेकिन इस पर घर मत बनाओ*'।

- **शेख़ सलीम चिश्ती का मक़बरा** भी फ़तेहपुर सीकरी परिसर में स्थित है, जिसे अकबर ने उस सूफ़ी संत के सम्मान में बनवाया था, जिनके आशीर्वाद से अकबर के उत्तराधिकारी सलीम (जो बाद में जहाँगीर बने) का जन्म हुआ था। मक़बरा पूरी तरह से सफ़ेद संगमरमर से बना है और इसमें जटिल ज्यामितीय पैटर्न, काले संगमरमर के शिलालेख और चित्रित पुष्प आकृतियोंवाली उत्कृष्ट जालीदार संरचना का इस्तेमाल किया गया है। समाधि स्थल केंद्रीय कक्ष में स्थित है, जो इसे तीर्थयात्रा और प्रार्थना का स्थान बनाता है।
- इस परिसर के अंदर **जामा मस्जिद** भी है जिसे 'फ़तेहपुर की शान' कहा जाता है।
- फ़तेहपुर सीकरी में अकबर के महल विशेष उल्लेख के पात्र हैं। **जोधाबाई का महल** (या मरियम-उज-जमानी का महल) एक विशाल शाही निवास है, जिसमें मुग़ल डिज़ाइन के साथ-साथ हिंदू रूपांकनों का मिश्रण है और यह नीली चमकदार टाइलोंवालीं छतों के लिए प्रसिद्ध है।
- **दीवान-ए-आम** (या आम जनता का हॉल) के नाम से प्रसिद्ध इस ऐतिहासिक इमारत में एक विशाल प्रांगण है, जो एक सौ ग्यारह खाँचोंवाले मठों से घिरा है। अकबर यहीं अर्ज़ियाँ सुनते थे और न्याय करते थे।
- ज्वेल हाउस **दीवान-ए-ख़ास**, इंडो-इस्लामिक वास्तुकला की संपूर्ण शृंखला में एक अनूठी इमारत है। एक वर्गाकार योजना पर निर्मित, बाहरी रूप से दो मंज़िली संरचना का आभास देनेवाला यह भवन एक गुंबददार कक्ष से युक्त है, जो फ़र्श से छत तक खुला है और जिसके चारों ओर एक-एक द्वार है।
- **पंच महल** एक पाँच मंज़िली संरचना है, जिसमें 176 स्तंभ हैं।
- **इबादत ख़ाना** नामक एक अन्य हॉल का निर्माण अकबर ने 1575 में करवाया था, जहाँ अकबर विभिन्न धर्मों के विद्वानों के साथ **धार्मिक और आध्यात्मिक चर्चाएँ और वाद-विवाद** करते थे। यह **अंतरधार्मिक संवाद** और अकबर के **सुलह-ए-कुल** (या सार्वभौमिक सहिष्णुता की धार्मिक नीति) के प्रयोग का एक मंच बन गया। इससे अकबर इस निष्कर्ष पर पहुँचे कि सत्य पर किसी एक धर्म का एकाधिकार नहीं है और इसने उन्हें दीन-ए-इलाही (1582 में) की रचना करने के लिए प्रेरित किया। **दीन-ए-इलाही** विभिन्न धर्मों के तत्त्वों का सम्मिश्रण करनेवाला एक समन्वित आध्यात्मिक पंथ है, हालाँकि इसे कभी व्यापक स्वीकृति नहीं मिली।
- फ़तेहपुर सीकरी परिसर का एक अन्य तत्त्व **पचीसी दरबार** है, जो एक विशाल बिसात की तरह बना एक प्रांगण है। माना जाता है कि अकबर यहाँ शतरंज खेला करते थे।
- फतेहपुर सीकरी स्थित **हिरन मीनार** लाल बलुआ पत्थर से निर्मित एक स्मारक मीनार है, जिसे अकबर ने अपने प्रिय हाथी हिरन की स्मृति में बनवाया था। इसे हाथी के दाँत जैसे उभारों से सजाया गया है, जो मुग़ल शिकार संस्कृति और अकबर की व्यक्तिगत भावनाओं, दोनों को दर्शाता है।
- अकबर के बाद, किसी भी मुग़ल शासक ने फ़तेहपुर सीकरी परिसर में कोई महत्त्वपूर्ण वास्तुशिल्प संरचना के निर्माण में योगदान नहीं दिया।
- फ़तेहपुर सीकरी को **1986 में यूनेस्को विश्व धरोहर स्थल** के रूप में अंकित किया गया था। यूनेस्को इसे 'मुग़ल वास्तुकला का एक असाधारण समूह' वर्णित करता है, जिसमें फ़ारसी-इस्लामी तत्त्वों का स्वदेशी भारतीय शैलियों के साथ संयोजन है।

इलाहबाद क़िला

इलाहाबाद क़िला अकबर द्वारा 1583 ईसवी में यमुना और गंगा के संगम के निकट बनवाया गया था। अशोक का प्रसिद्ध **इलाहाबाद स्तंभ** वर्तमान में इलाहाबाद क़िला परिसर के अंदर स्थित है।

जहाँगीर

एतमाद-उद्-दौला का मक़बरा, आगरा

जहाँगीर के शासनकाल के दौरान, वास्तुकला की **अवनति** हुई, क्योंकि उसने चित्रकला और कला के अन्य रूपों पर अधिक ध्यान दिया। हालाँकि, उसने **सिकंदरा में अकबर के मक़बरे** सहित कुछ उल्लेखनीय स्मारकों के निर्माण का निरीक्षण किया। अपने शासनकाल के दौरान **कश्मीर में शालीमार बाग़** जैसे अनेक उद्यानों का भी विकास करवाया। उसने **लाहौर में मोती मस्जिद** का भी निर्माण करवाया था।

जहाँगीर के शासनकाल के दौरान उसकी पत्नी नूरजहाँ ने भी कुछ प्रमुख निर्माण परियोजनाओं को अपने हाथ में लिया। आगरा स्थित **एतमाद-उद्-दौला का मक़बरा** (नूरजहाँ के पिता) इसका उत्कृष्ट उदाहरण है। अब तक प्रयुक्त किये जा रहे लाल बलुआ प्रस्तर के स्थान पर उसके शासनकाल के दौरान *सफ़ेद संगमरमर* प्रमुख निर्माण सामग्री बन गया। एतमाद-उद्-दौला का मक़बरा पूर्ण रूप से *श्वेत संगमरमर* से बना पहला मुग़ल निर्माण था। इसमें कुछ *पित्रा-दूरा के सर्वश्रेष्ठ कार्य* भी है। **जहाँगीर के मक़बरे** का निर्माण उसके पुत्र शाहजहाँ द्वारा **लाहौर** में कराया गया था।

वीडियो अंतर्दृष्टि

ताजमहल पर वैचारिक वीडियो के लिए स्कैन करें

शाहजहाँ

शाहजहाँ के शासनकाल में मुग़ल वास्तुकला अपने *चरमोत्कर्ष* पर पहुँच गयी। उसके कुछ प्रमुख निर्माण कार्य नीचे वर्णित हैं :

ताजमहल

ताजमहल मुग़ल वास्तुकला का सर्वश्रेष्ठ नमूना है। यह भव्यता और ऐश्वर्य की प्रचुरता का प्रदर्शन करता है। इसका निर्माण **उनकी बेगम अर्जुमंद बानो बेगम** या मुमताज़ महल की स्मृति में करवाया गया था। इसमें अलंकरण के लिए सुलेखन, पित्रा-दूरा के काम, foreshortening (अग्रलघुता) तक़नीक, चार बाग़ शैली के उद्यान और परिसर में पानी के उपयोग सहित मुग़ल स्थापत्य कला की सभी विशेषताएँ विद्यमान् हैं। इसके अतिरिक्त, ताजमहल की कुछ अनूठी विशेषताएँ इस प्रकार हैं :

- ताजमहल में जाली का काम उत्कृष्ट है।
- संगमरमर पर कम उभारवाली नक़्क़ाशियाँ हैं।

ताजमहल के अतिरिक्त, शाहजहाँ ने अनेक अन्य स्मारकों, उद्यानों और भवनों का निर्माण करवाया था, जैसे :

- **दिल्ली का लाल क़िला**
- **दिल्ली का जामा मस्जिद**
- **लाहौर का शालीमार बाग़**
- **शाहजहानाबाद नामक नगर।**

इस प्रकार के बड़े पैमाने पर निर्माण कार्यों के अतिरिक्त, उसकी सबसे उत्कृष्ट रचनाओं में से एक

वीडियो अंतर्दृष्टि

लाल क़िला पर वैचारिक वीडियो के लिए स्कैन करें

वीडियो अंतर्दृष्टि

बीबी का मकबरा पर वैचारिक वीडियो के लिए स्कैन करें

मयूर सिंहासन का निर्माण था। मयूर सिंहासन इस अवधि के दौरान *धातुकर्म के सर्वश्रेष्ठ उदाहरणों में से* एक है।

उस्ताद अहमद लाहौरी (1580-1649)

ये शाहजहाँ के शासनकाल के दौरान मुख्य मुग़ल वास्तुकार थे। लाहौरी ताज महल, लाल क़िला, दिल्ली में जामा मस्जिद आदि सहित कई ऐतिहासिक मुग़ल स्मारकों के निर्माण से जुड़े थे।

इन्हें शाहजहाँ द्वारा नादिर-उल-अस्र (समय का आश्चर्य) की उपाधि दी गयी थी।

औरंगज़ेब

औरंगज़ेब के शासनकाल के दौरान, मुग़ल वास्तुकला की **अवनति** हुई। कट्टरतावादी होने के नाते उसने कला और स्थापत्य के विकास में कोई सक्रिय रुचि नहीं ली।

हालाँकि औरंगज़ेब ने अपनी बेगम रबिया-उद-दौरानी की याद में **बीबी-का-मक़बरा** बनाने का काम शुरु किया था। यह **औरंगाबाद** में स्थित है और इसे ताजमहल की फूहड़ नक़ल के रूप में वर्णित किया जाता है।

ताज महल (बायें) और बीबी का मक़बरा (दायें) की तुलना

मुग़ल काल के दौरान, राजस्थान और पंजाब क्षेत्र में वास्तुकला की दो शैलियाँ विकसित हुईं।

राजपूत शैली

इस अवधि के राजपूत निर्माण भी मुग़ल शैली से प्रभावित थे, लेकिन निर्माण के अपने आकार और क्षेत्र में अद्वितीय थे। राजपूतों ने सामान्यत: भव्य महलों और क़िलों का निर्माण करवाया। राजपूत स्थापत्य कला की कुछ अनूठी विशेषताएँ इस प्रकार हैं:

लटकती बालकनियों से युक्त हवा महल, जयपुर

- राजपूतों ने **लटकती हुई बालकनी (झरोखा)** की अवधारणा प्रचलित की। इन्हें सभी आकृतियों और आकारों में बनवाया गया था।
- कार्निस को मेहराब के आकार में इस प्रकार बनवाया गया था कि **छाया** *धनुष* का आकार ग्रहण कर लेती थी।

सिख शैली

वास्तुकला की सिख शैली का विकास आधुनिक पंजाब क्षेत्र में हुआ। यह वास्तुकला की मुग़ल शैली तथा राजपूत शैली से काफ़ी प्रभावित थी। सिख शैली की कुछ विशेषताएँ इस प्रकार हैं:

- निर्माण के शीर्ष पर *विभिन्न छतरियों* का उपयोग।
- *उथले कार्निस* (cornice) तथा प्याज़ के आकार के गुम्बद का उपयोग।
- भवनों के *गुंबद लंबे धारीदार* थे। गुंबदों पर अलंकरण और सहारे के लिए सामान्यत: पीतल और ताँबे की परत चढ़ायी गयी थी।
- मेहराबों का अलंकरण अनेकानेक पत्रकों का उपयोग करके किया गया था।

उदाहरण: हरमंदिर साहिब या स्वर्ण मंदिर। इसका निर्माण 16वीं-17वीं शताब्दी ईसवी के दौरान हुआ।

हरमंदिर साहिब, अमृतसर

अवध वास्तुकला

- यह वास्तुकला मुख्य रूप से लखनऊ केंद्रित हैं और 18वीं-19वीं शताब्दी ईसवी के दौरान अवध के नवाबों द्वारा बनवाये गये थे।
- इस वास्तुकला ने विविध सामग्रियों और नवीन विचारों का प्रयोग करने के साथ-साथ मुग़ल परंपराओं को संरक्षित करने का भी प्रयास किया।
- धार्मिक और इस वस्तुकला में धर्मनिरपेक्ष संरचनाओं का निर्माण किया गया है।
- इन संरचनाओं को मुख्य रूप से Mortar अर्थात् गारे (संगमरमर या बलुआ पत्थर नहीं) का उपयोग करके बनाया गया था। प्रयुक्त मोर्टार में ईंट की धूल, उड़द की दाल (दाल), चावल की भूसी, पेड़ की गोंद आदि का मिश्रण होता था।
- अवध वास्तुकला की प्रमुख संरचनाओं में शामिल हैं :
  1. **बड़ा इमामबाड़ा, लखनऊ** - 1784 ईसवी में आसफ़ुद्दौला द्वारा निर्मित, इस परिसर में शामिल हैं : अस्फ़ी मस्जिद, भुल-भुलैया, और सीढ़ियोंवाला कुआँ।
  2. **छोटा इमामबाड़ा, लखनऊ** - 1838 ईसवी में निर्मित, यह नवाब मुहम्मद अली शाह और उनकी माँ का मक़बरा है।
  3. **रूमी दरवाज़ा (तुर्की गेट), लखनऊ** - 1784 ईसवी में निर्मित, यह बड़े और छोटे इमामबाड़े के बीच स्थित है और माना जाता है कि इसका नाम सूफ़ी फ़क़ीर, जलाल उद-दीन मुहम्मद रूमी के नाम पर रखा गया है।

रूमी दरवाज़ा, लखनऊ

भारत में पारसी समुदाय के मंदिर

पारसी धर्म के तीन प्रमुख **अग्नि मंदिर** हैं। पहला है अताश बेहराम (विजय की अग्नि), दूसरा है अताश अदारन और तीसरा है अताश ददगाह। भारत में आठ अताश बेहराम और 100 से ज़्यादा ददगाह हैं, जो ज़्यादातर महाराष्ट्र और गुजरात में स्थित हैं।

अताश बेहराम

इसका बाहरी भाग आमतौर पर सादा रखा जाता है, क्योंकि इसका उद्देश्य धर्म की महिमा का बखान करने के बजाए पवित्र अग्नि और यस्ना अनुष्ठान (प्रार्थना) करना होता है। इसमें एक आंतरिक गर्भगृह होता है, जहाँ अग्नि रखी जाती है। धुएँ के निक़लने के लिए संरचनाओं में छिद्र होते हैं। इस अनुष्ठान को सर्वोच्च स्तर का माना जाता है और इसमें

पुस्तक के अतिरिक्त

'कश्मीर में वास्तुकला' से संबंधित पाठ्य सामग्री के लिए स्कैन करें।

विस्तृत व्यवस्था शामिल होती है। ये अनुष्ठान दस्तूर नामक उच्च पुजारियों द्वारा किये जाते हैं। अताश बेहराम **अग्नि का सर्वोच्च स्तर** है और इसमें **16 प्रकार** की एकत्रित अग्नि है।

भारत में आठ अताश बेहराम (अग्नि मंदिर) इस प्रकार हैं :

- ईरानशाह अताश बेहराम, उदवाड़ा (गुजरात), 18वीं शताब्दी में निर्मित।
- भगरसथ अंजुमन अताश बेहराम, नवसारी (गुजरात), 18वीं शताब्दी में निर्मित।
- दादीसेठ, वाडिया, बानाजी और अंजुमन अताश बेहराम, मुंबई में
- मोदी और वकील अताश बेहराम, सूरत में, 19वीं शताब्दी में निर्मित।

भारत में सूर्य मंदिर

वैदिक काल से ही सूर्य को पूजनीय माना जाता रहा है तथा इस खगोलीय पिंड के लिए कई स्तोत्र (hymns) लिखे गये हैं। हिंदू धर्म में इसे आदित्य या सूर्य के रूप में पूजा जाता है। इस देवता की पूजा के लिए कई अनुष्ठान प्रचलित हैं। सूर्य को मुख्य देवता मानकर कई मंदिर भी बनाये गये हैं। जापान, मिस्र और चीन में भी सूर्य मंदिर पाये जाते हैं। कुछ राजपूत वंश, जिन्हें 'सूर्यवंशी' कहा जाता है, सूर्य की पूजा करते हैं और स्वयं के सूर्य देवता का वंशज होने का दावा करते हैं। भारत के कुछ प्रमुख सूर्य मंदिर इस प्रकार हैं :

- **मोढेरा सूर्य मंदिर, गुजरात :** इसका निर्माण 11वीं शताब्दी में किया गया था।
- **कोणार्क सूर्य मंदिर, ओडिशा :** इसका निर्माण 13वीं शताब्दी में पूर्वी गंग नरेश नरसिंह देव प्रथम ने करवाया था। यह ऊँचे मंच पर एक मंडप के साथ, रथ के आकार का एक मंदिर है।
- **ब्रह्मण्य देव मंदिर, उनाव (मध्य प्रदेश)**
- **सूर्यनार कोविल, कुंभकोणम (तमिलनाडु) :** इसका निर्माण 11वीं शताब्दी में द्रविड़ शैली में किया गया था। इसमें सूर्य देव और आठ अन्य खगोलीय पिंडों के मंदिर हैं, जिन्हें सामूहिक रूप से 'नवग्रह' कहा जाता है। इसमें एक सुंदर पाँच-स्तरवाला गोपुरम् है।
- **सूर्यनारायण स्वामी मंदिर, अरसावल्ली (आंध्र प्रदेश) :** ऐसा कहा जाता है कि इसका निर्माण 7वीं शताब्दी में एक कलिंग राजा ने करवाया था। यह मूर्ति ग्रेनाइट से बनी है और इसमें कमल पुष्प है।
- **दक्षिणार्क मंदिर, गया (बिहार) :** इसका निर्माण वारंगल के राजा प्रतापरुद्र ने 13वीं शताब्दी ईसवी में करवाया था। इसमें मौजूद देवता की मूर्ति ग्रेनाइट से बनी है और मूर्ति को कमरबंद, जूते और जैकेट जैसे फ़ारसी परिधान धारण किये हुए दिखाया गया है। इसके पास ही एक सूर्य कुंड (जलाशय) है।
- **नवलखा मंदिर, घुमली (गुजरात):** इसका निर्माण 11वीं शताब्दी में किया गया था। यह सोलंकी और मारू-गुर्जर शैली में निर्मित है। यह पूर्वाभिमुख है और एक बड़े चबूतरे पर बना है।
- **सूर्य पहाड़ मंदिर, गोलपाड़ा (असम)**
- **मार्तंड सूर्य मंदिर, कश्मीर**

आधुनिक वास्तुकला

यूरोपीय औपनिवेशिकों के आगमन के साथ ही मुग़ल साम्राज्य का पतन आरंभ हुआ। इसके फलस्वरूप पुर्तगालियों, फ्रांसीसियों, डच, डेनिश और अँगरेज़ों के बीच सत्ता के लिए संघर्ष आरंभ हुआ, जिसकी परिणति 1947 तक अँगरेज़ी शासन के रूप में हुई। हालाँकि, यूरोपियाई अपने साथ स्थापत्य शैली का ख़ज़ाना भी लाये, जिसे उनके द्वारा करवाये गये अनेक निर्माण कार्यों में देखा जा सकता है।

पुर्तगाली प्रभाव

पुर्तगाली अपने साथ वास्तुकला की **आईबेरियन शैली** लाये। आरंभ में उन्होंने व्यापारिक ठिकानों और गोदामों का निर्माण करवाया। जो आगे चलकर समुद्र तट के साथ-साथ दुर्गीकृत नगरों में रूपांतरित हो गये। उन्होंने आईबेरियन शैली में **'आँगन गृहों'** और **'बैरोक चर्चों'** की अवधारणा प्रचलित की।

'बरोक शैली' का विकास यूरोप में चर्च की शक्ति को व्यक्त करने के लिए 16वीं शताब्दी के अंतिम चरण में हुआ था। इसे अलंकृत, सुविस्तीर्ण और नाटकीय प्रभाव बनाने के लिए अभिकल्पित किया गया था। उल्लेखनीय है कि इसमें विपरीत रंगों का उपयोग किया जाता है।

कुछ उल्लेखनीय निर्माण अधोलिखित हैं :

- **गोवा के 'से कैथेड्रल' का निर्माण** 1619 ईसवी में किया गया था, जो पुर्तगाली गोथिक शैली में बनाया गया था। इसमें एक विशाल घंटा है, जिसे 'स्वर्णिम घंटा' यानी **गोल्डन बेल** कहा जाता है।

से कैथेड्रल, गोवा

- **बोम जीसस का बसिलिका** '(पवित्र यीशु)', गोवा : यह बरोक शैली में निर्मित विश्व विरासत धरोहर है, जिसे 1604 ईसवी में पूरा किया गया था। इसमें **सेंट फ्रांसिस ज़ेवियर** का सम्मानित शरीर रखा गया है।
- मुम्बई में **कास्टेला डे अगुआदा**।
- **दीव में सेंट पॉल का चर्च :** यह बरोक शैली में निर्मित है और इसका निर्माण 1610 ईसवी में पूरा हुआ था।
- **दीव क़िले** का निर्माण 1535 ईसवी में **दीव** द्वीप के तट पर किया गया था। इस क़िले में एक प्रकाश स्तम्भ है और दीवारों पर तोपें रखी गयी हैं। इस क़िले के परिसर में तीन चर्च हैं, जिनके नाम हैं–सेंट थामस चर्च, सेंट पॉल चर्च और असीसी के सेंट फ्रंसिस का चर्च।
- **गोवा में सेंट एन्ने चर्च, तलाउलिम :** यह बरोक शैली में है और इसका निर्माण 1695 ईसवी में पूरा किया गया था।

फ्रांसीसी प्रभाव

पुडुचेरी में जीसस का सेक्रेड हार्ट चर्च

फ्रांसीसी अपने साथ शहरी योजना की अवधारणा लेकर भारत आये थे। फ्रांसीसी शहरों **पुडुचेरी और चंदननगर (पश्चिम बंगाल)** का निर्माण कार्टेसियन ग्रिड योजना और वैज्ञानिक वास्तुकला का उपयोग कर किया गया था। उन्होंने भव्य भवनों का निर्माण अपनी शक्ति प्रदर्शन के रूप में किया। उन्होंने **अज्ञात वास्तुकला** की अवधारणा भी प्रस्तुत की, जिसमें अग्रभाग (मुख) में अधिक अलंकरण या डिज़ाइन के बिना आधुनिक भवनों जैसी अवधारणा होती थी। फ्रांसीसियों ने तटीय शहर जैसे **माहे** (केरल), **कराईकल** (तमिलनाडु) और **यनम** (आंध्रप्रदेश) भी विकसित किये।

उदाहरण : पुदुचेरी में जीसस का सेक्रेड हार्ट चर्च, चन्दननगर का सेक्रेड हार्ट चर्च।

अँगरेज़ी प्रभाव

अँगरेज़ अपने साथ वास्तुकला की **गोथिक शैली** ले आये। यह भारतीय वास्तुकला के साथ मिल गयी और इसकी परिणति वास्तुकला की इंडो-गॉथिक शैली में हुई। *1911 के पश्चात्,* **नव-रोमन स्थापत्य कला** के रूप में ज्ञात वास्तुकला की एक नयी शैली उभरी।

इंडो-गॉथिक (या इंडो-सरसेनिक) शैली की वास्तुकला

- इंडो-गॉथिक वास्तुकला, जिसे औपनिवेशिक संदर्भ में **इंडो-सरसेनिक वास्तुकला** भी कहा जाता है, एक ऐसी शैली है, जो भारत में ब्रिटिश शासन के दौरान, विशेष रूप से 19वीं और 20वीं शताब्दी के प्रारंभ में, उभरी। इसमें यूरोप के **गॉथिक पुनरुद्धार तत्त्वों** का **पारंपरिक भारतीय स्थापत्य विशेषताओं** के साथ संयोजन है। किसी भी इंडो-गॉथिक वास्तुकला की प्रमुख विशेषताओं में नुकीले मेहराब, छतों में प्रयुक्त धारीदार मेहराब, भारतीय शैली के गुंबद, जो अक्सर बल्बनुमा होते हैं, ऊँचे शिखर या बुर्ज, जो अक्सर गुंबदों के ऊपर होते हैं, भारतीय परंपरा से नक़्क़ाशी और जाली का काम, और रंगीन काँच की खिड़कियाँ शामिल हैं।

वीडियो अंतर्दृष्टि

इंडो-गॉथिक वास्तुकला: विक्टोरिया मेमोरियल और सेंट पॉल कैथेड्रल पर वैचारिक वीडियो के लिए स्कैन करें

- इस शैली का प्रयोग मुख्यत: सार्वजनिक भवनों, गिरजाघरों, महलों और स्मारकों के लिए किया जाता था, जो औपनिवेशिक शक्ति और भारतीय सौंदर्यशास्त्र एवं **जलवायु** के अनुकूलन, दोनों को दर्शाता है। इसके प्रमुख उदाहरणों में **विक्टोरिया मेमोरियल (कोलकाता), सेंट पॉल कैथेड्रल (कोलकाता), मद्रास उच्च न्यायालय (चेन्नई) और मैसूर पैलेस (कर्नाटक)** शामिल हैं।
- **पश्चिम बंगाल** के **कोलकाता** में स्थित **विक्टोरिया मेमोरियल**, महारानी विक्टोरिया की स्मृति में बनाया गया था। यह शास्त्रीय यूरोपीय तत्त्वों से मिश्रित इंडो-सरसेनिक/**इंडो-गॉथिक वास्तुकला** का एक उत्कृष्ट उदाहरण है। यह एक विशाल संगमरमर का स्मारक है, जिसका प्रवेश द्वार क्वीन्स वे पर है। इसका निर्माण ब्रिटिश साम्राज्य द्वारा 1906 और 1921 के बीच किया गया था। यह 1876 से 1901 तक भारत की महारानी रही महारानी विक्टोरिया की स्मृति को समर्पित है। विक्टोरिया मेमोरियल के वास्तुकार विलियम एमर्सन थे और इसका निर्माण सफ़ेद संगमरमर से किया गया था।
- **कोलकाता स्थित सेंट पॉल कैथेड्रल** भारत **में इंडो-गॉथिक वास्तुकला** का एक और प्रमुख उदाहरण है, जिसका निर्माण 1847 में किया गया था। इसे यूरोपीय गिरिजाघरों की विशिष्ट क्रूसीफ़ॉर्म योजना के आधार पर बनाया गया था जिसमें ऊँची **मेहराबदार छतें, नुकीले मेहराब और रंगीन काँच की खिड़कियाँ** हैं। सेंट पॉल कैथेड्रल के सजावटी तत्त्वों में भारतीय रूपांकनों का समावेश भी देखने को मिलता है।

इस प्रकार, इंडो-गॉथिक वास्तुकला पश्चिमी और भारतीय स्थापत्य परंपराओं के सम्मिश्रण को प्रदर्शित करती है, जिससे यह भारतीय सौंदर्यशास्त्र और जलवायु के अनुकूल औपनिवेशिक शक्ति का प्रतिनिधित्व करती है।

विक्टोरिया मेमोरियल (बायें) और सेंट पॉल कैथेड्रल (दायें), कोलकाता

नव-रोमन शैली

1911 के उपरांत, अँगरेज़ी राज द्वारा करवाये गये निर्माण नव-रोमन शैली या नव-शास्त्रीय शैली के अनुसार करवाये गये थे। **एडविन लुटियन और हरबर्ट बेकर** द्वारा की गयीं नयी दिल्ली की वास्तुकलाएँ इस शैली के सर्वश्रेष्ठ उदाहरण हैं। इसे प्राय: 'हिंदुस्तान के रोम' के रूप में वर्णित किया जाता है। इस चरण की विशेषताएँ इस प्रकार हैं:

- इसमें निर्माण **नाम रहित (अज्ञातकृत)** तथा *बिना* किसी रुचिकर विशेषताओंवाले होते थे।
- यह वास्तुकला की सभी शैलियों का संगम था, जिस कारण इस शैली में *संकुलन* और कलात्मक अभिव्यक्ति के अवसर संकीर्ण थे।

- निर्माण कार्य की संकर प्रकृति के कारण सादगी, आधुनिकता और उपयोगिता से अत्यधिक समझौता किया गया था।
- **वृत्तीय भवनों** पर अधिक ध्यान दिया गया।
- पश्चिमी वास्तुशिल्प डिज़ाइनों को साकार कराने के लिए प्राच्य रूपांकनों का अत्यधिक प्रयोग किया गया।

उच्चतम न्यायालय (बायें), और पुराना संसद भवन (दायें), नयी दिल्ली

- **औंधे अथवा ऊपर उठे हुए गुंबद** की अवधारणा इसी चरण के दौरान प्रचलित की गयी। इसे सर्वोच्च न्यायालय और राष्ट्रपति भवन के शीर्ष पर देखा जा सकता है।

स्वातंत्र्योत्तर वास्तुकला

1947 के उपरांत वास्तुकला की दो शैलियाँ उभरीं-पुनरुत्थानवादी और आधुनिकतावादी। हालाँकि, दोनों ही शैलियों पर औपनिवेशिक उत्तरजीविता का प्रभाव दिखायी दिया। इससे भारत की स्थापत्य परंपराओं के स्तर में गिरावट आयी।

उदाहरण के लिए, पंजाब सरकार ने चंडीगढ़ का नगर डिज़ाइन करने के लिए फ्रांसीसी वास्तुकार ली कार्बुजिए की सेवाएँ ली थीं।

लॉरी बेकर

लॉरी बेकर को **''ग़रीबों के वास्तुकार''** (Architect of the Poor) के रूप में भी जाना जाता है। श्री बेकर **केरल** में क्रांतिकारी **सामूहिक आवास अवधारणा** के लिए उत्तरदायी थे। 2006 में उन्हें **प्रित्ज़्कर** (Pritzker) **पुरस्कार** के लिए नामित किया गया, जिसे वास्तुकला का नोबेल पुरस्कार भी कहा जाता है। उनके स्थापत्य वास्तुकला शैली की कुछ विशेषताएँ निम्नलिखित हैं :

लॉरी बेकर और उनकी मास हाउसिंग परियोजना

- स्थानीय स्तर पर उपलब्ध सामग्री का उपयोग करके पर्यावरण अनुकूल भवनों का निर्माण।
- इस्पात और सीमेंट की खपत कम करने के लिए **पूरक स्लैब निर्माण** की अवधारणा प्रचलित की।
- उन्होंने **हवा के गमनागमन और गर्मी संबंधी आरामदायक व्यवस्था** पर बल दिया।
- इन्हें भारतीय वास्तुकला का अन्तरात्मा-संरक्षक (Conscience Keeper of Indian Architecture) तथा भारतीय वास्तुकला का गांधी (Gandhi of Indian Architecture) कहा जाता है।

चार्ल्स कोरिया

उन्हें अपनी शहरी वास्तुकला और स्थानिक योजना में किये गये कार्य के लिए जाना जाता है। उन्होंने आधुनिक वास्तुशिल्प सिद्धांतों को स्थानीय संवेदनाओं और आवश्यकताओं के लिए अपनाया। उन्होंने मध्य प्रदेश विधानसभा भवन, अहमदाबाद में महात्मा गांधी मेमोरियल संग्रहालय, नयी दिल्ली में कॅनॉट प्लेस में एलआईसी भवन आदि को डिज़ाइन किया। उन्हें 2006 में पद्म विभूषण से सम्मानित किया गया था।

इस प्रकार, हम देखते हैं कि पूर्व ऐतिहासिक काल से ही कला और स्थापत्य कला को भारत के लोगों के जीवन और अवकाश में अनूठी अभिव्यक्ति प्राप्त हुई। यूनानी, अरब, फ़ारसी और यूरोपियाई में से सभी ने वर्तमान परंपराओं में अपने तरीक़े से योगदान दिया है तथा जिसके परिणामस्वरूप एक **मिश्रित भारतीय स्थापत्य कला** का विकास हुआ।

अच्युत पुरुषोत्तम कनविंदे (1916-2002)

वे एक प्रख्यात भारतीय वास्तुकार थे, जिन्होंने आधुनिक वास्तुकला को क्रूरतावादी वास्तुकला के तत्त्वों के साथ जोड़ा। उन्हें 1974 में पद्मश्री से सम्मानित किया गया था।

वे आईआईटी कानपुर, दिल्ली में राष्ट्रीय विज्ञान केंद्र, मेहसाणा में दूधसागर डेयरी संयंत्र, नयी दिल्ली में इस्कॉन मंदिर और कई अन्य इमारतों के निर्माण से जुड़े थे।

संसद भवन

सेंट्रल विस्टा पुनर्विकास परियोजना के हिस्से के रूप में नयी दिल्ली में एक नये संसद भवन का निर्माण किया गया है। इसका उद्घाटन वर्ष 2023 में किया गया। नये संसद भवन का डिज़ाइन वास्तुकार बिमल पटेल ने तैयार किया है।

पुराना संसद भवन 1927 में बनाया गया था और इसे ब्रिटिश वास्तुकारों हर्बर्ट बेकर और सर एडविन लुटियंस ने डिज़ाइन किया था। इसका निर्माण मध्य प्रदेश के मितावली स्थित चौसठ योगिनी मंदिर से प्रभावित था।

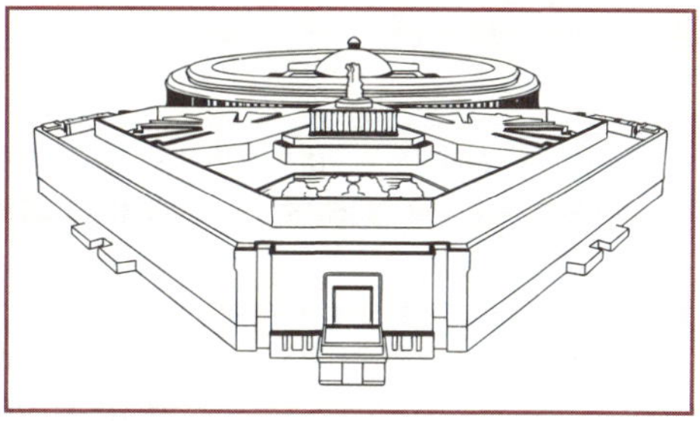

भारत के नये संसद भवन, नयी दिल्ली का डिज़ाइन

यू.पी.एस.सी. विगत वर्षों के बहुविकल्पीय प्रश्न

1. गुप्त काल का प्रसिद्ध देवगढ़ मंदिर कहाँ स्थित है? **(CDS II, 2025)**

(a) उत्तर प्रदेश (b) मध्य प्रदेश
(c) छत्तीसगढ़ (d) राजस्थान

2. हड़प्पायी मुहरों (Seals) के निर्माण में, निम्नलिखित में से किस सामग्री का उपयोग किया गया था? **(NDA I, 2025)**

(a) बलुआ पत्थर (Sandstone)
(b) लाजवर्द मणि (Lapis lazuli)
(c) जैस्पर (Jasper)
(d) सेलखड़ी (Steatite)

3. हड़प्पा सभ्यता में, नहरों के अवशेष किस स्थान पर पाये गये? **(NDA II, 2025)**

(a) बनावली (b) लोथल
(c) शोर्तुघई (शोरतुगई) (d) धौलावीरा

4. निम्नलिखित में से 'सारसेनिक' वास्तुकला की मुख्य विशेषताएँ क्या है? **(CAPF, 2025)**

1. मेहराब 2. तहखाना और गुंबद
3. लिटल और बीम 4. चूना सीमेंट का प्रयोग

नीचे दिये गये कूट का प्रयोग कर उत्तर चुनें।

(a) केवल 1 और 2 (b) 2 और 3
(c) 1, 2 और 4 (d) 1, 3 और 4

5. निम्नलिखित में से कौन-सा प्राचीन शहर अपने प्रारंभिक हड़प्पा स्तरों (early Harappan levels) में पाये गये जोते हुए खेत के साक्ष्य के लिए जाना जाता है, जिसमें एक-दूसरे के समकोण पर हल-रेखाओं (furÜows) के दो समूह हैं, जो एक साथ उगाई गयी दो अलग-अलग फ़सलों की ओर इंगित करते हैं? **(CAPF, 2025)**

(a) धौलावीरा (b) राखीगढ़ी
(c) कुणाल (d) कालीबंगा

6. निम्नलिखित में से किस हड़प्पा स्थल में एक घर के शौचालय से धावन पात्र (वाश बेसिन) के साक्ष्य प्राप्त हुए हैं? **(CAPF, 2025)**

(a) बनावली (b) राखीगढ़ी
(c) धौलावीरा (d) लोथल

7. उत्तर भारतीय राज्यों के पर्वतीय क्षेत्रों में प्राचीन वास्तुकला के विकास के संदर्भ में निम्नलिखित कथनों पर विचार करें : **(CAPF, 2025)**

1. मंदिर के 'गर्भगृह' और 'शिखर' को रेखा-प्रसाद या लैटिना शैली में बनाया जाता था।
2. कश्मीर में पंद्रेथन मंदिर एक जलाशय के मध्य वेदी पर बना है।
3. जागेश्वर मंदिर गढ़वाल क्षेत्र में स्थित है।
4. लक्षणा देवी मंदिर में गुप्तोत्तर परंपरा का प्रभाव दिखाई देता है।

उपर्युक्त में से कितने कथन सही हैं?
(a) 1 (b) 2
(c) 3 (d) 4

8. राजस्थान के कालीबंगा में मिले जोते हुए खेत का साक्ष्य निम्नलिखित में से किस काल का है? **(CDS II, 2025)**
(a) प्रारंभिक हड़प्पा (b) परिपक्व हड़प्पा
(c) उत्तर हड़प्पा (d) ताम्रपाषाणकालीन

9. एलोरा के बारे में निम्नलिखित कथनों पर विचार करें : **(CDS II, 2025)**

1. यह ऐतिहासिक कला स्थल विशिष्ट रूप से बौद्ध धर्म (Buddhism) से संबद्ध है।
2. एलोरा स्थित कैलास मंदिर पत्थर के चौके (dressed stone) और भट्टे में पकी ईंटों से बनाया गया है।

उपर्युक्त में से कौन-सा/कौन-से कथन सही है/हैं ?
(a) केवल 1 (b) केवल 2
(c) 1 और 2 दोनों (d) न तो 1, न ही 2

10. प्राचीन भारत में इनमें से किस शासक ने 'मत्तविलास', 'विचित्रचित्त' और 'गुणभरा' उपाधियाँ धारण की थीं? **(CSE, 2025)**
(a) महेन्द्रवर्मन प्रथम (b) सिंहविष्णु
(c) नरसिंहवर्मन प्रथम (d) सिंहवर्मन

11. भारत में रकाब (stirrup) के उपयोग के बारे में निम्नलिखित कथनों पर विचार करें : **(CDS I, 2025)**

1. कोणार्क अश्व मूर्तिकला (c-1250) में एक वलयाकार-रकाब (ring&stirrup) प्रदर्शित है।
2. खजुराहो मूर्तिकलाओं (संभवत: 10वीं शताब्दी) में, एक चौड़ा, संभवत: काष्ठ का, रकाब दिखाई पड़ता है।
3. तेरहवीं शताब्दी के बाद से दिल्ली सल्तनत की सेनाओं में लोहे के रकाब का उपयोग किया जाता था।

उपर्युक्त में से कितना/कितने कथन सही है/हैं ?
(a) 1 (b) 2
(c) 3 (d) शून्य

12. मोहनजोदड़ो से प्राप्त 'नाचती हुई लड़की (डांसिंग गर्ल)' नामक प्रख्यात नारी लघुमूर्ति किस पदार्थ की बनी है? **(CSE, 2025)**
(a) इन्द्रगोप मणि (कार्नीलियन)
(b) मृत्तिका (क्ले)
(c) कांस्य
(d) स्वर्ण

13. एक विशालकाय मंच महानवमी डिब्बा के संबंध में निम्नलिखित कथनों पर विचार करें : **(CAPF, 2024)**

1. यह विजयनगर शहर के सबसे ऊँचे स्थानों में से एक पर स्थित है
2. इस पर विरूपाक्ष मंदिर स्थित है

उपर्युक्त में से कौन-सा/कौन-से कथन सही है/हैं?
(a) केवल 1 (b) केवल 2
(c) 1 और 2 दोनों (d) न तो 1, न ही 2

14. सिंहविष्णु और महेन्द्रवर्मन के शाही चित्र ममल्लापुरम के किस गुफा मंदिर में मिले हैं? **(CDS I, 2024)**
(a) वराह गुफा (b) रामानुज गुफा
(c) आदिवराह गुफा (d) त्रिमूर्ति गुफा

15. स्तूपों के अलंकरण में, 'किंजल्किनी' शब्द क्या संदर्भित करता है? **(CDS II, 2024)**
(a) आभूषण और वस्त्र प्रदर्शित करती हुई लताएँ
(b) दुपट्टा (स्कार्फ़) और साड़ियाँ
(c) आम के आकार के पेंडेंट
(d) सहस्त्र कमल पुष्पों की माला

16. निम्नलिखित सूचना पर विचार करें : **(CSE, 2024)**

	पुरातात्त्विक स्थल	राज्य	विवरण
1.	चंद्रकेतुगढ़	ओडिशा	व्यापार बंदरगाह शहर
2	इनामगाँव	महाराष्ट्र	ताम्र-पाषाण स्थल
3.	मंगडु	केरल	महापाषाण स्थल
4.	सालिहुंडम	आंध्र प्रदेश	शैलकृत गुफा मंदिर

उपर्युक्त में से कौन-सी पंक्तियों में दी गयी सूचना सही सुमेलित है?
(a) 1 और 2 (b) 2 और 3
(c) 3 और 4 (d) 1 और 4

17. निम्नलिखित में से कौन-सा पशु सारनाथ में सिंह शीर्ष के गोल ड्रम (अंड-फलक) पर उत्कीर्ण चार अभिजात पशुओं (महा-आजानेय पशु) की श्रेणी में शामिल नहीं है? **(CAPF, 2023)**
(a) मृग (b) सिंह
(c) वृषभ (d) अश्व

18. निम्नलिखित में से किसने मध्य प्रदेश में साँची के प्राचीन स्थल के परिरक्षण और प्रलेखन के कार्य में योगदान नहीं दिया? **(CISF, 2023)**
(a) शाहजहाँ बेगम (b) जॉन मार्शल
(c) सुल्तान जहाँ बेगम (d) जे.एम. केनोयर

19. प्राचीन भारत के संदर्भ में, निम्नलिखित कथनों पर विचार करें : **(CSE, 2023)**

1. स्तूप की संकल्पना मूलत: बौद्ध संकल्पना है।
2. स्तूप आमतौर पर अवशेषों का निक्षेपागार होता था।
3. बौद्ध परंपरा में स्तूप एक संकल्प-अर्पित या स्मारक संरचना होती थी।

उपर्युक्त में से कितने कथन सही हैं?

(a) केवल एक (b) केवल दो
(c) केवल तीन (d) कोई भी नहीं

20. भारतीय इतिहास के संदर्भ में, अलेक्ज़ेंडर री, ए. एच. लॉन्गहर्स्ट, रॉबर्ट स्वेल, जेम्स बर्गेस और वाल्टर इलियट किस गतिविधि से जुड़े थे? **(CSE, 2023)**

(a) पुरातात्त्विक उत्खनन
(b) औपनिवेशिक भारत में अंग्रेजी प्रेस की स्थापना
(c) देशी रजवाड़ों में गिरजाघरों की स्थापना
(d) औपनिवेशिक भारत में रेल का निर्माण

21. निम्नलिखित युग्मों पर विचार करें : **(CSE, 2023)**

(स्थल) :	*(जिसके लिए जाना जाता है)*
1. बेसनगर	शैव गुफा मंदिर
2. भाजा	बौद्ध गुफा मंदिर
3. सित्तनवासल	जैन गुफा मंदिर

उपर्युक्त में से कितने युग्म सही सुमेलित हैं?

(a) केवल एक (b) केवल दो
(c) केवल तीन (d) कोई भी नहीं

22. कनगनहल्ली पुरातात्त्विक स्थल के बारे में निम्नलिखित कथनों पर विचार करें : **(CDS I, 2023)**

1. यह भीमा नदी के तट पर स्थित है।
2. कनगनहल्ली स्तूप के अवशेष पहली और तीसरी शताब्दी CE के बीच के हो सकते हैं।
3. इस स्थल पर सम्राट् अशोक की प्रतिमा मिली थी।

उपर्युक्त में से कौन-से कथन सही हैं?

(a) केवल 1 और 2 (b) केवल 2 और 3
(c) केवल 1 और 3 (d) 1, 2 और 3

23. हम्पी के भग्नावशेषों को निम्नलिखित में से ईस्ट इण्डिया कम्पनी के किस ब्रिटिश अधिकारी द्वारा प्रकाश में लाया गया था? **(CDS I, 2022)**

(a) कर्नल कॉलिन मैकेंज़ी (b) जेम्स प्रिंसेप
(c) विलियम जोन्स (d) जेम्स रेनेल

24. निम्नलिखित में से किस हड़प्पा स्थल में यज्ञवेदी (फ़ायर ऑल्टर) मिले हैं? **(NDA II, 2022)**

(a) कालीबंगा (b) हड़प्पा
(c) मोहनजोदड़ो (d) राखीगढ़ी

25. प्राचीन भारतीय ग्रंथों में वर्णित प्राचीन शहर तक्षशिला की अवस्थिति का निरूपण किसने किया? **(CDS II, 2021)**

(a) अलेक्ज़ेंडर कनिंघम (b) आर.डी. बैनर्जी
(c) जॉन मार्शल (d) दया राम साहनी

26. निम्नलिखित में से कौन-सा वैष्णव परंपरा का मंदिर है? **(CDS II, 2021)**

(a) श्रीरंगम (b) चिदंबरम
(c) गंगैकोंडचोलपुरम (d) तंजावुर

27. निम्नलिखित में से कौन-सा हड़प्पा स्थल सीप की वस्तुएँ बनाने के लिए विशिष्ट केंद्र था? **(NDA I, 2021)**

(a) लोथल (b) बालाकोट
(c) अमरी (d) कोट दीजी

28. निम्नलिखित में से किस काल-खंड के दौरान चोलिस्तान क्षेत्र में स्थित अधिकांश पूर्ण विकसित हड़प्पा स्थलों का परित्याग कर दिया गया था? **(CAPF, 2021)**

(a) लगभग 2250 ई० पू० (b) लगभग 2000 ई० पू०
(c) लगभग 1800 ई० पू० (d) लगभग 1700 ई० पू०

29. निम्नलिखित में से किस स्थान पर चोल शासकों के संरक्षण में शिव मंदिर का निर्माण ***नहीं*** किया गया था? **(NDA I, 2021)**

(a) चिदंबरम (b) तंजावुर
(c) गंगैकोंडचोलपुरम (d) नाणेघाट

30. मथुरा कला शैली में, निम्नलिखित में से भगवान् बुद्ध की मूर्तियाँ (इमेज) मुख्यत: किस मुद्रा में बनायी गयी हैं? **(CAPF, 2021)**

(a) ध्यान मुद्रा (b) अभय मुद्रा
(c) धर्मचक्र मुद्रा (d) वरद मुद्रा

31. मौर्य राजधानी पाटलिपुत्र का संबंध निम्नलिखित में से किन पुरातात्तविक अवशेषों से है? **(CAPF, 2021)**

(a) बुलंदीबाग़ और राजगृह
(b) कुम्राहार (कुम्हरार) और मोचरिम
(c) कुम्राहार (कुम्हरार) और बुलंदीबाग
(d) कुम्राहार (कुम्हरार) और जलालगढ़

32. अकबर के बारे में, निम्नलिखित कथनों में से कौन-से सही हैं? **(CAPF, 2021)**

1. 1560 के दशक में, अकबर ने आगरा का क़िला बनवाया।
2. 1570 के दशक में, अकबर ने फ़तेहपुर सीकरी में नयी राजधानी बनाने का निर्णय लिया।
3. अकबर ने सीकरी में शेख़ सलीम चिश्ती के सफ़ेद संगमरमर के मक़बरे का निर्माण भी प्रारंभ किया।
4. 1585 में, अकबर ने वापस आगरा में राजधानी स्थानांतरित करने का निर्णय लिया।

नीचे दिये गये कूट का प्रयोग कर सही उत्तर चुनें।

(a) 1, 2 और 4 (b) 1, 2 और 3
(c) 2, 3 और 4 (d) केवल 3 और 4

33. निम्नलिखित में से कौन-सा प्राचीन नगर बाँधों की शृंखला बनाकर और जुड़े हुए जलाशयों में जल मोड़कर जल संचयन और प्रबंधन की विस्तृत प्रणाली के लिए सुविदित है? **(CSE, 2021)**

(a) धौलावीरा (b) कालीबंगा
(c) राखीगढ़ी (d) रोपड़

34. निम्नलिखित में से कौन-सा कथन सही है? **(CSE, 2021)**
(a) अजंता की गुफाएँ वाघोरा की तंग नदी घाटी में स्थित हैं।
(b) साँची का स्तूप चंबल की तंग नदी घाटी में स्थित है।
(c) पांडवलेन गुफा मंदिर नर्मदा की तंग नदी घाटी में स्थित है।
(d) अमरावती का स्तूप गोदावरी की तंग नदी घाटी में स्थित है।

35. मुरैना के निकट स्थित चौंसठ योगिनी मंदिर के संदर्भ में, निम्नलिखित कथनों पर विचार करें: **(CSE, 2021)**
1. यह कच्छपघाट राजवंश के शासनकाल के दौरान बनाया गया एक गोलाकार मंदिर है।
2. यह भारत में बना एकमात्र गोलाकार मंदिर है।
3. इसका उद्देश्य इस क्षेत्र में वैष्णव पंथ को बढ़ावा देना था।
4. इसकी डिज़ाइन ने इस लोकप्रिय मान्यता को जन्म दिया है कि भारत के संसद भवन की प्रेरणा इससे ली गयी है।

उपर्युक्त कथनों में से कौन-से सही हैं?
(a) 1 और 2 (b) 2 और 3 केवल
(c) 1 और 4 (d) 2, 3 और 4

36. निम्नलिखित युग्मों पर विचार करें: **(CSE, 2021)**

(ऐतिहासिक स्थान) :	*(सुप्रसिद्ध)*
1. बुर्जहोम :	चट्टानों को काटकर बनाये गये मंदिरों के लिए
2. चंद्र केतुगढ :	टेराकोटा कला के लिए
3. गणेश्वर :	ताम्र कलाकृतियो के लिए

उपर्युक्त युग्मों में से कौन-सा/से सही सुमेलित है/हैं?
(a) केवल 1 (b) 1 और 2
(c) केवल 3 (d) 2 और 3

37. निम्नलिखित में से कौन अयोध्या में बन रहे राम मंदिर के वास्तुकार हैं? **(CDS II, 2020)**
(a) पी. ओ. सोमपुरा (b) चंद्रकांत सोमपुरा
(c) बृंदा सोमया (d) बी. वी. दोशी

38. निम्नलिखित में से कौन-सा/से हड़प्पा सभ्यता की सर्वाधिक विशिष्ट कलाकृति/याँ है/हैं? **(CAPF, 2020)**
1. स्टेटाइट की मोहर 2. मानकीकृत अनुपात की ईंटें
3. सोने की चूड़ियाँ 4. चाँदी का थूकदान

नीचे दिये गये कूट का प्रयोग कर सही उत्तर चुनें:
(a) केवल 1 (b) केवल 1 और 2
(c) 2, 3 और 4 (d) 1, 2 और 3

39. गांधार कला शैली में शुरू में नीले रंग की शिस्ट और हरी फिल्लाइट का उपयोग किया जाता था। गांधार शैली के मूर्तिकारों द्वारा उपयोग की जानेवाली मुख्य सामग्री के रूप में कब गचकारी ने पत्थर को पूरी तरह से प्रतिस्थापित कर दिया? **(CDS II, 2020)**
(a) प्रथम शताब्दी ईसवी (b) द्वितीय शताब्दी ईसवी
(c) तृतीय शताब्दी ईसवी (d) पाँचवीं शताब्दी ईसवी

40. निम्नलिखित में से कौन-सा हड़प्पायी स्थल नहीं है? **(CSE, 2019)**
(a) चन्हुदड़ो (b) कोट दिजी
(c) सोहगौरा (d) देसलपुर

41. किस राज्य में मंदिर निर्माण में "कल्याण मंडप" का निर्माण एक उल्लेखनीय विशेषता थी। **(CSE, 2019)**
(a) चालुक्य (b) चंदेल
(c) राष्ट्रकूट (d) विजयनगर

42. भारत के सांस्कृतिक इतिहास के संदर्भ में, निम्नलिखित कथनों पर विचार करें: **(CSE, 2018)**
1. फ़तेहपुर सीकरी में बुलंद दरवाज़ा और ख़ानक़ाह बनाने में सफ़ेद संगमरमर का उपयोग किया गया था।
2. लखनऊ में बड़ा इमामबाड़ा और रूमी दरवाज़ा बनाने में लाल बलुआ पत्थर और संगमरमर का उपयोग किया गया था।

उपर्युक्त कथनों में से कौन-सा सही है/हैं?
(a) केवल 1 (b) केवल 2
(c) 1 और 2 दोनों (d) न तो 1 और न ही 2

43. विजयनगर साम्राज्य के राजाओं द्वारा अनुष्ठान के लिए उपयोग किये जानेवाले मंच का नाम बताइए। **(CDS I, 2018)**
(a) महानवमी डिब्बा (b) कमल महल
(c) हज़ारा राम (d) विरूपाक्ष:

44. कोट दीजी का हड़प्पायी स्थल इस सभ्यता के निम्नलिखित में से किस एक प्रमुख स्थल के निकट है? **(CDS II, 2018)**
(a) हड़प्पा (b) मोहनजोदड़ो
(c) लोथल (d) कालीबंगा

45. हड़प्पा सभ्यता के बारे में निम्नलिखित में से कौन-सा/से कथन सही है/हैं? **(CAPF, 2018)**
1. कलाकृतियों में असाधारण एकरूपता है, जैसा कि मिट्टी के बर्तनों, मुहरों, ईंटों और बाटों से स्पष्ट है।
2. उत्तर हड़प्पायी स्थलों ने भी यही निर्माण तक़नीक बनाये रखी, जैसा कि परिपक्व हड़प्पायी स्थलों में उपयोग किया जाता था।

नीचे दिये गये कूट का प्रयोग कर सही उत्तर चुनें। **(CAPF, 2018)**
(a) केवल 1 (b) केवल 2
(c) दोनों 1 और 2 (d) न तो 1 और न ही 2

46. चट्टान पर उभरी हुई मूर्ति के रूप में स्वर्ग से गंगा नदी के अवतरण का चित्रण है। **(CAPF, 2018)**
(a) ऐलोरा में (b) महाबलीपुरम में
(c) साँची में (d) अमरावती में

47. निम्नलिखित में से कौन-सा सूर्य मंदिरों के लिए प्रसिद्ध है? **(CSE, 2017)**
1. अरसावल्ली 2. अमरकंटक
3. ओंकारेश्वर

नीचे दिये गये कूट का उपयोग करके सही उत्तर चुनें:

(a) केवल 1 (b) केवल 2 और 3
(c) केवल 1 और 3 (d) 1, 2 और 3

48. हड़प्पा संस्कृति के बारे में निम्नलिखित में से कौन सा कथन सही नहीं है? **(CDS II, 2017)**

(a) हड़प्पा संस्कृति इस उपमहाद्वीप में पहली बार शहरों के उदय का साक्षी बनी।
(b) हड़प्पा संस्कृति में पहली बार दायीं से बायीं ओर लिखी जानेवाली लिपि का उपयोग किया गया।
(c) हड़प्पा संस्कृति में मूर्तिकला के एक माध्यम के रूप में लोहे का सबसे पहला ज्ञात उपयोग किया गया।
(d) हड़प्पा संस्कृति में मूर्तिकला के एक माध्यम के रूप में पत्थर का सबसे पहला ज्ञात उपयोग किया गया।

49. सूची-1 को सूची-2 से सुमेलित करें और सूचियों के नीचे दिये गये कूट का प्रयोग कर सही उत्तर चुनें:

सूची-1 (हड़प्पायी स्थल)	सूची-2 (आधुनिक नाम)
A. धौलावीरा	1. सौराष्ट्र
B. राखीगढ़ी	2. हिसारी
C. भिराना	3. कादिर द्वीप
D. भोगावो	4. हरियाणा

कूट : **(CDS II, 2017)**

	A	B	C	D
(a)	1	4	2	3
(b)	1	2	4	3
(c)	3	2	4	1
(d)	3	4	2	1

50. निम्नलिखित में से किस भवन में पहला विद्यमान् वास्तविक मेहराब पाया गया है? **(CAPF, 2017)**

(a) अढ़ाई दिन का झोंपड़ा
(b) क़ुव्वत उल इस्लाम मस्जिद
(c) सुल्तान बलबन का मक़बरा
(d) अलाई दरवाज़ा

51. निम्नलिखित युग्मों पर विचार करें:

प्रसिद्ध स्थान	क्षेत्र
(i) बोधगया	बघेलखण्ड
(ii) खजुराहो	बुंदेलखंड
(iii) शिरडी	विदर्भ
(iv) नासिक (नाशिक)	मालवा
(v) तिरुपति	रायलसीमा

उपर्युक्त युग्मों में से कौन-से सही सुमेलित हैं? **(CSE, 2016)**

कूट :

(a) (i), (ii) और (iv) (b) (ii), (iii), (iv) और (v)
(c) केवल (ii) और (v) (d) (i), (iii), (iv) और (v)

52. अजंता और महाबलीपुरम के रूप में ज्ञात दो ऐतिहासिक स्थानों में कौन-सी बात/बातें समान है/हैं? **(CSE, 2016)**

(i) दोनों एक ही समयकाल में निर्मित हुए थे।
(ii) दोनों का एक ही धार्मिक संप्रदाय से संबंध है।
(iii) दोनों ही शिलाकृत स्मारक हैं।

नीचे दिये गये कूट का प्रयोग कर सही उत्तर चुनें।

(a) केवल (i) और (ii) (b) केवल (iii)
(c) केवल (i) और (iii) (d) उपर्युक्त कथनों में से कोई भी सही नहीं है

53. निम्नलिखित पुरातत्त्वविदों में से किसने सबसे पहले हड़प्पा पूर्व-संस्कृति और परिपक्व हड़प्पा संस्कृति के बीच समरूपता की पहचान की थी? **(CDS I, 2016)**

(a) अमलानंद घोष (b) राखालदास बनर्जी
(c) दया राम साहनी (d) सर जॉन मार्शल

54. निम्नलिखित में से कौन-सा ऐलोरा के कैलासनाथ मंदिर और मामल्लापुरम के शोर मंदिर के बीच सामान्य तत्त्व है? **(CDS I, 2016)**

(a) दोनों नागर वास्तुकला के उदाहरण हैं।
(b) दोनों ठोस चट्टान को काटकर बनाये गये हैं।
(c) दोनों गुप्त काल के मंदिर हैं।
(d) दोनों का निर्माण पल्लव राजाओं के संरक्षण में हुआ था।

55. बाबर के भारत में आने के फलस्वरूप

(i) उपमहाद्वीप में बारूद के उपयोग की शुरुआत हुई
(ii) इस क्षेत्र की स्थापत्य कला में मेहराब और गुंबद बनने की शुरुआत हुई।
(iii) इस क्षेत्र में तैमूरी (तिमूरीद) राजवंश स्थापित हुआ।

नीचे दिये गये कूट का प्रयोग कर सही उत्तर चुनें। **(CSE, 2015)**

(a) केवल (i) और (ii) (b) केवल (iii)
(c) केवल (i) और (iii) (d) (i), (ii) और (iii)

56. भारत के कला और पुरातात्त्विक इतिहास के संदर्भ में, निम्नलिखित में से किस एक का सबसे पहले निर्माण किया गया था? **(CSE, 2015)**

(a) भुवनेश्वर स्थित लिंगराज मंदिर
(b) धौली स्थित शैलकृत हाथी
(c) महाबलीपुरम स्थित शैलकृत स्मारक
(d) उदयगिरि गुफा स्थित वराह मूर्ति

57. निम्नलिखित युग्मों पर विचार करें:

तीर्थस्थान	अवस्थिति
(i) श्रीशैलम	नल्लमला पहाड़ियाँ
(ii) ओंकारेश्वर	सतमाला पहाड़ियाँ
(iii) पुष्कर	महादेव पहाड़ियाँ

उपर्युक्त युग्मों में से कौन-सा/से सही सुमेलित है/हैं? **(CSE, 2015)**

कूट :

(a) केवल (i) (b) केवल (ii) और (iii)
(c) केवल (i) और (iii) (d) (i), (ii) और (iii)

58. बोरोबुदुर स्थल है- **(CDS II, 2015)**

(a) जावा में 12वीं शताब्दी ईसवी में निर्मित विष्णु और शिव के विशाल मंदिर का
(b) जावा में 8वीं शताब्दी ईसवी में निर्मित एक विशाल स्तूप का
(c) तमिलनाडु में चोल राजा के शानदार महल का
(d) गुजरात में एक जैन मठ का

59. बौद्ध इतिहास, परंपरा और संस्कृति के संदर्भ में, निम्नलिखित में से कौन-सा/से जोड़े सुमेलित है/हैं? **(CSE, 2014)**

प्रसिद्ध मंदिर	स्थान
(i) तब्बू (ताबो) मठ और मंदिर परिसर	स्पीति घाटी
(ii) लोह्तसावा लखांग मंदिर, नाको	जंस्कार घाटी
(iii) अलची मंदिर परिसर	लद्दाख

कूट :

(a) केवल (i) (b) (ii) और (iii)
(c) (i) और (iii) (d) इनमें से सभी

60. भारत के सांस्कृतिक इतिहास के संदर्भ में, *पंचायतन* शब्द निम्नलिखित में से किससे संदर्भित है? **(CSE, 2014)**

(a) गाँव के बुजुर्गों की सभा
(b) एक धार्मिक संप्रदाय
(c) मंदिर निर्माण करने की एक शैली
(d) एक प्रशासनिक पदाधिकारी

61. भारतीय कला और संस्कृति के इतिहास के संदर्भ में, निम्नलिखित में से कौन-सा/से जोड़े सुमेलित है/हैं? **(CSE, 2014)**

मूर्तिकला के प्रसिद्ध काम	स्थान
(i) भगवान् बुद्ध के महापरिनिर्वाण की भव्य छवि, जिसमें ऊपर की ओर अनेक दिव्य संगीतकार हैं और नीचे शोकाकुल अवस्था में उनके अनुयायिओं का चित्रण है।	अजन्ता
(ii) पृथ्वी देवी का गहरे और उथल-पुथल युक्त महासागर से उद्धार करते हुए भगवान् विष्णु के वराह अवतार की चट्टान को काटकर निर्मित विशाल प्रतिमा	माउण्ट आबू
(iii) विशाल शिलाखण्डों के पृष्ठ पर उत्कीर्ण अर्जुन की तपस्या/गंगावतरण की विशाल प्रतिमा	महाबलीपुरम

कूट :

(a) (i) और (ii) (b) केवल (iii)
(c) (i) और (iii) (d) उपर्युक्त सभी

62. फ़तेहपुर सीकरी का इबादतख़ाना क्या था? **(CSE, 2014)**

(a) राजपरिवार के प्रयोग हेतु मस्जिद।
(b) प्रार्थना हेतु अकबर का निजी कक्ष।
(c) वह कक्ष, जिसमें अकबर विभिन्न धर्मों के विद्वानों के साथ चर्चा किया करता था।
(d) वह कक्ष, जिसमें विभिन्न धर्मों से संबंध रखनेवाले महान् व्यक्ति धार्मिक विषयों पर चर्चा करने के लिए एकत्रित हुआ करते थे।

63. निम्नलिखित में से कौन-सा एक मंदिर चोल राजाओं द्वारा बनवाया गया था? **(CDS I, 2014)**

(a) बृहदीश्वर मंदिर, तंजावुर
(b) मीनाक्षी मंदिर, मदुरै
(c) श्रीरंगम मंदिर, तिरुचिरापल्ली
(d) दुर्गा मंदिर, ऐहोल

64. सूची-1 को सूची-2 से सुमेलित करें और सूचियों के नीचे दिये गये कूट का प्रयोग कर सही उत्तर चुनें:

सूची-1 (मंदिर)	सूची-2 (नगर)
A. कैलासनाथ	1. भुवनेश्वर
B. लिंगराज	2. खजुराहो
C. कंदरिया महादेव	3. माउंट आबू
D. दिलवाड़ा	4. काँचीपुरम

कूट : **(CDS I, 2014)**

	A	B	C	D
(a)	4	2	1	3
(b)	4	1	2	3
(c)	3	1	2	4
(d)	3	2	1	4

65. कथन:

1. मथुरा की समृद्ध मूर्तिकला परंपरा अपने प्रमुख माध्यम सफ़ेद धब्बेदार लाल बलुआ पत्थर से विशिष्ट है।
2. सफ़ेद धब्बेदार लाल बलुआ पत्थर मथुरा क्षेत्र में स्थानीय रूप से उपलब्ध था। **(CAPF, 2014)**

(a) अलग-अलग दोनों कथन हैं और कथन 2 कथन 1 की सही व्याख्या है।
(b) अलग-अलग दोनों कथन सत्य हैं, लेकिन कथन 2 कथन 1 की सही व्याख्या नहीं है।
(c) कथन 1 सत्य है और कथन 2 ग़लत है।
(d) कथन 1 ग़लत है, लेकिन कथन 2 सत्य है।

66. निम्नलिखित में से किसका श्रेय शाहजहाँ के शासनकाल को नहीं दिया जा सकता है? **(CAPF, 2014)**

(a) मोती मस्जिद (b) ओइला-ए-कुहना मस्जिद
(c) जामा मस्जिद (d) रंग महल

67. परिपक्व हड़प्पायी शिल्प की मुख्य विशेषता के रूप में मनका बनाने के बारे में निम्नलिखित में से कौन-सा सत्य नहीं है? **(CAPF, 2014)**
(a) हड़प्पायी मनके सोने, ताँबे, शेल, लापिस लाजुली, हाथीदाँत और विभिन्न प्रकार के अर्द्ध क़ीमती पत्थरों से बनाये जाते थे।
(b) पुरातत्त्वविदों ने अनिर्मित वस्तुओं के आधार पर मनका बनानेवालीं दुकानों की पहचान की है।
(c) चन्हुदड़ो में, उपकरण, भट्टियाँ और निर्माण के विभिन्न चरणों में मनके पाये गये हैं।
(d) बनावली की संरचना से निर्मित, अर्ध-निर्मित और अनिर्मित स्थिति में कई मनके मिले हैं।

68. चट्टानों को काटकर निर्मित भारतीय स्थापत्य के इतिहास के संदर्भ में निम्नलिखित कथनों पर विचार करें: **(CSE, 2013)**
(i) बादामी की गुफाएँ चट्टानों को काटकर बनायी गयीं भारत की सर्वाधिक प्राचीन गुफाएँ हैं, जो अभी भी सुरक्षित हैं।
(ii) चट्टानों को काटकर बनायी गयीं बाराबर की गुफाएँ मूलरूप से सम्राट् चन्द्रगुप्त मौर्य द्वारा आजीवकों के लिए बनवायी गयी थीं।
(iii) ऐलोरा की गुफाएँ विभिन्न धर्मों के लिए निर्मित की गयी थीं।
उपर्युक्त कथन/नों में से कौन-सा/से सही है/हैं?
(a) केवल (i) (b) (ii) और (iii)
(c) केवल (iii) (d) इनमें से सभी

69. निम्नलिखित में से कौन-सा तथ्य सिन्धु घाटी की सभ्यता के लोगों की विशेषता बताता है? **(CSE, 2013)**
(i) उनके पास भव्य महल और मंदिर थे।
(ii) वे पुरुष और स्त्री, दोनों प्रकार के देवताओं की पूजा किया करते थे।
(iii) वे युद्ध हेतु अश्वचालित रथों का प्रयोग करते थे।
कूट :
(a) (i) और (ii) (b) केवल (ii)
(c) इनमें से सभी (d) इनमें से कोई नहीं

70. चट्टानों को काटकर बनायी गयीं कुछ बौद्ध गुफाओं को चैत्य कहा जाता है, जबकि अन्य को विहार कहा जाता है। दोनों के बीच क्या अंतर है? **(CSE, 2013)**
(a) विहार एक उपासना स्थल होता है, जबकि चैत्य भिक्षुओं का निवास स्थान होता है।
(b) चैत्य एक उपासना स्थल होता है, जबकि विहार भिक्षुओं का निवास स्थान होता है।
(c) चैत्य गुफा के अंतिम सिरे पर स्थित एक स्तूप होता है, जबकि विहार इसके अक्षीय स्थित एक कक्ष होता है।
(d) दोनों के बीच कोई महत्त्वपूर्ण अन्तर नहीं है।

71. **कथन 1 :** बराबर पहाड़ियों में लोमश ऋषि और सुदामा की गुफाएँ, जो लकड़ी के स्थापत्य आद्यरूप पर आधारित हैं, भारत में सबसे प्राचीन गुफा वास्तुकला का उदाहरण हैं।
कथन 2 : बराबर की पहाड़ियों की गुफाएँ चंद्रगुप्त मौर्य द्वारा आजीवक भिक्षुओं को समर्पित की गयी थीं। **(CDS I, 2013)**
(a) अलग-अलग दोनों कथन सत्य हैं और कथन 2 सत्य है कथन 1 की सही व्याख्या करता है।
(b) अलग-अलग दोनों कथन सत्य हैं, लेकिन कथन 2 कथन 1 की सही व्याख्या नहीं करता है।
(c) कथन 1 सत्य है, लेकिन कथन 2 ग़लत है।
(d) कथन 1 गलत है, लेकिन कथन 2 सत्य है।

72. **कथन 1 :** गांधार शैली की मूर्तियाँ शैलीगत रूप से ग्रीको रोमन और ईरान की पहलव कला से जुड़ी हुई हैं।
कथन 2 : स्वात घाटी की पाषाण की प्रारंभिकतम बुद्ध प्रतिमाएँ कुषाण काल से पहले की हैं, जो बताती हैं कि कुषाण-पूर्व काल में कुछ प्रतिमा-संबंधी परंपराएँ पहले से ही सुस्थापित थीं। **(CDS I, 2013)**
(a) अलग-अलग दोनों कथन सत्य हैं और कथन 2 सत्य है कथन 1 की सही व्याख्या करता है।
(b) अलग-अलग दोनों कथन सत्य हैं, लेकिन कथन 2 कथन 1 की सही व्याख्या नहीं करता है।
(c) कथन 1 सत्य है, लेकिन कथन 2 ग़लत है।
(d) कथन 1 ग़लत है, लेकिन कथन 2 सत्य है।

73. अकबर का इबादतख़ाना वह स्थान था, जहाँ **(CAPF, 2013)**
(a) सैन्य रणनीति तय की जाती थी।
(b) अंतर-धार्मिक वाद-विवाद और चर्चाएँ आयोजित की जाती थीं।
(c) अकबर ने सुलह-ए-कुल के अपने सिद्धांतों का प्रचार किया।
(d) ललित कला का अभ्यास किया जाता था।

74. निम्नलिखित में से कौन-सा शिलालेख अशोक के राज्य क्षेत्र के सबसे पूर्वी भाग में स्थापित किया गया था? **(CAPF, 2013)**
(a) बराबर की पहाड़ी गुफा शिलालेख
(b) धौली बृहत् शिलालेख
(c) सहसराम लघु शिलालेख
(d) लौरिया-अरेराज का स्तंभलेख

75. नागर, द्रविड़ और वेसर क्या हैं? **(CSE, 2012)**
(a) भारतीय उप-महाद्वीप के तीन प्रमुख नस्लीय समूह।
(b) तीन प्रमुख भाषाई प्रभागों में भारतीय भाषाओं को वर्गीकृत किया जा सकता है।
(c) भारतीय मंदिर वास्तुकला के तीन प्रमुख प्रकार।
(d) भारत में प्रचलित तीन प्रमुख संगीत घराने।

76. सिंधु घाटी सभ्यता के संदर्भ में निम्नलिखित कथनों पर विचार करें : **(CSE, 2011)**
(i) यह मुख्य रूप से एक धर्मनिरपेक्ष सभ्यता थी और यद्यपि इसमें धार्मिक तत्त्व उपस्थित था, किन्तु वह परिदृश्य पर प्रभावी नहीं था।
(ii) इस अवधि के दौरान भारत में वस्त्रों के निर्माण के लिए कपास का प्रयोग किया जाता था।

उपर्युक्त कथनों में से कौन-सा/से सही है/हैं?
(a) केवल (i) (b) केवल (ii)
(c) (i) और (ii) दोनों (d) न तो (i), न ही (ii)

77. प्राचीन भारत में गुप्त काल की गुफा चित्रकारी के दो ही ज्ञात उदाहरण हैं। इन दो में से एक अजन्ता की गुफाएँ हैं। अब तक उपस्थित दूसरा उदाहरण कहाँ स्थित है? **(CSE, 2009)**
(a) बाघ गुफाएँ (b) ऐलोरा गुफाएँ
(c) लोमश ऋषि गुफाएँ (d) नासिक गुफाएँ

78. प्रसिद्ध विरुपाक्ष मंदिर कहाँ स्थित है? **(CSE, 2009)**
(a) भद्राचलम (b) चिदम्बरम
(c) हम्पी (d) श्रीकलाहस्ती

79. संगीतमय सुर प्रदान करनेवाले 56 नक़्क़ाशीदार स्तम्भोंवाला प्रसिद्ध विजय-विट्ठल मंदिर कहाँ स्थित है? **(CSE, 2007)**
(a) बेलूर (b) भद्राचलम
(c) हम्पी (d) श्रीरंगम

80. इलाहाबाद का स्तम्भ शिलालेख निम्नलिखित में से किससे संबंधित हैं? **(CSE, 2006)**
(a) महापद्मनन्द (b) चन्द्रगुप्त मौर्य
(c) अशोक (d) समुद्रगुप्त

81. किस विशाल मंदिर की प्रारम्भिक अभिकल्पना और निर्माण सूर्यवर्मन द्वितीय के शासनकाल में हुआ? **(CSE, 2006)**
(a) श्री मरियम्मन मंदिर
(b) अंगकोरवाट मंदिर
(c) बटु गुफा मंदिर
(d) कामाख्या मंदिर

82. निम्नलिखित में से कौन-से जोड़े सुमेलित हैं? **(CSE, 2006)**
(a) विक्रमशिला विश्वविद्यालय – उत्तर प्रदेश
(b) हेमकुण्ड गुरुद्वारा – हिमाचल प्रदेश
(c) उदयगिरि गुफाएँ – महाराष्ट्र
(d) अमरावती बौद्ध स्तूप – आन्ध्र प्रदेश

83. निम्नलिखित में से कौन-सा जोड़ा सुमेलित नहीं है? **(CSE, 2006)**

मठ	राज्य
(a) धंकर मठ	हिमाचल प्रदेश
(b) रूमटेक मठ	सिक्किम
(c) ताबो मठ	हिमाचल प्रदेश
(d) क्ये मठ	अरुणाचल प्रदेश

84. प्रथम सूची को द्वितीय सूची से सुमेलित करें और नीचे दिये गये कूटों का उपयोग कर सही उत्तर का चयन करें : **(CSE, 2002)**

प्रथम सूची (प्राचीन स्थल)	द्वितीय सूची (पुरातात्त्विक खोज)
(A) लोथल	(i) जुता हुआ खेत
(B) कालीबंगा	(ii) पोतगाह
(C) धौलावीरा	(iii) हल की टेराकोटा प्रतिकृति
(D) बनवाली	(iv) हड़प्पाकालीन लिपि के 10 विशाल आकार के संकेत समाविष्ट करनेवाला शिलालेख

कूट :
(a) A–(i); B–(ii); C–(iii); D–(iv)
(b) A–(ii); B–(i); C–(iv); D–(iii)
(c) A–(i); B–(ii); C–(iv); D–(iii)
(d) A–(ii); B–(i); C–(iii); D–(iv)

85. निम्नलिखित में से कौन-सा कथन सही नहीं है? **(CSE, 2002)**
(a) श्रवणबेलगोला में गोमतेश्वर की मूर्ति जैनों के अन्तिम तीर्थंकर का प्रतिनिधित्व करती है।
(b) भारत का सबसे बड़ा बौद्ध मठ अरुणाचल प्रदेश में है।
(c) खजुराहो के मंदिर चन्देल राजाओं के शासनकाल में निर्मित किये गये थे।
(d) होयसालेश्वर का मंदिर शिव को समर्पित है।

86. होयसाल स्मारक पाये जाते हैं : **(CSE, 2001)**
(a) हम्पी और होस्पेट में (b) हैलेबिडु और बेलूर में
(c) मैसूर और बंगलुरु में (d) शृंगेरी और धारवाड़ में

87. निम्नलिखित में से किस नगर में लिंगराज मंदिर स्थित है? **(CSE, 2001)**
(a) भुवनेश्वर (b) बीजापुर
(c) कोलकाता (d) श्रवण बेलगोला

88. निम्नलिखित में से कौन-सा जीव हड़प्पाकालीन मोहरों और टेराकोटा कला में चित्रित नहीं किया गया था? **(CSE, 2001)**
(a) गाय (b) हाथी
(c) गैंडा (d) शेर

89. निम्नलिखित में से कौन-सा जोड़ा सुमेलित है? **(CSE, 2001)**
(a) हड़प्पा सभ्यता – चित्रित ग्रे-वेयर
(b) कुषाण – कला की गांधार शैली
(c) मुग़ल – अजन्ता चित्रकला
(d) मराठा – चित्रकला की पहाड़ी शैली

उत्तरमाला

1. (a)	2. (d)	3. (c)	4. (c)	5. (d)	6. (a)	7. (c)	8. (a)
9. (d)	10. (a)	11. (c)	12. (c)	13. (a)	14. (a)	15. (d)	16. (b)
17. (a)	18. (d)	19. (b)	20. (a)	21. (b)	22. (d)	23. (a)	24. (a)
25. (a)	26. (a)	27 (b)	28. (c)	29. (d)	30. (b)	31. (c)	32. (b)
33. (a)	34. (a)	35. (c)	36. (d)	37. (b)	38. (b)	39. (c)	40. (c)
41. (d)	42. (d)	43. (a)	44. (b)	45. (a)	46. (b)	47. (a)	48. (c)
49. (c)	50. (b)	51. (c)	52. (b)	53. (a)	54. (b)	55. (b)	56. (b)
57. (a)	58. (b)	59. (c)	60. (c)	61. (c)	62. (c)	63. (a)	64. (b)
65. (a)	66. (b)	67. (d)	68. (c)	69. (b)	70. (b)	71. (c)	72. (b)
73. (b)	74. (d)	75. (c)	76. (c)	77. (a)	78. (c)	79. (c)	80. (d)
81. (b)	82. (d)	83. (d)	84. (b)	85. (a)	86. (b)	87. (a)	88. (a)
89. (b)							

यू.पी.एस.सी. विगत वर्षों के प्रश्न - मुख्य परीक्षा

1. भारतीय मिथक, कला और वास्तुकला में सिंह और वृषभ की आकृतियों के महत्त्व पर चर्चा करें। **(CSE, 2022)**
2. चट्टानों को काटकर निर्मित वास्तुकला प्रारंभिक भारतीय कला और इतिहास के हमारे ज्ञान के सबसे महत्त्वपूर्ण स्रोतों में से एक का प्रतिनिधित्व करती है। विवेचना करें। **(CSE, 2020)**
3. गांधार कला में मध्य एशियाई और यूनानी-बैक्ट्रियन तत्त्वों पर प्रकाश डालिए। **(CSE, 2019)**
4. भारत की विविधता के संदर्भ में, क्या यह कहा जा सकता है कि **क्षेत्र** राज्यों के बजाए **सांस्कृतिक इकाइयों** का निर्माण करते हैं? अपने दृष्टिकोण के लिए उदाहरणों के साथ कारण बताएँ। **(CSE, 2017)**
5. प्रारंभिक बौद्ध स्तूप-कला, लोक आख्यानों और कथानकों का चित्रण करते हुए, बौद्ध आदर्शों को सफलतापूर्वक उजागर करती है। स्पष्ट करें। **(CSE, 2016)**
6. भारतीय उप-महाद्वीप में प्राचीन सभ्यता मिस्र, मेसोपोटामिया और यूनान से इस बात पर भिन्न थी कि इसमें इसकी संस्कृति और परंपराओं को बिना टूटे वर्तमान समय में संरक्षित किया गया है। टिप्पणी करें। **(CSE, 2015)**
7. भारत की एक ही चट्टान को काटकर बनायी वास्तुकला न केवल उस समय के सांस्कृतिक जीवन को दर्शाती है, बल्कि आधुनिक चित्रकला के लिए एक सुंदर सौंदर्य बोध भी है। इस टिप्पणी का आलोचनात्मक मूल्यांकन करें। **(CSE, 2015)**
8. सिंधु घाटी सभ्यता के शहरी नियोजन और संस्कृति ने किस हद तक वर्तमान शहरीकरण को सुझाव प्रदान किया है? **(CSE, 2014)**
9. गांधार मूर्तिकला रोमवासियों से उतनी ही संबंधित हैं, जितनी यूनानियों से। स्पष्ट करें। **(CSE, 2014)**
10. चोल वास्तुकला मंदिर वास्तुकला के विकास में एक उच्च स्तर को दर्शाती है। चर्चा करें। **(CSE, 2013)**
11. लॉरी बेकर को ''भारतीय वास्तुकला का विवेक रक्षक'' क्यों कहते हैं? **(CSE, 2012)**
12. भारत में मिट्टी के बर्तन बनाने की प्रमुख भिन्न शैलियाँ क्या हैं? **(CSE, 2011)**
13. गांधार कला के विषय में लिखें। **(CSE, 2007)**
14. सारनाथ स्तम्भ के विषय में लिखें। **(CSE, 2003)**
15. कला की गांधार शैली के विषय में लिखें। **(CSE, 2000)**
16. चोल वास्तुकला के विषय में लिखें। **(CSE, 1999)**
17. सिंधु घाटी सभ्यता में नगर नियोजन की प्रमुख विशेषताओं के विषय में लिखें। **(CSE, 1996)**
18. द्रविड़ियन वास्तुकला के विषय में लिखें। **(CSE, 1995)**
19. कला की मथुरा शैली के विषय में लिखें। **(CSE, 1993)**
20. फ़तेहपुर सीकरी के वास्तुशिल्प के विषय में लिखें। **(CSE, 1991)**
21. चन्देल वास्तुशिल्प शैली के विषय में लिखें। **(CSE, 1989)**
22. वास्तुशिल्प की नागर शैली के विषय में लिखें। **(CSE, 1989)**

3

भारतीय मूर्तिकला और मृद्भांड

अध्याय की रूपरेखा

- सिंधु घाटी सभ्यता की मूर्तियाँ
- मौर्यकालीन मूर्तिकला
- शुंगकालीन मूर्तिकला
- कुषाणकालीन मूर्तिकला
- मौर्योत्तरकालीन मूर्तिकला
- गुप्त काल की मूर्तियाँ
- दक्षिण भारतीय मंदिर की मूर्तियों की विशेषताएँ
- चोल मूर्तिकला
- मुग़ल काल

भारत की मूर्तियाँ यहाँ रहनेवाले लोगों के, धर्म, समाज, राजनीति, रीति-रिवाज़ों और कलाकारों की उच्चस्तरीय उत्कृष्टता की ज्वलंत अभिव्यक्ति को चित्रित करती हैं। मूर्तिकला भारत की सांस्कृतिक विविधता को प्रदर्शित करती है। प्राचीन भारतीय मूर्तिकला केवल यूनानी कलाकारों के समानान्तर है। प्राचीन भारत की मूर्तिकला विरासत और अमूल्य कलात्मक कृतियाँ सम्पूर्ण विश्व के पारखी लोगों को आकर्षित करती हैं। क्षेत्र की जलवायु स्थिति के कारण भारतीय उपमहाद्वीप की मूर्तिकला में पत्थरों, धातु और टेराकोटा का व्यापक उपयोग किया गया है। मूर्तिकला की उत्कृष्ट कृतियाँ काँस्य धातु की बनी हुई भी पायी गयी हैं। कास्टिंग के लिए **सिरे-पेरड्यू** (Cire Perdue) या 'लॉस्ट-वैक्स' तक़नीक सिंधु घाटी संस्कृति के समय से कलाकारों को ज्ञात थी।

सिंधु घाटी सभ्यता से छोटी टेराकोटा की मूर्तियों और दैमाबाद के काँस्य रथ द्वारा मूर्तिकला की उत्कृष्ट कृतियों के निर्माण की परंपरा का पता लगाया जा सकता है। मौर्य काल की मूर्तिकला में विशाल पत्थर के खंभे और नक़्क़ाशीदार शेर, बैल स्तंभ शीर्ष के साथ व्यापक बौद्ध और हिंदू विषय, भारतीय आलंकारिक मूर्तिकला के आरंभ को निर्धारित करते हैं। आगामी शताब्दियों में उपमहाद्वीप के विभिन्न हिस्सों में कलात्मक उत्कृष्टता और परंपराओं की एक विस्तृत शृंखला विकसित हुई। गुप्त साम्राज्य (319 ई.-550 ई.) अपनी ऐलोरा सहित, चट्टानों को काटकर बनायी गयीं गुफ़ाओं के लिए भारतीय मूर्तिकला का एक 'शास्त्रीय' युग माना जाता है।

सिंधु घाटी सभ्यता की मूर्तियाँ

हड़प्पाई मूर्तिकार त्रि-आयामी कृतियों को सँभालने में बहुत कुशल थे। यहाँ से अत्यधिक मात्रा में मोहरें, काँस्य की मूर्तियाँ और मृद्भांड प्राप्त हुए हैं।

मोहरें

पुरातत्वविदों को सभी उत्खनन स्थलों से विभिन्न आकार व प्रकार की कई मोहरें मिली हैं। जहाँ *अधिकतर मुहरें वर्गाकार हैं*, तो वहीं **त्रिकोणीय,** आयताकार और वृत्ताकार मोहरों के उपयोग के भी साक्ष्य प्राप्त हुए हैं। यद्यपि मोहर बनाने के लिए नदी तल में पाये जानेवाले **मुलायम पत्थर, सेलखड़ी** (steatite) का सर्वाधिक उपयोग किया जाता था, लेकिन अगेट, चर्ट, ताँबा, काचाभ (faience) और टेराकोटा (पक्की मिट्टी) की भी मोहरें मिली हैं। सोने और हाथी दाँत की मोहरों के भी कुछ उदाहरण मिले हैं।

अधिकतर मोहरों पर **चित्राक्षर लिपि** (pictographic script) में मुद्रालेख भी हैं तथा इन्हें **अभी तक पढ़ा नहीं जा सका** है। लिपि अधिकांशत: दायें से बायें लिखी जाती थी, लेकिन, **द्वि-दिशात्मक लेखन शैली** अर्थात् एक पंक्ति में दायें से बायें और दूसरी पंक्ति में बायें से दायें भी पायी गयी है। इन पर *पशुओं की आकृतियाँ* (आमतौर पर पाँच) भी मौजूद हैं, जिन्हें सतहों पर उत्कीर्णित किया गया है। **सामान्यत:** कूबड़दार बैल, गैंडा, बाघ, हाथी, भैंस, बायसन, बकरी, मारकोर, साकिन, मगरमच्छ आदि पशुओं के रूपांकन हैं। हालाँकि, किसी भी मुहर पर **गाय का कोई साक्ष्य नहीं** मिला है। सामान्यत:, मोहरों पर एक ओर पशु या मानव आकृति है और दूसरी ओर मुद्रालेख है या दोनों ओर मुद्रालेख हैं। साथ ही कुछ मोहरों पर **तीसरी ओर भी** मुद्रालेख हैं।

मोहरों का **मुख्य रूप से व्यावसायिक प्रयोजनों के लिए उपयोग** किया जाता था और वे संचार में सहायक होती थीं। मेसोपोटामिया में विभिन्न मोहरों की खोज और लोथल जैसे विभिन्न स्थलों से यह तथ्य पता चलता है कि मोहरों का बड़े पैमाने पर व्यापार के लिए उपयोग किया जाता था। एक छेदवाली कुछ मोहरें शवों के साथ भी पायी गयी हैं। इससे पता चलता है कि संभवत: इनका **प्रयोग तावीज़ के रूप में** किया जाता था। संभवत: इनके धारक द्वारा पहचान के रूप में इनका प्रयोग किया जाता रहा होगा। कुछ मोहरों पर *गणितीय आकृतियाँ* भी मिली हैं, संभवत: इनका **उपयोग शैक्षणिक उद्देश्यों के लिए** भी किया ज़ाता होगा। 'स्वस्तिक' सदृश डिज़ाइनवाली मोहरें भी पायी गयी हैं।

यूनिकॉर्न मोहर

मुख्य मोहरों में शामिल हैं - पशुपति की मोहर, यूनीकॉर्न (गेंडा/एक शृंगी जानवर) वाली मोहर।

महत्त्वपूर्ण तथ्य

पशुपतिवाली मोहर : मोहनजोदड़ो से मिली सेलखड़ी (steatite) की मोहर में पालथी मारकर बैठी ***मानव आकृति*** या *देवता* को दर्शाया गया है। पशुपति के रूप में संदर्भित इस आकृति ने तीन सींगोंवाला मुकुट पहना है और चारों ओर पशुओं से घिरी है। आकृति के बायीं ओर ***हाथी*** और ***बाघ*** हैं, जबकि दायीं ओर गैंडा और **भैंस** दिखायी देते हैं। आकृति के आसन के नीचे दो ***हिरण*** दर्शाये गये हैं।

नर्तकी लड़की की मूर्ति विश्व की सबसे पुरानी काँसे की मूर्ति है। ***मोहनजोदड़ो*** में मिली चार इंच की इस मूर्ति में **केवल आभूषण पहने** हुए एक नग्न महिला को दर्शाया गया है। इसने बाएँ हाथ में चूड़ियाँ तथा दाहिने हाथ पर **कंगन** और **तावीज़** पहने हुए हैं। यह अपने कूल्हे पर दाहिना हाथ रखकर त्रिभंग नृत्य मुद्रा में खड़ी है।

मातृदेवी (Mother Goddess) की मूर्तियाँ अनेक सिंधु स्थलों से मिली हैं, जिससे इनके महत्त्व का पता चलता है। यह उन्नत वक्षस्थल पर लटके हुए **कण्ठहार** से सुसज्जित एक खड़ी महिला की मूर्ति है। यह धोती/कटिवस्त्र और करधनी पहने हुए है। इसने **पंखाकार मुकुट** भी धारण किया/पहना हुआ है। चेहरे के रूपांकनों को भी बहुत अनगढ़ ढंग से दिखाया गया है तथा इसमें कुशलता का अभाव है। संभवत: इसकी पूजा समृद्धि के लिए की जाती थी। वह उर्वरता की भी देवी रही होंगी।

दाढ़ीवाले पुजारी (Bearded Priest) (मोहनजोदड़ो से प्राप्त सेलखड़ी मूर्ति) की अर्द्ध-प्रतिमा (शरीर का ऊपरी हिस्सा)। यह तिपतिया (trefoil) पैटर्नवाली 'शॉल में लिपटे एक दाढ़ीवाले व्यक्ति की मूर्ति है, जिसकी आँखें लम्बी हैं तथा आधी बंद हैं, जैसे कि वह ध्यान मुद्रा में हो। इस मूर्ति के दाहिने हाथ पर एक बाज़ूबंद और सिर पर सादी बुनी हुई पट्टिका है।

लाल बलुआ पत्थर से निर्मित पुरुष धड़/शरीर की मूर्ति (हड़प्पा से प्राप्त हुई है)। इस धड़ की दिशा आगे की ओर है। इसके कंधे अच्छी तरह से पके हुए हैं और पेट निकला हुआ है। संभवतः सिर और भुजाओं को जोड़ने के लिए गर्दन और कंधों में **सॉकेट** छिद्र हैं।

काँस्य मूर्तियाँ

हड़प्पा सभ्यता व्यापक पैमाने पर काँसे की ढलाई की प्रथा की साक्षी थी। काँसे की मूर्तियों को **'लुप्त मोम तक़नीक (lost wax technique)' या 'Cire Perdue'** का उपयोग करके बनाया जाता था। इस तक़नीक में, मोम की मूर्तियों पर पहले गीली मिट्टी का लेपन करके सूखने के लिए छोड़ दिया जाता था। इसके बाद मिट्टी से लेपित मूर्तियों को गर्म किया जाता था, जिससे अंदर का मोम पिघल जाता था। फिर एक छोटे से छेद के माध्यम से मोम को बाहर निकाला जाता था और खोखले साँचे के अंदर पिघली हुई धातु डाली जाती थी। धातु के ठंडा होकर जम जाने के बाद, मिट्टी का लेप हटा दिया जाता था और जैसी मोम की आकृति होती थी, उसी आकार की धातु की आकृति तैयार हो जाती थी। *आज भी*, इसी तक़नीक का देश के कई भागों में प्रचलन है।

उदाहरण : मोहनजोदड़ो की काँसे की बनी नर्तकी लड़की, कालीबंगा का काँसे का बना बैल आदि।

टेराकोटा

टेराकोटा मूर्तियाँ बनाने के लिए **पकी हुई मिट्टी** का उपयोग किया जाता है। काँसे की मूर्तियों की तुलना में, टेराकोटा की मूर्तियाँ कम संख्या में पायी गयी हैं और आकार एवं रूप में अपरिष्कृत हैं। इन्हें **पिंचिंग विधि** (Pinching method) का उपयोग करके बनाया जाता था और ये अधिकांशतः **गुजरात और कालीबंगा (गुजरात)** के स्थलों से मिली हैं।

उदाहरण : **मातृदेवी की मूर्ति**, सींगवाले देवता का मुखौटा, खिलौने आदि।

प्राचीन भारत में मृद्भांडों की परंपराएँ

काल/संस्कृति	समय (लगभग)	मृद्भांडों के प्रकार	विशेषताएँ	प्रमुख स्थल
नवपाषाण काल	7000–2000 ईसा पूर्व	हस्तनिर्मित, खुरदुरे मृद्भांड	मोटी संरचना, हस्त निर्मित, डोरी (cord) से बनी/मुद्रित सजावट	मेहरगढ़, बुर्जहोम, चिरांद
ताम्रपाषाण काल	3000–1000 ईसा पूर्व	चित्रित मृद्भांड (जैसे - आहड़, मालवा, जोरवे)	काले रंग से चित्रित ज्यामितीय/पशु रूपांकनोंवाले लाल मृद्भांड; आमतौर पर हस्तनिर्मित या धीमे पहिये पर बननेवाले	नवदाटोली, इनामगाँव, आहड़
सिंधु घाटी (हड़प्पा)	2600–1900 ईसा पूर्व	हड़प्पाई लाल मृद्भांड	पहिये से बने, लाल पट्टी, काले ज्यामितीय/पशु रूपांकन; छिद्रित घड़े, प्याले, स्टैंड पर रखे मृद्भांड	हड़प्पा, मोहनजोदड़ो, कालीबंगा, लोथल

काल/संस्कृति	समय (लगभग)	मृद्भांडों के प्रकार	विशेषताएँ	प्रमुख स्थल
उत्तर हड़प्पा/गेरू रंग के मृद्भांड (OCP)	2000–1500 ईसा पूर्व	गेरू रंग के मृद्भांड (OCP)	गेरू रंग से धुले हुए मृद्भांड, नाजुक, हस्तनिर्मित; ताँबे के भण्डार से संबंधित	गंगा-यमुना दोआब
चित्रित धूसर मृद्भांड (PGW)	1200–600 ईसा पूर्व	चित्रित धूसर मृद्भांड (PGW)	उत्तम धूसर संरचना, काले ज्यामितीय चित्रित डिज़ाइन; कटोरे और मृद्भांड; प्रारंभिक लौह युग और महाजनपदों से संबंधित	हस्तिनापुर, अतरंजीखेड़ा, कौशाम्बी
उत्तरी काले पॉलिशवाले मृद्भांड (NBPW)	700–200 ईसा पूर्व (मौर्य काल में शिखर पर)	उत्तरी काले पॉलिशवाले मृद्भांड (NBPW)	अत्यधिक चमकदार, पतले, धात्विक चमकवाले, अधिकतर कटोरे/मृद्भांड; अभिजात वर्ग के लिए शानदार मृद्भांड; शहरी केंद्रों से जुड़े	पाटलिपुत्र, कौशाम्बी, राजघाट, तक्षशिला
शुंग-कुषाण काल	200 ईसा पूर्व-300 ईसवी	लाल मृद्भांड और जल छिड़काववाले मृद्भांड (sprinklers)	मध्यम आकार की संरचना, लाल-पट्टी, मुद्रांकित डिज़ाइन; आम तौर पर टोंटीदार मृद्भांड और जल छिड़कावावाले मृद्भांड	मथुरा, कौशाम्बी
गुप्त काल	300-600 ईसवी	लाल मृद्भांड	उत्तम लाल मृद्भांड, मुद्रांकित और उत्कीर्ण पैटर्न से सुसज्जित, कभी-कभी ढाले हुए	अहिच्छत्र, राजघाट, उज्जैन
प्रारंभिक मध्यकालीन	लगभग 600 ईसवी के बाद	चमकीले मृद्भांड (बाद में, सल्तनत काल में)	प्रारंभिक मध्यकालीन लाल मृद्भांड; 12वीं शताब्दी ईसवी में तुर्कों द्वारा लाये गये असली चमकदार मृद्भांड	उत्तरी भारत

हड़प्पा के मृद्भांड

लाल और काले मृद्भाण्ड

उत्खनन स्थलों से मिले मृद्भांडों को मोटे तौर पर दो प्रकारों से वर्गीकृत किया जा सकता है- *सादे* मृद्भांड और *चित्रित* मृद्भांड। चित्रित मृद्भांडों को **काले व लाल मृद्भांडों** के रूप में भी जाना जाता है, क्योंकि इसमें पृष्ठभूमि को रँगने के लिए लाल रंग का प्रयोग किया जाता था और चमकदार काले रंग का प्रयोग, लाल पृष्ठभूमि पर डिज़ाइन और आकृतियाँ बनाने के लिए किया जाता था। वृक्ष, पक्षी, पशुओं की आकृतियाँ और ज्यामितीय प्रतिरूप चित्रों के आवर्ती विषय थे।

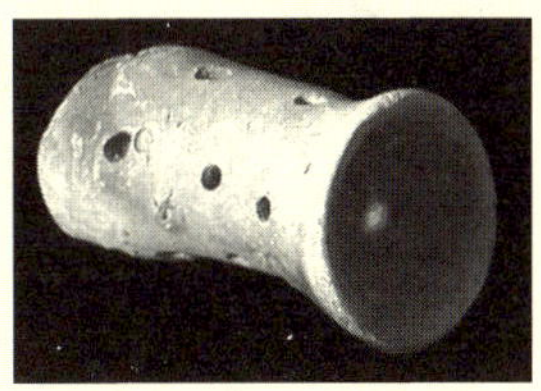

छिद्रित मृद्भाण्ड

पाये गये अधिकांश मृद्भांडों में से **चाक पर बनाये गये मृद्भांड** अति उत्तम हैं। इसके साथ ही कुछ हाथ से भी बने थे। रंग-बिरंगे मृद्भांडों के भी कुछ उदाहरण मिले हैं, हालाँकि ये बहुत ही दुर्लभ हैं। मृद्भांडों का उपयोग सम्भवतः **तीन** मुख्य उद्देश्यों के लिए किया जाता था:

1. सादे मृद्भांडों का मुख्य रूप से उपयोग अनाज और पानी के भंडारण आदि, जैसे घरेलू प्रयोजनों के लिए किया जाता था।
2. छोटे पात्रों, (सामान्यतः आकार में आधे इंच से भी कम), का **सजावटी प्रयोजनों** के लिए प्रयोग किया जाता था।
3. तल में बड़े छेद और बग़ल में छोटे छेदोंवाले कुछ **छिद्रित** मृद्भांड भी होते थे। संभवतः इनका उपयोग *शराब छानने के लिए* किया जाता था।

आभूषण

हड़प्पाई लोग आभूषण बनाने के लिए, मूल्यवान् धातुओं और रत्नों से लेकर हड्डियों और यहाँ तक कि पकी हुई मिट्टी, जैसी विविधतापूर्ण सामग्री का उपयोग करते थे। पुरुष और महिलाएँ **दोनों** कण्ठहार, पट्टिका, बाज़ूबंद और अँगूठियों जैसे आभूषण पहनते थे। *करधनी, झुमके और पायल* **केवल महिलाएँ ही** पहनती थीं।

क्या आप जानते हैं? **गुंडियाली** और **लोदाई** पुरातात्विक स्थल कच्छ, गुजरात के प्रसिद्ध मृद्भांड बनानेवाले गाँव हैं।

कोर्नेलियन, नीलम, क्वार्ट्ज, स्टेटाइट आदि से बने हुए मनके भी काफ़ी लोकप्रिय थे और बड़े पैमाने पर इनका निर्माण किया जाता था। यह बात **चंदहूदड़ो** व **लोथल** में मिले कारख़ानों से स्पष्ट है कि व्यापक पैमाने पर इनका निर्माण होता था। कपड़ों के लिए, हड़प्पाई लोग **कपास** और **ऊन** का उपयोग करते थे। इन्हें अमीरों और ग़रीबों द्वारा समान रूप से काता जाता था। साथ ही *बाल* और *दाढ़ी* की विभिन्न *शैलियों* से, यह अनुमान लगाया जा सकता है कि उस समय के लोग **फ़ैशन** के प्रति भी सजग थे।

वैदिक युग के चित्रित धूसर मृद्भांड

चित्रित धूसर मृद्भांड (PGW) को अत्यंत उच्च गुणवत्तावाली मिट्टी से निर्मित एक विशिष्ट मृद्भांड माना जाता है। इस मृद्भांड का **रंग विशिष्ट धूसर** होता है और इसकी पतली परत महीन और चिकनी होती है। इन मृद्भांडों पर काले रंग से **सरल ज्यामितीय पैटर्न** बनाये गये थे तथा इनके रंग और बनावट की एकरूपता दर्शाती है, कि इस दौरान बर्तन पकाने की तकनीक बहुत उन्नत थी। PGW को **उच्च गुणवत्तावाला मृद्भांड** माना जाता था तथा यह कुल मृद्भांड संग्रह का केवल एक छोटा-सा अंश था। दिलचस्प बात यह है कि यह अन्य प्रकार के मृद्भांडों के साथ मौजूद था, जिनमें सादे धूसर मृद्भांड, BRW और काली पट्टीवाले मृद्भांड शामिल हैं, जिनका उपयोग संभवत: रोज़मर्रा के कामों में किया जाता था। PGW **संस्कृति** का इतिहास **1100-500/400 ईसा पूर्व** का है तथा इसके खोज स्थल हिमालय की तलहटी से लेकर मध्य भारत में मालवा पठार तक और पाकिस्तान के बहावलपुर क्षेत्र से लेकर उत्तर प्रदेश में इलाहाबाद के निकट कौशाम्बी तक विस्तृत भौगोलिक क्षेत्र में फैले हुए हैं। **कुमाऊँ और गढ़वाल** के पहाड़ी क्षेत्रों में भी PGW पाये गये हैं।

मौर्यकालीन मूर्तिकला

मूर्तियों का मुख्य रूप से उपयोग स्तूप की सजावट, तोरण तथा मेधी में और धार्मिक अभिव्यक्ति के रूप में किया जाता था। मौर्य काल की दो प्रसिद्ध मूर्तियाँ, **यक्ष और यक्षिणी** की हैं। ये सभी **तीन धर्मों** (जैन, हिंदू और बौद्ध धर्म) में पूजनीय थीं। यक्षिणी का सबसे पुराना उल्लेख तमिल रचना *शिलप्पादिकारम* (इलंगो-आदिगल) में मिलता है। इसी प्रकार, *सभी जैन तीर्थंकर यक्षिणी से संबंधित थे।*

मौर्यकालीन मूर्तिकला का एक भव्य उदाहरण श्रावस्ती में आम के पेड़ों और बैंकर **अनाथपिण्डिक** के साथ **जेतवन** मठ है।

(बायें से) यक्षिणी, यक्ष की मूर्ति

संस्कृति संक्षेपण

यक्ष और यक्षी

यक्ष जल, उर्वरता, वृक्षों, वन और निर्जन प्रदेशों से जुड़े लोक देवता थे। इन्हें प्रकृति की आत्मा या अर्धदेव माना जाता है। वैदिक काल में, यक्ष पूजा वैदिक अनुष्ठानों के एक अंग के रूप में विद्यमान थी। ग्रामीण लोग वरदान और अनिष्ट से सुरक्षा के लिए इनकी पूजा करते थे। इन्हें वृक्षों और जलाशयों पर निराकार रूप में निवास करनेवाले **संरक्षक देवता** के रूप में भी पूजा जाता था।

बौद्ध और जैन धर्म में, यक्ष को बोधिसत्व और तीर्थंकर के **सहायक देवता** के रूप में दर्शाया गया है। कालिदास ने अपनी काव्य रचना मेघदूत में यक्ष को केंद्रीय पात्र बताया है। कर्नाटक के मलनाड स्थित यक्षगान नाट्यशाला का शाब्दिक अर्थ यक्ष का गान है।

उत्तर प्रदेश के मथुरा शहर के दक्षिण में स्थित **परखम की यक्ष मूर्ति** मौर्यकालीन प्रतिमाओं का एक उल्लेखनीय उदाहरण है। यह मूर्ति अपने चित्रण में अपार शक्ति और गुरुत्वाकर्षण की प्रतीक है।

यक्षिणी या यक्षी को यक्ष के स्त्री प्रतिरूप माना जाता है। इन्हें सौम्य और **प्रजनन क्षमता** से जुड़ा माना जाता है। **अशोक वृक्ष** का यक्षिणी से गहरा संबंध माना जाता है। भारतीय कला में यक्षिणी को अक्सर हिंदू और बौद्ध तीर्थस्थलों के द्वारपाल के रूप में दर्शाया जाता है।

इसका एक प्रमुख उदाहरण मौर्य काल से संबंधित **दीदारगंज की यक्षी** है, जिसे चौरी या मूँछ धारण करनेवाली के रूप में दर्शाया गया है।

शालभंजिका

शालभंजिका एक सामान्य सजावटी तत्व एवं भारतीय मूर्तिकला है, जो बौद्ध, हिंदू और जैन वास्तुकला के धार्मिक और धर्मनिरपेक्ष स्थानों के अंदर और बाहर पायी जाती है। कई उदाहरणों में इसे **वृक्ष देवता** के नाम से भी संदर्भित किया जाता है।

शालभंजिका मूर्ति

बौद्ध कला में, **शालभंजिका वृक्ष** या संदर्भ धारण किये हुए यक्षिणी की प्रतिमा है। शालभंजिका को **साँची** तथा मध्य प्रदेश के **भरहुत** में भी महान् स्तूप के प्रवेश द्वार पर कोष्ठक आकृतियों के रूप में देखा जा सकता है। बौद्ध धर्म में, शालभंजिका रूपांकन को एक शुभ प्रतीक माना जाता था और स्तूप की सजावट में शामिल किया जाता था। इससे पता चलता है कि बौद्ध धर्म का रुख़ करनेवाले बहुत से लोगों ने इसे अपनी बौद्ध पूर्व/गैर-बौद्ध प्रथाओं, विश्वासों से बौद्ध धर्म को समृद्ध किया। हिंदू परंपरा में, शालभंजिका मूर्तियाँ कर्नाटक में बेलूर, हैलेबिडु और सोमनाथपुरा के होयसल मंदिरों में पायी गयी हैं।

गजलक्ष्मी

गजलक्ष्मी (हाथी लक्ष्मी) हिंदू समृद्धि की देवी, लक्ष्मी के सबसे महत्त्वपूर्ण अष्टलक्ष्मी रूपों में से एक है। देवी के ये रूप पशु धन के साथ अन्य प्रकार के धनों का भी प्रतीक हैं, जो शक्ति का प्रतिनिधित्व करते हैं। **मध्य प्रदेश के भरहुत के बौद्ध स्थल** की रेलिंग पर और **उत्तर प्रदेश के कौशांबी से** तीसरी शताब्दी के **एक सिक्के** पर भी गजलक्ष्मी की छवि पायी गयी है। देवी के चारों ओर दो हाथियों और कमल के साथ एक समान गजलक्ष्मी की उभरी हुई नक़्क़ाशी, **साँची स्तूप की वेदिका** पर भी देखी जा सकती है। **ओडिशा के कलिंग मंदिरों में** प्राय: ललितासन में गजलक्ष्मी की मूर्ति स्थापित है।

मौर्यकालीन मृद्भांड

मौर्य काल के मृद्भांडों को सामान्यत: **उत्तरी काले पॉलिशदार मृद्भांड** (NBPW) या चित्रित धूसर मृद्भांड के रूप में जाना जाता है। इनकी विशेषता **काला रंग** और **अत्यधिक चमक** है और सामान्यत: इनका उपयोग **विलासिता की वस्तुओं** के रूप में किया जाता था। इन्हें प्राय: *उच्चतम स्तर के मृद्भांड* के रूप में संदर्भित किया जाता है। मौर्यकालीन मृद्भांडों के प्रमुख स्थलों में पाटलिपुत्र (पटना), कौशांबी, राजघाट, वैशाली, तक्षशिला, उज्जैन और विदिशा शामिल हैं।

उत्तरी काले पॉलिशदार मृद्भाण्ड का नमूना

शुंगकालीन मूर्तिकला

185 ईसा पूर्व में शुंग वंश ने मौर्य साम्राज्य को प्रतिस्थापित किया। भारतीय मूर्तिकला में अलंकरण और जीवन के वास्तविक रूप में चित्रण में उल्लेखनीय विकास हुआ। **भरहुत स्तूप** (मध्य प्रदेश के सतना ज़िले में) की बौद्ध मूर्तिकला इस काल की सबसे प्रसिद्ध उत्कृष्टता है। भरहुत स्तूप का उत्तरी प्रवेश द्वार कला का श्रेष्ठ उदाहरण है। **भरहुत यवन** एक योद्धा की उभरी हुई नक़्क़ाशी है, जो 100 ईसा पूर्व की मानी जाती है।

कुषाणकालीन मूर्तिकला

कुषाण राजाओं के संरक्षण में कला की एक नवीन शैली विकसित हुई - गांधार शैली। देवताओं का प्रतिनिधित्व करने की यूनानी प्रथा को मूर्तिकला में अपनाया गया। मूर्तिकला में बुद्ध की छवि एवं भौतिक विवरण प्रस्तुत किये गये। पहली शताब्दी ईसवी में, मथुरा में कला की एक अन्य शैली विकसित हुई, जिसकी विशेषता लाल बलुआ पत्थर का उपयोग थी। मथुरा कला शैली के उल्लेखनीय उदाहरण अत्यधिक पॉलिश किये गये बलुआ पत्थर में यक्ष और यक्षी की मूर्तियाँ थीं।

मौर्योत्तरकालीन मूर्तिकला

मौर्योत्तरकाल में मूर्तिकला की **तीन** प्रमुख शैलियों, अर्थात् गांधार, मथुरा और अमरावती शैली का विकास विभिन्न स्थानों पर हुआ।

गांधार मूर्तिकला

गांधार में पेशावर घाटी, आधुनिक स्वात, बुनेर और बाजौर शामिल हैं। गांधार क्षेत्र अपने गौरवशाली काल से ही कई राजवंशों और शासकों के अधीन रहा।

छठी शताब्दी ईसा पूर्व : फ़ारस के हख़ामनी (अचमेनिद) साम्राज्य द्वारा अधिगृहीत।

चौथी शताब्दी ईसा पूर्व : सिकंदर और फिर चंद्रगुप्त मौर्य द्वारा अधिगृहीत।

पहली शताब्दी ईसवी : कुषाणों द्वारा अधिगृहीत।

गांधार के इतने समृद्ध इतिहास को देखते हुए, यह आश्चर्य की बात नहीं है कि गांधार के लोग अपनी संस्कृति और दृष्टिकोण में पूरी तरह से विश्वव्यापी थे। मौर्योत्तर काल में मूर्तियों से सुसज्जित सबसे महत्त्वपूर्ण बौद्ध स्मारक कालानुक्रम में इस प्रकार हैं : **भरहुत स्तूप (150 ईसा पूर्व); साँची का महान् स्तूप (50 ईसा पूर्व); साँची का दूसरा स्तूप (125 ईसा पूर्व); तीसरा साँची स्तूप (25 ईसा पूर्व); बोधगया (75 ईसा पूर्व)।**

गांधार कला या मूर्तिकला का उद्देश्य बुद्ध के जीवन और जातक कथाओं के प्रसंगों का वर्णन करके उनका **महिमामंडन करना** था। **प्रारंभिक बौद्ध स्मारकों में बुद्ध को उनके मानव रूप में नहीं दर्शाया गया था**, बल्कि उन्हें प्रतीकों के माध्यम से दर्शाया गया था : उनके पदचिह्न, उनके सिंहासन, उनके सैरगाह या स्तूप, वृक्ष, चक्र आदि द्वारा। गांधार शैली में बुद्ध के मानव रूप चित्रण ने भारत की मूर्तिकला की दिशा बदल दी। आइए, अब गांधार शैली पर विभिन्न काल/राज्यों के प्रभावों को समझें :

a. गांधार मूर्तिकला पर पार्थियन प्रभाव

पाकिस्तान की स्वात घाटी में पायी जानेवालीं बौद्ध मूर्तियों की संख्या ग्रीको-रोमन कला के बजाए पार्थियन कला से निकटता से जुड़ी हुई थी। उदाहरण के लिए, इंद्र और ब्रह्मा के दोनों ओर खड़े बुद्ध की मूर्ति बुद्ध की छवि के प्रारंभिक उदाहरणों में से एक है। एक अन्य छवि में, प्रभामंडल युक्त बैठे बुद्ध को खड़े इंद्र और ब्रह्मा के साथ दर्शाया गया है। (उभरी हुई नक़्क़ाशी पार्थियन शैली से मिलती-जुलती है और चेहरे की आकृतियाँ भी गहरी उत्कीर्ण रेखाओं से युक्त हैं।)

b. गांधार मूर्तिकला पर मध्य एशियाई या बैक्ट्रिया-गांधार प्रभाव

बैक्ट्रिया वर्तमान के **अफ़ग़ानिस्तान और ताजिकिस्तान** के बीच का क्षेत्र है। शुरुआत में, मूर्तियाँ **नीले शिस्ट और हरे फ़िलाइट** से बनाई जाती थीं, लेकिन बाद में प्लास्टर (चूने के प्लास्टर) का उपयोग शुरू हो गया। तीसरी शताब्दी ईसवी से, यह पूरी तरह से धूसर पत्थर में बदल गया। इसमें धार्मिक विषयों के साथ-साथ शाही चित्रों का भी चित्रण शामिल था। पहली शताब्दी ईसवी में, **कुषाण शासन** ने बुद्ध के चित्रण में व्यापक उन्नति की। **कनिष्क** का राज्य उत्तर मध्य भारत में मथुरा से लेकर गांधार बैक्ट्रिया होते हुए चीन की सीमा तक फैला हुआ था। इस समय बुद्ध बोधिसत्व और उनकी मुद्राओं के लिए स्पष्ट प्रतिमा-संबंधी परंपराएँ स्थापित थीं - उदाहरण के लिए, धर्मचक्र परिवर्तन मुद्रा और अभय हस्त मुद्रा।

c. गांधार मूर्तिकला पर ग्रीक-रोमन प्रभाव

गांधार कला पर ग्रीक-रोमन प्रभाव मुख्यत: शारीरिक सटीकता, स्थानिक चौड़ाई और दूरदर्शिता के साथ दर्शाया गया है। इसका प्रभाव निम्नलिखित में स्पष्ट रूप से दिखाई देता है :

- **चेहरे की विशेषताएँ और घुँघराले या लहराते बाल** (उषा-निशा, एक लहराते बालोंवाला ग्रीक हेयरस्टाइल)
- **सुडौल शरीर**, जिसमें **मांसपेशियाँ** दिखाई देती हैं (हेलेनिस्टिक प्रभाव); आदर्श शरीर प्रकार एक बहुत ही तन्दुरुस्त ग्रीक एथलीट जैसा होता है।
- शरीर पर **भारी चुन्नटदार वस्त्र** ग्रीक और रोमन (पार्थियन भी) से प्रेरित हैं।
- ग्रीक और मध्य एशिया की तरह शाही संबंध का प्रतीक, **लंबे कर्णपाली** (earlobs)।

बुद्ध की मूर्ति को कभी-कभी **ग्रीक सूर्य देवता अपोलो** के आधार पर बनाया जाता था, जो मूर्तिकला में सुंदरता का प्रतीक हैं। बुद्ध को नंगे पैर दिखाया गया है। बुद्ध की कुछ मूर्तियों में मूँछें हैं। बुद्ध की मूर्तियों के अलावा, बोधिसत्व की मूर्तियों को अक्सर चित्रित किया जाता था - उदाहरण के लिए, मैत्रेय, उसके बाद अवलोकितेश्वर। बुद्ध की मूर्तियों के विपरीत, बोधिसत्व अक्सर भारी अलंकरणों से सुसज्जित होते हैं, उनके केशविन्यास और पादुकाएँ विस्तृत होती हैं।

मथुरा शैली

मथुरा शैली का विकास *पहली और तीसरी शताब्दी ईसवी* के बीच की अवधि में यमुना नदी के किनारे हुआ। मथुरा शैली की मूर्तियाँ उस समय के **सभी तीनों धर्मों** (*बौद्ध धर्म, हिंदू धर्म और जैन धर्म*) की कहानियों और चित्रों से प्रभावित थीं। ये मूर्तियाँ मौर्य काल के दौरान मिली यक्ष मूर्तियों की बनावट पर आधारित हैं।

मथुरा शैली में मूर्तियों में **प्रतीकों** का प्रभावशाली उपयोग दिखाई देता है। हिंदू देवताओं को **'आयुध (हथियार और उपकरण)'** का प्रयोग करते हुए प्रदर्शित किया गया था। उदाहरण के लिए, शिव को लिंग और मुखलिंग के माध्यम से दिखाया गया है। इसी प्रकार, बुद्ध के सिर के चारों ओर का प्रभामंडल गांधार शैली की तुलना में बड़ा है और ज्यामितीय पैटर्न से अलंकृत है। बुद्ध को दो बोधिसत्वों (कमल पकड़े पद्मपाणि और वज्र पकड़े वज्रपाणि) से घिरा हुआ दिखाया गया है।

- मथुरा कला शैली के कुछ प्रारंभिक उदाहरण **यक्ष** हैं। ये पंथ की वस्तुएँ हैं। कुछ यक्ष कुबेर, मणिभद्र और मुद्गरपाणि हैं।
- मथुरा शैली में बुद्ध की छवियाँ बड़े पैमाने पर **अभय मुद्रा** में उकेरी गयी हैं।
- बिना सिरवाली यह मूर्ति प्रारंभिक मथुरा शैली की कला का एक महत्त्वपूर्ण उदाहरण है। इसकी खोज 1911 में पंडित राधाकृष्ण ने मथुरा के बाहर एक गाँव में की थी। इसके आधार पर एक ब्राह्मी शिलालेख है, जिसमें वर्णित है कि यह महान् कुषाण राजा कनिष्क की मूर्ति है।

बिना सिरवाली कनिष्क की मूर्ति

अमरावती शैली

भारत के दक्षिणी भाग में, अमरावती शैली का विकास **सातवाहन शासकों** के संरक्षण में **कृष्णा नदी के किनारे** हुआ। जहाँ अन्य दो शैलियों ने एकल आकृतियों पर बल दिया। वहीं, अमरावती शैली में **गतिशील आकृतियों** या **कथात्मक कला** के प्रयोग पर अधिक बल दिया गया। इस शैली की मूर्तियों में त्रिभंग आसन यानी 'तीन झुकावों के साथ शरीर' का अत्यधिक प्रयोग किया गया है।

इसे **वेंगी शैली** के नाम से भी जाना जाता है। इस शैली की विशेषताएँ आंध्र प्रदेश के विभिन्न स्थानों में भी देखी जाती हैं, जैसे- जग्गय्यपेटा, गोलीघंटासाला आदि में स्तूप के अवशेष। **नागार्जुनकोंडा** में पायी गयीं मूर्तियों को बड़े पैमाने पर **इक्ष्वाकु** वंश के शासकों द्वारा संरक्षण दिया गया था।

गांधार, मथुरा और अमरावती शैलियों के बीच अंतर

आधार	गांधार शैली	मथुरा शैली	अमरावती शैली
बाहरी प्रभाव	**यूनानी** या हेलेनिस्टिक मूर्तिकला का व्यापक प्रभाव, अतः इसे **भारतीय-यूनानी कला के रूप में भी जाना जाता है।**	**यह शैली स्वदेशी रूप में विकसित हुई** तथा बाह्य संस्कृतियों से प्रभावित नहीं थी।	**यह शैली भी स्वदेशी रूप में विकसित हुई** और बाह्य संस्कृतियों से प्रभावित नहीं थी।
प्रयुक्त सामग्री	प्रारंभिक गांधार शैली में **नीले-धूसर बलुआ प्रस्तर** का उपयोग किया जाता था, जबकि बाद की अवधि में **मिट्टी और प्लास्टर** का उपयोग किया गया।	मथुरा शैली की मूर्तियाँ **धब्बेदार लाल बलुआ प्रस्तर** का उपयोग करके बनायी गयी थीं।	अमरावती शैली की मूर्तियाँ **सफ़ेद संगमरमर** का उपयोग करके बनायी गयी थीं।
धार्मिक प्रभाव	ग्रीको रोमन देवताओं से प्रभावित एवं मुख्य रूप से **बौद्ध चित्रकला।**	उस समय के **तीनों धर्मों** यानी हिंदू, जैन और बौद्ध धर्म का प्रभाव।	मुख्य रूप से **बौद्ध धर्म का प्रभाव।**
संरक्षण	**कुषाण** शासकों का संरक्षण।	**कुषाण** शासकों का संरक्षण।	**सातवाहन** शासकों का संरक्षण।
विकास क्षेत्र	**उत्तर पश्चिम सीमांत,** आधुनिक कंधार क्षेत्र में विकसित हुई।	**मथुरा, सोंख** और **कंकालीटीला** में और आसपास के क्षेत्रों में विकसित हुई, कंकालीटीला जैन मूर्तियों के लिए प्रसिद्ध है।	आंध्र प्रदेश में **कृष्णा- गोदावरी की निचली घाटी** में, अमरावती, नागार्जुनकोंडा और आसपास के क्षेत्रों में विकसित हुई।
बुद्ध की मूर्ति की विशेषताएँ	लहराते बालों के साथ, बुद्ध को **आध्यात्मिक मुद्रा** में दिखाया गया है। उन्होंने **बहुत कम आभूषण** धारण किये हैं और **योग मुद्रा** में बैठे हैं। आँखें **आधी बंद** हैं, जैसे कि ध्यान मुद्रा में हों। सिर पर **उभार या जटा** को दिखाया गया है। यह बुद्ध की सर्वज्ञता को दर्शाता है।	बुद्ध को मुस्कुराते चेहरे के साथ **प्रसन्नचित्त** दिखाया गया है। तंग कपड़े पहने हुए, शरीर हृष्ट-पुष्ट है। चेहरा और सिर **मुंडा** हुआ है। बुद्ध विभिन्न मुद्राओं में **पद्मासन** में बैठे हैं और उनका चेहरा विनीत भाव दर्शाता है। सिर पर वैसा ही **उभार या जटा** दिखायी गयी है।	चूँकि मूर्तियाँ सामान्यतः **कथात्मक कला** का अंग हैं। अतः बुद्ध की व्यक्तिगत विशेषताओं पर कम बल दिया गया है। मूर्तियाँ सामान्यतः बुद्ध के जीवन और **जातक कथाओं** को दर्शाती हैं अर्थात्, मानव और पशु, दोनों रूपों में बुद्ध के पिछले जीवन को दर्शाती हैं।

(बायें से) गांधार कला शैली, मथुरा कला शैली, कला की अमरावती शैली

गुप्त काल की मूर्तियाँ

सुल्तानगंज बुद्ध

गुप्त काल के दौरान, **सारनाथ** के आसपास मूर्तिकला की एक नयी शैली विकसित हुई। जिसकी विशेषता **क्रीम रंग के बलुआ पत्थर** तथा **धातु का प्रयोग** था। इस शैली की मूर्तियाँ विशुद्ध रूप से वस्त्र धारण किये हुए होती थीं और उनमें किसी भी प्रकार की **नग्नता नहीं** थी। बुद्ध के सिर के चारों ओर निर्मित *आभामंडल* गहनतापूर्वक अलंकृत किया गया था।

उदाहरण: सुल्तानगंज, बिहार से प्राप्त बुद्ध की ताम्र मूर्ति - 7.5 फुट ऊँचाई।

गुप्त टेराकोटा मूर्तियाँ

गुप्तकाल की टेराकोटा आकृतियों को दो शीर्षकों के अंतर्गत वर्गीकृत किया जा सकता है - (i) देवी-देवता एवं (ii) पुरुष और महिला की आकृतियाँ। गुजरात के देवनिमोरी स्तूप में बुद्ध की कई मूर्तियाँ और आभूषण पाये गये हैं। बीकानेर और अहिच्छत्र में टेराकोटा पट्टिकाओं का एक विशाल संग्रह पाया गया है। कश्मीर के अखनूर से टेराकोटा सिर की विशिष्ट शैलियों का पता चला है। भीटा से कई गुप्तकालीन टेराकोटा वस्तुएँ भी खोजी गयी हैं।

विरासत स्मरण

भारतीय मूर्तिकला में वलय रकाब का उपयोग

वलय रकाब घोड़े की काठी से जुड़ा एक **गोलाकार या अंडाकार विपाश** (loop) होता है, जिसका उपयोग सवार के पैरों को सहारा देने के लिए किया जाता है। इसे घोड़े की काठी से लटकते हुए एक गोलाकार आकार में दर्शाया गया है, जो यथार्थवादी सवारी में सहायक उपकरणों पर ध्यान केंद्रित करता है। गुप्तोत्तर काल से लेकर अब तक की मूर्तियों में, विशेष रूप से प्रारंभिक मध्ययुगीन उत्तर भारतीय और दक्षिण भारतीय मंदिरों में, वलय रकाब दिखाई दिया। यह घुड़सवारी दर्शानेवालीं मूर्तियों के काल निर्धारण और तकनीकी प्रभावों को समझने में मदद करता है। रकाब भारत में मध्य एशियाई संपर्कों के माध्यम से आये थे।

इसके उपयोग के महत्त्वपूर्ण उदाहरणों में शामिल हैं :

- होयसल मंदिरों (बेलूर, हालेबिदु) की पत्थर की नक़्क़ाशी
- खजुराहो मंदिरों के पत्थर के पैनल
- बादामी, ऐहोल और पट्टदकल के चालुक्य मंदिर
- कोणार्क के सूर्य मंदिर में रथ खींचते घोड़े और रकाबवाली नक़्क़ाशी पर योद्धाओं का चित्रण।

बुद्ध मुद्राएँ

भूमिस्पर्श

दाहिना हाथ धरती की ओर, बायाँ गोद में

धरती को साक्षी बनाकर ज्ञान प्राप्ति

ध्यान

हाथ गोद में, अंगूठे त्रिकोण बनाते हुए

गहन ध्यान और आध्यात्मिक सिद्धि

वितर्क

अंगूठा और तर्जनी से वृत्त बनाते हुए, हाथ छाती के पास

शिक्षा, वाद-विवाद, और ज्ञान का प्रवाह

अभय

दाहिना हाथ ऊपर, हथेली बाहर की ओर

भयमुक्ति, शांति, और आत्मविश्वास

धर्मचक्र

हाथ छाती के पास, वृत्त बनाए हुए

धर्म का उपदेश

अंजलि

हाथों को छाती के सामने मिलाकर रखना

सम्मान और कृतज्ञता

उत्तरबोधि

अंगुलियाँ आपस में गुँथी हुई, तर्जनी ऊपर की ओर

आत्मज्ञान, ऊर्जा, और सिद्धि

पुस्तक के अतिरिक्त

'बुद्ध की विभिन्न मुद्राओं' से संबंधित पाठ्य सामग्री के लिए स्कैन करें।

वरद

हाथ नीचे की ओर, हथेली खुली हुई

दान, करुणा, और इच्छाओं की पूर्ति

करण

तर्जनी और छोटी अंगुली ऊपर की ओर

नकारात्मकता और बाधाओं को दूर करना

वज्र

दाहिने हाथ की मुट्ठी में तर्जनी ऊपर उठी हुई

सर्वोच्च ज्ञान और ज्ञान की रक्षा

दक्षिण भारतीय मंदिर की मूर्तियों की विशेषताएँ

दक्षिण भारतीय मंदिर मूर्तिकला में विभिन्न राजवंशों - चालुक्य, पल्लव, पांड्य और चोल द्वारा निर्मित विभिन्न मंदिरों की मूर्तिकला शामिल थी।

कीर्तिमुख

कीर्तिमुख मूर्तिकला

कीर्तिमुख विशाल नुकीले दाँतोंवाले राक्षस का मुख है और इसे दक्षिण भारतीय मंदिर की वास्तुकला की प्रतिमा में एक सजावटी रूपांकन के रूप में प्राय: देखा गया है। ये भारत और दक्षिण पूर्व एशिया में हिंदू मंदिर वास्तुकला की प्रतिमा में सामान्य है और प्राय: बौद्ध वास्तुकला में भी पाया जाता है।

संगीतमय मूर्तियाँ

ग्रेनाइट वास्तुशिल्प तत्वों की संगीत वाद्ययंत्रों के साथ मूर्तिकला दक्षिण भारतीय मंदिरों की एक अनूठी विशेषता है। ये मूर्तियाँ **तमिलनाडु** में अक्सर पायी जाती हैं। सबसे प्रारंभिक संगीतमय मूर्तियों में से एक तमिलनाडु के कोडुम्बलुर से प्राप्त की गयी थी। हम्पी में विट्ठला मंदिर के संगीतमय स्तंभ (सारेगामा स्तंभ) एक और विशिष्ट उदाहरण हैं।

सप्तमातृका मूर्तियाँ

सप्तमातृका मूर्ति

'सप्तमातृका मूर्तियाँ' दक्षिण भारतीय मंदिरों की गौरवपूर्ण विशेषता हैं। **'सप्तमातृकाएँ'** ब्रह्मा, विष्णु और महेश्वर जैसे हिंदू देवताओं की शक्तियाँ हैं। सप्तमातृकाओं के सबसे प्राचीन चित्रणों में से एक **कांचीपुरम के कैलासनाथ मंदिर** में देखा जा सकता है।

दक्षिण भारतीय मंदिर की मूर्तिकला की अन्य अनूठी विशेषताओं में पशु और पक्षी रूपांकनों का उपयोग, हाथियों और साँपों का चित्रण, हंस (पल्लव मंदिर) के रूपांकन और याली रूपांकनों की मूर्तिकला (*याली एक पौराणिक प्राणी है, जिसका सिर और शरीर शेर का तथा सूँड एवं दाँत हाथी के हैं*) शामिल है।

चोल मूर्तिकला

वीडियो अंतर्दृष्टि

नटराज मूर्ति पर वैचारिक वीडियो के लिए स्कैन करें

चोल मंदिरों की सजावट में मूर्तियों पर विशेष महत्त्व दिया जाना, चोल मंदिरों की एक महत्त्वपूर्ण विशेषता थी। चोल मूर्तिकला का एक महत्त्वपूर्ण नमूना तांडव नृत्य मुद्रा में भगवान् शिव की **नटराज** (नृत्य के देवता) के रूप में मूर्ति थी। उल्लेखनीय है, कि **ऐहोल की रावण पहाड़ी गुफा** की मूर्ति से पता चलता है कि चालुक्य शासन के दौरान भी नटराज की मूर्ति बनायी गयी थी, परन्तु चोल शासन के दौरान यह कला अपने चरम पर पहुँची।

नटराज की मूर्ति की कुछ मुख्य **विशेषताएँ** हैं:

- *ऊपरी दाहिने हाथ* में डमरू है, जो कि सर्जन की ध्वनि का प्रतीक है। संसार की सभी कृतियाँ *डमरू* की महान् ध्वनि से ही सर्जित हुई हैं।

विभिन्न मूर्तियों में भगवान् शिव

प्राचीन और प्रारंभिक मध्यकालीन भारत में भगवान् शिव के पौराणिक रूप और मूर्तिकला

लिंगोद्भव

चिदंबरम और महाबलीपुरम में भगवान् शिव का अनंत ज्योति स्तंभ के रूप में प्रकट होना

दक्षिणामूर्ति

चोल और बादामी मंदिरों में मौन ध्यान और आध्यात्मिक ज्ञान का स्वरूप

कल्याणसुंदरा

पल्लव, चोल और होयसल काल की मूर्तियों में भगवान् शिव और देवी पार्वती का दिव्य विवाह

अर्धनारीश्वर

एलिफेंटा गुफाओं और मथुरा की मूर्तियों में पुरुष और स्त्री ऊर्जा का एकत्व

नटराज

सृजन, संरक्षण और विनाश का ब्रह्मांडीय चक्र (ऐहोल, बादामी, तंजावुर, चिदंबरम, महाबलीपुरम)

- *ऊपरी बायें हाथ* में शाश्वत अग्नि है, जो **विनाश** का प्रतीक है। विनाश सृष्टि का अग्रगामी है और सर्जन का अपरिहार्य प्रतिरूप है।
- सामने का दाहिना हाथ ***अभय मुद्रा*** में उठा हुआ है, जो आशीर्वाद का प्रतीक है और भक्त को भयभीत न होने का आश्वासन देता है।
- सामने का बायाँ हाथ ऊपर उठे हुए पैर की ओर इशारा करता है और मुक्ति का मार्ग प्रदर्शित करता है। इसे '**गजहस्त**' (हाथी हाथ) की मुद्रा कहा जाता है।
- ***भुजंगत्रसीता*** मुद्रा में बायाँ पैर, ***तिरोभाव*** का निरूपण करता है, जो भक्त के मन से माया या भ्रम का पर्दा हटा रहा है।
- शिव, तांडव नृत्य एक छोटे बौने (वामन) की आकृति के ऊपर कर रहे हैं। बौना अज्ञानता और एक अज्ञानी व्यक्ति के अहंकार का प्रतीक है।
- शिव की उलझी और हवा में बहती जटाएँ गंगा नदी के प्रवाह का प्रतीक हैं।

चोल काल के काँस्य नटराज

- शृंगार में, शिव के एक कान में पुरुष की बाली है, जबकि दूसरे में महिला की बाली है। यह पुरुष और महिला के विलय का प्रतीक है और शिव का यह रूप अक्सर **अर्द्ध-नारीश्वर** के रूप में जाना जाता है।
- शिव की बाँह के चारों ओर एक साँप लिपटा हुआ है। साँप **कुंडलिनी शक्ति** का प्रतीक है, जो मानव रीढ़ में निष्क्रिय अवस्था में रहती है। अगर इस शक्ति को जगाया जाए, तो मनुष्य सच्ची चेतना को प्राप्त कर सकता है।
- शिव की यह नटराज मुद्रा प्रकाश के एक प्रभामंडल से घिरी हुई है, जो समय के विशाल अंतहीन चक्र का प्रतीक है।

दक्षिण भारत के कई शिव मंदिरों में एक अलग ***नटना-सभा*** होती है, जहाँ नटराज की प्रतिमा स्थापित की जाती है। भारत में उल्लेखनीय नटराज मूर्तियों में शामिल हैं - चिदंबरम मंदिर में नटराज चोल काँस्य कृति; पल्लव गुफा मंदिरों में पत्थर की नक़्क़ाशी; होयसल मंदिर की दीवारों पर पत्थर के पैनल; तंजावुर बृहदेश्वर मंदिर नटराज।

संस्कृति संक्षेपण

सेम्बियन महादेवी की मूर्ति - वह 10वीं शताब्दी ईसवी की चोल साम्राज्य की सबसे शक्तिशाली रानियों में से एक और कला की संरक्षिका थीं। उन्होंने कई मंदिरों का निर्माण करवाया था, जैसे कि कुत्रालम विरुधाचलम, **अदुथुरई** आदि।

कल्याणसुंदर मूर्तिकला - 9वीं शताब्दी ईसवी की कल्याण सुंदर मूर्ति में जिस तरह से दो अलग-अलग मूर्तियों द्वारा पाणिग्रहण (विवाह समारोह) दर्शाया गया है, उसके लिए अत्यधिक उल्लेखनीय है। शिव अपने विस्तारित दाहिने हाथ से पार्वती (दुल्हन का) दाहिना हाथ स्वीकार करते हैं, जिन्हें शर्मीली अभिव्यक्ति के साथ और एक क़दम आगे बढ़ाते हुए दर्शाया गया है।

सेम्बियन महादेवी की मूर्ति

कल्याणसुंदर की मूर्ति

क्या आप जानते हैं?

बिहार में **मरीचि** मूर्तिकला विभिन्न धार्मिक विश्वासों और प्रथाओं के **एकीकरण** की प्रक्रिया का एक उदाहरण है।

मुग़ल काल

इस्लामी शासकों को आलंकारिक मूर्तियाँ बनाने में कोई रुचि नहीं थी। अकबर वास्तुकला और मूर्तिकला से सरोकार रखते थे और इस परंपरा को जहाँगीर और शाहजहाँ ने जारी रखा। उन्होंने कला में प्रयोग करने के लिए स्वदेशी कारीगरों के **गिल्ड (सलात)** को बुलाया और भारत की कला में एकता उत्पन्न हुई। लाल बलुआ पत्थर में उकेरे गये

पुस्तक के अतिरिक्त

'स्वातंत्र्योत्तर मूर्तियों' से संबंधित पाठ्य सामग्री के लिए स्कैन करें।

भारतीय मूर्तिकला में कृष्ण का चित्रण

बाल कृष्ण

कृष्ण की चंचलता, शरारत और मासूमियत का चित्रण

मथुरा, दक्षिण भारत

गोवर्धन लीला

कृष्ण ने गोवर्धन पर्वत उठाया और भक्तों की रक्षा की

मथुरा, राजस्थान, दक्षिण भारत

कालिया मर्दन

कृष्ण द्वारा बुराई पर अच्छाई की विजय का चित्रण

मथुरा, खजुराहो, तमिलनाडु, कर्नाटक

रास लीला

कृष्ण का गोपियों के साथ नृत्य, जो दिव्य प्रेम का प्रतीक

खजुराहो, पहाड़ी, दक्षिण भारत

वेणुगोपाल

कृष्ण का बाँसुरी बजाते हुए नृत्य मुद्रा में मनमोहक प्रदर्शन

तमिलनाडु, कर्नाटक

चेतन रूपांकनों को आगरा और फ़तेहपुर सीकरी के स्मारकों में देखा जा सकता है। जय मल और फ़तह (चित्तौड़ के राजपूत नायक) की मूर्तियाँ अकबर द्वारा बनवायी गयी थीं। आगरा क़िले के दिल्ली गेट में सुंदर पत्थर के हाथी के मुँह खुदे हुए थे। सिकंदरा में जहाँगीर द्वारा 1605-1613 में बनवाया गया **अकबर का मक़बरा** उत्कृष्ट मुग़ल मूर्तिकला का एक और बेहतरीन उदाहरण है। स्वास्तिक, श्रीवत्स, कमल आदि जैसे हिंदू रूपांकनों का उपयोग मयूर मंडप या आगरा क़िले के मयूर हॉल में भी किया गया है। शाहजहाँ के समय से संगमरमर, जाली और छोटे जानवरों के लघु स्मारक ध्यान देने योग्य हैं।

यू.पी.एस.सी. विगत वर्षों के बहुविकल्पीय प्रश्न

1. मोहनजोदड़ो से प्राप्त 'नाचती हुई लड़की (डांसिंग गर्ल)' नामक प्रख्यात नारी लघुमूर्ति किस पदार्थ की बनी है? **(CSE, 2025)**
(a) इन्द्रगोप मणि (कार्नीलियन)
(b) मृत्तिका (क्ले)
(c) काँस्य
(d) स्वर्ण

2. हड़प्पाई मुहरों (सील्स) के निर्माण में, निम्नलिखित में से किस सामग्री का उपयोग किया गया था? **(NDA I, 2025)**
(a) बलुआ पत्थर (सेंडस्टोन)
(b) लाजवर्द मणि (लापिस लाजुली)
(c) जैस्पर (जैस्पर)
(d) सेलखड़ी (स्टीटाइट)

3. सांची स्तूप में पायी गयी निम्नलिखित मूर्तिकलाओं (स्कल्पचर्स) में से कौन-सी, प्रत्यक्षत: बौद्ध विचारों से प्रेरित नहीं है? **(NDA I, 2025)**
(a) रिक्त सिंहासन (Empty seat)
(b) शालभंजिका
(c) वृक्ष
(d) चक्र

4. निम्नलिखित में से कौन-सा प्रतीक हड़प्पा की मुहरों पर नहीं दिखाई देता है? **(CDS I, 2025)**
(a) कूबड़वाला बैल (b) हाथी
(c) सिंह (d) मगरमच्छ

5. अनभारत में रकाब (स्ट्रप) के उपयोग के बारे में निम्नलिखित कथनों पर विचार कीजिए: **(CDS I, 2025)**
1. कोणार्क अश्व मूर्तिकला (C. 1250) में एक वलयाकार-रकाब (रिंग-स्ट्रप) प्रदर्शित है।
2. खजुराहो मूर्तिकलाओं (संभवत: 10वीं शताब्दी) में, एक चौड़ा, संभवत: काष्ठ का, रकाब दिखाई पड़ता है।
3. तेरहवीं शताब्दी के बाद से दिल्ली सल्तनत की सेनाओं में लोहे के रकाब का उपयोग किया जाता था।

उपर्युक्त में से कितना/कितने कथन सही है/हैं?
(a) 1 (b) 2
(c) 3 (d) शून्य

6. चोल कालीन नटराज की काँस्य प्रतिमा के संदर्भ में निम्नलिखित कथनों पर विचार कीजिए: **(CDS II, 2023)**
1. शिव को उनके दाहिने पैर पर संतुलित रूप से खड़े हुए दिखाया गया है, जो तिरोभाव का द्योतक है।
2. शिव को उनके बायाँ पैर उठाए हुए भुजंगत्रासित की स्थिति में दिखाया गया है, जो भक्त के मन से माया (भ्रम) हटा देने का द्योतक है।
3. मुख्य दाहिना हाथ डमरू पकड़े हुए है, जो शिव का प्रिय वाद्य है।

उपर्युक्त कथनों में से कौन-सा/कौन-से कथन सही है/हैं?
(a) केवल 1 (b) केवल 2
(c) केवल 2 और 3 (d) 1, 2 और 3

7. साँची स्थित मूर्तिशिल्पों के बारे में निम्नलिखित में से कौन-सा/से कथन सही है/हैं? **(CDS I, 2022)**
1. कुछ मूर्तिशिल्पों में शालभंजिका का प्रतिरूपण है।
2. शालभंजिका की आकृति कमल-पुष्पों और हाथियों से घिरी एक स्त्री द्वारा प्रतिरोपित की गयी है।
3. शालभंजिका का रूपांकन बौद्ध विचारों से प्रत्यक्षत: प्रेरित नहीं था।

नीचे दिये गये कोड का प्रयोग कर सही उत्तर चुनिए।
(a) 1, 2 और 3 (b) केवल 1, 2 और 3
(c) केवल 2 (d) केवल 1 और 3

8. 'द किंग ऑफ़ डांस' किसका चित्रण है? **(CAPF, 2022)**
(a) एलिफेंटा गुफाओं में त्रिमूर्ति
(b) कृष्णा का कालियमर्दन
(c) गांधार में बोधिसत्व मैत्रीय
(d) चोलों का काँस्य नटराज

उत्तरमाला

1. (c) 2. (d) 3. (b) 4. (c) 5. (c) 6. (b) 7. (d) 8. (d)

4

शिलालेख और अभिलेख

अध्याय की रूपरेखा

- शिलालेखों का वर्गीकरण
- अभिलेखों का महत्त्व
- प्राचीन और प्रारंभिक मध्यकालीन अभिलेखों की भाषाएँ
- अशोक पूर्व शिलालेख
- शिलाओं और स्तंभों पर अशोक के शिलालेख
- मौर्योत्तर अभिलेख
- गुप्त और गुप्तोत्तर काल के अभिलेख

शिलालेख कई भौतिक रूपों में जारी किये गये **क़ानूनों की घोषणा** है। प्राचीन एवं मध्यकाल में कुछ शिलालेखों को अभिलेखों के रूप में जारी किया गया था।

अभिलेख लकड़ी, चट्टानों, प्रस्तर स्तम्भों, धातुओं, मंदिरों की दीवारों आदि जैसी **कठोर सामग्रियों पर उत्कीर्णित रचनाएँ** हैं। शिलालेख प्रारंभिक युग के दौरान आम थे और कई कारणों से उत्कीर्णित करवाये जाते थे। भारत में विशाल मात्रा में पुरालेख सामग्रियाँ और अभिलेख उपलब्ध हैं और इतिहास का अध्ययन करने के लिए विश्वसनीय सामग्री प्रदान करते हैं। बड़ी संख्या में शिलालेखों को विभिन्न संग्रहालयों में सुरक्षित भी रखा गया है।

सबसे पुराने अभिलेख हड़प्पा की मुहरों पर पाये गये हैं और इनको अभी तक पढ़ा नहीं जा सका है। भारत में, अब तक पढ़े गये सबसे पुराने अभिलेख अशोक के ब्राह्मी और खरोष्ठी लिपि में प्राकृत शिलालेख हैं।

शिलालेखों का वर्गीकरण

शिलालेखों को विभिन्न तरीक़ों से वर्गीकृत किया जा सकता है, उदाहरण के लिए :

- **सतह, जिस पर वे उत्कीर्णित हैं, भाषा, आयु और भौगोलिक क्षेत्र** के अनुसार।
- इन्हें **आधिकारिक और निजी अभिलेखों** में भी वर्गीकृत किया जा सकता है, जो इस बात पर निर्भर करता है कि उन्हें किसके नाम से उत्कीर्ण किया गया था। अशोक के शिलालेख और शाही भूमि अनुदान आधिकारिक अभिलेखों के उदाहरण हैं। निजी व्यक्तियों या संघों द्वारा, मंदिरों या बौद्ध अथवा जैन प्रतिष्ठानों को दिये गये अनुदानों को दर्ज करने वाले शिलालेख निजी अभिलेखों के उदाहरण हैं।
- उन्हें उनकी **विषयवस्तु और उद्देश्य** के अनुसार **दानात्मक, समर्पणात्मक और स्मारक शिलालेखों** जैसे प्रकारों में भी वर्गीकृत किया जा सकता है। अशोक का लुम्बिनी स्तंभ शिलालेख एक शाही स्मारक शिलालेख है, जो एक विशिष्ट

महत्त्वपूर्ण तथ्य

कॉर्पस इंस्क्रिप्शनम इंडिकारम *(Corpus Inscriptionum Indicarum)* - मौर्य और गुप्त काल सहित प्राचीन भारत के इतिहास से संबंधित पुरालेखों और कई अभिलेखों का संग्रह 'कॉर्पस इंस्क्रिप्शनम इंडिकारम' नामक संकलनों की शृंखला में प्रकाशित किया गया है। कॉर्पस इंस्क्रिप्शनम इंडिकारम का विचार सबसे पहले **जेम्स प्रिंसेप** ने सुझाया था और यह कार्य 1877 में सर अलेक्ज़ेंडर कनिंघम द्वारा शुरू किया गया था।

एपिग्राफ़िया इंडिका *(Epigraphia Indica)* - यह पुस्तक 1882 से 1977 तक भारतीय पुरातत्व सर्वेक्षण (एएसआई) का आधिकारिक प्रकाशन थी। यह कॉर्पस इंस्क्रिप्शनम इंडिकारम के पूरक **अभिलेखों का संग्रह** है। पहला अंक **1882 में जेम्स बर्गेस** द्वारा संपादित किया गया था।

पुरालेखविद्या *(Epigraphy)* - अभिलेखों का अध्ययन।

भाषाशास्त्र *(Philology)* - मौखिक और लिखित ऐतिहासिक ग्रंथों में भाषा का अध्ययन।

प्राचीन शिलालेखों का अध्ययन *(Paleography)* - ऐतिहासिक पाण्डुलिपियों का **उद्वाचन**, काल-निर्धारण और प्राचीन लेखन प्रणालियों का अध्ययन।

अक्षपटालिक *(Akshapatalika)* - प्राचीन भारत में लेखों और अभिलेखों का प्रभारी अधिकारी।

एपिग्राफ़िया कर्नाटका *(Epigraphia Carnatica)* **(1894-1905)** - यह **बेंजामिन लुईस राइस** द्वारा संकलित पुस्तकों का एक सेट है, जो भारत के पुराने मैसूर क्षेत्र के पुरालेख पर आधारित है और इसमें लिथिक सतहों, ताँबे की प्लेटों आदि से कई अभिलेख सम्मिलित हैं। इसे 1894 और 1905 के बीच संकलित किया गया था।

घटना - राजा द्वारा बुद्ध के जन्मस्थान की यात्रा - का वर्णन करता है। भारत के कई हिस्सों में, मृतकों के लिए स्मारक पत्थर स्थापित करने की एक प्राचीन प्रथा के प्रमाण मिलते हैं। धार्मिक प्रतिष्ठानों के पक्ष में दानात्मक शिलालेख मंदिरों की दीवारों, वेदिका (railing) और प्रवेश द्वारों पर अंकित किये गये थे। **शाही भूमि अनुदान** दानात्मक अभिलेखों की एक महत्त्वपूर्ण श्रेणी है। शाही शिलालेखों में ***प्रशस्तियाँ*** (स्तवनात्मक) शामिल हैं।

अभिलेखों का महत्त्व

इतिहासकारों के लिए प्रारंभिक अभिलेख और पुरालेख बहुत महत्त्व रखते हैं।

- अभिलेख घटित घटनाओं की जानकारी देते हैं, उस समय के दौरान सामाजिक और आर्थिक गतिविधियों, सभ्यताओं की खान-पान की आदतों, व्यापारिक गतिविधियों, विज्ञान और प्रौद्योगिकी, धर्म आदि के बारे में भी जानकारी प्रदान करते हैं।
- इतिहासकारों के लिए अभिलेख प्राचीन और मध्यकालीन इतिहास में हुए प्रमुख बदलावों के बारे में जानने के लिए सबसे सटीक और प्रामाणिक स्रोत हैं।
- अभिलेखों को विभिन्न शासन काल में विविध भाषाओं में लिखा गया था और ये पुरालेखशास्त्रियों को नयीं भाषाएँ सीखने का अवसर प्रदान करते हैं।

भारत में अभिलेखों की प्रचुरता, ताम्रपत्र पर भूमि अनुदानों और अन्य लेन-देन की गतिविधियों को दर्ज करने की व्यापक प्रथा के लिए अधिकारियों की इन अभिलेखों का संरक्षण करने की इच्छा को ज़िम्मेदार ठहराया जा सकता है।

प्राचीन और प्रारंभिक मध्यकालीन अभिलेखों की भाषाएँ

प्राचीनतम ब्राह्मी अभिलेख, जिनमें अशोक के अभिलेख भी शामिल हैं, **प्राकृत** (जिसे मध्य भारतीय भी कहा जाता है) की बोलियों में हैं।

पहली और चौथी शताब्दी ई. के बीच, कई अभिलेख **संस्कृत और प्राकृत के मिश्रण** में लिखे गये थे।

पहला शुद्ध संस्कृत अभिलेख पहली शताब्दी ईसा पूर्व में प्रकाशित हुआ। **पहला लंबा संस्कृत अभिलेख** पश्चिमी क्षत्रप राजा रुद्रदमन का **जूनागढ़ शिलालेख** है। लगभग तीसरी शताब्दी ई. के अंत तक, संस्कृत ने धीरे-धीरे उत्तर भारत में शाही अभिलेखों की भाषा के रूप में प्राकृत का स्थान ले लिया था।

दक्कन और दक्षिण भारत में, तीसरी शताब्दी के अंत/चौथी शताब्दी ई. के प्रारंभ में, प्राकृत के साथ-साथ संस्कृत अभिलेख भी प्रकाशित हुए, उदाहरण के लिए आंध्र प्रदेश के नागार्जुनकोंडा में इस दौरान संस्कृत का प्रयोग धीरे-धीरे बढ़ता गया।

चौथी और पाँचवीं शताब्दी के संक्रमणकालीन चरण में, द्विभाषी संस्कृत-प्राकृत अभिलेखों के साथ-साथ दोनों भाषाओं के मिश्रणवाले अभिलेख भी थे। इसके बाद, प्राकृत का प्रयोग बंद हो गया।

चौथी और छठी शताब्दी के बीच, संस्कृत सम्पूर्ण भारत में राजसी शिलालेखों की प्रमुख भाषा के रूप में उभरी। इसके बाद, इसने न केवल उपमहाद्वीप में, बल्कि दक्षिण-पूर्व एशिया के कुछ हिस्सों में भी उच्च संस्कृति, धार्मिक अधिकार और राजनीतिक शक्ति से जुड़ी भाषा का दर्जा प्राप्त किया।

हालाँकि, गुप्तोत्तर काल में, क्षेत्रीय भाषाओं और लिपियों के विकास की दिशा में भी एक महत्त्वपूर्ण प्रवृत्ति थी। यहाँ तक कि संस्कृत शिलालेखों में भी ग़ैर-संस्कृत मूल की वर्तनी और शब्दों पर स्थानीय बोलियों का प्रभाव दिखाई देता है।

दक्षिण भारत में, प्राचीन **तमिल भाषा** (और तमिल-ब्राह्मी लिपि) में शिलालेख दूसरी शताब्दी ईसा पूर्व और प्रारंभिक शताब्दियों में दिखाई दिये। पल्लव वंश के काल में तमिल, दक्षिण भारतीय शिलालेखों की एक महत्त्वपूर्ण भाषा बन गयी। सातवीं शताब्दी के बाद से **द्विभाषी तमिल-संस्कृत पल्लव शिलालेखों** के उदाहरण मिलते हैं। इनमें, आह्वान, वंशावली भाग और समापन श्लोक प्रायः संस्कृत में और अनुदानों का विवरण तमिल में हैं। चोल और पांड्य राजवंशों के राजाओं ने तमिल और द्विभाषी संस्कृत-तमिल शिलालेख भी जारी किये। प्रारंभिक मध्यकाल में दक्षिण भारत के विभिन्न भागों में मंदिरों की दीवारों पर सैकड़ों दानात्मक तमिल शिलालेख उत्कीर्णित किये गये थे।

सबसे प्राचीन **कन्नड़ शिलालेख, छठी शताब्दी के उत्तरार्ध/सातवीं शताब्दी के पूर्वार्ध** के हैं। इस काल के बाद से, कन्नड़ में कई निजी दानात्मक अभिलेख उपस्थित थे और कुछ शाही अनुदानों में भी इस भाषा का प्रयोग किया गया था।

छठी शताब्दी के उत्तरार्ध के प्रारंभिक **तेलुगु चोल राजाओं** के अभिलेख शिलालेखों की भाषा के रूप में **तेलुगु** की शुरुआत का संकेत देते हैं। इसके बाद, इस भाषा में कई निजी दानात्मक अभिलेख मौजूद हैं।

मलयालम शिलालेख लगभग **पंद्रहवीं शताब्दी** में सामने आये। कुछ बाद के शिलालेख तुलु में भी हैं, जो एक द्रविड़ भाषा है और कुछ मायनों में कन्नड़ के समान है तथा कर्नाटक के कुछ हिस्सों में बोली जाती है।

जहाँ तक आधुनिक उत्तर भारतीय भाषाओं में शिलालेखों का प्रश्न है, **मराठी और उड़िया शिलालेख ग्यारहवीं शताब्दी** के हैं। **मध्य प्रदेश में**, वर्तमान में **हिंदी** कही जानेवाली बोलियों में लिखे गये शिलालेख **तेरहवीं शताब्दी के समयकाल** के मिलते हैं और गुजराती को **पंद्रहवीं शताब्दी** के अभिलेखों में पहचाना जा सकता है।

सिंध पर अरब नियंत्रण की स्थापना और अरब व्यापारिक गतिविधियों के विस्तार, विशेष रूप से पश्चिमी तट पर, के साथ उपमहाद्वीप में **अरबी शिलालेख** दिखाई दिये।

अशोक पूर्व शिलालेख

निम्नलिखित अभिलेखों को अशोक पूर्व काल का माना जाता है :

- **बोग़ज़ कोई अभिलेख** (चौदहवीं शताब्दी ईसा पूर्व) (उत्तर-पूर्वी सीरिया): इसमें *इंद्रा* (इंद्र), *मित्रा* (मित्र), *नासतिया* (नासत्य, यानी, अश्विन) और *उरुवनास* (वरुण) देवताओं का उल्लेख किया गया है। इन देवताओं का उल्लेख ऋग्वेद में भी मिलता है।

प्रशस्तियाँ

परीक्षोपयोगी

प्रशस्ति (यह शब्द संस्कृत की धातु 'शंस्' से बना है, जिसका अर्थ है प्रशंसा या स्तुति) प्राचीन और मध्यकालीन भारत में एक प्रकार का शिलालेख, साधारणत: **संस्कृत** या क्षेत्रीय भाषाओं में लिखा जाता था, जिसमें **राजाओं, शासकों या संरक्षकों की प्रशंसा** की जाती थी। ये आमतौर पर दरबारी कवियों या विद्वानों द्वारा लिखित पत्थर के शिलालेखों, ताम्रपत्रों या मंदिर की दीवारों पर अंकित किये जाते थे। ये प्रशस्तियाँ संभवत: शासक की वीरता, और उसके द्वारा युद्ध में प्राप्त विजय, उसकी उदारता और गुणों की अतिरंजित प्रशंसा से भरी होती थीं। हालाँकि, ये प्रशस्तियाँ केवल प्रशंसाएँ ही नहीं, बल्कि इतिहास के स्रोत भी हैं, जो हमें भारत के राजनीतिक, सांस्कृतिक और सामाजिक इतिहास के पुनर्निर्माण में मदद करती हैं।

भारत में उल्लेखनीय प्रशस्तियों में निम्नलिखित शामिल हैं :

- **हाथीगुम्फा प्रशस्ति (ओडिशा) - प्राकृत भाषा और ब्राह्मी लिपि में राजा खारवेल की प्रशंसा में लिखित।** (विवरण आगे दिया गया है)
- **प्रयाग प्रशस्ति** (इलाहाबाद स्तंभ पर) (उत्तर प्रदेश) - **समुद्रगुप्त (गुप्त वंश)** की प्रशंसा में **हरिषेण** द्वारा लिखित। (विवरण आगे दिया गया है)
- **जूनागढ़ प्रशस्ति** (गुजरात) - **रुद्रदमन प्रथम** की प्रशंसा में (विवरण आगे दिया गया है)
- **ऐहोल प्रशस्ति** (कर्नाटक) - दरबारी कवि रविकीर्ति द्वारा, **पुलकेशिन द्वितीय (चालुक्य राजा)** का महिमामंडन। (विवरण आगे दिया गया है)
- **ग्वालियर प्रशस्ति** (मध्य प्रदेश) - यह **नौवीं शताब्दी** में उनके शासनकाल के दौरान गुर्जर-प्रतिहार वंश के राजा **मिहिर भोज** की प्रशंसा में संस्कृत भाषा और **सिद्धमातृका लिपि** में लिखी गयी थी, और इसका श्रेय दरबारी कवि **बालादित्य** को दिया जाता है। ये शिलालेख **ग्वालियर क़िले के अंदर** चतुर्भुज (या वैल्लभट्टस्वामी) मंदिर की चौखट पर पाये गये हैं। इनमें प्रतिहार वंश की वंशावली का विवरण है और साम्राज्य के विस्तार और सुदृढ़ीकरण सहित मिहिर भोज की सैन्य उपलब्धियों का वर्णन किया गया है। इसमें उनके **वैष्णव धर्म** और **आदिवराह** जैसी उपाधियों को धारण करने का उल्लेख है। (विवरण आगे दिया गया है)

- **पिपरहवा अवशेष मंजूषा अभिलेख** (तृतीय या द्वितीय शताब्दी ईसा पूर्व) (उत्तर प्रदेश): मंजूषा पर उत्कीर्णित अभिलेख की भाषा मागधी और पालि का मिश्रण थी और माना जाता है, कि अवशेष मंजूषा यह अभिलेख रखने के लिए ही थी।
- **बरली स्तंभलेख** (संभवत: पाँचवीं-चौथी शताब्दी ईसा पूर्व) (राजस्थान): यह संभवत: प्राचीनतम **जैन** अभिलेख है और **ब्राह्मी लिपि** और **प्राकृत भाषा** में लिखा गया है।
- **भट्टीप्रोलू अवशेष मंजूषा अभिलेख** (तृतीय-प्रथम शताब्दी ईसा पूर्व) (आंध्र प्रदेश): **भट्टीप्रोलु लिपि**, जो ब्राह्मी लिपि का एक प्रकार है, वर्तमान गुंटूर ज़िले में भट्टीप्रोलु (उस समय का समृद्ध बौद्ध नगर) में पायी गयी है।
- **सोहगौरा शिलालेख - सोहगौरा शिलालेख (उत्तर प्रदेश में)** एक **मौर्यकालीन ताम्रपत्र अभिलेख** (तीसरी शताब्दी ईसा पूर्व) है, जो **प्राकृत-ब्राह्मी** भाषा में लिखा गया है और **सूखे के कारण अकाल राहत के लिए अन्न भंडारों** का वर्णन करता है। यह **भारत का सबसे प्राचीन ज्ञात किया गया ताम्रपत्र अभिलेख** है।
- **महास्थानगढ़ शिलालेख** - बंगाल (वर्तमान बांग्लादेश में) से प्राप्त **महास्थानगढ़ शिलालेख** (तीसरी शताब्दी ईसा पूर्व, मौर्य काल) एक **प्राकृत-ब्राह्मी अभिलेख** है, जो पत्थर की पटिया (slab) पर लिखा गया है और इसमें **अकाल की स्थिति में राहत उपायों** का वर्णन है। यह **बंगाल की नगरीय संस्कृति की प्राचीनता** और **लोक कल्याण** के प्रति मौर्यों की चिंता, दोनों को प्रमाणित करता है। इन उपायों में संभवत: *गंडक (gandakas)* नामक सिक्कों में ऋण देना शामिल था। दूसरा चरण अन्न भंडार से *धान (paddy)* के वितरण का था।

क्या आप जानते हैं? रामगढ़ पहाड़ियों (छत्तीसगढ़) पर **सीताबेंगा और जोगीमारा गुफाओं** में प्राकृत/मध्य भारतीय बोली में शिलालेख हैं, जो तीसरी या दूसरी शताब्दी ईसा पूर्व के ब्राह्मी अक्षरों में उत्कीर्णित हैं।

शिलाओं और स्तंभों पर अशोक के शिलालेख

अशोक के शिलालेख मौर्य साम्राज्य के सम्राट् अशोक द्वारा **268 से 232 ईसा पूर्व** तक अपने शासनकाल के दौरान स्तंभों के साथ-साथ शिलाखंडों और गुफाओं की दीवारों पर लगभग 33 अभिलेखों का संग्रह उत्कीर्णित करवाया गया है। पूरे देश में ये शिलालेख विस्तृत हैं और **बौद्ध धर्म का पहला मूर्त प्रमाण उपलब्ध कराते हैं।** इन शिलालेखों में जटिल समाज द्वारा सामना की जा रहीं गंभीर समस्याओं का समाधान करने के लिए धम्म को लेकर अशोक के दृष्टिकोण के बारे में विस्तार से वर्णन मिलता है। **जेम्स प्रिंसेप** ने सबसे पहले सम्राट् अशोक के शिलालेखों का उद्वाचन किया था।

अशोक के अभिलेखों को विभाजित किया जाता है :

- **लघु शिलालेख** (3)
- **प्रमुख शिलालेख** (14 शिलालेख और ओडिशा में पाये गये 2 पृथक् शिलालेख)
- **लघु स्तंभलेख** (5)
- **प्रमुख स्तंभलेख** (6 और एक मामले में 7)

शिलालेख सबसे व्यापक रूप से वितरित हैं तथा **आंध्र प्रदेश-कर्नाटक क्षेत्र** में इनका प्रमुख संकेन्द्रण है।

शार-ए-कुना (कंधार) द्विभाषी शिलालेख (वर्तमान अफ़ग़ानिस्तान में स्थित) अशोक का **पहला ज्ञात शिलालेख** है। यह उनके शासनकाल के 10वें वर्ष (260 ईसा पूर्व) में यूनानी और अरामी लिपि में लिखा गया था। दो अरामी शिलालेख मिले हैं - एक लघमन (अफ़ग़ानिस्तान) में और दूसरा तक्षशिला में है। एक द्विभाषी **प्राकृत-अरामी शिलालेख लम्पक** में और एक अन्य **कंधार** में पाया गया।

अशोक के लघु शिलालेख

परीक्षोपयोगी

लघु शिलालेख, अशोक के शिलालेखों का **सबसे प्रारंभिक** भाग हैं और अशोक के प्रमुख शिलालेखों से पहले के हैं। इन्हें अशोक के शासनकाल के काफ़ी शुरुआती दौर में (उसके शासनकाल के 11वें वर्ष अर्थात् कलिंग विजय के कम-से-कम ढाई वर्ष बाद) लिखा गया था।

लघु शिलालेख अशोक के शिलालेखों का **सबसे प्रारंभिक** भाग हैं तथा ये अशोक के प्रमुख शिलालेखों से पूर्व के हैं। ये अशोक के शासनकाल में काफ़ी पहले *(उनके शासनकाल के 11वें वर्ष, अर्थात् कलिंग विजय के कम-से-कम ढाई वर्ष बाद)* लिखे गये थे।

अशोक के लघु शिलालेख संक्षिप्त नैतिक घोषणाएँ हैं, जो उनके **बौद्ध धर्म अपनाने, नैतिक शासन** में उनके विश्वास और भिक्षुओं एवं अधिकारियों को **धम्म का** पालन करने और उसका **प्रचार करने** के उनके निर्देशों को प्रकट करती हैं। लघु शिलालेख मुख्यत: दक्षिणी और मध्य भारत में पाये जाते हैं, जबकि प्रमुख शिलालेख **अधिकतर उत्तरी और उत्तर-पश्चिमी भारत में** पाये जाते हैं।

वीडियो अंतर्दृष्टि

अशोक के शिलालेख पर वैचारिक वीडियो के लिए स्कैन करें

शिलालेख संख्या	मुख्य विषय/विषयवस्तु	प्रमुख महत्त्व
लघु शिलालेख I	• अशोक के हृदय में धीरे-धीरे **बुद्ध की शिक्षाओं** के प्रति रुचि और धम्म के प्रति उत्साह जाग्रत होते हैं। • कहते हैं, कि वे बुद्ध के उपासक और धम्म के प्रति गंभीर रूप से समर्पित रहे हैं। • सभी से - भिक्षुओं, भिक्षुणियों, सामान्य पुरुषों और गृहणियों से - धम्म का ईमानदारी से पालन करने का आग्रह करते हैं।	• पहला शिलालेख जहाँ अशोक ने अपने नाम (*'देवानाम्पिय अशोक'*) का उल्लेख किया है। • पुष्टि करता है, कि देवानाम्पिय पियदस्सी = सम्राट् अशोक। • बौद्ध धर्म में उनके व्यक्तिगत वैचारिक रूपांतरण को दर्शाता है।
लघु शिलालेख II	• अधिकारियों (विशेषकर **महामात्रों**) को संबोधित करते हैं। • उन्हें सभी संप्रदायों और समुदायों के कल्याण और प्रसन्नता को सुनिश्चित करने का आदेश देता है। • प्रशासन में निष्पक्षता, न्याय और करुणा पर बल देता है। • अपने अधिकारियों से लोगों के सांसारिक और आध्यात्मिक कल्याण दोनों के लिए काम करने का आग्रह करता है।	• अशोक द्वारा नौकरशाही को एक नैतिक मिशन में बदले जाने को दर्शाता है और धार्मिक सहिष्णुता और समावेशी शासन को प्रदर्शित करता है।
लघु शिलालेख III (इसे **कलकत्ता-बैराट या भाब्रू शिलालेख** भी कहा जाता है)	• बौद्ध संघ को संबोधित करता है। • अशोक ने बुद्ध, धम्म और संघ में अपनी गहरी आस्था व्यक्त की। • भिक्षुओं, ननों और आम लोगों के लिए नियमित रूप से अध्ययन करने के लिए **छह बौद्ध धर्मग्रंथों** *(विनय समुकास, आलिया वासानी, अनागत भयानी, मुनि गाथा, उपतिसा पासिना, लाघुलोवाड़ा)* की सिफ़ारिश करता है। • धम्म के निरंतर चिंतन और अभ्यास का उपदेश देता है।	• अशोक के बौद्ध धर्म के साथ सैद्धांतिक जुड़ाव को दर्शाता है। • बौद्ध ग्रंथों के विहितीकरण का पहला ऐतिहासिक प्रमाण। • एक सामान्य बौद्ध शिक्षक के रूप में अशोक की भूमिका को प्रकट करता है।

कुल मिलाकर, वर्तमान में हमें अशोक के लघु शिलालेखों के विभिन्न संस्करण ज्ञात हैं। लघु शिलालेखों के इन संस्करणों में प्रत्येक के बीच सामान्य भिन्नताएँ हैं। **ये लघु शिलालेख निम्नलिखित ज्ञात स्थानों पर विद्यमान् हैं :**

1. **बाहापुर** (नयी दिल्ली)
2. **अहरौरा** (उत्तर प्रदेश)
3. **गुजर्रा** (मध्य प्रदेश)
4. **रूपनाथ** (मध्य प्रदेश)
5. **मस्की** (कर्नाटक)
6. **गविमठ** (कर्नाटक)
7. **पलकीगुंडु** (कर्नाटक)
8. **नित्तुर** (कर्नाटक)
9. **पंगुरड़िया** (मध्य प्रदेश)
10. **सासाराम** (बिहार)
11. **बैराट** (राजस्थान)
12. **येर्रागुडी** (आंध्र प्रदेश)
13. **राजुला-मांडागिरी** (आंध्र प्रदेश)
14. **उडेगोलम** (कर्नाटक)
15. **ब्रह्मगिरी** (कर्नाटक)
16. **सिद्धागिरी** (कर्नाटक)
17. **जतिंग-रामेश्वर** (कर्नाटक)

तीन शिलालेखों में, तीसरा शिलालेख केवल **कलकत्ता-बैराट शिलालेख** (आमतौर पर **भाब्रू शिलालेख** के रूप में जाना जाता है) में विद्यमान् है, जिसमें अशोक दावा करता है कि उसकी बुद्ध, धम्म और संघ में पूर्ण श्रद्धा और आस्था है।

ऊपर दिये गये स्थानों के अलावा, कभी-कभी कंधार द्विभाषी (यूनानी और अरामेइक) शिलालेख, लघमान के अरामेइक अभिलेख, तक्षशिला के अरामेइक अभिलेख और बराबर गुफा के शिलालेख, जैसे शिलालेखों को अशोक के लघु शिलालेखों में शामिल किया जाता है।

आइए, कुछ महत्त्वपूर्ण लघु शिलालेखों पर चर्चा करें :

गुज्जरा लघु शिलालेख (मध्य प्रदेश)

गुज्जरा में पहला लघु शिलालेख उत्कीर्णित किया गया है। अशोक के नाम का उसकी पूर्ण उपाधि *'देवनामपिय पियदस्सी अशोक राजा'* के साथ प्रयोग किया गया है।

मस्की लघु शिलालेख (कर्नाटक)

यह तुंगभद्रा की सहायक नदी मस्की नदी के तट पर स्थित है। यह शिलालेख धर्म शासन बना हुआ है और लोगों से **बौद्ध धर्म के सिद्धांतों** का पालन करने के लिए कहता है। इसके अलावा, इस शिलालेख से उत्तर-पूर्वी कर्नाटक की कृष्णा घाटी तक मौर्य शासन के प्रसार का पता चलता है। मस्की शिलालेख अन्य लघु शिलालेखों में **सबसे छोटा शिलालेख** है। यह अशोक का वह पहला शिलालेख है, जिसमें पहले के शिलालेखों की जगह **अशोक का नाम** है, जो उसे देवानामपिय पियदस्सी के रूप में संदर्भित करता हैं। ऐतिहासिक रूप से मास्की शिलालेख बहुत महत्त्व रखता है, क्योंकि यह अशोक के साथ 'देवनामपिय' की उपाधि के संबंध की पुष्टि करता है।

अशोक के प्रमुख शिलालेख --------> परीक्षोपयोगी

कुल मिलाकर 14 प्रमुख शिलालेख हैं, जो 10 ज्ञात स्थानों से सामान्य भिन्नता के साथ पाये गये है और ओडिशा से दो अलग-अलग प्रमुख शिलालेख प्राप्त हुए हैं।

इन 10 स्थानों में शामिल हैं :

1. **कान्धार** (अफ़ग़ानिस्तान)
2. **शाहबाज़गढ़ी** (पाकिस्तान)
3. **गिरनार** (गुजरात)
4. **मुम्बई-सोपारा** (महाराष्ट्र)
5. **एरागुड़ी** (आंध्र प्रदेश)
6. **मानसेहरा** (पाकिस्तान)
7. **कलसी** (उत्तराखंड)
8. **सन्नति** (कर्नाटक)
9. **धौली** (उड़ीसा)
10. **जोगढ़** (उड़ीसा)

इन शिलालेखों का सरोकार राज्य संचालन के निर्देशों, अशोक के विश्वासों, धम्म, शांतिपूर्ण नैतिक व्यवहार और सहिष्णुता आदि से है। इन प्रमुख स्तंभलेखों पर 'अशोक' का नहीं, बल्कि 'देवनामपिय' (ईश्वर का प्रिय) 'देवानमपिय पियदस्सी' का नाम अंकित है।

इन 14 शिलालेखों में **तीन भाषाओं और चार लिपियों** का प्रयोग किया गया है। अधिकतर **अभिलेख प्राकृत भाषा और ब्राह्मी लिपि** में हैं। प्राकृत शिलालेखों को ब्राह्मी और खरोष्ठी लिपियों में लिखा गया है।

मानसेहरा और **शाहबाज़गढ़ी** से पाये गये शिलालेख प्राकृत भाषा और खरोष्ठी लिपि में हैं और **अशोक के सभी 14 शिलालेखों का अभिलेखन** है। यूनानी और अरामेइक लिपि में भी कुछ शिलालेख हैं। **कंधार का द्विभाषी शिलालेख** यूनानी और प्राकृत भाषा में लिखा गया है।

अशोक के प्रमुख शिलालेख --------> परीक्षोपयोगी

शिलालेख संख्या	विवरण
शिलालेख I	**पशु बलि पर प्रतिबंध :** अशोक ने शाही रसोई में पशुवध पर प्रतिबंध लगाया तथा पशुवध से संबंधित धार्मिक बलिदानों को हतोत्साहित किया। यह बौद्ध **अहिंसा (non-violence)** की ओर उनके वैचारिक झुकाव को दर्शाता है। पशु अधिकारों में राज्य के प्रारंभिक हस्तक्षेप को दर्शाता है। कुछ प्रकार के उत्सव समारोहों पर प्रतिबंध लगाता है।
शिलालेख II	**मनुष्यों और पशुओं के लिए चिकित्सा सेवाओं** की स्थापना, औषधीय जड़ी-बूटियों का रोपण, कुएँ खोदना, फलदार वृक्ष लगाना। जन कल्याणकारी उपायों पर प्रकाश डालता है, जो कल्याणकारी राज्य की अवधारणा का अग्रदूत है।

शिलालेख संख्या	विवरण
शिलालेख III	**ज़िला स्तर के अधिकारियों** (प्रदेशिक, राजुक, युक्त) को धम्म का प्रचार करने के लिए **पंचवर्षीय दौरों का आदेश** देता है : माता-पिता के प्रति सम्मान, उदारता, जीवों के प्रति दया जैसे मानवीय गुणों के विकास पर बल देता है। यह दर्शाता है कि धम्म केवल व्यक्तिगत नैतिकता नहीं, बल्कि प्रशासन के माध्यम से प्रसारित राज्य नीति थी।
शिलालेख IV	यह प्राचीन काल की क्रूरता, तुच्छ कर्मकांडों और वाद-विवादों की तुलना नये धम्म युग से करता है। यह अशोक के शासनकाल में समाज में नैतिक प्रगति का संकेत देता है। यह परिवर्तनकारी राजत्व में उनके विश्वास को दर्शाता है। मानव जाति के लिए **धम्मघोष** (शांति की ध्वनि) आदर्श है, न कि **भेरिघोष** (युद्ध ढोल की ध्वनि)।
शिलालेख V	इसमें **धम्म महामात्रों (नैतिकता के विशेष अधिकारी)** की नियुक्ति का उल्लेख है। ये महामात्र महिलाओं, वृद्धों, क़ैदियों और सभी धर्मों के अनुयायियों की देखभाल करते थे। यह सामाजिक समावेशिता और अशोक के नैतिक शासन के विचार को दर्शाता है।
शिलालेख VI	अशोक की **व्यक्तिगत पहुँच** की घोषणा करता है : कोई भी किसी भी समय उनसे संपर्क कर सकता है। वह शासन में न्याय, निष्पक्षता और जवाबदेही पर बल देते हैं। राजा को प्रजा का सेवक बताते हैं। अशोक के शब्दों में, किसी भी आवश्यक मामले की सूचना मुझे तुरंत, कहीं भी, किसी भी समय दी जानी चाहिए। प्रत्येक जगह **संवाददाता (पटिवेदक)** तैनात हैं, जिन्हें निर्देश दिया गया है कि वे मुझे किसी भी समय और स्थान पर लोगों के मामलों की सूचना दें - चाहे मैं भोजन कर रहा हूँ, हरम में हूँ, भीतरी कक्ष में हूँ, गोशाला में हूँ, पालकी में हूँ अथवा उद्यान में हूँ।
शिलालेख VII	**धार्मिक सहिष्णुता** पर बल देता है : सभी संप्रदायों को सद्भाव से रहना चाहिए और एक-दूसरे का सम्मान करना चाहिए। यह भारत की बहुलवाद और सह-अस्तित्व की बाद की परंपरा का पूर्वाभास देता है। धार्मिक सहिष्णुता को बढ़ावा देते हुए, अशोक कहते हैं, "दूसरों का सम्मान करने से अपने ही संप्रदाय का सम्मान होता है; दूसरों का अपमान करने से अपने ही संप्रदाय का अपमान होता है। जो कोई अपने ही संप्रदाय को ऊँचा उठाता है और दूसरे को अपने ही संप्रदाय के प्रति समर्पण से वंचित करता है, वह वास्तव में अपने ही संप्रदाय को बहुत नुक़सान पहुँचाता है।"
शिलालेख VIII	अशोक द्वारा विहार यात्राओं के त्याग और उसके स्थान पर **धम्म यात्राओं** — ग्रामीण लोगों से मिलने और उनसे संपर्क करने, पवित्र स्थानों के दर्शन करने और नैतिक शिक्षाओं का प्रसार करने के लिए यात्राओं का वर्णन करता है। यह विनम्रता और व्यक्तिगत परिवर्तन को दर्शाता है। अशोक ने **बोधगया** की तीर्थयात्रा के बाद धम्म यात्राओं की शुरुआत की।
शिलालेख IX	महँगे बलिदानों, त्योहारों और समारोहों जैसे **निरर्थक कर्मकांडों की आलोचना** करता है। वास्तविक धम्म : माता-पिता की आज्ञाकारिता, गुरुओं के प्रति उदारता, सेवकों के प्रति दया, सत्यनिष्ठा पर बल देता है। नैतिकता को खोखले कर्मकांडों से अलग करता है।
शिलालेख X	**व्यक्तिगत गौरव और प्रसिद्धि चाहनेवाले शासकों की निंदा करता है।** घोषणा करता है, कि सच्चा गौरव धम्म के पालन और मानव सेवा में निहित है। यह विजय पर केंद्रित राजतंत्र की पूर्ववर्ती परंपराओं से एक क्रांतिकारी प्रस्थान है।
शिलालेख XI	यह **धम्म के दान को सभी दानों में सर्वश्रेष्ठ** बताता है। ऐसा कहा जाता है कि इसमें निम्नलिखित बातें शामिल हैं : **ब्राह्मणों** और **श्रमणों** के साथ-साथ दासों और सेवकों के प्रति उचित शिष्टाचार, माता-पिता के प्रति आज्ञाकारिता, मित्रों, परिचितों और रिश्तेदारों के प्रति उदारता (अर्थात् दानशीलता) एवं जीवों की हत्या से परहेज।
शिलालेख XII	धार्मिक सद्भाव का सबसे प्रबल आह्वान : किसी भी संप्रदाय को स्वयं का महिमामंडन या दूसरों की निंदा नहीं करनी चाहिए। सच्चा सम्मान सभी धर्मों का सम्मान करने से आता है। यह धर्मनिरपेक्ष सिद्धांतों का बहुत पहले से अनुमान लगाता है। यह **प्रमुख शिलालेख VII** पर आधारित है, लेकिन इसमें इससे भी आगे - नैतिक अपील से लेकर **सहिष्णुता की आधिकारिक राज्य नीति** तक का वर्णन है। **एक प्रसिद्ध पंक्ति का सार है :** *"दूसरों का सम्मान करने से, अपने संप्रदाय का सम्मान होता है। दूसरों का अपमान करने से, अपने संप्रदाय का अपमान होता है। इसलिए, केवल सद्भाव ही पुण्य है।"* **इथिजिका महामात्त, अशोक के सर्वधर्म सद्भाव के अधिकारी** थे, जिनका उल्लेख **प्रमुख शिलालेख XII** में मिलता है। इनका उद्देश्य धार्मिक समुदायों के बीच आपसी सम्मान को बढ़ावा देना और यह सुनिश्चित करना था, कि कोई भी संप्रदाय किसी दूसरे का अपमान या क्षति न करे।

शिलालेख संख्या	विवरण
शिलालेख XIII	यह सम्राट् अशोक का सबसे प्रसिद्ध शिलालेख (कलिंग शिलालेख) है तथा यह उनका *सबसे लंबा* और *सबसे भावपूर्ण* अभिलेख है। इसमें कलिंग युद्ध, अशोक के पश्चात्ताप और उनके धम्म परिवर्तन का वर्णन है। इसमें कलिंग युद्ध की भयावहता (150,000 निर्वासित, 100,000 मारे गये) का वर्णन है। अशोक के पश्चात्ताप ने उन्हें आक्रामक विजय (दिग्विजय) को अस्वीकार करने और 'धम्म द्वारा विजय' **(धर्मविजय)** को अपनाने के लिए प्रेरित किया। उन्होंने **यूनानी राजाओं** (सीरिया के एंटिओकस द्वितीय, मिस्र के टॉलेमी द्वितीय, मैसेडोनिया के एंटीगोनस द्वितीय, साइरेन के मागास, एपिरस के सिकंदर) **के पास मिशन भेजे** और भारत से परे बौद्ध मूल्यों का प्रचार किया। यह विश्व इतिहास की पहली अंतरराष्ट्रीय नैतिक कूटनीति को दर्शाता है।
शिलालेख XIV	यह वर्णित करता है, कि विभिन्न क्षेत्रों में अभिलेख अलग-अलग (छोटे, लंबे, विस्तृत या सरल) क्यों हैं। उद्देश्य : विभिन्न लोगों तक भिन्न-भिन्न तरीक़ों से पहुँचना। यह अशोक की संचार रणनीतियों के प्रति जागरूकता और जन नैतिक शिक्षा के उनके उद्देश्य को दर्शाता है।

दो पृथक् प्रमुख शिलालेख (धौली और जोगढ़, उड़ीसा में पाये गये)

(प्राकृत भाषा और ब्राह्मी लिपि में लिखे गये हैं)

पृथक् प्रमुख शिलालेख	दिया गया विवरण
पहला पृथक् प्रमुख शिलालेख	इस शिलालेख में **निष्पक्ष न्यायिक प्रणाली** और महामात्यों (नैतिकता अधिकारियों) के माध्यम से अशोक द्वारा स्थापित **नियंत्रण प्रणाली** की आवश्यकताओं के साथ मुख्य रूप से धौली और जोगढ़ के **स्थानीय अधिकारियों को संबोधित** किया गया है।
दूसरा पृथक् प्रमुख शिलालेख	इस शिलालेख में धौली और जोगढ़ के **स्थानीय अधिकारियों** से 'अविजित सीमावर्ती जनजातियों' को आश्वस्त करने के लिए कहा गया है कि उनके प्रति अशोक की मंशा सद्भावपूर्ण है।'

अशोक के लघु स्तंभलेख

सारनाथ — साँची — कौशाम्बी — रुम्मिनदेई — निगालीसागर

अशोक के लघु स्तंभलेख **सारनाथ, साँची, प्रयागराज** *(पहले कौशाम्बी में स्थित)*, **रुम्मिनदेई** और **निगालीसागर** में स्थित स्तंभों पर पाये गये हैं। इन सभी स्तंभलेखों को प्राकृत भाषा और ब्राह्मी लिपि में लिखा गया है।

अशोक के इन लघु स्तंभलेखों में **मतभेद शिलालेख** (संघ में मतभेद के लिए दंड की चेतावनी) **साँची** (मध्य प्रदेश), **सारनाथ** (उत्तर प्रदेश) और **प्रयागराज** (उत्तर प्रदेश) में मिले हैं।

इलाहाबाद स्तंभ पर **रानी का अभिलेख** भी है, जिसमें अशोक घोषणा करता है कि रानी को उसके उपहारों के लिए श्रेय दिया जाना चाहिए। दूसरे शब्दों में, इसमें अशोक की रानी, राजकुमार तिवाला की माँ, करुवाकी के धर्मार्थ कार्यों का उल्लेख किया गया है।

रुम्मिनदेई (नेपाल में) और निगालीसागर (नेपाल में) में पाये गये शेष दो लघु स्तंभलेख **स्मारकीय शिलालेख** हैं।

रुम्मिनदेई स्तंभ शिलालेख में अशोक की लुम्बिनी (बुद्ध का जन्म स्थान) यात्रा का वर्णन है तथा लुम्बिनी के ग्रामीणों को ***बलि*** (संभवतः भूमि के क्षेत्रफल पर कर) से छूट दिये जाने और ***भाग*** को 1/6 से घटाकर 1/8 किये जाने का उल्लेख है।

वीडियो अंतर्दृष्टि

अशोक स्तंभ शिलालेख पर वैचारिक वीडियो के लिए स्कैन करें

निगालीसागर स्तंभलेख में उल्लेख किया गया है, कि अशोक ने बुद्ध के स्तूप की ऊँचाई बढ़ाकर उसके आकार का दोगुना कर दिया।

अशोक के प्रमुख स्तंभलेख

अशोक के प्रमुख स्तंभलेख; अशोक द्वारा उत्कीर्णित करवाये गये सभी अभिलेखों में तकनीकी रूप से सबसे सुरुचिपूर्ण अभिलेख हैं। अशोक के लगभग **07** प्रमुख स्तंभलेख हैं और उत्तरी भारत में निम्नलिखित **07 स्थानों** में पाये गये हैं :

1. **कांधार** *(अफ़ग़ानिस्तान)*
2. **दिल्ली-तोपरा** *(मूल रूप से तोपरा, हरियाणा में लगा माना जाता है)*
3. **दिल्ली-मेरठ** *(मूल रूप से मेरठ, उत्तर प्रदेश में लगा माना जाता है)*
4. **प्रयागराज** (मूल रूप से कौशाम्बी, उत्तर प्रदेश में *लगा माना जाता है)*
5. **लौरिया-अरेराज**, *बिहार*
6. **लौरिया-नंदनगढ़**, *बिहार*
7. **रामपूर्वा**, *बिहार*

उपर्युक्त सात स्थानों में से **केवल दिल्ली-तोपरा स्तंभ पर सभी 07 प्रमुख स्तंभलेख विद्यमान् हैं।**

अफ़ग़ानिस्तान को छोड़कर सभी स्थानों पर **प्राकृत भाषा** और **ब्राह्मी लिपि** का प्रयोग किया गया है।

अंतिम प्रमुख स्तंभलेख (शिलालेख संख्या 7), जो **केवल दिल्ली-तोपरा स्तंभ पर मिलता** है, प्रकृति में इच्छापत्र है, जो **अपने जीवनकाल के दौरान अशोक की उपलब्धियों का सारांश देता है।**

रामपूर्वा में अशोक के दो स्तंभ मिले हैं *(एक पर सिंहशीर्ष और दूसरे पर वृषभशीर्ष है)*। सिंहशीर्ष स्तंभ पर प्रमुख स्तंभलेख एक से छह उत्कीर्णित है। हालाँकि, वृषभशीर्ष स्तंभ पर कोई अभिलेख नहीं है।

प्रमुख स्तंभलेख	विवरण
प्रमुख स्तंभलेख 1	इस स्तंभलेख में लोगों की सुरक्षावाले अशोक के सिद्धांत का उल्लेख किया गया है।
प्रमुख स्तंभलेख 2	धम्म का अर्थ है न्यूनतम पाप, अनेक पुण्य कर्म, दया, सत्य और पवित्रता।
प्रमुख स्तंभलेख 3	यह स्तंभलेख कठोरता, क्रूरता, क्रोध आदि पापों का नाश करने का आग्रह करता है।
प्रमुख स्तंभलेख 4	देशवासियों के कल्याण और सुख के लिए **राजुकों के कर्त्तव्यों** का उल्लेख है। वे निर्भय, आत्मविश्वासी और अविचलित होकर अपने कर्त्तव्यों का पालन करें, इसके लिए पुरस्कार या दंड का निर्णय राजुकों के विवेक पर छोड़ दिया गया है।
प्रमुख स्तंभलेख 5	इस स्तंभलेख में उन पशुओं और पक्षियों की सूची दी गयी है, जिन्हें कुछ विशेष दिनों पर नहीं मारा जाना चाहिए और साथ ही उन जंतुओं की सूची दी गयी है, जिन्हें बिल्कुल नहीं मारा जाना चाहिए। जीवित जंतुओं को अन्य जीवित जंतु नहीं खिलाये जाने चाहिए। वनों को न तो बेकार में और न ही जीवित प्राणियों को नष्ट करने के लिए जलाया जाना चाहिए।
प्रमुख स्तंभलेख 6	अशोक की धम्म नीति और सभी वर्गों, संप्रदायों के कल्याण और प्रसन्नता के लिए उनका ध्यान।
प्रमुख स्तंभलेख 7	इस स्तंभलेख में अशोक द्वारा धम्म के लिए किये गये कार्यों का उल्लेख किया गया है। अशोक के शब्दों में, ''मैंने नैतिकता के स्तंभों को स्थापित करवाया है, **महामात्य** (नैतिकता अधिकारियों) को नियुक्त किया है और नैतिक घोषणाएँ जारी की हैं।'' यह शिलालेख केवल दिल्ली-टोपरा स्तंभ में ही है।

कृपया ध्यान दें : महामात्य तृतीय शताब्दी ईसा पूर्व में सम्राट् अशोक द्वारा नियुक्त '**नैतिकता अधिकारी**' थे। उनकी पूर्ण पदवी **धम्म महामात्य** या 'धर्म निरीक्षक' थी। अंत-महामात्य (विदेशियों के प्रभारी) और स्त्री-अध्यक्ष-महामात्य (महिलाओं के प्रभारी), जैसे अन्य महामात्य भी थे। ऐसा लगता है, कि महामात्य अशोक के शासन का एक अभिन्न अंग थे और यहाँ तक कि उनका अशोक के शिलालेखों में भी उल्लेख किया गया है।

दिल्ली-तोपरा स्तंभ

यह अशोक स्तंभ मूल रूप से तोपरा (वर्तमान हरियाणा में) नामक एक गाँव में लगाया गया। चौदहवीं शताब्दी की *तारीख़-ए-फ़िरोज़ शाही* के अनुसार, सुल्तान **फ़िरोज़ शाह तुग़लक़** द्वारा इस स्तंभ को तोपरा से दिल्ली ले जाया गया, क्योंकि वह इससे बहुत प्रभावित था। फ़िरोज़ शाह कोटला (दिल्ली) स्थानांतरित किये जाने के बाद इस स्तंभ को ***मीनार-ए-ज़र्री*** या स्वर्ण स्तंभ के रूप में जाना जाने लगा। ***सीरत-ए-फ़िरोज़ शाही*** किताब के एक चित्र में दर्शाया गया है, कि कैसे अशोक स्तंभ को एक नाव के ज़रिए तोपरा से दिल्ली ले जाया गया था।

अशोक के दिल्ली-मेरठ स्तंभ को भी उन्होंने चौदहवीं शताब्दी में हरियाणा के टोपरा कलाँ से दिल्ली स्थानांतरित किया था।

संस्कृति संक्षेपण

इलाहाबाद स्तंभ

उत्तर प्रदेश के प्रयागराज में स्थापित इलाहाबाद स्तंभ या लाहाबाद-कोसम स्तंभ के बारे में माना जाता है कि वो मूल रूप से उत्तर प्रदेश के कौशाम्बी में था। बाद में, इसे 1583 में अकबर द्वारा निर्मित इलाहाबाद क़िले में ले जाया गया। **यह अशोक का स्तंभ है, लेकिन इस पर विभिन्न अभिलेख हैं**, अर्थात्,

वीडियो अंतर्दृष्टि

इलाहाबाद स्तंभ शिलालेख पर वैचारिक वीडियो के लिए स्कैन करें

1. **अशोक का अभिलेख** (तृतीय शताब्दी ईसा पूर्व) - इस स्तंभ पर अभिलेख प्राकृत भाषा और ब्राह्मी लिपि में है :
   - ***अशोक के प्रमुख स्तंभलेख*** *(एक से छह)।*
   - ***मतभेद अभिलेख*** *- संघ में मतभेद के लिए अशोक द्वारा दंड की चेतावनी।*
   - ***रानी का अभिलेख*** *- अशोक अपनी पत्नी कारूवाकी के धर्मार्थ कार्यों का उल्लेख करते हुए घोषणा करता है, कि रानी को उसके उपहारों के लिए श्रेय दिया जाना चाहिए।*
2. **समुद्रगुप्त का अभिलेख** (चतुर्थ शताब्दी ईसवी का) - इसे **प्रयाग प्रशस्ति** के रूप में भी जाना जाता है, इसे 'शास्त्रीय गुप्त युग का सबसे महत्त्वपूर्ण ऐतिहासिक दस्तावेज़' माना जाता है। यह हरिषेण द्वारा संस्कृत भाषा और गुप्त लिपि **(चंपू काव्य शैली)** में लिखा गया था। इसमें **समुद्रगुप्त की विजयों** की प्रशंसा और गुप्त साम्राज्य की सीमाओं का उल्लेख किया गया है।
3. **बीरबल का माघ मेला अभिलेख** (सोलहवीं शताब्दी ईसवी का) - इस अभिलेख में उल्लेख किया गया है, कि गंगादास के पुत्र महाराजा बीरबल ने **तीर्थ राज प्रयाग** की तीर्थयात्रा की थी। एक प्रकार से यह अभिलेख इस बात की पुष्टि करता है, कि उस समय भी प्रयाग एक महत्त्वपूर्ण तीर्थस्थल (तीर्थ राज) था।
4. **जहाँगीर का अभिलेख** (सत्रहवीं शताब्दी ईसवी का) - यह अभिलेख बादशाह के कृपापात्र सुलेखक *अब्दुल्ला मुश्किन कलाम* द्वारा **फ़ारसी भाषा** और उत्कृष्ट **नस्ता'लीक़ लिपि** में लिखा गया है। इसमें मुग़ल सम्राट् जहाँगीर की वंशावली का उल्लेख किया गया है।

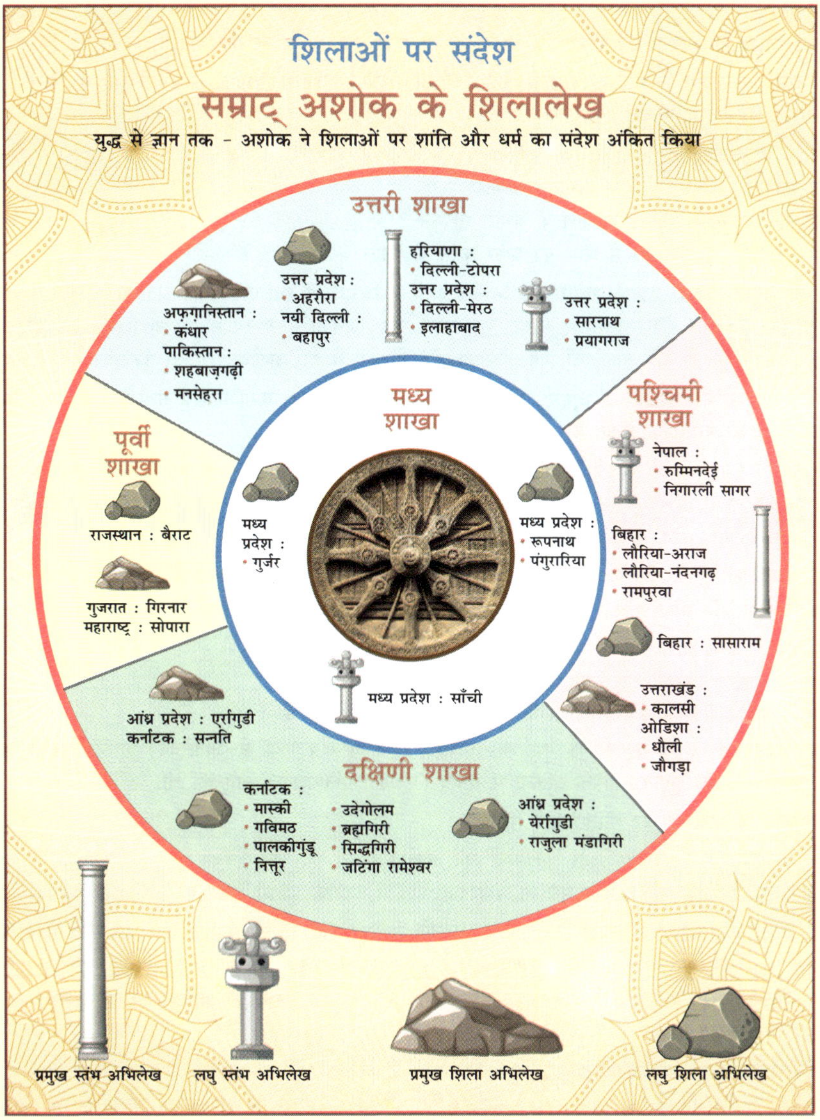

अशोक के शिलालेख और अभिलेखों पर प्रमुख तथ्य

परीक्षोपयोगी

- **लघु शिलालेख I** बहुत स्पष्ट रूप से इंगित करता है कि अशोक का **बुद्ध की शिक्षाओं की ओर अचानक नहीं, बल्कि धीरे-धीरे परिवर्तित हुआ।** अशोक की बौद्ध धर्म में व्यक्तिगत आस्था के अन्य प्रमाण रुम्मिनदेई और निगाली सागर शिलालेखों से मिलते हैं।
- **सम्राट् अशोक के व्यक्तिगत नाम**वाले लघु शिलालेख **मास्की, ब्रह्मगिरि, गुज्जरा और नित्तूर** में पाये जाते हैं। मास्की लघु शिलालेख विशेष रूप से महत्त्वपूर्ण था, क्योंकि 1915 में इसकी खोज से यह पुष्टि हुई कि अन्य शिलालेखों में प्रयुक्त देवानामप्रिय (देवताओं का प्रिय) उपाधि स्वयं अशोक को संदर्भित करती थी।

- **अशोक का प्रमुख शिलालेख VI राजा की अपने अधिकारियों तक पहुँच** पर बल देता है।
- राजा और उसके सलाहकार निकायों के अलावा, कई उच्च अधिकारी महत्त्वपूर्ण विभागों के प्रभारी होते थे, जिन्हें महामत कहा जाता था। अशोक के शिलालेखों में कई प्रकार के महामतों का उल्लेख है।

  शिलालेखों में उल्लिखित विशिष्ट प्रकार की महामताओं में शामिल हैं:

  a. *अन्त-महामत* - सीमांत क्षेत्रों के प्रभारी महामत

  b. *इत्तिझक्क-महामत* - महिला कल्याण के प्रभारी महामत

  c. *धम्म-महामत* - पूरे साम्राज्य में धम्म का प्रसार करने के लिए।
- अभिलेखों के अनुसार, **मौर्य साम्राज्य गवर्नरों के अधीन प्रांतों में विभाजित था।** ऐसा प्रतीत होता है कि कम-से-कम चार प्रांत थे - एक दक्षिणी प्रांत, जिसका केंद्र **सुवर्णगिरि** में था, एक उत्तरी प्रांत, जिसका मुख्यालय **तक्षशिला** में था, एक पश्चिमी प्रांत, जिसका मुख्यालय **उज्जयिनी** में था और एक पूर्वी प्रांत, जिसका केंद्र **तोसली** में था। अशोक संभवत: उज्जयिनी का गवर्नर था।
- अशोक के अभिलेखों में **गवर्नरों को कुमार** (या ***आर्यपुत्र***) कहकर संबोधित किया गया है तथा इन महत्त्वपूर्ण पदों पर राजकुमारों को नियुक्त करने की परंपरा के संकेत हैं।
- रुद्रदमन (लगभग 150 ई.) के परवर्ती जूनागढ़/गिरनार शिलालेख में तुषास्फा नामक एक यवन (यूनानी या पाश्चात्य) का उल्लेख है, जिसने अशोक के काल में सुदर्शन झील का निर्माण पूरा किया था। इससे यह पता चलता है, कि उत्तर-पश्चिम के अलावा अन्य क्षेत्रों में भी यूनानी या फ़ारसी अधिकारी नियुक्त किये जाते थे।
- अशोक के शिलालेखों से पता चलता है कि **प्रादेशिक, राजुक और युक्त ज़िला स्तर पर** महत्त्वपूर्ण अधिकारी थे। शिलालेख 3 में इन अधिकारियों के **प्रति पाँच साल में लोगों को धम्म की शिक्षा देने** और अन्य उद्देश्यों के लिए **भ्रमण पर जाने** का उल्लेख है।
  - ❖ **प्रादेशिक** - उच्च ज़िला/प्रांतीय पर्यवेक्षक।
  - ❖ **राजुक** - ग्रामीण प्रशासन और न्याय के प्रभारी क्षेत्रीय अधिकारी।
  - ❖ **युक्त** - कनिष्ठ लिपिक कर्मचारी, जो निर्णयों को क्रियान्वित और दर्ज करते थे।
- प्रमुख स्तंभ शिलालेख IV में **राजुकों के न्यायिक कार्यों** (उनके अन्य कर्त्तव्यों के अतिरिक्त) का उल्लेख है। इसमें अशोक का यह दावा शामिल है, कि उन्होंने न्यायिक प्रक्रिया में समता (एकरूपता/निष्पक्षता) लागू की थी।

  हालाँकि, अशोक ने **मृत्युदंड को समाप्त नहीं किया।**
- अशोक के शिलालेखों में '*पतिवेदक*' और '*पुलीसनी*' का उल्लेख है, जो राजा को **जनमत से अवगत कराने** के लिए ज़िम्मेदार होते थे। ऐसा प्रतीत होता है कि पतिवेदक जासूस या संवाददाता होते थे, जबकि पुलिसनि का पद ऊँचा और व्यापक कार्यभारवाला था।
- अशोक ने **धौली और जौगढ़** में प्रमुख शिलालेख XIII को **शामिल नहीं किया**, क्योंकि उस शिलालेख में **कलिंग युद्ध में हुए सामूहिक नरसंहार** का स्पष्ट वर्णन है। इसके बजाए, उन्होंने उन स्थलों पर पृथक् **शिलालेख I और II (विशेष कलिंग शिलालेख)** जारी किये, जिनमें कलिंग के लोगों के प्रति **अपने पश्चात्ताप** और **पितृवत चिंता** को अधिक करुणामय शब्दों में – खूनी युद्ध का विवरण दिये बिना व्यक्त किया।
- **कालसी** (उत्तराखंड) **एक महत्त्वपूर्ण प्रमुख शिलालेख स्थल** है, जो विशिष्ट रूप से **बारहवें (सहिष्णुता) और तेरहवें (कलिंग पश्चात्ताप) दोनों शिलालेखों** को स्पष्ट रूप में संरक्षित किए हुए है - जिससे यह अशोक के शिलालेखों के अध्ययन का केंद्रबिंदु बन जाता है।
- **कालसी शिलालेख** पर एक **हाथी** की छोटी नक़्क़ाशी और **गजतमे** (सर्वश्रेष्ठ हाथी) नामक एक शिलालेख है। **धौली में भी** यह हाथी, सेतो (सफ़ेद हाथी) शब्द के साथ दिखाई देता है। **गिरनार शिलालेख** पर एक खंडित शिलालेख है, जो उस सफ़ेद हाथी का उल्लेख करता है, जो पूरी दुनिया में खुशियों के आगमन का प्रतीक है। बौद्ध धर्म में अशोक की व्यक्तिगत आस्था को देखते हुए, **गिरनार, धौली और कालसी** के हाथी को बौद्ध प्रतीक के रूप में देखा जा सकता है, जो भावी बुद्ध का प्रतीक है, जिनके बारे में माना जाता है कि उन्होंने अपनी माँ के गर्भ में एक सफ़ेद हाथी के रूप में प्रवेश किया था।
- **अशोक द्वारा दिये गये भूमि दान का कोई अभिलेख नहीं है**, लेकिन प्रमुख स्तंभ शिलालेख VII में उनके और राजपरिवार के सदस्यों द्वारा दिये गये अनिर्दिष्ट प्रकार के उपहारों का उल्लेख है।
- अशोक के शिलालेखों में **सैन्य प्रशासन** के संबंध में विवरण **नहीं** मिलता है।

- **अशोक** ने **धम्म** का प्रचार करने के लिए **बौद्ध मिशनरियों** को भारत में विभिन्न क्षेत्रों में और भारत से बाहर भेजा। उनके बेटे **महिंद** और बेटी **संघमित्ता** को **श्रीलंका** भेजा गया और वहाँ बोधि वृक्ष के पौधे के रोपण के साथ **भिक्खुनी संघ** की स्थापना की गयी। **मज्झिमा, कसापागोटा, धुंडीबिसारा, सहदेव और मुलकादेव** को हिमालय क्षेत्र में मिशन पर भेजा गया था; महारक्खिता को योना (उत्तर पश्चिम में) भेजा गया था; **मज्झंतिका** को कश्मीर और गांधार; महादेव को महिषामंडल (मध्य भारत में); **धम्मारिखिता** को पश्चिमी मालवा में अपरान्तक; **रक्खिता** को वनवासी और **महाधर्मरक्खिता** को महारत्था (पश्चिमी दक्कन में); और **सोना और उत्तरा** को सुवर्णभूमि (शायद म्याँमार या दक्षिण पूर्व एशिया में) भेजा गया था।

मौर्योत्तर अभिलेख

हेलियोडोरस का बेसनगर स्तंभलेख (मध्य प्रदेश)

हेलियोडोरस (ग्रीक राजदूत) का **द्वितीय शताब्दी ईसा पूर्व** का स्तंभलेख शुंग काल का है और **मध्य प्रदेश में प्राचीन विदिशा** के एक स्थल बेसनगर में स्थित है। यह अभिलेख **प्राकृत भाषा** और **ब्राह्मी लिपि** में है।

हेलियोडोरस विदिशा में स्थानीय शुंग राजकुमार भागभद्र के दरबार में तक्षशिला (अब पाकिस्तान में) के यूनानी राजा एंटालकिडास का राजदूत था।

हेलियोडोरस ने यह स्तंभ भगवान् **वासुदेव (विष्णु)** के सम्मान में **गरुड़ स्तंभ** के रूप में स्थापित करवाया था।

खंबा बाबा (विदिशा, मध्य प्रदेश)

वीडियो अंतर्दृष्टि

हेलियोडोरस स्तंभ पर वैचारिक वीडियो के लिए स्कैन करें

इस स्तंभ पर दिये गये छह पंक्तियों के अभिलेख में, **हेलियोडोरस स्वयं को भागवत्** (अर्थात् भगवान् वासुदेव कृष्ण के उपासक) के रूप में वर्णित करता है, जो यह दर्शाता है कि उसने स्पष्ट रूप से **हिंदू धर्म** को अपना लिया था।

स्तंभ के दूसरी तरफ़ अमरत्व के तीन चरणों ***(संयम, उदारता और मनोयोग)*** का वर्णन करनेवाला एक छोटा अभिलेख है, जिनका सही ढंग से पालन किये जाने पर स्वर्ग की प्राप्ति होती है।

यह स्तंभ हिंद-यूनानी राजनयिक संबंधों के विकास का साक्षी होने के साथ ही **वैष्णववाद** के अंतर्गत वासुदेव पंथ की लोकप्रियता और प्रायद्वीपीय क्षेत्र में फलते-फूलते व्यापार का सूचक है। इस स्तंभ की खोज 1877 में **अलेक्ज़ेंडर कनिंघम** ने की थी। इस स्तंभ को स्थानीय रूप से **खंबा बाबा** कहा जाता है और विशेष रूप से मछुआरों द्वारा इसकी पूजा की जाती है।

कृपया ध्यान दें : प्राचीन काल में, **यवन** शब्द यूनानियों सहित **पश्चिम के विदेशियों** के लिए भारतीय ग्रंथों में प्रयुक्त एक सामान्य शब्द हुआ करता था।

हाथीगुम्फा अभिलेख (ओडिशा)

हाथीगुम्फा अभिलेख **ओडिशा की उदयगिरि-खंडगिरी की गुफाओं** में पाया गया है, जिसे जैन धर्म में मूर्तिपूजा का सबसे पहला अभिलेखीय संदर्भ माना जाता है। हाथीगुम्फा अभिलेख **राजा खारवेल** द्वारा उत्कीर्णित करवाया गया था और माना जाता है कि यह प्रथम शताब्दी ईसा पूर्व के आस-पास का है। हाथीगुम्फा अभिलेख में **प्राकृत भाषा** और **ब्राह्मी लिपि** में **17 पंक्तियाँ** हैं। उदयगिरि की गुफाओं में मिला हाथीगुम्फा अभिलेख कलिंग शासक खारवेल के विषय में जानकारी का मुख्य स्रोत है।

हाथीगुम्फा अभिलेख एक राजा, एक विजेता, संस्कृति के संरक्षक और **जैन धर्म** के एक शूरवीर के रूप में **खारवेल के इतिहास** की तरह है। इसमें सभी धर्मों के प्रति सम्मान, सभी मंदिरों के संरक्षण और राजा की अंतिम स्तुति का भी उल्लेख है। यह अभिलेख समुद्रगुप्त की प्रयाग प्रशस्ति की तरह पूर्णत: खारवेल की **प्रशस्ति** (शासक की प्रशंसा में काव्य रचना) है।

शिलालेखों की कई पंक्तियों में, उनकी सैन्य विजयों का वर्णन है, जिनमें शामिल हैं :

- वह पश्चिम की ओर एक सेना भेजते हैं और **सातवाहन शासक सातकर्णी** पर आक्रमण करते हैं।
- वह मगध (आधुनिक बिहार) के विरुद्ध अभियान आरंभ करते हैं।
- उनकी सेना दक्षिण की ओर कूच करती है और पिथुंडा (संभवत: आंध्र प्रदेश में स्थित एक नगर) पर विजय प्राप्त करती है। साथ ही, वह संभवत: दस द्रविड़ राज्यों (जिनमें पांड्य, चोल और चेर राज्य भी शामिल हैं) के **तमिल संघ की पराजय** का भी उल्लेख करते हैं।
- उनके द्वारा उत्तर भारत पर आक्रमण किये जाने का उल्लेख है। उनकी सेना गंगा घाटी पहुँचती है और **पाटलिपुत्र पर चढ़ाई कर** देती है। इस दौरान **यवन (यूनानी) राजा** भाग जाता है - संभवत: डेमेट्रियस या किसी अन्य भारतीय-यूनानी शासक का उल्लेख है।
- **रथिक और भोजक** जनजातियों (जिन्हें पश्चिमी भारत से पहचाना जाता है) पर विजय का उल्लेख करते हैं।

हाथीबाड़ा घोसुंडी अभिलेख (राजस्थान)

द्वितीय-प्रथम शताब्दी ईसा पूर्व के आस-पास के इन अभिलेखों को कभी-कभी **घोसुंडी अभिलेख** या **हाथीबाड़ा अभिलेख** के रूप में संदर्भित किया जाता है। हाथीबाड़ा घोसुंडी अभिलेख ब्राह्मी लिपि में प्राचीनतम ज्ञात संस्कृत अभिलेख हैं और चित्तौड़गढ़ के निकट स्थित हैं। ये हिंदू परंपरा के अंतर्गत **वैष्णववाद** (भगवान् वासुदेव और संकर्षण) से संबंधित हैं।

नानेघाट अभिलेख (महाराष्ट्र)

नानेघाट अभिलेख का श्रेय सातवाहन राजवंश को दिया जाता है और ईसा पूर्व द्वितीय-प्रथम शताब्दी के आस-पास का माना जाता है। यह अभिलेख **वैष्णववाद** के अंतर्गत संकर्षण (बलराम) और वासुदेव से संबंधित है। यह अभिलेख '2, 4, 6, 7 और 9' के रूप में **विश्व का सबसे पुराना संख्या चिह्न** प्रस्तुत करता है, जो आधुनिक नागरी और हिंदू-अरबी लिपि में पाये जानेवाले अंकों से निकटता से मेल खाते हैं। सातवाहनों के शासनकाल के दौरान, नानेघाट दर्रा एक प्रमुख व्यापारिक मार्ग था। नानेघाट की गुफाएँ **छायाचित्र गैलरी** के लिए भी प्रसिद्ध हैं, जिसमें आठ आदमक़द आकृतियों की मूर्तियाँ उकेरी गयी हैं।

नानेघाट अभिलेख

अयोध्या का शिलालेख (उत्तर प्रदेश)

प्रथम शताब्दी ईसा पूर्व और प्रथम शताब्दी ईसवी के बीच का यह अभिलेख देव वंश के **हिंदू राजा** धन का शिलालेख है। वह अयोध्या नगर से शासन करता था। माना जाता है कि यह शिलालेख दो अश्वमेध यज्ञकर्ता के रूप में **पुष्यमित्र शुंग** का उल्लेख करता है।

जूनागढ़ शिलालेख (गुजरात)

परीक्षोपयोगी

इसे **गिरनार शिलालेख** के नाम से भी जाना जाता है और यह गुजरात में गिरनार पहाड़ी के पास स्थित है। **जूनागढ़ शिलालेख** प्राचीन भारतीय इतिहास के सबसे महत्त्वपूर्ण शिलालेखों में से एक है। यह **जूनागढ़ (गिरनार पहाड़ी, गुजरात)** के पास एक विशाल चट्टान पर उत्कीर्ण है और इसमें विभिन्न शासकों के **विषय में ऐतिहासिक जानकारी** समाहित हैं। इस चट्टान पर तीन (03) शिलालेख हैं, अर्थात् :

a. **अशोक के प्रमुख शिलालेख** (तीसरी शताब्दी ईसा पूर्व के)
b. **रुद्रदमन का शिलालेख** (दूसरी शताब्दी ईसवी के शक शासक रुद्रदमन प्रथम द्वारा)
c. **स्कंदगुप्त का शिलालेख** (पाँचवीं शताब्दी ईसवी के एक गुप्त शासक द्वारा)

अशोक के प्रमुख शिलालेख (I-XIV) प्राकृत भाषा और **ब्राह्मी लिपि** में लिखे हुए पाये गये हैं और ये **पश्चिमी भारत** में बौद्ध धर्म के प्रसार के **सबसे प्रारंभिक प्रमाण** हैं।

रुद्रदमन प्रथम का लगभग 150 ई. का शिलालेख (भारत में संस्कृत भाषा और ब्राह्मी लिपि में सबसे प्राचीन शिलालेख) चौथी शताब्दी ईसा पूर्व में मौर्य सम्राट् **चंद्रगुप्त** के काल में **सुदर्शन झील** नामक **एक जलाशय के निर्माण की शुरुआत**, अशोक के शासनकाल में इसके पूर्ण होने और दूसरी शताब्दी ई. में इसकी मरम्मत का वर्णन करता है।

गुप्त राजा **स्कंदगुप्त** के समय के, उसी चट्टान पर **5वीं शताब्दी ई.** के एक शिलालेख (संस्कृत भाषा, ब्राह्मी लिपि में) में वर्णित है कि कैसे अत्यधिक वर्षा के कारण **सुदर्शन झील** अपने किनारों से टूट गयी और दो वर्षों के प्रयास के बाद इसकी **मरम्मत की गयी**। यहाँ हमारे पास **लगभग 1000 वर्षों की अवधि में एक प्राचीन जलाशय के निर्माण और मरम्मत** का अद्भुत इतिहास है।

क्या आप जानते हैं?

चंद्रगुप्त मौर्य का एकमात्र निश्चित शिलालेखीय प्रमाण रुद्रदमन प्रथम का दूसरी शताब्दी का जूनागढ़ शिलालेख है। इसमें सुदर्शन झील नामक जलाशय के निर्माण की शुरुआत का श्रेय चंद्रगुप्त के शासनकाल को दिया गया है।

कंगनाहल्ली में अशोक के पाषाण चित्र

कंगनाहल्ली (कर्नाटक) में **अशोक के पाषाण चित्र** सम्राट् अशोक से संबंधित सबसे महत्त्वपूर्ण पुरातात्विक खोजों में से एक हैं, क्योंकि ये उनके सबसे पुराने ज्ञात मूर्तिकला चित्रणों में से एक हैं। ये चित्र **कर्नाटक में सन्नति के पास**, कंगनाहल्ली में पाये गये हैं। यह स्थल एक बौद्ध परिसर (महास्तूप) का हिस्सा है, जो भीमा नदी के तट पर स्थित सन्नति बौद्ध स्थल से जुड़ा है और सातवाहन काल (पहली शताब्दी ईसा पूर्व - तीसरी शताब्दी ईसवी) से संबंधित है।

यहाँ नक्क़ाशीदार प्रस्तर पैनल हैं, जिनमें राजा अशोक को एक सिंहासन पर, रानियों और परिचारकों के साथ बैठे हुए दिखाया गया है। यहाँ के शिलालेख में उन्हें **'राय अशोक' (राजा अशोक)** के रूप में चिह्नित किया गया हैं। यहाँ ऐसे दृश्य भी हैं, जिनमें अशोक बुद्ध के अवशेषों की पूजा करते हुए दिख रहे हैं। ये चित्र यथार्थवादी चित्र-शैली की नक्क़ाशी हैं, जो मौर्य काल की प्रतीकात्मक कला से भिन्न हैं।

संस्कृति संक्षेपण

श्रेणियों को बैंकरों के रूप में चित्रित करनेवाले अभिलेख

मौर्योत्तर काल के कई अभिलेखों से प्रकट होता है कि लोग पवित्र अक्षयनिधि के रूप में श्रेणियों में धन लगाते थे और इससे प्राप्त होनेवाले ब्याज का आमतौर पर दान (ब्राह्मणों, बौद्ध भिक्षुओं को) किया जाता था या किसी अन्य पवित्र गतिविधि के लिए अलग रखा जाता था। ऐसे अभिलेखों में शामिल हैं :

- **मथुरा अभिलेख (उत्तर प्रदेश)** - यह अभिलेख उल्लेख करता है, कि दूसरी शताब्दी की शुरुआत में कुषाण राजा हुविष्क द्वारा स्थायी निवेश और अर्जित ब्याज का उपयोग ब्राह्मणों और निराश्रितों को भोजन प्रदान करने के लिए किया जाता था।
- **जुन्नार अभिलेख (महाराष्ट्र)** - यह अभिलेख द्वितीय शताब्दी ईसवी में यवनों (हिंद-यूनानियों) द्वारा करंज और बरगद के पेड़ लगाने के लिए दो कृषि क्षेत्रों की आय के निवेश का उल्लेख करता है।
- **नासिक अभिलेख (महाराष्ट्र)** - यह राजा नहपान से संबंधित है और राजा के वॉयसराय और दामाद उषावदत द्वारा स्थायी निवेश का अभिलेख (संकर संस्कृत में) है। प्राप्त ब्याज का उपयोग भिक्षुओं को वस्त्र और हलका भोजन प्रदान करने के लिए किया जाता था।

कृपया ध्यान दें : गौतमी बलश्री (सातवाहन राजा गौतमीपुत्र सातकर्णी की माता) **का एक अन्य नासिक प्रशस्ति अभिलेख** है, जिसमें गौतमीपुत्र शातकर्णी का एकब्राह्मण (अद्वितीय ब्राह्मण) और क्षतिय-दपमनमद (क्षत्रियों का अभिमान और दंभ नष्ट करनेवाला) के रूप में वर्णन किया गया है।

*प्राचीन ग्रंथों में पाये जानेवाले **श्रेणी और निगम** जैसे शब्द, विभिन्न प्रकार के कॉर्पोरेट संगठनों, जिनमें संघ भी शामिल हैं, को संदर्भित करते हैं।*

रबातक अभिलेख (अफ़ग़ानिस्तान)

बैक्ट्रियन भाषा और यूनानी लिपि में लिखा गया रबातक अभिलेख वर्तमान अफ़ग़ानिस्तान से मिला है और द्वितीय शताब्दी ईसवी के आस-पास का है। 23 पंक्तियों का यह अभिलेख कुषाण शासक **कनिष्क** का मूल्यवान विवरण प्रदान करता है और कुषाण वंश की वंशावली भी देता है। इसमें, कनिष्क को "षाहानुषाही" (महराजाधिराज) और "देवताओं का पुत्र" कहा गया है।

रबातक अभिलेख

बाँधोगढ़ अभिलेख (मध्य प्रदेश)

ये द्वितीय शताब्दी ईसवी में प्रमुख रूप से व्यापारियों द्वारा **दान** के अभिलेख हैं। इन अभिलेखों में व्यक्तियों की पहचान वर्ण या जाति से नहीं, बल्कि व्यवसाय से की गयी है। इस प्रकार बाँधोगढ़ **धर्मनिरपेक्ष उपहार** का एक अनूठा उदाहरण है।

वाकाटक अभिलेख

वाकाटक (250 – 500 ईसवी) **दक्कन** में सातवाहन वंश के बाद आनेवाला सबसे महत्त्वपूर्ण राजवंश था और उत्तर भारत के गुप्त वंश का समकालीन राजवंश था। वाकाटक ब्राह्मण वंशी थे। निम्नलिखित अभिलेखों में वाकाटक वंश का विवरण मिलता है :

- **रामटेक केवल नरसिंह मंदिर अभिलेख** (महाराष्ट्र) - यह वाकाटक शासकों की वंशावली और मंदिर की नींव का अभिलेख है।
- **चमक ताम्रपत्र** (महाराष्ट्र) - चमक ताम्रपत्र वाकाटक वंश के अभिलेखीय अभिलेख हैं, जिन्हें संस्कृत भाषा में लिखा गया है।
- **तिरोड़ी ताम्रपत्र** (मध्य प्रदेश) - तिरोड़ी ताम्रपत्र भी संस्कृत भाषा में वाकाटक वंश के अभिलेखीय अभिलेख हैं।

नागार्जुनकोंडा अभिलेख (आंध्र प्रदेश)

इन अभिलेखों को **इक्ष्वाकु वंश** और लगभग **तीसरी-चौथी शताब्दी ईसवी** का माना जाता है। ये अभिलेख या तो प्राकृत में हैं या संस्कृत में अथवा दोनों के मिश्रण हैं और सभी **ब्राह्मी लिपि** में लिखे गये हैं। ये अभिलेख प्रमुख रूप से **बौद्ध धर्म** और साथ ही हिंदू धर्म की शैव परंपरा से संबंधित हैं। नागार्जुनकोंडा अभिलेखों में इक्ष्वाकुओं द्वारा हिंदू मंदिरों और बौद्ध भिक्षुओं को दिये गये उपहारों का विवरण मिलता है।

गुप्त और गुप्तोत्तर काल के अभिलेख

समुद्रगुप्त की प्रयाग प्रशस्ति (उत्तर प्रदेश) *पहले चर्चा की जा चुकी है।*

महरौली स्तंभलेख (दिल्ली)

महरौली का लौह स्तंभ दिल्ली में कुतुब मीनार परिसर में स्थित है। यह इसके निर्माण में प्रयुक्त धातुओं की जंग प्रतिरोधी संरचना के लिए उल्लेखनीय है। यह स्तंभ गुप्त वंश के चंद्रगुप्त-द्वितीय ने विष्णुपद के रूप में भगवान् विष्णु के सम्मान में स्थापित करवाया था। यह स्तंभलेख **चंद्रगुप्त** को अपने विरुद्ध एकजुट शत्रुओं के संघ से अकेले लड़कर **वंग देशों की विजय का श्रेय देता** है। यह अभिलेख युद्ध में बह्लीकों पर विजय प्राप्त करने का भी श्रेय प्रदान करता है, जो सिंधु नदी के सात मुहानों पर लड़ा गया था।

चंद्रगुप्त द्वितीय का साँची अभिलेख (मध्य प्रदेश)

यह संस्कृत अभिलेख गुप्त राजा चंद्रगुप्त द्वितीय के शासनकाल में साँची स्थित किसी बौद्ध प्रतिष्ठान को दान का विवरण प्रस्तुत करता है। इस शिलालेख में बिन्दुसार के नाम का भी उल्लेख है।

नौसासी (नवसारी) ताम्रपत्र अभिलेख (गुजरात)

यह वल्लभी (गुजरात) के विरुद्ध हर्ष के सफल अभियान की जानकारी देता है।

तुमन शिलालेख (मध्य प्रदेश)

5वीं शताब्दी ईसवी का यह अभिलेख संस्कृत में हैं और गुप्त राजा **कुमारगुप्त प्रथम** के शासनकाल के दौरान एक मंदिर के निर्माण का अभिलेख है।

स्कंदगुप्त का भितरी स्तंभलेख (उत्तर प्रदेश)

455-467 ईसवी के आस-पास का यह अभिलेख विभिन्न गुप्त शासकों का कालक्रम निर्धारित करने, **स्कंदगुप्त**, पुष्यमित्रों और हूणों के बीच संघर्ष की जानकारी के लिए अत्यंत महत्त्वपूर्ण है।

पहाड़पुर ताम्रपत्र अभिलेख (बांग्लादेश)

यह अभिलेख बुद्धगुप्त के समय (लगभग 478 ईसवी) का है। पहाड़पुर बांग्लादेश में स्थित है और यह बुद्धगुप्त के साम्राज्य की पूर्वी सीमा थी।

स्कंदगुप्त का कहौम स्तंभलेख (उत्तर प्रदेश)

यह पाँचवीं शताब्दी का स्तंभ है, जिस पर पार्श्वनाथ और अन्य जैन तीर्थंकरों का ब्राह्मी लिपि में उत्कीर्णन है। यह स्तंभ स्कंदगुप्त के शासनकाल के दौरान स्थापित किया गया था।

कृपया ध्यान दें : गया और नालंदा अभिलेख भी **स्कंदगुप्त** से संबंधित हैं।

बुद्धगुप्त का शंकरपुर ताम्रपत्र (मध्य प्रदेश)

यह अभिलेख गुप्त साम्राज्य के इतिहास के लिए बहुत महत्त्वपूर्ण है, क्योंकि यह उत्तरकालीन गुप्त राजा **बुद्धगुप्त का अंतिम ज्ञात अभिलेख** है।

थाल्नर ताम्रपत्र (महाराष्ट्र)

ये वाकाटक राजा हरिसेना (475-500 ईसवी) के शासनकाल से संबंधित थे।

बिल्साड़ अभिलेख (उत्तर प्रदेश)

यह अभिलेख (लगभग 415 ईसवी) गुप्त शासक कुमारगुप्त प्रथम से संबंधित है। यह अभिलेख नज़दीकी कार्तिकेय मंदिर का विवरण प्रदान है।

यशोधर्मन का मंदसौर स्तंभलेख (मध्य प्रदेश)

किसी अन्य स्थान पर चले जाने पर भी श्रेणियों को दंडित किया जाता था। हालाँकि, मंदसौर अभिलेख से प्रकट होता है कि श्रेणियाँ प्रव्रजन करती थीं और राजा की ओर से उन्हें ऐसा कोई दंड भी नहीं दिया जाता था। 515-550 ईसवी के आस-पास के इन **संस्कृत अभिलेखों** में हूण राजा मिहिरकुल पर औलिकर राजा यशोधर्मन की **विजय** का विवरण मिलता है।

तोरमण का एरण शूकर अभिलेख (मध्य प्रदेश)

प्रारंभिक छठी शताब्दी ईसवी का यह शिलालेख अल्चोन हूणों के शासक राजा तोरमण का विवरण देता है। मध्य प्रदेश के एरण में इस अभिलेख से **सतीप्रथा का पहला प्रमाण** मिलता है।

वदथिक गुफा अभिलेख या नागार्जुनी पहाड़ी गुफा शिलालेख (बिहार)

यह गुप्त लिपि में पाँचवीं या छठवीं शताब्दी ईसवी का संस्कृत शिलालेख है। यह अभिलेख बिहार में बराबर गुफा समूह की नागार्जुनी पहाड़ी गुफा में पाया गया है। यह शिव अभिलेख **ओम** के साथ शुरू होता है, जिससे पाँचवीं शताब्दी की हिंदू परंपरा में इसके महत्त्व का पता चलता है।

हर्षवर्धन के अभिलेख (सातवीं शताव्दी ईसवी)

- **बाँसखेड़ा ताम्रपत्र अभिलेख** (उत्तर प्रदेश में) पर हर्षवर्धन के हस्ताक्षर हैं।
- **सोनीपत ताम्रपत्र अभिलेख** (हरियाणा) और **मधुबन ताम्रपत्र अभिलेख** (उत्तर प्रदेश) हर्षवर्धन का कालक्रम जानने के लिए उपयोगी हैं।

हल्मिडि अभिलेख (कर्नाटक)

यह लगभग 450 - 500 ईसवी का कदंब लिपि में **कन्नड़ भाषा** का **सबसे पुराना ज्ञात** अभिलेख है। यह एक **प्रशासनिक भाषा के रूप में** कन्नड़ के उपयोग का आरंभिक प्रमाण है।

हल्मिडि शिलालेख

ऐहोल अभिलेख (कर्नाटक)

ऐहोल **चालुक्यों की प्रथम राजधानी** थी। ऐहोल से कई अभिलेख मिले हैं, लेकिन **मेगुती मंदिर** के निकट पाया गया अभिलेख, जिसे ऐहोल अभिलेख या ऐहोल प्रशस्ति कहा जाता है, चालुक्यों की कई ऐतिहासिक घटनाओं का साक्षी है। **संस्कृत** भाषा का यह अभिलेख **कन्नड़ लिपि** में लिखा गया है।

इस अभिलेख में **पुलकेशिन द्वितीय के हाथों हर्षवर्धन की पराजय** और पल्लवों पर चालुक्यों की विजय का उल्लेख मिलता है। इस अभिलेख में चालुक्यों की **राजधानी को ऐहोल से हटाकर बादामी स्थानांतरित करने** का भी उल्लेख मिलता है। इन पंक्तियों की रचना 610-642 ईसवी तक शासन करनेवाले पुलकेशिन द्वितीय के दरबारी कवि **रविकीर्ति** के द्वारा की गयी थी।

उल्लेखनीय तमिल-ब्राह्मी दान अभिलेख

परीक्षोपयोगी

- **पुगलूर और अरच्चलूर अभिलेख** - इस अभिलेख में चेर शासकों के साथ-साथ शिल्पकारों और व्यापारियों द्वारा किये गये दान का उल्लेख मिलता है।
- **मंगुलम अभिलेख** - इस अभिलेख में जैन भिक्षुओं को दिये गये उपहारों का विवरण दर्ज है। इसमें पांड्य राजा के अधीनस्थ शासक या पदाधिकारी का वर्णन उल्लेखनीय है।
- **उत्तरामेरुर शिलालेख** - इनमें स्पष्ट प्रमाण हैं कि चोल काल के दौरान ग्राम सभाएँ चुनाव-आधारित शासन, सामुदायिक भागीदारी और जवाबदेही का पालन करती थीं, जिससे ये स्थानीय स्तर पर भारत में **लोकतांत्रिक परंपराओं के शुरुआती उदाहरणों** में से एक बन गये। उत्तरामेरुर वर्तमान कांचीपुरम, तमिलनाडु के पास स्थित है तथा ये शिलालेख चोल काल के दौरान, दसवीं-ग्यारहवीं शताब्दी ईसवी के हैं। ये ग्रंथ/तमिल-ब्राह्मी लिपि में लिखे गये पत्थर के शिलालेख हैं, **जिनमें सभा (विलेज असेंबली) के नियम और चुनाव प्रक्रियाएँ दर्ज हैं।**
- **एन्नयिरम शिलालेख** - एन्नयिरम **तमिलनाडु** के वेल्लोर के पास स्थित है तथा यहाँ पर **चोल कालीन** नौवीं-दसवीं शताब्दी के शिलालेख हैं, जो तमिल भाषा और **वट्टेलुट्टु/तमिल-ब्राह्मी लिपि** में लिखे गये हैं। यह मंदिरों और वीर शिलाओं (वीरक्कल) पर लिखे गये एक प्रकार के पत्थर के शिलालेख हैं, जो जटिल मध्ययुगीन दक्षिण भारतीय समाज को दर्शाते हैं, जहाँ धर्म, अर्थव्यवस्था, शासन और सामाजिक संगठन आपस में घनिष्ठ रूप से जुड़े हुए थे। ये ग्रंथ **चोल मंदिर प्रशासन**, संघ गतिविधियों, धार्मिक दान, वीर स्मृति और स्थानीय समुदाय की प्रारंभिक भागीदारी के बारे में अमूल्य जानकारी प्रदान करते हैं।

डोड्डाहुंडी निशिधि और अभिलेख (कर्नाटक)

जैन धर्म में निशिधि वह स्थान होता है, जहाँ कोई तपस्वी, राजा या रानी, स्वेच्छा से मृत्यु का वरण करता है या जहाँ अंतिम संस्कार किया गया होता है या अस्थि अवशेषों को दफ़नाया गया होता है। ऐसे स्थानों को जैन धर्म में बहुत सम्मान दिया जाता था। वहाँ का नायक पत्थर नौवीं शताब्दी ईसवी में पश्चिमी गंग राजवंश के राजा एरगंग नीतिमार्ग प्रथम की आनुष्ठानिक मृत्यु (सल्लेखना और समाधि) का चित्रण करता है।

देवपाड़ा प्रशस्ति (बांग्लादेश)

यह बंगाल के सेन राजाओं का एक अभिलेख (प्रशस्ति) है। इसकी रचना उमापति धारा (1150-1240 ईसवी) द्वारा की गयी थी, जो दरबारी कवियों में से एक थे और लक्ष्मण सेन के दरबार में मंत्री थे।

क्या आप जानते हैं?

कर्नाटक के **कुर्गोड** में पाया गया **12वीं शताब्दी** का एक शिलालेख **तीन भाषाओं** - *संस्कृत, प्राकृत और कन्नड़* - में है।

क्या आप जानते हैं?

कोल्लम ताम्रपत्र

केरल में स्थित **नौवीं शताब्दी के कोल्लम (क्विलोन) ताम्रपत्र** (जिन्हें **थारिसपल्ली ताम्रपत्र** भी कहा जाता है) अधिकांशत: **तमिल** में हैं और **वट्टेलुट्टु लिपि** में अंकित हैं, साथ ही कुछ शब्द *ग्रंथ* लिपि में भी हैं। ये दक्षिण भारत में व्यापार, धर्म और विदेशी व्यापारी समुदायों को दिये गये विशेषाधिकारों पर प्रकाश डालते हैं।

इसकी **छठी पट्टिका (पत्र)** में **तीन भाषाओं और लिपियों** में गवाहों के हस्ताक्षर हैं - **कुफिक लिपि** में लिखित अरबी; *पहलवी;* और **हिब्रू लिपि** में लिखित *यहूदी-फ़ारसी।*

सनोकर अभिलेख और नैहाटी ताम्रपत्र (पश्चिम बंगाल)

ये दोनों अभिलेख बंगाल के सेन राजवंश के वल्लालसेन से संबंधित शिलालेख हैं।

धर्मपाल का खलीमपुर ताम्रपत्र (पश्चिम बंगाल)

यह ताम्रपत्र धर्मपाल (बंगाल क्षेत्र में **पाल वंश** के दूसरे शासक) से संबंधित है और लगभग नौवीं शताब्दी ईसवी की शुरुआत का है। ताम्रपत्र संभवतः कन्नौज में पाल शासक के सैन्य कारनामों का विवरण देता है।

हरसोला ताम्रपत्र (गुजरात)

यह दसवीं शताब्दी ईसवी के दो अभिलेखों का एक सेट है, जिसमें परमार राजा सियाका द्वितीय द्वारा एक नागर ब्राह्मण पिता-पुत्र की जोड़ी को दो गाँव दिये जाने का वर्णन है।

अलाउद्दीन ख़िलजी का चंदेरी अभिलेख

यह चंदेरी का **सबसे पुराना** *ज्ञात इस्लामी अभिलेख है, जो चौदहवीं शताब्दी का है।* **नस्ख़ लिपि** और **फ़ारसी भाषा** में लिखा गया यह अभिलेख एक मस्जिद के पूरा होने का वर्णन करता है।

श्रेणीबल

मौर्योत्तर काल में, उद्योगों पर राज्य का स्वामित्व समाप्त कर दिया गया था। पुरातात्विक साक्ष्यों के अनुसार, व्यापारी संघ स्वायत्त थे और वे मुहरें और सिक्के जारी करते थे। कलचुरि अभिलेखों में उनके **स्वयं के मिलिशिया/सैनिकों के होने का उल्लेख** दिया गया है, जिन्हें श्रेणीबल (विभिन्न कार्यों में नियुक्त शस्त्रास्त्र में निपुण व्यापारियों एवं अन्य जनसमुदायों की सेना) कहा जाता था।

कुडुमियानमलाई का संगीतमय अभिलेख

यह तमिलनाडु के पुदुकोट्टई ज़िले में स्थित एक पल्लव अभिलेख (संभवतः) था। यह संगीतमय अभिलेख लगभग सातवीं या आठवीं शताब्दी ईसवी का था। इसमें एक राजा द्वारा विद्यार्थियों के लाभ के लिए संगीतमय नोट्स की व्यवस्था की गयी थी। संभवतः इस अभिलेख में महान् संगीतकार **रुद्राचार्य** का उल्लेख था, जो पल्लव राजा महेंद्रवर्मन प्रथम के शासनकाल के दौरान जीवित थे।

चिदंबरम के नटराज मंदिर के स्तंभों पर अंकित शिलालेख में 108 मूर्तियों की नृत्य मुद्राओं का वर्णन है और भरत के नाट्यशास्त्र के श्लोक उद्धृत हैं।

वीडियो अंतर्दृष्टि

कुडुमियानमलाई शिलालेख पर वैचारिक वीडियो के लिए स्कैन करें

वीर शिला/स्मारक शिला

वीर शिला (जिसे कन्नड़/मराठी में *विरगल*, तमिल में *नाडुकल* और तेलुगु में *वीरगल्लू* भी कहा जाता है) प्राचीन और मध्यकालीन भारत में स्थापित एक स्मारक शिला है, जिसे युद्ध में या अपने समुदाय, मवेशियों या भूमि की रक्षा करते हुए अपने प्राणों की आहुति देनेवाले किसी **वीर की स्मृति** में स्थापित किया जाता है।

- आंध्र क्षेत्र में, ऐसी शिलाओं को ***छाया स्तंभ*** कहा जाता है।
- स्मारक शिलाओं का सबसे बड़ा भंडार **कर्नाटक** में है। यहाँ पाँचवीं और तेरहवीं शताब्दी के बीच की लगभग 3,000 वीर शिलाएँ मिली हैं।
- **आंध्र प्रदेश के नागार्जुनकोंडा में,** राजाओं, रानियों, सैनिकों, सरदारों, सेनापतियों, संतों और एक कारीगर की स्मृति में स्मारक शिलाएँ हैं। 12 फुट ऊँचे चूना पत्थर के स्तंभ के आधार पर 29 राजसी महिलाओं - इक्ष्वाकु वंश की बहनों, माताओं और रानियों - के नाम अंकित हैं, जो सामूहिक रूप से राजा **चंतमुला प्रथम** के लिए शोक मना रही थीं।

- नायक शिलाएँ आमतौर पर **पुरुष नायकों** की स्मृति में बनायी जाती थीं, **लेकिन कर्नाटक के सिद्धेनहल्ली** और **केम्बालु** के **दो शिलालेखों में** एक महिला और एक रानी की वीरतापूर्ण मृत्यु का उल्लेख है, जिन्होंने मवेशियों पर आक्रमण किया था। **शिकारीपुर (कर्नाटक)** के एक शिलालेख में एक महिला द्वारा दूसरों की रक्षा के लिए अपने प्राणों की आहुति देने का उल्लेख है।
- **पालतू पशुओं की स्मृति में भी** कुछ रोचक **स्मारक शिलाएँ स्थापित की गयी हैं। गोल्लारहट्टी** का एक शिलालेख पुनीशा नामक एक शिकारी कुत्ते की स्मृति में है, जो एक जंगली सूअर को मारने के बाद मर गया था, जबकि **अटकुर** का एक अन्य शिलालेख काली नामक एक कुत्ते की मृत्यु का स्मरण कराता है, जो शिकार के दौरान एक जंगली सूअर से लड़ते हुए मारा गया था। **तंबूर** में बारहवीं शताब्दी का एक शिलालेख गोवा के कदंब वंश के एक राजा के पालतू तोते की मृत्यु पर शोक व्यक्त करता है। महल में एक बिल्ली ने तोते को खा लिया था और शिलालेख से पता चलता है कि राजा इस घटना से इतना दुखी हुआ कि उसने आत्महत्या कर ली।
- मध्य प्रदेश की **एरण वीर शिला (510 ई.)** ***सबसे पुराना उत्कीर्णित*** और ***सबसे विस्तृत*** अभिलेख है।
- **गुजरात (गुंडियाली और लोदाई गाँवों में)** *समुद्री वीर शिलाओं* के लिए प्रसिद्ध है।
- **राजस्थान की वीर शिलाएँ** (जिन्हें स्थानीय रूप से ***पालिया*** कहा जाता है) राजपूत युद्ध संस्कृति को दर्शाती हैं।

यू.पी.एस.सी. विगत वर्षों के बहुविकल्पीय प्रश्न

1. चोल शिलालेख में भूमि की कई श्रेणियों का उल्लेख है। निम्नलिखित में से कौन-सी, विद्यालयों के रख-रखाव के लिए थी? **(NDA II, 2025)**

(a) तिरुनामटुक्कनी (b) शालाभोग
(c) वेल्लनवगाई (d) पल्लीच्छंदम

2. अशोक के शिलालेखों के बारे में निम्नलिखित में से कौन-सा कथन सही है? **(CDS I, 2025)**

(a) केरल में मिला महा शिलालेख संस्कृत में है।
(b) बिहार में लघु शिलालेख केवल पाटलिपुत्र में मिले हैं।
(c) धौली महा शिलालेख में कलिंग युद्ध का उल्लेख किया गया है।
(d) उत्तराखंड में कालसी महा शिलालेखों का स्थल है।

3. जूनागढ़ शिलालेख से हमें पता चलता है कि, शक संवत् के 72वें वर्ष में, रुद्रदमन के शासन के दौरान भीषण तूफ़ान आया था। उस भीषण तूफान के आने का समय E में क्या होगा? **(CAPF, 2024)**

(a) 150 CE (b) 181 CE
(c) 130 CE (d) 120 CE

4. प्राचीन भारतीय शिलालेखों के बारे में निम्नलिखित कथनों पर विचार कीजिए: **(NDA I, 2024)**

1. प्रारंभिक शिलालेख संस्कृत में हैं।
2. पश्चिमोत्तर के शिलालेखों में प्रयुक्त खरोष्ठी लिपि को उस क्षेत्र पर शासन करने वाले हिंद-यूनानी राजाओं के सिक्कों की सहायता से पढ़ा गया।
3. अधिकांश शिलालेखों में भव्य, अनन्य घटनाओं का उल्लेख है, और सामान्य कृषि पद्धतियों का उल्लेख नहीं है।

उपर्युक्त में से कितना/कितने कथन सही है/हैं?

(a) 1 (b) 2
(c) 3 (d) कोई नहीं

5. अशोक के शिलालेखों में, निम्नलिखित राजनीतिक केंद्रों में से किसका उल्लेख मिलता है?

(a) इंद्रप्रस्थ (b) कौशांबी
(c) सुवर्णगिरि (d) कांदाहार

6. निम्नलिखित कथनों में से कौन-सा सही है? **(CAPF, 2023)**

(a) अशोक के अनेक शिलालेखों के लेखन के लिए प्रयुक्त ब्राह्मी, स्थानीय रूपभेदों को दर्शाती है।
(b) चित्रलिपि लेखनकला का विकास प्राचीन मेसोपोटामिया में हुआ था।
(c) कीलाकार लेखनकला का विकास मिस्र में लगभग तीसरी सहस्राब्दि BCE में हुआ था।
(d) एक प्राचीन लिपि, खरोष्ठी का प्रयोग भारत के दक्षिणी भाग में व्यापक रूप से होता था।

7. निम्नलिखित में से कौन-से युग्म सही सुमेलित हैं? **(CAPF, 2023)**

(अभिलेख/घटना)	(कालावधि)
1. हरिषेण द्वारा रचित प्रयाग प्रशस्ति	4वीं शताब्दी CE
2. चीनी यात्री फाहियान का वृत्तांत	6ठी शताब्दी CE
3. विशाखदत्त का मुद्राराक्षस	5वीं शताब्दी CE
4. बाणभट्ट का हर्षचरित	6ठी शताब्दी CE
5. रविकीर्ति की ऐहोल प्रशस्ति	7वीं शताब्दी CE
6. अमोघवर्ष का कविराजमार्ग	8वीं शताब्दी CE

नीचे दिए गए कूट का प्रयोग कर सही उत्तर चुनिए:
(a) केवल 1, 2 और 3 (b) केवल 2, 3 और 4
(c) केवल 4, 5 और 6 (d) केवल 1, 3 और 5

8. निम्नलिखित में से अशोक के किस लघु शिलालेख में, राजा का निजी नाम - अशोक का उल्लेख है? **(NDA II, 2023)**
(a) मास्की (b) बहपुर
(c) बैराट (d) सहसराम

9. मिहिर भोज की ग्वालियर प्रशस्ति का लेखक कौन था? **(CDS II, 2023)**
(a) नागभट्ट (b) वत्सराज
(c) बालादित्य (d) कक्कूक

10. खारवेल के प्रसिद्ध हाथीगुम्फा शिलालेख में उल्लेख है कि खारवेल ने अपने शासन के ग्यारहवें वर्ष में तमिल राज्यों के संघ ष्त्रामिरादेस संघटमष को विनष्ट कर दिया, जो लंबे समय से खतरे का स्रोत बना हुआ था। उस समय तमिल राज्यों का यह संघ कितना पुराना था? **(CDS II, 2023)**
(a) 110 वर्ष पुराना (b) 111 वर्ष पुराना
(c) 112 वर्ष पुराना (d) 113 वर्ष पुराना

11. भारतीय इतिहास के संदर्भ में, अलेक्ज़ेंडर री, ए.एच. लॉन्गहर्स्ट, राबर्ट स्वेल, जेम्स बर्गेस और वाल्टर इलियट किस गतिविधि से जुड़े थे? **(CSE, 2023)**
(a) पुरातात्त्विक उत्खनन
(b) औपनिवेशिक भारत में अँग्रेज़ी प्रेस की स्थापना
(c) देशी रजवाड़ों में गिरजाघरों की स्थापना
(d) औपनिवेशिक भारत में रेल का निर्माण

12. सातवीं या आठवीं शताब्दी सी.ई. में एक राजा द्वारा अपने शिष्यों के लाभ के लिये व्यवस्थित संगीत नोट्स के समूह वाले संगीत शिलालेख के स्थान का नाम बताएं? **(CDS I, 2023)**
(a) एन्नायिरम (b) उत्तरमेरुर
(c) सियामंगलम (d) कुदुमियामलाई

13. बौद्धमत में अशोक की आस्था के बारे में निम्नलिखित कथनों पर विचार कीजिए। **(CDS I, 2022)**
1. रुम्मिनदेई स्तम्भ अभिलेख और निगाली सागर स्तम्भ अभिलेख बौद्धमत में अशोक की आस्था का स्पष्ट प्रमाण देते हैं।
2. लघु शिलालेख-I बौद्धमत में अशोक की आस्था में अकस्मात् आये परिवर्तन का प्रमाण देता है।

उपर्युक्त कथनों में से कौन-सा/से कथन सही है/हैं?
(a) केवल 1 (b) केवल 2
(c) 1 और 2 दोनों (d) न तो 1, न ही 2

14. अशोक के प्रमुख शिलालेखों के स्थान - वह स्थान जिस राज्य में हैं **(CSE, 2022)**
1. धौली - ओडिशा 2. एरंगुडी - आंध्र प्रदेश
3. जौगड़ - मध्य प्रदेश 4. कालसी - कर्नाटक

उपर्युक्त युग्मों में से कितने सही सुमेलित हैं?
(a) केवल एक युग्म (b) केवल दो युग्म
(c) केवल तीन युग्म (d) सभी चारों

15. निम्नलिखित में से किसकी रचना हरिषेण द्वारा की गयी थी? **(NDA II, 2022)**
(a) गौतमी बालश्री का नासिक अभिलेख
(b) समुद्रगुप्त की प्रयाग प्रशस्ति
(c) विजयसेन की देवपाड़ा प्रशस्ति
(d) खारवेल का हाथीगुम्फा अभिलेख

16. अफ़ग़ानिस्तान में अशोक के शिलालेखों की निम्नलिखित में से किस लिपि में लिखा गया है? **(CAPF, 2022)**
(a) ब्रह्मी (b) शारदा
(c) खरोष्ठी (d) ग्रीक-अरामाईक

17. टोपरा में अशोक स्तंभ के हिलने का चित्रित चित्रण किसमें मिलता है? **(CDS I, 2021)**
(a) तारीख़-ए-फ़िरोजशाही (b) तारीख़-ए-शाही
(c) सीरत-ए-फ़िरोज़शाही (d) अकबर नामा

18. निम्नलिखित में से किस शासक ने इस अभिलेख के माध्यम से अपनी प्रजा को सलाह दी थी? **(CSE, 2020)**
"जो कोई भी अपने संप्रदाय के प्रति अत्यधिक भक्ति के चलते अपने संप्रदाय का महिमामंडन करने की दृष्टि से अपने संप्रदाय की प्रशंसा करता है या अन्य संप्रदायों की निंदा करता है, वह अपने ही संप्रदाय को बहुत गंभीर रूप से चोट पहुँचाता है।"
(a) अशोक (b) समुद्रगुप्त
(c) हर्षवर्धन (d) कृष्णदेव राय

19. निम्नलिखित में से किस उत्कीर्णित मूर्तिकलात्मक अभिलेख में अशोक की पत्थर की प्रतिमा के साथ 'रान्यो अशोक' (राजा अशोक) का उल्लेख किया गया है? **(CSE, 2019)**
(a) कंगनहल्ली (b) साँची
(c) शाहबाज़गढ़ी (d) सोहगौरा

20. निम्नलिखित में से किसने सर्वप्रथम अशोक के शिलालेखों को पढ़ा था? **(CSE, 2016)**
(a) जॉर्ज बिल्लर (b) जेम्स प्रिंसेप
(c) मैक्स मुलर (d) विलियम जोन्स

21. सम्राट् अशोक की एकमात्र उत्कीर्णित प्रस्तर प्रतिमा मिली है। **(CDS I, 2014)**
(a) साँची से (b) अमरावती से
(c) कंगनहल्ली से (d) अजंता से

उत्तरमाला

1. (b)	2. (d)	3. (a)	4. (a)	5. (c)	6. (a)	7. (d)	8. (a)
9. (c)	10. (d)	11. (a)	12. (d)	13. (a)	14. (b)	15. (b)	16. (d)
17. (c)	18. (a)	19. (a)	20. (b)	21. (c)			

5

भारत में सिक्के

अध्याय की रूपरेखा

- आहत मुद्राएँ
- हिंद-यूनानी सिक्के
- प्राचीन भारत में रोमन सिक्के
- सातवाहनों के सिक्के
- पश्चिमी क्षत्रपों या हिंद-शकों के सिक्के
- गुप्त काल में जारी किये गये सिक्के
- वर्द्धनों के सिक्के
- चालुक्य राजाओं के सिक्के
- राजपूत राजवंशों के सिक्के
- पांड्य, पल्लव, चोल और चेर वंश के सिक्के
- तुर्की और दिल्ली सल्तनत के सिक्के
- विजयनगर साम्राज्य के सिक्के
- मुग़ल सिक्के

अँगरेज़ी **'कॉइन'** (Coin) शब्द, लैटिन शब्द 'Cuneus' से लिया गया है। सिक्कों और पदकों का अध्ययन **सिक्काशास्त्रीय या मुद्राशास्त्रीय कला** (Numismatic art) भी कहलाता है। मुद्राशास्त्र में उस सामग्री का विश्लेषण शामिल है, जिससे सिक्कों/मुद्राओं का निर्माण किया गया था; धातुओं के स्रोतों की पहचान; सिक्कों की बनावट, वज़न, डिज़ाइन, धातु संरचना, निर्माण तकनीक और संदेश सामग्री के आधार पर उनके स्वरूप का वर्गीकरण और अध्ययन आदि होता है। भारत में, पाषाण युग के लोग, जिनमें ताम्रपाषाण युग भी शामिल है और हड़प्पा के लोग वस्तु विनिमय के माध्यम से और मुद्राओं के उपयोग के बिना, विनिमय करते थे। ऋग्वेद में निष्क और निष्क-ग्रीवा (स्वर्ण आभूषण), और हिरण्य-पिंड (स्वर्ण गोलियाँ) जैसे शब्दों का उल्लेख है, लेकिन इन्हें मुद्राओं के रूप में नहीं समझा जा सकता। उत्तर वैदिक ग्रंथों में निष्क, सुवर्ण, शतमान और पाद जैसे शब्दों का प्रयोग किया गया है, जो निश्चित वज़न के धातु के टुकड़े हो सकते हैं, लेकिन ज़रूरी नहीं कि वे पूर्ण सिक्के हों।

क्या आप जानते हैं?

भारतीय मुद्राशास्त्र परिषद् (NSI): इसे 1910 में स्थापित किया गया था, जिससे भारतीय मुद्राशास्त्र के क्षेत्र में एक नये युग की शुरुआत हुई। इस परिषद् के संस्थापक सदस्य रेव. सर रिचर्ड बर्न, एच. एन. राइट और आर.बी. व्हाइटहेड थे। इलाहाबाद उच्च न्यायालय के मुख्य न्यायाधीश सर जॉन स्टेनली इसके पहले अध्यक्ष बने।

भारतीय उपमहाद्वीप में सिक्कों के प्रारंभिक निश्चित पाठ्य और पुरातात्विक साक्ष्य पाँचवीं - छठवीं शताब्दी ईसा पूर्व के हैं। कुछ बौद्ध ग्रंथों के साथ-साथ पाणिनी की अष्टाध्यायी में भी कहापन/कर्षापण, निक्खा/निष्क, शतमान, पाद, विंशतिका, त्रिंशतिका और सुवन्न/सुवर्ण जैसे शब्दों का उल्लेख है। भारतीय सिक्कों की तौल प्रणाली की मूल इकाई गुंजा बेरी का एक लाल और काला बीज था, जिसे रक्तिका, रत्ती या रति के नाम से जाना जाता था। दक्षिण भारत में, सिक्कों का मानक वज़न सैद्धांतिक रूप से दो प्रकार की फलियों - मंजदी और कलंजु - के बीच के संबंध के आधार पर परिकलित किया जाता था। मुद्राओं के आगमन के बाद, वस्तु विनिमय और सिक्के दोनों बहुत लंबे समय तक सह-अस्तित्व में रहे।

आहत मुद्राएँ

उपमहाद्वीप में पाये जानेवाले सबसे पुराने सिक्के पंच मार्क (आहत या ठप्पेवाले) सिक्के हैं, जो अधिकांश चाँदी के और कुछ ताँबे के भी बने होते थे। प्रारंभिक सिक्के ढाले हुए सिक्के थे, जिनमें केवल एक ओर ही छाप या ठप्पा अंकित होता था। इनमें एक ही ओर एक से पाँच चिह्न या प्रतीक अंकित होते थे, इसलिए इन्हें **'आहत मुद्राएँ'** कहा जाता था। **पाणिनी की *अष्टाध्यायी*** में उद्धृत है कि आहत मुद्राओं में, धातु के टुकड़ों पर प्रतीक अंकित किये जाते थे। प्रत्येक इकाई को **'रत्ती'** कहा जाता था, जिसका **वज़न 0.11 ग्राम** होता था। इस सिक्के का पहला साक्ष्य **छठी शताब्दी ईसा पूर्व** से **द्वितीय शताब्दी ईसा पूर्व** के बीच मिलता है। इसके निम्नलिखित **दो वर्गीकरण** उपलब्ध हैं :

1. **विभिन्न महाजनपदों द्वारा जारी की गयीं आहत मुद्राएँ : पुराण, कार्षापण या पण** नामक पहली भारतीय आहत मुद्राएँ **छठवीं शताब्दी ईसा पूर्व** में गंगा नदी के तटीय क्षेत्रों में स्थित विभिन्न **जनपदों** और **महाजनपदों** द्वारा ढाली गयी थीं।

   पंचमार्क चाँदी के सिक्के अनियमित आकार के होते थे, लेकिन उनका वज़न मानक होता था और उन पर क्षेत्रीय चिह्न होते थे (जैसे- सौराष्ट्र में कूबड़वाला बैल, दक्षिण पांचाल में स्वस्तिक, मगध में पाँच चिह्न)। मगध के सिक्के दक्षिण एशिया में सबसे अधिक प्रचलित हुए। इनका उल्लेख मनुस्मृति और बौद्ध जातक कथाओं में मिलता है और ये उत्तर की तुलना में दक्षिण में तीन शताब्दियों तक प्रचलन में रहे।

मगध सिक्का (पाँच चिह्न)

2. **मौर्य काल (322-185 ई.पू.) के दौरान :** चाणक्य (प्रथम मौर्य सम्राट चंद्रगुप्त मौर्य के प्रधानमंत्री) ने अपने अर्थशास्त्र में - रूप्यरूप (चाँदी), सुवर्णरूप (स्वर्ण), ताम्ररूप (ताँबा) और सीसरूप (सीसा) जैसी आहत मुद्राओं का उल्लेख किया है, जिन पर लगातार सूर्य और छह भुजाओंवाले चक्र के प्रतीक अंकित हैं। इन कार्षापणों का वज़न लगभग 32 रत्ती (56 ग्रेन) चाँदी के थे। तक्षशिला (300 ई.पू.-200 ई.) में, व्यापारी संघों ने गांधार में स्थानीय व्यापार के लिए नेगामा सिक्के ढाले, जिन पर दोजक, अटकटक, रालिमासा और कारे जैसे नाम अंकित थे। पाली ग्रंथों में सिक्कों के पहले निश्चित संदर्भ मिलते हैं, जैसे- कहपण, निक्खा, कंस, पाद, मसक और काकनिका। ताँबे या ताम्र की मिश्रधातुओं से बने अलिखित ढले सिक्के, पंच-चिह्नित सिक्कों के तुरंत बाद दिखाई दिये। अन्य प्रारंभिक भारतीय मुद्रा प्रकारों में अलिखित ढले सिक्के शामिल हैं, जो अधिकतर ताँबे के, कभी-कभार चाँदी के होते हैं और ये तक्षशिला और उज्जैन जैसे स्थलों पर बड़ी संख्या में पाये गये हैं।

पहिया और हाथी के प्रतीक के साथ मौर्य कार्षापण। (तीसरी शताब्दी ईसा पूर्व)

हिंद-यूनानी सिक्के (Indo-Greek Coins)

हिंद-यूनानियों का शासनकाल 180 ईसा पूर्व से लेकर लगभग 10 ईसवी तक था। हिंद-यूनानियों ने अपने ढाले हुए सिक्कों पर शासक की आवक्ष प्रतिमा या सिर अंकित करने का प्रचलन शुरू किया, जो अधिकतर चाँदी के होते थे। हिंद-यूनानियों ने ही शासकों के नाम और चित्रवाले पहले सिक्के जारी किये। हिंद-यूनानी सिक्के प्राय: चौकोर आकार के होते थे। इन पर यूनानी और खरोष्ठी (कभी-कभी ब्राह्मी) में द्विभाषी मुद्रालेख होते थे और ये भारतीय वज़न मानक का पालन करते थे। इनके अग्रभाग पर शाही चित्र अंकित हैं, लेकिन पृष्ठभाग पर यूनानी मूल के नहीं, बल्कि भारतीय परंपराओं से प्राप्त धार्मिक प्रतीकों को दर्शाया गया है। बैक्ट्रिया के राजा अगाथोक्लीस द्वारा जारी एक उल्लेखनीय मुद्रा शृंखला में अग्रभाग पर संकर्षण बलराम और पृष्ठभाग पर वासुदेव

कुषाणकालीन सिक्का

कृष्ण को दर्शाया गया था। हिंद-यूनानी सिक्कों पर सामान्यतः दर्शाये गये यूनानी देवी-देवता **जीउस**, **हरक्यूलिस**, **अपोलो** और **पलास एथेन** थे। प्रारंभिक शृंखला में यूनानी देवी-देवताओं की आकृतियों का उपयोग किया गया था, लेकिन बाद के सिक्कों में भारतीय देवी-देवताओं की भी आकृतियाँ पायी गयीं।

ये सिक्के महत्त्वपूर्ण हैं, क्योंकि इनमें **जारी करनेवाले राजा की आकृति, जारी करने के वर्ष और कभी-कभी शासनकर्ता राजा के संबंध में विस्तृत जानकारी भी होती थी।** सिक्के मुख्य रूप से **चाँदी, ताँबा, निकल और सीसा से बनाये जाते थे। भारत में यूनानी राजाओं के सिक्के द्विभाषी थे, अर्थात् सामने की ओर यूनानी तथा पीछे की ओर पाली भाषा में (खरोष्ठी लिपि में) उत्कीर्णित होते थे।** हिंद-यूनानी भारत में सिक्के (सोना, चाँदी, ताँबा और निकल) जारी करनेवाले पहले शासक थे, जिन्हें किसी भी राजवंश के लिए ज़िम्मेदार ठहराया जा सकता है और वे भारत में सोने के सिक्के जारी करनेवाले भी पहले थे (जिनकी संख्या कुषाणों के अधीन बढ़ी)।

कुषाण (पहली-चौथी शताब्दी ईसवी) उपमहाद्वीप का पहला राजवंश था, जिसने बड़ी मात्रा में सोने के सिक्के ढाले, उनके चाँदी के सिक्के दुर्लभ हैं। उन्होंने कम मूल्यवर्ग के कई ताँबे के सिक्के भी जारी किये। कुषाण सिक्कों के अग्रभाग पर राजा की आकृति, नाम और उपाधि होती है तथा पीछे की ओर ग्रीक, ईरानी, भारतीय और अन्य देवताओं की मूर्तियाँ होती हैं। किंवदंतियाँ या तो पूरी तरह से ग्रीक में हैं अथवा कुछ मामलों में, पीछे की तरफ़ प्राकृत भाषा और खरोष्ठी लिपि में हैं। सम्राट् कनिष्क के समय से, कुषाण सिक्कों पर बैक्ट्रिया की भाषा (ग्रीक लिपि में लिखी) का प्रयोग होने लगा। कुषाण शासकों के स्वर्ण सिक्के उच्च शुद्धता के थे; हालाँकि, वे समकालीन रोमन सम्राटों द्वारा जारी किये गये सिक्कों से वज़न में भिन्न थे। ये सिक्के उत्तर भारत और मध्य एशिया के कई स्थलों से मिले हैं।

प्राचीन भारत में रोमन सिक्के

भारत में विभिन्न स्थानों पर बड़ी संख्या में प्राचीन रोमन सिक्के (दूसरी शताब्दी ईसा पूर्व से छठी शताब्दी ईसवी तक) पाये गये हैं। आंध्र प्रदेश में **कृष्णा घाटी** और तमिलनाडु में **कोयंबटूर**; वे दो प्रमुख स्थान हैं, जहाँ प्रचुर मात्रा में रोमन सिक्के पाये गये हैं। भारत में प्राचीन रोमन सिक्कों और इंडो-रोमन व्यापार का अध्ययन करनेवाले प्रमुख मुद्राशास्त्री जेम्स टॉड, जेम्स प्रिंसेप और बिशप काल्डवेल थे।

रोमन सिक्कों और बुलियन की अन्तर्वाह के तीन चरण हैं:

पहला चरण

रोमन चाँदी के दीनार (3.4-4 ग्राम) का एक बड़ा प्रवाह भारत में बुलियन के रूप में पहुँचा और मुख्य रूप से केरल, तमिलनाडु और लक्षद्वीप में पाये गये।

दूसरा चरण

इस चरण को स्वर्ण चरण के रूप में भी जाना जाता है। ऑगस्टस, टिबेरियस, क्लॉडियस और नीरो जैसे सम्राटों द्वारा जारी किये गये रोमन ऑरियस सिक्के (7-8 ग्राम) मुख्य रूप से केरल, कर्नाटक, तमिलनाडु और आंध्र प्रदेश में पाये गये। गुजरात, महाराष्ट्र और ओडिशा में भी कुछ छोटे सोने के सिक्के पाये गये। बाद में (दूसरी-तीसरी शताब्दी ई.) एंटोनिनस पायस और सेप्टिमियस सेवेरस से सिक्के आये।

तीसरा चरण

अंतिम रोमन ताँबे के सिक्कों को फ़ोल्स (Folles) के नाम से जाना जाता था। तमिलनाडु के करूर और मदुरई में बड़ी संख्या में सिक्के मिले थे। चौथी शताब्दी ईसवी में जारी किये गये सिक्कों का श्रेय राजा कॉन्स्टेंटियस द्वितीय और थियोडोसियस को दिया जाता है। दक्षिण भारत में छठी शताब्दी ई. तक रोमन सिक्के पाये गये हैं।

रोमन सिक्कों की कुछ अन्य विशेषताएँ : भारतीय शासकों द्वारा रोमन सिक्कों की नक़ल का उपयोग किया गया। भारत में पाये गये अधिकांश रोमन सिक्कों पर एक कट का निशान देखा गया है। पेरिप्लस मैरिस एरिथ्रेई नामक ग्रंथ के अनुसार, तीन क्षेत्र रोमनों के लिए मुख्य बाज़ार थे - बारबारिकॉन, भरुकच्छ (बैरगाजा) और मुजिरिस। मिट्टी के बुल्ले (चौथी-तीसरी ईसा पूर्व-200 ई.) दक्कन और उत्तरी भारत में पाये गये।

विरासत स्मरण

भारतीय मूर्तिकला में वलय रकाब का उपयोग

मिट्टी के बुल्ले (चौथी-तीसरी ईसा पूर्व-200 ई.) दक्कन और उत्तरी भारत में पाये गये। तीसरी शताब्दी ईसा पूर्व से चौथी शताब्दी ईसवी के दौरान उत्तर और मध्य भारत में अनेक ढले या ढाले गये (ताँबे, काँसे, चाँदी, पोटिन में) स्थानीय सिक्के जारी किये गये, जिन्हें स्वदेशी, आदिवासी, जनपद कहा गया। इनमें सरदारों, राजाओं और गैर-राजशाही राज्यों जैसे अर्जुनायन, उद्देहिक, मालव और यौधेय द्वारा जारी किये गये सिक्के शामिल हैं। त्रिपुरी, उज्जयिनी, कौशाम्बी, विदिशा, एरिकिना, माहिष्मती, मध्यमिका, वाराणसी और तक्षशिला जैसे शहरों के नामवाले सिक्के भी हैं, जो संभवतः इन शहरों के प्रशासन द्वारा जारी किये गये थे। नेगमा शब्दवाले कुछ सिक्के व्यापारी संघों द्वारा जारी किये गये सिक्कों का प्रतिनिधित्व करते प्रतीत होते हैं। पंच-नेकमे किंवदंती वाले कुछ तक्षशिला सिक्के संभवतः पाँच संघों द्वारा संयुक्त रूप से जारी किये गये थे।

सातवाहनों के सिक्के

सातवाहनों (प्रथम शताब्दी ईसवी - तृतीय शताब्दी ईसवी) ने अधिकतर सीसे और चाँदी के सिक्के जारी किये और शायद ही कभी पोटिन (ताँबा, सीसा, टिन और पीतल की मिश्रधातु) और ताँबे के सिक्के जारी किये। प्रयुक्त प्रतीक हाथी, घोड़े, सिंह या चैत्य के थे। सिक्के के पीछे की ओर उज्जैन का प्रतीक (दो पार-गमन करनेवालीं रेखाओं के अंत में चार चक्रों के साथ क्रॉस) था। किंवदंतियों को लिखने के लिए अधिकतर प्राकृत भाषा और ब्राह्मी लिपि का प्रयोग किया जाता था।

उज्जैन प्रतीक के साथ सातवाहनों का सीसे का सिक्का

इन सिक्कों की विशेषताओं में से एक थी **काउंटर-स्ट्राइकिंग (जवाबी हमला)**। यह वह प्रक्रिया है, जिसके द्वारा एक नया प्राधिकारी उन सिक्कों पर अपने स्वयं के चिह्न या प्रतीक जोड़ता है, जो पहले किसी अन्य प्राधिकारी द्वारा जारी किये गये थे। यह शक्ति प्रदर्शन करने और नये शासन के क्षेत्र में सिक्कों के निरंतर प्रचलन को सुनिश्चित करने के लिए किया जाता था।

पश्चिमी क्षत्रपों या हिंद-शकों के सिक्के

उन पर **शक सम्वत् की तिथियाँ अंकित हैं**, जो 78 ईसवी से आरंभ होता है। पश्चिमी क्षत्रपों के सिक्कों पर **एक ओर राजा का सिर** और दूसरी ओर, उन पर बौद्ध चैत्य या **स्तूप की आकृति** है, जो स्पष्ट रूप से सातवाहनों से लिया गया है। सामान्यतः **प्राकृत भाषा** का उपयोग किया गया था, जिसे कई लिपियों में लिखा गया था।

राजा और बौद्ध स्तूप

गुप्त काल में जारी किये गये सिक्के

परीक्षोपयोगी

राजा तथा देवी लक्ष्मी

गुप्त काल (319 ईसवी-550 ईसवी) हिंदू पुनरुत्थान की अवधि का प्रतीक है। गुप्त सिक्के **मुख्य रूप से स्वर्ण के बने हुए थे**, हालाँकि गुप्त शासकों ने **चाँदी और ताँबे के भी सिक्के जारी किये थे**। वास्तव में, सबसे अधिक संख्या में सोने के सिक्के गुप्त शासकों द्वारा जारी किये गये थे।

चंद्रगुप्त द्वितीय द्वारा पश्चिमी क्षत्रपों को उखाड़ फेंकने के बाद ही चाँदी के सिक्के जारी किये गये थे। गुप्तों के स्वर्ण सिक्के विभिन्न प्रकार और क़िस्मों के थे, जिन्हें **'दीनार'** कहा जाता था।

वास्तव में, गुप्त शासकों द्वारा सर्वाधिक संख्या में सोने के सिक्के जारी किये गये थे।

सिक्कों के एक तरफ़ अश्वमेध यज्ञ, पशुओं की सवारी करते हुए या जंगली जानवरों का वध करते हुए चित्रित किया गया है। दूसरी ओर, आमतौर पर देवी लक्ष्मी को सिंहासन या कमल पर, रानी अथवा अन्य देवी-देवताओं जैसे- दुर्गा, गंगा, गरुड़ और कार्तिकेय को चित्रित किया गया है। भारत में सिक्कों के इतिहास में पहली बार, शिलालेख संस्कृत भाषा और ब्राह्मी लिपि में थे। समुद्रगुप्त के सिक्कों पर *पराक्रमः* (बहादुर), *अप्रतिरथः* (अजेय), *अश्वमेध-पराक्रमः* (*अश्वमेध* करने के लिए पर्याप्त शक्तिशाली) और *व्याघ्र-पराक्रमः* (बाघ के समान बहादुर) जैसे विशेषण हैं।

क्या आप जानते हैं?

गुप्त काल के सिक्कों से जुड़े रोचक तथ्य

- गुप्त शासकों में, **चंद्रगुप्त द्वितीय 'विक्रमादित्य'** पहला शासक था, जिसने **चाँदी के सिक्के** जारी किये तथा **रामगुप्त** पहला और एकमात्र शासक था, जिसने **ताँबे के सिक्के** जारी किये। ये सिक्के मध्य भारत के **भिलसा** में पाये गये हैं। इन पर गरुड़ का प्रतीक अंकित है।
- गुप्त शासकों के सोने के सिक्कों को **दीनार** और चाँदी के सिक्कों को **रूपक** के नाम से जाना जाता था।
- **समुद्रगुप्त और कुमारगुप्त प्रथम** के सिक्कों के रोचक उदाहरण हैं, जिनमें उन्हें **वीणा** बजाते हुए दिखाया गया है।
- **कुमारगुप्त प्रथम** का **"राइनो-स्लेयर" (गैंडा-हत्यारा)** प्रकार का सिक्का, प्राचीन भारतीय मुद्रा पर गैंडे की आकृति का एकमात्र उदाहरण है।

छठी शताब्दी में गुप्त शासन के पतन के बाद, कई स्थानीय राज्यों ने कुषाण -गुप्त और विदेशी डिज़ाइनों से प्रभावित निम्न गुणवत्तावाले सिक्के जारी किये, जबकि दक्षिण भारत ने रोमन सिक्कों से प्रेरित होकर सोने के सिक्के विकसित किये।

वर्द्धनों के सिक्के

फलकों पर राजा का सिर और मोर का चिह्न

थानेश्वर और कन्नौज के वर्द्धन वंश **छठवीं शताब्दी के उत्तरार्ध** में भारत से हूण आक्रमणकारियों को निकाल बाहर करने के लिए उत्तरदायी थे। वर्द्धनों में सबसे शक्तिशाली **राजा हर्षवर्द्धन** थे। उनके साम्राज्य में लगभग पूरा उत्तरी भारत सम्मिलित था। वर्द्धनों के **चाँदी के सिक्कों** पर **एक तरफ़ राजा का सिर और दूसरी तरफ़ मोर की आकृति पायी जाती है**। हर्षवर्द्धन के सिक्कों की तिथियाँ एक नये संवत् की मानी जाती हैं, जो संभवतः 606 ईसवी में उनके राज्याभिषेक से आरंभ होता है।

चालुक्य राजाओं के सिक्के

सूअर के चित्र के साथ पूर्वी चालुक्यों का सिक्का

चालुक्य सिक्कों पर एक ओर **मंदिर** या **सिंह या मिथकीय आकृतियाँ** पायी जाती हैं। वहीं दूसरी ओर को ख़ाली छोड़ दिया गया है। **पूर्वी चालुक्य वंश** (सातवीं - बारहवीं शताब्दी ईसवी) के **सिक्कों पर केंद्र में सूअर का प्रतीक** है, जिसके चारों ओर राजा के नाम का प्रत्येक अक्षर एक पृथक् ठप्पे द्वारा अंकित किया गया है। यहाँ भी दूसरी ओर को रिक्त छोड़ दिया गया है।

राजपूत राजवंशों के सिक्के

राजपूत सिक्के (ग्यारहवीं - बारहवीं शताब्दी ई.) मुख्यत: सोने, ताँबे या बिलन के बने होते थे। एक सिक्के पर राजा का नाम देवी के साथ अंकित होता था, जबकि गांधार और सिंध के सिक्कों पर एक ओर बैल और दूसरी ओर घुड़सवार की आकृतियाँ होती थी।

पांड्य, पल्लव, चोल और चेर वंश के सिक्के --------------------> परीक्षोपयोगी

चोल वंश के राजा राजराज प्रथम के सिक्के

प्रारंभिक काल में पांड्य राजवंश द्वारा जारी किये गये सिक्के हाथी की आकृति के साथ वर्गाकार थे। आगे चलकर **मछली**, सिक्कों पर एक बहुत महत्त्वपूर्ण प्रतीक बन गयी। सोने और चाँदी के सिक्कों पर संस्कृत में और ताँबे के सिक्कों पर तमिल भाषा में लेख हैं।

चोल राजा राजराज-प्रथम के सिक्कों में संस्कृत में लेख के साथ एक तरफ़ **खड़े राजा और दूसरी तरफ़ बैठी देवी की आकृति** है। राजेन्द्र-प्रथम के सिक्कों पर बाघ और मछली के प्रतीकों के साथ **''श्री राजेन्द्र'' या ''गंगईकोंड चोल''** उत्कीर्णित है। **पल्लव वंश** के सिक्कों पर **शेर** की आकृति पायी जाती है।

सिंह और बैल की आकृतिवाले सिक्के, जिनमें से कुछ पर उपाधियाँ भी अंकित हैं, पल्लवों से जुड़े हुए हैं। चोल सिक्कों पर बाघ का शिखा-प्रतीक है। कई चोल ताम्रपत्र अभिलेखों की मुहरों पर बाघ, मछली (पांड्य प्रतीक) और धनुष (चेर प्रतीक) दिखाई देते हैं, जो दर्शाता है कि चोलों ने इन दोनों राजवंशों पर राजनीतिक आधिपत्य प्राप्त कर लिया था। कई सोने, चाँदी और ताँबे के सिक्कों पर इन तीन प्रतीकों की उपस्थिति से पता चलता है कि ये चोल शासकों द्वारा जारी किये गये थे। आंध्र प्रदेश के नेल्लोर जिले के कविलयदवल्ली में पाये गये स्वर्ण सिक्कों में बाघ, धनुष और कुछ अस्पष्ट चिह्नों की आकृतियाँ हैं। अग्रभाग पर तमिल किंवदंती सुंग है, जो चोल राजा कुलोत्तुंग प्रथम की उपाधियों में से एक सुंगंदविर्त्तरुलीना (कर का उन्मूलन करनेवाला) का संक्षिप्त रूप प्रतीत होता है।

अंतिम चोल चरण केवल ताँबे के सिक्कों से जाना जाता है, जबकि प्रारंभिक मध्ययुगीन पांड्य ताँबे के सिक्के, जो मुख्य रूप से श्रीलंका में पाये जाते हैं, कभी-कभी वीर या सुंदर पांड्य जैसे नाम अंकित होते हैं, हालाँकि यह स्पष्ट नहीं है कि वे किस राजा को दर्शाते हैं।

तुर्की और दिल्ली सल्तनत के सिक्के

इन सिक्कों पर **सुल्तान के नाम, पदवी और हिजरी पंचांग** के अनुसार **तिथि** लिखी हुई है। **इन सिक्कों पर जारी करनेवाले सुल्तान का चित्र नहीं पाया गया,** क्योंकि इस्लाम में मूर्तिपूजा प्रतिबंध है। पहली बार, सिक्कों पर टकसाल का नाम भी अंकित किया गया है।

दिल्ली के सुल्तानों ने सोने, चाँदी, ताँबे और बिलन के सिक्के जारी किये। इल्तुतमिश द्वारा **चाँदी का टंका और ताँबे का जीतल** प्रचलित किया गया था। अलाउद्दीन ख़िलज़ी ने ख़लीफ़ा का नाम निकालकर और अपनी प्रशंसावालीं पदवियों को रखकर प्रचलित डिज़ाइन में परिवर्तन किये। **मुहम्मद बिन तुग़लक़** ने प्रतीकात्मक मुद्रा के तौर पर **काँसे और ताँबे के सिक्के** प्रचलित किये, जो कि सफल नहीं हो सका। **शेर शाह सूरी** (1540-1545) ने दो मानक भार प्रचलित किये–एक, चाँदी के सिक्कों के लिए 178 ग्रेन और दूसरा, ताँबे के सिक्कों के लिए 330 ग्रेन। बाद में इन्हें क्रमश: ''**रुपये**'' और ''**दाम**'' के रूप में जाना गया।

संस्कृति संक्षेपण

- क़न्धारी दिरहम : भारत में इस्लामी प्रकार के सिक्के सबसे पहले सिंध के अमीरों (Amirs of Sindh) द्वारा जारी किये गये थे (नौवीं - दसवीं सदी)। ये सिक्के चाँदी के थे और इन्हें क़न्धारी दिरहम कहा जाता था। सिक्कों में कुफ़िक सुलेख का उपयोग किया गया था, जिसमें एक तरफ़ कालिमा और दूसरी तरफ़ अमीर का नाम था।
- **एक तरफ़ बैठी हुई देवी लक्ष्मीवाले सोने के सिक्के** - पहली बार मध्य भारतीय क्षेत्र में बारहवीं शताब्दी ईसवी में मुहम्मद इब्न सैम द्वारा जारी किये गये थे। क्योंकि उन्हें यह ज्ञात था कि सिक्कों पर दृश्य तत्व मुद्रा के रूप में उनकी स्वीकृति और सफलता के लिए मौलिक थे, उन्होंने एक दृश्य परंपरा को बनाये रखने के लिए ऐसे सिक्के जारी किये, जो भारत में 1000 साल पहले कुषाण राजा कनिष्क द्वितीय की मुद्रा पर आरंभ हुए थे।
- स्थानीय परंपरा और स्थानीय लिपि (देवनागरी) के साथ बैल या घुड़सवार के चित्रणवाले सिक्के ग़ज़नवी, ग़ोरी और मामेलुक द्वारा जारी किये गये थे।

विरासत स्मरण

विजयनगर साम्राज्य के सिक्के

विजयनगर साम्राज्य (चौदहवीं - सत्रहवीं शताब्दी) ने बड़ी मात्रा में **सोने के सिक्के** जारी किये; उनके सिक्कों में प्रयुक्त अन्य धातुएँ शुद्ध चाँदी और ताँबा थीं।

1. **पगोडा :** उच्च मूल्य वर्गवाले–ख़ंजर के प्रतीक के साथ दौड़ते हुए योद्धा की आकृति।
2. **स्वर्ण फणम/फनम :** कार्यात्मक इकाई
3. **रजत तरस :** भिन्नात्मक इकाई
4. **ताँबे के सिक्के :** दिन-प्रतिदिन के लेनदेन के लिए।

विजयनगर के प्रारंभिक सिक्के विभिन्न टकसालों में तैयार किये गये थे और उन्हें **बार्कुर गद्यनास, भटकल गद्यनास** आदि जैसे विभिन्न नाम दिये गये थे। इन पर लेख कन्नड़ या संस्कृत में हैं। प्रत्येक चोंच से हाथी और पंजे से साँड़ पकड़े हुए दो-सिरवाली चील और विभिन्न हिंदू देवी-देवताओं की आकृतियाँ मिलती हैं। **कृष्ण देवराय (1509-1529)** द्वारा जारी किये गये **स्वर्ण वराह सिक्कों** पर एक तरफ़ बैठे हुए विष्णु और दूसरी तरफ़ संस्कृत में तीन पंक्तियों का लेख **श्री प्रताप कृष्ण राय** है।

विजयनगर के सिक्कों में तीन लिपियों का उपयोग किया गया था - **देवनागरी**, **कन्नड़** और **तेलुगु**। विजयनगर के पूर्वी शासक **होयसल** सिक्कों से अत्यंत प्रभावित थे। विजयनगर के सिक्कों पर **हिंदू देवता** या जानवरों के चित्र थे, जिनकी हिंदू पूजा करते हैं। विजयनगर के सिक्के प्रचुर संख्या में पाये गये थे, चूँकि कोई भी हिंदू देवता की छविवाले सिक्कों को नष्ट करने का प्रयास नहीं करता था। सिक्के ढालने के लिए **एक विभक्त विभाग** था। वहाँ एक केंद्रीय टकसाल थी, जो अन्य स्थानीय टकसालों को नियंत्रित करती थी।

क्या आप जानते हैं?

त्रावणकोर फ़ैनम: ये सिक्के त्रावणकोर राज्य द्वारा जारी किये गये थे। **फ़ैनम** और **चकराम** मुद्रा मध्ययुगीन त्रावणकोर की नियमित इकाई थीं। 1 फ़ैनम 4 चकराम के बराबर था।

मुग़ल सिक्के

मुग़लों का मानक **स्वर्ण सिक्का** लगभग 170 से 175 ग्रेन का **'मोहर'** था। **आईन-ए-अकबरी** में अबुल फ़ज़ल ने इंगित किया है, कि एक मोहर उस अवधि के नौ रुपये के बराबर होती थी। आधी और एक चौथाई मोहरें भी ज्ञात हैं। **शेरशाह** द्वारा लाया गया **चाँदी का रुपया** सबसे प्रसिद्ध मुग़ल सिक्का था। मुग़ल ताँबे का सिक्का शेरशाह के **'दाम'** से नक़ल किया गया था, जिसका वज़न 320 से 330 ग्रेन होता था।

अकबर का इलाही सिक्का

अकबर ने **गोलाकार और वर्गाकार, दोनों तरह के** सिक्के जारी किये थे। 1579 में, उन्होंने अपने नवीन धार्मिक पंथ **'दीन-ए-इलाही'** का प्रचार करने के लिए **इलाही सिक्के** के नाम से सोने के सिक्के जारी किये। इस सिक्के पर लिखा गया था, *'ईश्वर महान् हैं, उसकी महिमा का महिमामंडन हो।'* एक इलाही सिक्के का मूल्य उस अवधि के 10 रुपये के बराबर होता था। **शहंशाह** सबसे बड़ा सोने का सिक्का होता था। इन सिक्कों पर फ़ारसी सौर महीनों के नाम उत्कीर्णित हैं।

तुला राशि चक्र चिह्न के साथ जहाँगीर का सिक्का

जहाँगीर ने सिक्कों पर **छंद के रूप में लेख खुदवाये**। उनके कुछ सिक्कों पर, उनकी प्रिय पत्नी नूरजहाँ का भी नाम जोड़ा गया है। उनके सबसे प्रसिद्ध सिक्कों पर **राशि चक्र चिह्नों** *(Zodiac Signs)* की आकृतियाँ थीं।

प्राचीन और मध्यकालीन भारत में मुद्राशास्त्र के महत्त्वपूर्ण योगदानकर्ता

सर विलियम जोन्स (Sir William Jones) (1746–1794)	1784 में सर विलियम जोन्स द्वारा स्थापित बंगाल की एशियाटिक सोसायटी से भारत में मुद्राशास्त्र के अध्ययन को बहुत लाभ हुआ है। उन्होंने सोसायटी की पत्रिका - **एशियाटिक रिसर्चेस (Asiatick Researches)** के प्रकाशन की शुरुआत की थी।
विलियम मार्सडेन (William Marsden) (1754–1836)	वे एक महान् मुद्राशास्त्री थे। मार्सडेन की न्यूमिसमाटा ओरिएंटालिया इलस्ट्रेटा ने एशियाई मुद्राशास्त्र के क्षेत्र में बहुत योगदान दिया था। न्यूमिसमाटा ओरिएंटलिया इलस्ट्रेटा **(Numismata Orientalia Illustrata)** दो खंडों (1823-1825) में प्रकाशित हुई थी। इसके दूसरे खंड में 'हिंदुस्तान के सिक्के' पर एक अनुभाग शामिल किया गया था।
जेम्स प्रिंसेप (James Prinsep) (1799–1840)	वे एक महान् विद्वान्, प्राच्यविद् और मुद्राशास्त्री थे। उन्होंने खरोष्ठी लिपि को समझने के लिए द्विभाषी इंडो-ग्रीक सिक्कों का प्रयोग किया था। उन्होंने गुप्त काल के भारतीय श्रृंखला के सिक्कों और बैक्ट्रिया और कुषाण सिक्कों की व्याख्या की थी।
पंडित भगवानलाल इंद्रजी (Pandit Bhagvanlal Indraji) (1839–1888)	वे एक भारतीय पुरातत्ववेत्ता, अभिलेखशास्त्री और मुद्राशास्त्री थे। उनके पास इंडो-पार्थियन, कुषाण, सासैनियन और गुप्तकालीन सिक्कों का एक विशाल संग्रह था। उन्होंने हाथीगुम्फा अभिलेख के प्रतिलेखों की रचना की एवं **मथुरा सिंह राजधानी (Mathura Lion Capital)**, नानेघाट उभार, बैराट और सोपारा अशोक अभिलेख आदि की खोज की।
ई.जे. रैप्सन (E. J. Rapson) (1861–1937)	वे एक प्रसिद्ध ब्रिटिश मुद्राशास्त्री थे। उनके मौलिक कार्यों में भारतीय सिक्के, आंध्र राजवंश, पश्चिमी क्षत्रप, त्रैकुटका राजवंश और बोधि राजवंश के सिक्कों की सूची आदि शामिल हैं।
आर.बी. व्हाइटहेड (R.B. Whitehead) (1861–1939)	वह एक ब्रिटिश मुद्राशास्त्री थे, जिन्होंने ब्रिटिश संग्रहालय में भारतीय सिक्कों को सूचीबद्ध किया था।
डी.आर. भंडारकर (D.R. Bhandarkar) (1875–1950)	उन्होंने, विशेष रूप से गुप्त काल के सिक्कों को सूचीबद्ध किया।
के.पी. जायसवाल (K.P. Jayaswal) (1881–1937)	वे भारतीय मुद्राशास्त्र के अग्रणी थे और उन्होंने प्राचीन भारतीय सिक्कों पर बड़े पैमाने पर काम किया।

जॉन एलन (John Allan) (1884–1955)	ब्रिटिश संग्रहालय में भारतीय सिक्कों की सूची बनाने में उनका प्रमुख योगदान था, जिसमें इंडो-ग्रीक, कुषाण और गुप्त सिक्कों पर ध्यान केंद्रित किया गया था।
पी.एल. गुप्ता (P.L. Gupta) (1914–2001)	बीसवीं सदी के अग्रणी भारतीय मुद्राशास्त्रियों में से एक थे।
बी.एन. मुखर्जी (B.N. Mukherjee) (1932–2016)	वे प्राचीन भारतीय सिक्कों, विशेषकर इंडो-ग्रीक और कुषाण काल के विशेषज्ञ थे।

महत्त्वपूर्ण तथ्य

परीक्षोपयोगी

- ***बुलियन*** - सोने के सिक्के या अन्य कीमती धातुओं के सिक्के जिनका मुद्राशास्त्रीय मूल्य कम होता है।
- ***चकराम*** - मध्ययुगीन त्रावणकोर में मुद्रा इकाइयाँ। 1 फणम 4 चकराम के बराबर था।
- ***स्मारक सिक्के*** - कुछ ऐतिहासिक घटनाओं या व्यक्तियों के सम्मान में डिज़ाइनवाले सिक्के।
- ***फणम*** - मध्ययुगीन भारत में इस्तेमाल किया जानेवाला एक आंशिक सोने का सिक्का।
- ***फ्लान*** - सिक्के की सतह।
- ***प्रवाह रेखाएँ*** - सिक्के की सतहों पर सूक्ष्म धारियाँ।
- ***होर्ड्स (ढेर)*** - ज़मीन में दबे हुए सिक्के या धन की विशेष खोज।
- ***मोटिफ़ (कथानक)*** - सिक्के पर अंकित सजावटी प्रतीक/आकृति।
- ***कर्षापण*** - मौर्य काल के दौरान ढाले गये चाँदी के सिक्के।
- ***निगम सिक्के*** - तक्षशिला क्षेत्र में व्यापारी संघों द्वारा ढाले गये छिद्रित या आहत सिक्के।
- ***पगोडा*** - विजयनगर साम्राज्य द्वारा जारी किये गये उच्च मूल्यवर्ग के सोने के सिक्के।
- ***पंच मार्क सिक्का*** - एक तरफ़ एक से पाँच निशान या प्रतीकोंवाले सिक्के।
- ***शतमान*** - वैदिक काल का एक चाँदी का सिक्का, जिसका शाब्दिक अर्थ एक सौ इकाई (मानस) है।
- ***तारस*** - आंशिक चाँदी के सिक्के।
- सोलहवीं सदी में अफ़ग़ान वंश के शासक **शेरशाह सूरी ने रुपया प्रचलित** किया। रुपया **चाँदी की मुद्रा** थी। उस समय एक रुपया ताँबे के चार सिक्कों के बराबर होता था। भारतीय मुद्रा को अभी भी रुपया कहा जाता है। **रुपया** चाँदी का बना होता था, जो लगभग **11.34 ग्राम** वज़न का होता था। ध्यातव्य है कि भारत के अलावा पाकिस्तान, श्रीलंका, नेपाल, मारीशस और सेशल्स में उपयोग आनेवाली मुद्रा का नाम भी 'रुपया' है। इंडोनेशिया की मुद्रा को 'रुपिया' और मालदीव की मुद्रा को भी 'रुफियाह' के नाम से जाना जाता है, जो रुपया शब्द का ही बदला हुआ रूप है।
- प्राचीन भारत में लोग अपने सिक्कों को संग्रहीत करने के लिए 'धन वृक्षों (धातु के टुकड़े, जो वृक्षों के आकार के होते थे और जिनमें विभिन्न सिक्के होते थे)' का उपयोग करते थे।
- गुप्त राजा सिक्कों के सामने के फलक पर अपने दिये गये नाम खुदवाते थे और सिक्कों की पीठ पर **'आदित्य'** या **सूर्य के साथ समाप्त होनेवाले नाम ग्रहण करते थे।**
- छत्रपति शिवाजी ने नागरी लिपि में अपनी पदवी के साथ स्वर्ण हूण और ताँबे का **शिवराय** जारी किया था।
- वाडियार राजवंश (मैसूर : 1399-1947) के राजा कंथिराय नरसा के सिक्कों पर विष्णु के **नरसिंह अवतार** की आकृति है और इसका वज़न छह से आठ ग्रेन है।
- कुछ समय तक वाडियार राजवंश को उखाड़ फेंकनेवाले **हैदर अली** ने पहले के सोने के **पगोडा** पर शिव और पार्वती की आकृति के साथ उनके सिक्के जारी रखे।
- **टीपू सुल्तान** अपने सिक्कों पर दो युगों (जूव मतें) का उपयोग करते थे।
- यौधेय और मालव के सिक्कों पर 'गण' शब्द उनकी ग़ैर-राजशाही राजनीति की ओर इशारा करता है।
- प्रारंभिक भारतीय सिक्कों पर तिथियाँ बहुत कम दिखाई देती हैं। अपवाद कुछ पश्चिमी क्षत्रप सिक्के हैं, जो शक युग की तिथियाँ देते हैं और कुछ गुप्त रजत सिक्के हैं, जो राजाओं के शासनकाल के वर्ष देते हैं।

- कुछ सातवाहन सिक्कों पर अंकित जहाज़ इस अवधि के दौरान दक्कन में समुद्री व्यापार के महत्त्व को दर्शाता है।
- भगवान् बलराम और भगवान् कृष्ण के चित्र दूसरी शताब्दी ईसा पूर्व में अई-खानौम (अफ़ग़ानिस्तान में) के इंडो-ग्रीक राजा अगाथोकल्स के सिक्कों पर दिखाई देते हैं।
- समुद्रगुप्त और कुमारगुप्त प्रथम द्वारा अश्वमेध यज्ञ का प्रदर्शन सिक्कों पर दर्शाया गया है।

यू.पी.एस.सी. विगत वर्षों के बहुविकल्पीय प्रश्न

1. प्राचीन भारत के सिक्कों के संदर्भ में निम्नलिखित कथनों पर विचार कीजिए: **(CAPF, 2023)**

1. शासकों के नाम और छवियों वाले पहले सिक्के इंडो-यूनानियों द्वारा जारी किये गये थे।
2. कुषाणों ने सोने के सिक्कों का सबसे बड़ा भंडार जारी किया।
3. पंजाब और हरियाणा के यौधेय जैसे आदिवासी गणराज्यों द्वारा भी सिक्के जारी किये गये थे।

ऊपर दिए गए कथनों में से कौन-सा/से सही है। हैं?

(a) केवल 1 और 2 (b) केवल 2 और 3

(c) केवल 1 और 3 (d) 1, 2 और 3

2. मध्यकालीन भारत में, शब्द "फणम" किसे निर्दिष्ट करता था? **(CSE, 2022)**

(a) पहनावा (b) सिक्के

(c) आभूषण (d) हथियार

3. भारतीय उपमहाद्वीप में ईसा पूर्व 200 से 300 ईसवी के दौरान ढाले गये सिक्कों के बारे में निम्नलिखित में से कौन-सा कथन सही नहीं है? **(CAPF, 2022)**

(a) हिंद-यवनों (इंडो-ग्रीक) ने अपने सिक्कों पर द्विभाषी और द्विलिपि दंतकथाओं की शुरुआत की।

(b) कुषाणों ने बड़ी संख्या में निम्न मूल्य के सोने के सिक्कों और ताँबे के सिक्कों की ढलाई की।

(c) सातवाहनों ने चाँदी, ताँबे, सीसे (लेड) और पोटीन के सिक्के जारी किये।

(d) नेगामा सिक्कों का अविद्यमान होना, व्यापार गिल्डों की घटती शक्ति और घटते प्रभाव को दर्शाता है।

4. गुप्त सिक्कों के बारे में निम्नलिखित में से कौन-सा कथन सही नहीं है? **(CDS II, 2020)**

(a) गुप्त राजाओं ने बड़ी संख्या में सोने के सिक्के जारी किये, जिन्हें दीनार कहा जाता था।

(b) चंद्रगुप्त द्वितीय, कुमारगुप्त प्रथम, स्कंदगुप्त और बुद्धगुप्त ने चाँदी के सिक्के जारी किये।

(c) सिक्कों के अग्रभाग पर राजाओं की आकृतियाँ और पश्चभाग पर देवी-देवताओं की आकृतियाँ उत्कीर्णित होती थीं।

(d) गुप्तों द्वारा सबसे बड़ी संख्या में ताँबे के सिक्के जारी किये गये थे।

5. गुप्त शासकों के सिक्कों के बारे में निम्नलिखित में से कौन-सा कथन सही है? **(CDS I, 2016)**

(a) सिक्कों के अग्रभाग और पश्चभाग, दोनों पर केवल राजा की आकृति और तिथि होती थी।

(b) सिक्कों के अग्रभाग और पश्चभाग, दोनों पर केवल देवी-देवता की छवि और तिथि होती थी।

(c) अग्रभाग पर सामान्य तौर पर राजा की आकृति होती थी और पश्चभाग पर देवी-देवता की छवि या रूपांकन होता था।

(d) अग्रभाग पर सामान्य तौर पर राजा की आकृति होती थी और पश्चभाग पर तिथि होती थी।

उत्तरमाला

1. (a) 2. (b) 3. (d) 4. (d) 5. (c)

यू.पी.एस.सी. विगत वर्षों के प्रश्न - मुख्य परीक्षा

1. आप इस विचार को, कि **गुप्तकालीन सिक्काशास्त्रीय कला** की उत्कृष्टता का स्तर बाद के समय में नितांत दर्शनीय नहीं है, किस प्रकार सही सिद्ध करेंगे? (10 अंक) **(CDS, 2017)**

6

भारत के ऐतिहासिक शहर

अध्याय की रूपरेखा

- राजगीर
- सारनाथ
- कुशीनगर
- वाराणसी (बनारस)
- कन्नौज
- तंजावुर
- उज्जैन
- कौशांबी
- पाटलिपुत्र
- ताम्रलिप्ति (तमलुक)
- बीदर
- गौर और पांडुआ शहर
- अमरावती
- नागार्जुनकोंडा
- दिल्ली - सात बहनों का शहर

भारत समृद्ध सांस्कृतिक इतिहास और विरासत की भूमि है। प्राचीन और मध्ययुगीन शहर साम्राज्यों के उत्थान और पतन, अद्‌भुत कलाओं और विविध संस्कृतियों के साक्षी रहे हैं। सिंधु घाटी सभ्यता के खंडहरों से लेकर मध्यकालीन व्यापार मार्गों तक, ये शहर हमें हमारे देश के गौरवशाली इतिहास तक ले जाते हैं।

हड़प्पा और मोहनजोदड़ो हमें सिंधु घाटी सभ्यता की वास्तुकला विशेषज्ञता से परिचित कराते हैं, जबकि मध्ययुगीन शहर हमें विभिन्न संस्कृतियों, वास्तुकला, साम्राज्यों आदि के विषय में जानने में सहायता करते हैं।

इस अध्याय में हम ऐसे कई पौराणिक नगरों एवं शहरों की उत्कृष्टता और विशिष्टता की खोज करेंगे।

राजगीर

राजगीर या राजगृह, जिसका अर्थ है 'राजाओं का घर', मगध की प्राचीन राजधानी हुआ करता था, जो बाद में मौर्य साम्राज्य के रूप में विकसित हुआ - जो प्रारंभिक भारतीय सभ्यता का उद्‌गम स्थल था। इस पर हर्यक, प्रद्योत और बृहद्रथ जैसे राजवंशों का शासन रहा तथा यह बिम्बिसार एवं अजातशत्रु जैसे प्रतिष्ठित शासकों का

राजगीर (बिहार)

वीडियो अंतर्दृष्टि

राजगीर स्थल
पर वैचारिक वीडियो
के लिए स्कैन करें

निवास स्थान रहा। पैठण से मध्य गंगा घाटी तक जानेवाला एक **महत्त्वपूर्ण व्यापार मार्ग** राजगीर में ही समाप्त होता था। वहाँ स्थित विशाल **दैत्याकार (साइक्लोपियन) दीवार**, जो 600-400 ईसा पूर्व की है, जो 40 किलोमीटर लंबी पत्थर की रक्षात्मक संरचना है, आज भी अपने गौरवशाली अतीत का प्रमाण है।

रत्नागिरि, विपुलाचल, वैभारगिरि, सोनगिरि और उदयगिरि सहित पाँच विशिष्ट पहाड़ियों का समूह - **राजगीर की पहाड़ियाँ** एक मनोरम आध्यात्मिक अभयारण्य का निर्माण करती हैं। **पंत वन्यजीव अभयारण्य** राजगीर के पास स्थित है। यहाँ के **गर्म झरने**, विशेष रूप से सल्फ़र से भरपूर **ब्रह्म कुंड (सप्तर्षि)**, अपने उपचार संबंधी गुणों के लिए प्रसिद्ध हैं - स्थानीय लोगों और तीर्थयात्रियों का मानना है कि यहाँ स्नान करने से जोड़ों के दर्द और अन्य बीमारियों से राहत मिलती है।

बौद्ध धर्म, जैन धर्म और हिंदू धर्म के लिए एक पवित्र भूमि, राजगीर शहर बुद्ध और महावीर दोनों के जीवन से निकटता से जुड़ा था, जिन्होंने यहाँ महत्त्वपूर्ण समय बिताया था। **सप्तपर्णी गुफाएँ** और **गिद्ध शिखर (या गृद्धकूट पर्वत)** प्रमुख बौद्ध तीर्थ स्थल हैं। पहली बौद्ध संगीति राजगृह में सप्तपर्णी गुफा में आयोजित की गयी थी। इस संगीति की अध्यक्षता महाकस्पप्प ने की थी और यह राजा अजातशत्रु के संरक्षण में आयोजित की गयी थी। इस संगीति में, आनंद द्वारा सुत्त-पिटक का पाठ किया गया था और उपाली द्वारा विनय-पिटक का पाठ किया गया था। गिद्ध शिखर या **गृद्धकूट पर्वत** गौतम बुद्ध के साथ अपने गहरे संबंध के लिए जाना जाता है। यह गौतम बुद्ध का पसंदीदा आश्रय स्थल था, जहाँ उन्होंने ध्यान किया और अपने कुछ सबसे गहन उपदेश दिये थे। **वेणुवन** राजा बिम्बिसार द्वारा निर्मित पहले बौद्ध मठ का स्थल है।

जैन तीर्थयात्री भी राजगीर का सम्मान करते हैं - क्योंकि **भगवान् महावीर** ने यहाँ कई वर्षा ऋतुएँ बितायी थीं और कहा जाता है, कि उनके प्रमुख शिष्यों **(या गणधरों)** ने शहर के आसपास की पहाड़ियों पर ज्ञान प्राप्त किया था। प्रसिद्ध **सोन भंडार गुफाएँ** राजगीर में स्थित हैं और **जैन** *धर्म* से संबंधित हैं। सोन भंडार गुफा के पास एक शिलालेख में प्रसिद्ध जैन मुनि वैरादेव का उल्लेख है, जिन्हें आचार्य रत्न कहा गया है। राजगीर को 20वें जैन तीर्थंकर **मुनिसुव्रत** का जन्मस्थान भी माना जाता है।

हिंदू धर्म के दृष्टिकोण से, महाकाव्य **महाभारत** राजगीर को **गिरिव्रज** कहता है और इसके राजा **जरासंध** और ***पांडव*** भाइयों तथा उनके सहयोगी कृष्ण के साथ उनके युद्ध की कहानी कहता है।

एक अन्य मनियार मठ राजगीर में एक प्राचीन पुरातात्विक स्थल है, जो ऐतिहासिक रूप से कई धर्मों के लिए पूजा स्थल रहा है। उत्खनन से एक जटिल इतिहास का पता चला है, जिसमें सदियों से निर्मित संरचनाओं की परतें हैं, जो एक हिंदू तीर्थस्थल से बौद्ध और अंतत: जैन स्थल के रूप में इसके विकास का संकेत देती हैं। यह भारत में मंदिर वास्तुकला के पाँचवें चरण का भी एक उदाहरण है।

चीनी तीर्थयात्री ह्वेन **त्सांग** ने सातवीं शताब्दी में राजगीर का दौरा किया था।

सारनाथ

महायान बौद्ध ग्रंथ **ललितविस्तर सूत्र** (जो बौद्ध संकर संस्कृत में लिखा गया था) के अनुसार, सारनाथ वह स्थान है, जहाँ बुद्ध ने बोधगया में ज्ञान प्राप्ति के बाद अपने पहले पाँच शिष्यों को अपना पहला उपदेश दिया था। उनके पहले उपदेश की घटना को '**धर्मचक्र प्रवर्तन**' (अर्थात् धर्मचक्र का प्रवर्तन) के रूप में जाना जाता है। यह पहला उपदेश गौतम बुद्ध के जीवन की चार प्रमुख घटनाओं में से एक है।

प्राचीन बौद्ध ग्रंथों में इस स्थान को **इसिपतन, ऋषिपत्तन या मृगदाव** कहा गया है। इसका आधुनिक नाम सारनाथ '**सारंगनाथ**' से लिया गया है, जिसमें गौतम बुद्ध को मृगों का स्वामी बताया गया है।

सारनाथ स्थल की खुदाई बीसवीं शताब्दी के प्रारंभ में ब्रिटिश **पुरातत्वविद् फ्रेडरिक ऑस्कर ओर्टेल** के प्रयासों से की गयी थी। यह स्थल वाराणसी से लगभग 8 किमी दूर और **गंगा और वरुणा** नदियों के संगम के निकट स्थित है।

सारनाथ के मुख्य परिसर में **धमेख स्तूप** है, जिसके बारे में कहा जाता है कि इसी स्थान पर बुद्ध ने अपना पहला उपदेश दिया था। धमेख स्तूप का तहख़ाना अशोक की संरचना से बचा हुआ प्रतीत होता है, जबकि कोमल पुष्प नक़्क़ाशी गुप्त युग की है। इसी परिसर में **धर्मराजिका** स्तूप के अवशेष भी मौजूद हैं, इसका निर्माण भी राजा अशोक ने करवाया था।

सारनाथ परिसर

वीडियो अंतर्दृष्टि

सारनाथ बौद्ध स्थल पर वैचारिक वीडियो के लिए स्कैन करें

इसी परिसर में, सम्राट् अशोक ने अत्यंत चमकदार चुनार बलुआ पत्थर से निर्मित **एक स्मारक स्तंभ** भी बनवाया था, जिसके शीर्ष पर चार सिंहों का एक शीर्ष-शिखर स्थापित है। यह शीर्ष, जिसे **अशोक का सिंह-शीर्ष** कहा जाता है, वर्तमान में सारनाथ संग्रहालय में रखा गया है। स्तंभ का शीर्षफलक और पशुवाला भाग भारत का **आधिकारिक राष्ट्रीय प्रतीक** है। सिंह शीर्ष को भारत सरकार ने 26 जनवरी, 1950 को राष्ट्रीय प्रतीक के रूप में अपनाया था।

स्तंभ के **शीर्ष भाग में**, चार सिंह मुख्य दिशाओं की ओर मुख करके खड़े हैं, जो धर्म के प्रसार का संकेत देते हैं। मूलतः, सिंहों के ऊपर एक चक्र स्थित था। स्तंभ के **शीर्ष भाग में**, चार पशु चार दिशाओं का प्रतिनिधित्व करते हुए दशाये गये हैं - एक दौड़ता हुआ घोड़ा (पश्चिम में), एक हाथी (पूर्व में), एक बैल (दक्षिण में) और एक सिंह (उत्तर में)। ऐसा प्रतीत होता है, कि ये पशु एक-दूसरे का अनुसरण करते हुए अनंत काल तक अस्तित्व का चक्र चलाते हैं। हाथी, रानी माया के स्वप्न का चित्रण करता है, जिसमें एक श्वेत हाथी उनके गर्भ में प्रवेश करता है। बैल, वृषभ राशि का प्रतीक है, जिस माह में बुद्ध का जन्म हुआ था। घोड़ा, कंठक नामक अश्व का प्रतिनिधित्व करता है, जिसके बारे में कहा जाता है कि बुद्ध ने अपना राजसी जीवन त्यागने के लिए इसका प्रयोग किया था। सिंह, ज्ञान प्राप्ति का प्रतीक है।

सारनाथ स्तंभ के शाफ़्ट पर **अशोक के लघु स्तंभ शिलालेखों** के अभिलेख भी अंकित हैं। ये अशोक द्वारा जारी किये गये विभाजन शिलालेख हैं, जिनमें संघ या संप्रदाय में असहमति के लिए दंड की चेतावनी दी गयी है। ये **प्राकृत भाषा और ब्राह्मी लिपि** में लिखे गये थे। बाद के काल में सारनाथ **हूणों के आक्रमणों** से ग्रस्त रहा, लेकिन राजा हर्षवर्धन ने सातवीं शताब्दी में कुछ प्रारंभिक इमारतों का जीर्णोद्धार करवाया। **चीनी तीर्थयात्री फाहियान और ह्वेन त्सांग** ने क्रमशः पाँचवीं और सातवीं शताब्दी ईसवी में सारनाथ का दौरा किया और उन्होंने धमेख स्तूप और अशोक के सिंह स्तंभ का विस्तृत विवरण छोड़ा।

सारनाथ को ग्यारहवीं शताब्दी में महमूद गजनवी के आक्रमण से पुनः भारी क्षति हुई। बाद में, पाल राजा **महिपाल** ने स्मारकों का जीर्णोद्धार कराया। बारहवीं शताब्दी के मध्य में **गढ़वाल वंश की रानी कुमारदेवी** द्वारा किये गये प्राप्त एक शिलालेख में, उसी परिसर में उनके द्वारा **धर्मचक्र जिन विहार** नामक एक बौद्ध मठ के निर्माण का उल्लेख है।

सारनाथ में एक और चौखंडी स्तूप है, जो एक ऊँची ईटों की संरचना है, जिसके ऊपर एक अष्टकोणीय मीनार है। इसका निर्माण **गुप्त साम्राज्य** के दौरान, चौथी और छठी शताब्दी ईसवी के बीच, **बोधगया से सारनाथ की यात्रा के दौरान बुद्ध और उनके पहले पाँच साथियों की मुलाक़ात** की स्मृति में किया गया था। चौखंडी स्तूप के ऊपर स्थित अष्टकोणीय मीनार एक **मुग़ल स्मारक** है, जिसे राजा टोडरमल के पुत्र **गोवर्धन** ने 1588 में **हुमायूँ** की इस स्थान यात्रा की स्मृति में बनवाया था। चौखंडी स्तूप पर लगे एक शिलालेख के अनुसार, हुमायूँ और शेरशाह सूरी के बीच हुए **चौसा के युद्ध** से बचने के लिए हुमायूँ ने सारनाथ में शरण ली थी।

इसलिए, सारनाथ का भारतीय इतिहास में, विशेष रूप से बौद्ध धर्म के दृष्टिकोण से, एक समृद्ध ऐतिहासिक महत्त्व है। इसके बावजूद, यह स्थल वर्तमान में यूनेस्को की **अस्थायी सूची** में बना हुआ है।

कुशीनगर

कुशीनगर

कुशीनगर उत्तर प्रदेश के उत्तर-पूर्वी भाग में स्थित एक महत्त्वपूर्ण ऐतिहासिक और धार्मिक शहर है। यह **बौद्ध धर्म** में एक महत्त्वपूर्ण स्थल है, क्योंकि ऐसा माना जाता है कि **इसी स्थान पर गौतम बुद्ध ने 80 वर्ष की आयु में, संभवत: 483 ईसा पूर्व में, महापरिनिर्वाण** (अर्थात् मृत्यु के बाद अंतिम निर्वाण) प्राप्त किया था। कुशीनगर (या कुशीनारा) **मल्ल गणराज्य** का अंग था, जो प्राचीन भारत के 16 महाजनपदों में से एक था। महापरिनिवान्न सुत्त के अनुसार, बुद्ध का निधन कुशीनगर में हुआ था, जहाँ वे मल्लों के एक उपवन में दो साल वृक्षों के बीच लेटे हुए थे। इस घटना को महापरिनिर्वाण कहा गया और बुद्ध की मृत्यु के बाद, उनके पार्थिव शरीर का यहीं अंतिम संस्कार किया गया और मल्लों ने उनके अवशेषों पर एक स्तूप का निर्माण किया। ***महापरिनिवान्न सुत्त*** के अनुसार, कुशीनगर पहुँचने के कुछ समय बाद ही बुद्ध का परिनिर्वाण हो गया।

वीडियो अंतर्दृष्टि

कुशीनगर बौद्ध स्थल पर वैचारिक वीडियो के लिए स्कैन करें

इतिहासकारों के अनुसार, **अशोक** ने कुशीनगर में बुद्ध के महापरिनिर्वाण की स्मृति में एक स्तूप और एक स्तंभ बनवाया था। **गुप्त साम्राज्य** के हिंदू शासकों ने उस स्तूप का विस्तार किया और वहाँ एक लेटी हुई बुद्ध प्रतिमावाला मंदिर बनवाया, जिसे **परिनिर्वाण मंदिर** के नाम से जाना जाता है। इस मंदिर में, बुद्ध की प्रतिमा दाहिनी करवट लेटी हुई है, जिसका सिर उत्तर की ओर, पैर दक्षिण की ओर तथा मुख पश्चिम की ओर है।

एक अन्य **रामाभार स्तूप** (जिसे मुकुटबंधन चैत्य के नाम से भी जाना जाता है) को **गौतम बुद्ध** का **अंतिम संस्कार** स्थल माना जाता है। इस स्थल पर पुरातात्विक उत्खनन के दौरान एक विशाल स्तूप का पता चला है।

कुशीनगर में, **माथा कुआर तीर्थ** नामक एक और तीर्थस्थल है। इस तीर्थस्थल में गया के नीले पत्थर से तराशी गयी बुद्ध की 3 मीटर ऊँची बैठी हुई अखंड प्रतिमा है। यह बुद्ध को बोधि वृक्ष के नीचे ***भूमि स्पर्श मुद्रा*** नामक मुद्रा में बैठे हुए दर्शाती है, जो बुद्ध द्वारा पृथ्वी को अपने ज्ञान प्राप्ति के क्षण का साक्षी बनाने का प्रतीक है।

चीनी यात्री फाह्यान (पाँचवीं शताब्दी ईसवी में) और **ह्वेन त्सांग (सातवीं शताब्दी ईसवी में)** ने कुशीनगर का दौरा किया और खंडहरों, स्तूपों तथा मठों का विस्तृत विवरण दर्ज किया। बारहवीं शताब्दी के आसपास भारत में बौद्ध धर्म के पतन के बाद, यह स्थल वीरान हो गया और खंडहर में परिवर्तित हो गया। उन्नीसवीं शताब्दी में ब्रिटिश पुरातत्वविद् **अलेक्जेंडर कनिंघम** के प्रयासों से इसकी पुन: खोज और पुन: उत्खनन किया गया।

कुशीनगर, बौद्धों के **चार प्रमुख तीर्थ स्थलों** में से एक है, जैसा कि स्वयं बुद्ध ने भी उल्लेख किया है।

वाराणसी (बनारस)

यह गंगा के बायें किनारे पर स्थित एक प्राचीन शहर है। 'वाराणसी' का नाम शहर की सीमा बनानेवाली गंगा की दो सहायक नदियों के नाम पर रखा गया है : **वरुणा**, जो वाराणसी के उत्तर में बहती है और **अस्सी**, जो आज शहर के दक्षिणी भाग में अस्सी घाट के पास एक छोटी-सी धारा है। वाराणसी को '**प्रकाश का शहर**' भी कहा जाता है।

मध्यकाल में वाराणसी एक महत्त्वपूर्ण धार्मिक और सांस्कृतिक केंद्र था। इसमें काशी विश्वनाथ मंदिर सहित लगभग 2,000 मंदिर हैं।

गौतम बुद्ध के समय में, वाराणसी **काशी साम्राज्य** का एक हिस्सा था। चीनी यात्री **ह्वेन त्सांग** ने 635 ईसवी के आसपास शहर की अपनी यात्रा के दौरान कहा था, कि यह शहर धार्मिक और कलात्मक गतिविधियों का केंद्र था। जब ह्वेन त्सांग ने सातवीं शताब्दी में वाराणसी का दौरा किया, तो उन्होंने इसे **'पोलोनिस'** नाम दिया और कहा कि शहर में लगभग 30 मंदिर मौजूद हैं।

वाराणसी (बनारस)

आठवीं शताब्दी में शहर का धार्मिक महत्त्व बढ़ता रहा, जब **आदि शंकराचार्य** ने **वाराणसी में शिव की पूजा को एक आधिकारिक संप्रदाय** के रूप में स्थापित किया। **काशी विश्वनाथ मंदिर** वाराणसी की विश्वनाथ गली में स्थित है। यह भगवान् शिव को समर्पित है और शिव के बारह ज्योतिर्लिंगों में से एक है। **रत्नेश्वर महादेव मंदिर वाराणसी के मणिकर्णिका घाट** पर स्थित है। यह नौ डिग्री तिरछा है और इसे गंगा नदी के निकट बनाया गया था। **गहड़वाल राजवंश** के संस्थापक **चंद्रदेव** ने 1090 ईसवी में बनारस को दूसरी राजधानी बनाया। 1194 ईसवी में, ग़ौरी विजेता **मुइज़ुद्दीन मुहम्मद ग़ौरी** ने **जमुना के पास** एक युद्ध में **जयचंद** की सेना को हराया और वाराणसी शहर एवं अनेक मंदिरों को नष्ट कर दिया।

कबीर और रैदास जैसे भक्ति आंदोलन के प्रमुख संतों का जन्म वाराणसी में हुआ था। वाराणसी में **रेशम की बुनाई प्रमुख** उद्योग है। वाराणसी उत्तम प्रकार के रेशम और **बनारसी साड़ियों** (सोने और चाँदी के धागे के कामवाले ब्रोकेड) के उत्पादन के लिए प्रसिद्ध है, सांस्कृतिक रूप से यह शहर हिंदुस्तानी शास्त्रीय संगीत के **बनारस घराने** का भी घर है, जिसने बिस्मिल्लाह ख़ान, सितारा देवी, गिरिजा देवी आदि जैसे रत्न पैदा किये हैं।

पुस्तक के अतिरिक्त

'भारत का गौरवशाली शहर - अजमेर' से संबंधित पाठ्य सामग्री के लिए स्कैन करें।

कन्नौज

यह वर्तमान उत्तर प्रदेश में स्थित है। प्रारंभिक बौद्ध साहित्य में, कन्नौज का उल्लेख **कन्नकुज्जा** के रूप में किया गया है। यह मथुरा से वाराणसी और राजगीर तक व्यापार मार्ग में स्थित था। आठवीं और दसवीं शताब्दी के बीच कन्नौज तीन शक्तिशाली राजवंशों, अर्थात् **गुर्जर-प्रतिहार**, **पाल** और **राष्ट्रकूट** के लिए एक सामान्य स्थल बन गया। **गुर्जर-प्रतिहार**, **पालों** और **राष्ट्रकूटों** के बीच **त्रिपक्षीय संघर्ष**, जिसे कन्नौज **त्रिकोण युद्ध** के रूप में भी जाना जाता है, कन्नौज में हुआ था। इसके पश्चात्, यह सम्राट् **गुर्जर-प्रतिहार** राजवंश की राजधानी के रूप में काम करता था। मध्ययुगीन भारत में, कन्नौज शाही भारतीय राजवंशों का केंद्र था। प्रारंभ में इस पर **मौखरी वंश** और बाद में **पुष्यभूति वंश के सम्राट् हर्षवर्द्धन** का शासन था। चीनी तीर्थयात्री **फाह्यान** ने चंद्रगुप्त द्वितीय के शासनकाल के दौरान 399 ईसवी से 414 ईसवी के बीच कन्नौज का दौरा किया। फाह्यान की यात्रा के समय कन्नौज के पास सबसे महान् बौद्ध तीर्थयात्रियों में से एक संकिसा था। चीनी तीर्थयात्री **ह्वेन त्सांग** ने कन्नौज को कई बौद्ध मठोंवाला एक बड़ा, समृद्ध और गौरवशाली शहर बताया। बाद में यह शहर **गहड़वाल राजवंश** के शासन में आ गया। **गोविंदचंद्र** के शासन के दौरान, शहर **'अभूतपूर्व गौरव'** तक पहुँच गया। 1540 में **शेरशाह सूरी** और **हुमायूँ** के बीच **कन्नौज का युद्ध** (जिसे **बिलग्राम का युद्ध** भी कहा जाता है) कन्नौज में हुआ। इस युद्ध में **हुमायूँ** की पराजय हुई। यह भी उल्लेखित है, कि **महमूद ग़ज़नी** ने 1018 ईसवी में कन्नौज पर क़ब्ज़ा कर लिया था।

कन्नौज अपने पारंपरिक **कन्नौज इत्र** के लिए प्रसिद्ध है, जो सरकार द्वारा संरक्षित उत्पाद है। यह शहर **'भारत की इत्र राजधानी'** के रूप में प्रसिद्ध है। कन्नौज में 200 से अधिक इत्र भट्टियाँ हैं। यह **इत्र, तम्बाकू और गुलाब जल** के बाज़ार का केंद्र है।

तंजावुर

इसे **तंजौर** के नाम से भी जाना जाता है और यह **तमिलनाडु** में स्थित है। ऐसा माना जाता है कि शहर का नाम **'तंजम पुगुंदा ऊर'** के शब्दांश से लिया गया है, जिसका अर्थ है 'वह शहर जहाँ शरणार्थियों ने प्रवेश किया था'। यह चोल राजवंश की राजधानी और दक्षिण भारत में कला, संस्कृति और वास्तुकला का एक प्रमुख केंद्र था। यह नौवीं शताब्दी के दौरान राजराज चोल प्रथम के शासन के अधीन **चोल राजवंश** की राजधानी बन गया। **भगवान् शिव** को समर्पित प्रसिद्ध बृहदीश्वर मंदिर यहाँ **राजाराज चोल प्रथम** द्वारा बनाया गया था। इसे **द्रविड़ शैली** में बनाया गया था। यह UNESCO **विश्व धरोहर स्थल** है और **चोल कला तथा वास्तुकला** का उत्कृष्ट उदाहरण है। चोलों के पतन के बाद, शहर पर विभिन्न राजवंशों जैसे – **मुथरैयार राजवंश, पांड्य, विजयनगर साम्राज्य, मदुरै नायक, तंजावुर नायक, तंजावुर मराठा** एवं **ब्रिटिश साम्राज्य** का शासन था।

इस शहर का नाम चित्रकला की अनूठी शैली **'तंजौर चित्रकला'** के नाम पर भी रखा गया है, जो यहीं से उत्पन्न हुई थी। तंजावुर को **'तमिलनाडु का धान का कटोरा'** भी माना जाता है, क्योंकि यह **कावेरी डेल्टा** में स्थित है और यह राज्य के सबसे अधिक उत्पादक क्षेत्रों में से एक है। वर्तमान में, यह शहर **भरतनाट्यम** और **कर्नाटक** संगीत के उस्तादों द्वारा प्रदर्शित सांस्कृतिक विरासत से पूर्ण है। सुनहरे और लाल रंग पर आधारित तंजावुर शैली चित्रकला के अभ्यासकर्ता यहाँ पाये जाते हैं। शहर के ऐतिहासिक स्थलों में से एक **सरस्वती महल पुस्तकालय** है, जो महल की दीवारों के भीतर है, परंतु इसमें संस्कृत, तमिल और तेलुगु में बड़ी संख्या में प्राचीन और मध्यकालीन पाण्डुलिपियाँ हैं।

बृहदीश्वर मंदिर, तंजावुर

तंजावुर तमिलनाडु में रेशमी बुनाई का भी एक महत्त्वपूर्ण केंद्र है। **'तंजावुर आट्टुप पोम्मै'** या **'डांसिंग डॉल'** (मिट्टी, लकड़ी या प्लास्टिक से बनी गुड़िया) तंजावुर का एक प्रतिष्ठित हस्तशिल्प है।

उज्जैन

यह वर्तमान मध्य प्रदेश में स्थित एक प्राचीन शहर है। यह **शिप्रा नदी** के पूर्वी तट पर स्थित है। **महाभारत** के अनुसार, उज्जैन **अवंती साम्राज्य** की राजधानी था।

चौथी शताब्दी ईसा पूर्व में मौर्य सम्राट् **चंद्रगुप्त** ने अवंती पर क़ब्ज़ा कर लिया। उनके पोते अशोक के शिलालेखों में मौर्य साम्राज्य के चार प्रांतों का उल्लेख है और उज्जैन पश्चिमी प्रांत की राजधानी था। **अशोक** ने अपने पिता **बिंदुसार** के शासनकाल के दौरान **उज्जैन के वायसराय** के रूप में कार्य किया था। उज्जैन पर अनेक साम्राज्यों और राजवंशों ने शासन किया, जिनमें **शुंग, पश्चिमी क्षत्रप, सातवाहन** और **गुप्त** शामिल थे। गुप्त काल के दौरान यह व्यापार, शिक्षा और खगोल विज्ञान का एक प्रमुख केंद्र था। नौवीं-चौदहवीं शताब्दी के दौरान **परमारों** ने अपनी राजधानी **उज्जैन** से **धार** स्थानांतरित कर दी। शहर को **गज़नी के महमूद** द्वारा लूट लिया गया था, जिसने इसे भारत में अपने आक्रमण के दौरान कर देने के लिए विवश किया था। दिल्ली सल्तनत के इल्तुतमिश ने 1235 ई. में शहर को लूटा। **परमार साम्राज्य** के पतन के बाद, उज्जैन **इस्लामी शासन** के अधीन आ गया। **सवाई राजा जय सिंह** ने शहर में **जंतर-मंतर** का निर्माण कराया। यह शहर मध्य भारत का एक महत्त्वपूर्ण शहर बना रहा। अठारहवीं शताब्दी में उज्जैन **मराठा साम्राज्य** के **सिंधिया** राज्य की राजधानी था, जब 1731

में **राणोजी सिंधिया** ने अपनी राजधानी उज्जैन में स्थापित की थी। **1801 में होल्कर** और **सिंधिया** के बीच उज्जैन की लड़ाई हुई, जिसमें **सिंधिया पराजित हुए**।

उज्जैन के मुख्य आकर्षणों में से एक **'महाकालेश्वर ज्योतिर्लिंग'** है। यहाँ भगवान् शिव की पूजा की जाती है। यह प्राचीन मंदिरों में से एक है, जिसे **इल्तुतमिश** ने नष्ट कर दिया था और फिर ग्वालियर के सिंधिया परिवार द्वारा इसका पुनर्निर्माण करवाया गया था। एक अन्य आकर्षण 'उज्जैन सिंहस्थ' है, जिसे 'उज्जैन कुंभ मेला' के नाम से भी जाना जाता है। इस सिंहस्थ के दौरान, हिंदू पवित्र नदी में स्नान करने के लिए इकत्रित होते हैं। इसका आयोजन 12 वर्ष में एक बार किया जाता है।

शहर के कई मंदिरों की स्वर्ण मीनारों के कारण इस शहर को स्थानीय भाषा में **'स्वर्ण शृंग'** के नाम से भी जाना जाता है। **सूर्य सिद्धांत** के अनुसार, उज्जैन भौगोलिक रूप से ऐसे स्थान पर स्थित है, **जहाँ कर्क रेखा और शून्य देशांतर मध्याह्न एक दूसरे को काटते हैं**। **कालिदास** ने अपने प्रसिद्ध महाकाव्य ***मेघदूतम*** में उज्जैन की समृद्धि और महिमा का वर्णन किया है। **शूद्रक** द्वारा रचित **मृच्छकटिक** में भी उज्जयिनी के नाम का उल्लेख है।

महाकालेश्वर मंदिर, उज्जैन

सोमदेव के *कथासरित्सागर* में इसके अजेय, समृद्ध और अद्‌भुत दृश्यों से भरपूर होने का उल्लेख है। आठवीं शताब्दी ईसवी में, **उमय्यद ख़लीफ़ा** के अरबों ने कई बार उज्जैन पर आक्रमण किया। अरब लोग इस शहर को **उजैन** नाम से सम्बोधित करते थे। मौर्य काल के **उत्तरी काले पॉलिशवाले बर्तन, ताँबे के सिक्के, टेराकोटा रिंग, कुएँ और ब्राह्मी लेख के साथ हाथी दाँत की मुहरें** उज्जैन में उत्खनन में प्राप्त किये गये हैं।

कौशांबी

यह **वत्स साम्राज्य** की राजधानी थी। यह वर्तमान उत्तर प्रदेश में स्थित थी। **दीघ निकाय के महापरिनिब्बान सुत्त** और **महासुदासन सुत्त** में उल्लेख है कि कौशांबी उस युग का एक महत्त्वपूर्ण नगर थी। कौशांबी शिक्षा का एक महत्त्वपूर्ण केंद्र थी। नगर में कई प्रसिद्ध बौद्ध विद्वान् और दार्शनिक रहते थे। **गंगा** और **यमुना के संगम के पास** इसकी रणनीतिक स्थिति ने इसे व्यापार का एक महत्त्वपूर्ण केंद्र बना दिया। पुरातात्विक उत्खनन में प्राचीन स्तूपों, मठों, मंदिरों और अन्य संरचनाओं के अवशेष मिले हैं, जो इसकी समृद्ध विरासत और सांस्कृतिक अतीत के बारे में बहुमूल्य जानकारी प्रदान करते हैं।

कौशांबी

पुस्तक के अतिरिक्त

'भारत के प्रसिद्ध शहर - पुरी, मदुरै, अयोध्या, द्वारसमुद्र, तिरुवरंगम और शिशुपालगढ़' से संबंधित पाठ्य सामग्री के लिए स्कैन करें।

पाटलिपुत्र

पाटलिपुत्र (आधुनिक पटना) मूल रूप से 490 ईसा पूर्व में **हर्यक शासक अजातशत्रु** द्वारा निर्मित था। मगध राजा **उदयिन** या **उदयभद्र** ने दो नदियों, **सोन** और **गंगा** के संगम पर शहर की नींव रखी। उन्होंने अपनी राजधानी भी **राजगृह से पाटलिपुत्र**

स्थानांतरित कर दी। बाद में, यह **शिशुनाग, नंद, मौर्य** और **पाल** जैसे कई राजवंशों की राजधानी बना। **मेगस्थनीज** के अनुसार, पाटलिपुत्र में **अत्यधिक कुशल स्थानीय स्वशासन** था। इसकी अवस्थिति ने इसे मगध काल के दौरान भारत-गंगा के मैदानी क्षेत्रों के नदी व्यापार पर हावी होने में सहायता की। यह व्यापार और वाणिज्य का एक बड़ा केंद्र था और व्यापारियों को आकर्षित करता था। अशोक के शासनकाल के दौरान, यह दुनिया के सबसे बड़े शहरों में से एक था। **तीसरी बौद्ध परिषद्** 250 ईसा पूर्व **मौर्य वंश के सम्राट् अशोक** के संरक्षण में पाटलिपुत्र में हुई थी। परिषद् की अध्यक्षता **मोगलीपुत्त तिस्सा** ने की। बाद के चरण में **शेरशाह सूरी** ने पाटलिपुत्र को अपनी राजधानी बनाया और इसका नाम बदलकर **पटना** कर दिया।

कुम्रहार में महल का स्थल

पाटलिपुत्र में उत्खनन के महत्त्वपूर्ण स्थलों में **कुम्रहार** और **बुलंदी बाग़** शामिल हैं। माना जाता है कि **अशोक का नरक** (*सुंदर महल के रूप में प्रच्छन्न एक विस्तृत यातना कक्ष*) पाटलिपुत्र में उनके प्रारंभिक शासनकाल के दौरान अशोक की एक अन्य रचना है।

ताम्रलिप्ति (तमलुक)

ताम्रलिप्ति (जिसे **ताम्रलिप्त** भी कहा जाता है) पश्चिम बंगाल के दक्षिणी भाग में स्थित है। इसका नाम संस्कृत शब्द **'ताम्र'** या **ताँबे** से लिया गया है। ताम्रलिप्ति का उल्लेख ग्रीक खगोलशास्त्री-**भूगोलवेत्ता टॉलेमी, रोमन लेखक और दार्शनिक प्लिनी और चीनी भिक्षु यात्री फाह्यान, ह्वेन त्सांग और यी जिंग** द्वारा कई बार किया गया है। इस शहर का उल्लेख **दंडिन** द्वारा ***दशकुमारचरित***, **कालिदास** द्वारा ***रघुवंश***, **सोमदेव भट्ट** द्वारा ***कथासरित्सागर***, **कौटिल्य** द्वारा ***अर्थशास्त्र***, **वराहमिहिर** द्वारा ***बृहत्-संहिता, महावंश*** और ***दीपवंश*** आदि में भी किया गया है। यह पश्चिम बंगाल के वर्तमान पूर्वी मेदिनीपुर ज़िले में एक **प्राचीन बंदरगाह** शहर था। यह पूर्वी भारत में **गुप्त युग का एक बंदरगाह** भी था।

पाणिनि की अष्टाध्यायी में कहा गया है, कि **उत्तरपथ** उत्तर-पश्चिम भारत से बंगाल की खाड़ी में ताम्रलिप्ति के बंदरगाह तक फैला हुआ है। यह **639 ईसवी में ह्वेन त्सांग** द्वारा दौरा किये गये बौद्ध राज्यों में से एक था। ह्वेन त्सांग के अनुसार, ताम्रलिप्ता बंदरगाह से मुख्य निर्यात **नील**, **रेशम** और **ताँबा** था। जैन ग्रंथों का कहना है, कि ताम्रलिप्ति **वंगा साम्राज्य की राजधानी** थी।

पुस्तक के अतिरिक्त

'भारत के प्रसिद्ध शहर - दौलताबाद और मांडवगढ़' से संबंधित पाठ्य सामग्री के लिए स्कैन करें।

वीडियो अंतर्दृष्टि

गौर और पांडुआ में स्मारकों का समूह पर वैचारिक वीडियो के लिए स्कैन करें

बीदर

ऐसा प्रतीत होता है कि बीदर नाम **'बिदिरू'** से लिया गया, जिसका अर्थ **बाँस** होता है। ऐसा माना जाता है, कि बीदर मौर्य साम्राज्य का एक हिस्सा था। मौर्य शासन के बाद **सातवाहन, कदंब, बादामी के चालुक्य** और बाद में राष्ट्रकूटों ने बीदर में शासन किया। यह कुछ समय के लिए बहमनी सल्तनत की राजधानी था। बीदर **इस्लामी कला**

और संस्कृति का भी केंद्र था। **बहमनियों और विजयनगर साम्राज्य** के बीच अक्सर युद्ध होते रहते थे। **बहमनी वंश** के **सुल्तान अहमद शाह वली बहमनी** ने अपनी राजधानी **गुलबर्गा से बीदर** स्थानांतरित कर दी। 1724 ईसवी में, बीदर **निज़ाम** के **आसफ़ जाही** साम्राज्य का हिस्सा बन गया।

गौर और पांडुआ शहर

यह पश्चिम बंगाल का एक ऐतिहासिक शहर है। **गौड़ साम्राज्य** की स्थापना **राजा शशांक** ने की थी, जिनका शासनकाल **बंगाली कैलेण्डर** की शुरुआत से मेल खाता है। ऐसा माना जाता है कि 1500 ईसवी के दौरान, गौर दुनिया का पाँचवाँ सर्वाधिक आबादीवाला शहर था। मुग़ल सम्राट् हुमायूँ ने इस शहर पर आक्रमण किया और इसका नाम बदलकर **जन्नताबाद ('स्वर्गीय शहर')** रख दिया। इस पर 1203 ईसवी में **ग़ौरी शासक मुहम्मद ग़ौर** के **लेफ़्टिनेंट बख़्तियार ख़िलजी** ने क़ब्ज़ा कर लिया था।

पुस्तक के अतिरिक्त

'भारत का प्रसिद्ध शहर - बीजापुर' से संबंधित पाठ्य सामग्री के लिए स्कैन करें।

अमरावती

अमरावती बौद्ध स्थल भारत के सबसे महत्त्वपूर्ण प्राचीन बौद्ध धरोहर स्थलों में से एक है, जो **कृष्णा नदी** के तट पर **आंध्र प्रदेश के गुंटूर ज़िले** के **अमरावती** शहर में स्थित है। प्राचीन काल में धन्यकटक या धरणीकोटा के नाम से प्रसिद्ध, अमरावती **महायान बौद्ध धर्म** का एक प्रमुख केंद्र थी, जहाँ बड़ी संख्या में विद्वान् और तीर्थयात्री आते थे। वज्रयान परंपरा के अनुसार, यह गौतम बुद्ध द्वारा **प्रथम कालचक्र उपदेश** का स्थल माना जाता है।

यह स्थल **तीसरी शताब्दी ईसा पूर्व और बारहवीं शताब्दी ईसवी** के बीच एक प्रमुख व्यापार केंद्र के रूप में विकसित हुआ, जिसमें **सातवाहन वंश** का प्रमुख योगदान था, जिसने दूसरी शताब्दी ईसा पूर्व से तीसरी शताब्दी ईसवी तक शासन किया। सातवाहन ब्राह्मण धर्म के प्राथमिक अनुयायी थे, लेकिन वे **बौद्ध धर्म के साथ-साथ जैन धर्म के भी महान् संरक्षक** थे।

एक भव्य बौद्ध स्तूप, जिसके बारे में माना जाता है कि इसका निर्माण पहले राजा अशोक ने करवाया था, को सातवाहनों ने बड़ा और अलंकृत किया था, जिसमें **अलंकृत चूना पत्थर की रेलिंग, नक़्क़ाशीदार पैनल और प्रवेश द्वार या तोरण** थे, जिनमें जातक कथाएँ, बुद्ध के जीवन के दृश्य और विभिन्न बौद्ध प्रतीक दर्शाये गये थे। इस स्थल पर प्राकृत भाषा और ब्राह्मी लिपि में लिखे कई शिलालेख भी हैं।

माना जाता है कि **अमरावती स्तूप**, जिसे **महाचैत्य** के नाम से जाना जाता है, मूल रूप से **27 मीटर ऊँचा** था, जिसमें विशाल गोलाकार गुंबद और अलंकृत नक़्क़ाशी थी। यह साँची स्तूप के समान एक **पत्थर की रेलिंग (या वेदिका)** और चार सजावटी प्रवेश द्वार (या तोरण) से घिरा हुआ था। अमरावती स्तूप में **अयाक स्तंभ** हैं, जो स्तूप की चार दिशाओं में पायी जानेवालीं विशिष्ट संरचनाएँ हैं। माना जाता है कि ये स्तंभ, जो आमतौर पर प्रत्येक मंच पर पाँच की संख्या में होते हैं, बुद्ध के जीवन की महत्त्वपूर्ण घटनाओं का प्रतिनिधित्व करते हैं: जन्म, त्याग, ज्ञानोदय, धर्मचक्र प्रवर्तन और महापरिनिर्वाण। यह महाचैत्य बाद में खंडहर में बदल गया और इसकी महिमा पूर्णत: अंत हो गया।

लेकिन 1797 में, पुरातत्वविद् **कर्नल कॉलिन मैकेंजी** ने इस स्थान का दौरा किया और इसके परिणामस्वरूप इस भव्य अमरावती स्तूप की पुन: खोज हुई। इसकी पहली खुदाई **सर वाल्टर इलियट** ने 1845 में की थी और उन्होंने अमरावती

मार्बल्स नामक पत्थर एकत्र किया था, जो बाद में ब्रिटिश संग्रहालय में रखी मूर्तियों के लिए **इलियट मार्बल्स** के नाम से प्रसिद्ध हुआ। पुरातत्वविद् जेम्स बर्गेस ने भी 1887 में अमरावती स्तूप का दौरा किया और उससे प्राप्त निष्कर्षों को दर्ज किया। **भारतीय पुरातत्व सर्वेक्षण (ASI)** ने इस स्थल का संरक्षण किया है और मूल स्थान के पास **स्तूप की एक प्रतिकृति** बनायी गयी है।

सातवाहनों के संरक्षण में, अमरावती न केवल एक बौद्ध स्थल के रूप में विकसित हुई, बल्कि बौद्ध मूर्तिकला की तीन प्रसिद्ध शैलियों में से एक के रूप में भी विकसित हुई, जिसे **अमरावती कला शैली** कहा जाता है। गांधार शैली के विपरीत, अमरावती कला शैली का विकास **विशुद्ध रूप से स्वदेशी** शैली में हुआ था और इसमें कोई विदेशी प्रभाव नहीं था। अमरावती कला शैली मुख्य रूप से **सातवाहन वंश** के शासनकाल के दौरान फली-फूली। हालाँकि, **इक्ष्वाकु वंश** (जो बाद में आया) ने भी तीसरी-चौथी शताब्दी ईसवी में अपने शासन के दौरान अमरावती कला और मूर्तिकला शैली को संरक्षण प्रदान किया।

वीडियो अंतर्दृष्टि

अमरावती बौद्ध स्थल और मूर्तिकला पर वैचारिक वीडियो के लिए स्कैन करें

अमरावती शैली की मूर्तियों में, अमरावती का विशाल स्तूप हरे-सफ़ेद चूना पत्थर **की आख्यानात्मक नक़्क़ाशी** से सुसज्जित था, जिसमें जातक कथाओं और बुद्ध के जीवन के दृश्यों को दर्शाया गया था। वहाँ एक पदक पर गौतम बुद्ध द्वारा हाथी को वश में करने की पूरी कहानी प्रदर्शित है। कहानियों को दर्शानेवाली इस शैली के कारण, अमरावती कला को 'आख्यानात्मक कला' कहा जाने लगा। अमरावती शैली की मूर्तियों में **त्रिभंग मुद्रा** (जिसमें शरीर तीन बिंदुओं पर मुड़ता है) का अत्यधिक प्रयोग किया गया। अमरावती में बुद्ध की एक विशेष प्रतिमा, जिसमें बायें कंधे पर वस्त्र और दूसरा हाथ **अभयमुद्रा** (जो निर्भयता का सूचक है) में है, इतनी प्रतिष्ठित हुई कि दक्षिण और दक्षिण-पूर्व एशिया के अन्य भागों में भी इसकी नक़ल की जाने लगी।

अमरावती मूर्तिकला शैली का दक्षिण भारतीय राजवंशों की कला पर गहरा प्रभाव रहा है। अमरावती के खंडहरों के अलावा, यह शैली आंध्र प्रदेश के कृष्णा नदी घाटी क्षेत्र में **भट्टीप्रोलु, जग्गय्यापेटा, नागार्जुनकोंडा, घंटाशाला और गोली** तथा महाराष्ट्र के **तेर** तक के स्तूप अवशेषों में भी दिखाई देती है।

चीनी यात्री और बौद्ध भिक्षु **ह्वेन त्सांग (Xuanzang)** ने 640 ईसवी में अमरावती का दौरा किया, कुछ समय तक वहाँ रहे और बौद्ध ग्रंथ **अभिधम्म पिटक** का अध्ययन किया। नालंदा महाविहार के रत्न माने जानेवाले **श्रीलंकाई बौद्ध भिक्षु धर्मकीर्ति** ने प्राचीन काल में अमरावती को एक प्रमुख बौद्ध शिक्षा केंद्र के रूप में संदर्भित किया है।

नागार्जुनकोंडा

नागार्जुनकोंडा बौद्ध शिक्षा और साधना, विशेष रूप से **महायान बौद्ध धर्म**, का एक प्रमुख केंद्र था। **तीसरी-चौथी शताब्दी ईसवी के इक्ष्वाकु वंश** के शासनकाल के दौरान यह एक प्रमुख स्थल था और इसमें स्तूपों, मठ परिसरों और शिलालेखों के पुरातात्विक अवशेष मौजूद हैं।

इस स्थल का आधुनिक नाम बौद्ध विद्वान् नागार्जुन से इसके संभावित संबंध के कारण पड़ा है। हालाँकि, इस स्थल पर प्राप्त पुरातात्विक खोजें यह साबित नहीं करती हैं कि इसका बौद्ध विद्वान् नागार्जुन से कोई संबंध था।

वर्तमान में, यह **कृष्णा नदी पर बने मानव निर्मित नागार्जुनसागर बाँध** के बीच एक द्वीप के रूप में स्थित है, जो नल्लामलाई पहाड़ियों की शाखाओं से घिरा हुआ है और

वीडियो अंतर्दृष्टि

नागार्जुनकोंडा बौद्ध स्थल और मूर्तिकला पर वैचारिक वीडियो के लिए स्कैन करें

आंध्र प्रदेश में स्थित है। नागार्जुनकोंडा स्थल पर व्यवस्थित खुदाई और खोजों का कार्य 1927 और 1931 के बीच अँगरेज़ पुरातत्वविद् **ए.एच. लॉन्गहर्स्ट** के प्रमुख योगदान से हुआ था। 1960 में नागार्जुनसागर बाँध के निर्माण के साथ, नागार्जुनकोंडा के पुरातात्विक अवशेष जलमग्न हो गये और उन्हें खुदाई करके ऊँचे स्थान पर स्थानांतरित करना पड़ा, जो अब एक द्वीप बन गया है। अब, नागार्जुनकोंडा पहुँचने के लिए नौका से यात्रा करनी पड़ती है।

नागार्जुनकोंडा में परवर्ती **सातवाहन राजाओं** द्वारा जारी किये गये सिक्के मिले हैं। **गौतमीपुत्र विजया सातकर्णी** का एक शिलालेख भी इसी स्थल से मिला है, जिससे यह सिद्ध होता है कि इस समय तक इस क्षेत्र में बौद्ध धर्म का प्रसार हो चुका था।

हालाँकि, नागार्जुनकोंडा को बौद्ध विरासत के उद्गम स्थल के रूप में विकसित करने में **इक्ष्वाकु वंश** का प्रमुख योगदान था। यह स्थल तीसरी शताब्दी ईसवी में विजयपुरी नामक इक्ष्वाकु वंश की राजधानी बना, जो सातवाहनों के पतन के बाद सत्ता में आया।

इस स्थल पर मौजूद पुरातात्विक शिलालेखों से पता चलता है कि इक्ष्वाकु राजा और उनके परिवार के सदस्य हिंदू थे, हालाँकि उन्होंने बौद्ध धर्म और ब्राह्मण धर्म को संरक्षण दिया था। शिलालेखों से यह भी पता चलता है, कि इक्ष्वाकु रानियों द्वारा वित्तपोषित मंदिरों और मठों के निर्माण के लिए राज्य द्वारा सहायता प्रदान की जाती थी।

आइए, अब इस स्थल पर मौजूद प्रमुख स्थापत्य और मूर्तिकला संबंधी खोजों पर चर्चा करें।

महास्तूप नागार्जुनकोंडा का प्रमुख स्तूप है, जिसे वहाँ के अयाक स्तंभों पर अंकित शिलालेखों में 'महा-चैत्य' कहा गया है। ऐसा माना जाता है कि इसमें बुद्ध का एक पवित्र अवशेष है। ऐसा माना जाता है कि इस महास्तूप का जीर्णोद्धार तीसरी शताब्दी ईसवी में एक इक्ष्वाकु महिला, चम्ताश्री ने करवाया था। यह पहिये के आकार का है और इसका व्यास 27.5 मीटर है और इसमें चार दिशाओं में अयाक चबूतरे और स्तंभ हैं। इस स्थल के पास **चम्ताश्री चैत्य-गृह और बोधिश्री चैत्य** भी हैं।

इसके अतिरिक्त नागार्जुनकोंडा में एक और **स्वस्तिक स्तूप** प्रत्यारोपित स्तूप है, जिसमें दक्षिणावर्त स्वस्तिक पैटर्न में व्यवस्थित ईंटें हैं। यह नागार्जुनकोंडा की बौद्ध वास्तुकला का एक उत्कृष्ट उदाहरण है।

यहाँ एक **अश्वमेध परिसर** भी है। इस स्थल पर एक अश्वमेध परिसर है, जिसमें एक विशाल परिसर से घिरी आनुष्ठानिक संरचनाएँ हैं। ऐसा माना जाता है कि इक्ष्वाकु वंश के संस्थापक ने प्रतिष्ठित अश्वमेध यज्ञ (अश्वबलि) का आयोजन किया था, जो शक्तिशाली शासकों के लिए एक अनुष्ठान था। पवित्र स्नान के लिए एक कुंड और अनुष्ठान के एक भाग के लिए प्रयुक्त एक कछुआ-आकार की संरचना (कूर्म चिति) इस परिसर के प्रमुख घटक हैं।

सिंहल विहार स्पष्टत: सीलोन (श्रीलंकाई) भिक्षुओं के लिए एक मठ था। यह अपने दो अर्धवृत्ताकार चैत्यगृहों के लिए दिलचस्प है, जो एक-दूसरे से सटे हुए हैं और जिनमें क्रमश: बुद्ध की एक विशाल प्रतिमा और एक उद्देशिका (मन्नत) स्तूप स्थापित है।

एक हिंदू मंदिर में एक शिलालेख है, जिसमें भगवान् का नाम '**महादेव पुष्प भद्र स्वामी**' लिखा है, जो भगवान् शिव का एक रूप है। दो अन्य मंदिरों में कार्तिकेय (या भगवान् मुरुगन) की पाषाण प्रतिमाएँ मिली हैं।

एक अन्य उत्खनित मंदिर से प्राप्त एक शिलालेख में एक और शिव मंदिर का उल्लेख है। कम-से-कम एक मंदिर, जिसकी पुष्टि 278 ईसवी के एक शिलालेख से होती है, को आठ भुजाओंवाले देवता की छवि के आधार पर वैष्णव के रूप में पहचाना जा सकता है। इस स्थल पर देवी की एक विशाल मूर्ति भी मिली है। स्तंभों पर चित्रित युद्ध के दृश्यों में इक्ष्वाकुओं की धर्मनिरपेक्ष कला परंपरा भी दिखाई देती है, जो परिपक्व अवस्था के हैं, लेकिन उनकी विषयवस्तु भिन्न है। नागार्जुनकोंडा में प्राप्त सिक्कों और शिलालेखों में इक्ष्वाकुओं के चार राजाओं के नाम हैं।

पुस्तक के अतिरिक्त

'भारत के प्रसिद्ध शहर - आगरा, जयपुर और मुर्शिदाबाद' से संबंधित पाठ्य सामग्री के लिए स्कैन करें।

एक **इक्ष्वाकु शासक के शिलालेख** में उसके **इंडो-सिथियन** पश्चिमी क्षत्रप राजा रुद्रसेन, जो दूसरे थे, के साथ **वैवाहिक संबंधों** का उल्लेख है। ये शिलालेख या तो प्राकृत में हैं, या संस्कृत में अथवा दोनों का मिश्रण हैं और सभी ब्राह्मी लिपि में हैं। यहाँ **रोमन सिक्के** भी मिले हैं, जो इस तथ्य पर प्रकाश डालते हैं कि यह कभी एक व्यापारिक केंद्र था।

इक्ष्वाकु वंश के पतन के बाद, यह स्थल गजपति शासकों के नियंत्रण में आ गया और क्रमिक रूप से यह स्थल काकतीय साम्राज्य और दिल्ली सल्तनत का हिस्सा बना। उल्लेखनीय है कि चीनी तीर्थयात्री फाह्यान ने पाँचवीं शताब्दी ईसवी में नागार्जुनकोंडा का दौरा किया था और बाद में **ह्वेन त्सांग** ने भी सातवीं शताब्दी ईसवी में इस स्थान का दौरा किया था।

दिल्ली - सात बहनों का शहर

हालाँकि दिल्ली मध्ययुगीन काल से पहले भी एक शहर के रूप में अस्तित्व में थी, लेकिन **तोमर, चौहान** और **दिल्ली सल्तनत** सहित विभिन्न राजवंशों के तहत इसे एक राजनीतिक और प्रशासनिक केंद्र के रूप में प्रसिद्धि मिली। **दिल्ली की स्थापना अनंगपाल तोमर ने 1052 ईसवी में** की थी। **तोमर राजवंश** की स्थापना दिल्ली में **अनंगपाल तोमर** ने आठवीं शताब्दी के प्रारंभ में की थी और राजधानी हरियाणा का अनंगपुर गाँव थी। **अनंगपुर बाँध** उनके शासनकाल के दौरान बनाया गया था और **सूरजकुंड** प्राचीन जलाशय उनके बेटे सूरजपाल के शासनकाल के दौरान बनाया गया था। 1180 ईसवी में, **अजमेर** के **राजपूत चाहमान राजाओं** ने **लाल कोट** पर क़ब्ज़ा कर लिया और इसका नाम बदलकर क़िला **राय पिथौरा** रख दिया। 1192 ईसवी में **तराइन** की **दूसरी लड़ाई** में **मुहम्मद ग़ोरी ने पृथ्वीराज चौहान** को पराजित किया और राजपूतों को हराकर उत्तरी भारत में मुस्लिम सत्ता स्थापित की। 1206 ईसवी में, **कुतुब-उद-दीन-ऐबक** द्वारा स्थापित **ग़ुलाम राजवंश** के तहत दिल्ली, दिल्ली सल्तनत की राजधानी बन गयी।

हिंदू महाकाव्य **महाभारत** के अनुसार, **इंद्रप्रस्थ** नामक शहर, *'इंद्र देवता का शहर'*, पांडवों की राजधानी थी। ऐसी प्रबल मान्यता है कि पुराना क़िला प्राचीन इंद्रप्रस्थ स्थल पर बनाया गया था। खुदाई में साइट पर उत्तरी **काले पॉलिशवाले बर्तन (Northern Black Polished Ware)** (700-200 ईसा पूर्व) पाये गये हैं और सतह पर चित्रित **भूरे बर्तन के टुकड़े** पाये गये हैं, जो और भी पुरानी बस्ती का संकेत देते हैं, जो संभवत: 1000 ईसा पूर्व की है। ऐतिहासिक अभिलेखों के अनुसार अब तक दिल्ली के सात शहरों को मान्यता दी गयी है।

इंद्रप्रस्थ

पुराना क़िला परिसर (इंद्रप्रस्थ का हिस्सा)

महाभारत में इंद्रप्रस्थ का उल्लेख एक गौरवशाली राज्य के रूप में किया गया था। **अल्फ्रेड कनिंघम** के अनुसार इंद्रप्रस्थ की स्थापना 1500 ईसा पूर्व में राजा **युधिष्ठिर** ने की थी। यह यमुना नदी के तट पर स्थित था। ऐसा माना जाता है कि इसका उल्लेख **टॉलेमी के भूगोल** में दूसरी शताब्दी ईसवी में **'इंदाबारा'** शहर के रूप में किया गया है, जो संभवत: प्राकृत रूप **'इंदापट्टा'** से लिया गया है। भारतीय इतिहासकार उपिंदर सिंह ने इंद्रप्रस्थ के साथ इंदाबारा के इस समीकरण को 'प्रशंसनीय' बताया। प्राचीन इंद्रप्रस्थ **कुरु महाजनपद** की राजधानी था। **बौद्ध साहित्य में इंद्रप्रस्थ को इंदपट्ट** के नाम से जाना जाता था। इंद्रप्रस्थ के स्थल के बारे में अनिश्चितता है, किंतु वर्तमान नयी दिल्ली में पुराना क़िला का सम्पूर्ण परिसर संभवत: इंद्रप्रस्थ शहर था। भारतीय पुरातत्व सर्वेक्षण ने वर्तमान नयी दिल्ली में पुराने क़िले के पास कुछ खुदाई की। **पुराने क़िले** के पास की खुदाई से यह तथ्य पता चलता है कि इंद्रप्रस्थ में बसावट लगभग 2,500 वर्षों तक जारी रही।

दिल्ली के सात शहर

ऐतिहासिक अभिलेखों के अनुसार, दिल्ली के सात शहर हैं-

- क़िला राय पिथौरा अथवा लालकोट सिरी
- तुग़लक़ाबाद
- जहाँपनाह
- फ़िरोज़ाबाद
- शेरगढ़ या दिल्ली शेर-शाही
- शाहजहानाबाद

शहर	विवरण
क़िला राय पिथौरा अथवा लालकोट	दसवीं शताब्दी में स्थापित, दिल्ली के पहले शहर को दर्ज ऐतिहासिक तथ्यों की उपलब्धता के कारण मान्यता मिली। इस शहर की स्थापना **पृथ्वीराज चौहान** ने की थी, जिन्हें **राय पिथौरा** के नाम से भी जाना जाता था। दिल्ली प्रारंभ में तोमर राजपूतों के अधीन थी, जिनके हाथों से पृथ्वीराज के पूर्वजों ने इसे छीन लिया था। अनंगपाल, एक तोमर शासक ने संभवतः पहली ज्ञात नियमित रक्षा - लाल कोट बनायी थी, जिस पर **पृथ्वीराज चौहान** ने क़ब्ज़ा कर लिया था और उन्होंने इसे **क़िला राय पिथौरा** तक बढ़ा दिया था। हालाँकि, पृथ्वी राज चौहान ने दिल्ली से शासन नहीं किया। उनके राज्य की राजधानी अजमेर में स्थित थी। **क़िला राय पिथौरा** के विशाल क़िले के खंडहर **कुतुब मीनार** के पास स्थित हैं।
सिरी	ख़िलजी वंश के विभिन्न शासकों में **अलाउद्दीन ख़िलजी** सबसे प्रसिद्ध हैं। उन्हें चौदहवीं शताब्दी के आरंभ में दिल्ली का दूसरा शहर अर्थात् सिरी बनाने का श्रेय दिया जाता है। इस काल में निर्मित वास्तुकला पर **सल्जुक शैली** अत्यधिक प्रभावी रही। ऐसा तब हुआ, जब पश्चिम-एशिया में सल्जूक राजवंश के कारीगरों ने, मंगोल आक्रमणों से जूझते हुए, दिल्ली दरबार में शरण ली और इसकी वास्तुकला में योगदान दिया। सिरी क़िला आज मोटी पत्थर की दीवारों और **हौज़ ख़ास** नामक जलाशय द्वारा दर्शाया जाता है।
तुग़लक़ाबाद	**ग़यासुद्दीन तुग़लक़** ने चौदहवीं शताब्दी के दूसरे दशक में राजसी और भव्य **तुग़लक़ाबाद** की स्थापना की। उन्होंने यहाँ एक क़िला बनवाया, जिसके अवशेष आज भी अस्तित्व में हैं। वह **तुग़लक़ वंश** के विभिन्न शासकों में से प्रथम थे।
जहाँपनाह	**ग़यासुद्दीन तुग़लक़** के पुत्र **मुहम्मद-बिन-तुग़लक़** ने चौदहवीं शताब्दी के पूर्वार्द्ध में **जहाँपनाह** का निर्माण कराया था। **जहाँपनाह** क़िला **राय पिथौरा और सिरी** के बीच एक दीवार का घेरा है। इसे अक्सर दिल्ली का चौथा शहर कहा जाता है।
फ़िरोज़ाबाद	तुग़लक़ वंश के अगले शासक, मुहम्मद-बिन-तुग़लक़ के चचेरे भाई, **फ़िरोज़ शाह तुग़लक़ ने फ़िरोज़ाबाद या फ़िरोज़ शाह कोटला** नाम से दिल्ली का 5वाँ शहर बनाया। इसका निर्माण चौदहवीं सदी के दूसरे भाग में यमुना नदी के निकट हुआ था। यह ऊँची दीवारों के घेरे से बना है, जिसमें महल, स्तंभवाले महाकक्ष, मस्जिद, एक कबूतर टॉवर और एक पानी की टंकी है। महल के शीर्ष पर एक अशोक स्तंभ बना हुआ है। फ़िरोज़ शाह ने कुतुब मीनार, **नसीरुद्दीन महमूद** के **सुल्तान-ए-गढ़ी** मक़बरे और **हौज़ ख़ास** की बड़े पैमाने पर बहाली और मरम्मत का काम भी कराया। उन्होंने उत्तरी दिल्ली रिज पर एक बावड़ी और एक शिकार गृह भी बनवाया।
शेरगढ़ या दिल्ली शेरशाही	वर्तमान पुराना क़िला शेरशाह की रचना है, जब उसने 1540 ई. में **हुमायूँ** से दिल्ली पर क़ब्ज़ा किया था। हुमायूँ ने मूल रूप से **दीनपनाह** के नाम से शहर बसाया था। इसे शेरशाह ने ढहा दिया था और इसका नाम बदलकर **शेरगढ़ या दिल्ली शेरशाही** रख दिया था। हुमायूँ और शेरशाह के खंडहर आज दिल्ली में पर्यटकों के आकर्षण का केंद्र हैं।
शाहजहाँनाबाद	मुग़ल बादशाह **शाहजहाँ** राजधानी को दिल्ली वापस लाये और एक क़िला तथा एक नया शहर बनाया, जिसे उन्होंने **शाहजहानाबाद** कहा। इस नये शहर का उद्घाटन 1642 ईसवी में नवरोज़ के दिन हुआ था। शाहजहानाबाद का क्षेत्र अब **पुरानी दिल्ली** के रूप में जाना जाता है, जहाँ **लाल क़िला, जामा मस्जिद** आदि जैसे शानदार स्मारक मौजूद हैं। दिल्ली का वर्तमान स्वरूप **तोमरों से लेकर मुग़लों और अँगरेज़ों** तक कई परिवर्तनों से गुज़रा है। एक सुनियोजित प्रशासनिक राजधानी बनाने में **एडविन लुटियंस** और **एडवर्ड बेकर** का योगदान भी उल्लेखनीय है।

यू.पी.एस.सी. विगत वर्षों के बहुविकल्पीय प्रश्न

1. निम्नलिखित में से किस शासक ने मगध साम्राज्य की राजधानी के रूप में पाटलिपुत्र की स्थापना की? **(NDA I, 2023)**
(a) बिम्बिसार (b) बिंदुसार (c) अजातशत्रु (d) अशोक

उत्तरमाला

1. (c)

7

भारतीय चित्रकलाएँ

अध्याय की रूपरेखा

- चित्रकला के सिद्धांत
- उच्च पुरापाषाण काल (40,000-10,000 ईसा पूर्व)
- मध्य पाषाण काल (10,000-4000 ईसा पूर्व)
- ताम्रपाषाण काल (2,500-700 ईसा पूर्व)
- उल्लेखनीय प्रागैतिहासिक शैल चित्र/उत्कीर्णन/क्यूपुल्स
- भारतीय चित्रकला का वर्गीकरण
- भारत में भित्ति चित्रकला
- अरमामलाई गुफा चित्रकला
- वीरभद्र मंदिर में लेपाक्षी भित्ति चित्र
- राजपूत शैली के भित्ति चित्र
- भारत में लघु चित्रकला
- सचित्र पाण्डुलिपियाँ
- आधुनिक भारतीय चित्रकला
- लोक चित्रकारी

भारत में चित्रकला की एक समृद्ध परंपरा रही है, जो प्राचीन काल से ही फलती-फूलती रही है। भारत के कुछ भागों में पुरातत्त्वविदों को इस प्रकार के भित्ति-चित्र मिले हैं, जिनसे पता चलता है कि भारत में प्राक् ऐतिहासिक मानव, कला और मनोविनोद की गतिविधियों में लगे हुए थे।

चित्रकला के सिद्धांत

भारत में चित्रकला का इतिहास *भीमबेटका, मिर्ज़ापुर और पंचमढ़ी* के **आदिम शैलचित्रों** और उसके बाद सिंधु घाटी सभ्यता के **चित्रित मृद्भांडों** से जुड़ा है। गुप्त काल में इसका वास्तविक विकास हुआ। तीसरी शताब्दी ईसवी में, **वात्स्यायन के कामसूत्र** ने भारतीय कला के छह सिद्धांतों (षडंग) को रेखांकित किया। इन्हें नीचे दी गयी तालिका में रखा गया है।

रूपभेद	आकार एवं आकृति
प्रमाण	वस्तु या विषय का अनुपात, माप और संरचना
भाव	अभिव्यक्ति
लावण्य योजनम्	सौन्दर्य रचना
सदृश्य	सादृश्य
वर्णिकाभंग	ब्रश एवं रंगों का प्रयोग

वीडियो अंतर्दृष्टि

भारतीय चित्रकलाओं पर वैचारिक वीडियो के लिए स्कैन करें

प्राचीन ग्रंथों में लेप्य चित्र, लेख्य चित्र, धूलि चित्र और पटचित्र जैसे चित्रकला रूपों का उल्लेख है। इनका विवरण नीचे गयी तालिका में दिया गया है।

पेंटिंग फॉर्म	विवरण
लेप्य चित्र	पृथक् फ़्रेमयुक्त चित्र
लेख्य चित्र	रेखाचित्र/रेखाचित्र
धूलि चित्र	फ़र्श पर चित्रकारी
पट चित्र	कपड़े या ताड़ के पत्तों पर चित्रकारी

विशाखदत्त का मुद्राराक्षस यह नीचे की तालिका में दर्शायी गयी विभिन्न चित्रकला शैलियों को भी संदर्भित करता है।

चित्रकला की शैलियाँ	प्रमुख विशेषताएँ
चौक पिटक (Chauka Pitaka)	अलग-अलग फ़्रेमयुक्त चित्रांकन
दिग्हल पिटक (Dighala Pitaka)	दीर्घ कटावदार चित्रकारी (चित्रों की लम्बी लड़ी)
यम पिटक (Yama Pitaka)	पृथक् चित्रकला

प्रागैतिहासिक चट्टान चित्र, नक़्क़ाशी और कूपुल्स

शैलचित्र (Rock painting) प्रागैतिहासिक कला का एक रूप है, जहाँ आदिमानव शैलाश्रयों, गुफाओं की दीवारों या खुली चट्टानों की **सतहों पर सीधे प्राकृतिक रंगों को लगाकर चित्र बनाते थे**। भारत में, शैलचित्र सामान्यत: **उच्च पुरापाषाण और मध्यपाषाण काल** के हैं। इसके प्रमुख उदाहरणों में भीमबेटका शैलाश्रय (मध्य प्रदेश) लखुडियार (उत्तराखंड), आदमगढ़ पहाड़ियाँ (मध्य प्रदेश), गुड़ाहांडी (ओडिशा), आदि शामिल हैं।

क्या आप जानते हैं?

पेट्रोग्लिफ़ (शिलोत्कीर्णन) क्या हैं?

पेट्रोग्लिफ़ प्रागैतिहासिक या ऐतिहासिक लोगों द्वारा चट्टानों पर उकेरे, खोदे या उत्कीर्ण किये गये चित्र, प्रतीक या पैटर्न होते हैं। चित्रों (जिनमें रंगों का उपयोग किया जाता है) के विपरीत, पेट्रोग्लिफ़ चट्टान की सतह के एक हिस्से को भौतिक रूप से हटाकर बनाये जाते हैं।

शैल उत्कीर्णन (जिसे शिलोत्कीर्णन भी कहा जाता है) प्रागैतिहासिक कला का एक रूप है जिसमें चित्रांकन के स्थान पर, शैल की **सतह पर डिज़ाइन उकेरे, खोदे या उत्कीर्ण किये जाते हैं। ये मुख्यत: भारत में मध्यपाषाण और नवपाषाण काल** से संबंधित हैं। इसके उल्लेखनीय उदाहरणों में कोंकण भू-आकृति (महाराष्ट्र और गोवा), कुप्पल पहाड़ी (कर्नाटक), विक्रमखोल (ओडिशा), दारकी-चट्टान (मध्य प्रदेश) आदि शामिल हैं।

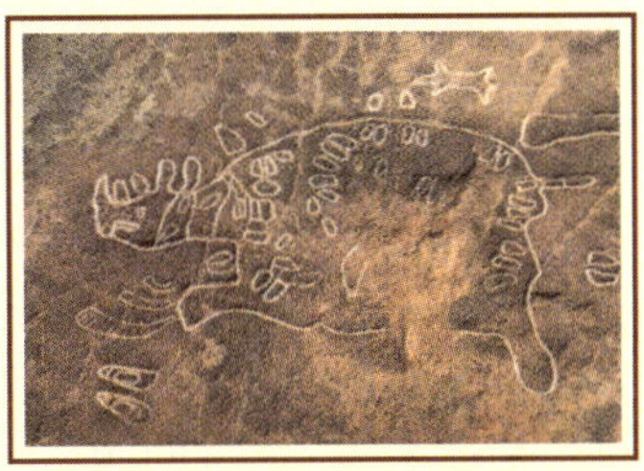

प्रागैतिहासिक शैल उत्कीर्णन

क्यूपुल (Cupule) शैल कला का सबसे सरल और प्राचीनतम ज्ञात रूप है - एक छोटा, गोल, कृत्रिम गड्ढा, जो मनुष्यों द्वारा **चट्टान की सतह पर, मुख्यत: निम्न पुरापाषाण काल में, हथौड़े या चोंच से बनाया जाता है**। उदाहरणों में शामिल हैं दराकी-चट्टान (मध्य प्रदेश), भीमबेटका शैलाश्रय (मध्य प्रदेश), कुप्पल पहाड़ी (कर्नाटक), आदि। भारत में चट्टानों पर चित्रों की पहली खोज 1867-1868 में पुरातत्वविद आर्चिबाल्ड कार्लाइल द्वारा की गई थी। सबसे प्राचीन प्रागैतिहासिक चित्र 1957 में मध्य प्रदेश के भीमबेटका गुफाओं में खोजे गये थे।

प्रागैतिहासिक शैल चित्रकला/शिला उत्कीर्णन के तीन प्रमुख चरण हैं :

- उच्च पुरापाषाण काल की चित्रकारी
- मध्यपाषाण काल की चित्रकारी
- ताम्रपाषाण काल की चित्रकारी

भारत में, सबसे **प्रारंभिक चित्रकलाएँ उच्च पुरापाषाण काल** की बतायी गयी हैं। **कॉकबर्न, एंडरसन, मित्रा** और **घोष** प्रारंभिक पुरातत्वविद् थे जिन्होंने भारतीय उपमहाद्वीप में बड़ी संख्या में स्थलों की खोज की।

उच्च पुरापाषाण काल (40,000-10,000 ईसा पूर्व)

- शैलाश्रय गुफाओं की दीवारें क्वार्टजाइट से बनी थीं।
- प्रयोग किया जानेवाला सबसे सामान्य खनिज **गेरू** था, जो चूने और जल के साथ मिश्रित किया जाता था।
- लाल, सफ़ेद, पीले और हरे जैसे रंगों को बनाने के लिए विभिन्न खनिजों का उपयोग किया जाता था।
- बड़े जानवरों जैसे बाइसन, हाथी, गैंडा, बाघ आदि को चित्रित करने के लिए सफ़ेद, गहरे लाल और हरे रंग का प्रयोग किया गया था।
- **लाल** रंग का प्रयोग शिकारियों के लिए किया जाता था और **हरे रंग का प्रयोग अधिकतर नर्तकियों** (**मानव लघु मूर्तियों** के लिए) के लिए किया जाता था।

मध्य पाषाण काल (10,000-4000 ईसा पूर्व)

- मुख्य रूप से **लाल रंग का प्रयोग**।
- उच्च पुरापाषाण काल की तुलना में चित्रों का आकार **छोटा** हो गया।
- चित्रित किये गये सर्वाधिक सामान्य दृश्य **समूह शिकार**, चराई गतिविधि और घुड़सवारी थे।

ताम्रपाषाण काल (2,500-700 ईसा पूर्व)

- **हरे** और **पीले रंग** का अधिक प्रयोग।
- अधिकांश चित्रों में **घोड़ों** और **हाथियों** की **सवारी करनेवाले पुरुषों** के **युद्ध-दृश्यों** को दर्शाया गया है।
- कुछ लोग **धनुष-बाण** भी ले जाते हुए दर्शाये गये हैं, जिसके बारे में कहा जाता है कि यह लड़ाइयों के लिए तैयारी का संकेत देता है।
- चित्रों और **ब्राह्मी लिपियों** में अशोक और गुप्त अभिलेख के नमूनों से पता चलता है कि ये गुफा स्थल बाद के ऐतिहासिक काल में बसे हुए थे।
- इस अवधि के चित्रों का एक और समूह मध्य प्रदेश के **नरसिंहगढ़** में है, जिनमें एक चित्र में धारीदार हिरणों की खाल को सुखाने के लिए छोड़ दिया गया है, जो इस सिद्धांत को विश्वसनीयता प्रदान करता है कि इस काल में आश्रय और वस्त्र प्रदान करने के लिए **चर्म-शोधन कला** में मनुष्य पारंगत हो गया था।

प्रागैतिहासिक चित्र

उल्लेखनीय प्रागैतिहासिक शैल चित्र/उत्कीर्णन/क्यूपुल्स

स्थल	राज्य/क्षेत्र	पेंटिंग/उत्कीर्णन/क्यूपुल्स	संभावित अवधि	मुख्य तथ्य
भीमबेटका शैल आश्रय	मध्य प्रदेश	चित्रकारी, उत्कीर्णन, क्यूपुल्स	मध्यपाषाण, पुरापाषाण, ऐतिहासिक	यूनेस्को विश्व धरोहर-स्थल; सबसे बड़े और सर्वोत्तम प्रलेखित परिसरों में से एक। *(विवरण बॉक्स में दिया गया है)*
आदमगढ़ आश्रय	मध्य प्रदेश	चित्रकारी	मध्य पाषाण	मनुष्यों और जानवरों के चित्र।

स्थल	राज्य/क्षेत्र	पेंटिंग/उत्कीर्णन/क्यूपुल्स	संभावित अवधि	मुख्य तथ्य
दाराकी-चट्टान	मध्य प्रदेश	क्यूपुल्स, उत्कीर्णन	अत्यन्त नूतन (प्लीस्टोसीन), मध्यपाषाण	अत्यंत समृद्ध कप्यूल स्थल (500+ स्थल)
अंबादेवी शैलाश्रय	मध्य प्रदेश	चित्रकारी, उत्कीर्णन	उच्च पुरापाषाण, मध्यपाषाण, परवर्ती	मध्यपाषाण कालीन चित्रकला के साथ बहु-अवधि अनुक्रम।
जावरा, लाखाजोअर, चतुर्भुजनाथ नाला, मैगजीन शेल्टर, पंचमढ़ी, पहाड़गढ़ गुफाएँ	मध्य प्रदेश	चित्रकारी	मध्य पाषाण	नृत्य, शिकार, मछली पकड़ने के दृश्य। जावरा में एक दिलचस्प अमूर्त पेंटिंग की खोज की गयी है, जो संभवतः वायु, पृथ्वी और अग्नि से बनी दुनिया के दृश्य को दर्शाती है।
कुप्गल पेट्रोग्लिफ़ परिसर	कर्नाटक	उत्कीर्णन (हज़ारों)	उत्तर पुरापाषाण, नवपाषाण, मध्यपाषाण परंपराएँ	प्रायद्वीपीय भारत में बहुत व्यापक शैलचित्र क्षेत्र।
हिरेबेनकल (पास में स्थित शैल कला)	कर्नाटक	चित्रकारी/उत्कीर्णन	नवपाषाण, मध्यपाषाण	महापाषाणों का परिसर, जिसके साथ शैल कला पैनल जुड़े हुए हैं।
लखुडियार गुफाएँ, बरेछीना, दलबंद	उत्तराखंड (अल्मोड़ा)	चित्रकारी	मध्यपाषाण काल, बाद में	नृत्य/मानव रूपांकनों के साथ प्रसिद्ध हिमालयी चित्रित आश्रय। (विवरण बॉक्स में दिया गया है)
गुड़ाहांडी शैल आश्रय	ओडिशा	चित्रकारी और उत्कीर्णन	मुख्यतः मध्यपाषाण काल	**ओडिशा शैल आश्रय की अनूठी विशेषता :** एक ही आश्रय में चित्रकारी और उत्कीर्णन का होना।
विक्रमखोल गुफाएँ	ओडिशा	चित्रकारी और उत्कीर्णन	मध्यपाषाण, नवपाषाण	भारतीय शैल-कला साहित्य में प्रारंभिक रूप से दर्ज उल्लेखनीय ओडिशा स्थल।
योगिमाथा शैल आश्रय	ओडिशा	चित्रकारी	मध्य पाषाण	गुडाहांडी / अन्य ओडिशा पैनल से संबद्ध।
उलापगढ़ आश्रय स्थल	ओडिशा	चित्रकारी	मध्य पाषाण	ज्यामितीय रूपांकनों के साथ बड़े चित्रित आश्रय।
लेखमोडा शैल आश्रय	ओडिशा	चित्रकारी	मध्य पाषाण	ओडिशा में शैल चित्रकला का सबसे समृद्ध क्षेत्र
कोंकण जियोग्लिफ्स / शैलचित्र	महाराष्ट्र और गोवा	बड़े उत्कीर्णन/ जियोग्लिफ़्स (लैटेराइट पर नक़्क़ाशी)	मध्य पाषाण	70 से अधिक स्थान, 1,500 से अधिक नक़्क़ाशी; यूनेस्को की अस्थायी सूची में।
मंचिरेवुला	तेलंगाना	चित्रकारी (लाल)	मध्य पाषाण	कछुआ, मछली, ज्यामितीय आकृतियाँ।
सीताम्मा लोड्डी	तेलंगाना	विस्तृत चित्रकारी (लाल/सफ़ेद)	मध्यपाषाण काल, प्रारंभिक ऐतिहासिक उपरिशायी (बहु-काल)	बड़े शैल चित्रोंवाला विशाल शैलाश्रय
सांगानोनिपल्ल, वट्टीमल्ला, आदि	तेलंगाना	चित्रकारी (लाल)	मध्य पाषाण	कई छोटे मध्यपाषाण आश्रय

स्थल	राज्य/क्षेत्र	पेंटिंग/उत्कीर्णन/क्यूपुल्स	संभावित अवधि	मुख्य तथ्य
सीताभेंगा और जोगीमारा गुफाएँ	छत्तीसगढ	चित्रकारी, वास्तुकला, शिलालेख	तीसरी - पहली शताब्दी ईसा पूर्व	**सीताबेंगा गुफा में प्राचीन रंगमंच जैसी संरचना, दर्शकों के बैठने की जगह जैसी चट्टान से बनी बेंचें तथा ब्राह्मी लिपि** में उत्कीर्ण **काव्य ग्रन्थ**, उन्हें प्राचीन भारतीय रंगमंच और साहित्य के साक्ष्य के रूप में महत्त्वपूर्ण बनाते हैं।
चारामा (बस्तर)	छत्तीसगढ	चित्रकारी	मध्य पाषाण	लाल और सफ़ेद रंग में शैलीबद्ध मनुष्यों और जानवरों की चित्रकारी
कबरा पहाड़ / ओंगना / सिंघनपुर / तिलोली / अमरगुफा / भवरखोह	छत्तीसगढ	चित्रकारी (पैनल)	मध्यपाषाण काल, बाद में	कई छोटे आश्रयोंवाले क्षेत्रीय समूह
चितवा डोंगारी	छत्तीसगढ	चित्रकारी	मध्यपाषाण काल, बाद में	गधे पर सवार एक **चीनी आकृति, ड्रेगन की छवियाँ और कृषि के दृश्य प्रदर्शित हैं**
मंगरबानी	हरियाणा	पुरापाषाण/शैल कला (खुली हवा में)	पुरापाषाण काल, मध्यपाषाण काल	बहुत बड़ा प्रागैतिहासिक परिदृश्य; गुफा/शैल-कला संदर्भों की सूचना मिली है। माना जाता है कि यह भारतीय उपमहाद्वीप का **सबसे बड़ा है।**
मिर्ज़ापुर ज़िले के कैमूर पहाड़ियों में सोहागीघाट	उत्तर प्रदेश	चित्रकारी और उत्कीर्णन	मध्यपाषाण काल, बाद में	**भारत में खोजी गयी पहली शैल चित्रकारी** - 1867-68 में ए.सी.एल. कार्लाइल द्वारा।
एनेगुंडी	कर्नाटक	चित्रकारी	नवपाषाण-मध्यपाषाण ओवरलैप	हम्पी के निकट चित्रित महापाषाणकालीन क़ब्रें और आश्रय।
कुंदाद्री/कुडोपी/काशेली	महाराष्ट्र/गोवा (कोंकण तट)	उत्कीर्णन/जियोग्लिफ़्स (पृथ्वी की सतह पर ज़मीन खोदकर या पत्थर हटाकर बनाये गये विशाल डिज़ाइन हैं।)	मध्य पाषाण	व्यक्तिगत नामित कोंकण पैनल
तिलवाड़ा/केथिवाड़ा शैलाश्रय	राजस्थान/गुजरात	चित्रकारी/उत्कीर्णन	मध्यपाषाण → बाद में	शुष्क क्षेत्र में अनेक शैल-कला स्थल दर्ज किये गये; कुछ मध्यपाषाण कालीन रूपांकनों की जानकारी मिली।
एजुथु गुहा	केरल	चित्रकारी/उत्कीर्णन	मध्य पाषाण	ज्यामितीय आकृतियों की प्रधानता

क्या आप जानते हैं?

दक्कन के अनेक शैल स्थलों पर **मवेशियों** के चित्रण बहुतायत में हैं और ऐसा प्रतीत होता है कि वे **कृषि-पशुपालन** के किसी ऋषि से संबंधित हैं। किसी शैल कला की तिथि निर्धारित करने के लिए, **कार्बन-14 काल-निर्धारण, ताप-प्रकाशिकी, OSL, यूरेनियम/थोरियम तकनीक आदि तकनीकों का उपयोग किया जाता है।**

डोलमेन, केर्न, मेनहिर और सिस्ट विभिन्न प्रकार के महापाषाणकालीन शवाधान हैं, जो भारत के विभिन्न स्थानों पर स्थित हैं।

परीक्षोपयोगी

भीमबेटका गुफा चित्रकलाएँ

भीमबेटका गुफा की चित्रकारी

भीमबेटका शैलाश्रय मध्य प्रदेश के विंध्य पर्वतमाला में भोपाल शहर के दक्षिण में स्थित हैं। ये गुफाएँ रातापानी वन्यजीव अभयारण्य के अंदर स्थित हैं। 1957 में, पुरातत्त्वविद् वी. एस. वाकणकर ने भोपाल से इटारसी जाते समय ट्रेन की खिड़की से भीमबेटका की चट्टानों को देखा और उन्हें देखने के लिए नज़दीकी रेलवे स्टेशन पर उतर गये। इस तरह दुनिया के सबसे शानदार शैल कला स्थलों में से एक की खोज हुई। इस तरह दुनिया के सबसे शानदार रॉक आर्ट साइट्स में से एक की खोज हुई। भीमबेटका शैलाश्रों को वर्ष 2003 में यूनेस्को विश्व धरोहर स्थल घोषित किया गया था। भीमबेटका उन सात पहाड़ियों में से एक है, जो बहुत ही मनोरम प्राकृतिक वातावरण से चिह्नित है। यहाँ 642 शैल आश्रय हैं, जिनमें से लगभग 400 में पेंटिंग, उत्कीर्णन और खरोंच के निशान हैं। भीमबेटका के चित्र उच्च पुरापाषाण, मध्य पाषाण, ताम्र और प्रारंभिक ऐतिहासिक काल के हैं। हालाँकि, अधिकांश चित्र मध्य पाषाण काल के हैं। अधिकांश मध्य पाषाण कालीन शैल कला स्थलों की तरह, भीमबेटका के दृश्यों में भी पशु अत्यधिक हैं। मध्य प्रदेश के अन्य स्थलों जैसे खरवार, जावरा, कठोतिया और लाखाजोअर में भी मध्य पाषाण कालीन चित्र पाये गये हैं। भीमबेटका के चित्र आम तौर पर प्रागैतिहासिक मानवों के रोज़मर्रा के जीवन को दर्शाते हैं, जिन्हें अक्सर छड़ी जैसी आकृतियों के रूप में दर्शाया जाता है। जानवरों की 29 प्रजातियाँ चित्रित की गयी हैं, जैसे चीतल (अधिकांश), हाथी, बाइसन, हिरण, मोर और साँप, छिपकलियाँ, मेंढक, केकड़े आदि। प्रसिद्ध भीमबेटका सूअर का शरीर सूअर जैसा होता है, लेकिन उसकी थूथन गैंडे जैसी होती है। सोलह रंगों या शेड्स की पहचान की जा सकती है, जिनमें सफ़ेद और हलके लाल रंग का इस्तेमाल सबसे ज़्यादा हुआ है। कुछ चित्र एक्स-रे शैली में हैं, जिनमें शरीर के अंदरूनी अंगों को दिखाया गया है।

वीडियो अंतर्दृष्टि

भीमबेटका गुफा चित्रकलाओं पर वैचारिक वीडियो के लिए स्कैन करें

शैलाश्रय क्रमांक 3 को इसके लंबे आकार के कारण सभागार के रूप में नामित किया गया है। इस आश्रय में बैल, भैंस, हिरण, एक मोर, एक बाघ, एक बच्चे के बायें हाथ की छाप और एक अधूरी टोकरी जैसी वस्तु को चित्रित करनेवाली चित्रकला संरचना को दर्शाया गया है। शैलाश्रय क्रमांक 4 में 400 से अधिक आकृतियाँ हैं, जिनमें पशु, पक्षी, मनुष्य और यहाँ तक कि सजावटी डिज़ाइन भी शामिल हैं। इस शैलाश्रय में अधिकांश चित्र शायद प्रागैतिहासिक काल के हैं और कुछ ऐतिहासिक काल (यानी 6वीं शताब्दी ईसा पूर्व से) के हैं। शैलाश्रय क्रमांक 8 के चित्रों में कवच पहने सैनिकों और घुड़सवारों के समूह शामिल हैं। शैलाश्रय क्रमांक 9 के चित्र बहुत आकर्षक हैं, क्योंकि ये भीमबेटका आश्रयों के अन्य चित्रों से भिन्न हैं। चित्रों को लाल, हरे और पीले रंग में भी बनाया गया है।

संस्कृति संक्षेपण

लखुदियार गुफा चित्रकलाएँ

लखुदियार का अर्थ है 'एक लाख गुफाएँ', जो उत्तराखंड के अल्मोड़ा ज़िले में सुयाल नदी के तट पर स्थित पूर्व-ऐतिहासिक गुफाओं का एक समूह है। अधिकतर चित्र मनुष्यों, पशुओं और आरम्भिक मानव द्वारा प्रयोग किये जानेवाले हथियारों के रेखाचित्र हैं। ये चित्र लाल, सफ़ेद और काले रंगों का उपयोग कर उँगलियों से बनाये गये हैं। हाल ही में, जनवरी, 2020 में अल्मोड़ा के पास लखुदियार चित्रों के साथ समानतावाले दो नये चित्रों की खोज की गयी है।

लखुदियार गुफा चित्रकला

भारतीय चित्रकला का वर्गीकरण

- भित्ति चित्रकला
- लघु चित्रकला

भारत में भित्ति चित्रकला

ठोस संरचना या **दीवारों** पर की गयी रचना भित्ति-चित्र के रूप में संदर्भित की जाती है। भित्ति-चित्र प्राचीन काल से ही भारत में अस्तित्व में रहे हैं और इनकी तिथि **10वीं शताब्दी ईसा पूर्व** और **10वीं शताब्दी ईसवी** के बीच आँकी जा सकती है।

भित्ति-चित्र

भित्ति चित्र (Mural paintings) भारत भर में *अजंता और एलोरा गुफाओं, अर्मामलाई गुफा, रावण छाया शैलाश्रय, बाघ गुफाओं, तिरुमलाईपुरम गुफाओं और चितनवसाल गुफा, बादामी गुफा* मंदिरों जैसे स्थलों में पाये जाते हैं। ये भित्ति चित्र मुख्यत: गुफाओं या शैल-कटे कक्षों में पाये जाते हैं और **हिंदू, बौद्ध और जैन धार्मिक** विषयों को दर्शाते हैं।

अजंता गुफा की चित्रकला

- भारतीय उप-महाद्वीप के सबसे पुराने अवशेष भित्ति-चित्रों में से एक, अजंता गुफाओं को ज्वालामुखी चट्टानों से **दूसरी शताब्दी से पाँचवीं शताब्दी ईसवी के बीच** में काटकर बनाया गया था।
- इनमें लगभग **29 गुफाओं** का समूह सम्मिलित है, जिन्हें घोड़े की नाल के आकार में तराशा गया है।
- इन गुफाओं को बौद्ध भिक्षुओं द्वारा अंकित किया गया था, जिन्हें वाकाटक राजाओं, विशेष रूप से राजा हरिसेन का संरक्षण प्राप्त था।

वीडियो अंतर्दृष्टि

अजंता गुफा की वास्तुकला व चित्रकला पर वैचारिक वीडियो के लिए स्कैन करें

अजंता गुफा में पद्मपाणि का भित्तचित्र

- ये गुफाएँ अपने भित्ति-चित्रों के लिए सर्वाधिक लोकप्रिय हैं; गुफा संख्या 9 और 10 के भित्ति-चित्र *शुंग* काल से संबंध रखते हैं, जबकि बाकी की गुफाएँ गुप्त काल से संबंधित हैं।
- **अजंता भित्तिचित्रों के विषय :** बुद्ध का जीवन (ऐतिहासिक और जातक कथाएँ), बोधिसत्व, राजा, रानी, नर्तक, पशु, पुष्प और ज्यामितीय डिज़ाइन।
- **चित्रकला की शैली :** बहती रेखाएँ, सुंदर आकृतियाँ, प्राकृतिक अभिव्यक्तियाँ और मुद्राओं का प्रतीकात्मक उपयोग।
- **रंग :** पृथ्वी के रंगद्रव्य (लाल गेरू, पीला गेरू, नीले रंग के लिए लापीस लाजुली, चूने से सफ़ेद, दीपक की कालिख से काला)।
- **तकनीक :** फ्रेस्को-सेको (सूखी प्लास्टर सतह पर चित्रित)।

कुछ **महत्त्वपूर्ण चित्रकारी** इस प्रकार हैं :

- **जातक कहानियों** के दृश्य (जैसे कि वेसंतारा, सिबि, शद्दंत, और महाजनक जातक), गौतम बुद्ध का जीवन, आदि।

विरासत स्मरण

जातक कथाएँ

जातक कथाएँ **मानव और पशु दोनों रूपों में गौतम बुद्ध के पिछले जन्मों से संबंधित हैं**। भविष्य के बुद्ध राजा, निर्वासित, देवता, हाथी के रूप में प्रकट हो सकते हैं, लेकिन चाहे वह किसी भी रूप में हों, वह कुछ गुणों का प्रदर्शन करते हैं, जिन्हें वह कहानी व्यक्त करती है।

- गुफा 1 में त्रिभंग मुद्रा में विभिन्न बोधिसत्वों की चित्रकारियाँ 1. **वज्रपाणि** (संरक्षक और मार्गदर्शक, बुद्ध की शक्ति का प्रतीक), **मंजुश्री** (बुद्ध की विद्वत्ता की अभिव्यक्ति) और **पद्मपाणि (अवलोकितेश्वर)** (बुद्ध की करुणा का प्रतीक)।
- गुफा सं. 16 में **मरणासन्न राजकुमारी**।
- गुफा सं. 19 और 26 में **चैत्य हॉल के चित्र** हैं, जिनमें बुद्ध उपदेश मुद्रा में भक्तों और दिव्य प्राणियों से घिरे हुए हैं।
- **शिबि जातक** का दृश्य, जहाँ राजा शिबि ने कबूतर को बचाने के लिए अपने ही मांस की पेशकश की।
- **मातृ-पोषक जातक** का दृश्य, जहाँ एक **हाथी** द्वारा बचाये गये कृतघ्न व्यक्ति ने उसके ठिकाने की जानकारी राजा को दे दी।
- **चालुक्य नरेश पुलकेशिन द्वितीय** द्वारा **फ़ारसी दूत** का सत्कार।

चैत्य हॉल

अजंता के कुछ महत्त्वपूर्ण चित्र एवं मूर्तिकला :

- बुद्ध का महापरिनिर्वाण
- बुद्ध की तपस्या के दौरान मार का आक्रमण
- धर्मचक्रप्रवर्तन मुद्रा में बैठे बुद्ध

एलोरा गुफा की चित्रकला

- ये चित्र अधिकतर **छठी से नौवीं शताब्दी ईसवी** के हैं, जो राष्ट्रकूट और अन्य राजवंशों के समय के हैं।
- एलोरा ने अजंता की भित्ति चित्रकला विरासत को, यद्यपि छोटे पैमाने पर और अधिक सजावटी शैली में जारी रखा।
- इसमें प्रयुक्त तकनीक फ़्रेस्को-सेको थी (अजंता की तरह, चट्टानी दीवारों और छतों पर सूखे प्लास्टर पर चित्रित)।
- एलोरा की गुफाओं के भित्तिचित्र अधिकांशत: गुफा नं. 16, अर्थात् **कैलास मंदिर** तक सीमित पाँच गुफाओं में पाये जाते हैं।

एलोरा गुफा की चित्रकला

वीडियो अंतर्दृष्टि

एलोरा गुफा की संरचना व चित्रकला पर वैचारिक वीडियो के लिए स्कैन करें

- उन 05 गुफाओं में भित्ति चित्र तीनों धर्मों (बौद्ध धर्म, जैन धर्म और हिंदू धर्म) से संबंधित हैं
- **अजन्ता गुफा चित्रों की तुलना में** एलोरा की गुफा के चित्र **नये हैं।**

एलोरा के प्रमुख भित्तिचित्रों में शामिल हैं :

- छत और दीवार के हिस्सों पर दिव्य युगलों, उड़ते हुए दिव्य प्राणियों (अप्सराओं, गंधर्वों) के चित्र अंकित हैं।
- विष्णु के अवतारों और दरबारी दृश्यों को दर्शानेवाले भित्तिचित्रों के चिह्न।
- पुष्प आकृति, बुद्ध और बोधिसत्व के साथ चित्रित छत पैनल।
- छत पर नृत्य करती आकृतियाँ, कमल के पदक, उड़ते हुए युगल आदि के चित्र।
- छत पर कमल के फूल, दिव्य प्राणी, तीर्थंकरों तथा उनके सेवकों के चित्र हैं।

बाघ गुफा की चित्रकला

- मध्य प्रदेश के धार ज़िले में स्थित **बाघ गुफाएँ** बौद्ध शैलकृत स्मारकों का एक समूह हैं, जो **अपने भित्तिचित्रों / चित्रों के लिए प्रसिद्ध हैं**, जिन्हें अक्सर **'मध्य भारत का अजंता'** कहा जाता है। **इनकी खुदाई 5 वीं और 7 वीं शताब्दी ईसवी (मुख्यतः गुप्त काल)** के बीच की गयी थी और यहाँ की चित्रकारी भारतीय शास्त्रीय भित्तिचित्र कला के सर्वोत्तम जीवित उदाहरणों में से एक है।

बाघ गुफा के चित्र

वीडियो अंतर्दृष्टि

बाघ गुफा चित्रकारी पर वैचारिक वीडियो के लिए स्कैन करें

- अजंता स्कूल के विस्तार का प्रतिनिधित्व करते हुए, बाघ गुफाएँ मध्य प्रदेश के धार ज़िले में स्थित हैं। अपने उत्कृष्ट कार्य के साथ बाघ की गुफाएँ बनावट, निष्पादन और सजावट के संबंध में वास्तविक **अजंता गुफाओं के निकट** हैं।
- ये चित्रकलाएँ लोगों की समकालीन जीवनशैली के परिप्रेक्ष्य में धार्मिक विषयों को दर्शाती हैं और धर्मनिरपेक्ष स्वरूप भी। यहाँ गुफा संख्या 4 में **रंगमहल** मिला है, जिसकी दीवारों पर बौद्ध **जातक कथाओं** का निरूपण करनेवाले सुंदर भित्ति-चित्र हैं।

क्या आप जानते हैं? **गुप्त काल** के भित्ति चित्रों के दो उदाहरण **अजंता गुफाएँ** और **बाघ गुफाएँ** हैं।

पल्लव भित्ति चित्र (Pallava Murals)

तमिलनाडु में भित्ति चित्रकला की परंपरा **सातवीं शताब्दी ईसवी से चली आ रही प्रतीत होती है।** यद्यपि चित्रकला का साहित्यिक उल्लेख **शिलप्पादिकारम** और **मणिमेकलाई** में 5वीं शताब्दी ईसवी में **मिलता है। पल्लव शासक महेंद्रवर्मन** कला और स्थापत्य कला के प्रथम महान् संरक्षक थे। उन्हें **'विचित्र चित्त' (जिज्ञासु मस्तिष्क)**, **'चेट्टाकरी' (मंदिर निर्माता)**, और **'चित्रकरपुल्ली' (चित्रकारों में एक बाघ)** जैसी उपाधियाँ दी गयीं। उन्होंने **तमिलनाडु में शैलकृत गुफा मंदिरों** की शुरुआत की। मामंदुर की शैलकृत गुफाओं में भित्तिचित्र देखे जा सकते हैं।

नरसिंहवर्मन द्वितीय राजसिंह (700-720 ई.) को सर्वश्रेष्ठ पल्लव मंदिर और सर्वश्रेष्ठ पल्लव भित्तिचित्रों का संरक्षक होने का गौरव प्राप्त है। काँची के कैलासनाथ मंदिर में मुख्य मंदिर के चारों ओर के परिक्रमा पथ की दीवारें सुंदर भित्तिचित्रों से

सुसज्जित हैं। इन चित्रकलाओं का विषय मुख्यत: **भगवान् शिव और देवी पार्वती** की कथाओं पर आधारित है। पनमलाई के मंदिर में देवी पार्वती का भगवान् शिव का नृत्य देखते हुए एक सुंदर चित्र है। इसके अलावा, अन्नामलाई पहाड़ी की जैन गुफाओं में राजसी व्यक्तियों और जैन मुनियों के चित्र पाये गये हैं।

पाण्ड्य भित्ति चित्र (Pandya Murals)

पांड्य लोग भित्ति चित्र कला के भी संरक्षक थे। **सित्तनवासल** में चट्टानों को काटकर बनाये गये जैन मंदिर के चित्र और **तिरुमलाईपुरम** का जैन गुफा मंदिर पांड्यों द्वारा संरक्षित थे। सित्तनवासल में पुष्प लताओं और नृत्य करतीं दिव्य अप्सराओंवाले चित्र, पक्षी देखे जा सकते हैं, लेकिन वे अपनी सर्वोत्तम संरक्षित अवस्था में नहीं हैं। तिरुमलाईपुरम में अब कुछ भी महत्त्वपूर्ण नहीं बचा है।

सित्तनवासल गुफा मंदिर परिसर और चित्रकारी

परीक्षोपयोगी

- अत्यंत विशिष्ट सित्तनवासल **जैन गुफाएँ तमिलनाडु** में स्थित हैं और इनका विकास **पहली शताब्दी ईसा पूर्व से दसवीं शताब्दी ईसवी तक माना जाता है**। यह जैन गुफा मंदिर मुख्य रूप से तीर्थंकरों की मूर्तियों और चट्टानों को काटकर बनाये गये गुफा मंदिर की दीवारों, छतों और स्तंभों पर भित्तिचित्रों के लिए प्रसिद्ध है, **जिसे अरिवर कोइल या अरिहंतों का मंदिर भी कहा जाता है**।
- अजंता और बाघ की तरह, यहाँ के भित्ति चित्र भी कई खनिज रंगों के साथ फ्रेस्को तकनीक का उपयोग करके बनाये गये हैं।
- यहाँ के चित्र **जैन विषयवस्तु पर आधारित हैं**। यहाँ का एक प्रसिद्ध भित्ति चित्र **कमल के तालाब का है, जिसमें प्रचुर प्राकृतिक दृश्य और कुछ मानव आकृतियाँ हैं। तालाब का रंग हरा है, जहाँ मछलियाँ पत्तों और फूलों के बीच तैरती हैं। यह दृश्य *समवसरण*** की जैन परंपरा से जुड़ा है। - अर्थात्, जब कोई तीर्थंकर 'केवल ज्ञान' प्राप्त करता है और पहला उपदेश देता है।
- इन चित्रों को अजंता चित्रों (4वीं-6वीं शताब्दी ईसवी) और तंजावुर में 11वीं शताब्दी के चोल चित्रों के बीच **एक कड़ी प्रदान करने के लिए भी कहा जाता है**।
- परिसर के पूर्वी हिस्से में, **एझादिपट्टम** नामक एक प्राकृतिक गुफा मौजूद है तमिल-ब्राह्मी शिलालेखों से युक्त 17 पॉलिश किये हुए शैल-शय्याएँ हैं, जहाँ जैन तपस्वियों ने पहली शताब्दी ईसा पूर्व से एक हज़ार वर्षों से भी अधिक समय तक **सल्लेखना या कायोत्सर्ग** जैसी कठोर तपस्या की थी। इन शय्याओं पर उनके नाम अंकित हैं।
- ***नवच-चुनाई*** एक जलमग्न चट्टान-काट मंदिरनुमा छोटी पहाड़ी झील है, जो चट्टानी पहाड़ी के पूर्वी ढलान पर स्थित है।

वीडियो अंतर्दृष्टि

सित्तनवासल गुफा वास्तुकला और चित्रकला पर वैचारिक वीडियो के लिए स्कैन करें

क्या आप जानते हैं?

- जैन परंपरा के अनुसार, एक जैन आचार्य के जीवन में ज्ञान प्राप्ति के लिए **पाँच महत्त्वपूर्ण घटनाएँ होती हैं। ये हैं जन्म, त्याग, साक्षात्कार (केवल ज्ञान), पहला उपदेश और अंत में निर्वाण या आत्मा की मुक्ति। पहला उपदेश समवसरण** नामक एक सभागार में दिया जाएगा। दिव्य प्राणी, मनुष्य, पक्षी, पशु, मछलियाँ सभी इस ज्ञानवर्धक प्रवचन को सुनने के लिए श्रोता के रूप में आते हैं। समवसरण के इस व्यापक श्रोता समूह को **भव्य** कहा जाता है। (**या वे भाग्यशाली लोग जो** *समवसरण में दिव्य प्रवचन में भाग लेने के अधिकारी बन जाते हैं*)।
- **सल्लेखना** उपवास का एक प्राचीन चरम रूप है, जहाँ व्यक्ति अपने मरने तक भोजन की मात्रा कम करता रहता है।
- **कायोत्सर्ग** एक और साधना है, जिसमें एक ही ध्यान मुद्रा में स्थिर रहना आवश्यक है। ऐसा माना जाता है कि कई तीर्थंकरों ने लंबे समय तक खड़ी मुद्रा में रहकर मोक्ष प्राप्त किया था। ऐसा माना जाता है कि तपस्या के ये कार्य व्यक्ति को जन्म और मृत्यु से मुक्त करते हैं।

क्या आप जानते हैं?

रावण छाया शैलाश्रय

ओडिशा के क्योंझर ज़िले में स्थित, एक शैलाश्रय पर बने ये प्राचीन भित्तिचित्र एक अधखुले छत्र के आकार के हैं। ऐसा माना जाता है कि यह शैलाश्रय **शाही शिकारगाह के रूप में कार्य करता था। सबसे उल्लेखनीय चित्र एक शाही जुलूस** का है, जो **7वीं शताब्दी ईसवी पूर्व** का है।

चोल भित्ति चित्र (Chola Murals)

इस राजवंश के अधीन, द्रविड़ मंदिर कला अपने चरम शिखर पर पहुँची। उन्होंने 1279 में अपने शासन काल तक एक हज़ार से ज़्यादा मंदिर बनवाये। चोल वंश आज भी अपने असाधारण मंदिरों और कांस्य मूर्तियों के लिए प्रसिद्ध है। भित्ति चित्रकला की कला भी फली-फूली, हालाँकि इसके अवशेष केवल दो मंदिरों में ही दिखाई देते हैं। **विजय चोलेश्वरम् यह दीवार चित्रोंवाला** पहला चोल मंदिर है, लेकिन चित्रों की केवल रेखाएँ ही धुंधली दिखाई देती हैं।

बृहदेश्वर मंदिर चोल भित्ति चित्रकला का सबसे उत्कृष्ट केंद्र है। मंदिर के गलियारे में शिव को उनकी पूर्ण महिमा में चित्रित किया गया है। चित्रकला का विषय कैलास में भगवान् शिव, उनके भक्त सुंदरार, और विभिन्न रूपों **(त्रिपुरंतक, नटराज, दक्षिणामूर्ति, लिंगोद्भव)** में भगवान् शिव पर आधारित है। **राजराज चोल प्रथम** का अपने **आध्यात्मिक गुरु करुवुर देवर** के साथ एक चित्र भी वहाँ चित्रित किया गया है। बृहदेश्वर मंदिर में चित्रकारी मूलत: राजराज के काल में की गयी थी, हालाँकि नायक काल की भी कुछ कलाकृतियाँ हैं। अजंता के बाद **बृहदेश्वर भारत में भित्ति चित्रकला का सबसे बड़ा केंद्र है।**

विरासत स्मरण

अरमामलाई गुफा चित्रकला

तमिलनाडु में स्थित अर्मामलई गुफा, भगवान् शिव को समर्पित एक चट्टान से बना गुफा मंदिर है और इसमें **8वीं-9वीं शताब्दी ईसवी** (पल्लव काल, जिसे बाद में चोलों ने संरक्षण दिया) के महत्त्वपूर्ण भित्ति चित्र संरक्षित हैं। यह दक्षिण भारतीय मंदिर चित्रकला के इतिहास में एक महत्त्वपूर्ण कड़ी है, जिससे बाद में बृहदेश्वर मंदिर (तंजावुर) में चोल भित्तिचित्रों का निर्माण हुआ।

यह मूलत: **एक जैन मठ था** (8 वीं शताब्दी ई.), जिसे बाद में शैव भक्तों ने अपने नियंत्रण में ले लिया, क्योंकि भित्तिचित्रों में जैन तीर्थंकरों, भिक्षुओं, भक्तों को दर्शाया गया है, तथा संभवत: जैन कथाओं के दृश्य भी यहाँ पाये जाते हैं।

दीवारों और छत पर लगे रंगीन चित्रों में से एक में **अष्टाथिक पालकों** (आठ कोनों की रक्षा करनेवाले देवता) की कथाएँ दर्शायी गयी हैं। ये चित्र जैन धर्म से शैव धर्म में गुफा उपयोग के परिवर्तन और **अजंता से बाघ और दक्षिण भारत तक भित्तिचित्र परंपराओं की निरंतरता** को समझने के लिए महत्त्वपूर्ण हैं।

विजयनगर भित्ति चित्र

विजयनगर दक्षिण भारत में स्थापित अब तक का सबसे बड़ा राज्य बन गया। इसने राजत्व की एक नयी अवधारणा गढ़ी। अब राजा स्वयं को किसी एक भाषाई समूह का गौरव नहीं मानते थे। उन्होंने कथानक को बदल दिया और विभिन्न भाषाई समूहों के लोग स्वयं को विजयनगर शासकों के साथ जोड़ने लगे। विजयनगर शासक **हिंदू धर्म** के रक्षक के रूप में उभरे। इस धारणा के विकास के साथ, उन्होंने अपनी नीति भी बनायी, जिसने कला उत्पादन की दिशा बदल दी। विजयनगर का एक केंद्र बिंदु इसकी आर्थिक समृद्धि थी। इसने भारतीय उपमहाद्वीप के विभिन्न भागों से प्रवास को और बढ़ावा दिया। इन सभी प्रवासों ने न केवल समृद्धि पैदा की, बल्कि महानगरीय संस्कृति के विकास में भी मदद की और कला को गहराई से

प्रभावित किया। राजदूत **अब्दुर रज़्ज़ाक़** और पुर्तगाली यात्री **डोमिंगो पेस** अपने संस्मरणों में विजयनगर के भव्य भित्ति चित्रों का उल्लेख करते हैं। **तिरुप्परुतिकनराम जैन मंदिर** में एक सुंदर युवती और ऐरावत के साथ इंद्र के भित्ति चित्र हैं। एक अन्य प्रसिद्ध उदाहरण **लेपाक्षी चित्रकला** है।

परीक्षोपयोगी

वीरभद्र मंदिर में लेपाक्षी भित्ति चित्र

- आंध्र प्रदेश के प्रसिद्ध लेपाक्षी भित्ति चित्र **विजयनगर साम्राज्य** के प्रसिद्ध **वीरभद्र मंदिर** का हिस्सा हैं। यह मंदिर भगवान् वीरभद्र को समर्पित है, जो भगवान् शिव का एक उग्र रूप हैं।
- लेपाक्षी में भित्ति चित्र **16 वीं शताब्दी ईसवी** के हैं और **विजयनगर भित्ति कला** के सबसे बेहतरीन और सबसे महत्त्वपूर्ण उदाहरणों में से एक हैं।
- मंदिर परिसर में 70 नक़्क़ाशीदार स्तंभोंवाला एक **रंग मंडप** है। यहाँ का प्रसिद्ध **'लटकता स्तंभ (hanging pillar)'**, जो ज़मीन से थोड़ा अलग है, इंजीनियरिंग की कुशलता को दर्शाता है और पर्यटकों को बहुत आकर्षित करता है।
- **कल्याण मंडप** (या विवाह समारोहों के लिए एक हॉल) यहाँ अधूरा है, लेकिन इसमें भगवान् शिव और पार्वती के दिव्य विवाह को दर्शाती एक जटिल मूर्तिकला संरचना है।
- मंदिर में रामायण, महाभारत और पुराणों के प्रसंगों को दर्शाती सुंदर मूर्तियाँ हैं। सबसे उल्लेखनीय मूर्ति मंदिर के पास एक **विशाल नाग (या सर्प) का फन है**, जो एक लिंग को ढँक रहा है।
- यह ध्यान रखना महत्त्वपूर्ण है कि मंदिर परिसर में देश की **सबसे बड़ी अखंड नंदी (या बैल)** की मूर्ति भी प्रदर्शित है।
- मंदिर की छत पर *वीरभद्र स्वामी का एक प्रसिद्ध भित्ति चित्र है*, जिसका आकार 300 वर्ग फुट से अधिक है, जिसे भारत में सबसे बड़ा एकल-आकृति भित्ति चित्र माना जाता है।
- लेपाक्षी के अन्य प्रमुख भित्ति चित्रों में रावण द्वारा कैलास पर्वत को हिलाना, शिव का पार्वती के साथ विवाह, **भगवान् शिव को दक्षिणामूर्ति के रूप में**, अर्जुन की तपस्या, भगवान् विष्णु का दशावतार, अर्जुन द्वारा द्रौपदी का हाथ जीतने का चित्रण आदि शामिल हैं।
- लेपाक्षी भित्ति चित्रों को **प्रसिद्ध *क़लमकारी चित्रकला*** के पूर्वज या पूर्ववर्ती के रूप में देखा जाता है।

वीडियो अंतर्दृष्टि

लेपाक्षी भित्ति चित्र पर वैचारिक वीडियो के लिए स्कैन करें

वीरभद्र मंदिर में भित्ति चित्र

नायक भित्ति चित्र

नायक विजयनगर शासकों द्वारा प्रांतों की देखरेख के लिए नियुक्त राज्यपाल थे। विजयनगर साम्राज्य के पतन के बाद, सामंत पूर्ण शासक बन गये। उनकी राजत्व की अवधारणा पारंपरिक शासकों से भिन्न थी। चोलों और विजयनगर के शासकों की तरह। वे स्वयं को दैवीय राजा नहीं मानते थे, बल्कि **भोग नीति में विश्वास करते थे**। (आत्म-संतुष्टि)। उनके लिए, राम अपने शारीरिक आकर्षण के लिए आदर्श थे, न कि अपने नैतिक मानदंडों के लिए। यह दर्शन उनकी कला में स्पष्ट रूप से परिलक्षित होता था। उनके मंदिर, मूर्तियाँ और चित्र भव्य थे। नायक सम्पदा तंजावुर, मदुरै, मैसूर, जिंजी आदि में मौजूद थी।

काँचीपुरम में नायक चित्रकलाएँ **तिरुप्परुतिकनराम में सर्वोत्तम रूप से संरक्षित हैं। जैन मंदिर** में चित्रकला के विषय वर्धमान महावीर और भगवान् कृष्ण के जीवन पर आधारित जैन आदिपुराण से लिये गये हैं।

मदुरै स्थित मीनाक्षी सुंदरेश्वर मंदिर के भित्तिचित्रों को तिरूमाला नायक (1623-1659 ई.) का संरक्षण प्राप्त था। ये चित्र शैव परंपरा पर आधारित हैं और अत्यधिक अलंकृत हैं। तिरुचिरापल्ली स्थित श्री रंगनाथ मंदिर में भी भित्तिचित्र हैं।

तंजावुर के रघुनाथ नायक (1600-1633 ई.)। कला और साहित्य के महान् संरक्षक थे। **बृहदेश्वर मंदिर परिक्रमा की भित्ति चित्रकलाएँ** नायक काल के दौरान जोड़ी गयीं।

मीनाक्षी मंदिर की भित्ति चित्रकारी

राजा वोडेयार मैसूर के राजा (1578-1617 ई.) को भित्ति चित्रकला की शुरुआत का श्रेय दिया जाता है। वे विजयनगर साम्राज्य के एक नायक सामंत थे। मैसूर के **प्रसन्न वेंकटरमण मंदिर** में भगवान् राम और भगवान् कृष्ण के जीवन पर आधारित चित्र हैं। **श्रवणबेलगोला जैन मंदिर** में नायक काल के जैन धर्म के सर्वश्रेष्ठ भित्ति चित्र संरक्षित हैं।

केरल भित्ति चित्र

केरल के मज़बूत आर्थिक संसाधन आधार ने ही उसे समृद्ध कला का एक मज़बूत केंद्र बनाया। प्राचीन काल में, यूनानी, रोमन, फ़ारसी और अरब लोग केरल से मसालों का व्यापार करते थे। मार्को पोलो ने चीन और केरल के बीच व्यापार का उल्लेख किया है। इब्न बतूता ने भी मसाला व्यापार से केरल की समृद्धि के बारे में लिखा है। केरल के समृद्ध मसाला व्यापार ने एक मज़बूत आर्थिक आधार तैयार किया और परिणामस्वरूप, मंदिर वास्तुकला और भित्ति चित्रों का विकास हुआ।

केरल की भित्तिचित्र परंपरा 16 वीं शताब्दी में त्रिशूर के पल्लीमना मंदिर के निर्माण के साथ विकसित हुई। केरल के अनेक स्थलों पर भित्तिचित्र हैं, जिनमें से अधिकांश मंदिरों और महलों में हैं। कुछ महत्त्वपूर्ण स्थलों में त्रिवंचिकुलम शिव मंदिर, त्रिपरयार का राम मंदिर, तिरुवनंतपुरम का पद्मनाभस्वामी मंदिर और पुंडरीकापुरम कृष्ण मंदिर शामिल हैं। केरल के सबसे प्रसिद्ध मंदिरों में से एक, गुरुवायुर मंदिर, जिसे दक्षिण का द्वारका भी कहा जाता है, भगवान् कृष्ण के बाल्यकाल पर आधारित एक अत्यंत परिष्कृत भित्तिचित्र प्रस्तुत करता है। केरल के कुछ सबसे समृद्ध चित्र पद्मनाभपुरम महल, कृष्णपुरम महल और मटनचेरी महल में पाये जाते हैं।

सामान्यतः, केरल में भित्तिचित्रों में गति, लय और रंगों का भरपूर समावेश होता है। इनकी मानक विशेषताओं में प्रमुख, विशाल पुरुष आकृतियाँ, और मांसल एवं अत्यधिक अलंकृत शरीरों की आकृतियाँ शामिल हैं। केरल शैली अपने आप में विशिष्ट और अनूठी है। यह दीवारों पर भावनाओं का भरपूर चित्रण करती है और उनकी कला में कभी भी कोई नीरस क्षण नहीं आता।

राजपूत शैली के भित्ति चित्र

राजपूत भित्ति चित्र

↓

राजस्थान भित्ति चित्र | पहाड़ी भित्ति चित्र

राजस्थान भित्ति चित्र

राजस्थान को पहले राजपूताना कहा जाता था, यानी राजपूतों और राजाओं के पुत्रों की भूमि। राजस्थान के साथ राजपूतों का जुड़ाव पाँचवीं और आठवीं शताब्दी के मध्य के बीच हुआ। यहाँ के जलवायु और दुर्गम भूभाग के कारण लोग परिश्रमी, मज़बूत और दृढ़ स्वभाव के हो गये। इसके परिणामस्वरूप राजपूत युद्धप्रिय हो गये। राजपूतों ने तलवार के बल पर जीने और मरने के सिद्धांत को अपनाया। दिल्ली सल्तनत काल में, राजपूतों की स्थिति को कोई गंभीर चुनौती नहीं मिली। बाद में, जब

मुग़ल शासन स्थापित हुआ, तो अकबर वैवाहिक संबंधों और मनसबदारी के माध्यम से राजपूतों को अपने साथ जोड़ने में सफल रहा।

मुग़लों के साथ अपने जुड़ाव के दौरान, राजपूतों ने मुग़ल कला की क़द्र करना सीखा और साथ ही फ़ारसी और अरबी कला परंपराओं से भी परिचित हुए। यह राजस्थानी चित्रकला परंपरा के विकास में उत्प्रेरक साबित हुआ। मारवाड़ी वर्ग के उत्थान और बढ़ती आर्थिक समृद्धि ने भित्ति चित्रों को संरक्षण प्रदान किया। भित्ति कला के संरक्षक महाराजा, उनके कुलीन और व्यापारिक समुदाय थे। भित्ति कला के लिए सबसे शक्तिशाली प्रेरणा धर्म से मिली। **प्रेम के देवता के रूप में भगवान् कृष्ण की लोकप्रियता के साथ,** दीवारों पर उनकी प्रस्तुति में वृद्धि हुई। जैन समुदाय ने भी भित्ति कला को संरक्षण दिया। आइए, राजस्थान में भित्ति चित्रों के लिए प्रसिद्ध स्थानों पर चर्चा करें।

राजस्थानी भित्ति चित्र

- हाड़ौती भित्ति चित्र
- मेवाड़ भित्ति चित्र
- अंबर भित्ति चित्र
- मारवाड़ भित्ति चित्र
- बीकानेर भित्ति चित्र
- जैसलमेर भित्ति चित्र

हाड़ौती/हाड़ौती भित्तिचित्र : कोटा और बूँदी (हाड़ौती के दो क्षेत्र) अपनी हरी-भरी झीलों और जंगलों के लिए जाने जाते हैं। हाड़ौती हाड़ा जनजाति की भी भूमि है और राजपूतों का निवास स्थान है। यह दिल्ली से दक्कन जानेवाले मार्ग पर रणनीतिक रूप से स्थित है। इसलिए, यह मुग़लों के लिए एक महत्त्वपूर्ण क्षेत्र था, जिसने चित्रकला परंपरा को और बढ़ावा दिया।

- **बूँदी :** बूँदी में राजस्थान के कुछ सबसे प्राचीन और सुंदर भित्ति चित्र हैं। **बूँदी** क़िला सबसे विस्तृत भित्ति चित्रों का केंद्र है, जो इसके विकास का संकेत देता है। यहाँ की सबसे प्राचीन भित्ति चित्रकारी कला **बादल महल** में है। यहाँ की चित्रकलाएँ मुग़ल और दक्कनी प्रभावों के साथ प्रारंभिक राजस्थानी शैली की हैं। इन चित्रकलाओं में *भगवान् कृष्ण द्वारा रुक्मिणी का हरण, रावण को हराने के बाद भगवान् राम द्वारा सीता का उद्धार*, महाभारत के नल दमयंती की कथा, बाँसुरी बजाते कृष्ण, कृष्ण रास-लीला आदि के अद्‌भुत चित्रण हैं। बूँदी के **आदिनाथ जैन मंदिर** में राजस्थान की सबसे प्राचीन और सबसे सुंदर जैन भित्ति चित्रकारी कलाएँ हैं।

बूँदी चित्रकला

- **कोटा :** कोटा राज्य को 1614 में माधोसिंह की मुग़लों के प्रति सैन्य सेवा के पुरस्कार स्वरूप **बूँदी राज्य** से अलग कर जहाँगीर द्वारा स्थापित किया गया था। जल्द ही, कोटा अपने आकार, समृद्धि और भव्यता में बूँदी से भी आगे निक़ल गया। सबसे महत्त्वपूर्ण भित्ति चित्र कोटा क़िले के अंदर हैं। राजमहल की सामने की दीवार पर भगवान् कृष्ण के बचपन और वृंदावन के वनों के दृश्य दर्शाये गये हैं। कोटा क़िले के शीर्ष पर स्थित बड़ा महल में शाही शिकार, दरबार दृश्य, *कृष्ण द्वारा होली खेलते हुए और कालिया मर्दन* जैसे कुछ असाधारण चित्र हैं। कोटा के चित्र अपने **यथार्थवाद** के लिए प्रसिद्ध हैं। इनमें लाल रंग की प्रधानता भी देखी जा सकती है।

मारवाड़ भित्ति चित्र : राठौड़ मारवाड़ के शासक राष्ट्रकूट वंश के थे। उनका विशाल साम्राज्य उत्तर-पश्चिम में जैसलमेर से लेकर दक्षिण में अजमेर तक फैला हुआ था। इसे जोधपुर या मरुदेश का घराना भी कहा जाता है। मरुदेश के शासक असाधारण योद्धा थे और मारवाड़ी चतुर व्यवसायी थे। इस संयोजन ने इस क्षेत्र में अपार समृद्धि ले आयी।

मारवाड़ चित्रकला

आर्थिक समृद्धि ने भित्ति चित्रकला की परंपरा को बढ़ावा दिया। मारवाड़ में भित्ति चित्रकला का इतिहास **18वीं शताब्दी** में शुरू हुआ। **जोधपुर क़िले** के अंदर बड़ी संख्या में मारवाड़ भित्ति चित्र हैं। सबसे पुराने भित्ति चित्र जोधपुर क़िले के **फूल महल** में हैं। इन चित्रों के विषय राग-रागिनी, **रागमाला, कृष्ण-राधा प्रेम** और नायक-नायिका भेद पर आधारित हैं। सबसे उल्लेखनीय भित्ति चित्र **तीजा माता मंदिर गैस मंडी** में हैं। इनका विषय राम-सीता पर आधारित है।

बीकानेर भित्तिचित्र : बीकानेर राज्य की स्थापना **राव बीका** ने की थी, जो **राठौड़ वंश** के वंशज राव जोधा के पुत्र थे। यह राज्य मुग़लों के अधीन फला-फूला और मुग़लों के साथ उनका घनिष्ठ सैन्य संबंध था। सबसे पहले भित्तिचित्र चंद्र महल के अंदर और बाद में अनूप महल, शिवबाड़ी मंदिर आदि में बनाये गये थे। ये विषय रामायण, महाभारत, राजसी दृश्यों, भगवान् कृष्ण के जीवन आदि पर आधारित थे।

जैसलमेर भित्ति चित्र : जैसलमेर राजस्थान के रेगिस्तान का सच्चा हृदयस्थल है। राजपूत भट्टी वंश के लोग यहाँ निवास करते थे। उन्होंने मुग़लों के साथ वैवाहिक संबंध भी बनाये। **जैसलमेर क़िले** के रंग महल में भित्ति चित्र अंकित हैं। राजस्थानी परंपरा को ध्यान में रखते हुए, **भगवान् कृष्ण के जीवन** से विषयवस्तु ली गयी है। चित्र शिव-पार्वती, भगवान् गणेश और ऋद्धि-सिद्धि पर भी आधारित हैं।

मेवाड़ भित्ति चित्र : मेवाड़ राज्य ने भगवान् राम के दूसरे पुत्र कुश के वंशज होने का दावा किया। मेवाड़ राज्य कम-से-कम **734 ईसवी** से अस्तित्त्व में था। मेवाड़ हमेशा हिंदू धर्म का दृढ़ता से पालन करता रहा, जो राजस्थान का सबसे प्रमुख राज्य था। मेवाड़ के शासकों ने किसी भी क़ीमत पर मुग़लों के ख़िलाफ़ अथक युद्ध जारी रखा। हालाँकि वे 1614 तक मुग़ल मनसबदार बन गये, लेकिन कभी मुग़लों के अधीन नहीं हुए और मुग़लों के साथ वैवाहिक संबंधों से इनकार कर दिया।

मेवाड़ भित्ति चित्र

मेवाड़ में भित्ति चित्रकला की परंपरा **18वीं शताब्दी के आरंभ से ही** विद्यमान् है। महाराणा भीम सिंह के कार्यकाल में **उदयपुर में पिछोला लेक पैलेस** का निर्माण हुआ, जो महाराजा की भव्य जीवनशैली को दर्शाता है। महाराजा भीम सिंह ने अपनी ही पुत्री कृष्णा कुमारी को तब ज़हर दे दिया था, जब दो दूल्हों ने आकर उसके लिए युद्ध किया और धमकी दी कि यदि कृष्णा कुमारी उनमें से किसी एक से विवाह कर ले तो उसे नष्ट कर दिया जाएगा। महल में एक कमरा कृष्णा कुमारी को समर्पित है, लेकिन उसमें उनके बलिदान का उल्लेख नहीं है। कृष्णा कुमारी के कमरे के चित्र राजस्थान के सर्वश्रेष्ठ चित्रों में से हैं। इनमें **नायक और नायिका भाव** तथा **राधा कृष्ण विषयवस्तु** अधिकतर प्रस्तुत की गयी है। उदयपुर के सुंदर क़िले में भी भित्ति चित्रकलाएँ हैं, उदाहरण के लिए, गोवर्धन विलास, मामाजी की हवेली और शिव रति की हवेली।

अम्बर (आमेर) भित्ति चित्र : आमेर के शासक **मुग़लों के साथ वैवाहिक गठबंधन** करनेवाले **पहले शासक** थे। राजा भारमल ने 1562 में अपनी बेटी का विवाह अकबर से किया। इसका राज्य के भाग्य पर गहरा प्रभाव पड़ा। **राजा मान सिंह** आमेर में भित्ति चित्रकला के प्रमुख संरक्षक थे। एक अन्य प्रमुख संरक्षक **महाराजा जय सिंह द्वितीय** थे, जिन्होंने जयपुर शहर की स्थापना की थी। माधोसिंह के शासनकाल (1777-1802) के दौरान, जयपुर के नगर महल में भित्ति चित्रों का निर्माण करवाया गया था। इन चित्रों के विषय वृंदावन में **कृष्ण लीला, बाँसुरी बजाते कृष्ण**, भगवान् गणेश से लेकर भगवान् विष्णु के दशावतार आदि तक हैं।

पहाड़ी भित्ति चित्र

पहाड़ी भित्तिचित्र मुख्यत: **हिमाचल प्रदेश** और **जम्मू-कश्मीर** में पाये जाते हैं। प्रयागराज, अयोध्या, बुंदेलखंड और राजस्थान से राजपूत हिमाचल प्रदेश की ओर पलायन कर गये। इसी प्रकार, मध्य प्रदेश, बिहार और बंगाल से राजपूत जम्मू की ओर पलायन कर गये। अकबर के शासनकाल में, उनमें से कई मनसबदार बन गये, जिससे वे मुग़ल कला और संस्कृति के संपर्क में आये।

हिमाचल भित्ति चित्र : हिमाचल में, राजा संसारचंद भित्ति चित्रकला के सबसे महत्त्वपूर्ण संरक्षक थे। सुजानपुर के गौरी शंकर मंदिर के अंदर की चित्रकारी तीरा पहाड़ियों के चित्रों पर आधारित हैं, जिनमें पृष्ठभूमि में राजा की छवि है। इसके

अलावा, कृष्ण लीला और रामायण भी चित्रों के प्रमुख विषय रहे हैं। हिमाचल के भित्ति चित्र धर्मशाला, काँगड़ा, कुल्लू और चंबा में भी पाये जाते हैं।

जम्मू भित्ति चित्र : अधिकांश भित्ति चित्र मंदिरों की दीवारों पर बने हैं और भगवान् राम को समर्पित हैं। कुछ चित्र कृष्ण और भगवान् शिव को भी समर्पित हैं। डोगरा राजवंश इस क्षेत्र में चित्रकला का प्रमुख संरक्षक था। गुलाब सिंह डोगरा की चित्रकला में विशेष रुचि थी।

लद्दाख के भित्ति चित्र

सामरिक दृष्टि से, भारत का उत्तरी भाग उत्तर-पश्चिम से आनेवाले पर्यटकों और आक्रमणकारियों के संपर्क में अधिक रहा और इस प्रकार, इस पर अनेक प्रभाव पड़े। इनमें से कुछ प्रभाव दक्षिण तक नहीं पहुँच पाये। यहाँ शैली में अधिक विविधता है और साथ ही, यह विशिष्ट रूप से भारतीय है। भारत के साथ लद्दाख का सांस्कृतिक संबंध कैलास पर्वत और मानसरोवर झील से स्पष्ट है। लद्दाख की नस्लीय संरचना मिश्रित है, जिसमें मंगोल और भारतीय-संस्कृत समूह शामिल हैं। ऐसा माना जाता है कि बौद्ध धर्म के प्रभाव ने लद्दाख में कला के विकास को और बढ़ावा दिया। **साधनमाला जैसे ग्रंथ** और **हेवज्रतंत्र** प्रतिमा विज्ञान में प्रमुख ग्रंथ हैं। साधनमाला अधिकांश भित्ति चित्रों की व्याख्या भी की गयी है और 312 साधनाओं या आध्यात्मिक अभ्यासों पर विस्तार से प्रकाश डाला गया है।

हेवज्रतंत्र पाँच ध्यानी बुद्धों को ऐतिहासिक प्राणियों के रूप में नहीं, बल्कि दिव्य प्राणियों के रूप में अवधारणाबद्ध करता है। ध्यान के दौरान पाँच ध्यानी बुद्धों की कल्पना की जानी चाहिए और वे लद्दाख के भित्ति चित्रों का एक महत्त्वपूर्ण हिस्सा हैं। चित्रों में ध्यानी बुद्ध की महिला समकक्षों को भी दर्शाया गया है। साधना का एक अन्य साधन मंडल है। मंडल एक रहस्यमय चक्र और दिव्यता का क्षेत्र है। एक मंडल के केंद्र में एक ध्यानी बुद्ध और एक चक्र में उनके चारों ओर अन्य ध्यानी बुद्ध होते हैं। कभी-कभी, ध्यानी बुद्ध के चारों ओर 16 बोधिसत्व और 8 देवियों को भी व्यवस्थित किया जाता है। इस प्रकार, **मंडल भित्ति चित्रों** में एक महत्त्वपूर्ण विषय बनाता है।

अंत में, साधना प्राप्त करने के लिए, एक गुरु, एक **सिद्ध** की सहायता आवश्यक है। सिद्धों ने सिद्धियों को प्राप्त किया है और उन्हें अक्सर अनुयायियों को मार्ग पर प्रेरित करने के लिए दीवार पर चित्रित किया जाता है।

लद्दाख और हिमाचल प्रदेश के अलावा, नेपाल, सिक्किम, भूटान और अरुणाचल प्रदेश के हिमालयी राज्यों में मठवासी संस्कृति का समानांतर विकास हुआ प्रतीत होता है। सिक्किम में **सिनोन, नामची और लाचुंग मठ** बौद्ध धर्म पर आधारित भित्ति चित्रों का प्रतिनिधित्व करते हैं।

लद्दाख के बौद्ध मठों में कई हॉल शामिल थे, जो बुद्ध के संदेश को बढ़ावा देने के लिए भित्ति चित्रों के लिए आदर्श स्थान प्रदान करते थे और बौद्ध भिक्षुओं के लिए एकाग्रता और ध्यान की वस्तु के रूप में थे।

लद्दाख चित्रकला

- **अलची मठ : यह लद्दाख में एक छोटा-सा गाँव है,** जिसमें एक मठ, स्तूप और चोर्टेन हैं। अलची में सबसे महत्त्वपूर्ण इमारत तीन मंज़िला, सुमस्टेक मंदिर है, जिसमें कुछ सबसे शानदार भित्ति चित्र हैं। इस मंदिर की तीन मुख्य छवियाँ मैत्रेय, वैरोचना और मंजुश्री की हैं।
- **हेमिस मठ :** अलची की तरह, यह भी कुछ बेहतरीन बौद्ध भित्ति चित्रों का प्रतिनिधित्व करता है। दुखांग, या सभा भवन, में चित्रकारी अत्यंत सावधानी से की गयी है। इसमें जातक, बौद्ध तांत्रिकता और मंत्रों के साथ ध्यानी बुद्ध के विषय शामिल हैं।
- **ताबो मठ :** यह हिमाचल प्रदेश की स्पीति घाटी में स्थित है। इतनी ऊँचाई पर स्थित एक इमारत देखने लायक़ होती है। ताबो मठ के भित्ति चित्र महायान और वज्रयान दर्शन से प्रेरित हैं।

भारत में लघु चित्रकला

"Miniature" अर्थात् लघु शब्द लैटिन शब्द 'मिनियम' से लिया गया है, जिसका अर्थ **सीसा** (Lead) **युक्त लाल रंग** होता है।

इस रंग का उपयोग प्राय: पुनर्जागरण काल के दौरान **प्रदीप्त पाण्डुलिपियों** में किया जाता था। सामान्यत: ''मिनिमम'' के अर्थ में थोड़ी असंगति पैदा होती है, जिसका अर्थ आकार में छोटा होता है। भारत में लघु चित्रकला की एक लंबी परंपरा रही है, जिसमें कई स्कूलों ने रचना और परिप्रेक्ष्य की अपनी विशिष्ट शैलियाँ विकसित की हैं।

लघु चित्र

लघु चित्रकला की तक़नीक

लघु चित्र बनाने की कई **पूर्व शर्तें** है, जिन्हें लघु चित्र बनाने के लिए पूरा करना आवश्यक है।

- चित्र **25 वर्ग इंच** से बड़े नहीं होने चाहिए।
- चित्र का विषय वास्तविक आकार के 1/6 से अधिक पर नहीं चित्रित किया जाना चाहिए।

मानव आकृतियों को आमतौर पर उभरी हुयी आँखों, नुकीली नाक और पतली कमर के साथ दिखाया जाता है। राजस्थानी लघुचित्रों में पात्रों की त्वचा भूरी होती है, जबकि मुग़ल लघुचित्रों में गोरे रंग दिखाई देते हैं। इसके अलावा, **भगवान् कृष्ण** जैसे दिव्य स्वरूपों का रंग **नीला** दिखाया जाता है। महिलाओं को लंबे काले बालों और नेत्रों के साथ दर्शाया जाता है, जबकि पुरुष पारंपरिक पोशाक और पगड़ी पहने हुए दिखाई देते हैं।

लघु चित्र

प्रारंभिक लघुचित्र

जैसा कि पहले ही बताया जा चुका है कि लघु चित्र सूक्ष्म विवरणोंवाले छोटे चित्र होते थे। अधिकतर इन्हें काग़ज़, ताड़ के पत्तों और कपड़ों सहित नष्टप्राय सामग्रियों पर, पुस्तकों या ऐलबमों के लिए चित्रित किया जाता था। लघु चित्रकला का विकास लगभग **8वीं और 12वीं शताब्दी** के बीच हुआ। इस प्रकार की चित्रकला के लिए पूर्वी और पश्चिमी क्षेत्रों को श्रेय दिया जा सकता है।

दो प्रमुख प्रकार हैं:-

1. कला की पाल शैली
2. कला की अपभ्रंश शैली

कला की पाल शैली

इस शैली का विकास 750-1150 ईसवी के मध्य हुआ था। सामान्यत: ये चित्र **पाण्डुलिपियों** के अंग के रूप में मिलते हैं, जिन्हें सामान्यत: **ताड़-पत्र** या **चर्मपत्र** पर बनाया जाता था।

इन चित्रों की विशेषता **घुमावदार रेखाएँ, मंद पृष्ठभूमि**, सरल रचनाएँ और एकल आकृतियाँ हैं और इन्हें बौद्ध धर्म, विशेष रूप से वज्रयान शैली का समर्थन करनेवाले शासकों द्वारा संरक्षण दिया गया था। प्रमुख चित्रकार धिम्मन और वितापल थे।

कला की पाल शैली

कला की अपभ्रंश शैली

यह शैली अपने मूल रूप में **गुजरात और राजस्थान के मेवाड़ क्षेत्र** में पायी जाती है। यह **11वीं सदी से लेकर 15वीं सदी** के दौरान पश्चिमी भारत की सर्वप्रमुख चित्रकला शैली थी। इन चित्रों का सबसे सामान्य विषय **जैन धर्म** था और आगे चलकर वैष्णव पंथ ने भी इन्हें विनियोजित किया। वे इन चित्रों में गीत-गोविंद और **धर्मनिरपेक्ष प्रेम** की अवधारणा लाये, जिस पर अभी तक **जैन शास्त्रों** का ही प्रभुत्व था।

कला की अपभ्रंश शैली

प्रारंभिक जैन चरण में, **ताड़-पत्र** पर चित्र बनाये जाते थे, लेकिन आगे चलकर इन्हें **काग़ज़** पर भी बनाया जाने लगा। भले ही इस शैली के चित्रों में प्रयुक्त रंगों का **प्रतीकात्मक** अर्थ था और इनमें सामान्यत: लाल, पीले और गेरू रंग का ही प्रयोग किया गया था। फिर भी उत्तरवर्ती चरण में, इनमें उजले और सोने के रंगों का उपयोग किया जाने लगा।

इनके अतिरिक्त, इन चित्रों में दर्शायी गयीं मानव आकृतियों की विशेषता **मछली के आकार की उभरी हुई आँखें, तीखी नाक और दोहरी ठोड़ी** थी। इनमें तीसरे और चौथे प्रोफ़ाइल में **कृशकाय चेहरे** बनाने की प्रवृत्ति आरंभ करने का भी प्रयास किया गया। सामान्यत: ये आकृतियाँ **कठोर** हैं, लेकिन फिर भी अलंकरण सावधानी से किया गया है। महिला मूर्तियों के विस्तृत कूल्हे और स्तन हैं। चित्रों में **पशुओं** और **पक्षियों की आकृतियाँ खिलौनों** के रूप में निरूपित की गयी हैं। इस शैली का सबसे प्रसिद्ध उदाहरण, 15वीं सदी के *कल्प सूत्र* और *कालकाचार्य* कथा का है।

संक्रमण काल के लघुचित्र

14वीं शताब्दी में मुसलमानों के आगमन से सांस्कृतिक पुनर्जागरण हुआ, जबकि विजयनगर दक्षिण में दक्कन स्कूल जैसी शैली उभरी।

इस काल में रंग **समतल ढंग** से लगाये जाते थे, जहाँ पोशाक और मानव रूपांकन काले रंग से अंकित किये जाते थे। वहीं चेहरों का दृश्य **तीन-चौथाई कोण** पर है, जो **अलगाव का आभास** देता है। भू-दृश्य वृक्षों, चट्टानों और अन्य डिज़ाइनों से भरे हुए हैं, जो विषय के प्राकृतिक स्वरूप का दोहराव करने का प्रयास नहीं करते हैं।

संक्रमणकालीन लघुचित्र

दिल्ली सल्तनत में लघु चित्रकला

इस काल के चित्रों में भारतीय पारंपरिक तत्त्वों के साथ मूल फ़ारसी तत्त्वों को एक साथ लाने का प्रयास किया गया। इनमें **सचित्र पाण्डुलिपियों** को वरीयता दी गयी। इस अवधि के सर्वोत्तम उदाहरणों में से एक मांडू (मालवा सल्तनत) पर शासन करनेवाले नासिर शाह के शासनकाल के दौरान का **निमतनामा** (पाकशास्त्र/पाककला पर एक किताब) है। इस पाण्डुलिपि में स्वदेशी और फ़ारसी शैलियों का **संश्लेषण** दिखाई देता है।

दिल्ली सल्तनत के दौरान लघु चित्र

इसके अतिरिक्त **लोदी खुलादर** नामक एक और शैली भी इस अवधि के दौरान प्रचलित थी। इसका दिल्ली और जौनपुर के बीच कई सल्तनत प्रधान क्षेत्रों में अनुसरण किया गया। मध्ययुगीन परिदृश्य में तीन प्रमुख शैलियों का उदय हुआ :

- **मुग़ल**
- **राजपूत**
- **दक्कनी**

इन्होंने सल्तनतकालीन परम्परा को ग्रहण किया, लेकिन अपनी अलग पहचान का विकास भी किया।

मुग़ल काल की लघु चित्रकला

मुग़ल काल की लघु चित्रकला

फ़ारसी कला से प्रेरित मुग़ल चित्रकला में शासकों और दरबारी जीवन को **धर्मनिरपेक्ष, भव्य शैली में दर्शाया गया है**।

वे भारतीय चित्रकारों के लिए *अग्रदृश्यांकन* की तक़नीक ले आये। इस तक़नीक के अंतर्गत, ''वस्तुओं का चित्रण इस प्रकार से किया जाता था कि वे वास्तविकता की तुलना में अधिक निकटवर्ती और छोटी दिखाई देती थीं''। विभिन्न शासकों के अधीन चित्रकला की इस शैली में परिवर्तन भी आता रहा।

मुग़लकाल की आरंभिक चित्रकारी : संरक्षक और चित्रकार

प्रारंभिक मुग़ल चित्रकार

शृंखलाबद्ध युद्धों को लड़ने के बाद बाबर ने मुग़ल वंश की स्थापना की थी। यद्यपि उसे चित्रकला का शुभारंभ करने के लिए **अधिक समय नहीं मिला** था, लेकिन उसे फ़ारसी कलाकार **बिहज़ाद** को संरक्षण देनेवाला कहा जाता है। उसने मुग़ल वंश-वृक्ष के कुछ चित्र बनाये थे।

कला का महान् संरक्षक **हुमायूँ** कम उम्र में सिंहासन पर आसीन हुआ। उसकी रुचि चित्रकला और सुंदर स्मारक बनावाने में थी, लेकिन उसकी चित्रशाला में तब व्यवधान आया, जब उसे शेरशाह सूरी के **हाथों सिंहासन** खोना पड़ा और **फ़ारस में निर्वासित रहना** पड़ा।

जिस समय वह फ़ारस में शाह तहमास्प के राजदरबार में था, उसने **अब्दुस समद** और **मीर सईद अली** नामक दो मुख्य चित्रकारों की सेवाएँ प्राप्त कीं। आगामी समय में जब उसने भारत में मुग़ल वंश की पुन: स्थापना की, तो ये दोनों उसके साथ वापस भारत आये। ये दोनों मुग़ल चित्रकला में फ़ारसी प्रभाव लाने के लिए उत्तरदायी थे। इन दोनों कलाकारों ने कई सफल सचित्र ऐलबमों की रचना की। अकबर के शासनकाल के दौरान, उन्होंने एक चित्र पाण्डुलिपि तैयार की, जिसे **तूतीनामा** कहा जाता है (तोते की कहानियाँ)।

अकबर

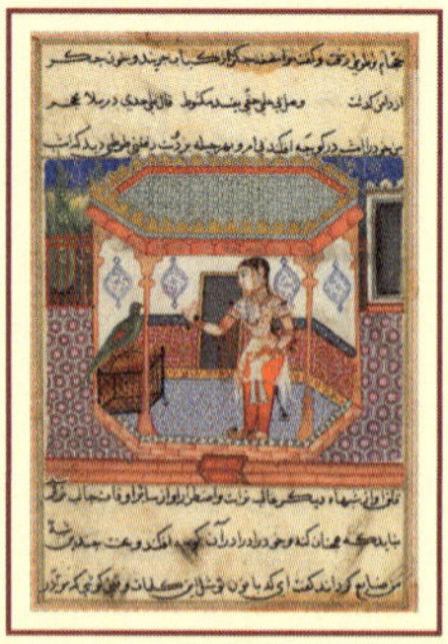

तूतीनामा

अकबर को चित्रकला और अपने **दस्तावेज़ों के सुलेखन के** लिए समर्पित एक **पूरे विभाग** की स्थापना करने का श्रेय दिया जाता है। उसने औपचारिक कलात्मक स्टूडियो की स्थापना की, जिसे **तस्वीरख़ाना** कहा जाता था, जहाँ कलाकारों को वेतन पर रखा गया था और उन्होंने अपनी शैलियाँ विकसित कीं। अकबर चित्रकला को अध्ययन और मनोरंजन के साधन के रूप में देखता था।

अकबर ने पूर्व के शासकों के लिए काम कर चुके भारतीय कलाकारों के सौंदर्य को भी मान्यता दी और अपने तस्वीरख़ाने में उन्हें काम करने के लिए आमंत्रित किया। इसलिए, मुग़ल चित्रकला में **'भारतीय प्रभाव'** आना आरंभ हुआ। अकबर कालीन चित्रकला की स्पष्ट विशेषता **त्रिआयामी आकृतियों** का प्रयोग और **अग्रदृश्यांकन** का निरंतर उपयोग था। इसके अतिरिक्त, चित्रों में **सुलेखन** का उपयोग करने के लिए कलाकारों को प्रोत्साहित किया जाता था।

इस अवधि की एक विशिष्ट विशेषता, *लोकप्रिय कला* का *दरबारी कला* में परिवर्तन था, अर्थात् कलाकार आम जनता के जीवन की अपेक्षा **दरबारी जीवन** का चित्रण करने पर अधिक केंद्रित थे। इस अवधि के प्रसिद्ध चित्रकार थे– **अब्दुस समद, मीर सैय्यद अली, दसवंत, बसावन** और **केशु दास**। अकबर के शासनकाल के प्रमुख सचित्र पाण्डुलिपियाँ **तूतीनामा, रज़्मनामा, बाबरनामा, हम्ज़ानामा, तारीख़-ए-अल्फ़ी, अनवर-ए-सुहैली** और **सदी** का **गुलिस्तान** थे।

जहाँगीर

जहाँगीर द्वारा बनाया गया चित्र

मुग़ल चित्रकला जहाँगीर के शासनकाल में अपनी पराकाष्ठा पर पहुँच गयी। वह स्वभाव से **प्रकृतिवादी** था और **वनस्पतियों और जीवों**, यानी पक्षियों, पशुओं, वृक्षों और फूलों के चित्रों को प्राथमिकता देता था। उसने **छविचित्र** में प्रकृतिवाद लाने पर बल दिया तथा सचित्र पाण्डुलिपियों से ऐलबम में स्थानांतरित किया। इस अवधि में विकसित होनेवाली एक अनूठी प्रवृत्ति चित्रों के चारों ओर **अलंकृत किनारों/बॉर्डर** की थी। ये कभी-कभी उतने व्यापक होते थे, जितना कि स्वयं चित्र।

स्वयं जहाँगीर को भी एक **अच्छा कलाकार** माना जाता है और उसकी **अपनी स्वयं की निजी कार्यशाला** थी। हालाँकि उसकी कोई बड़ी रचना अब शेष नहीं है। उसकी चित्रशाला में अधिकतर लघु चित्रों की रचना की गयी और इनमें से सबसे प्रसिद्ध **ज़ेबरा**, टर्की या पेरू पक्षी, जो उत्तरी व दक्षिणी अमेरिका में पाया जाता है और **मुर्गे** के प्राकृतिक चित्र थे। उसके काल के सबसे प्रसिद्ध कलाकारों में से एक **उस्ताद मंसूर** [*जिसे जहाँगीर द्वारा नादिर-उल-अस्र (समय का आश्चर्य) की उपाधि दी गयी थी*] था। उस्ताद मंसूर जटिल से जटिल चेहरे की आकृतियाँ भी बनाने में विशेषज्ञ था। उल्लेखनीय है कि **अयार-ए-दानिश** *(ज्ञान की कसौटी)* नाम की पशुओं पर आधारित सचित्र पाण्डुलिपि उनके शासनकाल के दौरान लिखी गयी थी।

परीक्षोपयोगी

अबुल हसन द्वारा बनाये गये जहाँगीर के रूपात्मक छाया चित्र

- अबुल हसन (1569-1627) जहाँगीर के दरबार के **प्रमुख चित्रकार** थे।
- चित्रकला में उनकी उत्कृष्टता के लिए जहाँगीर द्वारा उन्हें **'नादिर-अल-ज़माँ'** *(युग के आश्चर्य)* की उपाधि से सम्मानित किया गया था।
- उन्होंने **रूपात्मक चित्रों** (एक प्रतीकात्मक काल्पनिक कथा) के साथ प्रयोग किया, जिनमें वो गूढ़ लक्ष्य होता था : जिन्होंने अपने सम्राट् जहाँगीर के शासन के वर्चस्व, वैधता और दैवीय अधिकार को सशक्त किया।
- उनके द्वारा बनाये चित्रों में जहाँगीर को **सम्पूर्ण विश्व पर प्रभुत्व की स्थिति** में और विश्व के प्रतिनिधि के रूप में दिखाया गया है।
- **जहाँगीर पर अबुल हसन की कुछ प्रसिद्ध पेंटिंग्स** में सम्मिलित हैं - जहाँगीर के हाथ में अकबर का चित्र, ग्लोब पर खड़े जहाँगीर का ग़रीबी का शिकार करते हुए चित्र *(Jahangir standing on a globe and shooting poverty)*, वृक्ष पर गिलहरियाँ, फ़ारसी सफ़विद सम्राट् **शाह अब्बास को गले लगाते जहाँगीर** आदि।

शाहजहाँ

मुग़ल चित्रकला की शैली शाहजहाँ के शासनकाल के दौरान तेज़ी से परिवर्तित हो गयी। प्रकृतिवादी चित्रण पसंद करनेवाले अपने पिता और दादा के विपरीत, शाहजहाँ चित्रों में **कृत्रिम तत्त्वों** की रचना करना पसंद करता था। कहा जाता है कि उसने चित्रों की **सजीवता में कमी** करने और अप्राकृतिक स्थिरता लाने का प्रयास किया, क्योंकि वह **यूरोपीय प्रभाव** से प्रेरित था।

वह आरेखन के लिए **लकड़ी के कोयले के उपयोग** से दूर रहा और **पेंसिल का उपयोग करके आरेखन** और रेखाचित्रण करने के लिए कलाकारों को प्रोत्साहित करता था। उसने चित्रों में **सोने और चाँदी** का उपयोग बढ़ाने का आदेश दिया। वह अपने पूर्ववर्तियों की तुलना में चमकीले रंग अधिक पसंद करता था।

औरंगज़ेब

औरंगजेब की उदासीनता के कारण मुग़ल चित्रकला में गिरावट आयी और कलाकार प्रांतीय दरबारों में चले गये।

लघु चित्रकला की क्षेत्रीय शैलियाँ

इन्हें सामान्यत: **केंद्रीय भारतीय चित्रकारी** के रूप में भी जाना जाता है। मध्य भारतीय चित्रकला में जीवंत रंगों का प्रयोग किया गया तथा महाकाव्यों, पुराणों और लोककथाओं से प्रेरणा ली गयी, जो मुग़ल शैली से भिन्न थी। इस अवधि में विकसित होनेवालीं विभिन्न शाखाएँ और शैलियाँ इस प्रकार थीं :

लघु चित्रकला की क्षेत्रीय शैलियाँ

1. चित्रकला की राजस्थानी शैली
2. चित्रकला की पहाड़ी शैली

लघु चित्रकला की राजस्थानी शैली

राजस्थानी शैली, जो कमोबेश राजपूत शैली का पर्याय थी, राजपूत शासकों द्वारा संरक्षित थी।

राजपूत चित्रकला के विकास के स्रोत अनेक हैं, जिनमें से कुछ का उल्लेख नीचे किया गया है :

- मुग़ल प्रथाओं से प्रभावित राजपूत दरबारों ने स्थानीय शैलियों का विकास किया, क्योंकि मुग़ल कलाकार बीकानेर, जोधपुर और किशनगढ़ पहुँचे।
- कुछ विद्वानों का कहना है कि दक्कन सल्तनत से कलाकारों और कलाकृतियों की आमद ने निर्णायक भूमिका निभायी।
- फिर अन्य लोगों का कहना है कि इन केंद्रों में स्थानीय और स्वदेशी कलात्मक परंपराएँ मुग़ल प्रभाव के आगमन से पहले की थीं।
- और फिर अन्य लोगों ने सल्तनत दरबारों में संस्कृतियों के **'गंगा-जमुनी'** संगम की ओर इंगित किया है।

राजस्थानी चित्रकला की कई उप-शैलियाँ भी हैं, जो अपनी मूलोत्पत्ति की विरासत के अनुरूप हैं।

लघु चित्रकला की मेवाड़ शैली

मेवाड़ राज्य ने लंबे समय तक मुग़ल आधिपत्य का विरोध किया, लेकिन अंतत: शाहजहाँ के शासनकाल में मुग़ल आधिपत्य को स्वीकार कर लिया।

प्रारंभिक मेवाड़ चित्रकला में 17वीं शताब्दी के चित्रकार **साहिबदीन** का प्रभुत्व है, जिन्होंने रागमाला, रामायण और भागवत पुराण जैसे ग्रंथों को चित्रित किया। बाद की मेवाड़ी चित्रकलाएँ दरबारी जीवन पर केंद्रित रहीं, जिनमें समारोहों और नगरीय जीवन के विस्तृत **तमाशा** दृश्य शामिल थे। नाथद्वारा, देवगढ़ और शाहपुरा चित्रकलाएँ मेवाड़ चित्रकला शैली की उप-शैलियाँ हैं।

चित्रकला की मेवाड़ शैली

चित्रकला की आमेर-जयपुर शैली

चित्रकला की आमेर-जयपुर शैली

आमेर के शासक मुग़लों के साथ क़रीबी संबंधोंवाले एक अन्य राजवंश थे। आमेर (ढूँढाड़) शैली, जो **बैराट और राजस्थान के आमेर पैलेस की दीवारों और मक़बरे में देखी जाती है,** में लोक-शैली की चित्रकला को कभी-कभी **मुग़ल-प्रभावित** वस्त्रों और टोपी के साथ मिश्रित किया गया है।

यह शैली **18वीं सदी** में **सवाई प्रताप सिंह** (जयपुर का हवा महल बनवाने के लिए विख्यात) के शासनकाल के दौरान अपनी पराकाष्ठा पर पहुँची। वे कला के भावुक संरक्षक और अत्यधिक धार्मिक व्यक्ति थे। इन दो धाराओं का संयोग, यह सुनिश्चित करता है कि इसके **सूरतख़ाना** अथवा चित्रकला विभाग में भागवत पुराण, रामायण, रागमाला और कई छविचित्रों का वर्णन करने के लिए लघु चित्र बनाये गये।

चित्रकला की मारवाड़ शैली

चित्रकला की मारवाड़ शैली

जोधपुर, बीकानेर और जैसलमेर को शामिल करते हुए मारवाड़ शैली ने 15वीं-16वीं शताब्दी के दरबारी जीवन को चित्रित किया, जिसमें रंग-बिरंगे परिधानों में पुरुष और महिलाएँ थीं, जो मरुस्थलीय राज्यों की समृद्धि और मुग़ल संबंधों को दर्शाती थीं।

मारवाड़ की चित्रकला, जो शुरू में मुग़लों से प्रभावित थी, 18वीं शताब्दी के बाद मुख्यत: राजपूतों द्वारा रचित हो गयी। मान सिंह (1803-1843) के शासनकाल में, जोधपुर में शिव पुराण, नटचरित्र, दुर्गाचरित्र और पंचतंत्र जैसी कृतियाँ रची गयीं। किशनगढ़ शैली मारवाड़ शैली के अंतर्गत आनेवाले प्रमुख शैलियों में से एक है।

चित्रकला की किशनगढ़ शैली (17वीं-18वीं शताब्दी)

किशनगढ़ में चित्रकला **सावंत सिंह** और उसकी प्रेमिका **बनी-ठनी** की सबसे रोमांटिक किंवदंती तथा जीवन और मिथकों, रोमांस और भक्ति के अंतर्गुंथन से जुड़ी हुई है। किशनगढ़ में प्रारंभिक घटनाक्रमों का सर्वेक्षण करने के बाद, सावंत सिंह (राजकुमार और प्रेमी), नागरी दास (कवि) और इस शैली के कुछ सबसे प्रसिद्ध चित्र बनानेवाले चित्रकार **निहाल चंद** के बीच परस्पर क्रिया पर ध्यान केंद्रित हो जाता है।

कभी-कभी यह तर्क दिया जाता है कि **'बनी-ठनी'** नामक महिला राधा के चरित्र से मेल खाती है। उनकी विशिष्ट रूपरेखा और कमल जैसी लम्बी आँखें, पतले होंठ और नुकीली ठोड़ी है। उनकी ओढ़नी या टोपी उनके अगल-बग़ल की रूपरेखा को परिभाषित करती है। यह किशनगढ़ शैली से जुड़ी अद्वितीय चित्रकला बन गयी। **राधा और कृष्ण** के बीच भक्तिमय और कामुक संबंधों पर भी कई चित्र बनाये गये।

निहाल चंद द्वारा बनी-ठनी चित्रकला

पहाड़ी लघु चित्रकला शैली (17वीं से 19वीं शताब्दी)

मुग़ल प्रभाववाले उप-हिमालयी राज्यों की पहाड़ी चित्रकला में **जम्मू से अल्मोड़ा** तक फैली 22 रियासतों की कई शैलियाँ शामिल हैं।

पहाड़ी चित्रकला में अद्वितीय आकृतियों के साथ गतिशील पौराणिक और साहित्यिक दृश्य दर्शाये जाते हैं। इस शैली के तीन महानतम चित्रकार **नैनसुख, मनकू और संसार चंद** थे।

पहाड़ी चित्रकला शैली के कुछ प्रमुख शैली निम्नलिखित हैं :

बशौली शैली (17वीं शताब्दी से)

बशौली शैली

17वीं शताब्दी में पहाड़ी स्कूल की चित्रकला जम्मू और कश्मीर की बशौली से थी। यह **लघु चित्रकला** से संबंधित है। इनमें **कमल की पंखुड़ियों सदृश बड़ीं आँखें, सिर के मध्य बालों की हटती हुई लट और जीवंत प्राथमिक रंग शामिल थे**, जो **मुग़ल वस्त्र तकनीक** को अद्वितीय स्थानीय शैलियों के साथ मिश्रित करते थे।

इस शैली के पहले संरक्षक **राजा किरपाल पाल** थे, जिन्होंने भानुदत्त की **रसमंजरी**, *गीत-गोविंद* और *रामायण* के चित्रों का चित्रण करने का आदेश दिया। इस शैली के सबसे प्रसिद्ध चित्रकार **देवी दास** थे। वह **राधा कृष्ण** और राजाओं के छविचित्र का उनकी पोशाक में और सफ़ेद कपड़ों में अपने चित्रण के लिए प्रसिद्ध थे। रंगों की विषमता इस शैली से जुड़ी हुई है और उन्होंने शैलीगत ढंग से **मालवा चित्रकला से भी उधार** लिया।

काँगड़ा शैली (18वीं शताब्दी के मध्य से)

काँगड़ा शैली

मुग़ल साम्राज्य के पतन के बाद (विशेषरूप से नादिर शाह के आक्रमण के बाद) मुग़ल शैली में प्रशिक्षित कई कलाकार हिमाचल प्रदेश के काँगड़ा क्षेत्र में चले गये, क्योंकि 1774 में उन्हें **राजपूत राजाओं** से संरक्षण मिला था। इससे चित्रकला की **गुलेर-काँगड़ा शैली** का जन्म हुआ। इसका सबसे पहले विकास गुलेर में हुआ, तत्पश्चात् यह काँगड़ा में आयी। यह शैली **राजा संसार चंद (1765-1824)** के संरक्षण में अपनी पराकाष्ठा पर पहुँच गयी। उसकी चित्रकला की विशेषता **संवेदनशीलता** और **बुद्धिमत्ता** थी, जिसका अन्य **शैलियों** में अभाव था।

इस शैली में सबसे लोकप्रिय विषय *गीत-गोविंद, भागवत पुराण, बिहारीलाल की सतसई* और *नल-दमयंती* थे। इसमें सर्वप्रथम **कृष्ण की रासलीला** के दृश्य, बहुत प्रमुख थे। सभी चित्रों में इन्हें लेकर अन्य सांसारिक भाव भी हैं। चित्रों का दूसरा बहुत ही प्रसिद्ध समूह **'बारह महीने'** अथवा 'बारह-मासा' का है, जिसमें कलाकार ने मनुष्य की भावनाओं पर बारह महीनों के प्रभाव को आगे लाने का प्रयास किया है। यह भावपूर्ण शैली 19वीं सदी तक लोकप्रिय बनी रही। आगे काँगड़ा शैली कुल्लू, चंबा और मंडी के दरबार में विकसित होनेवालीं अन्य चित्रशैलियों की जनक शैली बन गयी। काँगड़ा स्थित **संसार चंद संग्रहालय** में काँगड़ा शैली की चित्रकला देखी जा सकती है।

जम्मू या डोगरा चित्रकला शैली (Jammu or Dogra School of Painting) (17वीं शताब्दी से)

यह चित्रकला शैली काँगड़ा शैली से उल्लेखनीय समानता रखती है। 17वीं सदी के अंत और 18वीं सदी की शुरुआत की शांगरी रामायण का निर्माण जम्मू में हुआ था। इस पेंटिंग का विषय पौराणिक कथा है।

मनकोट चित्रकलाएँ (Mankot Paintings) (17वीं शताब्दी से)

मनकोट चित्रकलाएँ **जम्मू और कश्मीर** में पायी जाती हैं। वे बशोली चित्रकला से समानता रखतीं हैं। चमकीले रंग और बोल्ड विषय इस पेंटिंग की विशिष्ट विशेषताएँ हैं। 17वीं सदी के मध्य में, चित्रांकन एक सामान्य विषय बन गया था। बाद के चरण में, प्रकृतिवाद और हलके रंगों पर ज़ोर दिया गया था।

गुलेर चित्रकला शैली (Guler School of Painting) (18वीं शताब्दी से)

'**गुलेर**' शब्द '**गलवा**' शब्द से आया है, जिसका अर्थ चरवाहा है। इसमें मुग़ल कला से कुछ समानताएँ हैं। इन चित्रकलाओं की मुख्य विशेषताएँ बारीक और संवेदनशील अभिव्यक्तियों के साथ मज़बूत स्ट्रोक हैं। चित्रकलाओं में मुख्य रूप से ***श्रीमद्भागवत***, ***बिहारी सतसई*** और ***गीत गोविंद*** सम्मिलित हैं। चित्रकलाओं में उभरी हुई नाक और बारीकी से कटे हुए बालोंवाली महिलाओं की आकृतियों को संवेदनशीलता से चित्रित किया गया है। यह शैली हिमाचल प्रदेश से है।

कुल्लू-मंडी चित्रकला शैली (Kullu–Mandi School of Painting) (17वीं शताब्दी से)

- **कुल्लू चित्रकलाएँ :** बशोली चित्रकला के समान, कुल्लू के पहाड़ी कलाकारों ने **शांगरी रामायण** की रचना की, जिसमें **बाल कांड, अयोध्या कांड और उत्तर कांड** जैसी घटनाओं को हलके, गहरे रंगों का उपयोग करके दर्शाया गया।
- **मंडी चित्रकलाएँ : 1684 से 1727 तक, राजा सिद्ध सेन** के नेतृत्व में मंडी में चित्रकला की एक नयी शैली का विकास हुआ। मंडी की चित्रकला, जो कि अधिकांश लघुचित्र हैं, में गहरी पृष्ठभूमि पर गहरे, मंद रंगों का उपयोग करते हुए शासकों को अतिरंजित विशेषताओं और शिव, राम और कृष्ण जैसे धार्मिक विषयों के साथ चित्रित किया गया।

विरासत स्मरण

रागमाला चित्रकला

रागमाला चित्रकला विभिन्न भारतीय संगीत रागों का चित्रण करनेवाली रागमाला या 'रागों की माला' पर आधारित मध्यकालीन भारत की दृष्टांत योग्य चित्रकला की शृंखला है। यह मध्यकालीन भारत में **कला, कविता** और **शास्त्रीय संगीत** के **सम्मिश्रण** के शास्त्रीय उदाहरण के रूप में प्रकट होती है।

रागमाला चित्र 16वीं और 17वीं शताब्दी में आरंभ होनेवाली भारतीय चित्रकला की अधिकतर शैलियों में बनाये गये थे और आज पहाड़ी रागमाला, राजस्थान या राजपूत रागमाला, दक्कनी रागमाला और मुग़ल रागमाला के रूप में तद्नुसार इनका नाम लिया जाता है।

इन चित्रों में **प्रत्येक राग** का, एक विशेष **भाव** में नायक और नायिका (हीरो और हीरोइन) की कहानी का वर्णन करनेवाले **रंग** से, वैयक्तीकरण किया गया है। यह **ऋतु** तथा दिन और रात के उस **समय** का भी वर्णन करता है, जिसमें कोई विशेष राग गाया जाता है। इसके अतिरिक्त, कई चित्र भैरव या भैरवी से लेकर शिव, श्री से लेकर देवी आदि तक, जैसे राग से जुड़े विशिष्ट **हिंदू देवी-देवताओं का सीमांकन** करते हैं। रागमाला में उपस्थित **छह प्रमुख राग** हैं- राग भैरव, दीपक, श्री, मालकौश, मेघ और हिंडोल।

रागमाला चित्रकला

दक्षिण भारत की लघु चित्रकला

प्रारंभिक मध्यकाल में उभरनेवाले दक्षिण भारतीय लघुचित्र उत्तरी चित्रकलाओं से भिन्न थे, क्योंकि इनमें सोने का अत्यधिक प्रयोग किया गया था तथा शासकों के बजाए दैवीय आकृतियों पर ध्यान केंद्रित किया गया था। कुछ प्रमुख शैलियाँ निम्नलिखित हैं :

तन्ज़ोर चित्रकला (स्वर्ण लेपन के लिए प्रसिद्ध)

तन्ज़ोर शैली विशिष्ट प्रकार की **आलंकारिक चित्रकलाओं** के लिए प्रसिद्ध है। यह संभवत: मराठों द्वारा तंजापुर नायक की पराजय और विजयनगर साम्राज्य के पतन का परिणाम थी। मराठा शासकों ने अठाहरवीं शताब्दी में इसको अत्यधिक संरक्षण

तन्ज़ोर चित्रकला

प्रदान किया। ये चित्रकला इस विषय में अद्वितीय हैं कि उत्तर भारत में मुख्य रूप से वस्त्र और चर्मपत्र का प्रयोग होता है, जबकि इन्हें अधिकतर **काँच** और **लकड़ी के तख़्ते पलगई (पलागई) पदम** पर विनिर्मित किया गया है। वे **उत्कृष्ट रंग** पैटर्नों और **स्वर्ण-पत्र** का उदारतापूर्वक प्रयोग करने के कारण भी अद्वितीय हैं। इसे भारत सरकार द्वारा **भौगोलिक संकेत** (GI) के रूप में मान्यता दी गयी है।

तंजावुर के कलाकारों ने विशाल चित्रों को सजाने के लिए **रत्नों और कटे हुए काँच** का उपयोग किया, जिनमें से अधिकांश में **कृष्ण** को विभिन्न मुद्राओं और जीवन की प्रमुख घटनाओं में दर्शाया गया। ये चित्रकला **मराठा वंश के महाराजा सरफोजी II** के संरक्षण में अपने चरम पर पहुँची, जो कलाओं के महान् संरक्षक थे।

मैसूर चित्रकला

मैसूर चित्रकला

ये चित्रकला मैसूर राज्य के शासकों द्वारा संरक्षित की गयी थीं तथा ब्रिटिश काल तक भी जारी रही। मैसूर चित्रकला का प्रमुख विषय **हिंदू देवों और देवियों** का चित्रण करना है। इन चित्रकला की अद्वितीय विशिष्टता यह है कि प्रत्येक चित्रकारी में **दो या अधिक आकृतियाँ** होती थीं और उनमें वास्तविक आकार और रंग के विषय में **एक आकृति** अन्य सभी में **प्रधान** होती है।

इसके अतिरिक्त, चित्रकारी करने की तक़नीक भी उत्तर भारतीय शैलियों से भिन्न है। इनमें **'जेस्सो पेस्ट'** (Gesso paste) का प्रयोग किया जाता है, जो सफ़ेद सीसा (समंक) पाउडर, गैम्बोज (gamboge) और गोंद (glue) का मिश्रण है। यह चित्रकारी को एक विशिष्ट आधार प्रदान करता है, जिससे पृष्ठभूमि में एक चमक उत्पन्न होती है। इस पृष्ठभूमि को प्रतिसंतुलित करने हेतु **कम चमकवाले हलके रंगों** का प्रयोग किया जाता है।

तंज़ोर और मैसूर दोनों ही चित्रों की उत्पत्ति एक ही स्रोत से हुई है। पहले विजयनगर चित्रकला की शुरुआत हुई तथा इसके बाद नायक चित्रकला की।

क्या आप जानते हैं?

गंजिफ़ा कार्ड

गंजिफ़ा **मध्ययुगीन काल का पत्तों का खेल** है। ये कार्ड पारंपरिक रूप से कारीगरों द्वारा चित्रित किये गये थे और **मुग़ल दरबार** में बहुत लोकप्रिय थे। कार्ड में रंगीन पृष्ठभूमि होती है, जिसमें प्रत्येक सूट अलग-अलग रंग का होता है। गंजिफ़ा कार्ड का संदर्भ यहाँ तक कि **बाबरनामा** पुस्तक में भी पाया जाता है।

मैसूर के **गंजिफ़ा काड्र्स या चित्रकलाओं** को 2008 में भारत सरकार से जीआई (G.I.) का दर्ज़ा मिला।

सचित्र पाण्डुलिपियाँ

सचित्र पांडुलिपियाँ महाकाव्य या साहित्यिक छंदों का **चित्रात्मक अनुवाद** होती हैं, जिनमें ग्रन्थ एक निश्चित स्थान पर लिखा होता है।

इन्हें क़ीमती और मूल्यवान् कलाकृतियाँ माना जाता है। सचित्र पाण्डुलिपियों को प्रायः **राजकुमारियों** को उनकी **शादी के समय उपहार** के रूप में दिया जाता था। यह परंपरा बंगाल और बिहार के पाल शासकों, विशेषकर **राजा रामपाल (11वीं शताब्दी)** के शासनकाल में ताड़ के पत्तों पर बनायी गयी थी।

जैन धर्म में, शास्त्रदान (पुस्तकों का दान) में मठ के भंडारों को सचित्र पांडुलिपियाँ दान करना शामिल था। प्रारंभिक कृतियाँ ताड़ के पत्तों पर होती थीं, बाद में काग़ज़ (14वीं शताब्दी) पर, **सोने और लापीस लाजुली से अलंकृत, तीर्थपट, मंडल और धर्मनिरपेक्ष कथाओं को चित्रित करनेवालीं कृतियाँ बनने लगीं।**

मध्ययुगीन काल के दौरान, प्रत्येक मुग़ल उत्तराधिकारी ने किसी-न-किसी रूप में सचित्र पाण्डुलिपियों के स्तर को बढ़ाने में योगदान किया।

प्रमरव सचित्र पाण्डुलिपियाँ

नाम	समयावधि	विवरण
कल्पसूत्र	जैन धर्म (श्वेताँबर संप्रदाय)	**24 तीर्थंकरों के जीवन** की घटनाओं से संबंधित है (गर्भाधान, जन्म, त्याग, प्रबोधन या ज्ञानोदय, प्रथम उपदेश और मोक्ष)।
कालकाचार्यकथा	जैन धर्म (श्वेताँबर संप्रदाय)	अपनी अपहृत बहन को बचाने के लिए आचार्य कालका के अभियान की कहानी को दर्शाता है।
संग्रहिणी सूत्र	जैन धर्म-12वीं शताब्दी में लिखा गया	**ब्रह्मांड की संरचना, उसमें स्थित ग्रहों और अंतरिक्ष के मानचित्रण** से संबंधित अवधारणाओं को दर्शाता है।
उत्तरध्यान सूत्र	जैन धर्म	**महावीर की शिक्षाओं** और जैन भिक्षुओं के लिए आचार संहिता से संबंधित है।
धवल, जया धवला और महा धवला	जैन धर्म	**दक्षिण भारतीय** सचित्र पाण्डुलिपि परंपरा के आरम्भिक दृष्टांत। ताड़ के पत्ते पर बड़े आकार की पाण्डुलिपियाँ जैन धार्मिक पवित्र ग्रंथों की प्राचीन कृतियाँ हैं। ये होयसाल शासकों के संरक्षण में कर्नाटक के जैन केंद्र श्रवणबेलगोला और गेरुसोप्पा में विकसित की गयी थीं।
अष्टसहस्रिका प्रज्ञापारमिता (ज्ञान की पूर्णता)	बौद्ध धर्म-पाल राजा रामपाल के शासनकाल के दौरान। (11वीं शताब्दी में)	**पाल बौद्ध** ताड़ के पत्ते की पाण्डुलिपि आठ हज़ार पंक्तियों में लिखी गयी है। यह पाठ देवी 'प्रज्ञा' का एक मूर्त रूप है।
चौरपंचाशिका (प्रेम करनेवाला चोर)	बिल्हण द्वारा (11वीं शताब्दी में) रचित	एक **संस्कृत प्रेम कविता** है, जिसमें ब्राह्मण बिल्हण राजा मदनभिराम की बेटी, राजकुमारी यामिनीपूर्णतिलक के साथ प्रेम संबंध में पड़ जाते हैं, जो एक गुप्त प्रेम संबंध था। दोनों को खोजा गया और बिल्हण को जेल में डाल दिया गया। निर्णय की प्रतीक्षा करने के दौरान उन्होंने यह कविता लिखी थी।
गीतगोविंद (ग्वालों का गीत)	जयदेव द्वारा रचित (बंगाल के लक्ष्मण सेन के दरबारी कवि) (12वीं शताब्दी में)	संस्कृत में गीतात्मक कविता, शृंगार रस को उजागर करती है, **राधा और कृष्ण** के बीच रहस्यमय प्रेम को दर्शाती है।
गुलिस्ताँ	सादी द्वारा 13वीं शताब्दी में रचित	यह फ़ारसी साहित्य का एक मील का पत्थर माना जाता है, संभवतः **गद्य की सबसे प्रभावशाली रचना** है। सादी को सबसे महान् मध्ययुगीन फ़ारसी कवियों में से एक माना जाता है।
रसमंजरी (खुशी का गुलदस्ता)	भानुदत्त द्वारा रचित (14वीं शताब्दी में)	यह पाठ **संस्कृत** में लिखा गया है। यह रस पर एक ग्रंथ है और **नायकों और नायिकाओं को उनकी उम्र के अनुसार वर्गीकृत** करने से संबंधित है।
लौरचंदा चित्रकारी	सूफ़ी कवि मौलाना दाउद्द द्वारा रचित (14वीं शताब्दी में)	लौर और चंदा के **प्रेम** को दर्शाती है।

नाम	समयावधि	विवरण
रसिक प्रिया	केशव दास द्वारा रचित (ओरछा के राजा मधुकर शाह के दरबारी कवि) (1591 में)	यह **ब्रज भाषा** में लिखी गयी रचना है। यह **विभिन्न भावनात्मक दशाओं** को दर्शाती है, जैसे- प्रेम, एकजुटता, झुकाव, ईर्ष्या, लड़ाई और उसके बाद के परिणाम, अलगाव, क्रोध इत्यादि।
रागमाला	17वीं शताब्दी में माधो दास द्वारा रचित	यह *रागों* और *रागिनियों* की सचित्र व्याख्याएँ हैं। यहाँ, प्रत्येक घराने का प्रमुख एक पुरुष *राग* होता है, जिसमें छह स्त्री सहचरी होती हैं, जिन्हें *रागिनी* कहा जाता है। छह मुख्य राग *भैरव, मालकौंस, हिंडोल, दीपक, मेघ* और *श्री* हैं। रागमाला चित्रों को बाद में कई कलाकारों द्वारा मुख्य रूप से विभिन्न राजस्थानी स्कूलों के अंतर्गत चित्रित किया गया था।
बिहारी सतसई	18वीं शताब्दी के पूर्वार्द्ध में जगन्नाथ द्वारा रचित	यह **मेवाड़ शैली** की अनूठी देन है।
निमतनामा (व्यंजनों की पुस्तक)	नासिर शाह ख़िलज़ी के शासनकाल के दौरान (16वीं शताब्दी)	मांडू में चित्रित यह व्यंजनों से **संबंधित पुस्तक** है, जिसमें शिकार पर भी एक खंड है। इसमें औषधियों, सौंदर्य-प्रसाधनों, इत्रों को बनाने की विधियाँ और उनके प्रयोग के संबंध में निर्देश हैं।
बाबरनामा	16वीं शताब्दी में बाबर द्वारा रचित	एक **आत्मकथा** है, जो बाबर के राजनीतिक जीवन और उसके कला के प्रति जुनून के बारे में बताती है। यह भारतीय भूमि और वातावरण के लिए बाबर के उस प्रेम और स्नेह को दर्शाता है, जो एक विदेशी व्यक्ति के रूप में उसके अंदर विद्यमान् था। बाबरनामा का **सचित्र संस्करण अकबर** द्वारा पूरा कराया गया था।
अकबरनामा	16वीं शताब्दी में अबुल फ़ज़्ल द्वारा रचित	इसके पहले दो खंडों में **अकबर के जन्म और उसके शासनकाल** के दौरान की घटनाओं को वर्णित किया गया है। इसका तीसरा खंड, जिसे *आइन-ए-अकबरी* (अकबर का प्रशासन) कहा जाता है, अकबर के साम्राज्य की प्रशासनिक व्यवस्था का वर्णन करता है और इसमें प्रसिद्ध 'हिंदू विज्ञान पर लेख' भी समाहित किया गया है।
रज़्मनामा	फ़ैज़ी ने 16वीं शताब्दी में इसे लिखा था। चित्रकार दसवंत की देखरेख में सचित्र चित्रकारी की गयी थी।	**अकबर** के दरबार में तैयार किया गया, यह **महाभारत** का फ़ारसी अनुवाद है।
तूतीनामा	प्रारंभ में 14वीं शताब्दी में लिखा गया। 16वीं शताब्दी में सचित्र पाण्डुलिपि रूप दिया गया।	यह एक **तोते की कहानियों** से संबंधित है। 14वीं शताब्दी के इस पाठ को बाद में **अकबर के शासनकाल के दौरान** सचित्र पाण्डुलिपियों के रूप में समर्पित किया गया था।
तारीख़-ए-अल्फ़ी	16वीं शताब्दी में मुल्ला दाऊद द्वारा रचित	यह पैग़ंबर मुहम्मद की मृत्यु के बाद के **एक हज़ार साल के इतिहास** से संबंधित है। 1592 में पहली इस्लामी सहस्राब्दी के पूरा होने के उपलक्ष्य में **अकबर** के दरबार में इस पाठ को समर्पित किया गया था।
हम्ज़ानामा	16वीं शताब्दी में	यह हम्ज़ा के शौर्य से संबंधित है। बाद में 16वीं शताब्दी में इसे पहले हुमायूँ के दरबार में सचित्र पाण्डुलिपियों के रूप में समर्पित किया गया और फिर इसे **अकबर** के दरबार में पूरा किया गया।
पादशाहनामा	17वीं शताब्दी में अब्दुल हमीद लाहौरी द्वारा रचित	यह **शाहजहाँ** के दरबार में समर्पित किया गया था। यह बादशाह शाहजहाँ के इतिहास का वर्णन करता है। बिना चित्रवाले ग्रंथों को *'शाहजहाँनामा'* के रूप में जाना जाता है, जबकि सचित्र पाण्डुलिपि संस्करण के लिए *'पादशाहनामा'* का प्रयोग किया जाता है।

आधुनिक भारतीय चित्रकला

आधुनिक भारतीय चित्रकला ने भारतीय कला को यूरोपीय शैलियों और विषयों के साथ मिश्रित किया। इससे **कंपनी चित्रकला** और **बाज़ार चित्रकला** का उदय हुआ।

विशेषता	कंपनी चित्रकला (कंपनी क़लम)	बाज़ार चित्रकला
काल	औपनिवेशिक काल	औपनिवेशिक काल
शैली	राजपूत, मुग़ल और अन्य भारतीय शैलियों का यूरोपीय तत्त्वों के साथ मिश्रण	यूरोपीय मुठभेड़ों से प्रभावित, मुख्यतः ग्रीको-रोमन; न्यूनतम भारतीय प्रभाव
उत्पत्ति	कोलकाता, चेन्नई, दिल्ली, पटना, वाराणसी, तंजावुर	बंगाल और बिहार के क्षेत्र
संरक्षक	ब्रिटिश ईस्ट इंडिया कंपनी के अधिकारी, मैरी इम्पे, मार्क्वेस वेलेस्ली	ब्रिटिश अधिकारी और संरक्षक यूरोपीय मानसिकता की नक़ल कर रहे हैं
तकनीक	जल रंग, रेखीय परिप्रेक्ष्य, छायांकन	प्राकृतिक मानव आकृतियों का चित्रण करनेवालीं यूरोपीय तकनीकें
विषय-वस्तु	भारत की विदेशी वनस्पति और जीव-जंतु, यूरोपीय स्वाद और भारतीय संवेदनाओं का मिश्रण	ग्रीक और रोमन मूर्तियाँ, यूरोपीय पृष्ठभूमिवाले भारतीय बाज़ार, ब्रिटिश अधिकारियों के सामने नृत्य करतीं भारतीय वेश्याएँ; धार्मिक विषयों की अनुमति केवल तभी दी जाती है, जब वे यूरोपीय प्रकृतिवाद के अनुरूप हों
उल्लेखनीय कलाकार	मज़हर अली ख़ान, गुलाम अली ख़ान	विशेष रूप से उल्लेख नहीं किया गया
कालावधि	20वीं शताब्दी तक	औपनिवेशिक काल

संस्कृति संक्षेपण

राजा रवि वर्मा (1848-1906)

राजा रवि वर्मा भारत के सर्वाधिक महान् चित्रकारों में से एक थे। उन्हें आधुनिक चित्रकारी शैली का प्रवर्तक माना जाता था। इस शैली को पाश्चात्य तक़नीकों और विषय-वस्तुओं के भारी प्रभाव के कारण आधुनिक कहा जाता था। वे अद्वितीय थे, क्योंकि उन्होंने दक्षिण भारतीय चित्रकारी के तत्त्वों को रंग और शैली की पाश्चात्य शैलियों से संयुक्त किया।

केरल राज्य से संबंध रखनेवाले राजा रवि वर्मन **'आधुनिक भारतीय कला के जनक'** के रूप में जाने जाते है। उनकी कुछ बेहद प्रसिद्ध रचनाओं में *लेडीज़ इन द मूनलाइट, शकुंतला, दमयंती और स्वान* आदि शामिल हैं। उन्होंने अपने चित्रों के लिए राष्ट्रव्यापी मान्यता प्राप्त की, विशेष रूप से महाकाव्य रामायण के *"रावण द्वारा सीता का अपहरण और जटायु की हत्या"* शीर्षक से। उन पर एक फ़िल्म भी बनायी गयी है, जिसका नाम 'रंग रसिया' है।

रावण द्वारा सीता का अपहरण और जटायु की हत्या

बंगाल की चित्रकला शैली

माना जाता है कि बंगाल की शैली वर्तमान चित्रकलाओं की शैलियों के प्रति, प्रतिक्रियावादी दृष्टिकोण रखती है। यह शैली अद्वितीय है, क्योंकि इसमें **साधारण रंगों** का प्रयोग किया जाता है। बंगाल शैली का विचार **अवनीन्द्रनाथ टैगोर** (20वीं शताब्दी का पूर्वार्द्ध) की रचनाओं से विकसित हुआ। जिनकी *अरेबियन नाइट श्रृंखला* ने विश्व स्तर पर अपनी पहचान बनायी। उन्होंने भारत की कला में **स्वदेशी** मूल्यों को समाविष्ट करने एवं कलाकारों के बीच पश्चिमी भौतिकवादी कला शैली के प्रभाव को कम करने का प्रयास किया। उल्लेखनीय है कि वे **भारत माता** (1905) और विभिन्न मुग़ल-विषयवस्तु की चित्रकलाओं के लिए जाने जाते हैं।

बंगाल चित्रकला शैली की मुख्य विशेषताएँ

- **भारतीय परंपराओं पर आधारित :** बंगाल शैली की भारतीय मानसिकता भारतीय विषयों पर आधारित चित्रों में प्रदर्शित होती है, जैसे महाकाली, शिव पार्वती, कृष्ण और गोपियाँ।
- **अजंता चित्रकला का प्रभाव :** बंगाल शैली अजंता कला से प्रेरणा लेती है। यह अजंता कला की लय, सुंदरता, सामंजस्य और अन्य विशेषताओं को प्रदर्शित करती है।
- **रेखीक सौम्यता :** अजंता के चित्रों में बंगाल शैली की रेखाओं का प्रतिबिंब दिखता है। रेखाओं में एक सौम्य लय है।
- **आकृतियों में कोमलता और लय :** बंगाल शैली की आकृतियों में कोई कठोरता नहीं होती, जो एक संवेदनशील छाप छोड़ती है। उनमें एक मनभावन लय होती है और नेत्रों को आनंद देती है।
- **भव्य रंग योजना :** बंगाल शैली में धुलाई तकनीक का प्रयोग किया गया है तथा रंग मंद हैं तथा अधिक जीवंत नहीं हैं।
- **मुग़ल और राजस्थानी शैलियों का प्रभाव :** कुछ स्थानों पर मुग़ल और राजस्थानी शैलियों का प्रभाव भी स्पष्ट है।
- **प्रकाश और छाया :** बंगाल शैली की चित्रकलाएँ प्रकाश और छाया के उत्कृष्ट उपयोग के कारण सौम्य हैं।
- **प्रभावशाली और भारतीय विषयवस्तु :** बंगाल शैली का पाठ्यक्रम उल्लेखनीय रूप से प्रभावशाली और विशिष्ट रूप से भारतीय है। इसमें साहित्यिक, धार्मिक, ऐतिहासिक और अन्य विषयों का प्रयोग किया गया है।

नंदलाल बोस द्वारा (दांडी मार्च की लिनोकट महात्मा गाँधी को दर्शाती है)
www.museumsofindia.gov.in

भारत माता (अवनीन्द्रनाथ टैगौर द्वारा)

क्या आप जानते हैं? बंगाल शैली के चित्रकारों ने राजा रवि वर्मा की कला को अस्वीकार कर दिया, क्योंकि वे इसे नक़लची और पश्चिमीकृत मानते थे।

इस शैली के अन्य उल्लेखनीय चित्रकार **नन्दलाल बोस** हैं, जिनके कार्यों ने आधुनिक भारतीय कला को और अधिक विकसित करने में योगदान किया। वह **शान्तिनिकेतन** से भी जुड़े हुए थे। वह **काली पृष्ठभूमि पर सफ़ेद रंग से** बनाये गये **गांधी जी की डांडी-यात्रा के दौरान के स्केच** के लिए भी जाने जाते हैं, जो 1930 के दशक में प्रतिष्ठित हुआ। महत्त्वपूर्ण है कि उन्हें ***भारत के संविधान*** के मूल दस्तावेज़ को **अलंकृत** करने का काम भी सौंपा गया था। **नंदलाल बोस** को नागरिक पुरस्कारों **भारत रत्न** और पद्म पुरस्कार के प्रतीक चिन्हों का रेखाचित्र बनाने का काम भी सौंपा गया था। **नंदलाल बोस द्वारा बनायी गयी शिव और सती की पेंटिंग** भी बहुत प्रसिद्ध है।

कुछ उल्लेखनीय पेंटिंग्स और उनके कलाकार

पेंटिंग के नाम	कलाकार
यात्रा का अंत	अवनींद्रनाथ टैगोर
रस-लीला	क्षितिन्दनाथ मजूमदार
मेघदूत	राम गोपाल विजयवर्गीय
मिट्टी जोतनेवाला (भारतीय किसान)	नंदलाल बोस
राधिका	एम.ए.आर.चुग़ताई
अर्जुन युद्ध से विमुख	शारदा चरण उकिल
रात में शहर	गगनेंद्रनाथ टैगोर
बच्चे के साथ महिला	जामिनी रॉय

इस शैली के सबसे प्रसिद्ध चित्रकारों में से एक **रवींद्रनाथ टैगोर** हैं। उनकी चित्रकारियाँ अनोखी हैं, क्योंकि वह **काली रेखाओं** का प्रमुखता से प्रयोग करते थे, जिससे विषयवस्तु प्रमुख रूप से निखर आती थी। उन्होंने लघु आकार की चित्रकारियाँ बनायीं। कुछ कला इतिहासकारों का मानना है कि उनकी चित्रकारियों को उनके लेखन से संबद्ध किया जा सकता है।

बंगाल के अन्य प्रसिद्ध चित्रकारों में असित कुमार हालदार, मनीषी दे, मुकुल दे, सुनयनी देवी आदि थे।

संस्कृति संक्षेपण

सिस्टर निवेदिता (Sister Nivedita): कला को एक उपकरण के रूप में उपयोग करके राष्ट्रीय चेतना जाग्रत करने में उनका योगदान

आयरिश मूल की शिक्षाविद्, लेखिका, सामाजिक कार्यकर्ता और विचारक, **मार्गरेट एलिज़ाबेथ नोबल** (1867-1911), उर्फ़ सिस्टर निवेदिता, महिलाओं के शिक्षा और सशक्तीकरण के क्षेत्र में एक महत्त्वपूर्ण योगदानकर्ता थीं; उन्होंने विज्ञान और कला को बढ़ावा दिया, परंतु सबसे बढ़कर, उनका स्मरण **भारत के लोगों में राष्ट्रीय चेतना जगाने के लिए किया जाता है**। उन्होंने न केवल भारतीय कला का समर्थन किया, उसे प्रोत्साहित किया और उसकी सराहना की, बल्कि *भारतीय कला में भारतीयता* की खोज और पुनर्निर्माण के वातावरण में खुद को झोंक दिया और इस प्रकार कला को भारत की राष्ट्रीय चेतना को जागृत करने और सशक्त बनाने का एक आवश्यक उपकरण बना दिया। उनका मानना था कि मातृभूमि की जाग्रति के लिए कला में 'भारतीयता' का पुनर्जन्म आवश्यक है और पश्चिमी कला की नक़ल करने की मौजूदा प्रथा से दूर रहने और भारतीय कला के विचार को अपनी स्वदेशी जड़ों के साथ जोड़नेवाली शक्ति के रूप में विस्तृत करने और स्थापित करने हेतु कड़ी मेहनत करने के लिए युवा छात्रों के साथ लंबी चर्चा और सक्रिय बातचीत की। **बंगाल स्कूल ऑफ़ आर्ट** के युवा कलाकारों को भी सिस्टर निवेदिता ने मार्गदर्शन दिया था।

अवनींद्रनाथ टैगोर की **भारत माता पेंटिंग के बारे में सिस्टर निवेदिता** ने कहा था कि - "*आरंभ से अंत तक, भारत माता की तस्वीर भारतीय भाषा में, भारतीय हृदय के लिए एक अपील है। यह नयी शैली की पहली महान् कृति है। यदि मैं कर सकती तो मैं इसे दोबारा छापती, दसियों हज़ार में, और बिखेर देती। यह भूमि पर तब तक प्रसारित होती, जब तक कि केदारनाथ और केप कोमोरिन के बीच किसी किसान की कुटिया या शिल्पकार की झोपड़ी नहीं थी, जिसकी दीवारों पर कहीं भी भारत-माता की यह प्रस्तुति नहीं थी। बारंबार फिर, जब कोई इसके गुणों को देखता, तो वह चित्रित व्यक्तित्व की पवित्रता और नाजुकता से हैरान हो जाता है।*"

क्या आप जानते हैं?

भारत में चित्रकला की क्यूबिस्ट (Cubist) शैली

यूरोपीय क्यूबिज़्म से प्रेरित भारतीय क्यूबिस्ट चित्रकला में अमूर्त रूपों का उपयोग करते हुए कैनवास पर वस्तुओं को तोड़ा और पुनः जोड़ा गया तथा रेखा और रंग के बीच संतुलन बनाने का प्रयास किया गया।

भारत के सर्वाधिक प्रसिद्ध क्यूबिस्ट चित्रकारों में से एक **एम.एफ़. हुसैन** थे। इन अमूर्त लक्ष्यार्थों का प्रयोग करनेवालीं चित्रकलाओं में उन्होंने **बारंबार घोड़े** के रूपांकन का प्रयोग किया है, क्योंकि गति की तरलता को चित्रित करने के लिए यह सर्वश्रेष्ठ था।

चित्रकला की क्यूबिस्ट शैली

क्या आप जानते हैं?

प्रगतिशील चित्रकार समूह

1947 के बाद, चित्रकारों के एक समूह ने साहसिक, प्रगतिशील विषयों को कोमल, अमूर्त विषयों के साथ मिश्रित करने के लिए ध्यान आकर्षित किया, जो एक समान शैली के बिना यूरोपीय आधुनिकतावाद से प्रेरणा लेते थे।

इस समूह का गठन छह संस्थापक सदस्यों-**एफ़.एन. सूज़ा, एस.एच. रज़ा, एम. एफ़. हुसैन, के. एच. आरा, एच. ए. गडे** और **एस. के. बकरे** ने किया था।

लोक चित्रकारी

पिछवाई पेंटिंग

राजस्थान (मुख्यतः नाथद्वारा) की एक पारंपरिक कला, पिछवाई, वैष्णव संप्रदाय के अंतर्गत **भगवान् कृष्ण (श्रीनाथ जी)** की कथाओं को दर्शाती है। मूल रूप से **पुष्टिमार्ग संप्रदाय** में मंदिरों की सजावट के लिए बनायी जानेवाली यह पिछवाई अब नाथद्वारा का एक प्रमुख निर्यात है।

वल्लभाचार्य (पुष्टिमार्ग संप्रदाय - वैष्णव संप्रदाय की एक उपपरंपरा- के संस्थापक) को **16वीं शताब्दी** में पिछवाई कला की शुरुआत का श्रेय दिया जाता है।

पिछवाई चित्रकला

मधुबनी चित्रकला

परंपरागत रूप से मधुबनी शहर (बिहार) के आसपास ग्रामीण महिलाओं द्वारा की जानेवाली इस चित्रकारी को मिथिला चित्रकारी भी कहा जाता है। **रामायण** में वर्णित मधुबनी चित्रकला में सामान्यतः कृष्ण, राम, दुर्गा, लक्ष्मी और शिव जैसे हिंदू देवताओं को दर्शाया जाता है, तथा साथ ही **भाग्य और उर्वरता के लिए मछली** जैसे प्रतीकात्मक रूपांकनों का भी प्रयोग किया जाता है।

मधुबनी चित्रकला, जो अब काग़ज़ या कपड़े पर बनायी जाती है, शुभ अवसरों को गाढ़े रंगों, पुष्प पैटर्न, दोहरी सीमाओं और द्वि-आयामी आकृतियों के साथ दर्शाती है।

मधुबनी चित्रकला

मधुबनी चित्रकला की शुरुआत रामायण काल में सीता और राम के विवाह के दौरान हुई थी। मुख्य रूप से महिलाओं द्वारा हस्तांतरित, इसे **1970 में जगदम्बा देवी के सम्मान** के साथ मान्यता मिली।

उसके अतिरिक्त, इससे संबंधित चित्रकारों में बउआ देवी, भारती दयाल, गंगा देवी, महासुंदरी देवी और सीता देवी सम्मिलित हैं। चूँकि यह कला एक विशिष्ट भू-भाग तक ही सीमित रही है, इसलिए इसे **जी. आई. (भौगोलिक संकेत)** की प्रतिष्ठा भी प्रदान की गयी है।

क्या आप जानते हैं?

टिकुली कला

बिहार की टिकुली कला, जो टिकुली (बिंदी) शब्द से ली गयी है, हार्डबोर्ड पर आकार में काटकर और एनामेल कोटिंग से पॉलिश करके बनायी जाती है। इसमें अक्सर मधुबनी रूपांकनों का प्रयोग होता है।

टिकुली कला

पट्टचित्र चित्रकला

पट्टचित्र, **ओडिशा** की एक पारंपरिक चित्रकला है, जिसमें शास्त्रीय और लोक तत्त्वों का मिश्रण है। इसका नाम संस्कृत के दो शब्दों, पट्टा (कैनवास) और चित्र (तस्वीर) से मिलकर बना है।

चित्रकला का आधार **कपड़ा** है और जले हुए नारियल के खोल और लाल रंग जैसे प्राकृतिक रंगों का इस्तेमाल किया गया है। लाल या पीले रंग के ब्रश से रूपरेखाएँ खींची जाती हैं, रंग भरे जाते हैं, पत्तियों और फूलों से सजाया जाता है, साथ ही जटिल रूप से फ्रेम किया जाता है, और चमक के लिए **लाख से फ़िनिशिंग** की जाती है।

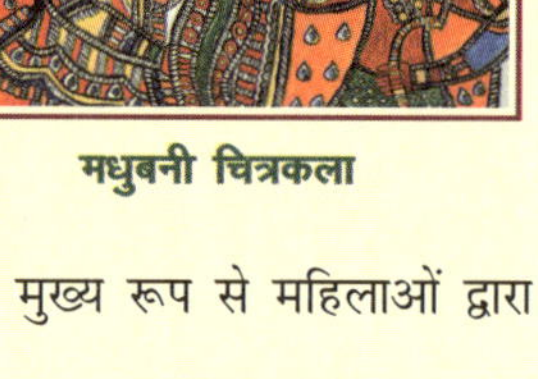
पट्टचित्र

इस चित्रकला की विषय-वस्तुएँ **जगन्नाथ और वैष्णव मत** और कभी-कभी शक्ति और शिव मत से भी प्रेरित होती हैं। उल्लेखनीय है कि **ओडिशा का रघुराजपुर** इस कला रूप के लिए जाना जाता है। पट्टचित्र चित्रकला ऐसी छवियों को प्रदर्शित करती है, जो राज्य के पुराने भित्तिचित्रों के समान होती हैं, जो प्रमुख रूप से पुरी और कोणार्क में पायी जाती हैं। खजूर की पत्तियों पर निर्मित पट्टचित्र को **तालपट्टचित्र** के नाम से जाना जाता है।

पटुआ कला

पटुआ कला

पटुआ कला, जो एक हज़ार साल से भी अधिक पुरानी है, में मंगल काव्यों - हिंदू देवी-देवताओं की शुभ कहानियों - को चित्रित करनेवाले स्क्रॉल चित्र हैं। परंपरागत रूप से, मुस्लिम पटुआ इन कहानियों को गाते हुए गाँवों के बीच यात्रा करते हैं।

पारंपरिक रूप से कपड़े पर **धार्मिक कहानियाँ** दर्शानेवाली पटुआ पेंटिंग अब सामाजिक और राजनीतिक विषयों को दर्शाने के लिए सिले हुए कागज़ पर पोस्टर रंगों से बनायी जाती हैं। ये मुख्य रूप से **मेदिनीपुर, मुर्शिदाबाद, 24 परगना और बीरभूम** से आती हैं।

क़लमकारी चित्रकला

क़लमकारी चित्रकला

क़लमकारी चित्रकला, जिसका नाम क़लम (पेन) के नाम पर रखा गया है, प्रक्षालित और मुलायम सूती कपड़े पर बनायी जाती है। कलाकार **रंगों के प्रवाह को नियंत्रित करने के लिए एक बाँस की क़लम का उपयोग करते हैं**, जिसे धारदार बनाकर कपड़े में लपेटा जाता है। पहले एक विशेष मिश्रण से बनी काली रेखाएँ खींची जाती हैं और फिर उनमें वनस्पति रंग भरे जाते हैं।

श्रीकालहस्ती और मछलीपट्टनम (आंध्र प्रदेश) की क़लमकारी में मुक्तहस्त **हिंदू पौराणिक चित्रकारी** और फ़ारसी-प्रभावित ब्लॉक-प्रिंटेड डिज़ाइन शामिल हैं। यह **विजयनगर काल की है** और इसे GI दर्जा प्राप्त है।

कालीघाट चित्रकारी

कालीघाट मंदिर के पास 19वीं सदी के कोलकाता में बनी कालीघाट चित्रकला, कपड़े पर हाथ से रँगी गयी है और इसमें हिंदू देवी-देवताओं, महाकाव्यों और बाद के दैनिक जीवन को दर्शाया गया है। इन चित्रों ने **जामिनी रॉय** जैसे चित्रकारों को बहुत प्रभावित किया।

वरली चित्रकारी

वरली चित्रकारी

गुजरात-महाराष्ट्र सीमा के वर्लिस द्वारा 2500-3000 ईसा पूर्व से प्रचलित वरली चित्रकला, मध्य प्रदेश के भीमबेटका भित्ति चित्रों से काफ़ी मिलती जुलती है।

इन **आनुष्ठानिक चित्रों** में एक केंद्रीय चौक होता है, जिसके चारों ओर दैनिक जीवन, प्रकृति और त्यौहारों के दृश्य होते हैं, जिनमें प्राय: पलघटा (प्रजनन देवी) और पुरुष देवताओं को मानव जैसी आत्माओं के रूप में दर्शाया जाता है।

परंपरागत रूप से, ये चित्र मिट्टी की दीवारों पर त्रिकोण, वृत्त और वर्गाकार आकृतियाँ बनाकर बनाये जाते हैं और लाल गेरू की पृष्ठभूमि पर **गोंद और चावल के चूर्ण से बने सफ़ेद रंग का प्रयोग** किया जाता है। महिलाएँ इन्हें शुभ अवसरों पर चित्रित करती हैं और आजकल इन्हें सफ़ेद पोस्टर रंगों से कपड़े पर भी बनाया जाता है।

थांका चित्रकला

थांका चित्रकला

वर्तमान में **सिक्किम, हिमाचल प्रदेश, लद्दाख क्षेत्र और अरुणाचल प्रदेश** में प्रचलित थांका चित्रकला मूलतः श्रद्धा के माध्यम के रूप में प्रयोग की जाती थी, जो **बौद्ध धर्म के उच्चतम आदर्शों को उद्घाटित करती थी।** इन्हें पारंपरिक रूप से भिक्षुओं और विशिष्ट जातीय समूहों द्वारा बनाया जाता था और यह कौशल पीढ़ियों से चला आ रहा है।

थांका को प्राकृतिक रंगों से कपास पर चित्रित किया जाता है, इसमें प्रतीकात्मक रंगों का प्रयोग किया जाता है तथा प्रायः इसे रेशम के बेलबूटेदार वस्त्र **(रेशमी ब्रोकेड)** में मढ़ दिया जाता है।

मंजूषा चित्रकारी

मंजूषा चित्रकारी

कला का यह रूप **बिहार के भागलपुर क्षेत्र** से संबंधित है। इसे **अंगिका कला** भी कहा जाता है, जहाँ 'अंग' का संदर्भ एक महाजनपद से है। इसमें **सर्प का रूपांकन** सदैव विद्यमान् रहता है, इसलिए इसे **सर्प चित्रकला** भी कहा जाता है। इस चित्रकला को मुख्यतः **जूट और काग़ज़ के डिब्बों** पर निर्मित किया जाता है।

फड चित्रकला

फड चित्रकला

फड़ चित्रकला, **पाबूजी और देवनारायण** जैसे स्थानीय देवताओं को चित्रित करनेवाली एक धार्मिक कला है। इसमें फड़ नामक कपडे के **लंबे टुकड़े (15-30 फीट)** पर वनस्पति रंगों से चित्रित, बड़ी आँखोंवालीं आकृतियाँ और जीवंत जुलूस के दृश्य दिखाई देते हैं।

चेरियाल लपेटन (स्क्रॉल) चित्रकला

तेलंगाना में निर्मित, यह **नक़्क़ाशी स्क्रॉल कला** हिंदू महाकाव्यों और पौराणिक कथाओं को कॉमिक्स (निरंतर जारी कहानी) की तरह प्रस्तुत करती है और अक्सर गाथागीतकारों द्वारा संगीतबद्ध भी की जाती है। ये स्क्रॉल विशाल हो सकते हैं, जिनकी ऊँचाई 45 फ़ीट तक पहुँच सकती है।

इसे 2007 में भौगोलिक संकेतक की प्रस्थिति प्रदान की गयी है।

पिथोरा चित्रकला

पिथोरा चित्रकला

ये चित्रकलाएँ गुजरात और मध्य प्रदेश के कुछ आदिवासी समुदायों द्वारा बनायी जाती हैं और इनका प्रयोजन धार्मिक एवं आध्यात्मिक बताया जाता है। इन्हें पारिवारिक अवसरों पर शांति और समृद्धि के लिए चित्रित किया जाता है और अक्सर इनमें पशुओं, विशेष रूप से **घोड़ों** को दर्शाया जाता है।

सौरा चित्रकला, ओडिशा

सौरा कला, ओडिशा

वे ओडिशा की सौरा जनजाति द्वारा बनायी जाती हैं एवं वरली चित्रकला के समान होती हैं। यह वस्तुतः भित्ति चित्रकला है एवं रीतिपरक है। लाल या पीले रंग की पृष्ठभूमि पर सफ़ेद रंग

में निर्मित, वनस्पति और खनिज रंगों के साथ, इनमें मानव **आकृतियाँ ज्यामितीय एवं छड़ी** जैसी होती हैं और ये अब आधुनिक वस्त्र डिज़ाइनों में लोकप्रिय हैं।

पैटकार (Paitkar) चित्रकारी

झारखंड की एक प्राचीन स्क्रॉल पेंटिंग परंपरा, पैटकार, सांस्कृतिक रूप से **माँ मनसा** से जुड़ी हुई है, जो आदिवासी घरों में पूजनीय देवी हैं।

ये चित्र कर्मकांडों और मृत्यु के बाद के जीवन के विषयों से जुड़े हैं। ये एक प्राचीन कला है, जो अब विलुप्त होने के कगार पर है।

पैटकार चित्रकारी

गोंड चित्रकारी

गोंड जनजाति के नाम पर बनी यह चित्रकला शैली मध्य प्रदेश में मिट्टी की दीवारों पर लगभग 1400 वर्षों से प्रचलित है। यह आंध्र प्रदेश, महाराष्ट्र, छत्तीसगढ़ और ओडिशा में भी काफ़ी प्रचलित है। गोंड विश्वास प्रणाली के अनुसार, सभी प्राकृतिक तत्त्व पवित्र हैं और उनके सम्मान और श्रद्धा के लिए चित्र बनाये जाते हैं।

गोंड चित्रकारी

संथाल चित्रकारी

ये आदिवासी पेंटिंग बंगाल/बिहार की सीमाओं के संथाल आदिवासी पट्टी में जादू पटुआ नामक एक विशेष समुदाय या जादू चित्रकारों द्वारा तैयार की गयी हैं। संथाल चित्रकार कभी भी मुग़लों, राजपूतों या अँगरेज़ों के प्रभाव में नहीं आये। वे हाथ से बने कागज़ का उपयोग करते हैं, जिसे कभी-कभी कैनवास से भी बनाया जाता है तथा प्राकृतिक वनस्पति रंगों का उपयोग करते हैं, जो आदिवासी कला की एक पहचान है।

यू.पी.एस.सी. विगत वर्षों के बहुविकल्पीय प्रश्न

1. प्राचीन दक्षिण भारत के संदर्भ में 'विचित्रचित्त', 'चित्रकारपुलि' और 'चैत्यकारी' शब्द किससे संबंधित हैं? **(CAPF, 2025)**
   (a) बाज़ार (a) मंदिर
   (c) शीर्षक (d) रंग बनाने के केन्द्र

2. निम्नलिखित में से कौन-सी एक महत्त्वपूर्ण आरंभिक चोलकालीन चित्रकला है, जिसकी खोज वर्ष 1931 में बृहदेश्वर मंदिर, तंजावुर में की गयी थी? **(CDS I, 2024)**
   (a) बुद्ध जिनके दोनों ओर चौरी-वाहक हैं
   (b) शिव योग-दक्षिणामूर्ति के रूप में
   (c) यक्षी काली
   (d) एक सिंह-सिंहासन पर सर्प-फनवाले पार्श्वनाथ

3. किस पुनर्जागरणकालीन कलाकार ने 'द लास्ट सपर (The Last Supper)' चित्रित किया था? **(NDA I, 2023)**
   (a) माइकलएंजेलो (Michelangelo)
   (b) डोनाटेलो (Donatello)
   (c) बोट्टीचेल्ली (Botticelli)
   (d) लियोनार्दो दा विंची (Leonardo da Vinci)

4. 19वीं शताब्दी में भारत में निम्नलिखित में से कौन-सी चित्रकला की विशेषता **नहीं** थी? **(CAPF, 2022)**
   (a) कला का सृजन खुले बाज़ार के लिए किया जा रहा था।
   (b) कलाकार (शिल्पी), शिल्पकार (कारीगर) से पृथक् पहचाने जाने लगे।
   (c) तैल चित्रण की तक़नीक का विकास हुआ।
   (d) आभिजात्य कला और लोकप्रिय कला के बीच का विभेद व्यापक हुआ।

5. सिस्टर निवेदिता ने निम्नलिखित में से किस कलाकृति की प्रशंसा 'भारतीय कला की पहली महान् कृति' के रूप में की? **(CAPF, 2022)**
   (a) अवनीन्द्रनाथ टैगोर कृत *भारत माता*
   (b) राजा रवि वर्मा कृत *अर्जुन और सुभद्रा*
   (c) अवनीन्द्रनाथ टैगोर कृत *लंका में क़ैद सीता (सीता इन कैप्टिविटी इन लंका)*
   (d) नन्दलाल बोस कृत *सती*

6. निम्नलिखित कथनों पर विचार कीजिए : **(CAPF, 2022)**
   1. प्रारंभिक मालवा चित्रकला-शैली, शिराज़ी शैली से प्रभावित थी, जबकि प्रारंभिक मुग़ल चित्रकला ने शुरू में बिहज़ाद शैली का अनुसरण किया।
   2. भारत में बिहज़ाद शैली के प्रमुख प्रवर्तक सैय्यद अली और अब्दुस समद थे।

   उपर्युक्त कथनों में से कौन-सा/कौन-से कथन सही है/हैं?
   (a) केवल 1 (b) केवल 2
   (c) 1 और 2 दोनों (d) न तो 1 और न ही 2

7. प्रसिद्ध मुग़ल पेंटिंग, जिसमें जहाँगीर को सफ़विद राजा शाह अब्बास को गले लगाते हुए चित्रित किया गया था, निम्नलिखित में से किस मुग़ल चित्रकार द्वारा चित्रित किया गया था? **(CDS I, 2020)**
   (a) अब्द अल-समद (b) अबुल हसन
   (c) दशवंत (d) बिशनदास

8. अधोलिखित मुग़ल बादशाहों में से किसने सचित्र पाण्डुलिपियों से ऐलबम और व्यक्तिगत रूपचित्र की ओर स्थानांरित करने पर ज़ोर दिया? **(CSE I, 2019)**
   (a) हुमायूँ (b) अकबर
   (c) जहाँगीर (d) शाहजहाँ

9. प्रसिद्ध चित्रकला 'बनी-ठनी' किस शैली की है। **(CSE, 2018)**
   (a) बूँदी शैली (b) जयपुर शैली
   (c) काँगड़ा शैली (d) किशनगढ़ शैली

10. बोधिसत्व पद्मपाणि का चित्र कहाँ के सबसे प्रसिद्ध और बहुचर्चित चित्रों में से एक है: **(CSE, 2017)**
   (a) अजंता (b) बादामी
   (c) बाघ (d) एलोरा

11. निम्नलिखित में से कौन-सा/से राजपूत चित्रों में चित्रित नहीं किया गया है?
   1. कृष्ण की कहानियाँ 2. राग और रागिनी
   3. हमज़ा के कार्य 4. बाबर के कार्य

   नीचे दिये गये कूट का प्रयत्रेग कर सही उत्तर चुनिए : **(CDS I, 2016)**
   (a) 1, 2 और 3 (b) 2, 3 और 4
   (c) केवल 3 और 4 (d) केवल 4

12. अधोलिखित किताबों में से कौन-सी किताब अकबर के दरबार में चित्रित नहीं हुई थी? **(CDS I, 2016)**
   (a) हम्ज़ानामा (b) रज़्मनामा
   (c) बाबरनामा (d) तारीख़-ए-अल्फ़ी

13. निम्नलिखित में से कौन अकबर के दरबार में चित्रकार नहीं था? **(CDS II, 2015)**
   (a) दसवंत (b) अब्दुस समद
   (c) कल्याण दास (d) बसावन

14. निम्नलिखित ऐतिहासिक स्थानों पर विचार करें :
   (i) अजंता की गुफाएँ (ii) लेपाक्षी मंदिर
   (iii) साँची स्तूप

   उपर्युक्त में से कौन-सी जगह भित्ति-चित्रों के लिए भी जानी जाती है? **(CSE, 2013)**
   (a) केवल (i) (b) (i) और (ii)
   (c) ये सभी (d) इनमें से कोई नहीं

उत्तरमाला

1. (c) 2. (b) 3. (d) 4. (a) 5. (a) 6. (c) 7. (b) 8. (c)
9. (d) 10. (a) 11. (c) 12. (d) 13. (c) 14. (b)

यू.पी.एस.सी. विगत वर्षो के प्रश्न - मुख्य परीक्षा

1. 'वंशी बजाते कृष्ण' विषय-वस्तु भारतीय चित्रकला में बहुत लोकप्रिय है। चर्चा कीजिए। **(CSE, 2012)**
2. 'मधुबनी' कला और 'मंजूषा' कला या चित्रकला की 'राजस्थानी' शैली और चित्रकला की ''पहाड़ी'' शैली के बीच उनकी मुख्य विशेषताएँ स्पष्ट करते हुए अंतर बताइए। **(CSE, 2011)**
3. चित्रकला की बूँदी शैली की मुख्य विशेषताओं के संबंध में लिखिए। **(CSE, 1993)**
4. निम्नलिखित की मुख्य विशेषताओं के संबंध में लिखिए : **(CSE, 1990)**
   (a) चित्रकला की किशनगढ़ शैली
   (b) रवीन्द्रनाथ टैगोर का नव-कला आंदोलन
   (c) चित्रकला की काँगड़ा शैली
5. कला की प्राचीन शैली की उत्पत्ति और विकास पर संक्षिप्त टिप्पणी लिखिए। **(CSE, 1986)**
6. मुग़ल शैली की चित्रकला और राजपूत शैली की चित्रकला के बीच आधारभूत अंतर क्या हैं? **(CSE, 1985)**

8

भारतीय हस्तशिल्प

अध्याय की रूपरेखा

- काँच से निर्मित वस्तुएँ
- वस्त्रों पर हस्तशिल्प
- हाथीदाँत की शिल्पकला
- चाँदी के शिल्प
- मिट्टी के बर्तनों का काम
- कांस्य शिल्प
- अन्य धातु शिल्प
- चर्म उत्पाद
- काष्ठकारी
- विभिन्न प्रकार के खिलौने
- प्रस्तर पात्र
- फ़र्श पर कलाएँ

हस्तशिल्प उन सभी वस्तुओं का सम्मिलित रूप है, जिसकी निर्मिति और कारीगरी मानव हाथों के द्वारा की जाती है। ये विशेष रूप से आदिवासी और ग्रामीण समुदायों के लिए आजीविका और सांस्कृतिक विरासत दोनों का काम करते हैं। भारत के कुछ प्रमुख हस्तशिल्प हैं :

काँच से निर्मित वस्तुएँ

काँच बनाने का **पहला संदर्भ** हमें भारतीय महाकाव्य **महाभारत** में मिलता है। इसका पहला प्रमाण गंगा घाटी (1000 ईसा पूर्व) की **चित्रित धूसर मृद्‌भांड** संस्कृति में मिलता है, जहाँ सुंदर काँच के मनके पाये गये थे। *शतपथ ब्राह्मण* नामक वैदिक ग्रंथ में काँच के लिए प्रयुक्त शब्द *'काँच'* या *कच* है।

हमें इस संदर्भ में पुरातात्त्विक साक्ष्य महाराष्ट्र के **ब्रह्मपुरी** और **कोल्हापुर** में **काँच उद्योग** के रूप में मिले हैं, जो द्वितीय शताब्दी ईसा पूर्व से द्वितीय शताब्दी ईसवी के बीच प्रचलन में थे और यहाँ **लेंटीक्युलर (मसुर के दाने के आकार का) मनकों** का निर्माण किया जाता था। हमें संस्कृत ग्रंथ *व्यासयोगचरित* में **प्रारंभिक चश्मे** का भी संदर्भ मिलता है।

काँच के मनके

भारत के दक्षिणी भाग में, **मस्की (कर्नाटक में)** से भी काँच के पुरातात्त्विक साक्ष्य मिले हैं। अहार, हस्तिनापुर, अहिच्छत्र, एरण, उज्जैन और फ़िरोज़ाबाद में काँच के साक्ष्य मिले हैं। मुग़लों के शासनकाल में, काँच से बनी वस्तुओं को ख़ूब संरक्षण प्राप्त हुआ, जो शीश महल जैसे स्मारकों, हुक़्क़ा, इत्रदान और नक़्क़ाशीदार ग्लासों इत्यादि में दिखाई देते हैं।

वर्तमान में, काँच उद्योग विभिन्न रूपों में फैला हुआ है, जैसे-चूड़ियाँ (हैदराबाद का **'चूड़ी का जोड़ा'**), **झूमर** (फ़िरोज़ाबाद), **खिलौने** (सहारनपुर) और **टिकुली के मोती** (पटना)।

वस्त्रों पर हस्तशिल्प

विभिन्न प्रकार के उत्तम प्रकार के वस्त्रों के निर्माण का पता सिंधु घाटी काल से लगाया जा सकता है। सिंधु घाटी में वस्त्रों का उद्योग सुविकसित था। पुरातात्त्विक उत्खनन से प्रारंभिक कपास की खेती और वस्त्र उद्योग के प्रमाण मिलते हैं और ऋग्वेद में भी वस्त्रों का विस्तृत विवरण मिलता है। उस काल में बुनाई और रंगाई की कला संभवतः सुस्थापित थी। इसके प्रमाण चित्रकला, मूर्तियाँ और शिलालेख हैं। हड़प्पा और चन्हूदड़ो में पुरातात्त्विक खोजें तीसरी सहस्राब्दी ईसा पूर्व के दौरान रेशम उत्पादन (रेशम की खेती) और जंगली रेशम के उपयोग के अस्तित्व का संकेत देती हैं। अजंता के भित्ति चित्रों और लघु चित्रों में वस्त्र और कढ़ाई के प्रमाण मिले हैं।

वस्त्र पर हस्तशिल्प (Cloth Handicrafts)

- टाई ऐंड डाई (बाँधना और रँगना) (Tie and Dye)
- कढ़ाई
- बुनाई

टाई ऐंड डाई (बाँधना और रँगना) (Tie and Dye)

सबसे महत्त्वपूर्ण कलाओं में से एक *बँधानी* की कला है, जिसे अँगरेज़ी में **'टाई ऐंड डाई'** की तक़नीक के रूप में भी जाना जाता है। यह मुख्यतः राजस्थान, गुजरात, आंध्र प्रदेश और तमिलनाडु में प्रचलित है। इसमें बार-बार गाँठें लगाकर और रँगाई करके जीवंत डिज़ाइन तैयार किये जाते हैं।

कपड़े में लहरदार या तरंग जैसे पैटर्न बनानेवाली एक विशेष प्रकार की टाई ऐंड डाई तक़नीक को **लहरिया** कहते हैं। इसे सामान्यतः **जयपुर और जोधपुर** में बनाया जाता है। टाई ऐंड डाई का एक अन्य प्रकार, जिसे 'रँगाई की प्रतिरोध' विधि भी कहा जाता है, **'इकत'** कहलाती है। इस कार्य के प्रमुख केन्द्र **तेलंगाना, ओडिशा, गुजरात और आंध्र प्रदेश** हैं।

प्राचीन काल की अन्य शैलियाँ, जो अब भी प्रयोग में लायी जा रही हैं, इनमें प्रमुख है *क़लमकारी*–जिसमें गहरे रंग के वानस्पतिक रंगों का उपयोग कर कपड़े की हाथ से छपायी की कला का उपयोग किया जाता है। यह सामान्यतः **आंध्र प्रदेश** में प्रचलित है। **बटिक कला** में, कपड़े का एक छोर पिघले हुए मोम से रिसाया जाता है और इसके बाद बहुरंगी बटिक साड़ियों एवं दुपट्टे को बनाने के लिए कम तापमान पर रँगा जाता है। यह **मध्य प्रदेश और पश्चिम बंगाल** में प्रसिद्ध है। बटिक कला का उद्भव **इंडोनेशिया** से हुआ।

कुछ वस्त्र कलाएँ व्यापार के माध्यम से आयीं, जैसे-**तन्चोई रेशम**, जो चीनी बुनाई से प्रेरित था और अब वाराणसी में लघु चित्रों जैसे दिखनेवाले ब्रोकेड के रूप में परिष्कृत हो रहा है। एक और कला है बंगाल की जामदानी, जो पारदर्शी आधार पर अपारदर्शी डिज़ाइनोंवाली मलमल की बुनाई करती है।

अन्य टाई ऐंड डाई, कपड़ा चित्रकारी तथा कपड़ा छपायी के अन्य प्रकार --------------------> **परीक्षोपयोगी**

नाम	मुख्य उत्पादन क्षेत्र	विवरण
पागदु बंधु (चितकी) टाई ऐंड डाई	आंध्र प्रदेश	इसे एक इंडोनेशियन नाम **इकत** से भी जाना जाता है। इस टाई-डाई प्रक्रिया में, कपड़े को पहले बुना जाता है और फिर कपड़े पर प्रतिरोधी बाइंडिंग लगायी जाती है, जिसे बाद में रँगा जाता है। इकत शब्द इंडोनेशियाई भाषा बहासा के शब्द मेन्गीकात (MENGICAT) से बना है।

नाम	मुख्य उत्पादन क्षेत्र	विवरण
तेलिया रूमाल (Resist Dye Textile) (GI)	चिराला, आंध्र प्रदेश	इसका शाब्दिक अर्थ है **''तैलीय रूमाल''**, जहाँ **कपड़े को तैलीय बनाने के लिए** एलिज़रीन रंगों का उपयोग किया जाता है।
चम्बा रूमाल (GI)	हिमाचल प्रदेश	यह चम्बा राज्य के शासकों का बूटेदार हस्तशिल्प है।
अजरख छपाई	गुजरात	यह एक ब्लॉक-प्रिंटेड टेक्सटाइल है, जो **इंडिगो और मैडर** सहित प्राकृतिक रंगों का उपयोग करते हुए **प्रतिरोधी डाई** किया जाता है। यह मुख्य रूप से कच्छ क्षेत्र में **खत्री** समुदाय द्वारा किया जाता है।
माता नी पछेड़ी (Ritual Cloth Painting)	गुजरात	इसका शाब्दिक अर्थ है **'देवी के पीछे'**। यहाँ इस्तेमाल किया जानेवाला मुख्य रंग **लाल** है।
थिगमा (Tie resist dyeing)	जम्मू और कश्मीर	ऊनी कपड़े को रँगने के लिए प्राकृतिक सामग्री का उपयोग किया जाता है, जैसे-स्याह रंग के लिए सूत और भूरे रंग के लिए सेब के भीतरी हिस्से और प्याज़ के छिलके का उपयोग किया जाता है। मुख्य केंद्र **नुब्रा घाटी** है।
जादो पटुआ पेंटिंग	झारखंड	पटुआ का अर्थ है कटावदार डिज़ाइन **स्क्रॉल**, जिस पर पेंटिंग्स को **जादो समुदाय** द्वारा चित्रित किया गया है।
पिछवई पेंटिंग्स	राजस्थान	पोर्ट्रेट पेंटिंग मुख्य रूप से एक कपड़े या काग़ज़ पर **भगवान् कृष्ण** पर आधारित है। यह **नाथद्वारा (राजस्थान)** में श्रीनाथजी मंदिर के आस-पास उन्नत है।
दाबू छपायी (Mud resist hand block)	चित्तौड़गढ़ राजस्थान	यह मिट्टी पर लकड़ी के साँचे से आकृति उकेरकर उसे कपड़े पर छापने की एक बहुत अनोखी एवं प्राचीन प्रिंटिंग तक़नीक है।
मुथांगी (Pearl studded attire)	तमिलनाडु	इस प्रकार की पोशाक मुख्य रूप से मूर्तियों के लिए बनायी जाती है।
मदुरै सुंगुडी (Tie Resist Dyeing) (GI)	तमिलनाडु	सुंगड़ी पारंपरिक टाई और डाई तक़नीक है।
ढालापत्थर परदा और कपड़े (GI)	ओडिशा	ओडिशा के **रँगानी** समुदाय द्वारा।
कोटपाड़ हैंडलूम फ़ैब्रिक (GI)	ओडिशा	इसके डिज़ाइन बतख़, हाथ के पंखे, फूल, पालकी, मछली, जानवर आदि के ज्यामितीय पैटर्न से लिये गये हैं।

भारत की पारंपरिक शॉलें

नाम	मुख्य उत्पादन क्षेत्र	विवरण
कानी शॉल (GI)	जम्मू और कश्मीर	यह **तिब्बत और लद्दाख** के जंगली पहाड़ी बकरियों के उदर से एकत्रित नाज़ुक **पश्मीना ऊन** से बना होता है।
टाँगलिया शॉल (GI)	गुजरात	यह हाथ से बुना बिंदुदार कपड़ा है। (डांगसिया समुदाय द्वारा)
कच्छ शॉल (GI)	गुजरात	यह शॉल मुख्य रूप से कच्छ क्षेत्र में वंकार और मेघवाल समुदाय द्वारा बनायी जाती है। एक्रीलिक ऊन से बनी शॉल को आद्योपांत एक ठोस चमकीले रंग से रँगा जाता है।
किन्नौरी शॉल (GI)	हिमाचल प्रदेश	इसका विनिर्माण मुख्य रूप से किन्नौर ज़िले में होता है और यह अपनी जटिल **ज्यामितीय** डिज़ाइन के लिए प्रसिद्ध है।
कुल्लू शॉल (GI)	हिमाचल प्रदेश	मुख्य रूप से कुल्लू घाटी में उत्पादित ऊनी कपड़ा है। इस की शॉल पर मुख्य रूप से **ज्यामितीय** डिज़ाइन देखने को मिलती है।
चक्षेसांग शॉल (GI)	नागालैंड	यह शॉल कपास और बिछुआ, दक्कन जूट और डेब्रेज पेड़ की छाल जैसे प्राकृतिक रेशों से बनायी जाती है। इसका नाम चक्षेसांग जनजाति के नाम पर रखा गया है।
पुथुक्कुली शॉल	तमिलनाडु	यह शॉल आमतौर पर नीलगिरि पहाड़ियों के **टोडा आदिवासी समुदाय** द्वारा बनायी जाती है। यह शॉल टोडा कढ़ाई से सुशोभित होती है।

भारत की पारंपरिक प्रांतीय साड़ियाँ

परीक्षोपयोगी

नाम	मुख्य उत्पादन क्षेत्र	विवरण
पोचमपल्ली (GI)	भूदान पोचमपल्ली	जटिल रूपांकनों और रँगाई की इकत ज्यामितीय शैली से युक्त रेशम एवं सूत की साड़ियाँ। एयर इंडिया एयरलाइंस का कर्मी दल यह साड़ी पहनता है।
पटोला (GI)	पाटन, गुजरात	समृद्ध हस्तशिल्प साड़ियाँ।
बालूचूरी (GI)	मुर्शिदाबाद, पश्चिम बंगाल	अपने किनारे और पल्लू पर प्राचीन कथाएँ दर्शाती हैं। रेशम के धागों का बड़े पैमाने पर उपयोग किया जाता है।
तनचोई ज़री का काम	उत्तर प्रदेश में वाराणसी	बनारसी साड़ी का एक प्रकार, जिसमें रेशम के कपड़े की बुनाई तक़नीक में इकहरा या दोहरा ताना होता है एवं बाने पर दो से पाँच रंग होते हैं। बनारसी तंचोई की कई अलग-अलग क़िस्में हैं, जैसे- साटन तंचोई, साटन ज़री तंचोई, एटलस या गिल्ट और मुशब्बर।
चंदेरी (GI)	मध्य प्रदेश	पंख से भी हलका कपड़ा बनाने के लिए रेशम, ज़री और सूत को एकसाथ मिलाकर बुना जाना। यह पारदर्शी साड़ी होती है।
इल्कल (GI)	बागलकोट, कर्नाटक	रथ और हाथी के आम रूपांकनों के साथ कसूती कढ़ाई का प्रयोग किया जाता है।
ताँत	पश्चिम बंगाल	कड़कीला कपास, छपायी की हुई साड़ी होती है।
नौवारी	महाराष्ट्र	नौ गज़ की साड़ी, जो कशता साड़ी के रूप में भी जानी जाती है।
बोमकाई (GI)	ओडिशा	इकत, कढ़ाई एवं जटिल कशीदाकारी से युक्त रेशम एवं सूत की साड़ी। बोमकाई का उत्पादन मुख्य रूप से सुबरनपुर के भुलिया समुदाय द्वारा किया जाता है।
कोनराड	तमिलनाडु	कपड़े में आमतौर पर या तो धारियाँ या चारख़ाने होते हैं, चौड़ा किनारा होता है। पशुओं और प्राकृतिक तत्त्वों के रूपांकन होते हैं, इसे मंदिर साड़ी भी कहा जाता है।
कोसा	छतीसगढ़	एक प्रकार की रेशमी साड़ी होती है।
पैठणी (GI)	महाराष्ट्र	सुनहरे रंग के धागे से कढ़ाई की गयी एवं तोते के रूपांकनों से युक्त साड़ी होती है।
क़लमकारी (GI)	आंध्र प्रदेश	इस प्रकार की चित्रकारी करने के लिए क़लम का प्रयोग किया जाता है। इसकी दो प्रमुख शैलियाँ हैं - श्रीकलाहस्ती शैली और मछलीपट्टनम/पेडाना शैली। इन दोनों ही शैलियों को GI का दर्जा मिला है।
कसवु	केरल	मोटे सुनहरे किनारे की विशिष्टता से युक्त साड़ी।
दाबू	चित्तौड़गढ़ (राजस्थान)	दाबू सूती कपड़े पर प्रयोग की जानेवाली, मिट्टी पर लकड़ी के साँचे से डिज़ाइन उकेरकर उसे कपड़े पर छापने की प्राचीन तक़नीक है।
जामावर	जम्मू-कश्मीर	कपड़े के मूल आधार के रूप में आमतौर पर कपास या ऊन का प्रयोग किया जाता है। ज़रीवाले भाग (ब्रोकेड) को रेशम या पश्मीना से बुना जाता है। एक जामावर की जटिल बुनाई में कई महीनों की मेहनत शामिल होती है।
उप्पद जामदानी साड़ी (GI)	पूर्वी गोदावरी ज़िला, आंध्र प्रदेश	कच्चे माल के रूप में **शुद्ध ज़री** के साथ **सबसे अच्छे रेशम** का उपयोग किया जाता है। जामदानी साड़ी एक फ़ारसी शब्दावली है, जिसमें **जाम का अर्थ फूल** और **दानी का अर्थ वास** है।
जामदानी	पश्चिम बंगाल	पारदर्शी पृष्ठभूमि पर बुना हुआ अपारदर्शी पैटर्नवाला उत्तम प्रकार मलमल।
वेंकटगिरी साड़ी (GI)	आंध्र प्रदेश	साड़ी को **पल्लू और किनारे में ज़री** के साथ अलंकृत किया जाता है। अतिरिक्त **बुनकारीवाले डिज़ाइनों** की बुनाई के लिए **जैक्वाड्र्स (Jacquards)** का उपयोग किया जाता है। आमतौर पर, **नरम और पेस्टल रंगों** का उपयोग साड़ी में किया जाता है।
कोटपाड़ साड़ी (GI)	ओडिशा	सूती धागे की रँगाई में **प्राकृतिक मद्दार** का उपयोग **कोटपाड़** उत्पादों की ख़ूबी है। इसके डिज़ाइन मुख्य रूप से **बतख़, हाथ के पंखे, फूल, पालकी, मछली** आदि से प्रेरित है।
ढाकाई साड़ी	पश्चिम बंगाल	यह या तो किनारी और पल्लू अथवा जाल की डिज़ाइन में सादे केंद्रवालीं विभिन्न शैलियाँ हैं और कभी-कभी नदी की लय के समान आड़ी-तिरछी बहतीं रेखाएँ होती हैं।

नाम	मुख्य उत्पादन क्षेत्र	विवरण
नीलांबरी साड़ी	पश्चिम बंगाल	तारे जैसे फूलों, चाँदनी रहित रात द्वारा संगठित नीले-काले रंग में मध्यरात्रि की पृष्ठभूमि।
भागलपुरी रेशमी साड़ी (GI)	बिहार	**तसर** या **टसर रेशम** की साड़ी में अद्वितीय रँगाई तक़नीक शामिल होती है।
संबलपुरी साड़ी (GI)	ओडिशा	**तसर** या **टसर रेशम** और मुलायम कपास से बनी होती हैं।
जामनगरी बँधनी साड़ी (GI)	गुजरात	यह बहुत ही रंग-विरंगी और देखने में आकर्षक साड़ी होती है।

कढ़ाई कला

वस्त्रों पर प्रयुक्त कला में धागे या लकड़ी के ब्लॉकों का उपयोग करके उभरी हुई डिज़ाइन बनाने की कला अद्वितीय है। इस कला को कढ़ाई कहा जाता है। इसे सुई की सहायता से कपड़े पर सोने, चाँदी, रेशम या कपास के धागों का उपयोग करके बनाया जाता है। कढ़ाई की कई प्रकार की कलाएँ होती हैं तथा इसकी एक सूची इस अध्याय में बाद के हिस्से में दी गयी है।

गोटापट्टी प्रतिरूप

ऐपलिक *(गोटापट्टी) या पिपली* के काम जैसी कढ़ाई ओडिशा के पिपली गाँव में प्रचलित हैं। यह कढ़ाईयुक्त रंगीन कपड़े के बने टुकड़े का एक प्रकार है, जिसे एक खण्ड बनाने के लिए एक साथ सिल दिया जाता है। वे इस तक़नीक का उपयोग सुंदर लैंप बनाने के लिए करते हैं। एक अन्य प्रसिद्ध तक़नीक **फुलकारी** कहलाती है, जिसका शाब्दिक अर्थ 'फूल बनाना' है। इस प्रक्रिया में कपड़े पर रंगीन पुष्प सदृश पैटर्न बनाने के लिए रफ़ू की तक़नीक का उपयोग किया जाता है। इसका पंजाब, हरियाणा और दिल्ली में उत्पादन किया जाता है।

बाघ (पंजाब) जैसी नवीन तक़नीकें पुष्प सदृश पैटर्न बनाने के लिए हरे रंग के कपड़े पर कढ़ाई करने के लिए रेशम के धागे का उपयोग किया जाता है। **गोटा** (राजस्थान) जैसी अन्य तक़नीकों में कढ़ाई करने और कपड़े पर पिपली सदृश पैटर्न बनाने के लिए सोने के धागे का उपयोग किया जाता है। खंडेला और जयपुर **ज़री** के काम के लिए दो प्रसिद्ध केंद्र हैं। ज़री से संबंधित **''कारचोबी''** (राजस्थान) एक अन्य तक़नीक है। इसे धातु के धागे के पैटर्न की भाँति उभरी हुई ज़री बनाने के लिए रुई के ऊपर समतल टाँके सिलकर बनाया जाता है।

चिकनकारी कढ़ाई, **लखनऊ** की संस्कृति और कपड़ा बनाने की प्रक्रिया को परिभाषित करती है। इसमें फूल और अन्य सुंदर पैटर्न बनाने के लिए सफ़ेद धागे का उपयोग किया जाता है। इसे सूती कपड़े कपास, *मलमल* के सूती कपड़े, पॉलिएस्टर और महीन कपड़े, जैसे विभिन्न प्रकार के कपड़ों पर किया जा सकता है।

कश्मीर **कशीदाकारी** की महीन कारीगरी के लिए प्रसिद्ध है। इसे सामान्यत: प्रसिद्ध **कश्मीरी** शॉल पर किया जाता है।

बनारसी ज़री का काम, साड़ियों पर अपने चाँदी एवं सोने के ज़री (कढ़ाई) के काम के लिए प्रसिद्ध है। इनमें पुष्पीय रूपांकन होते हैं और सामान्य रूप से रेशम की साड़ियों का उपयोग किया जाता है। इसे बनाने में 2–8 सप्ताह का समय लगता है।

मध्य काल के दौरान मुस्लिम शासकों के दरबारों में शाही परिधानों और शॉलों के लिए **हिमरू** सामग्री का उपयोग किया जाता था। आज भी **हिमरू** शालें बहुत लोकप्रिय हैं। वे औरंगाबाद (महाराष्ट्र) में बनायी जाती हैं।

मध्यप्रदेश की शाही **महेश्वरी साड़ियों** में भी सूती एवं रेशमी धागों के मिश्रण का उपयोग किया जाता है। वे स्वर्णिम ज़री के काम से अलंकृत होती हैं। वे अपने **पलटवाँ किनारों** के लिए प्रसिद्ध हैं, जिसे दोनों ओर से पहना जा सकता है।

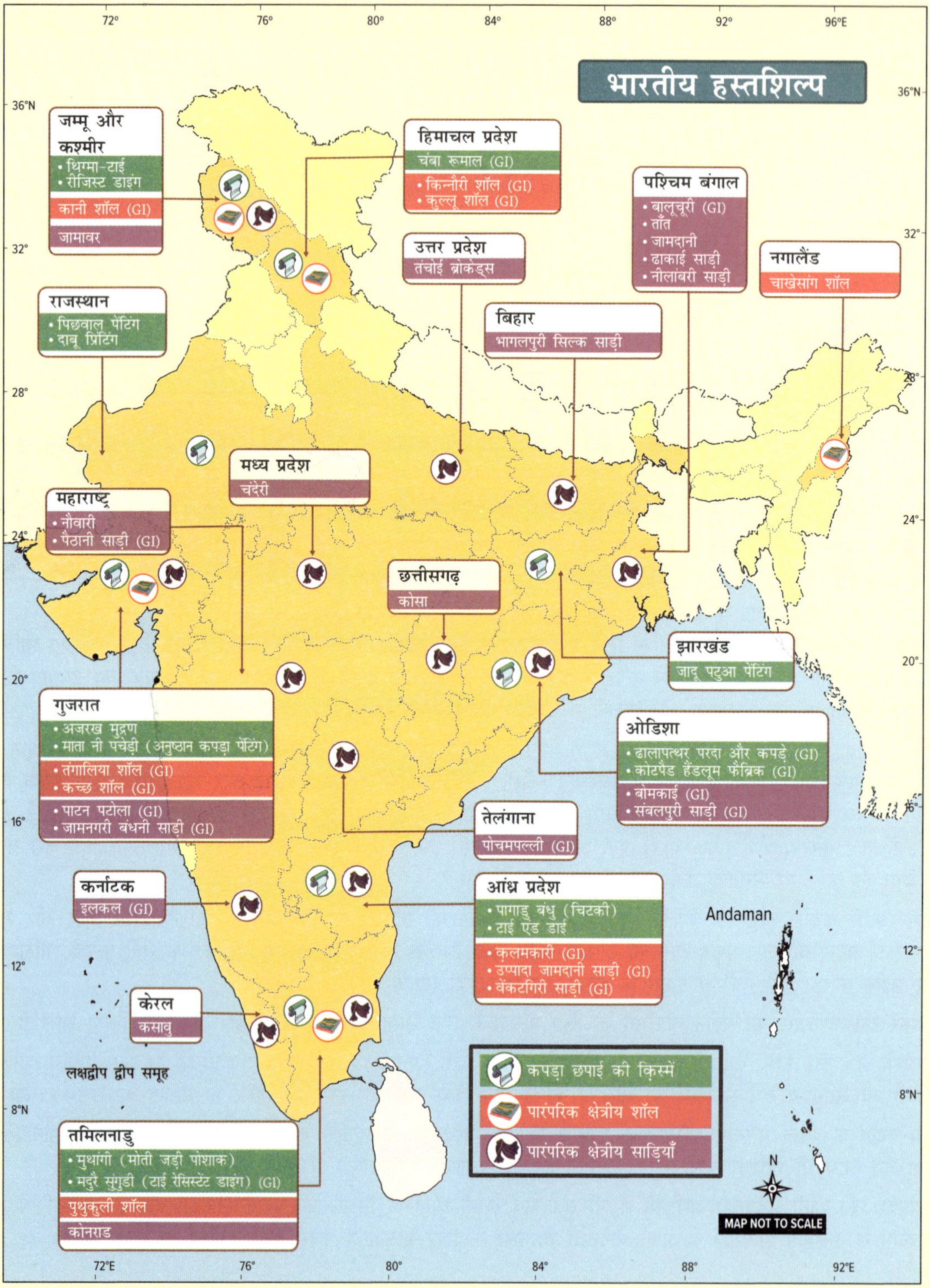
भारतीय हस्तशिल्प
जम्मू और कश्मीर
• थिग्मा-टाई
• रीजिस्ट डाइंग
कानी शॉल (GI)
जामावर
हिमाचल प्रदेश
चंबा रूमाल (GI)
• किन्नौरी शॉल (GI)
• कुल्लू शॉल (GI)
पश्चिम बंगाल
• बालूचूरी (GI)
• ताँत
• जामदानी
• ढाकाई साड़ी
• नीलांबरी साड़ी
उत्तर प्रदेश
तंचोई ब्रोकेड्स
नगालैंड
चाखेसांग शॉल
राजस्थान
• पिछवाल पेंटिंग
• दाबू प्रिंटिंग
बिहार
भागलपुरी सिल्क साड़ी
मध्य प्रदेश
चंदेरी
महाराष्ट्र
• नौवारी
• पैठानी साड़ी (GI)
छत्तीसगढ़
कोसा
झारखंड
जादू पटुआ पेंटिंग
गुजरात
• अजरख मुद्रण
• माता नी पचेड़ी (अनुष्ठान कपड़ा पेंटिंग)
• तंगालिया शॉल (GI)
• कच्छ शॉल (GI)
• पाटन पटोला (GI)
• जामनगरी बंधनी साड़ी (GI)
ओडिशा
• ढालापत्थर परदा और कपड़े (GI)
• कोटपैड हैंडलूम फैब्रिक (GI)
• बोमकाई (GI)
• संबलपुरी साड़ी (GI)
तेलंगाना
पोचमपल्ली (GI)
कर्नाटक
इलकल (GI)
आंध्र प्रदेश
• पागाडु बंधु (चिटकी)
• टाई एंड डाई
• कलमकारी (GI)
• उप्पादा जामदानी साड़ी (GI)
• वेंकटगिरी साड़ी (GI)
Andaman
केरल
कसावु
लक्षद्वीप द्वीप समूह
कपड़ा छपाई की किस्में
पारंपरिक क्षेत्रीय शॉल
पारंपरिक क्षेत्रीय साड़ियाँ
तमिलनाडु
• मुथांगी (मोती जड़ी पोशाक)
• मदुरै सुंगुडी (टाई रेसिस्टेंट डाइंग) (GI)
पुथुकुली शॉल
कोनराड
N
MAP NOT TO SCALE

चंबा रूमाल (हिमाचल प्रदेश) पहाड़ी चित्रकला का प्रभाव दर्शाते हैं, जिन पर कृष्ण और प्रकृति पर आधारित कढ़ाई की जाती है तथा इन्हें अक्सर विवाह के अवसर पर उपहार के रूप में दिया जाता है।

गुजरात में कच्छ **दर्पण द्वारा** की गयी कढ़ाई के लिए जाना जाता है, जिसे **शीशा** कहा जाता है, जिसमें हेरिंगबोन (लहरदार बारीक बख़िया) एवं साटन की सिलाई का प्रयोग करके दर्पण के छोटे टुकड़ों को कपड़े में लगाया जाता है।

मणिपुर में, विवाह जैसे शुभ अवसरों पर महिलाओं द्वारा पहनी जानेवाली **फनेक** (पारंपरिक शाल) पर गहरे रंगों में नाज़ुक मूंगा रेशम के धागे से कढ़ाई की जाती है।

कशीदा कढ़ाई

कर्नाटक की लोक कढ़ाई **कसूती** में आड़ी-तिरछी सिलाई में सुंदर ज्यामितीय आकृतियाँ उकेरी जाती हैं। वे हाथ से बुनी हुई होती हैं और संभवत: चालुक्य काल से संबंधित हैं।

भारत की प्रसिद्ध कढ़ाइयों की एक सूची --> **परीक्षोपयोगी**

कढ़ाई का नाम	मुख्य उत्पादन क्षेत्र	विवरण
चिकनकारी	लखनऊ, उत्तर प्रदेश	सबसे पहले कपड़े पर पैटर्न को ब्लॉक छपायी द्वारा बनाया जाता है, उसके बाद पैटर्न के साथ कढ़ाई के टाँके लगाये जाते हैं। अंततः तैयार टुकड़े को छपायी के निशान हटाने के लिए धोया जाता है।
नक़्शी काँथा (GI)	पश्चिम बंगाल	**काँथा** की कढ़ाई करने के लिए प्रयोग किये जानेवाले धागे को आमतौर पर उपयोग किये गये कपड़े के किनारों के धागों से लिया जाता है और इसमें विभिन्न प्रकार के रूपांकनों का उपयोग किया जाता है।
फुलकारी (GI)	पंजाब, हरियाणा और राजस्थान	**पुष्पीय रूपांकनों** की कढ़ाई, जिसमें हलके रंग के कपड़े पर चमकीले रंगों का वैषम्य निर्मित किया जाता है। कढ़ाई के टाँके कपड़े के विपरीत पक्ष पर लगाये जाते हैं।
बाग़	पंजाब	यह फुलकारी के समान होती है, लेकिन इसमें कढ़ाई का काम कपड़े की **पूरी सतह** पर होता है। **नोट :** मध्य प्रदेश का धार ज़िला व उसके आस-पास का क्षेत्र भी बाग़ प्रिंट के लिए प्रसिद्ध है।
ज़रदोज़ी (GI)	उत्तर प्रदेश	इसमें सोने, चाँदी या ताँबे के तारों एवं रेशम के धागों के संयोजन का उपयोग किया जाता है।
कशीदाकारी	जम्मू एवं कश्मीर	**पुष्पीय प्रतिमानों**वाले सरल शृंखला के टाँके (साधारण चैन स्टिच)। मानव और पशु आकृतियाँ सामान्य रूप से अनुपस्थित होती हैं।
आरी	गुजरात	लंबी हुकयुक्त सुई, जिसे क्रोशिया कहते हैं, का उपयोग करके सरल शृंखला टाँकों के सूक्ष्म, संकेंद्री वलयों के रूप में निर्मित की जाती है एवं इसमें पुष्पीय रूपांकनों का उपयोग किया जाता है।
शीशे का काम	राजस्थान, हरियाणा और गुजरात	विभिन्न आकारों और माप के शीशे के छोटे टुकड़ों का प्रयोग, जिन्हें रंग-बिरंगी कढ़ाई के बीच सिला जाता है।
धारणिया	गुजरात	घरों में उपयोग की जानेवाली कढ़ाई युक्त **दीवार हैंगिंग**।
हीर	गुजरात	रेशम से बनाये गये मोटे ज्यामितीय पैटर्न।
गोटा	राजस्थान	**सोने की ज़री के फ़ीतों** के छोटे टुकड़े कपड़े पर लगाये जाते हैं, जिनके किनारे विस्तृत पैटर्न का निर्माण करने के लिए सिल दिये जाते हैं।
अक्षिदा	बिहार	बाग़ के समान।
कसूती (GI)	कर्नाटक	कसूती को एकल धागे से किया जाता है और इसमें कपड़े पर **प्रत्येक धागे की गिनती** की जाती है। पैटर्न के टाँके बिना गाँठों के लगाये जाते हैं, **ताकि कपड़ा दोनों तरफ़ से एक समान दिखायी दे।**

कढ़ाई का नाम	मुख्य उत्पादन क्षेत्र	विवरण
रबारी	गुजरात	गुजरात की **रबारी जनजाति** द्वारा की जानेवाली कढ़ाईदार **पशुओं** की सजावट।
शामिलामी	मणिपुर	इसमें बुनाई और कढ़ाई दोनों मिश्रित होती हैं।
फूल-पत्ती का काम	अलीगढ़, उत्तर प्रदेश	कढ़ाई में **फूल की पंखुड़ियों** एवं **पत्तियों** का रूपांकनों के रूप में उपयोग किया जाता है।
टोडा (GI)	तमिलनाडु की टोडा जनजातियाँ	काँथा काम के समान।
बन्नी	गुजरात	**लोहाना समुदाय** द्वारा ज्यामितीय रूपांकनों के लिए काँच के काम सहित रेशम (लोमक) का उपयोग।
बंजारा	आंध्र प्रदेश की लंबाडा जनजाति एवं मध्यप्रदेश की बंजारा जनजाति।	शीशे और काँच के मोती के काम के साथ पीपली (ऐपलिक) तक़नीक का प्रयोग।
मुकेश/बादला/फर्दी	उत्तर प्रदेश	पूरे कपड़े पर प्रतिमान बनाने के लिए **पतले घुमावदार धात्विक धागे** का उपयोग किया जाता है।
कारचोबी	राजस्थान	कपास की गद्दी पर सादे टाँके लगाकर उठी हुई ज़री की धात्विक कढ़ाई।
पिपली (GI)	पिपली गाँव, ओडिशा	पैचवर्क पर आधारित, जिसमें चमकीले रंग के एवं विभिन्न प्रतिमानों के कपड़े के टुकड़े, सादी पृष्ठभूमि पर आपस में सिल दिये जाते हैं।
खटवा एप्लिक वर्क (GI)	बिहार	यह पिपली और पैचवर्क आमतौर पर वॉल हैंगिंग, शामियाना, साड़ी, दुपट्टे, कुशन कवर आदि में पाया जाता है।
लम्बानी (GI)	संडुर, कर्नाटक	यह महिलाओं द्वारा की गयी एक अनूठी शिल्पकला है।
सोज़नी (GI)	जम्मू और कश्मीर	इस प्रकार की कढ़ाई को **दोरुखा** भी कहा जाता है। यहाँ रूपांकनों को साटन स्टिच में बनाया जाता है और दोनों तरफ़ समान रूप से काम किया जाता है, लेकिन वें रंगों में अलग होते हैं।
सुजनी (GI)	बिहार	आमतौर पर इस्तेमाल किया जानेवाला **बेस फ़ैब्रिक लाल या सफ़ेद** होता है। मुख्य रूपांकन (मोटिफ़) की रूपरेखा को **मोटी चेन सिलाई** के साथ सुशोभित किया जाता है।
गारा	गुजरात	यह जटिल कार्य **पारसियों** द्वारा शुरू किया गया था, जो **चीन से** यह तक़नीक लाये थे। गारा में पहले एक काग़ज़ पर डिज़ाइन बनाकर साड़ी पर डिज़ाइन ट्रेस करना शामिल है।
किमख़ाब	वाराणसी (उत्तर प्रदेश)	यह एक प्रकार का भारी ब्रोकेड है, जो रेशम और सोने के धागों से बुना जाता है। सोने के धागे को **कलाबत्तू** कहा जाता है।
डोंगरिया स्कार्फ़ – कपड़ागंधा	ओडिशा	**डोंगरिया कंध जनजाति** की महिलाएँ एक स्कार्फ़ बुनती हैं, जो **कपड़ागंधा** कहलाता है, जिसे वे लाल रंग की बॉर्डरवाली सफ़ेद साड़ी के ऊपर पहनती हैं।
फुलकारी (फूल बनाना)	पंजाब, हरियाणा और दिल्ली	यह कपड़े पर रंग-बिरंगे फूलों जैसे डिज़ाइन बनानेवाली रफ़ू की एक तकनीक है।
बाग़	पंजाब	इसमें हरे कपड़े पर फूलों जैसे डिज़ाइन बनाने के लिए रेशम के धागों का प्रयोग करते हैं।
चिकनकारी या चिकन की कढ़ाई	लखनऊ	यह एक पारंपरिक लखनऊ शिल्प है, जिसमें सफ़ेद धागे का उपयोग करके सूती, मलमल, पॉलिएस्टर और वॉयल जैसे कपड़ों पर पुष्प और जटिल पैटर्न बनाये जाते हैं।
बनारस ब्रोकेड	उत्तर प्रदेश	यह रेशमी साड़ियों पर पुष्प आकृतिवाले सोने और चाँदी के ज़री के काम के लिए जाना जाता है, जिसे बुनने में दो से आठ सप्ताह लगते हैं।
हिमरू	औरंगाबाद, महाराष्ट्र	एक शानदार कपड़ा, जो कभी मध्यकालीन मुस्लिम दरबारों में शाही पोशाक के लिए पसंद किया जाता था, आज भी बुना जाता है और अपने शॉलों के लिए बेशक़ीमती है।
माहेश्वरी साड़ियाँ	मध्य प्रदेश	यह सूती-रेशम मिश्रण और सुनहरी ज़री से बुना जाता है और अपने उलटने योग्य किनारों के लिए प्रसिद्ध है, जिन्हें दोनों तरफ़ पहना जा सकता है।
चंबा (रूमाल)	हिमाचल प्रदेश	इसमें पहाड़ी चित्रकला का प्रभाव दिखाई देता है, जिसमें कृष्ण पर आधारित और प्रकृति से प्रेरित कढ़ाई की जाती है, जिसे अक्सर शादी के उपहार के रूप में दिया जाता है।

कढ़ाई का नाम	मुख्य उत्पादन क्षेत्र	विवरण
शीशा	गुजरात में कच्छ	यह अपनी दर्पण कढ़ाई के लिए जाना जाता है, जिसमें दर्पण के छोटे टुकड़ों को हेरिंगबोन और साटन सिलाई का उपयोग करके कपड़े पर लगाया जाता है।
मूँगा रेशमी धागा	मणिपुर	गहरे रंगों में कोमल कढ़ाई, विवाह जैसे शुभ अवसरों पर महिलाओं द्वारा पहने जानेवाले फानेक (पारंपरिक शॉल) के किनारों को सुशोभित करती है।

भारत में विभिन्न प्रकार की बुनाई

बुनाई का नाम	मुख्य उत्पादन क्षेत्र	विवरण
पट बुनाई	बस्तर, छत्तीसगढ़	इस तरह की साड़ी मुख्य रूप से आदिवासी महिलाओं द्वारा उपयोग की जाती है।
मशरू बुनाई	गुजरात	यह **रेशम और सूती** वस्त्रों का हाथ से बुना हुआ मिश्रण है।
बोहरा टोपी बुनाई 	गुजरात और मध्य प्रदेश	यह आधार के रूप में एक एल्युमीनियम के बर्तन का उपयोग करके बनाया जाता है, क्रोशे द्वारा केंद्र से शुरू किया जाता है और कोर से बाहरी किनारे तक एक सर्पिल रूप में आगे बढ़ता है। यहाँ **ज्यामितीय और पुष्पीय दोनों पैटर्न** बनाये जाते हैं।
पटकु बुनाई	गुजरात	पटकु एक टाई-डाई कपड़ा है, जो एक गड्ढे/करघा का इस्तेमाल करके बुना जाता है।
क्रोशे वर्क	आंध्र प्रदेश	यह एक क्रोशे हुक का उपयोग करके यार्न, धागा या अन्य सामग्री की क़िस्मों को इंटरलॉकिंग करके कपड़े बनाने की एक प्रक्रिया है।
पट्टू बुनाई	राजस्थान	यह मुख्य रूप से **ऊनी वस्त्रों** पर की जाती है। पट्टू के धागे **ऊँट या भेड़** की ऊन से बने होते हैं।
वांगखेई फे (पारंपरिक बुनाई) (GI)	मणिपुर	इसके लिए बहुत महीन **सफ़ेद रुई** का इस्तेमाल किया जाता है। पारदर्शी कपड़े पर डिज़ाइन बनाकर तैयार किया जाता है।
शाफी लैंफी बुनाई (GI)	मणिपुर	इस पारंपरिक कपड़े को **शॉल** के रूप में बुना जाता है। **मेइती महिलाएँ** आमतौर पर इस प्रकार के शॉल को बनाती हैं।

यूनेस्को ने वर्ष 2022 में भारत के 50 विशिष्ट और प्रतिष्ठित विरासत वस्त्र शिल्पों की सूची जारी की है। UNESCO के अनुसार, उचित सूची और दस्तावेज़ीकरण के अभाव के कारण दक्षिण एशिया में अमूर्त सांस्कृतिक विरासत को सुरक्षित रखना उनकी सबसे बड़ी बाधाओं में से एक था।

प्रकाशन, **इक्कीसवीं सदी के लिए हस्तनिर्मित :** पारंपरिक भारतीय वस्त्र की सुरक्षा में वस्त्रों के पीछे के इतिहास को सूचीबद्ध किया गया है तथा उनके उत्पादन की प्रक्रिया, लोकप्रियता और संरक्षण के बारे में बताया गया है।

दरी (फ़्लोर मैट) की बुनाई

प्रकार	उत्पादन क्षेत्र
मुसल्ला ग़लीचा	आंध्र प्रदेश
नमदा झुकी ऊन का ग़लीचा	गुजरात
क़ालीन : नॉटेड क़ालीन (Knotted Carpets)	जम्मू और कश्मीर
ख़बदान : पाइल क़ालीन (Pile Carpets)	जम्मू और कश्मीर
नवलगुंद दरी	कर्नाटक
पंजा दरी	पंजाब, राजस्थान
जमकालम (भवानी दरी)	कोयंबटूर, तमिलनाडु

UNESCO द्वारा स्वीकृत कुछ प्रतिष्ठित हस्तनिर्मित वस्त्र हैं :

वस्त्र का नाम	स्थान	विवरण
खेस	पानीपत, हरियाणा	इन्हें ख़ानेदार डिज़ाइन में सूती धागे के साथ डबल-कपड़े की बुनाई में बुना जाता है।
चम्बा रुमाल	हिमाचल प्रदेश	यह एक कढ़ाईदार हस्तशिल्प है, जिसे चंबा साम्राज्य के पूर्व शासकों के संरक्षण में बढ़ावा दिया गया था। वर्तमान में यह सामान्यतः विवाह के दौरान चमकीली रंग-योजनाओं में विस्तृत पैटर्न के साथ प्रस्तुत किया जाता है।
थिग्मा या ऊनी बाँधना और रँगाई	लद्दाख	यह मुख्य रूप से नुब्रा घाटी, लद्दाख में तैयार किया गया है। थिग्मा शब्द की उत्पत्ति 'थिटू' या बिंदु शब्द से हुआ है। कपड़े को चिकोटा किया जाता है और उस हिस्से को धागे से कसकर बाँध दिया जाता है।

वस्त्र का नाम	स्थान	विवरण
अवध जामदानी	वाराणसी, उत्तर प्रदेश	जामदानी एक हलका और पारभासी कपड़ा है, जो **पुष्पीय पैटर्न** के साथ सूती ब्रोकेड से बना है।
बंधा बाँधना और रँगना	संबलपुर, ओडिशा	कपड़ा ताने और बाने के धागों को बाँधने की प्रक्रिया से बनाया जाता है। इसमें प्रयुक्त किया गया प्रत्येक रंग **जगन्नाथ पंथ** की प्रतीकात्मक अवधारणा को दर्शाता है। ऐसा माना जाता है कि ये रंग वेदों के अतीत, वर्तमान और भविष्य को दर्शाते हैं।
सिकल्नायकनपेट क़लमकारी	तंजावुर, तमिलनाडु	इसमें **आलंकारिक रूपांकनों को जटिल किनारों के साथ काली रूपरेखा** द्वारा सजाया गया है। इसे **चिथिरा पद्म** के नाम से भी जाना जाता है (चिथिरा का अर्थ 'चित्र' है और यहाँ पद्म का अर्थ 'निशान' है)। इसे सबसे पहले तंजावुर के पहले नायक शासक **सेवप्पा नायक** ने संरक्षण दिया था।
मशरू बुनाई और पटोला	गुजरात	अरबी में 'मशरू' का अर्थ 'इजाज़त' होता है। उस समय शुद्ध रेशम पहनना वर्जित था। मशरू पद्धति से 'इस्लाम के पवित्र क़ानून द्वारा अनुमत' कपड़ा बनाया गया।
कुनबी बुनाई	गोवा	यह एक **ख़ानेदार साड़ी** है, जो मुख्य रूप से लाल रंग और उसके विभिन्न प्रकारों में रँगी हुई है।
इल्कल और लम्बाडी या बंजारा कढ़ाई	कर्नाटक	यह दर्पण का काम, पैटर्न डार्निंग, क्रॉस सिलाई और आच्छादित तथा रजाईदार टाँके का मिश्रण है, जिसमें '**कंगुरा**' पैचवर्क एप्लिक की बॉर्डर होता है, जो गहरे नीले या लाल हथकरघा बेस फ़ैब्रिक पर बुना जाता है।
हिमरू	महाराष्ट्र	इसका उत्पादन औरंगाबाद में स्थानीय रूप से उत्पादित किये गये रेशम और कपास से किया जाता है। यह **कुम-ख्वाब** की प्रतिकृति है, जिसे प्राचीन काल में शाही परिवारों के लिए सोने एवं चाँदी के धागों से बनाया जाता था।
टोडा कढ़ाई और सुंगडी	तमिलनाडु	स्थानीय तौर पर 'पुखूर' के नाम से जाना जाता है। यह नीलगिरी के टोडा देहात के वासियों की एक कलाकृति है। यह एक बुने हुए कपड़े के समान दिखता है, परंतु विशेष रूप से महिलाओं द्वारा सफ़ेद सूती कपड़े की पृष्ठभूमि के साथ लाल और काले धागों से बनाया जाता है।

विरासत स्मरण

खादी – भारतीय वस्त्र विरासत का प्रतीक

'खादी' शब्द **'खद्दर'** से लिया गया है, जिसका अर्थ होता है 'खुरदरा', यह शब्द भारत और बांग्लादेश के हाथ से काते गये सूती वस्त्रों के लिए इस्तेमाल किया जाता है। खादी अपनी खुरदरी बनावट के लिए प्रसिद्ध है। यह सर्दियों में शरीर को गर्म रखता है और गर्मियों में ठंडा। 1925 में, असहयोग आंदोलन के पश्चात्, खादी के विकास, उत्पादन और बिक्री के लिए **अखिल भारतीय स्पिनर्स एसोसिएशन (All India Spinners' Association)** की स्थापना की गयी थी। भारतीय स्वतंत्रता आंदोलन के दौरान, महात्मा गाँधी ने खादी को ब्रिटिश वस्त्रों के ख़िलाफ़ आत्मनिर्भरता, दांभिकता और प्रतिरोध के प्रतीक के रूप में बढ़ावा दिया था।

खादी और ग्रामोद्योग आयोग (केवीआईसी) की स्थापना 1956 में की गयी, जिसको अब सशक्तिकरण और परिवर्तन के प्रतीक के रूप में जाना जाता है।

उत्तर पूर्व भारत में वस्त्र उद्योग

पूर्वोत्तर भारत हथकरघा वस्त्रों की एक महत्त्वपूर्ण सांस्कृतिक विरासत है।

पूर्वोत्तर भारतीय राज्यों की प्रत्येक जनजाति को बुनाई में विशेषज्ञता प्राप्त है। पारंपरिक बुनाई तक़नीक (गिनिंग, कताई और बुनाई) का उपयोग पूरे पूर्वोत्तर में किया जाता है।

पूर्वोत्तर भारत के कुछ महत्त्वपूर्ण वस्त्र

असम : असम अपने रेशम उत्पादन के लिए प्रसिद्ध है, विशेष रूप से सुनहरे **मूँगा रेशम** के लिए, जिसका उपयोग उत्तम साड़ियाँ, **मेखला चादरें** *(पारंपरिक असमिया पोशाक)* और अन्य वस्त्र बनाने के लिए किया जाता है।

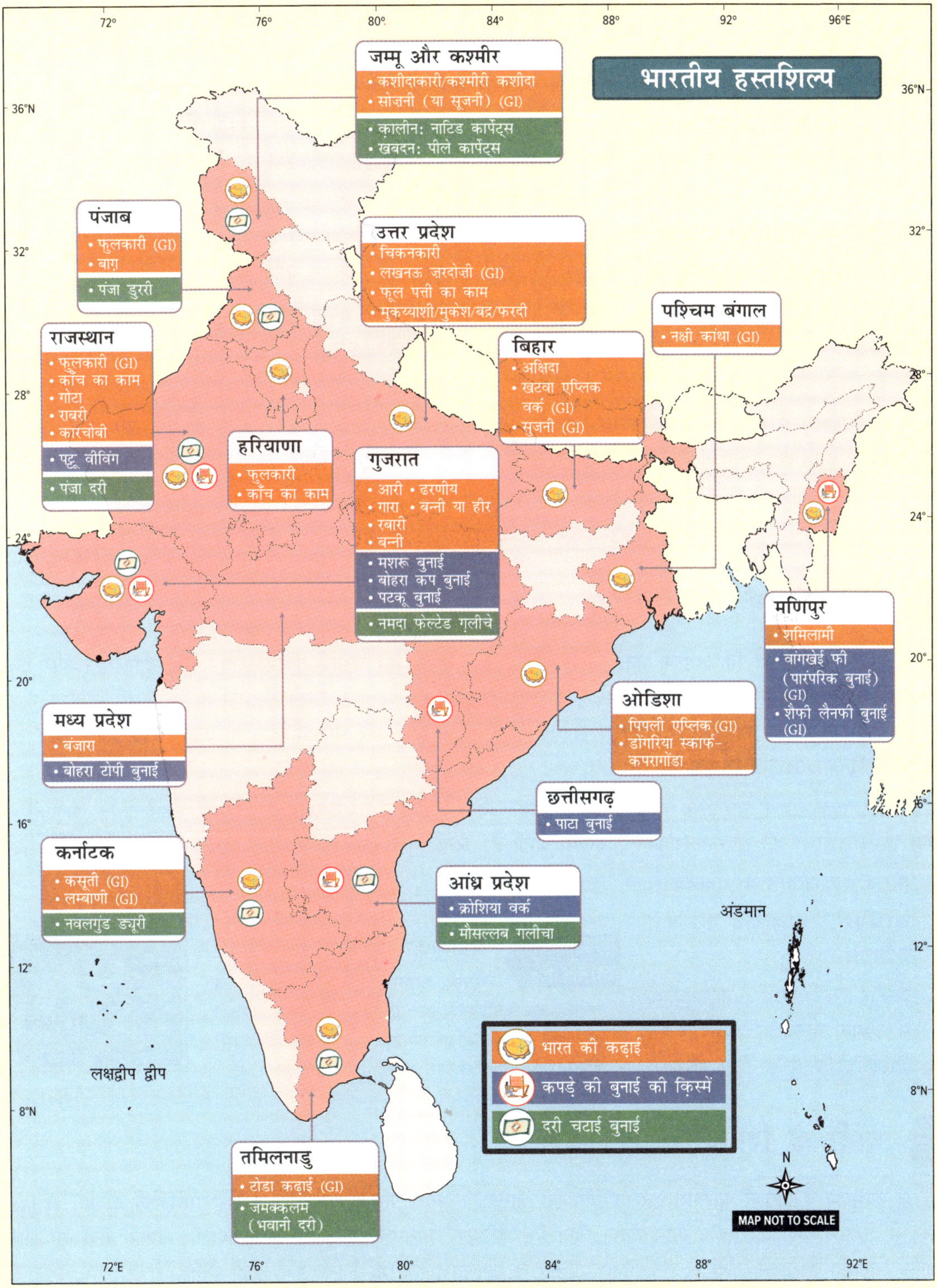
भारतीय हस्तशिल्प
जम्मू और कश्मीर
• कशीदाकारी/कश्मीरी कशीदा
• सोज़नी (या सूज़नी) (GI)
• कालीनः नाटिड कार्पेट्स
• खबदनः पीले कार्पेट्स
पंजाब
• फुलकारी (GI)
• बाग़
• पंजा डुरी
उत्तर प्रदेश
• चिकनकारी
• लखनऊ ज़रदोज़ी (GI)
• फूल पत्ती का काम
• मुकय्याशी/मुकेश/बद्र/फरदी
पश्चिम बंगाल
• नक्षी कांथा (GI)
राजस्थान
• फुलकारी (GI)
• काँच का काम
• गोटा
• राबरी
• कारचोबी
• पट्टू वीविंग
• पंजा दरी
बिहार
• अक्षिदा
• खटवा एप्लिक वर्क (GI)
• सुजनी (GI)
हरियाणा
• फुलकारी
• काँच का काम
गुजरात
• आरी • ढरणीय
• गारा • बन्नी या हीर
• रबारी
• बन्नी
• मशरू बुनाई
• बोहरा कप बुनाई
• पटकू बुनाई
• नमदा फेल्टेड ग़लीचे
मणिपुर
• शमिलामी
• वांगखेई फी (पारंपरिक बुनाई) (GI)
• शैफी लैनफी बुनाई (GI)
मध्य प्रदेश
• बंजारा
• बोहरा टोपी बुनाई
ओडिशा
• पिपली एप्लिक (GI)
• डोंगरिया स्कार्फ-कपरागोंडा
छत्तीसगढ़
• पाटा बुनाई
कर्नाटक
• कसूती (GI)
• लम्बाणी (GI)
• नवलगुंड ड्यूरी
आंध्र प्रदेश
• क्रोशिया वर्क
• मौसल्लब गलीचा
अंडमान
लक्षद्वीप द्वीप
भारत की कढ़ाई
कपड़े की बुनाई की क़िस्में
दरी चटाई बुनाई
तमिलनाडु
• टोडा कढ़ाई (GI)
• जमक्कलम (भवानी दरी)
N
MAP NOT TO SCALE
72° 76° 80° 84° 88° 92° 96°E
36°N 32° 28° 24° 20° 16° 12° 8°N
72°E 76° 80° 84° 88° 92°E

मणिपुर : मणिपुर अपने हथकरघा वस्त्रों के लिए जाना जाता है। बड़े पैमाने पर बुने गये **मोइरांग फी** *(रेशम और कपास के संयोजन से बना एक रेशमी कपड़ा)* और **सुरुचिपूर्ण फैनेक** *(मणिपुरी महिलाओं द्वारा पहनी जानेवाली एक रैपराउंड स्कर्ट, जो आमतौर पर जीवंत रंगों और पारंपरिक रूपांकनों के साथ बुनी जाती है)* प्रसिद्ध वस्त्रों के उदाहरण हैं।

नागालैंड : नागालैंड की प्रत्येक जनजाति के अपने अद्वितीय पैटर्न और रूपांकन हैं, जो उनकी सांस्कृतिक पहचान को दर्शाते हैं। नागालैंड के वस्त्रों में जीवंत रंग और जटिल बनावट होती है और वे प्राकृतिक रंगों का उपयोग करते हैं।

मेघालय : मेघालय की गारो, खासी और जैन्तिया जनजातियाँ कुशल बुनकर हैं, जो अपने हाथ से बुने कपड़ों के लिए जानी जाती हैं। इस क्षेत्र में आमतौर पर **एरी रेशम** का उत्पादन किया जाता है। जनजातियाँ रेशम और सूती दोनों प्रकार के कपड़ों का उपयोग करके शॉल, सारंग और मेखेला चादर जैसे विभिन्न प्रकार के परिधान बुनती हैं।

अरुणाचल प्रदेश : अरुणाचल में, आदि, अपातानी और न्यीशी जनजातियाँ अपनी जटिल बुनाई के लिए जानी जाती हैं और मोनपा जनजाति जीवंत रंगों का उपयोग करती है। हाथ से बुने हुए जैकेट, स्कर्ट, शॉल और इस क्षेत्र में पारंपरिक परिधानों का उत्पादन किया जाता है।

मिज़ोरम : मिज़ोरम में महिलाएँ मुख्य रूप से पारंपरिक संस्कृति को दर्शानेवाले सुरुचिपूर्ण **'पुआन'** (वस्त्र) पैटर्न बुनने के लिए ज़िम्मेदार हैं। मिज़ो में पुआन का अर्थ कपड़ा होता है, जिसे धारी या तीर के आकार में विशेष प्रकार की सिलाई से सजाया जाता है। पुरुष और महिला; दोनों पुआन पहनते हैं, जो उनकी रंगीन संस्कृति को दर्शाता है।

त्रिपुरा : त्रिपुरा विभिन्न रंगों की बिखरी हुई कढ़ाई के साथ खड़ी और क्षैतिज पट्टियों के लिए प्रसिद्ध है।

हाथीदाँत की शिल्पकला

उत्खनन से पता चलता है कि हड़प्पा काल में, पासे जैसी हाथीदाँत की वस्तुएँ तुर्कमेनिस्तान, अफ़ग़ानिस्तान और फ़ारस की खाड़ी को निर्यात की जाती थीं। साँची से दूसरी शताब्दी ईसा पूर्व का एक शिलालेख मिला है, जिसमें विदिशा में एक हाथीदाँत संघ, साँची की नक्क़ाशी, **तक्षशिला से एक हाथीदाँत कंघी** और मुग़लकालीन कलाकृतियाँ जैसे-कंघे और ख़ंजर के हत्थे आदि का उल्लेख मिलता है।

हाथीदाँत पर नक्क़ाशी के पारंपरिक केन्द्र दिल्ली, जयपुर और मुर्शिदाबाद **(पश्चिम बंगाल)** हैं। यहाँ ताबूत, पालकी और प्रसिद्ध **अम्बरी हाथी** की सुंदर कलाकृतियाँ बनायी जाती हैं। अन्य विशेषज्ञ क्षेत्र हैं :

- **केरल : हाथीदाँत पर चित्रकारी** के लिए विख्यात है।
- **जोधपुर :** हाथीदाँत की बनी **चूड़ियाँ।**
- **जयपुर :** घरों और छोटी कलाकृतियों में उपयोग होनेवाली हाथीदाँत की **जाली के काम** के लिए प्रसिद्ध।

क्या आप जानते हैं?

बेग्राम हाथीदाँत

बेग्राम, अफ़ग़ानिस्तान में पाये गये, वे दुर्लभ सजावटी पट्टिकाएँ, छोटे आँकड़े, आदि हैं, जो हाथीदाँत और हड्डी से नक्क़ाशीदार बने होते हैं। ये **पहली या दूसरी शताब्दी ईसवी** के **कुषाण कला** से जुड़े हो सकते हैं।

चाँदी के शिल्प

चाँदी के आभूषण बनानेवाले कारीगरों द्वारा उपयोग की जानेवालीं सबसे प्रसिद्ध तक़नीकों में से **''फ़िलिग्री कला''** (Filigree work) है, जिसमें चाँदी का महीन काम किया जाता है। ओडिशा, *पैनरी* और *पयजाम* कहलानेवाली, अपनी चाँदी की पायलों के लिए विख्यात है। इनमें चाँदी से बने अनोखे प्रकार के आभूषण होते हैं, जिन्हें *गुंची* कहा जाता है।

कर्नाटक के बिदरी गाँव में किया जानेवाला *बिदरी* का काम गहरी पृष्ठभूमि पर जड़ाऊ काम करने के लिए चाँदी का उपयोग किया जाता है। इसे GI का दर्जा मिला है।

मिट्टी के बर्तनों का काम

मिट्टी के बर्तनों को 'हस्तशिल्प के गीत' के रूप में जाना जाता रहा है, क्योंकि इसे काव्य रचना की भाँति ढाला जाता है और इसमें संवेदी (Sensual) आकर्षण का अनुभव होता है। अध्याय 3: भारतीय मूर्तिकला और मृद्भांड में मिट्टी और मिट्टी के बर्तनों के काम पर विस्तार से चर्चा की गयी है।

वर्तमान में, भारत के प्रत्येक भाग में विशेष प्रकार के मिट्टी के काम में विशेषज्ञता हासिल कर ली गयी है। इसकी संक्षिप्त सूची है :

मिट्टी के बर्तनों का नाम	उत्पादन क्षेत्र	विशेषताएँ
खुर्जा मृद्भाण्ड (GI)	उत्तर प्रदेश	रंगीन और मज़बूत, घरेलू सामान बनाने के लिए प्रयुक्त
निज़ामाबाद काले मृद्भाण्ड (GI)	आज़मगढ़, उत्तर प्रदेश	चाँदी के उत्कीर्णित पैटर्न के साथ गहरा चमकीला रंग
नीले मृद्भाण्ड (GI)	जयपुर, राजस्थान	**मुल्तानी मिट्टी** से बने
पोखरण मृद्भाण्ड	पोखरण, राजस्थान	घरेलू वस्तुओं के लिए प्रयुक्त
डलगेट मृद्भाण्ड (GI)	जम्मू और कश्मीर	विशेष शीशे के आवरण का उपयोग
कारीगरी मृद्भाण्ड	तमिलनाडु	दक्षिण आर्काट में विशेष केंद्र
सुराही	पश्चिम बंगाल	सामान्य जग (सुराही) बर्तन
काले मृद्भाण्ड	उखरूल, मणिपुर	शीशे के आवरण में विशेष काला रंग
गोपीचंदन	सौराष्ट्र, गुजरात	मिट्टी की बनी कलाकृतियाँ
कागज़ी मृद्भाण्ड	अलवर, राजस्थान	कोमल मृद्भाण्ड, पतले और थोड़ा भंगुर

संस्कृति संक्षेपण

मोष्टी, कोठी, पोरासी

ये **गुजरात** के कुछ जनजाति समुदायों द्वारा उपयोग किये जानेवाले *पारंपरिक भंडारण पात्र/संरचनाएँ* हैं। मोष्टी बाँस से बना अनाज का भंडारण करने के लिए उपयोग किया जानेवाला पात्र है। दक्षिणी गुजरात में मुख्य रूप से गामित, वासव, ढोलिया पटेल समुदायों द्वारा इन भंडारण पात्रों का उपयोग किया जाता है। **पोरासी** पर मिट्टी और गोबर के मिश्रण का लेप लगाया जाता है, ताकि अनाज के रिसाव और चोरी को रोका जा सके। यह गुजरात के गोधरा और पंचमहल ज़िलों के नायक समुदाय द्वारा उपयोग किया जानेवाला पात्र है। **कोठी** के लिए एक बड़े दरवाज़े के साथ एक कमरा बनाया जाता है, जिसमें अनाज भरा जाता है। अनाज निकालने के लिए नीचे की तरफ़ एक छोटा-सा मुहाना बनाया जाता है। यह मुख्य रूप से कच्छ में विशेष रूप से रबारी समुदाय द्वारा उपयोग में लाया जाता है।

कांस्य शिल्प

मोहनजोदड़ो से मिली **नृत्यांगना** की कांस्य प्रतिमा से पता चलता है, कि कांस्य कला सबसे पुरातन कला प्रारूपों में से एक है। इसकी तिथि 2500 ईसा पूर्व आँकी गयी है।

कांस्य प्रतिमा

हमें ज्ञात है कि मनुष्य द्वारा उपयोग में लायी गयी सबसे प्रारंभिक अलौह धातुएँ, ताँबा और टिन थीं और इन दोनों को काँसा बनाने के लिए मिश्रित किया जाता था। मत्स्य पुराण में कांस्य ढलाई विधियों का वर्णन है, जबकि रसरत्नाकर जैसे ग्रंथों में धातु शुद्धता और जस्ता आसवन पर चर्चा की गयी है।

कांस्य शिल्प का उत्पादन करनेवाले क्षेत्रों में उत्तर प्रदेश अग्रणी है, उदाहरणार्थ इटावा, सीतापुर, वाराणसी और मुरादाबाद जैसे प्रमुख केंद्र हैं।

यहाँ फूल के बर्तन, देवी-देवताओं की मूर्तियों जैसे सजावटी सामानों का निर्माण किया जाता है। ये *ताम्रपात्र*, *कंचनथाल* और *पंचपात्र* जैसे अनुष्ठानिक वस्तुओं के उत्पादन के लिए भी प्रसिद्ध हैं।

तमिलनाडु पल्लव, चोल, पांड्य और नायक कला से प्रेरित मूर्तियों के लिए जाना जाता है।

भारत में पीतल कार्य के वर्तमान महत्त्वपूर्ण केंद्र

नाम	विवरण	प्रमुख उत्पादन स्थल
गज तांडव	तांडव मुद्रा में नृत्य करते हुए शिव	केरल
दुर्लभ जैन मूर्तियाँ और प्रतीक	कर्नाटक में प्राचीन जैन तीर्थ केंद्रों की आवश्यकता को दर्शाते हैं।	कर्नाटक
बस्तर डोकरा (GI)	पीतल के बने आभूषणों के लिए प्रयुक्त	छत्तीसगढ़
पहलदार लैंप	विभिन्न शैलियों और आकारों में ताँबे और पीतल के लैंप	जयपुर और उत्तर प्रदेश के कुछ भाग
पेमबर्थी शिल्प (GI)	अति उत्तम पीतल की धातु से मंदिरों और रथों को सजाना	तेलंगाना

अन्य धातु शिल्प

धातु की ढलाई के विभिन्न प्रकार हैं, जिन्हें लोहा, ताँबा, पीतल आदि में किया जा सकता है। सबसे प्रसिद्ध तक़नीकों में से एक **राजस्थान** में *मरोड़ी* का काम है। इसमें आधार धातु पर नक़्क़ाशी करने के लिए धातु का उपयोग किया जाता है। यहाँ अंतराल भरने के लिए काली लाख का उपयोग किया जाता है।

राजस्थानी मरोड़ी का काम

धातु शिल्प में उभरे हुए डिज़ाइनों के लिए रिपूस (उभरा हुआ) और कट-लाइन पैटर्न के लिए उत्कीर्णन का उपयोग किया जाता है। धातु के अधिकांश काम का उपयोग घड़े और *बदला (Badla)* जैसे बर्तन बनाने के लिए किया जाता है, जो राजस्थान के मारवाड़ क्षेत्र में बनाये जानेवाले अर्द्ध-गोलाकार या गोल बर्तन हैं, जिनमें जस्ते का उपयोग होता है। धातु पर एक अन्य प्रमुख काम मुरादाबाद में किया जाता है, जो कि *बहुत महीन* होता है। यहाँ बर्तन बनाने के लिए *नक़्क़ाशी* शैली या उत्कीर्णन शैली का उपयोग किया जाता है।

राजस्थान का तारकशी का काम

राजस्थान में **तारकशी** तकनीक का उपयोग ताँबे या पीतल के तारों को छेनी से बने खाँचों में जड़ने के लिए किया जाता है, जबकि जयपुर तथा अलवर में कोफ़्टगिरी, गहरे रंग की सतह पर हल्की धातुएँ जड़ने की कला है।

भारत में प्रसिद्ध धातु शिल्प के अन्य प्रकार नीचे दिये गये हैं :

भारत में अन्य प्रसिद्ध धातु शिल्प → **परीक्षोपयोगी**

धातु शिल्प का नाम	मुख्य उत्पादन क्षेत्र	विवरण
बिदरी क्राफ़्ट (GI)	कर्नाटक	**जस्ता और ताँबे** का काला **मिश्र धातु चाँदी** की पतली शीट में हुक, गमले, झुमके, शोपीस आइटम आदि बनाने के लिए जड़ा हुआ होता है, जिसका निर्यात बाज़ार भी अच्छा है।
अरनमुला कन्नड़ी (Metal Mirror) (GI)	केरल	शिल्प का एक **दुर्लभ** टुकड़ा होने के नाते, यह एक **हस्तनिर्मित धातु-मिश्र का दर्पण** है, जिसे केरल के एक छोटे-से शहर अरनमुला में बनाया जाता है। दर्पण की परावर्तक सतह प्राप्त करने के लिए मिश्र धातु को कई दिनों तक पॉलिश किया जाता है। **मिश्र धातु की संरचना** में शामिल परिवारों का **एक गुप्त रहस्य** है।

धातु शिल्प का नाम	मुख्य उत्पादन क्षेत्र	विवरण
नेत्तुरपेट्टी आभूषण के बक्से	केरल	यह एक **प्राचीन हस्तकला** है, जो सामान्य रूप से **शीशम** और ब्रास क्युरिओस का उपयोग करके बनायी जाती है। इसमें जटिल पैटर्न होते हैं, जो **मंदिर वास्तुकला** और **केरल** के पारंपरिक कला रूपों से प्रेरित हैं।
चाँदी तारकशी (Silver filigree)	ओडिशा	90 प्रतिशत या अधिक शुद्ध चाँदी के मिश्र धातु का उपयोग किया जाता है। गहने बनाने के लिए **Granulation, snow glazing** और **casting** जैसी तक़नीकों का नवीन उपयोग किया जाता है।
स्वामीमलाई कांस्य प्रतीक (GI)	तमिलनाडु	स्वामीमलाई एक पारंपरिक स्थल है, जहाँ **चोल काल** से इस शिल्प का अभ्यास किया जाता है। धार्मिक उद्देश्यों के लिए **कांस्य** और **पंचलोहा** (ताँबा, पीतल, सीसा, चाँदी और सोना) की मूर्तियाँ बनायी जाती हैं।

चर्म उत्पाद

चर्म शोधन की कला 3000 ईसा पूर्व से ही अस्तित्व में है। चर्म उत्पाद के लिए पहले बाघ और हिरण की खाल का इस्तेमाल होता था, परतु अब ऊँट इसके लिए सबसे लोकप्रिय पशु बन गया।

जूती - चमड़े से बनी पादुका

वर्तमान में, चमड़े का उपयोग अधिकांशतः जूते, बैग तथा पर्स बनाने के लिए किया जाता है। चमड़े का सबसे बड़ा बाज़ार राजस्थान है। यहाँ विभिन्न आकार और प्रकार के बैग बनाने के लिए ऊँट के चमड़े का प्रयोग किया जाता है। इसके अतिरिक्त, **जयपुर** और **जोधपुर मोजड़ी** के लिए प्रसिद्ध हैं। ये विशिष्ट प्रकार के चमड़े के जूते होते हैं। कानपुर चमड़े और उससे बने उत्पादों के लिए प्रसिद्ध है, जबकि महाराष्ट्र **कोल्हापुरी चप्पलों** के लिए प्रसिद्ध है।

इनके अतिरिक्त, चेन्नई और कोलकाता भी चमड़े के बैग और जूतों के प्रमुख केंद्र हैं। पंजाबी **जूतियाँ** भी प्रसिद्ध हैं, क्योंकि इनमें कशीदाकारी कढ़ाई का उपयोग किया जाता है, जिससे ये बहुत सुंदर दिखती हैं। चमड़े पर कला की एक अन्य प्रमुख शैली बीकानेर से संबंधित है, जिसे **मनोती कला** कहा जाता है, इसमें **ऊँट की खाल के साथ सजावटी सामग्री** सम्मिलित होती है। इस मनोती कला को **उस्ता कला** (फ़ारसी शब्द 'उस्ताद' या 'मास्टर' से व्युत्पन्न) भी कहा जाता है।

भारत में विभिन्न क्षेत्रीय फ़ुटवेयर्स (पादुकाएँ) --> **परीक्षोपयोगी**

नाम	मुख्य उत्पादन क्षेत्र	विवरण
कोंगलन स्टिच्ड बूट्स	पश्चिम बंगाल	पश्चिम बंगाल के उत्तरी भाग में बनता है। इन जूतों में चमड़े के मोटे तले और चमड़े या मोटे कपड़े से बने उच्च गुणवत्ता के किनारे होते हैं।
पाबू स्टिच्ड बूट्स	लद्दाख	लद्दाख क्षेत्र से पारंपरिक रंगीन घुटने की लंबाई के जूते।
कोल्हापुरी चप्पल (GI)	कर्नाटक और महाराष्ट्र	हाथ से बने हुए शुद्ध चमड़े के पारंपरिक जूते, मुख्य रूप से महाराष्ट्र के कोल्हापुर क्षेत्र और कर्नाटक के कुछ हिस्सों में उत्पादित किये जाते हैं।
कटकी चप्पल	ओडिशा	चमड़े के पारंपरिक जूते/चप्पल
तिल्ला जूती (पारंपरिक जूते)	पंजाब	**भारतीय राजपूताना** से प्रेरित, यह पारंपरिक रूप से **चमड़े** से बनी होती है तथा इसे बनाने में **सोने और चाँदी के धागों** का उपयोग व्यापक रूप से किया जाता है।
मोजड़ी (चमड़े की चप्पल)	राजस्थान	पारंपरिक तौर पर, ये कारीगरों द्वारा ज्यादातर **टैंड चमड़े** का उपयोग करके बनायी जाती हैं।
मुल्तानी खुस्सा	राजस्थान और पंजाब	ये **सब्ज़ी के टैंड चमड़े** का उपयोग करके बनाये जाते हैं और ये **ब्रास की नेल्स, शीशों, सेरामिक मनको** आदि से कढ़ाई किये होते हैं।

काष्ठकारी

लकड़ी से बनायी जानेवाली सबसे प्रमुख वस्तुओं में लकड़ी से बना फ़र्नीचर है। हमें **शीशम** की लकड़ी, पाइनवुड आदि में विभिन्न प्रकार की उत्कृष्ट नक़्क़ाशीदार लकड़ी के फ़र्नीचर देखने को मिलते हैं।

लकड़ी के फ़र्नीचर बनाने के सबसे बड़े केंद्रों में से एक **कश्मीर** है। यहाँ कला का यह रूप ग्यारहवीं सदी से ही फल-फूल रहा है। कश्मीरी कलाकार, घरें, हाउसबोटें और लकड़ी के जटिल काम के लिए अखरोट और देवदार की लकड़ी का उपयोग करते हैं, जिसमें **अच्छे-दार, खतमबंद और अजली-पिंजरा/पिंजराकारी** के जाली डिज़ाइन शामिल हैं। इसका एक और प्रमुख केंद्र गुजरात है। यहाँ खिड़कियों और लकड़ी के दरवाज़े पर लकड़ी की जाली के काम का उपयोग किया जाता है। हिमाचल प्रदेश में, भरमौर और छतराही नागबेल, कुथेरीफूल, जाली और डोरी मंदिर की नक़्क़ाशी के लिए जाने जाते हैं। काष्ठकारी के अन्य प्रमुख केंद्र हैं :

भारत में काष्ठकारी से जुड़े प्रमुख स्थान

राज्य	लकड़ी का प्रकार	विवरण
कर्नाटक	**चंदन की लकड़ी**	लकड़ी की विभिन्न नक़्क़ाशीदार वस्तुएं बनायी जाती हैं।
आंध्र प्रदेश	**रक्तचंदन (विशेष)**	नक़्क़ाशीदार गुड़िया और मूर्तियाँ।
केरल	**सागौन की लकड़ी**	थारावाड मकान बनाने के लिए प्रयुक्त, जो कि अपने गहरे भूरे रंग और लकड़ी के जटिल काम के लिए प्रसिद्ध है।
नागालैंड	**कुमिशिंग की लकड़ी**	पूर्वोत्तर राज्यों के अधिकांश भागों में पायी जानेवाली स्थानीय लकड़ी तथा विशाल लॉग ड्रम के लिए उल्लेखनीय है।
राजस्थान	**रोहिदा की लकड़ी**	**सिंदूर** के बक्से और उलटे कटोरे जैसे सजावटी सामान बनाने के लिए उपयुक्त।
रत्नागिरी, महाराष्ट्र	**पंडोरा लकड़ी**	रोग़न लगाये हुए नक़ली फल

अन्य प्रसिद्ध लकड़ी के शिल्प

नाम	उत्पादन क्षेत्र	विवरण
निर्मल पेंटिंग्स, फ़र्नीचर, खिलौने और शिल्प (GI)	तेलंगाना	इस कला रूप का विकास **काकतीय** राजवंश से शुरू हुआ। यह लकड़ी की सतह पर एक सटीक पेंटिंग है तथा अंत में सोने की कोटिंग की जाती है और फिर वार्निश किया जाता है।
काश्तकारी लकड़ी की नक़्क़ाशी	गोवा	घरेलू उत्पादों के साथ, चर्च, मंदिरों तथा घरों आदि में भी लकड़ी की नक़्क़ाशी दिखाई देती है।
सेंटालम (चंदन की नक़्क़ाशी)	कर्नाटक	इसका उपयोग मुख्य रूप से धार्मिक उद्देश्यों से संबंधित मूर्तियों और उत्पादों के निर्माण के लिए किया जाता है।
ख़तमबंद वुडक्राफ्ट (GI)	जम्मू और कश्मीर	लकड़ी के टुकड़ों को तीन अलग-अलग प्रकार के जोड़ों की मदद से जोड़ा जाता है, जो ख़तमबंद की मूल तक़नीक बनाते हैं। यह प्रयुक्त डिज़ाइन **इस्लामी परंपरा** के **ज्यामितीय जालकीयन पैटर्न** से उत्पन्न हुआ।
सिक्की घास शिल्प	बिहार	इसका उपयोग आभूषण रखने के लिए बक्से, चावल के साथ-साथ अन्य अनाज और दाल आदि को सुरक्षित रखने के कंटेनरों को लिए किया जाता है।
शीतलपट्टी घास चटाई	असम	शीतल का अर्थ है ठंडा और पट्टी का अर्थ है चटाई। **हरी पटिदाई या लंबे तनेवाली गाँठ रहित मोहत्रा** का उपयोग चटाई बनाने के लिए कच्चे माल के रूप में किया जाता है।
खुंडा - बाँस की सीढ़ियाँ	पंजाब	इसका उपयोग **भाँगड़ा नृत्य** के एक अनिवार्य भाग के रूप में किया जाता है। ये लोहे की मूठवाली लाठी चलने में **सहायता और हथियार** के उद्देश्य से काम करती है।

नाम	उत्पादन क्षेत्र	विवरण
कावड़ - Mobile shrine (तीर्थ)	राजस्थान	ये कई दरवाज़ोंवाले पोर्टेबल मंदिर होते हैं, जिनमें से प्रत्येक को **महाकाव्यों तथा हिन्दू धर्म की पौराणिक कथाओं** के प्रतिनिधित्व के साथ चित्रित किया जाता है। कहानियों के पठन के लिए इसका उपयोग होता है। 
चोकत्से - टेबल	सिक्किम	यह एक प्रकार का **तिब्बती** छोटा लकड़ी मुड़नेवाली और छोटी मेज़ (फ़ोल्डेबल और पोर्टेबल टेबल) है, जिसे **कमल, मंडला और मछली** जैसे प्रथागत **बौद्ध चिह्नों** के साथ उकेरा गया है।
लिखाई (लकड़ी पर नक़्क़ाशी)	उत्तराखंड	लकड़ी के दरवाज़ों की सीमा **3-फूल, मेहराब और ड्रेगन** जैसे **तिब्बती** रूपांकनों से सजी है। कभी-कभी इसमें 14 पंक्तियाँ होती हैं, जैसे-**हंस, तोता, कमल, लता** इत्यादि।
संखेड़ा फ़र्नीचर (GI)	गुजरात	यह **सौ प्रतिशत सागौन की लकड़ी** से बना होता है। **सार डिज़ाइन और पुष्प चित्र** लकड़ी के फ़र्नीचर पर **सोने, चाँदी, मैरून, हरे, सिंदूरी और भूरे** रंग के उज्ज्वल रंगों के साथ खींचे जाते हैं। 
अखरोट लकड़ी की नक़्क़ाशी (GI)	जम्मू और काश्मीर	यह पारंपरिक नक़्क़ाशी तक़नीक **उच्च छूट** से और डिज़ाइनों को अच्छी तरह से दिखाने के लिए **नक़्क़ाशी की अंडरकट स्टाइल** से पहचानी जाती है। सबसे अच्छी गुणवत्तावाला **अखरोठ काष्ठ शोपियाँ** और **अनंतनाग** से मिलता है।
पेठापुर छपायी ब्लॉक (GI)	गुजरात	यह शिल्प **प्रजापति और गज्जर परिवारों** के कारीगरों की धरोहर है। इन ब्लॉक का उपयोग निर्माताओं द्वारा कपड़ों पर छपायी के लिए होता है।

विभिन्न प्रकार के खिलौने

खिलौने बनाना महत्त्वपूर्ण कला के साथ एक फलता-फूलता हुआ व्यवसाय भी है। **खिलौना गाड़ी** का पहला साक्ष्य हड़प्पा सभ्यता में मिलता है और प्रारंभिक ऐतिहासिक काल तक यह जारी रहा है। हड़प्पा सभ्यता में जहाँ ताँबे, पीतल और मिट्टी की खिलौना गाड़ियों के पुरातात्त्विक साक्ष्य प्राप्त हुए हैं, वे स्थल हैं—आलमगीरपुर, अम्बखेरी, कालीबंगा और लोथल।

इसी प्रकार के गाड़ी के मॉडल अतरंजीखेड़ा, नागार्जुनकोंडा, सांभर, सोनापुर, उज्जैन और ब्रह्मपुरी जैसे प्रारंभिक ऐतिहासिक स्थलों से भी प्राप्त हुए थे। प्राचीन और मध्यकालीन समय में खिलौने मिट्टी, काग़ज़, पेपरमेशे और लाख की लकड़ी से बनाये जाते थे, जिनमें आंध्र प्रदेश में रेडवुड से बनी तिरुपति गुड़िया भी शामिल थी।

कोंडापल्ली अम्बरी हाथी

राजस्थान **कपड़े की** रंग-विरंगी **गुड़ियों** के लिए, असम पिथ गुड़ियों के लिए, दक्षिणी भारत लकड़ी के खिलौनों के लिए, मैसूर और **चन्नपटना** (कर्नाटक) लकड़ी के रोगन लगे खिलौनों के लिए तथा **कोंडापल्ली** (आंध्र प्रदेश) मुलायम पोनकी लकड़ी से बने अम्बारी हाथी के लिए जाना जाता है।

भारत में खिलौने की प्रसिद्ध क़िस्में

नाम	उत्पादन क्षेत्र	विवरण
चन्नपटना खिलौने (GI)	कर्नाटक	परंपरागत रूप से **हाथीदाँत-लकड़ी** से बनाया जाता है। इसकी लोकप्रियता के कारण चन्नपटना शहर को **गोम्बेगाला ऊरू** (खिलौनों का शहर) भी कहा जाता है।
कोंडापल्ली बोम्मालु खिलौने (GI)	आंध्र प्रदेश	यह एक नरम लकड़ी का उपयोग करके बनाया जाता है। इसे नमी रहित बनाने के लिए लकड़ी के टुकड़े को गर्म किया जाता है। इसके बाद, खिलौने के विभिन्न हिस्सों को अलग-अलग उकेरा जाता है और फिर एक साथ चिपका दिया जाता है। उदाहरण - अम्बरी हाथी।
किन्हल या किन्नाल खिलौने (GI)	कर्नाटक	लकड़ी का यह अद्वितीय शिल्प **विजयनगर साम्राज्य** के शाही संरक्षण में विकसित हुआ।

प्रस्तर पात्र

भारत की सामयिक और भौगोलिक स्थिति से हम अनुभव करते हैं कि राजगिरी एवं **प्रस्तर से संबंधित कला** भारत में सबसे लोकप्रिय कलाओं में से एक है।

मौर्य काल के स्मारकों में मूर्तियों और वास्तुकला के साक्ष्य देखे जा सकते हैं। सबसे अच्छा उदाहरण अजंता और एलोरा की चट्टानों को काटकर बनायी गयीं गुफाएँ, खजुराहो की कामप्रवण मूर्तियाँ, साँची और भरहुत की बौद्ध नक़्क़ाशियाँ हैं। पहाड़ी क्षेत्रों में, एक अच्छा उदाहरण काँगड़ा ज़िले में **मसरूर** में एकाश्म प्रस्तरखंड को काटकर बनाये गये मंदिर की अखंड नक़्क़ाशी में देखा जा सकता है।

पत्थर का काम - पिएत्रा ड्यूरा

मुग़ल काल के दौरान, पत्थर का काम रंगीन पिएत्रा ड्यूरा जड़ाऊ संगमरमर के काम में बदल गया। ताजमहल और एत्मादुद्दौला के मक़बरे जैसे स्मारकों में सफ़ेद संगमरमर का इस्तेमाल हुआ है। प्रमुख संगमरमर केंद्रों में राजस्थान (मकराना/संग-ए-मरमर), झाँसी (संगे रथेक) और आगरा (उत्तर प्रदेश) शामिल हैं।

फ़र्श पर कलाएँ

वे प्राय: धार्मिक या पारिवारिक समारोहों में बनायी जाती हैं।

फ़र्श पर डिज़ाइन अक्सर धार्मिक या शुभ पारिवारिक अवसरों पर बनाये जाते हैं। डिज़ाइनों को केन्द्र से संकेन्द्रित ज्यामितीय पैटर्न में चाक, चूना, संगमरमर का चूर्ण या चावल-चूने के मिश्रण जैसी प्राकृतिक, मिटनेवाली सामग्रियों का उपयोग करके मुक्तहस्त से बनाया जाता है।

भारत में अन्य प्रसिद्ध हस्तशिल्प

हस्तशिल्प का नाम	उत्पादन क्षेत्र	विवरण
पेपर मैशे (कागज़ की लुगदी) (Paper Mache) (GI)	जम्मू और कश्मीर	यह शिल्प **कागज़ के गूदे** से बना होता है और इसे **कॉपर सल्फेट** और चावल के आटे के साथ मिलाया जाता है, उसके बाद मनचाहे आकार में ढाला जाता है।
तिरुकनूर पेपर मैशे (GI)	पुदुचेरी	यह एक लोकप्रिय शिल्प कार्य है, जिसमें आमतौर पर रंगीन गुड़ियां और कागज़ की मूर्तिकला का निर्माण किया जाता है।
गंबिरा मास्क	पश्चिम बंगाल	मुखौटे का विषय **देवी काली** की कस्तूरी है।
छऊ मास्क (GI)	पश्चिम बंगाल	**छऊ नृत्य** में मुख्य रूप से छऊ मास्क का उपयोग किया जाता है। मास्क में विभिन्न पौराणिक चरित्र होते हैं, जैसे- **महिषासुर-मर्दिनी**, **राम-सीता** आदि।
थोंगजाओ पॉटरी (Thongjao Pottery)	मणिपुर	यह एक टेराकोटा पॉटरी है, जिसमें ज़्यादातर महिलाओं द्वारा बनाये गये घड़े, खाना पकाने के बर्तन, प्लेटें, पॉट के छल्ले, ढक्कन, कटोरे और बर्तन शामिल हैं।
साँझी पेपर स्टेंसिल	राजस्थान	साँझी पेपर कटिंग, **पेपर स्टैंसिलिंग का एक प्राचीन शिल्प** है। इन स्टेंसिलों का उपयोग **'साँझी'** नामक दीवारों और फ़र्श पर रँगोली पैटर्न बनाने के लिए किया जाता है।
भित्ति-चित्र (दीवार पेंटिंग)	राजस्थान	यह एक **मिट्टी की दीवार पेंटिंग** है। लोग भितिचित्र के साथ दीवारों को सजाते हैं, जिसके माध्यम से वे बुरी आत्माओं से घर को सुरक्षित करने की कोशिश करते हैं।
सुथई (प्लास्टर काम)	तमिलनाडु	इसका अभ्यास मुख्य रूप से काकम्पुदुर में **पिल्मार** जाति के कारीगरों द्वारा किया जाता है।
रामबाँस नेचुरल फ़ाइबर क्राफ़्ट	उत्तराखंड	रामबाँस एक क़िस्म का **सिसल प्लांट** है। फ़ाइबर के खिलौने, रस्सियों, टेबल, मैट, बैग, टोपियाँ आदि बनाने में उपयोग किया जाता है।

भारत में **प्रसिद्ध फ़र्श डिज़ाइनों** के मुख्य प्रकार नीचे दिये गये हैं

ऐपण
लाल गेरू की पृष्ठभूमि पर, सफ़ेद चावल के पेस्ट से बनाये गये सरल डिज़ाइन, उत्तराखंड

आल्पोना
चावल के आटे के पेस्ट का उपयोग करके फ़र्श पर बनाये गये जटिल और पारंपरिक पैटर्न, पश्चिम बंगाल और असम

माँडना
लाल मिट्टी और सफ़ेद चाक का उपयोग करके बनाये गये ज्यामितीय आकार और आकृतियाँ राजस्थान और मध्य प्रदेश

झोटी-चिता
सफ़ेद चावल के पेस्ट से बनायी गयी कला, जो पवित्रता, शांति और समृद्धि का प्रतीक मानी जाती है, ओडिशा

रंगोली
धार्मिक प्रतीकों को दर्शाने के लिए रंगीन रेत या फूलों की पंखुड़ियों से बनायी जानेवाली पारंपरिक सजावट, महाराष्ट्र

कोलम
चावल के आटे से रोज़ाना बनाये जानेवाले पारंपरिक ज्यामितीय रेखाचित्र, तमिलनाडु

हस्तशिल्प का नाम	उत्पादन क्षेत्र	विवरण
मोलेला क्ले सिरेमिक (GI)	राजस्थान	यह एक प्रकार का टेराकोटा टाइल्स और भित्ति चित्र है। मोलेला का शाब्दिक अर्थ है **'पकी हुई धरती (baked earth)'**।
थेवा कला (GI)	राजस्थान	काँच पर सोने की कारीगरी की जाती है। इसका उपयोग मूलतः कंघी, हेयर बैंड, कोट के बटन, फ़ोटो फ़्रेम और आभूषण आदि को बनाने में किया जाता है।
गंजिफ़ा कार्ड्स (GI)	कर्नाटक (मैसूर)	यह एक कार्ड गेम है, जो फ़ारस देश से आया था। मुग़ल काल के दौरान यह बहुत लोकप्रिय था।

गंजिफ़ा कार्ड्स

छऊ मास्क

रामबाँस नेचुरल फ़ाइबर क्राफ़्ट

यू.पी.एस.सी. विगत वर्षों के बहुविकल्पीय प्रश्न

1. निम्नलिखित जोड़े पर विचार करें : **(CSE, 2018)**

शिल्प	*विरासत*
1. पुथुक्कुली शॉल :	तमिलनाडु
2. सुजनी कढ़ाई :	महाराष्ट्र
3. उप्पद जामदानी साड़ियाँ :	कर्नाटक

ऊपर दी गयी कौन-सी जोड़ी सही है/हैं?

(a) केवल 1 (b) 1 और 2
(c) केवल 3 (d) 2 और 3

2. क़लमकारी चित्रकला निर्दिष्ट करती है- **(CSE, 2018)**

(a) दक्षिण भारत में सूती वस्त्र पर हाथ से की गयी चित्रकारी।
(b) पूर्वोत्तर भारत में बाँस के हस्तशिल्प पर हाथ से किया गया चित्रांकन।
(c) भारत के पश्चिमी हिमालय क्षेत्र में ऊनी वस्त्र पर ठप्पे (ब्लॉक) से की गयी चित्रकारी।
(d) उत्तर-पश्चिमी भारत में सजावटी रेशमी वस्त्र पर हाथ से की गयी चित्रकारी।

3. यहाँ पारंपरिक रूप से पटोला बुनाई की जाती थी। **(CDS II, 2014)**

(a) पोचमपल्ली और काँचीपुरम
(b) सूरत और पाटन
(c) ढाका और बनारस
(d) बनारस और पैठन

4. निम्नलिखित में से कौन-सा/से कथन सही है/हैं? **(CAPF, 2014)**

1. हुमायूँ ने ताज-ए-इज़्ज़त का आविष्कार किया।
2. ताज-ए-इज़्ज़त एक टोपी और लपेटनेवाले कपड़े से बनी पगड़ी थी।

नीचे दिये गये कोड का प्रयोग कर सही उत्तर चुनिए।

कोड :

(a) केवल 1 (b) केवल 2
(c) दोनों 1 और 2 (d) न तो 1 और न ही 2

5. यहाँ गुप्त काल की गंगा और यमुना नदियों की प्रसिद्ध टेराकोटा मूर्तियाँ मिली हैं : **(CAPF, 2012)**

(a) अहिच्छत्र (b) कौशाम्बी
(c) राजघाटी (d) भितरगाँव

उत्तरमाला

1. (a) 2. (a) 3. (b) 4. (c) 5. (d)

9

भौगोलिक संकेत

अध्याय की रूपरेखा

- भारत में हाल ही में पंजीकृत जीआई की सूची (जुलाई, 2025 तक अद्यतन)
- कुछ भौगोलिक संकेतों के पंजीकरण का निषेध

भौगोलिक संकेत (Geographical Indications or GI) का अर्थ है, किसी वस्तु विशेष का उद्गम केवल एक क्षेत्र विशेष में हुआ है। जुलाई, 2025 के मध्य तक कुल **658 वस्तुओं** को भारत सरकार द्वारा जीआई का दर्जा मिल चुका है।

जीआई दर्जा प्राप्त करने के लिए, वस्तुएँ उस क्षेत्र में उत्पादित, संसाधित अथवा तैयार की जानी चाहिए।

महत्त्वपूर्ण तथ्य — **परीक्षोपयोगी**

जीआई पंजीकरण के बारे में महत्त्वपूर्ण तथ्य

- भारत में *Geographical Indications of Goods (Registration & Protection)* Act, *1999, 2003* में लागू हुआ।
- जीआई के पंजीकरण का प्रमाणन **भारत सरकार द्वारा** Geographical Indications of Goods (Registration & Protection) Act, 1999, के तहत दिया जाता है।
- **केवल वस्तुओं** को जीआई प्रमाणन दिया जा सकता है (सेवाओं को नहीं)।
- जीआई पंजीकरण 10 वर्षों के लिए वैध है और इसे प्रत्येक 10 वर्ष में नवीनीकृत किया जा सकता है।
- **34 वर्गों में जीआई प्रमाणन दिया जाता है**। आवेदन के लिए निर्धारित **शुल्क ₹5000 है**।
- अप्रैल, 2025 तक, **उत्तर प्रदेश** भारत में 77 पंजीकृत उत्पादों के साथ सबसे अधिक भौगोलिक संकेत (जीआई) टैगवाला राज्य बन गया है। इसने तमिलनाडु को पीछे छोड़ दिया, जो पहले शीर्ष पर था।
- **केरल के नीलाम्बुर सागौन की लकड़ी** को भौगोलिक संकेत (जीआई) चिह्न मिला है। नीलाम्बुर, केरल के मलप्पुरम ज़िले में स्थित है और यहाँ विश्व का सबसे पुराना सागौन के वृक्षों का बागान है। यहाँ विश्व का पहला सागौन संग्रहालय भी है।
- **दार्जिलिंग की चाय** भारत का पहला जीआई पानेवाला उत्पाद बना, जिसे 2004-05 में यह दर्जा दिया गया।

भारत में हाल ही में पंजीकृत जीआई की सूची (जुलाई, 2025 तक अद्यतन)

श्रेणी	जीआई दर्जा प्राप्त	संबंधित स्थान	वर्ष
कृषि (चावल)	राँधुनि पागल चावल	पश्चिम बंगाल	2024&25
	नगरी दुबराज	छत्तीसगढ़	2022–23
	आदमचीनी चावल	उत्तर प्रदेश	2022–23
	बालाघाट चिन्नौर चावल	मध्य प्रदेश	2021–22
कृषि (फल)	कोडुंगल्लूर पोट्टुवेल्लारी	केरल	2022–23
	लद्दाख रक्तसे कारपो खुबानी	लद्दाख (यूटी)	2022–23
	रीवा सुंदरजा आम	मध्य प्रदेश	2022–23
	बनारस लंगड़ा आम (आम)	उत्तर प्रदेश	2022–23
	कम्बम पनीर थ्रैचाई	तमिलनाडु	2022–23
	कारी इशाद आम	कर्नाटक	2022–23
	कुट्टियाट्टूर आम	केरल	2021–22
	रतौल आम	उत्तर प्रदेश	2021–22
	म्यंदोली केला	गोवा	2021–22
	तामेंगलोंग संतरा	मणिपुर	2021–22
कृषि (अन्य)	साँगरी बीन	राजस्थान	2024–25
	रिंडिया सिल्क	मेघालय	2024–25
	बनारस लाल भरवामिर्च	उत्तर प्रदेश	2023–24
	मिथिला मखाना	बिहार	2022–23
	अलीबाग़ सफ़ेद प्याज	महाराष्ट्र	2022–23
	अट्टापडी अट्टुकोम्बु अवारा	केरल	2022–23
	अट्टापडी थुवारा	केरल	2022–23
	ओनाटुकारा एलु	केरल	2022–23
	कंथल्लूर वट्टावडा वेलुथुल्ली	केरल	2022–23
	तंदूर रेडग्राम	तेलंगाना	2022–23
	शरबती गेहूँ	मध्य प्रदेश	2022–23
	रामनाथपुरम मुंडू मिर्च	तमिलनाडु	2022–23
	वेल्लोर स्पाइनी बैंगन	तमिलनाडु	2022–23
	रामनगर भंटा (बैंगन)	उत्तरप्रदेश	2022–23
	लेखक वेट्रिला	तमिलनाडु	2022–23
	बनारस पान (सुपारी)	उत्तर प्रदेश	2022–23
	इंडी लिम्बे	कर्नाटक	2022–23
	शोलावंदन वेत्रिलाई	तमिलनाडु	2022–23
	मार्तंडम शहद	तमिलनाडु	2022–23
	सोजत मेहंदी	राजस्थान	2021–22
	जुडिमा राइस वाइन	असम	2021–22

श्रेणी	जीआई दर्जा प्राप्त	संबंधित स्थान	वर्ष
कृषि (अन्य)	हरमल मिर्च	गोवा	2021–22
	एडयूर मिर्च	केरल	2021–22
	हथई मिर्च	मणिपुर	2021–22
	मुनस्यारी राजमा	उत्तराखंड	2021–22
	कुमाऊँ च्युरा तेल	उत्तराखंड	2021–22
	कन्याकुमारी लौंग	तमिलनाडु	2021–22
	नागा खीरा	नागालैंड	2021–22
	महोबा देसावरी	पैन इंडिया (उत्तर प्रदेश और मध्य प्रदेश)	2021–22
	मिज़ो अदरक	मिज़ोरम	2021–22
	दल्ले खुरसानी	भारत (सिक्किम और पश्चिम बंगाल)	2021–22
खाद्य सामग्री	नोलेन गुरेर संदेश	पश्चिम बंगाल	2024–25
	कामारपुकुर का व्हाइट बोंडे	पश्चिम बंगाल	2024–25
	मुर्शिदाबाद का छानाबोरा	पश्चिम बंगाल	2024–25
	बिष्णुपुर का मोतीचूर लड्डू	पश्चिम बंगाल	2024–25
	बनारस ठंडाई	उत्तर प्रदेश	2023–24
	बनारस लाल पेड़ा	उत्तर प्रदेश	2023–24
	माताबारी पेरा प्रसाद	त्रिपुरा	2023–24
	मुरैना गजक	मध्य प्रदेश	2022–23
	मनप्पराई मुरुक्कु	तमिलनाडु	2022–23
	ऊटी वर्की	तमिलनाडु	2022–23
	हाथरस हींग	उत्तर प्रदेश	2022–23
	सलेम सागो (जावरिसी)	तमिलनाडु	2022–23
	मुज़फ़्फ़रनगर गुड़ (गुड़)	उत्तर प्रदेश	2022–23
	गोवा खाजे	गोवा	2021–22
हस्तशिल्प (साड़ी)	मालदा का निस्तारी सिल्क यार्न	पश्चिम बंगाल	2024–25
	खासी हैंडलूम	मेघालय	2024–25
	बोडो दोखोना	असम	2023–24
	बोडो एरी रेशम	असम	2023–24
	बोडो ज्वमग्रा	असम	2023–24
	रिग्नाई पचारा टेक्सटाइल्स	त्रिपुरा	2023–24
	वारसेओनी हथकरघा साड़ी और कपड़े	मध्य प्रदेश	2022–23
	नेगामाम कॉटन साड़ी	तमिलनाडु	2022–23
	मऊ साड़ी	उत्तर प्रदेश	2021–22
हस्तशिल्प (पत्थर)	महोबा गौरा पत्थर हस्तशिल्प	उत्तर प्रदेश	2023–24
	मायलाडी पत्थर की नक़्क़ाशी	तमिलनाडु	2022–23
	बाँदा शजार पत्थर शिल्प	उत्तर प्रदेश	2022–23
	जबलपुर पत्थर शिल्प	मध्य प्रदेश	2022–23

श्रेणी	जीआई दर्जा प्राप्त	संबंधित स्थान	वर्ष
हस्तशिल्प (अन्य)	मालदा का निस्तारी सिल्क यार्न	पश्चिम बंगाल	2024–25
	खासी हैंडलूम	मेघालय	2024–25
	बोडो दोखोना	असम	2023–24
	बोडो एरी रेशम	असम	2023–24
	बोडो ज्वमग्रा	असम	2023–24
	रिग्नाई पचारा टेक्सटाइल्स	त्रिपुरा	2023–24
	मैनपुरी तारकशी	उत्तर प्रदेश	2023–24
	संभल सींग-हड्डी हस्तशिल्प	उत्तर प्रदेश	2023–24
	लद्दाख शिंगस्कोस (लकड़ी पर नक़्क़ाशी)	लद्दाख (यूटी)	2022–23
	असम का गमोसा	असम	2022–23
	गोंड चित्रकला	मध्य प्रदेश	2022–23
	मनामदुरै मिट्टी के बर्तन	तमिलनाडु	2022–23
	थाइक्कल रतन शिल्प	तमिलनाडु	2022–23
	अलीगढ ताला	उत्तर प्रदेश	2022–23
	बखिरा पीतल बर्तन	उत्तर प्रदेश	2022–23
	नगीना काष्ठ कला	उत्तर प्रदेश	2022–23
	माता नी पछेड़ी	गुजरात	2022–23
	डिंडोरी का गढ़ा लौह शिल्प	मध्य प्रदेश	2022–23
	उज्जैन बाटिक प्रिंट	मध्य प्रदेश	2022–23
	ग्वालियर हस्तनिर्मित क़ालीन	मध्य प्रदेश	2022–23
	लद्दाख का पश्मीना ऊन	लद्दाख (यूटी)	2022–23
	बसोहली चित्रकला	जम्मू एवं कश्मीर (यूटी)	2022–23
	नरसिंहपेट्टई नागस्वरम	तमिलनाडु	2021–22
	चुनार ग्लेज पॉटरी	उत्तर प्रदेश	2021–22
	करुप्पुर कलमकारी चित्रकारी	तमिलनाडु	2021–22
	कल्लाकुरिची की लकड़ी नक़्क़ाशी	तमिलनाडु	2021–22
	उत्तराखंड का भोटिया दान (ग़ालीचा)	उत्तराखंड	2021–22
	पिथौरा कला	गुजरात	2021–22
	मंजूषा कला	बिहार	2021–22
	उत्तराखंड ऐपण	उत्तराखंड	2021–22
	उत्तराखंड रिंगल शिल्प	उत्तराखंड	2021–22
	उत्तराखंड टम्टा उत्पाद	उत्तराखंड	2021–22
	उत्तराखंड थुलमा कंबल	उत्तराखंड	2021–22
	बनारस ज़रदोज़ी शिल्प	उत्तर प्रदेश	2021–22
	मिर्ज़ापुर के पीतल बर्तन	उत्तर प्रदेश	2021–22
	बनारस की लकड़ी नक़्क़ाशी	उत्तर प्रदेश	2021–22
	बनारस हैंड ब्लॉक प्रिंट	उत्तर प्रदेश	2021–22
	चंबा चप्पल (पादुका)	हिमाचल प्रदेश	2021–22
	लाहौली बुनी जुराबें और दस्ताने	हिमाचल प्रदेश	2021–22

श्रेणी	जीआई दर्जा प्राप्त	संबंधित स्थान	वर्ष
विनिर्मित (अन्य)	मेघालय चुबिची	मेघालय	2023–24
	ब्रांडी डी जेरेज़	स्पेन	2022–23
	प्रोवोलोन वलपदाना	इटली	2022–23
	सेस्कोबुडेजोविक पिवो	चेक रिपब्लिक	2022–23
	विनो नोबेल डि मोंटेपुलसियानो	इटली	2022–23
	चिली पिस्को	चिली	2022–23
	बायरिसचेस बियर	जर्मनी	2021–22
	आयरिश क्रीम/आयरिश क्रीम लिकर	आयरलैंड	2021–22
	चियोस मस्तीहा	ग्रीस	2021–22
	गोर्गोन्जोला	इटली	2021–22
	ब्रुनेलो डि मोंटालिनो	इटली	2021–22
	लैंब्रुस्को डि सोरबरा	इटली	2021–22
	लैंब्रुस्को ग्रास्पारोसा डि कैस्टेल्वेट्रो	इटली	2021–22
	मोंटेपुलसियानो डी'अब्रुज़ो	इटली	2021–22
	जटेकी कमेल	चेक गणराज्य	2021–22
	मुंचनर बियर	जर्मनी	2021–22
	टोस्कानो	इटली	2021–22
	कोनग्लियानो वल्डोबियाडेने प्रोसेको	इटली	2021–22
	फ्रांसियाकोर्ता	इटली	2021–22
	चियांटी	इटली	2021–22

हिमाचल प्रदेश की काँगड़ा चाय को यूरोपीय संघ (ईयू) में संरक्षित भौगोलिक संकेत (जीआई) के रूप में पंजीकृत किया गया है। यह चाय अपनी अनोखी सुगन्ध और स्वाद के लिए जानी जाती है। इसमें ऐंटीऑक्सिडेंट, अमीनो एसिड और कई अन्य लाभकारी औषधीय यौगिक भी शामिल हैं।

बौद्धिक संपदा अधिकार (आई पी आर) के एक भाग के रूप में भौगोलिक संकेत औद्योगिक संपत्ति की सुरक्षा के लिए पेरिस कन्वेंशन में शामिल हैं। जीआई को डब्ल्यूटीओ के बौद्धिक संपदा अधिकारों के व्यापार-संबंधित पहलुओं (TRIPS) पर समझौते के माध्यम से भी नियंत्रित किया जाता है। ये दोनों क़ानून जीआई को लेकर अंतरराष्ट्रीय स्तर पर अहम भूमिका निभाते हैं।

विश्व बौद्धिक संपदा संगठन (डब्ल्यू आई पी ओ) के अनुसार, जीआई की सुरक्षा के तीन तरीक़े हैं -

1. सुई-जेनेरिस विधि जो विशेष रूप से जीआई पर लागू होती है,
2. प्रमाणन चिह्न और सामूहिक चिह्न,
3. व्यवसायिक प्रथाओं पर ध्यान केंद्रित करनेवाले शिष्टाचार (उदाहरण के लिए, उपभोक्ता संरक्षण से संबंधित क़ानून या अनुचित प्रतिस्पर्धा को दबाना)।

कुछ भौगोलिक संकेतों के पंजीकरण का निषेध

1. जिसके उपयोग से **धोखा देने या भ्रम पैदा होने** की संभावना होगी।

2. जिसका उपयोग **किसी भी लागू क़ानून के विपरीत** होगा।
3. कोई भी वस्तु, जिसमें **निंदनीय या अश्लील पदार्थ** हो।
4. कोई भी वस्तु, जिसमें भारत के नागरिकों के किसी भी वर्ग या समुदाय की **धार्मिक संवेदनशीलता को चोट पहुँचाने की संभावना हो**।
5. कोई भी वस्तु, जो **न्यायालय में संरक्षण के लिए** अन्यथा तिरस्कृत हो।
6. जो वस्तुओं के **सामान्य नामों या संकेतों के लिए निर्धारित हैं**, इसलिए उनके देश में संरक्षित नहीं हैं अथवा जो **उस देश में नकारे गये** हैं।
7. जो वस्तुएँ, वास्तव में किसी राज्य, क्षेत्र अथवा स्थानीय इलाक़े में उत्पन्न होती हैं, लेकिन व्यक्तियों को **ग़लत तरीक़े से दर्शाते हैं** कि माल दूसरे राज्य, क्षेत्र अथवा इलाक़े में उत्पन्न होता है।

यू.पी.एस.सी. विगत वर्षों के बहुविकल्पीय प्रश्न

1. निम्नलिखित में से किसे 'भौगोलिक संकेत' का दर्जा दिया गया है? **(CSE, 2015)**
   (i) बनारस ब्रोकेड और साड़ी
   (ii) राजस्थानी दाल-बाटी-चूरमा
   (iii) तिरुपति लड्डू

   नीचे दिये गये कूट का उपयोग करके सही उत्तर का चयन करें :
   (a) केवल (i)
   (b) केवल (ii) और (iii)
   (c) केवल (i) केवल (iii)
   (d) (i), (ii) और (iii)

उत्तरमाला

1. (c)

भाग B

कला प्रदर्शन (PERFORMING ARTS)

10

भारतीय संगीत

अध्याय की रूपरेखा

- ❖ भारतीय संगीत का इतिहास
- ❖ भारतीय संगीत का रचना-विज्ञान
- ❖ भारतीय संगीत का वर्गीकरण
- ❖ हिन्दुस्तानी संगीत की अर्द्ध-शास्त्रीय शैली
- ❖ कर्नाटक संगीत
- ❖ हिंदुस्तानी और कर्नाटक संगीत के प्रमुख संगीतकार/संरक्षक
- ❖ भारतीय संगीत पर महत्त्वपूर्ण पुस्तकें
- ❖ लोक संगीत
- ❖ संगीत के कुछ अन्य प्रकार
- ❖ संगीत वाद्ययंत्र
- ❖ संगीत में आधुनिक विकास
- ❖ संगीत से जुड़े समुदाय

संगीत किसी भी संस्कृति की आत्मा होती है और भारत में संगीत की सुदीर्घ परंपरा रही है। सिंधु घाटी सभ्यता के स्थलों से एक संगीत वाद्ययंत्र, **सात-छेदवाली बाँसुरी** प्राप्त की गयी है। माना जाता है कि एक अन्य उपकरण **रावणहत्था** की उत्पत्ति श्री लंका की हेला सभ्यता से हुई है और यह विश्व के इतिहास में प्राचीनतम है।

भारत में संगीत का इतिहास वैदिक काल से है, जिसमें सामवेद के स्वर, गंधर्ववेद, ऐतरेय में वीणा शामिल हैं। आरण्यक, ओम, **पाणिनी** और **भरत के नाट्यशास्त्र** के संदर्भ इसके प्रारंभिक सिद्धांत और व्यवहार को दर्शाते हैं।

भारतीय संगीत का इतिहास

1. उत्तर वैदिक काल में आनुष्ठानिक संगीत में संगम (पद्य गायन) और जातिगान (कथा संगीत) शामिल थे।
2. **भरत के नाट्यशास्त्र** ने संगीतशास्त्र का विस्तार किया, सप्तक और 22 श्रुतियों (सूक्ष्म स्वरों) की पहचान की।
3. **दत्तिलम** ने प्रति सप्तक 22 श्रुतियों को ही मानवीय रूप से संभव ध्वनियों के रूप में पुष्टि की।
4. **बृहद्देशी** (छठी-आठवीं शताब्दी, **मातंग**) ने 'राग' शब्द को परिभाषित करने पर ध्यान केंद्रित किया।
5. सारंगदेव के **संगीत रत्नाकर** (तेरहवीं शताब्दी) ने 264 रागों को परिभाषित किया और सूक्ष्म स्वरों को वर्गीकृत किया।
6. **स्वरमेला-कलानिधि** (सोलहवीं शताब्दी, रामामात्य) ने रागों का वर्णन किया।
7. **चतुर्दण्डिप्रकाशिका** (सत्रहवीं शताब्दी, वेंकटमाखिन) ने कर्नाटक संगीतशास्त्र में महत्त्वपूर्ण अंतर्दृष्टि प्रदान की।
8. प्राचीन और प्रारंभिक मध्यकालीन भारत में गहन संगीत प्रशिक्षण के लिए गुरुकुल मौजूद थे।

विरासत स्मरण

गुरुकुल प्रणाली

- इसे **आश्रम** (आश्रम प्रणाली) के रूप में भी जाना जाता है, जिसमें *गुरु-शिष्य* परंपरा सन्निहित थी, अर्थात् शिक्षक और छात्र के संबंध बहुत घनिष्ठ होते थे।
- प्राचीन काल में, शिक्षक या अध्यापक ऋषि-मुनि हुआ करते थे। छात्रों को **12 वर्ष** तक आश्रम में रहकर गुरु की सेवा करते हुए ज्ञान प्राप्त करना होता था।
- **आश्रमों को राजाओं** और समाज के धनी व्यक्तियों द्वारा संरक्षण दिया जाता था।
- आश्रम में जीवन कठोर, चिंतन-मनन और प्रत्यक्ष अनुभव के माध्यम से ज्ञान द्वारा भरा होता था।
- सभी छात्रों, चाहे राजकुमार हो या आम आदमी, उन सभी से बिना **भेदभाव** के समान व्यवहार किया जाता था।

फ़ारसी और इस्लामी प्रभाव ने पंद्रहवीं शताब्दी तक उत्तर भारतीय संगीत को भक्तिमय ध्रुवपद से ध्रुपद में बदल दिया। सत्रहवीं शताब्दी तक, ख़याल हिंदुस्तानी संगीत की एक नयी शैली के रूप में उभरा। इस काल में विभिन्न लोक गायन की शैलियों का भी विकास हुआ। हिंदू पौराणिक कथाओं के दिव्य संगीतज्ञ, गंधर्व, दक्षिण एशियाई मूर्तियों में चित्रित किये गये हैं और वैदिक साहित्य में भी उनका उल्लेख मिलता है।

थाईलैंड के एमराल्ड बुद्ध के मंदिर में गरुड़ और गंधर्व

भारतीय संगीत का रचना-विज्ञान

भारतीय शास्त्रीय संगीत को समझने से पहले मूल सिद्धांतों को समझना ज़रूरी है। किसी भी भाषा की तरह, प्रभावी संचार और निरंतर समझ के लिए एक व्याकरणिक ढाँचा आवश्यक है। भारतीय शास्त्रीय संगीत में, संगीत व्याकरण और नियमों पर ग्रंथों को **लक्षणग्रंथ (व्याकरण की पुस्तकें)** कहा जाता है, जो कई शताब्दियों में विकसित और विकसित हुए हैं। भारतीय शास्त्रीय संगीत के तीन मुख्य स्तंभ हैं : **स्वर, राग और ताल**। इन तत्त्वों को हम इस प्रकार देख सकते हैं-

स्वर

प्राचीन काल में, 'स्वर' शब्द वेदों के सस्वर पाठ से जुड़ा हुआ था। समय के साथ-साथ इस शब्द को रचना में **'स्वर'** या **'स्केल डिग्री'** को परिभाषित करने के लिए प्रयोग किया जाने लगा। *नाट्यशास्त्र* में **भरत** ने **बाईस (22) स्वरों** के पैमाने में स्वरों को विभाजित किया है। वर्तमान में, हिंदुस्तानी संगीत की सांकेतिक पद्धति इन सात (7) संक्षिप्त एवं शुद्ध स्वरों - **सा, रे, ग, म, प, ध, नि** द्वारा परिभाषित होती है। सात स्वरों को सम्मिलित रूप से **सप्तक या सरगम** कहा जाता है। भारतीय शास्त्रीय संगीत में, षड्ज (सा) और पंचम

स्वरमान के नाम	कार्य	संक्षिप्ताक्षर
षड्ज (Shadja)	मूल सुर	सा
ऋषभ (Rishabha)	मूल सुर से ऊपर	रे
गांधार (Gandhara)	मध्यम स्वर	ग
मध्यम (Madhyama)	उप-प्रमुख	म
पंचम (Panchama)	प्रमुख	प
धैवत (Dhaivata)	उप-मध्यम	ध
निषाद (Nishada)	मूल सुर से नीचे	नि

(प) स्थिर स्वर हैं, जिन्हें **अचल स्वर** कहा जाता है और ये स्वर का आधार बनते हैं, जबकि अन्य स्वर, वैकल्पिक रूपों के साथ, **चल स्वर** के रूप में जाने जाते हैं। निम्नलिखित नामों का उपयोग करके प्रत्येक **स्वरमान** को दायीं तरफ़ तालिका में सूचीबद्ध किया गया है।

संस्कृति संक्षेपण

स्वरों के प्रकार

ग्रह स्वर : ग्रह स्वर आरंभिक या मुख्य स्वर है; पहले के समय में, यह पैमाने को परिभाषित करता था, लेकिन आधुनिक व्यवहार में, सा सभी रागों के लिए ग्रह है।

वादी स्वर : वादी स्वर राग का सबसे महत्त्वपूर्ण स्वर होता है और इसका केन्द्रीय या प्रमुख स्वर होता है।

संवादी स्वर : संवादी स्वर राग का दूसरा सबसे महत्त्वपूर्ण स्वर है और आमतौर पर वादी से चौथा या पाँचवाँ स्वर होता है ।

अनुवादक स्वर : अनुवादक स्वर, वह स्वर है, जो मुख्य स्वरों के साथ सामंजस्य रखता है, तथा प्रायः तीसरे स्वर के अनुरूप होता है।

विवादी स्वर : विवादी स्वर एक बेसुरा स्वर है, जो मुख्य स्वर के बहुत क़रीब होता है और राग में तनाव पैदा करता है।

भारतीय शास्त्रीय संगीत में **श्रुति,** ध्वनि की सबसे छोटी श्रव्य इकाई या सूक्ष्म स्वर को संदर्भित करती है।

महत्त्वपूर्ण है कि यह स्वर श्रुति से भिन्न हैं। एक **श्रुति आवृत्ति की गुणवत्ता का प्रतिनिधित्व करनेवाली सबसे छोटी श्रेणी** है। **22 श्रुति में से केवल 12 स्वर सुनने योग्य होते हैं**। ये 12 में 7 शुद्ध स्वर होते हैं तथा 5 विकृत स्वर होते हैं। सा, रे, ग, म, प, ध तथा नि शुद्ध स्वर हैं।

सात मूल स्वर (सा, रे, गा, म, प, ध, नि) श्रुतियों के विशिष्ट समूहों से व्युत्पन्न हैं। उदाहरण के लिए, सा और प स्थिर (अचल) हैं, जबकि अन्य स्वर अपनी श्रुति सीमा में थोड़ा-बहुत बदल सकते हैं।

राग

'राग' शब्द संस्कृत धातु **'रञ्ज'** से आया है, जिसका शब्दिक अर्थ व्यक्ति को आनंदित करना या प्रसन्न कर संतुष्ट करना होता है। राग **मधुर गीत के आधार** होते हैं, जबकि 'ताल' 'लय' का आधार बनता है। राग की प्रत्येक मधुर संरचना **अलग व्यक्तित्त्व के विषय में** और ध्वनियों द्वारा पैदा किये गये **मनोभावों** को उजागर करते हैं। प्रत्येक राग की पहचान उसके **आरोहण (स्वरों के बढ़ते क्रम)** और **अवरोहण (स्वरों के घटते क्रम)** से होती है। इसमें एक **वादी (सबसे महत्त्वपूर्ण स्वर या राजा स्वर)** और एक **संवादी (दूसरा सबसे महत्त्वपूर्ण स्वर या रानी स्वर)** होता है। राग के अन्य स्वरों को **अनुवादी (सहायक स्वर)** कहा जाता है, जबकि जो स्वर राग के अंतर्गत नहीं आते, लेकिन कम मात्रा में प्रयुक्त होते हैं, विवादी कहलाते हैं। प्रत्येक राग का एक पकड़ या चलन भी होता है, जो एक विशिष्ट पद या पैटर्न होता है, जो राग की पहचान कराता है। अंततः, प्रत्येक राग एक विशिष्ट रस (मनोदशा या भाव) व्यक्त करता है, जैसे-शांति, भक्ति या लालसा।

राग की नींव प्राचीन भारतीय संगीत की तीन महत्त्वपूर्ण अवधारणाओं पर आधारित है : **ग्राम, मूर्च्छना और जाति।**

ग्राम सबसे प्रारंभिक स्वर प्रणाली थी, जो स्केल के समान थी। दो मुख्य ग्राम माने जाते थे : षड्ज ग्राम (सा पर आधारित) और मध्यम ग्राम (मा पर आधारित)।

मूर्छना, एक ग्राम में स्वर का एक प्रकार का परिवर्तन था। प्रत्येक ग्राम सात मूर्छनाएँ उत्पन्न कर सकता था, जो पश्चिमी संगीत में स्वरों की अवधारणा से कुछ हद तक मिलती-जुलती हैं।

राग का सबसे प्रारंभिक स्वरूप **जाति** थी। इसे स्वरों की संख्या (पाँच, छह या सात) और उन स्वरों के आरोह-अवरोह में क्रम द्वारा परिभाषित किया जाता था। **भरत मुनि** द्वारा रचित **नाट्य शास्त्र** में 18 जातियों का उल्लेख है और समय के साथ, ये जातियाँ रागों की अवधारणा में विकसित हुई।

जातियाँ या श्रेणियाँ हैं :

1. **औडव / ओडव राग:** एक 'पंचकोणीय' राग, जिसमें पाँच स्वर होते हैं
2. **षाडव राग :** एक 'षट्कोणीय' राग, जिसमें छह स्वर होते हैं
3. **संपूर्ण राग :** एक 'हेप्टाटोनिक' राग, जिसमें सात स्वर होते हैं

राग का न तो पैमाना होता है; न ही विधा होती है, बल्कि अपनी विचित्र आरोही और अवरोही गतियों के साथ यह वैज्ञानिक, सटीक, सूक्ष्म और सौंदर्य का मधुर रूप होता है। इसमें पूर्ण सप्तक या 5 अथवा 6 स्वरों की श्रृंखला होती है। तीन प्रमुख प्रकार के राग या **राग भेद** होते हैं :

शुद्ध राग : यह वह राग है, जिसमें यदि कोई भी स्वर, जो रचना में उपस्थित नहीं होता है, उसे गाया जाता है, तो इसकी प्रकृति और रूप में परिवर्तन नहीं होता है। उदाहरण : राग भैरव

छायालग राग : यह वह राग है, जिसमें यदि कोई भी स्वर, जो मूल रचना में उपस्थित होता है, उसे गाया जाता है, तो इसकी प्रकृति और रूप में **परिवर्तन** होता है। उदाहरण : राग जयजयवंती

संकीर्ण राग : यह वह राग है, जिसमें दो या दो से अधिक रागों का संयोजन होता है। उदाहरण : राग मिश्र पीलू

संस्कृति संक्षेपण

राग-रागिनी व्यवस्था रागों को वर्गीकृत करने की सबसे प्राचीन विधियों में से एक है। इसमें 5 या 6 मुख्य राग होते हैं और प्रत्येक मुख्य राग 6 सहयोगी रागों से जुड़ा होता है, जिन्हें **रागिनियाँ** कहते हैं। ये सभी मिलकर लगभग 30-36 राग बनाते हैं और इनसे कई और राग बनते हैं, जिन्हें **रागपुत्र या रागपुत्री** (पुत्र या पुत्री राग) कहा जाता है।

स्वरों के आरोहण और अवरोहण के आधार पर, रागों को तीन गतियों में बाँटा जा सकता है- ***विलम्बित*** (धीमा); ***मध्य*** (मध्यम) और ***द्रुत*** (तीव्र)।

कर्नाटक शास्त्रीय संगीत में, **वेंकटमाखी** (सत्रहवीं शताब्दी) ने **मेलकर्ता प्रणाली** विकसित की। इसमें 72 मूल राग हैं, जिन्हें **मेलकर्ता राग** या **जनक राग** कहा जाता है। प्रत्येक मेलकर्ता राग संपूर्ण है, अर्थात् इसमें आरोह और अवरोह दोनों में सभी सात स्वरों का प्रयोग होता है।

वीणा

इन मेलकर्ता रागों से, कुछ स्वरों को छोड़कर या टेढ़ी-मेढ़ी (वक्र) गतियों का उपयोग करके अनेक जन्य राग (व्युत्पन्न राग) निर्मित किये जाते हैं। उदाहरण के लिए, मेलकर्ता राग **मायामालवगौला** से **जन्य राग मालाहारी** का निर्माण होता है, जिसे आमतौर पर शुरुआत करनेवाले लोगों को सिखाया जाता है।

समय और **ऋतु** विशिष्ट होती हैं और विशेष प्रकार की **भावना (रस)** का आह्वान करते हैं :

हिन्दुस्तानी राग	समय	ऋतु	मनोभाव (रस)
भैरव	भोर	कोई भी मौसम	शांति
हिण्डोल	प्रातः काल	बसंत	युवा जोड़े की मिठास का आह्वान करता है
दीपक	रात	ग्रीष्मकाल	करुणा
मेघ	देर रात	वर्षा ऋतु	साहस
श्री	सायंकाल	शीतकाल	हर्ष
मालकौंस	मध्यरात्रि	शीतकाल	वीर

कुछ राग पारंपरिक रूप से विशिष्ट ऋतुओं से जुड़े होते हैं। उदाहरण के लिए, **राग मेघ और राग मल्हार मानसून** या वर्षा से जुड़े हैं, राग बसंत और राग बहार वसंत ऋतु से जुड़े हैं, राग दीपक ग्रीष्म ऋतु से जुड़ा है और **हेमंत** जैसे राग शीत ऋतु से जुड़े हैं।

रस

रागों की रचना के पीछे महत्त्वपूर्ण कारण कलाकार और श्रोताओं में **भावनात्मक प्रतिक्रियाओं** का आह्वान करना होता है। गायन और वाद्ययंत्र बजाने के माध्यम से उत्पन्न की जानेवाली इन महत्त्वपूर्ण भावनाओं को रस कहा जाता है। रसों को **'सौंदर्यानन्दम'** भी कहा जाता है, क्योंकि ये किसी और कला के माध्यम से भावना का अनुभव कराते हैं, भले ही ये व्यक्तिगत अनुभूतियों की सीमाओं से मुक्त क्यों न हों! प्रारंभ में आठ रस थे, लेकिन आगे चलकर इन्हें **नौ रस** या **'नवरस'** बनाने के लिए एक और 'शांत रस' जोड़ दिया गया। ये हैं :

रस का प्रकार	मनोभाव, जिसे यह जगाता है	राग
शृंगार	रति	काफ़ी, राग देश
हास्य	हास्य/हँसी	हंसध्वनि
करुणा	शोक/दुःख	भैरवी
रौद्र	क्रोध	मालकौंस
भयानक	भय	तोड़ी
वीर	उत्साह	देशकार
अद्भुत	आश्चर्य	दरबारी कणाद
बीभत्स	घृणा	व्यवहार में शायद ही कभी प्रयोग किया जाता है
शांत	शांतिपूर्ण या शांत	शंकर, राग यमन

हालाँकि, पंद्रहवीं सदी के बाद, **भक्ति** या ईश्वर के प्रति समर्पण का रस भी नौ रसों के प्रारंभिक कोष में व्यापक रूप से स्वीकृत हो गया। कुछ संगीतविदों का तर्क है कि भक्ति और शांत रस एक समान ही हैं।

समय

प्रत्येक राग को गाने का एक विशिष्ट समय होता है। ऐसा इसलिए है, क्योंकि इन स्वरों से विशेष समय पर अधिक प्रभावी होने की अपेक्षा की जाती है। दिन के 24 घंटे दो भागों में बाँटे जा सकते हैं :

- दोपहर 12 बजे से लेकर रात 12 बजे तक : ***पूर्व भाग*** कहा जाता है और इस समयावधि में गाये जानेवाले रागों को ***पूर्व राग*** कहा जाता है।
- रात 12 बजे से लेकर दोपहर 12 बजे तक : ***उत्तर भाग*** कहा जाता है और इस समय सीमा में गाये जानेवाले रागों को ***उत्तर राग*** कहा जाता है।

इसके अतिरिक्त, दिन की अवधि के अनुसार ***सप्तक*** में भी परिवर्तन होता है। उदाहरण के लिए, पूर्वांग अवधि में, सप्तक सा से लेकर म (सा, रे, ग, म) तक होता है। इसके विपरीत, उत्तरांग अवधि में, सप्तक पा से लेकर सा (प, ध, नि, सा) तक होता है।

ताल

धुनों का लयबद्ध समूह ही ताल कहलाता है। यह लयबद्ध चक्र **3** से लेकर **108 धुनों** का होता है। ताल की अवधारणा के अनुसार, संगीत का समय सरल और जटिल छन्दों में विभाजित होता है। यद्यपि **समय की माप** का यह सिद्धांत हिंदुस्तानी और कर्नाटक संगीत में एकसमान नहीं है। ताल की अवधारणा के विषय में अनूठी बात यह है कि यह उस संगीत से स्वतंत्र होता है, जो इसकी संगत करता है और इसका अपना विभाजन होता है। ताल की गति, जो समयावधि की समरूपता बनाये रखती है, उसे **लय** कहा जाता है।

सरोद

कई संगीतविदों ने तर्क दिया है कि सौ से भी अधिक ताल हैं, लेकिन वर्तमान में केवल तीस **ताल** ज्ञात हैं और उनमें से भी केवल 10 से 12 ताल ही वास्तव में उपयोग किये जाते हैं। विभिन्न प्रकार के मान्यता प्राप्त और उपयोग किये जानेवाले ताल *दादरा, कहरवा, रूपक, एकताल, झपताल, तीन-ताल और चौताल* हैं। महत्त्वपूर्ण है कि इन में भी संगीतकार सामान्यत: सोलह धुनोंवाले *तीन-ताल* का उपयोग करते हैं। कर्नाटक संगीत में, ताल की एक कठोर संरचना होती है, जो **लघु, धृतम और अनुधृतम** से बनी होती है । मूल तालों की संख्या 35 है, जिनमें से प्रत्येक पाँच घटियों में विभाजित है, जिससे कुल 175 ताल बनते हैं, जिनमें **आदिताल** सबसे प्रमुख है।

थाट

थाट अलग-अलग समूहों में रागों के **वर्गीकरण** की प्रणाली है। वर्तमान में, हिन्दुस्तानी शास्त्रीय संगीत के, **10-थाट वर्गीकरण** को अपनाया गया है। उत्तर भारतीय शास्त्रीय संगीत के क्षेत्र में सबसे महत्त्वपूर्ण संगीतविदों में से एक पंडित विष्णु नारायण भातखंडे (1860-1936) के अनुसार प्रत्येक राग 10 आधारभूत थाटों या **संगीतात्मक पैमानों** या प्रारूप पर आधारित हैं। **थाट केवल आरोही में गाया जा सकता है,** क्योंकि स्वर आरोही क्रम में संगठित होते हैं।

थाट में 12 (7 शुद्ध स्वर तथा 5 विकृत स्वर) स्वरों में से **सात स्वर** होने चाहिए और इन्हें **अनिवार्य रूप से आरोही क्रम में रखा जाना चाहिए**। 10 थाट हैं–*बिलावल, खमाज, काफ़ी, आसावरी, भैरवी, भैरव, कल्याण, मारवा, पूर्वी और तोड़ी*। राग के विपरीत थाट में **कोई भावनात्मक गुण नहीं** है और इसे गाया नहीं जाता है। थाट से उत्पन्न राग गाये जाते हैं।

राग के अन्य घटक

1. **धीमी गति** से वादी, सम्वादी और राग की अन्य मूक विशेषताओं पर बल देनेवाले राग का **क्रमिक उद्घाटन *आलाप*** कहलाता है। इसे प्रदर्शन के समय राग के **प्रारंभ** में गाया जाता है। आमतौर पर उत्तर भारतीय शास्त्रीय संगीत में इसे आकार यानी किसी अक्षर का उच्चारण किये बिना, केवल स्वर की 'आ' ध्वनि का उपयोग करके गाया जाता है।
2. हिंदुस्तानी शास्त्रीय संगीत के अंतर्गत संगीत रचना को दो भागों में बाँटा जा सकता है :

स्थायी/मुखड़ा	रचना का पहला भाग (अधिकतम उपयोग किया जाता है)
अंतरा	रचना का दूसरा भाग

3. **तेज़ गति** में आधारभूत स्वर ***तान*** कहलाते हैं। ये बहुत तकनीकी होते हैं और लय में विभिन्नता के साथ स्वरों के जटिल पैटर्न की रचना में प्रशिक्षण, अभ्यास और कौशल दिखलाते हैं। तान के गायन में गति एक महत्त्वपूर्ण कारक है। कुछ विशेष तान आकार स्वर में गाये जाते हैं। तान के कोष के भीतर, 3 या 4 स्वरों की छोटी तान **'मुर्की'** कहलाती है। इन्हें बहुत ही तेज़ गति में गाया जाता है और इसके लिए गायक के पास पर्याप्त कौशल होना चाहिए।

4. अन्त में, संगीत के खण्ड की रचना के दौरान, *'अलंकार'* के रूप में अलंकरण की आवश्यकता होती है। यह क्रमबद्ध रूप में विशिष्ट मधुर प्रस्तुति है, जिसमें एक पैटर्न का अनुसरण किया जाता है। उदाहरण के लिए, स्वरों 'सा रे ग', 'ग म प', 'म प ध' आदि का संयोजन। इन संयोजनों में हमें *अलंकार* दिखायी देता है, जिसमें क्रमबद्ध रूप में 3 स्वरों का प्रत्येक बार उपयोग किया जाता है।

अंतर का आधार	थाट	राग
उत्पत्ति	ये बारह स्वर (स्वरों) से बनाये जानेवाले पैमाने हैं।	राग थाट की शैली से संबंधित होते हैं।
स्वरों की संख्या	थाट में **सात स्वर** होने चाहिए।	राग में **कम-से-कम पाँच स्वर** होते हैं।
स्वरों के प्रकार	थाट में केवल **आरोह** या आरोही स्वर होते हैं।	राग में **आरोह और अवरोह** दोनों स्वर होने चाहिए।
स्वरमाधुर्य	थाट के लिए मधुर होना आवश्यक नहीं है, क्योंकि इन्हें गाया नहीं जाता है।	राग गाये जाते हैं, इसलिए ये **मधुर** होते हैं।
महत्त्वपूर्ण स्वर	थाट में *वादी* और *सम्वादी* **नहीं** होते हैं।	रागों में *वादी* और *सम्वादी* होते हैं।
नामकरण	थाट का नामकरण लोकप्रिय रागों के नाम पर होता है।	रागों का नामकरण उन भावनाओं के नाम पर होता है, जिनका वे आह्वान करते हैं।

भारतीय संगीत का वर्गीकरण

भारतीय संगीत में शास्त्रीय, लोक और समकालीन संगीत शामिल हैं तथा हाल के रुझानों में शास्त्रीय परंपराओं का पॉप और जैज जैसी वैश्विक शैलियों के साथ सम्मिश्रण पर प्रकाश डाला गया है। भारतीय संगीत का वर्गीकरण इस प्रकार है :

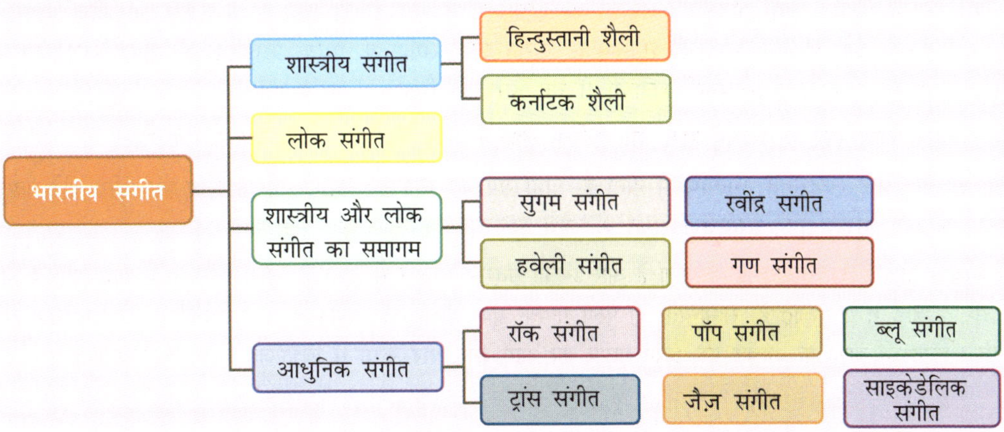

भारतीय संगीत का वर्गीकरण

शास्त्रीय संगीत

भारतीय शास्त्रीय संगीत की दो अलग-अलग शैलियों का विकास हुआ है :

1. **हिंदुस्तानी संगीत :** इसका भारत के उत्तरी भागों में अभ्यास किया जाता है।
2. **कर्नाटक संगीत :** इसका भारत के दक्षिणी भागों में अभ्यास किया जाता है।

हालाँकि दोनों प्रकार के संगीत की ऐतिहासिक जड़ें भरत के नाट्यशास्त्र में पायी जाती हैं, परंतु इनमें चौदहवीं सदी में अलगाव हो गया।

हिंदुस्तानी संगीत

संगीत की हिंदुस्तानी शाखा संगीत संरचना और उसमें **तात्कालिकता की संभावनाओं** पर अधिक केंद्रित होती है। हिंदुस्तानी शाखा में ***शुद्ध स्वर सप्तक*** या 'प्राकृतिक स्वरों के सप्तक' के पैमाने को अपनाया गया।

मियाँ तानसेन

'ध्रुपद', 'धमार', 'होरी', 'ख़्याल', 'टप्पा', 'चतुरंग', 'रससागर', 'तराना', 'सरगम' और 'ठुमरी' जैसी हिंदुस्तानी संगीत में गायन की दस मुख्य शैलियाँ हैं। जिनमें से प्रमुख शैलियाँ इस प्रकार हैं :

ध्रुपद शैली

यह हिन्दुस्तानी शास्त्रीय संगीत के **सबसे पुराने** और **भव्य रूपों** में से एक है तथा इसका वर्णन **नाट्यशास्त्र** में भी किया गया है। ध्रुपद, ध्रुव (स्थिर) और पद (पद्य) से व्युत्पन्न, **प्रबंध और ध्रुवपद** से विकसित हुआ। यद्यपि ध्रुपद ने तेरहवीं शताब्दी में शास्त्रीय संगीत के रूप में अपनी स्थिति को मज़बूत किया, लेकिन यह सम्राट् **अकबर** के दरबार में अपने चरम पर पहुँचा। संगीत शैली को ध्रुपद नाम देनेवाला सबसे पहला स्रोत **अबू फ़ज़ल का आइन-ए-अकबरी** (1593) है।

श्री श्रीभट्ट द्वारा 1294 ई. में रचित **युगल शतक** में ध्रुपद शैली में गीत हैं, जो इसे ध्रुपद से संबंधित सबसे प्रारंभिक ज्ञात स्रोतों में से एक बनाता है।

अकबर ने स्वामी **हरिदास** और **मियाँ तानसेन** (इनका वास्तविक नाम रामतनु पांडेय था) जैसे संगीताचार्यों को नियुक्त किया और उनका संरक्षण किया। मियाँ तानसेन (अकबर के दरबार में नवरत्न या नौ रत्नों में से एक) और बैजू बावरा, स्वामी हरिदास के शिष्य थे और पद्रहवीं-सोलहवीं शताब्दी के दौरान ध्रुपद संगीत के प्रमुख प्रस्तावक थे। ध्रुपद मध्यकाल में गायन की प्रमुख विधा बन गयी, परंतु अठारहवीं शताब्दी में यह ह्रास की स्थिति में पहुँच गयी।

ध्रुपद एक **काव्यात्मक रूप** है, जिसमें **राग को सटीक तथा विस्तृत शैली** में प्रस्तुत किया गया है।

ध्रुपद की शुरुआत एक शब्दरहित **आलाप** से होती है, जहाँ राग की मनोदशा को जगाने के लिए लय धीरे-धीरे बढ़ती जाती है। आलाप के बाद, मुख्य ध्रुपद **पखावज** संगत के साथ शुरू होता है।

ध्रुपद में **संस्कृत अक्षरों** का उपयोग किया जाता है और इसका **उद्गम मंदिरों से हुआ** है। ध्रुपद रचनाओं में सामान्यत: **4 से 5 पद होते** हैं और ये जोड़े में गाये जाते हैं। सामान्यत: दो पुरुष गायक ध्रुपद शैली का प्रदर्शन करते हैं। **तानपुरा** और **पखावज** सामान्यत: इनकी संगत करते हैं। वाणी के आधार पर, ध्रुपद गायन को आगे और **चार रूपों में** विभाजित किया जा सकता है :

घराना (क्षेत्र)	सम्बद्ध वाणी	विशेषता और शैली	प्रसिद्ध प्रतिपादक
डागर घराना (दिल्ली/यूपी)	डागर वाणी (गौहर से सम्बद्ध)	**आलाप** पर बल, ध्यानात्मक शैली, अक्सर जोड़ों में गाया जाता है; भक्ति गीत, हालाँकि मुख्यतः मुस्लिम गायकों द्वारा।	गुंदेचा बंधु (उमाकांत और स्वर्गीय रमाकांत), डागर परिवार।
दरभंगा घराना (बिहार)	खंडार वाणी और गौहर वाणी	**आलाप** और **बंदिश** पर समान ध्यान; **लयकारी** (लयबद्ध आशुरचना) से भरपूर।	राम चतुर मलिक, पं. सियाराम तिवारी, मलिक परिवार।
बेतिया घराना (बिहार)	गौहर वाणी और खंडार वाणी	**बंदिश को प्रदर्शन का मूल** माना जाता है; आलाप को कम महत्त्व दिया जाता है।	मिश्र परिवार (इंद्र किशोर मिश्रा)
तलवंडी घराना (पंजाब, अब पाकिस्तान)	खंडार वाणी	मजबूत, प्रभावशाली शैली; ऐतिहासिक पतन और विभाजन के कारण लगभग विलुप्त।	कुछ ही जीवित कलाकार, काफ़ी हद तक विलुप्त।

क्या आप जानते हैं? **घराना** एक संगीत परंपरा या स्कूल है, जो शैली और विचारधारा पर आधारित होता है और शिक्षण और प्रदर्शन को आकार देता है। प्रसिद्ध हिंदुस्तानी घरानों में आगरा, ग्वालियर, इंदौर, जयपुर, किराना और पटियाला शामिल हैं।

ख़याल/(ख़्याल शैली)

'ख़याल' (ख़्याल) शब्द फ़ारसी से लिया गया है, जिसका अर्थ **'विचार या कल्पना'** होता है। उल्लेखनीय है कि इस शैली के उद्भव का श्रेय **अमीर ख़ुसरो** को दिया जाता है। यह रूप कलाकारों के बीच काफ़ी लोकप्रिय है, क्योंकि यह तात्कालिकता के लिए अधिक-से-अधिक अवसर प्रदान करता है। ख़याल (ख़्याल) दो से लेकर आठ पंक्तियोंवाले **लघु गीतों** के रंग पटल पर आधारित है। सामान्यत: ख़याल (ख़्याल) रचना को '*बंदिश*' के रूप में भी जाना जाता है।

पद्रहवीं सदी में **हुसैन शाह** (शर्क़ी जौनपुर सल्तनत के शासक) इसके सबसे बड़े संरक्षक थे। ख़याल (ख़्याल) की सबसे अनूठी विशेषताओं में से एक यह है कि ख़्याल रचना में प्राय: **तान का उपयोग** होता है। इसी कारणवश ध्रुपद की तुलना मे ख़याल संगीत में आलाप को कम स्थान दिया जाता है। सामान्यत: ख़्याल में दो गीतों का उपयोग होता है :

1. ***बड़ा ख़्याल:*** धीमी गति में गाया जानेवाला
2. ***छोटा ख़्याल:*** तेज़ गति में गाया जानेवाला

अधिकांश प्रदर्शन बड़ा ख़्याल में होते हैं।

पाठ और राग में निरंतरता बनाये रखते हुए अधिकतर स्थितियों में, प्रत्येक गायक, विभिन्न प्रकार से बंदिश प्रस्तुत करता है। ये **प्रेम** के विषय में गाते हैं, चाहे वह दिव्य जीवों से संबंधित ही क्यों न हों। यह ईश्वर या किसी विशेष राजा की प्रशंसा भी हो सकती है। असाधारण ख़्याल रचनाएँ **भगवान् कृष्ण** की स्तुति में की जाती हैं। ख़्याल संगीत के अंतर्गत **प्रमुख घराने** हैं :

घराने	क्षेत्र/संस्थापक	विशेषता और शैली	प्रसिद्ध प्रतिपादक
ग्वालियर	ग्वालियर, मध्य प्रदेश; के बीच सबसे पुराना ख़्याल घराना	राग और लय पर समान बल; सरल रागों का प्रयोग, सपाट तान; कठोर और विस्तृत शैली	नत्थू ख़ान, विष्णु दिगंबर पलुस्कर
किराना	किराना (यू.पी.); नायक द्वारा स्थापित गोपाल, अब्दुल करीम ख़ान और अब्दुल वाहिद ख़ान (बीसवीं सदी) द्वारा लोकप्रिय	सटीक स्वर-संगीत, धीमी गतिवाले राग, लय पर राग, स्पष्ट उच्चारण पर ध्यान	अब्दुल करीम ख़ान, अब्दुल वाहिद ख़ान, पंडित भीमसेन जोशी, गंगूबाई हंगल
आगरा (रंगीला)	नौहर वाणी में उत्पत्ति; द्वारा स्थापित हाजी सुजान ख़ान/खुदाबख़्श (उन्नीसवीं सदी)	ख़्याल और ध्रुपद-धमार का मिश्रण; बंदिश पर तनाव; गीतात्मक शैली	फ़ैय्याज़ ख़ान, विलायत हुसैन ख़ान
पटियाला	पंजाब; बड़े फ़तेह अली ख़ान और अली बख़्श जरनैल ख़ान (उन्नीसवीं सदी) द्वारा स्थापित, पटियाला के महाराजा द्वारा संरक्षित	ख़्याल, ठुमरी, ग़ज़ल के लिए प्रसिद्ध; लय और भावनात्मक पर ध्यान दें अभिव्यक्ति; जटिल तान, गमक, तराना गायकी	बड़े गुलाम अली ख़ान
भिंडी बाज़ार	मुंबई (उन्नीसवीं सदी); छज्जू ख़ान द्वारा स्थापित, नज़ीर ख़ान और ख़ादिम हुसैन ख़ान	श्वास-नियंत्रण तकनीक (एक ही सांस में लंबे अंश); कर्नाटक रागों का समावेश	छज्जू ख़ान, नज़ीर ख़ान, ख़ादिम हुसैन ख़ान

तराना शैली

इस शैली में **लय** का बहुत महत्त्व है। इसकी संरचना मुख्यत: **राग** पर आधारित होती है, जो आमतौर पर छोटा होता है और विभिन्न रूपों में दोहराया जाता है। मुख्य विषय पर लौटने से पहले एक बार एक विपरीत उच्च स्वरवाला राग आता है।

इसमें **तीव्र गति** में गाये जानेवाले कई शब्दों का प्रयोग होता है। यह लयबद्ध विषय बनाने पर केंद्रित होता है, इसलिए गायक के लिए लयबद्ध हेरफेर में विशेष प्रशिक्षण और कौशल की आवश्यकता होती है। तेरहवीं-चौदहवीं शताब्दी में **अमीर खुसरो** द्वारा फिर से तराना शैली का आविष्कार किया गया। तराना शैली को 10वें सिख **गुरु गोबिन्द सिंह** ने भी अपनी रचनाओं में इस्तेमाल किया था। वर्तमान में, विश्व के एक प्रसिद्ध तराना गायक मेवाती घराने के **पंडित रतन मोहन शर्मा** हैं। हैदराबाद में पंडित मोतीराम संगीत समारोह में श्रोताओं ने उन्हें **'तराना के बादशाह'** की पद्वी दी।

हिन्दुस्तानी संगीत की अर्द्ध-शास्त्रीय शैली

संगीत की **अर्द्ध-शास्त्रीय शैली** भी **स्वर** (सुर) पर आधारित है। हालाँकि गायक राग की मानक सरंचना (शैली) से थोड़ा-सा भटकते हैं और रागों के **सुगम** रूप-**राग भूपाली** या **मालकौश** गाये जाते हैं। इनमें **ताल के सरल रूप** का उपयोग किया जाता है और **मध्यम या द्रुत** लय प्रयुक्त होती है, अर्थात् उनकी लय में तीव्रता होती है। वे **आलाप-ज़ोर-झाल** की तुलना में **भाव और गीत** पर बल देते हैं। कुछ प्रमुख अर्ध-शास्त्रीय शैलियों जैसे ठुमरी, टप्पा और ग़ज़ल की नीचे चर्चा की गयी है :

ठुमरी

यह उत्तर प्रदेश में उत्पन्न हुई और आमतौर पर **मिश्रित सरल रागों** पर आधारित होती है और इसे सामान्यत: अर्ध-शास्त्रीय भारतीय संगीत माना जाता है। रचनाओं की प्रवृत्ति (भाव) या तो **रूमानी या भक्ति** से ओत-प्रोत होती है। **भक्ति आन्दोलन** का इस पर इतना अधिक प्रभाव रहा कि इसके गीत (शब्द) प्राय: कृष्ण के लिए एक युवती के प्रेम के इर्दगिर्द ही घूमते हैं। रचनाओं की **भाषा** आमतौर पर **हिन्दी या बृज भाषा** होती है।

रचनाओं को प्राय: **महिला की आवाज़** में गाया जाता है। इसमें **कामुकता** (भोग) अंतर्निहित होती है। ठुमरी को कुछ अन्य हलके प्रारूपों के लिए भी सामान्य (जातीय) नाम के रूप में उपयोग किया जाता है जैसे दादरा, होरी, कजरी, सावन, झूला और चैती।

ठुमरी, शास्त्रीय नृत्य **कथक** से जुड़ी हुई है।

ठुमरी के मुख्य घराने वाराणसी और लखनऊ में स्थित हैं और ठुमरी गायन की सबसे कालातीत (प्रसिद्ध) आवाज़ **बेगम अख़्तर** की है, जो गायन की अपनी असीम रेंज और भारी आवाज़ के लिए घर-घर में जानी जाती हैं। पूरब अंग ठुमरी के **गिरिजा देवी** और **छन्नूलाल मिश्रा**, अन्य प्रसिद्ध प्रतिपादक हैं।

टप्पा

इस शैली में **लय** की बहुत महत्त्वपूर्ण भूमिका होती है, क्योंकि रचनाएँ तेज़, सूक्ष्म और जटिल संरचनाओं पर आधारित होती हैं। यह उत्तर-पश्चिम भारत के **ऊँट सवारों के लोकगीतों** के रूप में आरंभ हुआ था, परन्तु **सम्राट् मुहम्मद शाह** के मुग़ल दरबार में लाये जाने के पश्चात् इसे एक अर्द्ध-शास्त्रीय विशेष गायन शैली के रूप में मान्यता प्राप्त हुई।

वाक्यांशों को तेज़ी से बार-बार दोहराया जाता है। टप्पा समृद्ध कुलीन लोगों और न्यूनतम आय एवं साधनोंवाले, दोनों ही की पसंदीदा शैली थी। उन्नीसवीं शताब्दी के उत्तरार्ध में और बीसवीं शताब्दी के प्रारम्भ में अपने बैठक-ख़ानों और जलसाघर (शाब्दिक रूप से मनोरंजन कक्ष) में संभ्रांत ज़मींदार वर्ग के प्रत्यक्ष सरंक्षण से 'बैठकी' शैली का विकास हुआ।

आज यह शैली विलुप्त हो रही है और बहुत ही कम संगीतकार इसके साथ शामिल हो रहे हैं। इस शैली के कुछ विशिष्ट प्रतिपादकों में से हैं- *ग्वालियर घराने के लक्ष्मण राव पण्डित तथा रामपुर-सहसवाँ घराने के शन्नो खुराना।*।

ग़ज़ल

ग़ज़ल एक **छोटी कविता** होती है, जिसमें **तुकबंदीवाले दोहे** होते हैं, जिन्हें *बैत* या *शेर* कहा जाता है। अधिकतर ग़ज़लों में **07 से 12 बैत** होती हैं। हालाँकि, ग़ज़ल के दोहों को एक समान विषयवस्तु या निरंतरता की आवश्यकता नहीं होती है। ऐसा कहा जाता है कि इसका जन्म दसवीं शताब्दी में ईरान में हुआ था।

सूफ़ी रहस्यवादी और नये इस्लामी सल्तनत के दरबारों के प्रभाव के कारण इसका दक्षिण एशिया में प्रसार हुआ, परन्तु मुग़ल काल में यह अपने चरम पर पहुँची। ऐसा कहा जाता है, कि **अमीर खुसरो** भारत में पहले ग़ज़ल लिखनेवालों में से एक थे। कई प्रमुख ऐतिहासिक ग़ज़ल शायर या तो स्वयं सूफ़ी थे (रूमी और हाफिज़ की भांति) या सूफ़ी विचारों और विश्वासों के समर्थक थे।

ग़ज़ल का न केवल रूप विशिष्ट है, बल्कि **इसका विषय भी केवल प्रेम ही होता** है, यानी विशेष रूप से शर्त रहित और महान् (अलौकिक) प्रेम। प्रेम की वस्तु (लक्ष्य या प्रयोजन) को इस प्रकार लिखा जाता है कि उसकी व्याख्या किसी भी प्रकार से की जा सकती है, यानी वह दैवीय और मानवीय दोनों ही हो सकती है। यह श्रोता पर निर्भर करता है, कि वह इससे क्या समझता है। देवताओं को भी प्राय: मानवीय रूप दिया जाता है।

गुलाम अली

कुछ समय बीत जाने के बाद समय के साथ, ग़ज़लों की भाषा सरल हो गयी है और वे ख़्याल और ठुमरी जैसी शास्त्रीय विधाओं से आगे बढ़कर व्यापक श्रोताओं तक पहुँच रही हैं। प्रसिद्ध कलाकारों में मुहम्मद इक़बाल, मिर्ज़ा ग़ालिब और क़ाज़ी नज़रुल इस्लाम (जिन्होंने बंगाली ग़ज़लों को लोकप्रिय बनाया) शामिल हैं।

कर्नाटक संगीत

कर्नाटक संगीत मुख्य रूप से **दक्षिण भारत** से जुड़ा है। यहाँ मुख्य रूप से **स्वर संगीत** पर ज़ोर दिया गया है, जहाँ अधिकांश रचनाएँ गाने के लिए लिखी जाती हैं। अधिकांश कर्नाटक रचनाएँ या तो तेलुगु, कन्नड़, तमिल या संस्कृत में हैं। कर्नाटक संगीत **कृति** आधारित है और साहित्य या संगीतात्मक खण्ड के गीत की गुणवत्ता पर अधिक बल देता है। कृति निश्चित राग और नियत ताल या तालबद्ध चक्र में विकसित संगीतमय गीत होता है। हिंदुस्तानी संगीत की तरह कर्नाटक संगीत भी दो तत्त्वों पर आधारित है- राग और ताल। किसी कर्नाटक शैली में प्रत्येक रचना के **कई भाग** होते हैं :

- **पल्लवी:** रचना की पहली या दूसरी विषयगत पंक्ति 'पल्लवी' के रूप में संदर्भित होती है। इस भाग को अक्सर प्रत्येक छंद में **दोहराया** जाता है। इसे 'रागम थनम पल्लवी' नाम से जाना जाता है। यह कर्नाटक संगीत का सबसे अच्छा भाग माना जाता है। इसमें कलाकार के पास सुधार के लिए काफ़ी अवसर होता है।
- **अनुपल्लवी: पल्लवी** या पहली पंक्ति **के बाद आनेवाली** दो पंक्तियाँ अनुपल्लवी कहलाती हैं। इन्हें प्रारंभ में और कभी-कभी गीत के अंत में भी गाया जाता है, लेकिन प्रत्येक छंद या चरण के बाद इसे दोहराना आवश्यक नहीं है।
- **चरण:** यह एक अंतिम और सबसे लंबा छंद है, जो गीत का समापन करता है।

कृति के अलावा, कर्नाटक संगीत में **वर्णम** (शुरुआती लोगों के लिए और संगीत समारोह की शुरुआत के लिए प्रयुक्त), **पदम, जावली और तिल्लना** जैसे रूप भी शामिल हैं । एक विशिष्ट संगीत समारोह वर्णम से शुरू होता है, उसके बाद **अलापना** (राग की आशुरचना), **नेरावल (एक पंक्ति पर आशुरचना)**, **कल्पना स्वर** आते हैं, और **तिल्लना** जैसे हलके संगीत के साथ समाप्त होता है। कर्नाटक संगीत के कई अन्य घटक भी हैं, उदाहरण के लिए मध्यम और तीव्र गति में ढोलकिया के साथ प्रदर्शित किया जानेवाला तात्कालिक अनुभाग **स्वर-कल्पना** है। कर्नाटक संगीत सामान्यत: **मृदंग** के साथ गाया जाता है। मृदंग के साथ मुक्त लय में मधुर तात्कालिकता का खण्ड, **'तानम'** कहलाता है। लेकिन वे खण्ड जिनमें मृदंग की आवश्यकता नहीं होती है, उन्हें **'रागम'** कहा जाता हैं। पुरंदर दास (1484-1564) को कर्नाटकी संगीत के पिता या पितामह के रूप में जाना जाता है।

भक्ति आंदोलन से जुड़ा कर्नाटक संगीत मुख्यत: भक्तिमय प्रकृति का है तथा यह हिंदुस्तानी संगीत के विपरीत, जो **मुग़ल दरबारों** में फला-फूला, दक्षिण भारत के मंदिर और आध्यात्मिक परंपराओं से निकटता से जुड़ा हुआ है।

कर्नाटक संगीत की त्रिमूर्ति
(सभी तीनों थिरुवरुर में पैदा हुए)

त्यागराज (1767-1847)	मुथुस्वामी दीक्षितार (1775-1835)	श्यामा शास्त्री (1762-1827)
अधिकांश रचनाएँ **तेलुगु** में और कुछ संस्कृत में और **भगवान् राम** की प्रशंसा में।	अधिकांश रचनाएँ **संस्कृत** में हैं और हिंदू देवताओं और मंदिरों से संबंधित हैं।	देवी कामाक्षी की प्रशंसा में मुख्य रूप से **तेलुगु** में रचनाएँ।
उनकी एक प्रसिद्ध रचना **पंचरत्न कृति है**।	उन्होंने गमक (अलंकरण) के उपयोग पर ज़ोर दिया	अन्य दोनों की तुलना में उन्होंने कम कृतियों की रचना की।
बुध ग्रह के एक गड्ढे का नाम त्यागराज है।	उनका सांकेतिक नाम **गुरु-गुहा** था, जो उनकी मुद्रा भी है।	उनका सांकेतिक नाम **श्याम कृष्णा** था।
त्यागराज ने कई नये राग बनाये।	वे **वीणा वादक** भी थे।	**स्वरजाति** संगीत शैली का श्रेय उन्हें दिया जा सकता है।

अंतर के बिंदु	हिंदुस्तानी संगीत	कर्नाटक संगीत
प्रभाव	अरबी, फ़ारसी और अफ़ग़ान	स्वदेशी
स्वतंत्रता	सुधारने के लिए कलाकारों के पास अवसर, इसलिए विभिन्नता के लिए अवसर।	सुधारने के लिए कोई स्वतंत्रता नहीं।
उप-शैलियाँ	अनेक उप-शैलियाँ हैं, जिनसे 'घरानों' का उद्भव हुआ है।	गायन की केवल एक विशेष निर्धारित शैली है।
वाद्ययंत्रों की आवश्यकता	कंठ संगीत की भाँति वाद्ययंत्रों की भी आवश्यकता होती है।	कंठ संगीत पर ज़्यादा बल दिया जाता है।
राग	6 प्रमुख राग हैं।	दो प्रकार के राग-मेलाकार्ता राग (72) और बाल राग।
मुख्य बल दिया जाता है	मुख्य रूप से रागों पर आधारित है।	मुख्य रूप से ताल पर आधारित है।
प्रमुख वाद्ययंत्रों का उपयोग	तबला, सारंगी, सितार और संतूर	वीणा, मृदंग और मैंडोलिन
भारत के भागों से संबंध	उत्तर भारत	सामान्यतः दक्षिण भारत
दोनों के बीच समानता	बाँसुरी तथा वायलिन	बाँसुरी तथा वायलिन

हिंदुस्तानी और कर्नाटक संगीत के प्रमुख संगीतकार/संरक्षक

नाम	काल/राजवंश	योगदान/शैली	संरक्षण और विरासत
जयदेव (राजा लक्ष्मणसेन के दरबार में कवि)	बारहवीं शताब्दी	गीत गोविंद की रचना - अत्यधिक संगीतमय, मंदिरों में गाए जानेवाले भक्ति गीत	सेन वंश द्वारा संरक्षित
अमीर खुसरो	दिल्ली सल्तनत (1253-1325)	क़व्वाली के जनक; ग़ज़ल, तराना, त्रिवत का परिचय; सितार के आविष्कार का श्रेय	सूफ़ी परंपरा से जुड़े; वंशज **क़व्वाल** (भक्ति) और **कलावंत** (धर्मनिरपेक्ष) बने

नाम	काल/राजवंश	योगदान/शैली	संरक्षण और विरासत
श्री महाराणा कुम्भा (मेवाड़ राज्य के शासक)	1417-1468	गीत गोविंद पर टिप्पणी और चंडिशतकम पर व्याख्या लिखी; संगीत पर ग्रंथ लिखेः 'संगीत राजा', 'संगीत मीमांसा' 'संगीत रत्नाकर' और 'शुद्ध प्रबंध'	स्वयं वीणा बजाने में निपुण
स्वामी हरिदास	1478-1573	आध्यात्मिक कवि, ध्रुपद रचनाएँ	राजा रामचंद्र (रीवा) और बाद में अकबर द्वारा संरक्षण; **तानसेन** और **बैजू बावरा** के गुरु; राधा पर केंद्रित कविताएँ
मियाँ तानसेन (रामतनु पांडे)	सोलहवीं सदी, अकबर के दरबारी (नवरत्न)	ध्रुपद के आचार्य; कई नये रागों की रचना की; उनकी रचनाएँ मुख्य रूप से हिंदू देवी-देवताओं और संरक्षकों से संबंधित थीं	राजा रामचंद्र (रीवा) और अकबर द्वारा संरक्षण; कार्यों में **संगीता सारा और श्री गणेश स्तोत्र** शामिल हैं; ग्वालियर में मक़बरा; **'मियाँ'** की उपाधि **अकबर** द्वारा दी गयी
बैजू बावरा (बैजनाथ मिश्र)	पद्रहवीं-सोलहवीं शताब्दी	ध्रुपद संगीतकार	स्वामी हरिदास के शिष्य; **मान सिंह तोमर** (ग्वालियर) के दरबार के संगीतकार; समाधि चंदेरी में
राजा मान सिंह तोमर	1486-1516, तोमर राजवंश, ग्वालियर	ध्रुपद के संरक्षक	***'मांकौतूहल'*** (संगीत ग्रंथ) का संकलन; ग्वालियर को संगीत का केंद्र बनाया
नौबत ख़ान (अली ख़ान करोरी)	अकबर का दरबार	रुद्र वीणा के महान् कलाकार, मनसबदार	
इब्राहिम आदिल शाह द्वितीय (बीजापुर)	1580-1627	'किताब-ए-नौरस' (गीतों का संग्रह) लिखा	**'संगीत सम्राट्'** कहलाये; हिंदुस्तानी और कर्नाटक परंपराओं के महान् संरक्षक
लाल ख़ान गुनसमुंद्रा	शाहजहाँ का दरबार (1637)	ध्रुपद संगीतकार	शाहजहाँ द्वारा **'गुनसमुंद्रा'** की उपाधि दी गयी
सदारंग (न्यामत ख़ान)	1670-1748	ख़्याल संगीत के रचयिता	मुहम्मद शाह के दरबार के संगीतकार; ख़्याल संगीत को आकार दिया
पंडित भीमसेन जोशी	1922-2011	ख़्याल के प्रख्यात कलाकार, किराना घराना	भारत रत्न (2008); 'मिले सुर मेरा तुम्हारा' के लिए प्रसिद्ध
उस्ताद बिस्मिल्लाह ख़ान	1916-2006	शहनाई के महान् कलाकार	भारत रत्न (2001); **शहनाई** को शास्त्रीय और राष्ट्रीय कार्यक्रमों में लोकप्रिय बनाया
पंडित रविशंकर	1920-2012	सितार के महान् कलाकार	भारतीय शास्त्रीय संगीत को वैश्विक स्तर पर पहुँचाया; अंतरराष्ट्रीय सहयोग किया; भारत रत्न (1999)
अन्नमाचार्य	1408-1503	पहले ज्ञात कर्नाटक संगीतकार; भगवान् वेंकटेश्वर की स्तुति में संकीर्तन	विजयनगर शासकों द्वारा संरक्षण; 'तेलुगु गीत लेखन के दादा' के रूप में याद किये जाते हैं
पुरंदर दास	1484-1564	कर्नाटक संगीत के संस्थापक; दास साहित्य की रचना की	विजयनगर साम्राज्य द्वारा संरक्षण; **'कर्नाटक संगीत के पितामह'** के रूप में पूजनीय; भगवान् कृष्ण के भक्त

नाम	काल/राजवंश	योगदान/शैली	संरक्षण और विरासत
क्षेत्रय	1600-1680	**पदम और कीर्तन** के रचयिता	भ्रमणशील कवि; पदम अभी भी भरतनाट्यम और कुचिपुड़ी में गाये जाते हैं
भद्राचल रामदासु	1620-1680	**वाग्गेयकार; भगवान् राम** के लिए तेलुगु भक्ति रचनाएँ	गोलकोंडा सुल्तान द्वारा क़ैद; संत-कवि के रूप में पूजनीय
वेंकटमाखिन	सत्रहवीं शताब्दी	संगीतशास्त्री; मेलकर्ता **प्रणाली** का परिचय दिया	'चतुर्दंडी प्रकाशिका' की रचना की; देवता त्यागेश (तिरुवरूर) के लिए 24 अष्टपदी की रचना की
स्वाति थिरुनल राम वर्मा	1813-1846, त्रावणकोर महाराजा	हिंदुस्तानी और कर्नाटक शैली में रचनाएँ	**तंजावुर चतुष्टय** के संरक्षक; उनकी मृत्यु पर ग्रेट ब्रिटेन की रॉयल एशियाटिक सोसाइटी ने शोक व्यक्त किया
तंजावुर चौकड़ी (चिन्नैया, पोन्नैया, शिवानंदम, वडिवेलु)	उन्नीसवीं शताब्दी	भरतनाट्यम की संरचना को व्यवस्थित किया	**स्वाति तिरुनल** के दरबार के संगीतकार
एमएस सुब्बुलक्ष्मी	1916-2004	कर्नाटक संगीत की गायिका	भारत रत्न (1998); कर्नाटक संगीत की वैश्विक राजदूत

क्या आप जानते हैं? गीत रचना के साथ-साथ उन्हें संगीत में ढालना।

भारतीय संगीत पर महत्त्वपूर्ण पुस्तकें

नाम	लेखक और लिखे जाने का अनुमानित समय	विवरण
सामवेद	व्यास (1000 ईसा पूर्व) द्वारा संकलित	इसमें संगीत पर आधारित शास्त्र शामिल हैं।
दत्तिलम	दत्तिला (चौथी शताब्दी ईसा पूर्व-दूसरी शताब्दी ईसा पूर्व)	पाठ अनुष्ठान मंत्रों से गंधर्व संगीत में संक्रमण पर चर्चा करता है।
नाट्यशास्त्र	भरत मुनि (दूसरी शताब्दी ईसा पूर्व)	यह संस्कृत में लिखा गया संगीत पर सबसे पहला साहित्य है। इसमें श्रुति, स्वर, जाति, विभिन्न प्रकार के संगीत वाद्ययंत्र आदि जैसे संगीत के विषयों की विस्तृत शृंखला शामिल है।
शिलप्पादिकारम	इलांगो (दूसरी शताब्दी)	यह एक तमिल कविता है, जो तीन दक्षिणी राज्यों - चेरा, चोल और पांड्य की धार्मिक, सामाजिक, राजनैतिक, सांस्कृतिक और आर्थिक व्यवस्था की व्याख्या करती है। इसमें सूचनात्मक संगीत सामग्री की अंतहीन धारा है।
बृहद्देसी	मतङ्ग (छठवीं-आठवीं शताब्दी)	संस्कृत में लिखा गया यह ग्रन्थ नाद, श्रुति, स्वर, तान, अलंकार, राग आदि जैसे पहलुओं की व्याख्या करता है।
संगीत मकरंद	नारद (नौवीं शताब्दी)	यह रागों के उपचार से संबंधित है तथा उन्हें नर, मादा और नपुंसक के रूप में वर्गीकृत करता है।
सरस्वती हृदयालंकार	नान्यदेव (1080 ई.)	यह संगीत के सिद्धांत को दर्शाता है।

नाम	लेखक और लिखे जाने का अनुमानित समय	विवरण
अभिलाषितार्थ चिन्तामणि	सोमेश्वर (चालुक्य राजा - बारहवीं शताब्दी)	यहाँ गायक, संगीतकार, सभागार, आवाज़, गमक आदि के गुणों जैसे संगीत के पहलुओं को बहुत विस्तार से शामिल किया गया है।
संगीत समयसार	पार्श्वदेव (1200 ई.)	यह गामाकस सिद्धांत को सामने रखता है।
गीत गोविंद	जयदेव (बारहवीं शताब्दी)	यह कृष्ण और राधिका और वृंदावन की गोपियों के बीच संबंधों का वर्णन करता है। यह नायिका (अष्ट नायिका) की आठ मनोदशाओं का भी विस्तृत वर्णन करता है, जिसे बाद में भारतीय शास्त्रीय नृत्यों में प्रायः उपयोग किया जाता रहा है। संगीत के संबंध में, यह प्रत्येक गीत को गाने के लिए सटीक राग और ताल को इंगित करता है।
संगीत रत्नाकर	सारंगदेव (तेरहवीं शताब्दी)	संगीत और नृत्य का सागर। यह प्राचीन और मध्यकालीन संगीत ज्ञान के सबसे महत्त्वपूर्ण संस्कृत ग्रन्थों में से एक है तथा इसे हिंदुस्तानी और कर्नाटक संगीत परंपराओं, दोनों द्वारा निर्णायक ग्रन्थ माना जाता है।
संगीत सुधाकर	हरिपाल (चौदहवीं शताब्दी ई.)	इस ग्रन्थ में कर्नाटक संगीत और हिंदुस्तानी शब्द पहली बार मिलते हैं।
चतुर्दण्डी प्रकाशिका	वेंकटमखिन (सत्रहवीं शताब्दी)	इस ग्रन्थ में, उन्होंने कर्नाटक संगीत के अंतर्गत रागों को वर्गीकृत करने की मेलकार्ता प्रणाली को आरम्भ किया।
संग्रह चूड़ामणि	गोविंदाचार्य (अठारहवीं सदी)	यह संस्कृत में लिखा गया था और कर्नाटक संगीत की वर्तमान प्रणाली से संबंधित है।
संगीत दर्पण	दामोदर पंडित (सत्रहवीं शताब्दी)	इसका अर्थ है संगीत का आईना। यह एक संस्कृत ग्रंथ है और इसमें 07 अध्याय हैं।
संगीता नारायण	पुरुसोत्तामा मिश्रा (सत्रहवीं शताब्दी) एक ओडिसी संगीत ग्रंथ, जिसका श्रेय राजा गजपति नारायण देव को दिया जाता है।	ओडिसी संगीत परंपरा में सबसे महत्त्वपूर्ण कार्यों में से एक माना जाता है।
गीता प्रकासा	कृष्णदास बदाजेना महापात्रा (सोलहवीं-सत्रहवीं सदी)	ओडिसी परंपरा का एक प्रमुख ग्रंथ, यह ओडिसी संगीत में प्रयुक्त रागों, तालों और रचनाओं को व्यवस्थित करता है, प्रारंभिक ओडिसी शैलियों को संरक्षित करता है और उनके विकास के ऐतिहासिक साक्ष्य प्रदान करता है।

लोक संगीत

भारतीय संगीत भारत की विविधता को प्रतिबिम्बित करता है, जो शास्त्रीय संगीत परंपरा से बँधा है और लोक संगीत लोगों की स्वतंत्र आवाज़ है। लोक संगीत विविध विषयों पर आधारित होते हैं और संगीत की लय से भरपूर होते हैं। यह तालों पर भी टिके हो सकते है। राज्य विशेष से जुड़े कई प्रकार के लोक संगीत होते हैं :

बाउल गायक

बाउल

यह न केवल संगीत का एक प्रकार है, बल्कि **बंगाली** धार्मिक संप्रदाय भी है। बाउल का संगीत यानी बाउल संगीत एक विशेष प्रकार का लोक गीत है। इसके गीतों पर **हिंदू भक्ति आंदोलन** का ख़ासा प्रभाव दिखाई देता है।

यह संगीत पश्चिम बंगाल, असम तथा त्रिपुरा में गीतों के माध्यम से **रहस्यवाद** का उपदेश देने की लंबी विरासत का प्रतिनिधित्व करता है। वे मुख्य रूप से हिन्दू या सूफ़ी मुस्लिम संप्रदायों से सम्बंधित है।

इस संगीत के मुख्य प्रतिपादक हैं : *जतिन दास, पूर्णो चंद्र दास, **लालोन फ़क़ीर**, नबोनी दास और सनातन दास ठाकुर बाउल।*

पंडवानी

यह लोक संगीत महाकाव्य **महाभारत** और **भीम** पर आधारित है। इसमें गायन और वादन (वाद्ययंत्र बजाने) दोनों का समावेश है। सामान्यत: गीत **तम्बूरे** की ताल पर आधारित होते हैं। इसके सुविदित कलाकारों में से एक **छत्तीसगढ़** राज्य की **तीजन बाई हैं।** संगीत के क्षेत्र में अपने योगदान के लिए उन्हें पद्मश्री (1987) और पद्मभूषण (2003) तथा पद्मविभूषण से भी सम्मानित किया जा चुका है।

पणिहारी

यह लोक गीत **राजस्थान** राज्य से है और विषयगत रूप से **पानी से संबंधित** है। यह गीत सामान्यत: पास के कुएँ से **पानी लानेवालीं** और वापस अपने घरों में अपने सिर पर *मटकों* में पानी ले जानेवालीं **महिलाओं के** विषय में होता है। यह गीत सामान्यत: पानी की कमी और कुएँ और गाँव के बीच की लंबी दूरी के विषय में होता है। कभी-कभी इन गीतों में गाँव के कुएँ के पास झुण्ड लगाये गाँव की महिलाओं की दैनिक चिंताओं के विषय में भी चर्चा होती है।

पणिहारी

अन्य अवसरों पर, गीत, प्रेमियों के बीच संयोगिक मिलन पर भी केंद्रित होते हैं, इसलिए ये श्रृंगार रस को साझा करते हैं। इनमें कभी-कभी सास और बहू के बीच विवादास्पद संबंधों के विषय में भी चर्चा होती है।

लावणी

यह **महाराष्ट्र** के सबसे प्रसिद्ध लोक नृत्यों में से एक है। यह महाराष्ट्र में लोक संगीत की सबसे लोकप्रिय शैलियों में से भी एक है।

यह पारंपरिक **नृत्य और गीत** का संयोजन है। सामान्यत: ढोलकी की ताल पर इसका प्रदर्शन किया जाता है। **प्रभावशाली लय** और ताल के कारण यह संगीत पूर्ण रूप से नृत्य के लिए उपयुक्त हैं तथा सुनिश्चित करता है कि प्रत्येक व्यक्ति इसका आनंद उठाये।

लावणी

देश की अन्य प्रमुख **लोक संगीत परम्पराएँ** इस प्रकार हैं :

संगीत का नाम	उत्पत्ति राज्य	प्रमुख विषय
वानवान	जम्मू और कश्मीर	शादी के गीत, शुभ अवसर
आल्हा	मध्य प्रदेश (ब्रज, अवधी, भोजपुरी)	वीरता की गाथाएँ, महाभारत से जुड़ाव
ओवी	महाराष्ट्र और गोवा	महिलाओं के गीत, विवाह, लोरी
पायी गीत	मध्य प्रदेश	बारिश, फ़सल, त्योहार
मांड़	राजस्थान	दरबारी प्रशंसा, राजपूत शासक
पोवाडा	महाराष्ट्र	वीरता के कार्य, शिवाजी

संगीत का नाम	उत्पत्ति राज्य	प्रमुख विषय
खोंगजोम परबा	मणिपुर	खोंगजोम की लड़ाई (1891)
भावगीत	कर्नाटक और महाराष्ट्र	प्रेम, प्रकृति, दर्शन
मंडो	गोवा	इंडो-पश्चिमी मिश्रण, सामाजिक विषय
कोलानल्लु / कोलाट्टम	आंध्र प्रदेश	छड़ी नृत्य, सामुदायिक उत्सव
तमांग सेलो	सिक्किम	प्यार, दुख, हास्य
सोहर	बिहार	बच्चे के जन्म के दौरान गाया जाता है।
ज़िकिर	असम	इस्लाम की शिक्षाओं से संबंधित है।
जा-जिन-जा	अरुणाचल प्रदेश	विवाह के दौरान गाया जाता है।
इओगे (Nyioga)	अरुणाचल प्रदेश	विवाह समारोह के अंत में गाया जाता है।
हिलियमल्यू (Heliamleu)	नागालैंड	नृत्य गीत
न्यूल्यू (Neuleu)	नागालैंड	किवदंतियों और मिथकों के विषय में गीत।
हेरेल्यू (Hereileu)	नागालैंड	युद्ध गीत
हेकाईल्यू	नागालैंड	अपने विषय में गीत
डोलू कुनीथा (ड्रम नृत्य)	कर्नाटक	डोलू नामक वाद्ययंत्र के नाम पर आधारित है तथा इसे **कुरुबा समुदाय** के लोगों द्वारा प्रस्तुत किया जाता है।
नाट्टूपुरापाट्टु	तमिलनाडु	ग्राम तथा शहरी लोक संगीत शामिल हैं।
पाला और दसकठिया	ओडिशा	धार्मिक स्वभाव के गीत।
मंगनियार	उत्तर-पश्चिम भारत	सिकन्दर, स्थानीय राजाओं और लड़ाइयों के गीत।
धाडी	पंजाब	लड़ाइयों में वीरता के गीत।
बसंत गीत	गढ़वाल, उत्तराखंड	बसंत पंचमी उत्सव के दौरान।
विल्लू पट्टू	तमिलनाडु	धार्मिक, बुराई पर अच्छाई के गीत।
सुकर के बियाह	बिहार	ब्रह्मांड के देवताओं शुक्र और बृहस्पति के बीच प्रेम का जश्न मनाना।
सैकुती जाई	मिज़ोरम	वीर पुरुषों, शिकारियों आदि के प्रशंसा गीत।
लाई हाराउबा ईशी	मणिपुर	सनामही धर्म से संबंधित।
वीरागासे	कर्नाटक	दशहरा जलूस के दौरान।
छकरी	कश्मीर	परी कथाएँ, प्रेम कथाएँ।
भूत गीत	केरल	बुराई और भूतों के गीत।
खूबाकेशेई	मणिपुर	वह गीत, जिसके साथ केवल तालियाँ बजाई जाती है।
झूमैर	पूर्वोत्तर राज्य	यह असम के चाय-जनजातियों (tea tribes) में काफ़ी प्रसिद्ध है।
बोरगीत	असम	पंद्रहवीं-सोलहवीं शताब्दी में शंकरदेव और माधवदेव द्वारा रचित तथा एकसरण धर्म से जुड़ी है।
झूरी	हिमाचल प्रदेश	यह गीत अतिरिक्त वैवाहिक (Extra-Marital) रोमांस का जश्न मनाता है।
चाय हला	मिज़ोरम	चाय नृत्य के गीत।
लामान	हिमाचल प्रदेश	कुल्लू घाटी के प्रेम गीत।

संगीत का नाम	उत्पत्ति राज्य	प्रमुख विषय
संकीर्तन	मणिपुर	वैष्णव समुदाय द्वारा मुख्य रूप से आनुष्ठानिक गायन, ढोलक वादन और नृत्य।
ओई नितोम	असम	मिसिंग आदिवासी समुदाय द्वारा प्रेम के गीत।
दिहनाम	असम	असमिया संत शंकरदेव की स्तुति में महिलाओं द्वारा गाया जाता है।
पंखीड़ा	राजस्थान	खेतों में काम कर रहे किसानों द्वारा गाया जाता है।
घसियारी गीत	उत्तराखंड	वनों में जाते समय महिलाओं द्वारा गाया जाता है और श्रम के महत्त्व पर ज़ोर दिया जाता है।
अम्मानईवारी	तमिलनाडु	महिलाओं द्वारा गेंद खेलते हुए और चोल सम्राट् की प्रशंसा में गाया जाता रहा है।
सना लामोक	मणिपुर	माइबा (पुजारी) द्वारा राज्याभिषेक समारोह के समय नये राजा का स्वागत करते हुए गाया जाता रहा है।
कजरी	उत्तर प्रदेश	बारिश के मौसम में महिलाओं द्वारा गाया जाता है।
होरी	उत्तर प्रदेश	राधा-कृष्ण की प्रेमभरी शरारतों पर आधारित है और मुख्य रूप से होली त्योहार से जुड़ा हुआ है।
लोटिया	राजस्थान	चैत्र माह में गाया जाता रहा है, जब महिलाएँ तालाबों और कुओं से पानी से भरे लोटे और कलश लाती हैं।

शास्त्रीय और लोक गीत का समागम

समय के साथ, शास्त्रीय और लोक संगीत के परस्पर मिलन से अन्य रूपों का उद्‌भव हुआ, जिसने शास्त्रीय और लोक गीत, दोनों के तत्त्वों को ग्रहण किया। इन दोनों का संयोजन भक्ति संगीत के माध्यम से हुआ, क्योंकि देवी-देवताओं को जन-साधारण तथा कुलीन वर्ग, दोनों द्वारा संरक्षण दिया गया। इसकी कुछ प्रमुख शैलियाँ इस प्रकार हैं :

भजन

यह उत्तर भारत में वर्तमान भक्ति गायन का सबसे लोकप्रिय प्रकार है; यह अपनी उत्पत्ति के लिए **भक्ति आंदोलन** का ऋणी है, क्योंकि संत मौखिक साधनों के माध्यम से, अर्थात् **भजन गायन** के माध्यम से लोगों तक ईश्वर का संदेश पहुँचाते थे। ये गीत सरल धुनों पर सामान्यत: एक या एक से अधिक रागों पर आधारित थे। देवी या देवताओं के जीवन और महाभारत व रामायण की कहानियाँ भजन का लोकप्रिय विषय हैं।

भजन के साथ सामान्यत: चिमटा, ढोलक, ढपली, मँजीरा जैसे वाद्ययंत्रों की संगत होती है। मध्यकाल में भजनों के प्रमुख प्रतिपादक **मीराँबाई, तुलसीदास, सूरदास** तथा **कबीर** आदि थे। वर्तमान में, लोग भजन गाने के लिए मंदिरों में तथा घर पर समारोहों जैसे संगीत कार्यक्रमों में एक साथ एकत्र होते हैं। वर्तमान में सर्वाधिक प्रसिद्ध सदाबहार भजन गायकों में अनूप जलोटा और अनुराधा पौडवाल हैं।

शबद

सिख धर्म के उदय के साथ, गुरुओं को समर्पित कई भक्ति गीतों का गायन हमें **गुरुद्वारों** में देखा जा सकता हैं। इतिहासकारों के अनुसार **शबद** के विकास और लोकप्रियता के लिए गुरु नानक और उनके शिष्य मरदाना, उत्तरदाई थे। वर्तमान में, तीन प्रकार के शबद गायन होते हैं—राग-आधारित 'शबद गायन', आदि ग्रंथ में उल्लिखित पारंपरिक शबद और अन्य शबद। **गुरु ग्रंथ साहिब** का आयोजन प्रत्येक अध्याय के साथ राग के अध्याय द्वारा किया जाता है, जिसमें उस राग के ही शब्द हैं।

क़व्वाली

क़व्वाली

यह भी एक भक्ति संगीत है, जो अल्लाह या पैग़म्बर मोहम्मद या अन्य किसी सूफ़ी या इस्लामी संत की **प्रंशसा में** गायी जाती है।

इसकी रचना **एकल राग** में की जाती है और प्राय: उर्दू, पंजाबी या हिंदी में लिखी जाती है। कुछ बृजभाषा और अवधी के शब्द भी उपयोग किये जाते हैं।

इनकी प्रस्तुति सामान्यत: **सूफ़ी मज़ारों** में की जाती है।

क़व्वाली को प्राय: एकल या दो समूहों के दो प्रमुख गायकों के बीच गाया जाता है और एक दल में लगभग 8 सदस्य होते हैं। तबला, ढोलक और हारमोनियम जैसे वाद्ययंत्रों का उपयोग किया जाता है। प्रस्तुति की **तीव्रता या लय धीरे-धीरे बढ़ती है** और मदहोशी (अतींद्रीय) की स्थिति तक जाती है।

अमीर ख़ुसरो को क़व्वाली की उत्पत्ति का श्रेय दिया जा सकता है, परन्तु इस पर गम्भीर विवाद भी है। कुछ प्रमुख क़व्वाल हैं- साबरी बंधु, नुसरत फ़तेह अली ख़ान, अज़ीज़ वारसी आदि।

क्या आप जानते हैं? माना जाता है, कि **अमीर ख़ुसरो** ने संगीत वाद्ययंत्र **सेहतार** (तीन तारवाला वाद्ययंत्र) का आविष्कार किया।

शास्त्रीय और लोक संगीत के समागम की कुछ अन्य क़िस्में :

नाम	उत्पत्ति राज्य	प्रयोजन
अभंग	महाराष्ट्र	भगवान् विठोबा की स्तुति में तुकाराम तथा नामदेव आदि ने गीतों की रचना की।
भटियाली	पश्चिम बंगाल	प्रकृति और दैनिक जीवन के विषय में मल्लाहों द्वारा गाये जानेवाले गीत।
तेवरम	तमिलनाडु	अड्यार जैसे शैव समुदाय द्वारा गाया जाता है।
कीर्तन	पश्चिम बंगाल	इसमें गायन और नृत्य सम्मिलित हैं और यह **गीत-गोविंद** से प्रेरित है।
सोपान संगीतम	केरल	मंदिरों में उत्पन्न, धार्मिक विषय वस्तु

संगीत के कुछ अन्य प्रकार

रवींद्र संगीत

नोबेल पुरस्कार विजेता रवींद्रनाथ टैगोर

यह बंगाल में संगीत रचना के सबसे प्रसिद्ध रूपों में से एक है। इसमें नोबेल पुरस्कार विजेता **रवींद्रनाथ टैगोर** द्वारा सर्जित संगीत की पुनर्रचना की जाती है। यह संगीत शास्त्रीय तत्त्वों और बंगाली लोक गीतों के उपभेदों का मिश्रण है। वर्तमान में **2000** से भी अधिक रवींद्र गीतों को संगीत प्रेमियों द्वारा गाया और प्रदर्शित किया जाता है। इस संगीत के विषयों में एक सच्चे परमेश्वर की पूजा से लेकर प्रकृति और उसकी सुंदरता के प्रति समर्पण, प्रेम और जीवन का उत्सव सभी सम्मिलित हैं। रवींद्र संगीत की सबसे प्रमुख विशेषता इसकी देशभक्ति से युक्त छंद रूप है, जिसमें राष्ट्र को सर्वोपरि रखा जाता है।

गण संगीत

यह फ़्यूजन संगीत का एक रूप है, जो **गायन मंडलियों या समूहों** में तथा बड़ी संख्या में गाया जाता है। गण संगीत का सबसे सामान्य रूप **देशभक्ति की भावनाओं** के विषय में मिलता है। इसमें समाज में कदाचार के प्रति **विरोध** के भी गीत सम्मिलित हैं। इनमें सामान्यत: प्रगतिशील मूल्योंवाले **सामाजिक संदेश** देने का प्रयास किया जाता है। उदाहरण के लिए, महिलाओं और बच्चों आदि का शोषण रोकने के लिए लोगों से आग्रह आदि। गण संगीत के सबसे लोकप्रिय उदाहरणों में से एक हमारा राष्ट्रीय गीत *वंदे मातरम्* है, जिसे राष्ट्र की प्रशंसा में गाया जाता है।

हवेली संगीत

संगीत की इस शैली का विकास अधिकांशत: **राजस्थान और गुजरात** में हुआ था, लेकिन अब यह देश के कई भागों में दिखायी देता है। मूल रूप से यह मंदिर परिसरों में गाये जानेवाले के लिए था, लेकिन अब मंदिर के बाहर भी इसका प्रदर्शन किया जाता है। वर्तमान में इसका अभ्यास ***पुष्टिमार्ग सम्प्रदाय*** द्वारा किया जाता है, जो मोक्ष के लिए पुष्टिमार्ग में विश्वास रखता है।

संगीत वाद्ययंत्र

किसी भी संगीत के लिए, संगीत वाद्ययंत्रों के बारे में जानना आवश्यक होता है। सम्मिलित वाद्ययंत्र के प्रकार के आधार पर एवं नाट्यशास्त्र के अनुसार संगीत वाद्ययंत्रों की **चार प्रमुख पारंपरिक श्रेणियाँ** हैं :

श्रेणी	उप-प्रकार	वाद्ययंत्र	उपयोग
अवनद्ध वाद्य (Membranophones) *ये ऐसे **ताल वाद्ययंत्र** हैं, जिन्हें बजाने के लिए **प्रहार** करना आवश्यक होता है।*	शास्त्रीय	तबला, ड्रम, ढोल, कोंगो, मृदंगम, भूमि दुंदुभी (प्राचीन पृथ्वी ड्रम)	तबला - हिंदुस्तानी; मृदंगम - कर्नाटक
	लोक	घुमोट (गोवा, गणेश उत्सव), इडक्का (केरल, डमरू जैसे), उडुकाई (तमिलनाडु, डमरू प्रकार), सांबल (महाराष्ट्र, कोंकण), तमाक (संताल, दो सिरवाला ड्रम), डिग्गी (उत्तर प्रदेश)	क्षेत्रीय/जनजातीय ड्रम
सुषिर वाद्य (Aerophones) *इनमें सभी **वायु वाद्य** शामिल हैं।*	शास्त्रीय	बाँसुरी (फ़्लूट), शहनाई, पुंगी, निन्किर्न्स	शहनाई - उस्ताद बिस्मिल्लाह ख़ान; बाँसुरी - कृष्ण, हरिप्रसाद चौरसिया
	लोक	पुंगी/बीन (सपेरे), अल्गोजा (पंजाब, डबल फ्लूट), तंगमुरी (मेघालय), टिट्टी (दक्षिण भारत, बैगपाइप), मशक (उत्तराखंड, राजस्थान, यूपी), गोगोना (असम, बिहू), एजुक तपुंग (असम, दुर्लभ)	वायु आधारित लोक वाद्य
घन वाद्य (Idiophones) *ये **नॉन-ड्रम परकशन इंस्ट्रूमेंट** हैं जिन्हें ट्यूनिंग की ज़रूरत नहीं होती।*	शास्त्रीय	मँजीरा/झाँझ, जलतरंग, काँच-तरंग, घुँघरू, घटम, खरताल	ताल रखनेवाले वाद्य, प्राचीन (हड़प्पा)
	लोक	चिमटा (पंजाब, आग की चिमटी), घड़ा (पंजाब, मिट्टी के बर्तन), अंडेलु (बुर्रा-कथा, खोखले धातु के छल्ले)	लोक गीत और कहानी कहने में उपयोग

श्रेणी	उप-प्रकार	वाद्ययंत्र	उपयोग
तंतु वाद्य (Chordophones) *ये **तारवाले वाद्य** हैं।*	(क) धनुष (शास्त्रीय)	सारंगी, इसराज/दिलरुबा, वायलिन	सारंगी अग्रणी - भंगाश परिवार; धनुष आधारित तार वाद्य
	(क) धनुष (लोक)	चिकारा (राजस्थान/यूपी/एमपी), दिलरुबा/इसराज (पंजाब और बंगाल), सारिंदा (संताल, असम, राजस्थान), टिंगतेइला (नागालैंड), कामैचा (राजस्थान, मांगणियार)	जनजातीय और लोक धनुष तार वाद्य
	(ख) पिक्ट्रल (शास्त्रीय)	सितार, वीणा, तानपुरा, गिटार	सितार घराने - जयपुर, वाराणसी, इटावा; वीणा - सरस्वती का वाद्य
	(ख) पिक्ट्रल (लोक)	तुंबी (पंजाब, भाँगड़ा), एकतारा/तुन तुना (भिक्षु), दोतारा (बाउल), ओनाविल्लु (केरल, बांस)	भक्ति और क्षेत्रीय तार वाद्य
	(ग) प्रहार (शास्त्रीय)	गोटुवाद्यम, स्वरमंडल	हथौड़े या छड़ी से बजाये जानेवाले वाद्य

क्या आप जानते हैं?

संतूर

यह एक **100 तारवाला वाद्ययंत्र** है और प्राचीन काल से **जम्मू और कश्मीर** का पारंपरिक वाद्ययंत्र है। **सूफ़ियाना कलाम** संगीत के साथ संतूर की संगत होती है।

संगीत में आधुनिक विकास

अपने उद्भव से ही संगीत के विकास की प्रक्रिया अंतहीन रही है। 20-21वीं सदी में संगीत उद्योग के तीव्र विकास के लिए कई प्रयास किये गये। ऐसे कई संस्थान हैं, जो छात्रों को संगीत सिखाते हैं तथा इस विषय में उन्हें सैद्धांतिक और शैक्षिक पृष्ठभूमि उपलब्ध कराते हैं। जनता के लिए खुला प्रदर्शन आयोजित करके आम जनता के लिए कलाकार की प्रतिभा का प्रदर्शन करने का प्रयास करनेवाले संस्थानों की तीव्र गति में वृद्धि हुई है। कुछ महत्त्वपूर्ण विकास इस प्रकार हैं :

गंधर्व महाविद्यालय

वी.डी. पलुस्कर (पंडित विष्णु दिगम्बर पलुस्कर) ने आनेवालीं पीढ़ियों को **भारतीय सांस्कृतिक संगीत व नृत्य** के शिक्षण और ज्ञान के संचारण के अभिव्यक्त उद्देश्य के साथ **1901** में इस विद्यालय की स्थापना की थी। प्रारंभ में, इसे **लाहौर** में खोला गया था, लेकिन इसे 1915 में **मुंबई में स्थानांतरित** कर दिया गया। यह महाविद्यालय संगीत के हिंदुस्तानी और कर्नाटक शास्त्रीय रूपों पर केंद्रित है।

प्रयाग संगीत समिति

इसकी स्थापना **1926** में **हिंदुस्तानी शास्त्रीय संगीत** में शिक्षा प्रदान करने के लिए **इलाहाबाद** (अब प्रयागराज) में की गयी थी।

मेरिस संगीत महाविद्यालय

यह भारत में शास्त्रीय संगीत का अध्ययन करने के प्रमुख संस्थानों में से एक है। **1926** में इसकी स्थापना महान् संगीतज्ञ **विष्णु नारायण भातखंडे** ने की थी। वे इस विद्यालय की स्थापना के लिए अपने मूल स्थान **लखनऊ** वापस चले आये। यह संगीत के सिद्धांत के साथ-साथ गायन और वाद्ययंत्रों के वादन के अभ्यास पर केंद्रित है। आगे चलकर इसका नामकरण **भातखंडे संगीत संस्थान** (2000) के रूप में किया गया।

संगीत नाटक अकादमी

संगीत नाटक अकादमी **1952** में भारत सरकार द्वारा कला के लिए स्थापित पहली राष्ट्रीय अकादमी थी। यह अकादमी भारत में **संगीत, नाटक और नृत्य** के लिए व्यवस्था करने पर केंद्रित है। इससे देश में **प्रदर्शन कला** के लिए प्राथमिक निकाय होने की अपेक्षा की जाती है। इससे संगीत, नृत्य और नाटक के रूपों के माध्यम से प्रदर्शित भारत की विशाल अमूर्त विरासत को बढ़ावा देने की भी अपेक्षा की जाती है।

स्पिक मैके (SPIC MACAY)

डॉ. किरण सेठ ने 1977 में स्पिक मैके समुदाय की स्थापना की। इस संगठन का पूरा नाम '*युवाओं के मध्य भारतीय शास्त्रीय संगीत और संस्कृति के संवर्धन के लिए सोसायटी*' है। यह स्वैच्छिक युवा आंदोलन के रूप में प्रारंभ हुआ और विकसित होकर आम जनता के लिए, विशेष रूप से भारतीय शास्त्रीय जड़ों से संपर्क खोनेवाली युवा पीढ़ी के लिए भारत की संस्कृति प्रदर्शित करने का मंच बन गया।

स्पिक मैके

इस संगठन के पीछे मूल तर्क भारतीय शास्त्रीय संगीत, नृत्य, योग, ध्यान और भारतीय संस्कृति के अन्य पहलुओं को बढ़ावा देना है। यह कई नि:शुल्क प्रवेशवाले कार्यक्रमों का आयोजन करके आम लोगों और युवाओं को लक्षित करता है। धीरे-धीरे यह विशालकाय संगठन बन गया है, **जिसकी विश्व भर में बहुत बड़ी संख्या में शाखाएँ हैं**। (मुख्यालय दिल्ली)

पंडित विष्णु दिगंबर पलुस्कर (1872-1931)

*वे एक प्रख्यात हिंदुस्तानी संगीतकार थे, जिन्होंने भजन रघुपति राघव राजा राम का मूल संस्करण गाया था। उन्होंने 1901 में **गंधर्व महाविद्यालय** की स्थापना की। पंडित पलुस्कर को भारत के राष्ट्रीय गीत, वंदे मातरम, को सँजोने का और **राग 'काफ़ी'** में गीत की रचना करने का श्रेय दिया गया है। उन्होंने भारतीय संगीत में राग वर्गीकरण की योजना भी आरंभ की।*

पंडित विष्णु नारायण भातखंडे (1860-1936)

वे एक प्रख्यात संगीतज्ञ थे। उन्होंने हिंदुस्तानी शास्त्रीय संगीत पर प्रथम आधुनिक ग्रंथ की रचना की। उन्होंने हिंदुस्तानी शास्त्रीय संगीत की आधुनिक थाट प्रणाली की शुरुआत की।

उनके प्रमुख योगदानों में हिंदुस्तानी संगीत पद्धति, श्रीमल्लक्ष्य संगीतम, अभिनव राग मंजरी, उत्तरी भारत के संगीत का एक लघु ऐतिहासिक सर्वेक्षण आदि शामिल हैं।

संगीत से जुड़े समुदाय

समुदाय	राज्य	विवरण
लांघा (मुस्लिम जनजातीय समुदाय)	गुजरात और राजस्थान	मुस्लिम राजपूतों का उनके प्रशंसात्मक गीतों द्वारा मनोरंजन करते हैं।
मंगनियार या मिरासी (मुस्लिम समुदाय)	राजस्थान	कमायचा नामक यंत्र के साथ लोक संगीत का गायन करते हैं।
कर्ता भजा	पश्चिम बंगाल	ये चार प्रकार के होते हैं तथा उनके विश्वास के अनुसार मन्त्रों के जाप से सिद्धि प्राप्त हो जाती है।
बाउल	पश्चिम बंगाल	ग्रामीण क्षेत्र में आध्यात्मिक गायकों का समूह है। वे कर्ताभजा का एक प्रकार है।
जोगी	राजस्थान	जोगी समुदाय, नाथ संप्रदाय के अनुयायी हैं।
भोपा	राजस्थान	इसमें ''भोपा'' नामक एक पुरुष कलाकार होता है और एक अन्य महिला कलाकार भी होती है, जिसे ''भोपी'' कहा जाता है। ये धार्मिक भजन गाते हैं।
बरोत, चारण, गढ़वी	गुजरात	वे संगीतमय या बिना संगीत के मुख्य रूप से कहानी सुनाते हैं।
मुरिया जनजाति	छत्तीसगढ़	रेलो कहे जानेवाले गीत गाते हैं।
कमार समुदाय	छत्तीसगढ़	विवाह गीत।
बघेल	मध्यप्रदेश	हरदौल देवता को समर्पित अर्द्ध-ऐतहासिक गीत गाये जाते हैं।
पुलयार पर्वतीय जनजाति	तमिलनाडु	ये तलम नामक संगीत की प्रस्तुति करते हैं।
इदु मिश्मि	अरुणाचल प्रदेश	अनुष्ठानात्मक नृत्य करते हैं।
मोकेन जनजाति	अंडमान निकोबार द्वीपसमूह	इनका कोई धर्म नहीं होता है और ये अपने पूर्वजों की पूजा करते हैं। वे अनुष्ठानात्मक जनजातीय नृत्य करते हैं।
बाज़ीगर (गोआर समुदाय)	पंजाब	ये त्योहारों और उत्सवों में प्रस्तुति देते हैं तथा अपनी शक्ति, संतुलन और साहस का प्रदर्शन करते हैं।

क्या आप जानते हैं?

चतुरप्रहर

चतुरप्रहर एक वार्षिक शास्त्रीय संगीत उत्सव है, जो मुम्बई में **नेशनल सेंटर फ़ॉर परफ़ॉर्मिंग आर्ट्स** (NCPA) (कला प्रस्तुति के लिए राष्ट्रीय केंद्र) में आयोजित किया जाता है। यह रागों और समय की सम्बंधता की अवधारणा पर आधारित है।

यू.पी.एस.सी. विगत वर्षों के बहुविकल्पीय प्रश्न

1. कौन-सा हिंदुस्तानी शास्त्रीय राग बारिश के निमंत्रण के रूप में गाया जाता है? **(CAPF, 2025)**
   (a) राग यमन (b) राग बहार
   (c) राग मल्हार (d) राग भैरवी

2. संगीत पर एक कृति *मान कौतूहल* किसके तत्त्वाधान में तैयार की गयी थी? **(CDSI, 2024)**
   (a) ग्वालियर के राजा मान सिंह
   (b) तानसेन
   (c) मीरा बाई
   (d) अमीर खुसरो

3. निम्नलिखित में से किसने संगीत विज्ञान पर *संगीतराज, संगीत मीमांसा और सुधा प्रबंध* नामक तीन रचनाएँ लिखी हैं? **(UPSC Geo-Scientist, 2024)**
   (a) तानसेन (b) इब्राहिम आदिल शाह
   (c) अमीर खुसरो (d) मेवाड़ के महाराणा कुम्भा

4. इनमें से किसे संगीत की ध्रुपद शैली के प्रवर्तन और उसे लोकप्रिय बनाने का श्रेय जाता है? **(CAPF, 2022)**
(a) ग्वालियर के राजा मान सिंह तोमर
(b) तानसेन
(c) नाइक गोपाल
(d) बरनावा के शेख़ बहाउद्दीन

5. मियाँ तानसेन के संदर्भ में, निम्नलिखित में से कौन-सा कथन सही नहीं है? **(CSE, 2019)**
(a) तानसेन की उपाधि उन्हें बादशाह अकबर ने दी थी।
(b) तानसेन ने हिंदू देवी-देवताओं पर ध्रुपद की रचना की।
(c) तानसेन ने अपने संरक्षकों पर गीतों की रचना की।
(d) तानसेन ने कई रागों का आविष्कार किया।

6. भारत के सांस्कृतिक इतिहास के संदर्भ में, निम्नलिखित कथनों पर विचार करें: **(CSE, 2018)**
1. **त्यागराज कृति** के अधिकांश भाग भगवान् कृष्ण की प्रशंसा में भक्ति गीत हैं।
2. त्यागराज ने कई नये राग बनाये।
3. अन्नमाचार्य और त्यागराज समकालीन हैं।
4. अन्नमाचार्य कीर्तन भगवान् वेंकटेश्वर की स्तुति में भक्ति गीत हैं।

ऊपर दिये गये कौन-से कथन सही हैं?
(a) केवल 1 और 3 (b) केवल 2 और 4
(c) 1, 2 और 3 (d) 2, 3 और 4

7. 18वीं और 19वीं सदी के उत्तर भारत में संगीत संस्कृति के बारे में निम्नलिखित कथनों में से कौन-सा/से सही नहीं हैं? **(CDS I, 2015)**
1. इस कालखण्ड में ख़याल स्वरूप को प्रस्तुत करनेवाले सदरंग नियामत ख़ान की प्रतिष्ठा में निरंतर वृद्धि देखी गयी थी।
2. बड़ी संख्या में संगीतकार क्षेत्रीय केंद्रों से निक़लकर दिल्ली चले गये, जहाँ उन्हें अधिक रोज़गार और संरक्षण मिलने की संभावना थी।
3. इस कालखण्ड में विशिष्ट क्षेत्र आधारित घरानों का निर्माण देखा गया था।

नीचे दिये गये कोड का उपयोग करके सही उत्तर चुनें:
(a) केवल 1 (b) 1, 2 और 3
(c) केवल 2 (d) केवल 2 और 3

8. मंगनियार कहलाने वाले लोगों का समुदाय किसलिए जाना जाता है? **(CSE, 2014)**
(a) उत्तर-पूर्व भारत में अपनी युद्धकला के लिए।
(b) उत्तर-पश्चिम भारत में अपनी संगीत परंपरा के लिए।
(c) दक्षिण भारत में अपने शास्त्रीय गायन के लिए।
(d) मध्य भारत में अपनी पित्रा ड्यूरा परंपरा के लिए।

9. ध्रुपद सदियों से जीवित रखी गयी भारत की प्रमुख परंपराओं में से एक है। इसके संदर्भ में निम्नलिखित कथनों में से कौन-से कथन सही हैं? **(CSE, 2012)**
(i) मुग़ल काल के दौरान राजपूत राज्यों में ध्रुपद की उत्पत्ति और विकास हुआ।
(ii) ध्रुपद मुख्य रूप से भक्ति और अध्यात्म का संगीत है।
(iii) ध्रुपद आलाप मंत्रों से लिये गये संस्कृत अक्षरों पर आधारित है।

नीचे दिये गये कोड का प्रयोग कर सही उत्तर चुनिए:
(a) (i) और (ii) (b) (ii) और (iii)
(c) (i), (ii) और (iii) (d) इनमें से कोई नहीं

उत्तरमाला

1. (c) 2. (a) 3. (d) 4. (a) 5. (a) 6. (b) 7. (c) 8. (b) 9. (b)

यू.पी.एस.सी. विगत वर्षों के प्रश्न - मुख्य परीक्षा

1. वे कौन-से समूह हैं, जिनमें भारत के संगीत वाद्ययंत्र पारंपरिक रूप से वर्गीकृत किये गये हैं? **(CSE, 2012)**

2. शास्त्रीय संगीत की हिंदुस्तानी और कर्नाटक शैलियों के बीच महत्त्वपूर्ण समानता और अंतर क्या हैं? **(CSE, 2009)**

3. ख़याल संगीत के विषय में लिखें? **(CSE, 1997)**

4. शास्त्रीय संगीत की प्रमुख विशेषताएँ क्या हैं? **(CSE, 1990)**

5. उस्ताद अमजद अली ख़ान कौन-सा वाद्ययंत्र बजाते हैं? **(CSE, 1982)**

11

नृत्य विधाएँ

अध्याय की रूपरेखा

- पृष्ठभूमि
- नृत्य के स्वरूप
- भारतीय शास्त्रीय नृत्य विधाएँ
- भरतनाट्यम्
- कुचिपुड़ी
- कथकली
- मोहिनीअट्टम
- ओडिसी
- मणिपुरी
- कथक
- सत्रिया
- भारत के लोक नृत्य

पृष्ठभूमि

भरत के नाट्य शास्त्र (200 ईसा पूर्व-200 ईसवी) के अनुसार, भगवान् ब्रह्मा ने चारों वेदों के तत्त्वों को मिलाकर पाँचवें वेद के रूप में **नाट्य वेद** की रचना की – ऋग्वेद से पथ्य (शब्द), यजुर्वेद से अभिनय (भंगिमाएँ), सामवेद से गीत (संगीत) और अथर्ववेद से रस (भाव), जिससे नाट्य स्वयं में नृत्य, नाटक और संगीत का एक मिश्रण बन गया। भारतीय परंपरा में नृत्य पवित्र और सामाजिक दोनों है।

नृत्य का पहला औपचारिक उल्लेख भरत के नाट्य शास्त्र (200 ईसा पूर्व-200 ईसवी) में मिलता है, जो शास्त्रीय नृत्य पर एक विस्तृत ग्रंथ है। इसमें तकनीकों, मुद्राओं, भावों, रंगमंचीय कला और दर्शकों का वर्णन किया गया है तथा नृत्य को एक 'संपूर्ण कला' कहा गया है, जो संगीत, मूर्तिकला, काव्य और नाटक को एक साथ जोड़ती है।

वीडियो अंतर्दृष्टि

भारतीय नृत्य पर वैचारिक वीडियो के लिए स्कैन करें

क्या आप जानते हैं? सिंधु घाटी सभ्यता के मोहनजोदड़ो से प्राप्त प्रसिद्ध **'भारतीय नृत्यांगना'** कांस्य प्रतिमा (लगभग 2500 ईसा पूर्व) नृत्य की मुद्राओं और शारीरिक गतिविधियों से प्रारंभिक परिचितता का संकेत देती है।

नृत्य के स्वरूप

नाट्य शास्त्र के अनुसार, भारतीय शास्त्रीय नृत्य के दो आधारभूत स्वरूप हैं:

- **लास्य :** इसमें लालित्य, भाव, रस तथा अभिनय निरूपित होते हैं। कला का यह रूप नृत्य की **नारी** की विशेषताओं का प्रतीक है।
- **तांडव :** यह नृत्य **नर अभिमुखताओं** का स्वरूप है तथा इसमें *लय* तथा *गति* पर अधिक बल दिया गया है।

नृत्य पर **नंदिकेश्वर** के प्रसिद्ध ग्रन्थ *अभिनय दर्पण (पाँचवीं से चौथी सदी ईसा पूर्व)* के अनुसार, किसी अभिनय को तीन आधारभूत तत्त्वों में विभाजित किया गया है:

- **नृत्त :** इसका संदर्भ लयबद्ध रूप से किये जानेवाले नृत्य के आधारभूत पद संचालनों से है, जिनमें किसी **अभिव्यक्ति** या मनोदशा **का समावेश नहीं** किया गया है।
- **नाट्य :** इसका आशय **नाटकीय निरूपणों** से है, जो नृत्य प्रस्तुति के माध्यम से विस्तृत कथा को निरूपित करता है।
- **नृत्य :** नृत्य का आशय नर्तन के माध्यम से वर्णित रस तथा भावों से है। इसमें मूक अभिनय तथा *मुद्राओं* सहित नर्तन में प्रयुक्त अभिव्यक्ति की विभिन्न विधियों का समावेश रहता है।

नंदिकेश्वर ने नायक-नायिका भाव का सविस्तार वर्णन किया हैं, जहाँ देवता को नायक (hero) तथा नृत्य का प्रदर्शन करनेवाले भक्त को नाटक की नायिका (heroine) के रूप में देखा जाता हैं। नृत्य **नौ रसों** (भावों) को व्यक्त करता है। वे हैं -

1. प्रेम के लिए *शृंगार*
2. क्रोध के लिए *रौद्र*
3. घृणा के लिए *बीभत्स*
4. शूरता के लिए *वीर*
5. शान्ति तथा अक्षोभ के लिए *शांत*
6. हास्य तथा विनोद नाटक के लिए *हास्य*
7. दुखांत घटना के लिए *करुण*
8. संत्रास भय/दहशत के लिए *भयानक*
9. आश्चर्य के लिए *अद्‌भुत*

भारतीय नृत्य कला की भावनाओं को दर्शाती विशेष मुद्राएँ

इन मनोदशाओं तथा अभिव्यक्तियों को **मुद्राओं - हाथ की भंगिमाओं** तथा **शरीर की मुद्राओं** के मेल के माध्यम से व्यक्त किया जाता है। उल्लेखनीय है कि आधारभूत *मुद्राएँ* 108 होती हैं, जिनके मेल से किसी विशिष्ट भाव का चित्रण किया जाता है।

भारतीय शास्त्रीय नृत्य विधाएँ

भारत के विभिन्न क्षेत्रों में नृत्य की विविध शैलियों का विकास हुआ है, जिनमें से प्रत्येक के अपने विशिष्ट सूक्ष्मांतर हैं। यद्यपि, नृत्य की इन सभी विधाओं को *नाट्य शास्त्र* में वर्णित आधारभूत नियमों तथा दिशा-निर्देशों के अनुसार संचालित किया जाता है, फिर भी मुख्य नियम यही है कि ज्ञान का हस्तांतरण केवल गुरु के माध्यम से हो सकता है। गुरु विभिन्न परम्पराओं तथा *सम्प्रदायों* का ज्ञान शिष्य को प्रदान करता है। यह *'गुरु-शिष्य परम्परा'* भारत की शास्त्रीय कला शैली का मुख्य तत्त्व है।

संगीत नाटक अकादमी के अनुसार वर्तमान में भारत में **आठ शास्त्रीय नृत्य विधाएँ** अस्तित्त्व में हैं, जिनमें सम्मिलित हैं - *भरतनाट्यम्, कुचिपुड़ी, कथकली, मोहिनीअट्टम, ओडिसी, मणिपुरी, कथक तथा सत्रिया।*

भरतनाट्यम्

भरतनाट्यम, **सबसे पुराना शास्त्रीय नृत्य,** भरत मुनि और नाट्यम (तमिल में नृत्य) के नाम पर रखा गया है। यद्यपि अन्य विद्वान् 'भरत' को *भाव* (अभिव्यक्ति), *राग* (माधुर्य) और *ताल* (लय) से जोड़ते हैं।

नृत्य के इस रूप या प्रकार (Dance forms) की उत्पत्ति का संबंध **तमिलनाडु** में मंदिर नर्तकों अथवा ***'देवदासियों'*** की एकल नृत्य प्रस्तुति – 'सादिर' से है, इसलिए इसे 'दाशीअट्टम' भी कहा जाता था।

देवदासी प्रथा के पतन के पश्चात्, यह कला भी लगभग लुप्तप्राय हो गयी थी, तथापि एक प्रमुख स्वतन्त्रता सेनानी, **ई. कृष्णा अय्यर** द्वारा इसे पुनर्जीवित किया गया (1897-1968)। एक समय यह नृत्य केवल एकल महिला नर्तकियों तक ही सीमित था, लेकिन बाद में यह पुरुषों और समूहों के बीच भी लोकप्रिय हो गया। **रुक्मिणी देवी अरुंडेल** द्वारा इसे वैश्विक मान्यता मिली।

उन्नीसवीं शताब्दी के पूर्व में, तंजावुर के चार नृत्य शिक्षकों ने भरतनाट्यम की प्रस्तुति के अवयवों को परिभाषित किया:

- **अलारिप्पू (कुसुमित कली):** यह एक आरंभिक भरतनाट्यम नृत्य है, जिसमें आधारभूत नृत्य मुद्राओं के चरण और लय सम्मलित हैं, तथा जो ईश्वर, गुरु, दर्शकों के प्रति सम्मान प्रदर्शित करके आशीर्वाद प्राप्त करते हैं।
- **जातिस्वरम :** यह नृत्त घटक है और अभिव्यक्ति रहित है, इसमें विभिन्न मुद्राएँ और हरकतें सम्मिलित हैं।
- **शब्दम् :** यह गीत में *अभिनय* को **अभिव्यक्त शब्दों** के साथ समाविष्ट करनेवाला नाटकीय तत्त्व है। सामान्यतः इसे ईश्वर की प्रशंसा में प्रयुक्त किया जाता है।
- **वर्णम :** यह नृत्य प्रदर्शन का मुख्य घटक है, जहाँ नृत्य और भावनाओं का संयोजन होता है, और ताल एवं राग साथ मिलकर एक कहानी व्यक्त करते हैं।
- **पद्म :** यह कलाकार द्वारा आध्यात्मिक संदेश के अभिनय (अभिव्यक्ति) पर प्रवीणता संदर्भित करता है। संगीत हलका हो जाता है और नृत्य भावनात्मक हो जाता है।
- **जावली :** यह अपेक्षाकृत तीव्र गति के साथ प्रस्तुत लघु प्रेमगीति (Short love lyrics) काव्य होता है।

(a)

(b)

भरतनाट्यम्

- **थिल्लन :** यह प्रस्तुतिकरण की समापन-अवस्था है तथा इसमें विशुद्ध नृत्य के साथ उल्लासपूर्ण गति तथा जटिल लयबद्ध स्पंदन को समाविष्ट किया जाता है।

'तंज़ोर-ए-चतुष्क' के नाम से विख्यात, तंजावुर के ये चार शिक्षक *चिन्नाहया, पोनियाह, वादिवेलू* तथा *शिवनन्दम* हैं। उनके संरक्षण में भरतनाट्यम को **तंज़ोर नाट्यम** के नाम से भी ख्याति प्राप्त हुई।

- भरतनाट्यम को प्रायः **'अग्नि नृत्य'** के नाम से भी जाना जाता है, चूँकि यह मानव शरीर में अग्नि की अभिव्यक्ति करता है। इसमें अडावु (क़दमों), हस्तमुद्रा (हाथों के हाव-भाव) और भावाभिनय (चेहरे के भाव) का प्रयोग किया जाता है। प्रदर्शन की शुरुआत गणपति और नटराज की पूजा से होती है। पुरुषों की पोशाक में काँचीपुरम रेशम की जैकेट और पायजामा शामिल होते हैं और महिलाओं की पोशाक बनारसी रेशम से बनी होती है।
- नृत्य की इस विधा में नृत्य के दोनों पक्षों, **तांडव तथा लास्य** पर एक समान बल दिया जाता है तथा मुख्य रूप से मुद्राओं को केंद्र में रखा जाता है।

कटकामुख हस्त

- मुख्य *मुद्राओं* में से एक है **'कटकामुख हस्त'**, जिसमें तीन उँगलियों को जोड़ कर 'ॐ' का प्रतीक दर्शाया जाता है।
- भरतनाट्यम की प्रस्तुति में **घुटने अधिकांश मुड़े** होते हैं तथा शरीर का भार दोनों पैरों पर समान रूप से वितरित किया जाता है।
- भरतनाट्यम में **एकचर्य की विशेषता है, लास्यम** एक ऐसी शैली है, जिसमें एक नर्तक कई भूमिकाएँ निभाता है। प्रमुख वाद्ययंत्रों में मृदंगम, वीणा और बाँसुरी शामिल हैं।

प्रमुख कलाकारों में यामिनी कृष्णमूर्ति, लक्ष्मी विश्वनाथन, पद्मा सुब्रह्मण्यम, मृणालिनी साराभाई तथा मल्लिका साराभाई तथा अलार्मेल वल्ली इत्यादि सम्मिलित हैं।

कुचिपुड़ी

आंध्र प्रदेश के कुचेलापुरम गाँव के नाम पर कुचिपुड़ी का प्रदर्शन मूल रूप से कुसेलव नामक घुमंतू कलाकारों द्वारा किया जाता था। सिद्धेंद्र योगी (ग्यारहवीं शताब्दी) ने इसे औपचारिक रूप दिया, यक्षगान-शैली के लोक नाटकों के साथ इसे आकार दिया और *भामा कलापम* जैसी कृतियों की रचना की।

वैष्णववाद के अभ्युदय के पश्चात्, नृत्य की यह विधा पुरुष ब्राह्मणों का एकाधिकार बन कर रह गयी थी तथा इसकी प्रस्तुतियाँ मंदिरों में दी जाने लगीं। कुचिपुड़ी ने **भागवत पुराण** की कथाओं पर ध्यान केंद्रित किया, जिसमें **भागवतथालु** नामक नर्तक शामिल थे, यह विजयनगर तथा गोलकुंडा शासकों के तहत फला-फूला।

(अ) कुचिपुड़ी

(ब) कुचिपुड़ी में तरंगम्

कुचिपुड़ी बीसवीं शताब्दी तक अधिकांशत: गाँवों में ही प्रचलित रही, फिर **बालासरस्वती और रागिनी देवी** ने इसे पुनर्जीवित किया। लक्ष्मीनारायण शास्त्री ने एकल प्रदर्शन और महिला नर्तकियों का परिचय कराया।

कुचिपुड़ी नृत्य की कुछ विशेषताएँ निम्नलिखित हैं :

- इसमें पैरों की मुद्राएँ जटिल होती हैं और यह सामान्यत: सामूहिक रूप से किया जाता है।
- कुचिपुड़ी की अधिकतर प्रस्तुतियाँ भागवत पुराण की कथाओं पर आधारित हैं, किन्तु उनका केंद्रीय भाव **पंथ-निरपेक्ष** रहा है। इसमें **शृंगार रस** की प्रधानता होती है।
- प्रत्येक मुख्य चरित्र **'दारु'** के प्रस्तुतीकरण के साथ स्वयं को मंच पर प्रविष्ट करता है, जो प्रत्येक चरित्र के परिचय के उद्देश्य से विशिष्ट रूप से निर्देशित नृत्य तथा गीत की लघु रचना होती है।
- इस नृत्य में शास्त्रीय नृत्य के सभी तीनों घटक सम्मिलित हैं—नृत्त, नाट्य और नृत्य। यह भरतनाट्यम के सदृश्य है, लेकिन इसकी अपनी विशेषताएँ हैं।
- इसके प्रदर्शन में निम्नलिखित सम्मिलित होता है :
  - *सोल्लाकथ या पताक्षर :* यह नृत्त भाग है, जिसमें शरीर की हरकतें सम्मिलित होती हैं।
  - *कावुत्वम :* यह नृत्य भाग है, जिसमें व्यापक कलाबाज़ियाँ (हवाई करतब) सम्मिलित होती हैं। इसे नृत्त के रूप में भी किया जा सकता है।
- कुचिपुड़ी नृत्य शैली मानव शरीर में पार्थिव तत्त्वों को प्रकट करती है।
- कुचिपुड़ी प्रस्तुति में, **नर्तक/नर्तकी स्वयं में ही गायक की भूमिका को भी संयोजित** कर सकता/सकती है। इसलिए, यह एक नृत्य-नाटक प्रस्तुति बन जाती है।

- कुचिपुड़ी नृत्य विधा में **लास्य तथा तांडव, दोनों** ही **तत्त्व** महत्त्वपूर्ण होते हैं।
- समूह प्रदर्शनों के अतिरिक्त, कुचिपुड़ी में कुछ लोकप्रिय *एकल तत्त्व* भी होते हैं। उनमें से कुछ निम्नलिखित हैं:
    - **मंडूक शब्दम** - एक **मेंढक की कहानी** कहता है।
    - **तरंगम** - नर्तक अपने करतब को **एक पीतल की तश्तरी के किनारे पर पाँव रखकर** तथा अपने सर पर एक जल पात्र या दीयों के एक सेट को संतुलित रखते हुए प्रस्तुत करता है।
    - **जल चित्र नृत्यम** - इस प्रदर्शन में, नर्तक/नर्तकी नृत्य करते हुए **अपने** पैर के अंगूठों से सतह पर **चित्र खींचता/खींचती** है।
- कुचिपुड़ी प्रस्तुति में **कर्नाटक संगीत** की जुगलबंदी की जाती है, *वायलिन तथा मृदंग* इसके प्रमुख वाद्य यंत्र होते हैं। गायन तेलुगु भाषा में होता है।
- पुरुष कलाकारों की पोशाक को **बगलबंदी** कहा जाता है और महिला कलाकार बनारसी पोशाक पहनती हैं।

प्रसिद्ध कलाकार : नाट्यकलानिधि लक्ष्मीनारायण शास्त्री *(कुचिपुड़ी की एकल विधा के जनक)*, बाला सरस्वती, राधा रेड्डी **तथा** राजा रेड्डी, यामिनी कृष्णमूर्ति, इंद्राणी रहमान इत्यादि।

कथकली

केरल के मंदिरों में सामंतों के संरक्षण में नृत्य-नाट्य के दो रूपों – रामनाट्टम तथा कृष्णाट्टम का विकास हुआ, जिनमें ***रामायण*** तथा ***महाभारत*** की कहानियाँ कही जाती थीं। बाद में ये लोक नाट्य परम्पराएँ कथकली के उद्भव का स्रोत बनीं, जिसका नाम 'कथा' अर्थात् कहानी और 'कली' यानी नाटक से लिया गया। इसका कोडियट्टम (संस्कृत नाट्य परंपरा) और साथ ही अन्य प्राचीन युद्ध-कला प्रदर्शनों से गहरा संबंध है। यह संगीत, नृत्य और नाटक का अद्भुत संयोजन है।

तथापि, सामंती व्यवस्था के भंग होने के साथ-साथ, कला की एक विधा के रूप में कथकली का अवसान होने लगा। 1930 में इसका पुनरुत्थान प्रसिद्ध मलयाली कवि **वी.एन. मेनन** के द्वारा **मुकुंद राजा** के संरक्षण में किया गया।

(a) (b)

कथकली

कथकली नृत्य की कुछ **विशेषताएँ** निम्नलिखित हैं:

- कथकली आमतौर पर **पुरुष मंडली द्वारा किया जानेवाला प्रदर्शन** है।
- कथकली गायन प्रस्तुति में अवलंब (रंगमंच सामग्री) का कम-से-कम उपयोग किया जाता है। हालाँकि, विभिन्न पात्रों के लिए चेहरे के सुपरिष्कृत श्रृंगार के साथ सिर की टोपी (Headgear) का उपयोग किया जाता है। श्रृंगार या *वेशम* पाँच प्रकार का होता है - पाचा, काठी, थड़ी, कारी और मिनुक्कू। अलग-अलग रंगों के सिंगार में अपना महत्त्व होता है:
    - ***हरा*** रंग कुलीनता, देवत्व और सदगुण इंगित करता है।
    - नाक की बग़ल में ***लाल*** धब्बे राजसी गौरव इंगित करता है।
    - बुराई और दुष्टता इंगित करने के लिए ***काले*** रंग का उपयोग किया जाता है।
    - ***पीला*** रंग संतों और महिलाओं के लिए होता है।
    - ***पूर्णतः लाल रंग से रँगा हुआ चेहरा*** बुराई इंगित करता है।
    - ***सफ़ेद दाढ़ी*** उच्चतर चेतना और देवत्ववाले प्राणियों को इंगित करती है।
- इसमें नृत्य और नाटक दोनों सम्मिलित है और दोनों इस प्रकार मिले होते हैं कि उन्हें स्पष्ट रूप से अलग नहीं किया सकता है। प्रदर्शन की शुरुआत *केलिकोट्टु* (दर्शकों का ध्यान आकर्षित करना) और *थोडयम* (देवताओं के आशीर्वाद का आह्वान) से होती है।

- अधिकांश कथकली गायन अच्छाई और बुराई के बीच शाश्वत संघर्ष का भव्य निरूपण है। इसकी विषयवस्तु महाकाव्यों और पुराणों में वर्णित कथाएँ होती हैं। इसे 'पूर्व का गाथागीत' भी कहा जाता है।
- कथकली गीतों के लिए प्रयुक्त भाषा **मणिप्रवलम**, अर्थात्, मलयालम और संस्कृत का मिश्रण है। यह संभवत: *रामनाट्टम* से विकसित हुआ है। कथकली गीतों के शब्दों को अट्टकथा कहा जाता है।
- दर्शकों तक पूरा नाटक सही ढंग से संप्रेषित करने के लिए **संगीत** महत्त्वपूर्ण है। नाटक को गहराई देने के लिए प्रदर्शन के दौरान विभिन्न संगीत रचनाओं का उपयोग किया जाता है।
- **भाव-भंगिमाएँ** संभवत: पूरे नृत्य-नाटक का अनमोल आभूषण होती हैं। कथकली **आँखों और भौंहों की लय** के माध्यम से रस के निरूपण में उल्लेखनीय है, जिसके माध्यम से कहानी संप्रेषित की जाती है। **'नवरस'** नामक चेहरे के नौ महत्त्वपूर्ण भाव विभिन्न भावनाएँ व्यक्त करने के लिए सिखाये जाते हैं। हाथ के व्यापक हाव-भावों का उपयोग भी किया जाता है। इसलिए, इस नृत्य रूप को करने हेतु कड़े प्रशिक्षण की आवश्यकता होती हैं। मुद्राओं का उपयोग उन विचारों को व्यक्त करने के लिए किया जाता है, जो *हस्तलक्षण दीपिका* पर आधारित हैं, जो हाथ के इशारों की भाषा पर एक ग्रंथ है।
- कथकली सामान्यत: पृष्ठभूमि प्रदान करनेवाले केरल के हरे-भरे वृक्षों के साथ मोटे क़ालीनों से ढँके **खुले रंगमंच या मंदिर परिसर** में किया जाता है। प्रकाश के लिए पीतल के दीपक का उपयोग किया जाता है।
- ढोल, **छेंद और मद्दले** की निरंतर ध्वनि के साथ सुबह का आगमन कथकली की प्रस्तुति के आरंभ और समापन का प्रतीक होता है।
- कथकली **आकाश** (ether) तत्त्व का प्रतीक है।

प्रसिद्ध प्रतिपादक: गुरु कुंचू कुरुप, गोपी नाथ, कोट्टकल शिवरमन, रीता गांगुली आदि।

मोहिनीअट्टम

मोहिनीअट्टम या **मोहिनी** ('मोहिनी' का अर्थ सुंदर स्त्री और 'अट्टम' का अर्थ नृत्य होता है) **का नृत्य,** मूल रूप से नृत्यांगनाओं द्वारा किया जानेवाला **एकल नृत्य** है, जिसे उन्नीसवीं सदी में **वडिवेलु** द्वारा आगे विकसित किया गया और **केरल** राज्य के त्रावणकोर के शासकों के अधीन इसने महत्त्व प्राप्त किया। उन्नीसवीं सदी में त्रावणकोर के शासक स्वाति थिरुनल का संरक्षण उल्लेखनीय है। अप्रचलित हो जाने के बाद, प्रसिद्ध मलयालयी कवि **वी.एन. मेनन** ने **कल्याणी अम्मा** के साथ इसे पुनर्जीवित किया।

मोहिनीअट्टम की **विशेषताओं** में से कुछ निम्नलिखित हैं:

- मोहिनीअट्टम में कथकली के उत्साह के साथ-साथ भरतनाट्यम का **लालित्य** और **कोमलता** दोनों देखने को मिलते हैं। पैरों की थाप नहीं होती, **क़दमताल सौम्य** होती है।
- मोहिनीअट्टम में सामान्यत: **विष्णु के स्त्रैण नृत्य** (स्त्री) की कहानी का वर्णन किया जाता है।
- अन्य शास्त्रीय नृत्यों की भाँति इसके अपने ही नृत्त और नृत्य पहलू हैं।

(a)

(b)

मोहिनीअट्टम

- मोहिनीअट्टम के गायन में लास्य पहलू (सौंदर्य, लालित्य) का प्रभुत्व होता है। इसलिए, मुख्य रूप से नृत्यांगनाओं द्वारा यह नृत्य किया जाता है।
- नृत्य, संगीत और गीत के साथ होता है। कहानी को **'मणिप्रवलम'** नामक भाषा में प्रस्तुत किया गया है, जो संस्कृत और मलयालम का मिश्रण है।

- **श्वेत और श्वेताभ** (धूमिल सफ़ेद) के मुख्य रंग होने (साड़ियों के प्रमुख रंग हैं, जिन्हें कसावु कहा जाता है) और सुनहरे रंग के बेल-बूटे की डिज़ाइनों के कारण मोहिनीअट्टम में वेशभूषा का विशेष महत्त्व होता है। कोई सुपरिष्कृत शृंगार नहीं होता है। नृत्यांगना द्वारा अपने टखनों पर घंटियों (घुँघरू) की चमड़े की पट्टी पहनी जाती है।
- मोहिनीअट्टम के प्रदर्शन के माध्यम से **वायु तत्त्व** को अभिव्यक्त किया जाता है।
- **'अटवकुल या अटावुस'** चालीस मूल नृत्य गतियों का संग्रह है।
- उपयोग किये जानेवाले संगीत वाद्य यंत्र हैं : झाँझ, वीणा, ढोल, बाँसुरी आदि।

प्रसिद्ध प्रतिपादक : सुनंदा नायर, कलामंडलम क्षेमवती, माधुरी अम्मा, जयाप्रभा मेनन आदि।

ओडिसी

उदयगिरि-खंडगिरि की गुफाएँ ओडिसी नृत्य के कुछ प्रारंभिक उदाहरण प्रदान करती हैं। नाट्यशास्त्र में उल्लेखित 'ओद्रा नृत्य' से इस नृत्य रूप को नाम मिला है। मुख्य रूप से **"महारियों"** द्वारा यह नृत्य किया जाता था और इसे जैन राजा खारवेल का संरक्षण प्राप्त था।

(a)

(b)

ओडिसी

इस क्षेत्र में वैष्णववाद के आगमन के साथ, महारी प्रणाली समाप्त हो गयी। इसके अतिरिक्त यह कला रूप जारी रखने के लिए युवा बालकों की भर्ती की जाती थी और स्त्रियों के रूप में सुसज्जित किया जाता था। इन्हें **'गोतिपुआ'** के रूप में पहचान मिली। इस कला का एक अन्य रूप **'नरतला'** की साधना या प्रदर्शन राज दरबारों में जारी रहा।

बीसवीं सदी के मध्य में, चार्ल्स फ़ैब्री और इंद्राणी रहमान के प्रयासों से ओडिसी ने अंतरराष्ट्रीय ख्याति प्राप्त की। ओडिसी की कुछ **विशेषताएँ** इस प्रकार हैं :

त्रिभंग मुद्रा

- भावनाएँ अभिव्यक्त करने में यह मुद्राओं और विभिन्न आसनों के उपयोग में भरतनाट्यम् के समान है।
- **त्रिभंग मुद्रा,** अर्थात् शरीर का तीन मोड़वाला रूप ओडिसी नृत्य रूप में अंतर्निहित है। इसके साथ फैले हुए हाथों के साथ **'चौक' आसन** पौरुष्य दर्शाता है ।
- नृत्य के दौरान, शरीर का निचला हिस्सा काफ़ी हद तक स्थिर रहता है और धड़, लय-ताल के साथ गति करता है। नृत्य भाग के दौरान अभिव्यक्तियों के संप्रेषण हेतु हाथों के हाव-भाव महत्त्वपूर्ण भूमिका निभाते हैं।
- ओडिसी नृत्य लालित्य, कामुकता और सौंदर्य के अपने निरूपण में अद्वितीय है। नृत्यांगनाएँ अपने शरीर से जटिल **ज्यामितीय आकार** और पैटर्न बनाती हैं। इसलिए, इसे **'सचल मूर्ति'** (mobile sculpture) के रूप में जाना जाता है।
- ओडिसी नृत्य के **तत्त्वों** में सम्मिलित हैं :
  - ***मंगलाचरण*** या प्रारंभ, जिसमें धरती माता को पुष्प अर्पित किया जाता है।
  - नृत्य युक्त ***बाटू नृत्य***, इसमें त्रिभंग और चौक आसन होता है।
  - ***पल्लवी,*** जिसमें चेहरे का भाव और गीत का प्रतिरूप सम्मिलित होता है।
  - ***थारिझम,*** जिसमें समापन से पहले शुद्ध नृत्य सम्मिलित होता है।

- समापन या अंतिम अंश दो प्रकार के होते है। **मोक्ष** में मुक्ति दर्शानेवाली आनंदपूर्ण लय-ताल सम्मिलित होती है। **त्रिखंड मजुरा** समापन का एक और तरीक़ा है, जिसमें कलाकार देवताओं तथा दर्शकों से और मंच से बाहर निक्लने की अनुमति लेते है।

- हिन्दुस्तानी शास्त्रीय संगीत ओडिसी नृत्य की संगत करता है और सामान्यत: मँजीरा (Cymbal), पखावज (ढोल), सितार, बाँसुरी आदि का उपयोग किया जाता है।
- यह नृत्य रूप **जल तत्त्व** को **प्रतीकबद्ध** करता है।
- इस नृत्य में जयदेव द्वारा लिखित गीतगोविंद के गीतों का कुछ स्थानीय कवियों की रचनाओं के साथ उपयोग किया जाता है।
- नृत्यांगना **सुपरिष्कृत केश-विन्यास, चाँदी के आभूषण, लंबा कण्ठहार** आदि पहनकर अपना श्रृंगार करती है। नर्तक अपनी कमर पर चौड़ी बेल्ट और पैरों में घुँघरू पहनते हैं। महिला कलाकार चमकीले रंग की बोमकाई और संबलपुरी साड़ियाँ पहनती हैं।

प्रसिद्ध प्रतिपादक : गुरु पंकज चरण दास, गुरु केलूचरण महापात्र, सोनल मानसिंह, शेरॉन लोवेन (USA), आनंदिनी दास (अर्जेंटीना)।

क्या आप जानते हैं? **खजुराहो, कोणार्क, एलोरा और चिदंबरम मंदिरों** में नर्तकियों की मूर्तियाँ भरतनाट्यम, ओडिसी और अन्य शास्त्रीय नृत्य शैलियों की विभिन्न मुद्राओं को दर्शाती हैं।

मणिपुरी

मणिपुरी नृत्य रूप **मणिपुर** की घाटियों में स्थानीय 'गंधर्वों' के साथ शिव और पार्वती के दैवीय नृत्य में अपना पौराणिक उद्‌गम पाता है। **पंद्रहवीं सदी** में **वैष्णववाद** के आगमन के साथ इस नृत्य ने प्रमुखता प्राप्त की। कृष्ण इस नृत्य रूप का केंद्रीय विषय बन गये। **सामान्यत: नृत्यांगनाओं द्वारा** यह नृत्य किया जाता है।

मणिपुरी नृत्य

आधुनिक समय में, अठारहवीं सदी में मणिपुर के **राजा भाग चंद्र** ने मणिपुरी नृत्य को पुनर्जीवित करने का प्रयास किया। **रवींद्रनाथ टैगोर** इस नृत्य रूप को पुन: प्रचलन में ले आये, जब उन्होंने शांतिनिकेतन (पश्चिम बंगाल) में इसे प्रचलित किया।

मणिपुरी नृत्य की कुछ **विशेषताएँ** इस प्रकार हैं :

- मणिपुरी नृत्य **कामुकता** पर नहीं, बल्कि **भक्ति** पर बल देने के कारण अद्वितीय है।
- **चेहरा पतले घूँघट से ढँका** होता है और चेहरे की अभिव्यक्ति का महत्त्व कम होता है, हाथों के हाव-भाव और पैरों की कोमल गति महत्त्वपूर्ण होती है।
- यद्यपि इस नृत्य में **तांडव और लास्य दोनों** सम्मिलित हैं, लेकिन **लास्य पर बल दिया जाता है।**
- महिलाएँ लंबा स्कर्ट पहनती हैं। ध्यान मुख्य रूप से हाथ की धीमी और लालित्यपूर्ण गति और घुटने की स्थिति पर केंद्रित होता है।
- **नागबंध मुद्रा,** जिसमें शरीर '8' के आकार में वक्रों के माध्यम से जुड़ा होता है, यह मणिपुरी नृत्य के रूप में महत्त्वपूर्ण मुद्रा है।
- **रास लीला** (राधा-कृष्ण की प्रेम कहानी) मणिपुरी नृत्य गायन का आवर्ती विषय है।
- ढोल-**पुंग**-गायन का जटिल तत्त्व है। बाँसुरी, खरताल (लकड़ी की), ढोल इत्यादि संगीत के साथ संगत करते हैं। इसमें जयदेव और चंडीदास की रचनाओं का व्यापक रूप से उपयोग किया जाता हैं।
- **थांग-ता और संकीर्तन** भी मणिपुरी नृत्य से प्रभावित हैं।

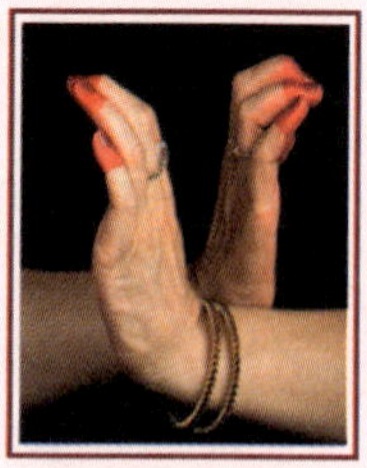

नागबंध मुद्रा

प्रसिद्ध प्रतिपादक : झावेरी बहनें-(नयना, सुवर्णा, रंजना और दर्शना), गुरु बिपिन सिंह एंव एन. माधवी देवी इत्यादि।

कथक

ब्रजभूमि की रासलीला से उत्पन्न, **कथक, उत्तर प्रदेश** की एक परम्परागत नृत्य विधा है। कथक का नाम 'कथिका' से लिया गया है, जो भाव-भंगिमाओं तथा संगीत के साथ **महाकाव्यों** से ली गयीं कविताओं की प्रस्तुति किया करते थे।

मुग़ल युग के दौरान, नृत्य की यह विधा पतित हो कर कामोत्तेजक शैली में प्रस्तुत की जाने लगी तथा इसकी एक विभक्त शाखा दरबार-नृत्य बन गयी। इस पर **फ़ारसी वेश-भूषा** तथा नृत्य शैली का भी प्रभाव पड़ा। कथक की शास्त्रीय शैली को बीसवीं शताब्दी में **लेडी लीला सोखे** के द्वारा पुनरुज्जीवित किया गया।

कथक की कुछ विशेषताएँ निम्नलिखित हैं :

- कथक की एक महत्त्वपूर्ण विशेषता **विभिन्न घरानों** का विकास है, क्योंकि यह हिंदुस्तानी संगीत शैली पर आधारित है :
  - **लखनऊ :** यह नवाब वाजिद अली शाह के शासन काल में अपने चरम पर पहुँचा। इसमें *अभिव्यक्ति* तथा *लालित्य* पर अधिक बल दिया जाता है।
  - **जयपुर :** भानुजी द्वारा आरम्भ किये गये इस घराने में प्रवाह, गति, तथा लम्बे *लयबद्ध* पैटर्न पर बल दिया जाता है।
  - **रायगढ़ :** यह राजा चक्रधर सिंह के संरक्षण में विकसित हुआ। यह *आघातपूर्ण* संगीत पर बल देने के कारण अद्वितीय है।
  - **बनारस :** यह जानकी प्रसाद के संरक्षण में विकसित हुआ। इसमें *'फ़र्श'* (Floor) का अधिक प्रयोग किया जाता है तथा यह **समरूपता** पर विशेष बल देता है।

(a) (b)

कथक

- कथक नृत्य विधा को जटिल **पद-चालनों** तथा **चक्करों** के प्रयोग से पहचाना जाता है।
- कथक प्रस्तुति के अधोलिखित **घटक** होते हैं :
  - **आनंद** या परिचयात्मक प्रस्तुति, जिसके माध्यम से नर्तक मंच पर प्रवेश करता है।
  - **ठाट** जिसमें हलकी, किन्तु अलग-अलग प्रकार की हरकतें होती हैं।
  - *'तोड़े'* तथा *'टुकड़े'* तीव्र लय के लघु अंश होते हैं।
  - **जुगलबंदी** कथक प्रस्तुति का मुख्य आकर्षण है, जिसमें तबलावादक तथा नर्तक के बीच प्रतिस्पर्द्धात्मक खेल होता है।
  - *पढ़ंत* एक विशिष्ट रूपक होता है, जिसमें नर्तक जटिल बोल का पाठ कर नृत्य के द्वारा उनका प्रदर्शन करता है।
  - *तराना,* थिल्लन के समान ही होता है, जो समापन से पूर्व विशुद्ध लयात्मक संचालनों से मिल कर बनता है।
  - *क्रमालय* समापनकारी अंश होता है, जिसमें जटिल तथा तीव्र पद-चालन का समावेश होता है।
  - **"गत भाव" बिना किसी गायन के किया गया नृत्य** है। इसका प्रयोग विभिन्न पौराणिक उपाख्यानों को रेखांकित करने के लिए होता है।
- कथक की जुगलबंदी सामान्यतः **ध्रुपद संगीत** के साथ होती है। मुग़ल काल में तराना, ठुमरी तथा ग़ज़ल भी इसमें सम्मिलित किये गये थे।

प्रसिद्ध प्रतिपादक : बिरजू महाराज, लच्छू महाराज, सितारा देवी तथा दमयंती जोशी इत्यादि।

सत्त्रिया

असम में पंद्रहवीं शताब्दी में **वैष्णव संत शंकरदेव** द्वारा आधुनिक रूप में सत्त्रिया नृत्य प्रचलित हुआ था। यह कला अपना नाम **'सत्र'** के रूप में विदित वैष्णव मठों से प्राप्त करता है, जहाँ मुख्य रूप से इसका अभ्यास किया जाता था। ऋषि भरत मुनि के प्राचीन ग्रंथ 'नाट्य शास्त्र' में इसका उल्लेख किया गया है। यह **भक्ति आंदोलन** से प्रेरित है।

सत्त्रिया नृत्य की कुछ **विशेषताओं** में सम्मिलित हैं:

- यह नृत्य रूप **असम** में प्रचलित विभिन्न नृत्य रूपों, मुख्यत: ओजपाली और देवदासी का मिश्रण है।
- सत्त्रिया गायन का ध्यान नृत्य के **भक्तिपरक** पहलू पर केंद्रित होता है, जिसमें **विष्णु की पौराणिक कहानियों** का वर्णन किया जाता है।
- सत्त्रिया नृत्य में नृत्त, नृत्य और नाट्य तीनों सम्मिलित होते हैं।
- अपने दैनिक अनुष्ठान के रूप में अथवा त्यौहारों पर भी 'भोकोत' (भगत) नामक **पुरुष भिक्षुओं** द्वारा यह नृत्य **समूह** में किया जाता है।

(a)

(b)

सत्त्रिया

- **खोल** (ढोल), **सिम्बल** (मँजीरा) और **बाँसुरी**, इस नृत्य शैली पर संगत करनेवाले प्रमुख वाद्ययंत्र हैं। गीत शंकरदेव की रचना हैं, जिन्हें 'बोरगीत' के रूप में जाना जाता है।
- क़दमताल के साथ **तालबद्ध शब्दांशों** और नृत्य की मुद्राओं पर बहुत बल दिया जाता है। यह लास्य और तांडव तत्त्वों को संयुक्त करता है।
- सत्त्रिया नृत्य परंपरा ने हाथ के हाव-भावों और क़दमताल के संबंध में कड़ाई से नियम निर्धारित किये हैं, जो अत्यंत महत्त्वपूर्ण भूमिका निभाता है।
- पुरुष नर्तकों द्वारा पहने जानेवाले वस्त्र **धोती और 'पगड़ी'** हैं। हालाँकि, नृत्यांगनाएँ पारंपरिक असमिया आभूषण, पॅट रेशम में बनी **'घुरी' और 'चादर'** पहनती हैं। पुरुषों और महिलाओं दोनों ही द्वारा कमर का कपड़ा (कमर पट्टी) पहना जाता हैं।
- आधुनिक समय में, सत्त्रिया नृत्य दो विभिन्न धाराओं में विकसित हुआ है- **ग्यान-भयानार** नाच और **खर्मानार** नाच।
- **अंकिया नाट** सत्त्रिया का एक प्रकार है, जिसमें संगीतात्मक नाटक सम्मिलित होता है। इसे मूल रूप से असमिया-मैथिली मिश्रित भाषा में लिखा जाता है, जिसे *ब्रजबुली* कहते हैं। इसी तरह का एक और रूप **भाओना** है, जो भगवान् कृष्ण की कथाओं पर आधारित होता है।

क्या आप जानते हैं?

नोट: संगीत नाटक अकादमी ने अभी तक आठ नृत्यों को शास्त्रीय नृत्य का दर्जा दिया है, जबकि **संस्कृति मंत्रालय, भारत सरकार, ने छऊ सहित कुल 09 नृत्यों को शास्त्रीय नृत्य** की मान्यता दी है।

विरासत स्मरण

गौड़ीय नृत्य (पश्चिम बंगाल)

गौड़ीय नृत्य एक **बंगाली शास्त्रीय नृत्य** है, जिसकी नामोत्पत्ति गौड़ से हुई है, जो कभी बंगाल की राजधानी रहा था। माना जाता है कि इस नृत्य की जड़ें *नाट्यशास्त्र* में हैं। कहा जाता है कि भक्ति आंदोलन के दौरान चैतन्य महाप्रभु ने गौड़ीय नृत्य को पुनरुज्जीवित किया। बंगाल के कई मंदिरों की दीवारों पर भी इस नृत्य शैली की मूर्तियाँ देखी जाती हैं। बाद में, **महुआ मुखर्जी** ने इस नृत्य शैली का पुनर्निर्माण किया। हालाँकि, अभी तक संगीत नाटक अकादमी द्वारा इस नृत्य को शास्त्रीय नृत्य के रूप में मान्यता नहीं दी गयी है।

भारत के लोक नृत्य

भारत की अनेक किंवदंतियों और स्थानीय परंपराओं ने विविध लोक नृत्यों को जन्म दिया है, जो सहज, सरल और बिना किसी औपचारिक प्रशिक्षण के आम लोगों द्वारा प्रस्तुत किये जाते हैं। लोक नृत्य सरल और सुंदर होते हैं, लेकिन कुछ समुदायों और क्षेत्रों तक ही सीमित रहते हैं। **भारत के कुछ प्रसिद्ध लोक नृत्य** निम्नलिखित तालिका में दर्शाये गये हैं :

नृत्य (राज्य)	विवरण
कोलाट्टम *(आंध्र प्रदेश)*	कोलान्नलु या कोलाट्टम एक छड़ी नृत्य है, जो गाँव के त्योहारों में 8-40 के समूहों द्वारा किया जाता है, जिसमें छड़ियाँ मुख्य लय बनाती हैं। 
बुट्टा बोम्मालू *(आंध्र प्रदेश)*	बुट्टा बोम्मालू का शाब्दिक अर्थ **टोकरीवाले खिलौने** होता है तथा यह **आन्ध्र प्रदेश के पश्चिम गोदावरी ज़िले की** प्रसिद्ध नृत्य विधा है। नर्तक खिलौने जैसे मुखौटे पहनते हैं और सुंदर गतिविधियों तथा अशाब्दिक संगीत से मनोरंजन करते हैं।
लंबाडी *(तेलंगाना और आंध्र प्रदेश)*	यह बंजारा लोक नृत्य किसानों के दैनिक जीवन को दर्शाता है, जिसमें महिलाएं हाथों के इशारों से बुआई और रोपाई की प्रकिया को दर्शाती हैं। 
बागुरुम्बा *(असम)*	बागुरुम्बा **असम** की **बोडो** जनजाति का प्रकृति-थीमवाला लोक नृत्य है, जिसे सिफुंग, खम, सरजा जैसे वाद्ययंत्रों के साथ किया जाता है।
बिहू *(असम)*	बिहू असम का लोकप्रिय समूह नृत्य है, जो पुरुषों और महिलाओं द्वारा किया जाता है, जिसमें रंग-विरंगे परिधान, जीवंत आकृतियाँ, तीव्र हस्त चाल और तीव्र क़दम शामिल होते हैं। 
बिरहा *(बिहार)*	**बिरहा** और उसका एक रूप बिदेसिया ग्रामीण **बिहार** के लोक नृत्य हैं, जो साथी के दूर होने पर **महिलाओं की व्यथा** को दर्शाते हैं। यद्यपि नृत्य की इस विधा को पूरी तरह **पुरुषों के द्वारा ही प्रस्तुत** किया जाता है, जो महिला पात्रों की भूमिका भी निभाते हैं।
जट-जटिन *(बिहार)*	जट-जटिन **बिहार** के उत्तरी भागों और विशेषतः मिथिलांचल में लोकप्रिय है। यह नृत्य विधा एक **विवाहित दंपती के बीच के प्रेम तथा मीठी नोक-झोंक** को अनोखे ढंग से प्रस्तुत करती है।
गौर माड़िया (भैंसे का सींग) (छत्तीसगढ़)	गौर माड़िया **छत्तीसगढ़** के बस्तर क्षेत्र में रहनेवाली **मुड़िया/मुरिया जनजाति** का एक महत्त्वपूर्ण आनुष्ठानिक नृत्य है। इस नृत्य में ***भैंसों की गतिविधियों*** का अनुसरण किया जाता है तथा यह पुरुषों तथा महिलाओं, दोनों के द्वारा समूह में प्रस्तुत किया जाता है।
राउत नाच *(छत्तीसगढ़)*	यादव समुदाय द्वारा विशेष रूप से दिवाली के त्यौहार के दौरान **छत्तीसगढ़** में किया जाता है।
तरंग मेल *(गोवा)*	यह **गोवा** का लोक नृत्य है, जिसमें क्षेत्र की युवा ऊर्जा का उत्सव मनाया जाता है। इसे **दशहरा** तथा **होली** के दौरान प्रस्तुत किया जाता है। **इन्द्रधनुषी पोशाकों** के साथ बहुरंगी झंडों तथा काग़ज़ के फ़ीतों (रिबनों) के प्रयोग से एक मनोरम दृश्य में परिवर्तित कर दिया जाता है।

नृत्य (राज्य)	विवरण
राठवा नी घेर *(गुजरात)*	राठवा नी घेर गुजरात के **राठवा समुदाय** का एक पारंपरिक आदिवासी नृत्य है, जो होली (कावंत महोत्सव) के दौरान विस्तृत शृंगार, घूमते क़दमों और पारंपरिक संगीत के साथ किया जाता है। 
थेय्यम *(केरल और कर्नाटक)*	थय्यम एक आनुष्ठानिक नृत्य है, जिसमें कलाकार विस्तृत वेशभूषा में देवताओं और आत्माओं का रूप धारण करते हैं, जो भक्ति और स्थानीय पौराणिक कथाओं का प्रतीक है।
टिप्पणी *(गुजरात)*	**गुजरात** के सौराष्ट्र क्षेत्र से उत्पन्न, यह विशेष रूप से **महिलाओं द्वारा** किया जाता है, जो एक लोक गीत की ताल पर टिप्पणी (**चौकोर लकड़ी या लोहे के ब्लॉक से जुड़नेवालीं दो लंबी छड़ी**) के साथ **फ़र्श को पीटती** हैं।
झोड़ा *(उत्तराखंड)*	झोड़ा एक कुमाऊँनी लोक नृत्य है, जो त्योहारों और मेलों के दौरान पुरुषों और महिलाओं द्वारा किया जाता है। नर्तक गोलाकार घूमते हुए लोकगीत गाते हैं, जो आनंद, एकता और सामुदायिक बंधन का प्रतीक है।
गरबा *(गुजरात)*	गरबा नवरात्रि के दौरान किया जानेवाला एक लोक नृत्य है, जिसमें महिलाएँ दीपक से प्रज्वलित मिट्टी के बर्तन (गर्भ दीप) के चारों ओर लयबद्ध ताली बजाते हुए नृत्य करती हैं। भारत ने 2023 में UNESCO की अमूर्त सांस्कृतिक विरासत के लिए गरबा नृत्य को नामांकित किया है। 
गोतीपुआ *(ओडिशा)*	गोतीपुआ का अर्थ है **'अविवाहित लड़का'**। ओडिशा में सोलहवीं शताब्दी के आसपास महारी परंपरा से उत्पन्न, इसमें कलाबाज़ी और यौगिक गतिविधियाँ शामिल हैं और यह शास्त्रीय ओडिसी नृत्य का अग्रदूत है।
डांडिया रास *(गुजरात)*	रास या **डांडिया रास** एक पारंपरिक गुजराती लोक नृत्य है, जो कृष्ण और राधा की लीलाओं से जुड़ा है और पश्चिमी भारत में नवरात्रि के दौरान गरबा के साथ किया जाता है। सबसे लोकप्रिय रास, डांडिया रास है, जो नवरात्रि के दौरान गुजरात में किया जाता है, जहाँ पुरुष और महिलाएँ लाठी लेकर गोल घेरे में नृत्य करते हैं। गरबा भी रास गरबा के नाम से जाना जाता है। 
चारबा *(हिमाचल प्रदेश)*	यह **दशहरा** के उत्सवों के दौरान प्रस्तुत किया जानेवाला **हिमाचल प्रदेश** का एक लोकप्रिय लोक नृत्य है।
फाग *(हिमाचल प्रदेश)*	**फाग** (या फाग) एक किसान लोक नृत्य है, जो फ़सल कटाई के दौरान फ़रवरी-मार्च में किया जाता है। महिलाएँ दुपट्टे के साथ घाघरा-चोली पहनती हैं और पुरुष रंग-बिरंगी पगड़ियाँ (turban) पहनते हैं।
आलकाप *(झारखंड और पश्चिम बंगाल)*	**अलकाप** का प्रदर्शन गायकों के साथ समूहों द्वारा किया जाता है, जिसमें लोककथाओं, मिथकों और हास्य नाटिकाओं का मिश्रण, मुख्य रूप से शिव के गजानन उत्सव के दौरान होता है।
झुमर या झुमहर *(पश्चिम बंगाल, झारखंड तथा ओडिशा)*	झुमैर एक आदिवासी **फ़सल कटाई नृत्य** है जिसके दो प्रकार हैं–जनानी (महिलाएँ) और मर्दाना (पुरुष)। यह मेलों में लोकप्रिय है और भीमबेटका की शैल कला में किये गये नृत्यों से मिलता-जुलता है।
डोमकच *(बिहार)*	यह एक समूह नृत्य है, जो आमतौर पर महिलाओं द्वारा किया जाता है, तथा लोकगीतों के साथ विवाह अनुष्ठानों, सामाजिक बंधन और ख़ुशी का जश्न मनाया जाता है।
दुम्हल *(जम्मू और कश्मीर)*	यह नृत्य **वट्टल जनजाति द्वारा** किया जाता है। इसमें पुरुषों के लिए एक लंबी शंकुदार टोपी के साथ रंगीन परिधान सम्मिलित होता है। कलाकार ढोल की थाप पर नाचते और गाते हैं। 

नृत्य (राज्य)	विवरण
चेराव *(मिज़ोरम)*	इसे बाँस की छड़ियों के साथ किया जाता है। संभवतः इसका मूल विदेशी है। पुरुष लयबद्ध ताल में **बाँस की लंबी जोड़ी** थपथपाते हैं और महिलाएँ बाँस की ताल पर नृत्य करती हैं।  स्रोत : www.tourism.gov.in
हुलिवेशा *(कर्नाटक)*	हुलिवेशा में **बाघ की तरह चित्रित** पुरुष नर्तकों को शामिल किया जाता है, जो **देवी दुर्गा**, जिनका पसंदीदा पशु बाघ है, को सम्मानित करने के लिए नृत्य करते हैं और गुस्सैल बाघ का रूप धारण करते हैं। यह साधारणतः **नवरात्रि** त्योहार के दौरान किया जाता है। 
पटा कुनीथा *(कर्नाटक)*	यह मैसूर लोक नृत्य धार्मिक है, जिसे पुरुष रिबन से सजे **लंबे बाँस के डंडों (पाटा) का उपयोग करके करते हैं**। इसका जीवंत प्रदर्शन सभी धर्मों को आकर्षित करता है। पूजा कुनिथा बेंगलुरु और मांड्या के पास एक लोकप्रिय नृत्य है।
नागराधाने *(तुलुनाडु क्षेत्र, अर्थात् दक्षिणी कर्नाटक और उत्तरी केरल)*	यह तुलु लोक नृत्य, तुलुनाडु में **नाग पूजा** से सम्बन्धित है, जिसमें दो अनुष्ठान शामिल हैंः आश्लेशबली और लंबा, रंगीन नागमंडल, जो नर और मादा साँपों के मिलन को दर्शाता है।
बूटा कोला *(तुलुनाडु क्षेत्र, अर्थात् दक्षिणी कर्नाटक और उत्तरी केरल)*	बूटा कोला नृत्य अत्यधिक शैलीबद्ध नृत्य है और **स्थानीय देवी-देवताओं के सम्मान** में आयोजित किया जाता है, जिनकी **तुलु लोगों** द्वारा पूजा की जाती है। इसमें संगीत, नृत्य, गायन और विस्तृत वेशभूषा शामिल है। 
आटि कलेंजा *(तुलुनाडु क्षेत्र, अर्थात् दक्षिणी कर्नाटक और उत्तर केरल)*	नालिके समुदाय द्वारा आती (जुलाई-अगस्त) में की जानेवाली यह प्राचीन **तुलु** लोक कला, कलेंजा नामक एक प्रकृति आत्मा का उत्सव मनाती है, जो समृद्धि लाती है, **बुराई को दूर** भगाती है और लोगों को आशीर्वाद देती है। कलेंजा नारियल और ताड़ के पत्तों से बनी पोशाक पहनते हैं और ताड़ के पत्तों और बाँस का छाता लेकर चलते हैं।
कइकोट्टीकली *(केरल)*	कइकोट्टीकली **केरल** का एक लोकप्रिय मंदिर नृत्य है। इसे **ओणम** के समय अच्छी फ़सल की ख़ुशी मनाने के लिए पुरुषों तथा स्त्रियों, **दोनों** द्वारा प्रस्तुत किया जाता है। **ऐरूकली** तथा **तट्टमकली** इस नृत्य की मिलती-जुलती विधाएँ हैं।
पदयनी *(केरल)*	पदयनी दक्षिणी केरल के **भगवती मंदिरों** का एक मार्शल नृत्य है, जो **देवी काली** की आराधना के लिए किया जाता है। नर्तक बड़े मुखौटे (कोलम) पहनते हैं और भैरवी, कालन, यक्षी तथा पक्षी जैसे पात्रों के साथ दिव्य और अर्ध-दिव्य कहानियाँ प्रस्तुत करते हैं। 
चक्यार कुथु *(केरल)*	चाक्यार समुदाय की **एकल प्रस्तुति है**, जिसमें कलाकार साँप का वेश धारण करता है। मलयालम में गद्य और पद्य का सम्मिश्रण करते हुए, वह रंगीन टोपी, बड़ी काली मूँछें और शरीर पर लाल धब्बे धारण करता है।
कोलकलि-परिचाकलि *(केरल और लक्षद्वीप)*	यह दक्षिणी **केरल तथा लक्षद्वीप** के इलाक़ों में एक लोकप्रिय युद्ध-कला नृत्य है। नर्तक लड़ाई के दृश्यों को करने के लिए लकड़ी की छड़ियों और ढालों का उपयोग करते हैं, जो धीमी गति से शुरू होकर तीव्र, ऊर्जावान चरमोत्कर्ष तक पहुँचते हैं।

नृत्य (राज्य)	विवरण
फुगडी *(महाराष्ट्र और गोवा)*	त्योहारों के दौरान **महाराष्ट्र और गोवा के कोंकण क्षेत्र** में यह महिलाओं द्वारा प्रदर्शित किया जाता है। वे अधिकांशतः वृत्त या पंक्तियों में विभिन्न संरचनाओं में नृत्य करती हैं। स्थानीय परंपराओं के अनुसार इसके कई उप-प्रकार हैं।
राई नृत्य *(मध्य प्रदेश)*	राई नृत्य की उत्पत्ति मध्य प्रदेश के **बुंदेलखंड** क्षेत्र से हुई थी। यह लोक नृत्य मुख्य रूप से **बेदिया जनजाति** द्वारा किया जाता है। यह महिलाओं का **मोर नृत्य** है।
जवारा *(मध्य प्रदेश)*	जवारा **मध्य प्रदेश** के बुंदेलखंड क्षेत्र में लोकप्रिय एक **फ़सल-कटाई नृत्य** है। इस नृत्य में सर पर ज्वार से भरी हुई एक *टोकरी को संतुलित* रखना पड़ता है। इसमें **तीव्र संगीत** का प्रयोग किया जाता है।  स्रोत : www.bhopalorbit.com
मटकी *(मध्य प्रदेश)*	मटकी को **मालवा क्षेत्र की महिलाओं** के द्वारा **विवाह** तथा अन्य **उत्सवों** के दौरान प्रस्तुत किया जाता है। मुख्यतः इसे **एकल** ही प्रस्तुत किया जाता है, जिसमें सिर पर बहुत-से **मिट्टी के बर्तनों** को संतुलित किया जाता है। *आड़ा* तथा *खाड़ा नाच* मटकी नृत्य के लोकप्रिय रूपांतर हैं।
लावणी *(महाराष्ट्र)*	लावणी शब्द **लावण्य (सौंदर्य)** से लिया गया है। यह पेशवा काल (अठारहवीं) में खूब प्रचलित हुआ। यह ढोलकी की तेज थाप पर किया जाता है, महिलाएँ नौ गज की **नौवारी साड़ी** के साथ चूड़ियाँ, कमरबंद, पायल और झुमके जैसे भारी आभूषण पहनती हैं।
थांग-टा *(मणिपुर)*	थांग-टा **मणिपुर** का विशेष **युद्ध नृत्य** है। *थांग* का अर्थ होता है तलवार और *टा* का अर्थ है भाला। यह नृत्य प्रदर्शन **कौशल,** रचनात्मकता और चपलता का एक अनूठा **प्रदर्शन** है, जिसमें कलाकार एक नक़ली लड़ाई अनुक्रम करते हैं - **हमला करने और बचाव करने** के लिए छलांग लगाते हैं।
रांगमा *(नागालैंड)*	रांगमा का **युद्ध-नृत्य** है। रंगीन पोशाकों, आभूषणों तथा शिरस्त्राणों से सुसज्जित नर्तक, छद्म युद्ध विन्यासों तथा परम्पराओं का अभिनय प्रदर्शन करते हैं।
पाइका *(ओडिशा)*	पाइका झारखंड और दक्षिणी ओडिशा का एक मार्शल लोक नृत्य है। लकड़ी के भालों और ढालों के साथ किया जानेवाला यह नृत्य पैदल सेना जैसी संरचनाओं में युद्ध कौशल और चपलता का प्रदर्शन करता है। पाइका शब्द का अर्थ है युद्ध।
घंटा मृदंगम *(ओडिशा)*	घंटा मृदंगम मुख्य रूप से ओडिशा के गंजम ज़िले के **वैष्णव समुदाय** का **आदिवासी** लोक नृत्य है। यह नृत्य राधा, कृष्ण और भगवान् जगन्नाथ की पूजा से जुड़ा है।
डंडा-जात्रा *(ओडिशा)*	डंडा नाटा या डंडा-जात्रा भारत की प्राचीनतम लोक कलाओं में से एक है। मुख्यतः **ओडिशा** में प्रसिद्ध यह नृत्य, नृत्य, नाटक तथा संगीत का अनोखा मिश्रण है। यद्यपि इसमें मुख्यतः **शिव** की कथाएँ प्रस्तुत की जाती हैं, इसका केन्द्रीय भाव **सामाजिक समरसता** तथा **भाईचारा** ही होता है।
दलखई *(ओडिशा)*	यह मुख्य रूप से **ओडिशा** में **दशहरा** के **त्यौहार** पर किया जानेवाला एक जनजातीय नृत्य है। यह संगीत वाद्ययंत्रों के साथ प्रस्तुत किया जाता है और रामायण, महाभारत और भगवान् कृष्ण की कहानियों पर आधारित होता है। हर छंद की शुरुआत और अंत में, **प्रेमिका** वाचक शब्द का प्रयोग किया जाता है।
गरडी *(पुडुचेरी)*	यह **पुडुचेरी** का प्रसिद्ध लोक नृत्य है और रावण पर **भगवान् राम की जीत** का जश्न मनाने के लिए किया जाता है। '**वानर**' (बंदरों) के रूप में नर्तक सजते हैं, जो इस जीत का जश्न मनाते हैं। नर्तक अपने प्रत्येक पैर पर 10 '**अंजली**' (लोहे के छल्ले) पहनते हैं।

नृत्य (राज्य)	विवरण
भाँगड़ा/गिद्दा *(पंजाब)*	भाँगड़ा **पंजाब** का एक अत्यंत ऊर्जायुक्त लोक नृत्य है। उत्साह संचार कर उत्तेजित करनेवाले ढोल की थापों के साथ किया जानेवाला यह नृत्य उत्सवों के दौरान लोकप्रिय है। **गिद्दा** भाँगड़ा का *नारी संस्करण* है। 
झूमर *(पंजाब)*	यह नृत्य फ़सल-कटाई के मौसम के दौरान **पंजाब** और आसपास के क्षेत्रों में **जनजातीय सिखों** द्वारा किया जाता है। इसे घेरे में किया जाता है। ढोल की थाप पर हाथों या **कंधों की गति** सबसे महत्त्वपूर्ण भाग होती है। वेशभूषा भाँगड़ा के समान होती है। यह व्यापारियों के साथ बलूचिस्तान से भारत आयी।
घूमर या गंगोर *(राजस्थान)*	यह **राजस्थान** में **भील जनजाति** की **महिलाओं द्वारा** प्रस्तुत किया जानेवाला एक परम्परागत लोक नृत्य है। इसकी विशेषता महिलाओं का चक्कर खा-खा कर घूमना होता है, जिससे उड़ते हुए *घाघरे* की बहुरंगी थर-थराहटें शानदार दिखती हैं।
कालबेलिया *(राजस्थान)*	यह **राजस्थान** के **कालबेलिया (सँपेरा) समुदाय** की महिलाओं के द्वारा प्रस्तुत किया जानेवाला एक भावमय नृत्य है। इसमें पोशाकें तथा नृत्य की चाल **सर्प** के समान होती है। **बीन (सँपेरों द्वारा बजाया जानेवाला वाद्य यंत्र) इस नृत्य विधा का लोकप्रिय वाद्य यंत्र** है। 2010 में UNESCO ने कालबेलिया लोक गीतों तथा नृत्य को मानवता की अमूर्त सांस्कृतिक विरासत की प्रतिनिधि सूची में स्थान दिया। 
तेराताली *(राजस्थान)*	**राजस्थान** की **'कमार'** जनजाति द्वारा किया जाता है। महिलाएँ तेराताली का प्रदर्शन करते हुए ज़मीन पर बैठ जाती हैं और **झाँझ (वाद्ययंत्र)** कलाकार के शरीर के विभिन्न हिस्सों से **बाँधी जाती है,** जो काफ़ी अनोखी होती है। 
सिंघी छम *(सिक्किम)*	इस नृत्य में नर्तक **रोएँदार वस्त्रों** से सुसज्जित होते हैं, जो **बर्फ़ के शेर** का प्रतीक होता है तथा खांग-चेन ज़ोंग पा **(कंचनजंगा की चोटी)** को श्रद्धांजलि देते हैं। 
कुम्मी (तमिलनाडु तथा केरल)	यह नृत्य एक वर्तुल विन्यास में खड़ी **महिलाओं** द्वारा प्रस्तुत किया जाता है। इसमें वाद्य यंत्रों के बजाए लयबद्ध ताली का प्रयोग किया जाता है और यह पोंगल तथा धार्मिक त्योहारों के दौरान आम है। इसके विभिन्न रूपों में **कोलट्टम** और **पिनल कोलट्टम शामिल हैं।**
मईलट्टम *(तमिलनाडु तथा केरल)*	**युवतियाँ** रंगीन केश सज्जा, चोंच तथा पंख लगा कर **मयूर के वेश** में शृंगार करती हैं। इसे **मयूर नृत्य के रूप में भी जाना जाता है।** इसी प्रकार के अन्य नृत्यों में *कालाई अट्टम*, (वृषभ नृत्य), *कराडी अट्टम* (भालू नृत्य), *आली अट्टम* (राक्षस नृत्य) तथा *पम्पू अट्टम* (सर्प नृत्य) हैं। तमिल में 'मईल' मोर को कहते हैं। 
पेरिनी *(तेलंगाना)*	यह **भगवान् शिव के सम्मान** में किया जाता है। इस नृत्य को **वारंगल में रामप्पा मंदिर के गर्भ गुड़ी (गर्भगृह)** के पास की मूर्तियों के रूप में दर्शाया गया है। इसे योद्धाओं द्वारा प्रदर्शित **'योद्धाओं का नृत्य'** कहा जाता है। यह **काकतीय वंश के शासनकाल** के दौरान अपने चरम पर पहुँचा था।

नृत्य (राज्य)	विवरण
होजागिरी *(त्रिपुरा)*	**त्रिपुरा** के एक प्रसिद्ध लोक नृत्य होजागिरी में चार से छह महिलाओं या युवा लड़कियों के समूह द्वारा शरीर के **केवल निचले आधे हिस्से** की हरकतें शामिल होती हैं। यह लक्ष्मी पूजा के दौरान किया जाता है। महिला नर्तकियाँ, नृत्य करते समय मिट्टी के घड़े के साथ-साथ अन्य वस्तुओं को भी **संतुलित** करती हैं। 
गरिया *(त्रिपुरा)*	गरिया त्योहार **त्रिपुरी आदिवासी समुदाय** द्वारा उनके **बुआई के मौसम की शुरुआत** का प्रतीक है। गरिया उत्सव गरिया नृत्य के माध्यम से मनाया जाता है, जिसके साथ भरपूर फ़सल के लिए प्रार्थना और पूजा की जाती है।
लेबांग बूमानी *(त्रिपुरा)*	यह त्रिपुरा का फ़सल-कटाई नृत्य है। **त्रिपुरी** आदिवासी समुदाय द्वारा किया जानेवाला यह नृत्य मानसून के मौसम में **गरिया उत्सव** के बाद होता है। नर्तक बाँस की ताली बजाकर **लेबांग** नामक रंग-बिरंगे कीड़ों को पकड़ने का अनुकरण करते हैं, जिनके बारे में माना जाता है कि वे फ़सल की सफलता का पूर्वाभास देते हैं।
मेलाडोम *(त्रिपुरा)*	माना जाता है कि **फ़सल-कटाई** के बाद के इस नृत्य की उत्पत्ति बुनाई की प्रक्रिया से हुई है। इस अवधि के दौरान, बुनाई शुरू करने के लिए कपास एकत्रित किया जाता है। इस नृत्य में **कीपेंग समुदाय** के लोग भाग लेते हैं।
मोसक सुमानी *(त्रिपुरा)*	यह त्रिपुरा की **जनजातियों** के बीच प्रचलित नृत्य की एक सुंदर शैली है और यह **जंगली जानवरों के शिकार** से जुड़ा है। लयबद्ध चरणों में हाव-भाव और मुद्राओं के माध्यम से शानदार शैली में शिकार के दृश्यों को दिखाया जाता है।
दादरा *(उत्तर प्रदेश)*	यह **उत्तर प्रदेश** में लोकप्रिय नृत्य का अर्द्ध शास्त्रीय रूप है, जिसकी जुगलबंदी उसी प्रकार के संगीत से होती है। यह लखनऊ क्षेत्र के *दरबारी* नर्तकों में अत्यधिक लोकप्रिय था।
गंभीरा *(पश्चिम बंगाल)*	गंभीरा नृत्य पश्चिम बंगाल के मालदा जिले में चैत्र संक्रांति के त्योहार के दौरान प्रदर्शित किया जाता है। इस प्रकार के नृत्य में उपयोग किये जानेवाले मुखौटे नीम और अंजीर के पेड़ों से बनाये जाते हैं। गंभीरा के गीतों की उत्पत्ति हिंदू पौराणिक कथाओं से हुई है, विशेषकर शक्ति और शैव पूजा से।
कर्मा नाच	पूर्वी भारत में, विशेष रूप से **छोटा नागपुर के पठार** में कई जनजातियों द्वारा **आदिवासी त्योहार 'कर्मा'** के दौरान यह नृत्य किया जाता है। नर्तक घेरा बनाते हैं और एक दूसरे की कमर के चारों ओर हाथ डालकर नृत्य करते हैं।

परीक्षोपयोगी

छऊ *(पश्चिम बंगाल, उड़ीसा एवं झारखंड)*

'छऊ' शब्द हिंदी शब्द 'छाया' से निकला है, जिसका अर्थ होता है- परछाईं। यह मुखौटा नृत्य का एक प्रकार है, जिसमें पौराणिक कथाओं का वर्णन करने के लिए शक्तिशाली युद्ध संबंधी संचालनों का प्रयोग किया जाता है। कुछ कथाओं में स्वाभाविक केन्द्रीय भावों, यथा-*सर्प नृत्य* या *मयूर नृत्य* का भी प्रयोग किया जाता है।

छऊ नृत्य की **तीन मुख्य शैलियाँ** होती हैं – झारखंड में **सरायकेला छऊ**, ओडिशा में **मयूरभंज छऊ** तथा पश्चिम बंगाल में **पुरुलिया छऊ**। इनमें, मयूरभंज छऊ के कलाकार मुखौटे नहीं पहनते। 2010 में, **UNESCO** ने मानवता की अमूर्त सांस्कृतिक विरासतों की प्रतिनिधि सूची में छऊ का नाम सम्मिलित कर लिया।

यू.पी.एस.सी. विगत वर्षों के बहुविकल्पीय प्रश्न

1. राज्य और परंपरा के निम्नलिखित जोड़ों पर विचार करें : **(CSE, 2018)**

   (i) चपचार कुट त्योहार : मिज़ोरम
   (ii) खोंगजोम परब बलाड : मणिपुर
   (iii) थांग-ता नृत्य : सिक्किम

   ऊपर दी गयी कौन-सी जोड़ी सही है/हैं?

   (a) केवल (i) (b) (i) और (ii)
   (c) केवल (iii) (d) (ii) और (iii)

2. निम्नलिखित जोड़ों पर विचार कीजिये : **(CSE, 2014)**

   (i) गरबा : गुजरात
   (ii) मोहिनीअट्टम : ओडिशा
   (iii) यक्षगान : कर्नाटक

   उपर्युक्त जोड़ों में से कौन-सा/से जोड़ा/जोड़े सुमेलित है/हैं?

   (a) केवल (i) (b) केवल (ii) और (iii)
   (c) केवल (i) और (iii) (d) (i), (ii) और (iii)

3. प्रसिद्ध सत्रिया नृत्य के संदर्भ में निम्नलिखित कथनों पर विचार कीजिये : **(CSE, 2014)**

   (i) सत्रिया नृत्य संगीत, नृत्य और नाटक का संयोजन है।
   (ii) यह असम के वैष्णवों की शताब्दियों पुरानी परंपरा है।
   (iii) यह तुलसीदास, कबीर और मीराबाई द्वारा रचित भक्तिपूर्ण गीतों के शास्त्रीय रागों और तालों पर आधारित है।

   उपर्युक्त कथनों में से कौन-सा/से सही है/हैं?

   (a) केवल (i) (b) केवल (i) और (ii)
   (c) केवल (ii) और (iii) (d) (i), (ii) और (iii)

4. भारत के सांस्कृतिक इतिहास के संदर्भ में, नृत्य और नाटक में 'त्रिभंग' नामक एक मुद्रा प्राचीन काल से आज तक भारतीय कलाकारों की प्रिय मुद्रा रही है। निम्नलिखित कथनों में से कौन-सा कथन इस मुद्रा का सबसे अच्छा वर्णन करता है? **(CSE, 2013)**

   (a) एक पैर मुड़ा होता है और शरीर कमर और गर्दन पर थोड़ा लेकिन विपरीत दिशा में वक्रित होता है।
   (b) चेहरे की भाव-भंगिमाओं, हस्त मुद्राओं और साज-सज्जा को विशिष्ट महाकाव्यीय या ऐतिहासिक चरित्रों को प्रतीकात्मक रूप से व्यक्त करने के लिए संयोजित किया जाता है।
   (c) शरीर संचालन, मुख और हाथों का प्रयोग स्वयं को अभिव्यक्त करने या कहानी कहने हेतु किया जाता है।
   (d) प्रेम या आसक्ति की भावनाओं को अभिव्यक्त करने के लिए मंद स्मित, किंचित वक्रित कमर और निश्चित हस्त मुद्राओं के प्रयोग पर बल दिया जाता है।

5. कुचिपुड़ी और भरतनाट्यम नृत्यों में आप किस प्रकार अंतर करेंगे? **(CSE, 2012)**

   (i) कुचिपुड़ी नृत्य के नर्तक कभी-कभी वार्तालापों को अभिव्यक्त करते हैं, किन्तु भरतनाट्यम में ऐसा नहीं होता है।
   (ii) पीतल की तश्तरी के किनारों पर पैर रखकर नृत्य करना भरतनाट्यम की विशेषता है, किन्तु कुचिपुड़ी नृत्य में इस प्रकार का कोई संचालन नहीं होता है।

   उपर्युक्त कथनों में से कौन-सा/से सही है/हैं?

   (a) केवल (i) (b) केवल (ii)
   (c) केवल (i) और (ii) (d) न तो (i), न ही (ii)

6. प्रथम सूची को द्वितीय सूची से सुमेलित कीजिये और सही कूटों का चयन कीजिये। **(CSE, 2011)**

प्रथम सूची (नर्तक)		द्वितीय सूची (नृत्य)	
A.	कलामंडलम क्षेमावती	(i)	कथकली
B.	कोट्टक्कल शिवरमन	(ii)	मणिपुरी
C.	लक्ष्मी विश्वनाथन	(iii)	मोहिनीअट्टम
D.	एन. माधवी देवी	(iv)	भरतनाट्यम

	A	B	C	D
(a)	(i)	(iii)	(ii)	(iv)
(b)	(iii)	(i)	(iv)	(ii)
(c)	(i)	(iii)	(iv)	(ii)
(d)	(iii)	(i)	(ii)	(iv)

उत्तरमाला

1. (b) 2. (c) 3. (b) 4. (a) 5. (a) 6. (b)

यू.पी.एस.सी. विगत वर्षों के प्रश्न - मुख्य परीक्षा

1. आरम्भिक भारतीय शिलालेखों में अभिलिखित 'तांडव' नृत्य पर चर्चा कीजिये। **(CSE, 2013)**

2. बागुरूम्बा लोक नृत्य का वर्णन कीजिये। **(CSE, 2012)**

3. संगीत नाटक अकादमी के अनुसार भारत के शास्त्रीय नृत्य रूपों की सूची प्रदान कीजिये। **(CSE, 2011)**

4. मध्य भारत या उत्तर-पूर्वी भारत के महत्त्वपूर्ण लोक नृत्यों की प्रमुख विशेषताओं को सूचीबद्ध कीजिये। **(CSE, 2009)**

5. पेरिनी शिव तांडव के विषय में लिखिए। **(CSE, 2008)**

6. भारतीय नृत्य रूपक (बैले) के विषय का वर्णन करें। **(CSE, 1994)**

7. कथकली के विषय में लिखिए। **(CSE, 1992)**

8. संक्षिप्त टिप्पणी करें: मणिपुरी नृत्य। **(CSE, 1991)**

9. भारत में शास्त्रीय नृत्य के मुख्य रूप क्या हैं? प्रत्येक की दो विशेषताएँ इंगित कीजिये। **(CSE, 1988)**

10. निम्नलिखित लोक नृत्य किस राज्य से संबंधित हैं? **(CSE, 1985)**
    (a) डांडिया रास
    (b) सुईसिनी
    (c) भाँगड़ा
    (d) मौनी
    (e) कारागम

11. निम्नलिखित नृत्य भारत के किन क्षेत्रों से संबंधित हैं? **(CSE, 1984)**
    (a) ओडिसी
    (b) कुचिपुड़ी
    (c) कथकली
    (d) मणिपुरी
    (e) कथक

12. निम्नलिखित लोक नृत्यगीत कहाँ से उत्पन्न हुए? उनकी सामान्य विषय-वस्तुएँ क्या हैं? **(CSE, 1983)**
    (a) कथा-कीर्तन, जिसे हरिकथा और कथाकटा के नाम से भी जाना जाता है।
    (b) गिद्दा
    (c) बाउल
    (d) छऊ
    (e) यक्षगान

13. भारत के किन क्षेत्रों में निम्नलिखित नृत्यों का जन्म हुआ है? **(CSE, 1981)**
    (a) भाँगड़ा
    (b) गरबा
    (c) मोहिनीअट्टम
    (d) कथक
    (e) बम्बू नृत्य (बाँस नृत्य)

14. भारत के शास्त्रीय नृत्य कौन-से हैं? उनका जन्म कहाँ हुआ है? शास्त्रीय नृत्य की प्रत्येक शैली के एक प्रतिष्ठित नर्तक (जो जीवित हो) का नाम बताइए। क्या इस प्रकार के नृत्यों को प्रोत्साहन देने के लिए पर्याप्त प्रयास किये जा रहे हैं? यदि नहीं, तो शास्त्रीय नृत्यों को प्रोत्साहन देने के लिए आप किन उपायों का सुझाव देंगे? **(CSE, 1980)**

12

भारतीय रंगमंच, कठपुतली कला, सर्कस, मार्शल आर्ट्स और खेल विधाएँ

अध्याय की रूपरेखा

- शास्त्रीय संस्कृत नाट्यकला
- संस्कृत नाट्यकला के अवसान के कारण
- लोक नाट्यकला
- भारतीय लोक नाट्यकला का वर्गीकरण
- आधुनिक भारतीय रंगमंच
- भारतीय कठपुतली
- भारतीय मूल
- भारतीय सर्कस
- ग्रेट इंडियन सर्कस
- भारत में मार्शल आर्ट
- भारत की कुछ अन्य प्रमुख मार्शल आर्ट
- मार्शल आर्ट का अभ्यास करने के लाभ
- भारतीय स्वदेशी/पारंपरिक खेल

सी**ताबेना तथा जोगीमारा गुफाएँ**, जिन्हें अक्सर दुनिया की सबसे पुरानी रंगभूमि के रूप में जाना जाता है, भारत की प्राचीन नाट्य परंपरा को दर्शाती हैं। **भरत मुनि का *नाट्य शास्त्र*** (200 ईसा पूर्व-200 ईसवी), जो नाट्यशास्त्र पर पहला ग्रंथ है, में कहा गया है कि ब्रह्मा ने चार वेदों से नाट्य वेद की रचना की और दस प्रकार के संस्कृत नाटकों का विवरण दिया।

शास्त्रीय संस्कृत नाट्यकला

भारत में रंगमंच का आरम्भ एक कथात्मक कला के रूप में हुआ, जिसमें संगीत, नृत्य तथा अभिनय का सम्मिश्रण था, नाटक (नट से, जिसका अर्थ नर्तक है), रूपक, दृश्यकाव्य और प्रेक्षाकाव्य जैसे शब्दों का प्रयोग नाटक का वर्णन करने के लिए किया जाता था। प्राचीन भारत में, नाटक मूलत: **दो** प्रकार के होते थे:

- **लोकधर्मी :** ये दैनिक के जीवन का वास्तविक चित्रण हुआ करते थे।
- **नाट्यधर्मी :** ये अत्यधिक शैलीगत आख्यानोंवाले मुखर तथा प्रतीकात्मक पारम्परिक नाटक हुआ करते थे।

संस्कृत नाटक

शास्त्रीय संस्कृत परम्परा में, नाटकों को **दस प्रकारों** – *अंक, भाण, डिम, ईहामृग, नाटक, प्रहसन, प्रकरण, स्वकर्ण, वीथी और व्यायोग* **में वर्गीकृत** किया गया था। नाट्यशास्त्र में इनमें से केवल दो – नाटक तथा प्रकरण - का वर्णन है। शास्त्रीय संस्कृत नाटक कुछ अनम्य **परिपाटियों** से बँधे हुए थे :

- सामान्यत: **चार से सात** अंकोंवाले नाटक होते थे।
- उनके **अंत सदैव सुखद** होते थे (यूनानी त्रासदी के विपरीत), जहाँ नायक जीतता है या मरता नहीं है। दु:खांत घटना का चित्रण कदाचित् ही होता था।
- **नायक सदैव पुरुष** ही होता था, जो अंतत: अपनी इच्छाओं की पूर्ति में सफल होता था।
- नाटकों के **सुपरिभाषित** आरम्भ, आरोहण, विकास, विराम तथा निष्कर्ष होते थे।

संस्कृत नाटक अधिकतर **आनुष्ठानिक आरोहण** का अनुसरण करते थे, जो निम्नलिखित हैं:

- नाटकों की शुरुआत पर्दे के पीछे पूर्व-नाटकीय रीतियों (पूर्व-राग) से होती थी।
- सूत्रधार (मंच प्रबंधक/निर्देशक), श्वेत वस्त्र पहने हुए सहायकों के साथ अंदर आकर, प्रार्थना करता और आशीर्वाद माँगता था।
- उसके बाद, नायिका को बुलाया जाता तथा *सूत्रधार* द्वारा नाटक के **समय तथा स्थान** की घोषणा की जाती थी।
- भरत के अनुसार, नाट्यशाला में लगभग **400 लोगों** के बैठने की जगह होती थी।
- मंच दो मंज़िला थे : ऊपरी मंजिल आकाशीय क्षेत्र के लिए तथा निचली स्थलीय क्षेत्र के लिए।
- नाटक को अधिक प्रभावी बनाने के लिए **पर्दों का प्रयोग** होता था। यद्यपि **मुखौटों का प्रयोग नहीं** किया जाता था।

संस्कृत नाटक में **पात्र** महत्त्वपूर्ण होते हैं। व्यापक रूप से उन्हें तीन श्रेणियों में रखा जा सकता है, जो इस प्रकार हैं- नायक (मुख्य पुरुष पात्र (हीरो) या प्रधान पुरुष), नायिका (हीरोइन) और विदूषक।

- **नायक** (प्रधान पुरुष पात्र), की भूमिका पुरुषों द्वारा निभायी जाती थी, जिनके विभिन्न व्यक्तित्त्व हो सकते थे, जैसे–ललित (दयालु), शांत (निश्चल और शांतचित्त) उद्धत (उत्तेजित या मग़रूर) आदि। नायक, प्रतिनायक (प्रतिपक्षी) भी हो सकते हैं, जैसे-रावण तथा दुर्योधन आदि।
- **नायिका** (प्रधान महिला पात्र), की भूमिका महिलाओं द्वारा निभायी जाती थी, जिनमें रानी, महिला मित्र, गणिका (वैश्या) तथा दिव्य स्त्री (दिव्या) आदि हो सकती थी।
- **विदूषक** (मस्ख़रा), **हास्य चरित्र** नाटकों में एक महत्त्वपूर्ण भूमिका निभाता है। वह कुलीन और सहृदय, प्राय: नायक का मित्र होता है। वह व्यंग्य के माध्यम से प्रचलित सामजिक मानदंडों पर प्रश्न करता है। परम्परागत रूप से वह प्राकृत में वार्तालाप करता है, जबकि अन्य पात्र संस्कृत में करते हैं।

इस प्रकार, संस्कृत मनोरंजन और धार्मिक परंपराओं का एक मेल बन गया। *(भारतीय साहित्य में प्राचीन संस्कृत नाटक/ रंगमंच की विस्तृत सूची - अध्याय 15)*।

संस्कृत नाट्यकला के अवसान के कारण

संस्कृत नाट्यकला के अवसान के कारणों में शामिल हैं:

- लेखकों ने नाटक लिखने से हटकर कविताएँ और गीत लिखना शुरू कर दिया।
- कड़े नियमों तथा कठिन संस्कृत के कारण, रंगमंच की लोकप्रियता कम होती गयी, जबकि पाली और प्राकृत भाषा सामान्य हो गयी।
- मुस्लिम शासकों के अधीन, नृत्य तथा संगीत को रंगमंच से अधिक संरक्षण दिया गया।

कुडियट्टम, भारत में नाट्यकला का ऐसा **प्राचीनतम** रूप है, जो अभी तक प्रचलन में है। यह **केरल** में **दसवीं शताब्दी ईसवी** से अस्तित्व में है। यह नाट्यशास्त्र में दिये गये नियमों का पूर्णतः पालन करता है तथा इस पर केरल की चकयार तथा नाम्बियार जातियों का परम्परागत विशेष अधिकार है।

इस नाटक को **संस्कृत, प्राकृत तथा मलयालम** में प्रस्तुत किया जाता है, जिसमें **मिझाव** तथा **एडक्का** वाद्ययंत्र पार्श्व संगीत प्रदान करते है। सभी चरित्र नाटक का आरम्भ, कहानी की बीती घटनाओं के स्मरण से करते हैं, जिसे **निर्वाहण** कहा जाता है। तत्पश्चात् सामाजिक, दार्शनिक तथा राजनैतिक व्यवहार पर टीका-टिप्पणियों के साथ कहानी मंथर (धीमी) गति से आगे बढ़ती है।

मार्गी मधु चकयार इस कला विधा के प्रमुख प्रतिपादक हैं।

लोक नाट्यकला

भारत में लोक रंगमंच की एक समृद्ध परंपरा रही है, जो स्थानीय जीवनशैली, सामाजिक मानदंडों, मान्यताओं तथा रीति-रिवाज़ों को दर्शाती है। परिष्कृत शहरी संस्कृत रंगमंच के विपरीत, लोक रंगमंच की जड़ें ग्रामीण थीं और इसकी शैली देहाती थी।

अधिकांश लोक रंगमंच पंद्रहवीं-सोलहवीं शताब्दी में भक्ति विषयों के साथ शुरू हुए, बाद में इनमें प्रेम कहानियाँ और स्थानीय नायक भी शामिल हो गये; स्वतंत्रता के बाद इनमें मनोरंजन के साथ-साथ सामाजिक शिक्षा भी प्रसारित की गयी।

भारतीय लोक नाट्यकला को एक-एक कर निम्न रूपों में व्यक्त किया जा सकता है-

भारतीय लोक नाट्यकला का वर्गीकरण

लोक नाट्यकला	राज्य	विषय
अंकिया नाट	**असम**	यह **असम** की एक परम्परागत **एकांकी कला** है। इसका आरम्भ प्रसिद्ध वैष्णव संत **शंकरदेव** तथा उनके शिष्य माधवदेव द्वारा पंद्रहवी-सोलहवी शताब्दी ईसवी में किया गया था। इसे ओपेरा शैली में प्रस्तुत किया जाता है तथा इसमें **भगवान् कृष्ण** की जीवन लीलाओं का चित्रण किया जाता है। *सूत्रधार* या कथावाचक के साथ *गायन-बायन मंडली (Gayan Bayan Mandali)* के नाम से जाने जानेवाले संगीतकारों की एक मंडली होती है, जो 'खोल' तथा 'करताल' बजाती है। नाट्यकला की इस विधा की एक अनोखी विशेषता, भावों की अभिव्यक्ति हेतु **मुखौटों का प्रयोग** है। नाटकों को असमिया-मैथिली तथा मिश्रित भाषा में लिखा गया है, जिसे **ब्रजबुली** कहा जाता है।
ओजापाली	**असम**	ओजापाली एक अंनोखी वर्णनात्मक नाट्यकला विधा है, जो प्रारम्भिक रूप से **मनसा देवी** (वासुकि नाग की बहन) या **नाग देवी के पर्व** से संबंधित है। इसका कथा वाचन एक लम्बी प्रक्रिया है, जिसके तीन विभिन्न भाग होते हैं – बनिया खंड, भटियाली खंड तथा देव खंड। **ओजा मुख्य कथा वाचक** तथा पाली सह-गान के सदस्य होते हैं।
भाओना	**असम**	इसका उद्देश्य लोगों के बीच मनोरंजन और नाटक के माध्यम से धार्मिक और नैतिक संदेश प्रसारित करना है। यह सामान्यतः अंकिया नाट और **वैष्णव प्रसंगों** की प्रस्तुति है। सूत्रधार (कथावाचक) नाटक का वर्णन करता है और पवित्र ग्रन्थों से छंद गाता है। गीत और संगीत भी इसके प्रमुख अंग हैं। इसे सोलहवीं शताब्दी की शुरुआत में **शंकरदेव** द्वारा लाया गया था। यह माजुली द्वीप की लोक नाट्यकला है।
रामलीला	**उत्तर प्रदेश**	यह मुख्यतः, **दशहरा के पूर्व की अवधि में** गीतों, नृत्यों तथा संवादों पर आधारित **रामायण** का मंचन है। इसे, विशेषतः, **पुरुष अभिनेताओं** द्वारा प्रस्तुत किया जाता है, जो सीता की भूमिका भी निभाते हैं।
नक़ल या भाँड	**पंजाब व उत्तर प्रदेश**	यह **पंजाब (नक़ल)** और उत्तर प्रदेश (भाँड) में **नक़ल आधारित प्रस्तुति** है। प्रस्तुतिकर्ता कलाकार को 'बहुरूपिया' या 'नक़लची' (किसी की नक़ल करनेवाला) कहा जाता है। वह सामाजिक या राजनैतिक संदेश पहुँचाने के लिए हास्य, मूर्खता, हाज़िरजवाबी और परिहास का उपयोग करता है। यह **मुस्लिम भाँड समुदाय** के कलाकारों द्वारा किया जाता है।
नौटंकी	**उत्तर भारत**	**स्वाँग की एक शाखा,** नौटंकी **उत्तर भारत** की सर्वाधिक लोकप्रिय नाट्यकला विधाओं में से एक है, जिसकी चर्चा अबुल फ़ज़ल की पुस्तक **'आइन-ए-अकबरी'** में मिलती है। ये नाटक ऐतिहासिक, सामाजिक तथा लोक कथाओं के इर्द-गिर्द बुने जाते हैं तथा इन्हें **नृत्य और संगीत** के माध्यम से प्रस्तुत किया जाता है। संवादों को **गीतिकाव्य शैली** में **नगाड़ा** नामक ढोल के ताल पर प्रस्तुत किया जाता है। बाद की अवधि में कानपुर तथा लखनऊ के आस-पास **नौटंकी की दो शैलियों** को प्रमुखता प्राप्त हुई।
रासलीला	**गुजरात**	रासलीला **कृष्ण और राधा के** किशोरावस्था की **प्रेम कहानियों** का नृत्य-नाट्य मंचन है। इसकी उत्पत्ति उत्तर प्रदेश के ब्रजमंडल वृंदावन से मानी जाती है। यह मणिपुर में भी काफ़ी लोकप्रिय है।
गरोडा	**गुजरात**	यह **गुजरात** के 'गरोडा' ब्राह्मण सम्प्रदाय की एक लोकप्रिय कला विधा है। इसमें रूमानियत तथा वीरता की कहानी का वर्णन करने के लिए **रंगीन तस्वीरों** का प्रयोग किया जाता है।
भूत अराधना / भूत कोल	**कर्नाटक**	भूत, जिसका अर्थ आत्मा है, दिव्य प्राणियों (पूर्वज, हिंदू देवताओं के विभिन्न अवतार, स्थानीय लोकगीतों के नायक आदि) की पूजा करने की एक पारंपरिक प्रथा है, जो कि तटीय **कर्नाटक** में प्रचलित है (मुख्यतः **तुलू बोलनेवाली जनसंख्या** में देखी गयी है)। **कोल** भूत पूजा का प्रमुख रूप है और यह एक आनुष्ठानिक नाट्यकला है और यह यक्षगान से प्रभावित है।

लोक नाट्यकला	राज्य	विषय
भागवत मेला	**तमिलनाडु**	यह एक पारंपरिक लोक नाट्य है, जिसका प्रदर्शन मुख्यतः गाँवों में किया जाता है। यह नृत्य, नाटक और संगीत का संयोजन करके हिंदू महाकाव्यों, विशेषकर **भागवत पुराण** की कथाओं को प्रस्तुत करता है। पारंपरिक रूप से धार्मिक उत्सवों के दौरान प्रस्तुत किये जानेवाले इस नाट्य में नैतिक और आध्यात्मिक शिक्षाओं को व्यक्त करने के लिए विस्तृत वेशभूषा, **भक्ति गीत और शैलीगत अभिनय** का प्रयोग किया जाता है।
यक्षगान	**कर्नाटक तथा केरल**	यह **कर्नाटक तथा केरल के कुछ भागों** में आज तक अस्तित्वमान्, कदाचित् प्राचीनतम नाट्यकला परम्परा है। इसका उद्भव **विजयनगर साम्राज्य** के राजदरबार में हुआ तथा इसे **जक्कुल वारू** नामक विशिष्ट समुदाय द्वारा प्रस्तुत किया जाता था।  मूलतः, यह **एकल कलाकार** द्वारा अभिनीत तथा व्यापक रूप से वर्णनात्मक एक नृत्य-नाटिका थी। बाद की विधाओं में विभिन्न रूपांतर होते गये तथा यह एक विशिष्ट नृत्य-नाटिका बन गयी। यह **वैष्णव भक्ति आंदोलन** से अत्यधिक प्रभावित हुआ।
चविट्टु नाटककामी	**केरल**	यह तटीय केरल का एक पुराना समुद्री रंगमंच का स्वरूप है। यह एक रंगीन ईसाई कला का रूप है, जिसने दोनों यूरोपीय और केरल कला कला शैली का अनुकरण किया है। इसकी उत्पत्ति का पता इस क्षेत्र में पुर्तगालियों के आगमन से लगाया जा सकता है। विषय बाइबिल की कहानियाँ और महान् ईसाई योद्धाओं की वीरता के कारनामे हैं।
बायलता	**कर्नाटक**	यह **स्थानीय देवी-देवता** की आराधना के दौरान प्रस्तुत की जानेवाली **कर्नाटक** की **एक मुक्त आकाश नाट्यकला** परम्परा है। इनमें कहानियाँ **राधा-कृष्ण के प्रेम** पर भी आधारित होती हैं। यह यक्षगान का एक स्वरूप है।
ताल-मड्डाले	**कर्नाटक व केरल**	ताल एक प्रकार का करताल तथा मड्डाले एक प्रकार का ढोल होता है। इसे सामान्यतः, **यक्षगान का पूर्वानुगामी** समझा जाता है। यह नाटक **बैठी हुई अवस्था** में तथा **बिना किसी विशेष पोशाक, नृत्य** तथा **अभिनय** के प्रस्तुत किया जाता है। इसमें कथा वर्णन एक भागवत के द्वारा किया जाता है, जिसे अर्थधारियों के एक समूह का सहयोग मिलता है। यह मुख्यतः **कर्नाटक** के तटीय क्षेत्रों तथा **केरल** में प्रस्तुत किया जाता है।
विल्लू पाट/ विल्लाडी चंपातु	**केरल तथा तमिलनाडु**	'विल्लू-पाटू' गीत का अर्थ है—**धनुर्गीत**। यह केरल तथा तमिलनाडु के कुछ भागों में लोकप्रिय संगीत नाट्यकला का एक रूप है, जिसमें **रामायण** की कहानियों को **धनुष के आकार के एक वाद्य-यंत्र** की सहायता से वर्णित किया जाता हैं।
थेय्यम	**केरल/कर्नाटक**	थेय्यम की प्रस्तुति **केरल** में की जाती है। यह **कर्नाटक** की **भूत कोल** नामक एक प्रथा के समान है। इसमें एक खुला नाट्यमंच होता है और इसकी प्रस्तुति स्थानीय मन्दिरों के समक्ष की जाती है, ताकि देवताओं के अतिरिक्त पूर्वजों की आत्मा के प्रति भी सम्मान प्रकट किया जा सके। सामान्यतः इनमें वैष्णववाद, शाक्तवाद और शैववाद के प्रसंग होते हैं। इसमें कलाकार अलंकृत पगड़ियाँ और रंग-विरंगे परिधान धारण करते हैं। 
कृष्णाट्टम	**केरल**	यह सत्रहवीं शताब्दी के मध्य में उत्पन्न **केरल** की एक **रंगारंग नृत्य-नाट्य** परम्परा है। *कृष्ण-गीति* की कृतियों पर आधारित यह **आठ दिनों** तक चलनेवाला एक आनंदोत्सव है। इसमें लगातार आठ रातों तक **श्री कृष्ण** की जीवन लीला के वर्णन की प्रस्तुति होती है।

लोक नाट्यकला	राज्य	विषय
कुरुवंजी	**तमिलनाडु**	लगभग 300 वर्ष पूर्व उत्पन्न, कुरुवंजी की मुख्य विशेषता तमिल कविता तथा गीत हैं। प्रथम कुरुवंजी की रचना तिरिकूड रसप्पा कविरयार के द्वारा की गयी थी। आधारभूत केन्द्रीय भाव **प्रेम-दग्ध नायिका** के इर्द-गिर्द घूमते हैं। कुरुवंजी का शाब्दिक अर्थ है– 'भविष्य-वक्ता', जो **नायिका के भाग्य** की भविष्यवाणी करता है। कुरुवंजी को एक **नृत्य-गाथागीत** के रूप में प्रस्तुत किया जाता है एवं इसकी मुख्य नृत्य विधा भरतनाट्यम होती है।
तेरुक्कट्टू/ थेरुकुथु	**तमिलनाडु**	यह भारत के तमिलनाडु राज्य और श्रीलंका के तमिलभाषी क्षेत्रों में प्रचलित एक **नुक्कड़ नाटक** है। विषय मुख्य रूप से **महाभारत** और कुछ उदाहरणों में रामायण, जैसे महाकाव्यों पर केंद्रित है। नाटक 'चतुर मंच संचालन' के साथ गीत, संगीत, नृत्य और ड्रामा का एक संयोजन होता है। कलाकार रंगीन पोशाक पहनते हैं।
रम्मन	**उत्तराखंड**	**उत्तराखंड** के गढ़वाल क्षेत्र का यह एक कर्मकांडी नाटक है। यह स्थानीय **भुमियाल देवता** को समर्पित होता है। यह मानवता की अमूर्त सांस्कृतिक विरासत के रूप में UNESCO की प्रतिनिधि सूची में सूचीबद्ध है। भंडारी जाति के लोग नरसिंह (आधा मानव और आधा शेर) के प्रतीक का पवित्र मुखौटा पहनते हैं। नृत्य किये जाते हैं और विभिन्न गीत गाये जाते हैं। राम की कथाएँ भी सुनायी जाती हैं।
बुर्रा कथा	**आंध्र प्रदेश**	बुर्रा कथा एक लोकप्रिय कथा-वाचन परम्परा है। इसका नाम प्रस्तुति के दौरान व्यापक रूप से प्रयुक्त एक **वाद्ययंत्र** *बुर्रा* के नाम पर रखा गया है। इसकी प्रस्तुति में एक मुख्य कलाकार या कथावाचक तथा दो सह-कलाकार होते हैं, जो लय प्रदान करते हैं तथा सह-गान में भाग लेते हैं।
पगती वेशालू	**तेलंगाना व आंध्र प्रदेश**	यह **तेलंगाना** क्षेत्र तथा **आंध्र प्रदेश** के कृष्णा ज़िले में लोकप्रिय लोक परम्परा है। यह, मुख्यतः, वेशम (छद्म रूप) नामक एक मुख्य चरित्र तथा अन्य सह-चरित्रों के इर्द-गिर्द बुना गया एकल *भूमिका अभिनीत नाटक* होता है।
ओग्गुकथा	**आंध्र प्रदेश**	इसका नाम ओग्गु से पड़ा है- जो **भगवान् शिव** से जुड़ा एक छोटा-सा डमरू है। इस नाटक का शाब्दिक अर्थ है-ओग्गु-कथाएँ। इसका प्रदर्शन दक्कन के पठार के कुरुमा और गोल्ला (यादव), जैसे **चरवाहा समुदायों** द्वारा किया जाता है। ये परंपरा-प्रेमी और कर्मकांड-पालन करनेवालीं मंडलियाँ एक स्थान से दूसरे स्थान पर जाती हैं और अपनी जाति के देवताओं की कहानियाँ सुनाती हैं।
तमाशा	**महाराष्ट्र**	**हास्य-रस** तथा **कामोत्तेजक भावों** के लिए प्रसिद्ध, तमाशा **महाराष्ट्र** क्षेत्र की एक लोक नाट्यकला है। इसकी अनोखी विशेषता **महिला अभिनेत्रियों** की उपस्थिति है, जो पुरुषों की भूमिकाएँ भी निभाती हैं। तमाशा प्रस्तुतियों में, सामान्यतः **लावणी गीतों** का समावेश होता है।
पोवाड़ा	**महाराष्ट्र**	शिवाजी द्वारा अपने शत्रु अफ़ज़ल ख़ान को मार दिये जाने के बाद **शिवाजी की वीरता** की प्रशंसा में एक नाटक की रचना की गयी, जिसे बाद में पोवाड़ा कहा गया। ये स्वाँग गीतिकाव्य हैं, जो **शौर्य** की कहानियाँ कहते हैं। इन्हें गोंधल (गोंधिया) तथा शाहिर के नाम से पहचाने जानेवाले लोक संगीतकारों के द्वारा गाया जाता है। यह मुख्यतः, **महाराष्ट्र** क्षेत्र में लोकप्रिय है।
दशावतार	**महाराष्ट्र**	यह कोंकण क्षेत्र के किसानों, विशेषरूप से सिंधुदुर्ग (महाराष्ट्र) और उत्तरी गोवा के नाटकों का एक लोकप्रिय रूप है। इसके द्वारा भगवान् विष्णु के दस अवतारों को सम्मान दिया जाता है। इसके दो भाग होते हैं–'पूर्व-रंग' (आरंभिक भाग) और 'उत्तर रंग' (दूसरा भाग)। दूसरा सत्र ही प्रमुख भाग होता है और यह पौराणिक कथाओं पर आधारित होता है।
जादीपट्टी	**महाराष्ट्र**	जादीपट्टी का नाम चावल के स्थानीय नाम जादी से लिया गया है। **फ़सल के मौसम** के दौरान महाराष्ट्र के **चावल की खेतीवाले क्षेत्रों** में इसका प्रदर्शन किया जाता है, यह व्यवसायिक और लोक नाट्य का मिश्रण है।

लोक नाट्यकला	राज्य	विषय
स्वाँग	**राजस्थान-मध्य प्रदेश (मालवा क्षेत्र)**	स्वाँग **राजस्थान** तथा **हरियाणा** क्षेत्रों में मनोरंजन का एक अन्य लोकप्रिय स्रोत हैं। मुख्य रूप से, ये छंदों के माध्यम से गाये जानेवाले तथा एकतारा, हारमोनियम, सारंगी, ढोलक तथा खरताल जैसे वाद्य-यंत्रों की सहायता से प्रस्तुत, संगीतमय नाटक होते हैं। इसमें डायलॉग के साथ मिमिक्री (नक़ल) भी शामिल है।
ख्याल	**राजस्थान**	यह एक उत्तर भारतीय लोक रंगमंच है, जिसमें कहानी, संगीत और नृत्य का संयोजन है, जिसे त्योहारों और मेलों के दौरान प्रस्तुत किया जाता है, तथा अक्सर हास्य और सामाजिक संदेश के साथ स्थानीय संस्कृति को दर्शाया जाता है।
भवई	**राजस्थान**	इस विधा में लघु-नाटकों की शृंखला का वर्णन करने के लिए नृत्य का व्यापक प्रयोग किया जाता है। इस नाटक का केन्द्रीय भाव, सामान्यतः, **रूमानी (प्रेम-प्रसंगयुक्त)** होता है। इसमें कलाकार मिट्टी के बर्तनों या पीतल के अनेक घड़ों को संतुलित करते हैं। इस नाटक में झाँझर और ढोलक जैसे वाद्य-यंत्रों का प्रयोग कर अनोखी लोक शैली में बजाये जानेवाले अर्द्धशास्त्रीय संगीत का समावेश होता है। भवई नाट्यकला में *सूत्रधार* को *नायक* के नाम से जाना जाता है।
दसकठिया	**ओडिशा**	दसकठिया **ओडिशा** की लोकप्रिय लोक नाट्यकला की एक विधा है। इस विधा में, दो कथावाचक होते हैं – गायक, जो मुख्य गायक होता है, तथा; 'पालिया', जो सह-कथा-वाचक होता है। कथा वर्णन के साथ-साथ नाटकीय संगीत की जुगलबंदी चलती है, जिसे **कठिया** नामक एक लकड़ी से बने वाद्ययंत्र की सहायता से उत्पन्न किया जाता है। यह मुख्यतः **भगवान् शिव** को समर्पित है।  इस विधा का एक सन्निकट रूपांतर है **चैती घोड़ा,** जिसमें दो वाद्ययंत्रों – ढोल एवं मोहरी – तथा तीन कथावाचकों का प्रयोग किया जाता है।
माँच	**मध्य प्रदेश**	माँच **मध्य प्रदेश के मालवा** क्षेत्र की लोक नाट्यकला है। प्रारम्भ में **पौराणिक कथाओं,** जैसे महाभारत तथा रामायण पर आधारित थी। बाद में, इसके रंगपटल में, रूमानी लोक कथाओं को सम्मिलित कर दिया गया। इस विधा की अनोखी विशेषता इसके **संवाद** होते हैं, जिन्हें *रंगत दोहा* नामक **दोहों** के रूप में कहा जाता है।
करियाला	**हिमाचल प्रदेश**	करियाला सोलन, शिमला और सिरमौर ज़िलों के **स्थानीय देवता** को समर्पित लोक रंगमंच का एक रूप है, जिसे बिजेश्वर के नाम से जाना जाता है। यह मुख्य रूप से इस क्षेत्र के समुदायों द्वारा प्रदर्शित किया जाता है। जब क्षेत्र में कृषि-समृद्धि प्राप्त होती है या व्यक्तिगत इच्छाएँ पूरी होती हैं, तब इसका प्रदर्शन किया जाता है।
जात्रा	**पूर्वी भारत**	जात्रा **पूर्वी भारत** की एक लोकप्रिय लोक नाट्यकला है। यह **एक मुक्ताकाश** (खुले मैदान में) प्रस्तुति होती है, जिसे वैष्णव संत **चैतन्य महाप्रभु** द्वारा आरम्भ किया गया था। बंगाल के ग्रामीण क्षेत्रों में अपनी यात्राओं के दौरान उन्होंने **भगवान् कृष्ण की शिक्षाओं** का प्रसार करने के लिए जात्रा को एक माध्यम के रूप में चुना। बाद में, इसके राम जात्रा, शिव जात्रा तथा चंडी जात्रा जैसे रूपांतर भी अस्तित्व में आये, जिनमें पौराणिक आख्यानों से ली गयीं कहानियाँ सुनायी जाती हैं। आधुनिक समय में, जात्रा का उपयोग पंथ-निरपेक्ष, ऐतिहासिक तथा देशभक्तिपूर्ण केन्द्रीय भावोंवाली कहानियों का वर्णन करने में किया जाता है। ओडिशा में, **साही जात्रा** नामक एक लोकप्रिय **मोहल्ला नाट्यकला** प्रचलित है।
भाँड पाथेर	**जम्मू कश्मीर**	यह जम्मू कश्मीर की लोक नाट्यकला है। इसमें समकालीन सामाजिक व्यंग्य या पौराणिक कथाएँ भी हो सकती हैं। यद्यपि इसका मंचन मुस्लिमों द्वारा किया जाता है, लेकिन इसका दृष्टिकोण धर्मनिरपेक्ष होता है। इसमें संगीत, नृत्य और नाटक होता है।
ठोक-लीला	**मणिपुर**	ठोक लीला व्यंग्य, चुटकुलों और हास्य पर आधारित मणिपुर का एक लोकप्रिय लोक नाट्य है। यह सामाजिक परिस्थितियों, दरबारियों और राजा पर व्यंग्य करता है।

लोक नाट्यकला	राज्य	विषय
रणमाले	**गोवा**	रणमाले लोकप्रिय भारतीय महाकाव्यों, रामायण और महाभारत की पौराणिक कहानियों पर आधारित एक कर्मकांडीय और लोक रंगमंच है। इसका प्रदर्शन होली के त्योहार के दौरान किया जाता है, जिसे गोवा और कोंकण क्षेत्र में शिग्मो (वसंतोत्सव) के रूप में मनाया जाता है।
तियात्र	**गोवा**	यह मुख्य रूप से रोमन कोंकणी बोलियों में किया जाता है और इसमें संगीत, नृत्य और गायन शामिल हैं। तियात्र सामाजिक, धार्मिक और राजनैतिक विषयों के इर्द-गिर्द घूमता है। इसे **'गोवा की संस्कृति का आईना'** माना जाता है।
नाचा/नाच	**छत्तीसगढ़**	यह छत्तीसगढ़ीभाषी ग्रामीण समुदायों द्वारा किया जाता है। नाच के चार विभिन्न रूप हैं: खड़े साज नाच, गँडवा नाच, देवर नाच और बैठे साज नाच। आमतौर पर रात में आयोजित होता है और हास्य इस लोक रंगमंच का एक अनिवार्य पहलू है।
शुभांगलीला	**मणिपुर**	शुभांगलीला **नाट्यकला** का एक पारंपरिक रूप है, जहाँ महिलाओं की भूमिका पुरुषों द्वारा निभायी जाती है, जिन्हें **नुपी शाबिस** कहा जाता है। **'सुमंग'** का अर्थ है, 'खुला प्रांगण' और **'लीला'** का अर्थ है, 'नाटक' और शुमाँग लीला का शाब्दिक अर्थ है, 'खुले प्रांगण का नाटक'। यह अपने प्रदर्शन के माध्यम से मानवतावाद, भ्रातृत्व, सहिष्णुता, आत्मविश्वास, भक्ति, सत्य और न्याय को संरक्षित करने और उनका प्रसार करने का प्रयास करता है।

आधुनिक भारतीय रंगमंच

भारत का आधुनिक रंगमंच औपनिवेशिक काल के दौरान संस्कृत और पश्चिमी ग्रंथों के प्रभाव में विकसित हुआ। कलकत्ता और मद्रास जैसे शहरी केंद्रों में प्रोसेनियम शैली के रंगमंच का प्रचलन बढ़ा।

ब्रिटिश काल में, भारतीयों ने भारतीय तथा पश्चिमी तत्त्वों के सम्मिश्रणवाली एक नाट्य शैली बनायी। नाट्य व्यवसायिक हो गये और नाटकों में दहेज, जातिवाद, धार्मिक पाखंड तथा राजनीति जैसी सामाजिक बुराइयों को दर्शाया गया। राजनैतिक विषयों पर अंकुश लगाने के लिए नाट्य प्रदर्शन अधिनियम (1876) लागू किया गया।

- **कलकत्ता (अब कोलकाता) का पहला थिएटर** – *कलकत्ता थिएटर या द न्यू प्लेहाउस, जिसकी स्थापना 1775 में हुई थी और 1808 तक यह सक्रिय रहा।*
- **बंगाल में हीरा लाला सेन द्वारा बनाये गये पहले चलचित्र** *को द स्टार थिएटर, मिनर्वा थिएटर और द क्लासिक थिएटर में प्रदर्शित किया गया।*
- **मद्रास (अब चेन्नई) का पहला थिएटर** – *गेइटी थिएटर श्री रघुपति वेंकय्या द्वारा तत्कालीन मद्रास में स्थापित पहला स्थायी सिनेमा थियेटर था।*

  शिमला में भी 1887 से एक गेइटी थियेटर है।

1850 से 1920 के दशक के दौरान पश्चिमी भारत में **पारसी थिएटर** प्रसिद्ध थे, जिनमें रंगीन पृष्ठभूमि और संगीत के साथ गुजराती तथा मराठी में नाटक प्रस्तुत किये जाते थे। 1930 के दशक में, सिनेमा के आगमन से रोमांस, हास्य, भावुकता आदि विषय आ गये। कई पारसी निर्माता फ़िल्म निर्माण में चले गये।

रवीन्द्रनाथ टैगोर एक प्रसिद्ध नाटककार थे। उन्होंने अपना पहला नाटक, *वाल्मीकि प्रतिभा* 20 वर्ष की आयु में लिखा था। उनकी प्रसिद्ध कृतियों में रक्तकरबी, चित्रांगदा, पोस्ट-ऑफ़िस शामिल हैं। उनके विषयों में राष्ट्रवाद, अध्यात्म, सामाजिक-राजनैतिक स्थितियाँ आदि सम्मिलित थे। अन्य प्रख्यात व्यक्तित्त्व थे-प्रसन्न कुमार ठाकुर, गिरीशचन्द्र घोष तथा दीनबन्धु मित्र (नीलदर्पण) आदि।

1943 में, **इंडियन पीपुल्स थियेटर असोसिएशन** (IPTA) का गठन, कम्युनिस्ट पार्टी की सांस्कृतिक शाखा के रूप में हुआ था। यद्यपि **1947 में इसे भंग कर दिया गया**, इसने रंगमंच के अधिक विकास में बहुत महत्त्वपूर्ण योगदान दिया। इस दौरान विभिन्न सामजिक विषयों, जैसे बंगाल का अकाल आदि पर नाटक लिखे गये। इंडियन पीपल थियेटर असोसिएशन (IPTA) से जुड़े प्रमुख व्यक्तित्त्व थे बलराज साहनी, पृथ्वीराज कपूर, बीजन भट्टाचार्य, ऋत्विक घटक, उत्पल दत्त आदि। इंडियन पीपुल्स थियेटर असोसिएशन (IPTA) अब छत्तीसगढ़, पंजाब और पश्चिम बंगाल में सक्रिय है।

पृथ्वी थिएटर की स्थापना **1944** में पृथ्वीराज कपूर ने की थी। यह एक चलता-फिरता रंगमंच था, जिसमें लगभग 150 कलाकार थे और 2000 से अधिक नाटक निर्मित हुए। 1978 में मुंबई में स्थायी थिएटर खोला गया और यह अब भी मौजूद है।

संगीत नाटक अकादमी की स्थापना 1952 में रंगमंच सहित प्रदर्शन कलाओं को प्रोत्साहित करने के लिए की गयी थी। इसने भी भारत में थियेटर को और अधिक प्रोत्साहित किया। **नेशनल स्कूल ऑफ़ ड्रामा** ने भी महान् नाट्य प्रतिभाओं को आकार देने में योगदान दिया।

कलाक्षेत्र मणिपुर की स्थापना 1969 में हेइंसम कन्हाईलाल द्वारा परम्परागत रंगमंच को जीवित रखने के लिए की गयी थी। रतन थियम ने **1976 में प्रसिद्ध कोरस रेपर्टरी (Chorus Repertory) थियेटर** की स्थापना की थी।

भारतीय रंगमंच से जुड़ी प्रमुख हस्तियाँ

नाम	विवरण
गिरीश चंद्र घोष (1844-1912)	एक बंगाली अभिनेता, निर्देशक और लेखक थे। उन्होंने बंगाली रंगमंच के स्वर्ण युग के लिए काफ़ी योगदान दिया। उन्होंने 1872 में पहली बंगाली पेशेवर थिएटर कंपनी 'ग्रेट नेशनल थिएटर' की स्थापना की और लगभग 40 नाटक लिखे और अभिनय एवं निर्देशन भी किया।
बिनोदिनी दासी (1863-1941)	एक बंगाली अभिनेत्री और थिएटर कलाकार (जिसे नटी बिनोदिनी के नाम से जाना जाता है), थीं। वह बंगाली थिएटर की प्रथम डोना थीं और 1870 के दशक में बंगाल प्रेसीडेंसी से एक उल्लेखनीय मंच कलाकार बननेवाली भारत की पहली महिला थीं। उन्होंने 12 साल की उम्र में अभिनय में अपना करियर शुरू किया और 23 साल की उम्र तक आते-आते समाप्त हो गया, जैसा कि उन्होंने बाद में अपनी प्रसिद्ध आत्मकथा, अमर कथा (द स्टोरी ऑफ़ माई लाइफ़) में बताया है, जो 1913 में प्रकाशित हुई थी। उन्होंने 1883 में कोलकाता में स्टार थियेटर की स्थापना में भी योगदान दिया था।
समसा (सामी वेंकटाद्री अय्यर) (1898-1939) और आद्या रंगाचार्य (1904-1984)	प्रसिद्ध कन्नड़ नाटककार थे। कुप्पाली वेंकटप्पा पुट्टप्पा, जिन्हें **कुवेम्पु (1904-1994)** के नाम से जाना जाता है। कर्नाटक के एक अन्य प्रसिद्ध अभिनेता-नाटककार हैं। अन्य प्रख्यात रंगमंच हस्तियों में तमिलनाडु के सुब्रमण्य भरथीयार, आंध्र प्रदेश के वीरेसलिंगम पंतुलु तथा श्रीकंदन नायर (केरल) एवं भारतेन्दु हरिश्चंद और जयशंकर प्रसाद हैं।
बादल सरकार (1925-2011)	वे आधुनिक भारतीय रंगमंच और नुक्कड़ नाटक के अग्रदूत थे। उन्होंने **'थर्ड थिएटर'** आंदोलन की शुरुआत की, जो छोटे, प्रयोगात्मक और सामाजिक रूप से जागरूक नाटकों पर केंद्रित था। उन्होंने रंगमंच को सामाजिक परिवर्तन के एक साधन के रूप में इस्तेमाल किया, ग़रीबी, अन्याय और राजनीतिक उत्पीड़न जैसे मुद्दों को उठाया और न्यूनतम मंचन तथा प्रत्यक्ष अभिनेता-दर्शक संवाद को प्रोत्साहित किया, जिससे रंगमंच सभी के लिए सुलभ हो गया।
बी.वी. करंथ (1929-2002)	इनको आंध्र, कर्नाटक और मध्य प्रदेश रंगमंच में उनके योगदान के लिए जाना जाता है।
के. वी. सुब्बन्ना, कर्नाटक (1932-2005)	इन्होंने प्रशंसित निनासम थिएटर समूह का गठन किया और साथ ही वह रेमन मैग्सेसे पुरस्कार के विजेता भी थे।
अन्य प्रसिद्ध आधुनिक व्यक्तित्व **इंदिरा पार्थसारथी, गिरीश कर्नाड, हबीब तनवीर, विजय तेंदुलकर, बादल सरकार, विजया मेहता, धर्मवीर भारती, मोहन राकेश, चंद्रशेखर कंबर और पी. लंकेश हैं।**	

भारतीय कठपुतली

कठपुतली कला मनोरंजन के प्राचीन कला रूपों में से एक है, जो कठपुतलियों पर स्वामी के नियंत्रण के माध्यम से दर्शकों को मंत्रमुग्ध कर देती है। इसकी कम लागत और बनावट, रंग एवं गति में रचनात्मक स्वतंत्रता इसे मनोरंजन का एक लोकप्रिय तथा सरल रूप बनाती है।

भारतीय मूल

भारत में कठपुतली कला का एक लंबा इतिहास रहा है, जिसका प्रमाण हड़प्पा और मोहनजोदड़ो काल से मिलता है। **महाभारत**, तमिल ग्रंथ **शिलप्पादिकारम** और 500 ईसा पूर्व के **कठपुतली नाट्य**, सभी में इसका उल्लेख मिलता है। इसका एक दार्शनिक पक्ष भी है। कथावाचक को **सूत्रधार** या **'सूत्रों का धारक'** कहा जाता है, जबकि भगवद् गीता में ईश्वर को सूत्रधार के रूप में वर्णित किया गया है।

भारत की विविध और विभिन्न कठपुतली परंपराओं में से प्रत्येक की अपनी विशिष्ट शैली है, जो अक्सर स्थानीय किंवदंतियों, पौराणिक कथाओं और लोककथाओं से प्रेरित है। यह एक बहुआयामी कला का रूप है जिसमें नृत्य, संगीत, रंगमंच, मूर्तिकला तथा चित्रकला का समावेश है। हालाँकि, सीमित दर्शकों और धन के अभाव में कठपुतली कला वर्तमान में कमज़ोर हो रही है।

क्या आप जानते हैं? अनुपमा होस्केरे को उनके संगठन **'धातु'** के माध्यम से कठपुतली कला को पुनर्जीवित करने के प्रयासों के लिए 2020 में संगीत नाटक अकादमी पुरस्कार से सम्मानित किया गया।

भारत में कठपुतली कला को व्यापक रूप से **चार श्रेणियों** में वर्गीकृत किया जा सकता है। कुछ प्रमुख उदाहरणों के साथ प्रत्येक की संक्षिप्त रूपरेखा इस प्रकार दी गयी है:

- **धागा कठपुतलियाँ**
  - कठपुतली
  - कंढेई
  - गोम्बेयाटा
  - बोम्मालाट्टम
  - लाईथीबी जगोई
- **छाया कठपुतलियाँ**
  - तोलपावा कूथु
  - चमाड्याचा बाहुल्य
  - तोगालु गोम्बेयाट्टा
  - रावणछाया
  - थोलू बोम्मालाटा
- **दस्ताना कठपुतलियाँ**
  - पावाकूथु
- **छड़ कठपुतलियाँ**
  - यमपुरी
  - पुतुल नाच
  - काठी कंढेई

भारत में कठपुतली कला का वर्गीकरण

धागा कठपुतली

धागा कठपुतलियों या मैरियोनेट का भारतीय सांस्कृतिक परंपराओं में प्रमुख स्थान है। धागा कठपुतलियों की **विशेषताएँ** इस प्रकार हैं:

- कठपुतलियाँ **लकड़ी** से तराशी गयीं सामान्यत: **8-9 इंच** की लघु मूर्तियाँ होती हैं।
- प्रारम्भ में लकड़ी को रँगने और आँख, होंठ, नाक आदि जैसी अन्य मुखाकृतिक विशेषताओं का संयोजन करने के लिए ऑयल पेंट का प्रयोग किया जाता है।
- यथार्थवादी अनुभूति देने के लिए लघु आभूषण और अन्य सामग्रियाँ संलग्न की जाती हैं।
- धागा **हाथ, सिर और शरीर की पीठ में छोटे छेद से** जुड़ा होता हैं। इसके बाद इसे कठपुतली कलाकार द्वारा नियंत्रित किया जाता है।

भारत में कठपुतली के निम्नलिखित लोकप्रिय उदाहरण :

नाम	विवरण
कठपुतली *(राजस्थान)*	राजस्थान की पारंपरिक डोरी या सूत्रवाली कठपुतलियाँ, **चमकीले राजस्थानी परिधानों** में लकड़ी की बनी गुड़िया होती हैं, जिनका प्रदर्शन लोक संगीत के साथ किया जाता है। ये कठपुतलियाँ इसलिए अनूठी होती हैं, क्योंकि इनके **पाँव नहीं** होते और इन्हें कठपुतली **सूत्रधार की उँगलियों** में बँधे धागों से नियंत्रित किया जाता है।  कठपुतली प्रदर्शन
कंढेई/कुंढेई नाच *(ओडिशा)*	**ओडिशा** की सूत्र कठपुतलियों को कंढेई के रूप में जाना जाता है। इन्हें हलकी लकड़ी से बनाया जाता हैं और **लंबी स्कर्ट** पहनायी जाती है। इन कठपुतलियों में अपेक्षाकृत **अधिक जोड़** होते हैं, इस प्रकार कठपुतली कलाकार को अधिक **लचीलापन** मिलता है। धागे त्रिकोणीय आधार से जुड़े होते हैं। कंढेई कठपुतली प्रदर्शन पर ओडिसी नृत्य का उल्लेखनीय प्रभाव है। सरकार द्वारा इस कला का उपयोग कोविड-19 महामारी के दौरान टीकाकरण के लाभों के बारे में जनता के बीच जागरूकता पैदा करने के लिए किया गया था।  कंढेई स्रोत: www.ccrtindia.gov.in
गोम्बेयाटा *(कर्नाटक)*	यह **कर्नाटक** का पारंपरिक कठपुतली प्रदर्शन है। इन्हें **यक्षगान रंगमंच** के विभिन्न पात्रों के अनुसार तैयार और डिज़ाइन किया जाता है। इस कठपुतली कला की एक अनूठी विशेषता यह है कि इसमें कठपुतली को नचाने के लिए **एक से अधिक कठपुतली कलाकारों** की सहायता ली जाती है।  गोम्बेयाटा स्रोत : www.ccrtindia.gov.in

बोम्मालट्टम *(तमिलनाडु)*	**तमिलनाडु** के बोम्मलट्टम में **छड़ और धागे**वाली कठपुतली का संयोजन होता है। यह कठपुतली संचालक के सिर पर लोहे के छल्ले से बँधी होती है। ये कठपुतलियाँ भारत में सबसे बड़ी होती हैं (4.5 फीट, 10 किलो तक वज़न)। बोम्मलट्टम के चार विशिष्टचरण होते हैं, विनायक पूजा, कोमली, अमनट्टम और पुसेनकनट्टम।  **बोम्मालट्टम** स्रोत: www.ccrtindia.gov.in
लैथिबी जागोई *(मणिपुर)*	कठपुतली का यह रूप श्री कृष्ण की रासलीला पर आधारित है। यह 19वीं शताब्दी का है। पात्रों को काले रंग की पृष्ठभूमिवाली 2-3 मीटर लंबी आदमक़द गुड़ियों द्वारा प्रस्तुत किया जाता है। राक्षस पात्रों को मुखौटोंवाले वेशभूषा में प्रस्तुत किया जाता है।

छाया कठपुतलियाँ

भारत में छाया कठपुतली की समृद्ध परंपरा रही है, जो कि अब तक चल रही है। छाया कठपुतली की कुछ **विशेषताएँ** इस प्रकार हैं:

- छाया कठपुतलियाँ **चमड़े** से काट कर बनायी गयीं **समतल आकृतियाँ** होती हैं।
- चमड़े के **दोनों ओर** आकृतियों को एक समान चित्रित किया जाता है।
- कठपुतलियाँ **श्वेत स्क्रीन** पर रखी जाती हैं। इसके पीछे से प्रकाश डाला जाता है, जिससे स्क्रीन पर **छाया** बन जाती है।

छाया कठपुतली के कुछ लोकप्रिय उदाहरण इस प्रकार हैं:

नाम	विवरण
तोलपावा कूथु *(केरल)*	इसका प्रदर्शन **चमड़े की कठपुतलियों** का उपयोग कर किया जाता है और मुख्य रूप से इसका प्रदर्शन **केरल के भद्रकाली मंदिरों** में *कूथुमाडम* नामक एक विशेष मंच पर किया जाता है। यह रात भर चलनेवाला चमड़े की कठपुतली का नृत्य है, जहाँ आमतौर पर **कम्ब रामायण** को प्रदर्शित किया जाता है। मंच के पीछे जलाये गये तेल के दीपक छाया बनाने में मदद करते हैं। ऐसा माना जाता है कि इसकी उत्पत्ति 9वीं या 10वीं शताब्दी ईसवी में हुई थी। कठपुतली के इस रूप से मुख्य रूप से **नायर** समुदाय जुड़ा हुआ है।
चमाड्याचा बाहुल्य *(महाराष्ट्र)*	यह एक **चमड़े की कठपुतली** का रूप है, जहाँ **रामायण** के साथ-साथ **पंचवटी** *(द्रौपदी की कहानी)* के दृश्य मुख्य रूप से प्रदर्शित किये जाते हैं। इस कठपुतली प्रदर्शन से मुख्य रूप से महाराष्ट्र का **ठाकर आदिवासी समुदाय** जुड़ा हुआ है।
तोगालु गोम्बेयाट्टा *(कर्नाटक)*	यह **कर्नाटक** का लोकप्रिय छाया रंगमंच है। तोगालु गोम्बेयाट्टा कठपुतलियों की एक अनूठी विशेषता सामाजिक स्थिति के आधार पर **कठपुतली के आकार में भिन्नता** है। यानी राजाओं और धार्मिक आकृतियों की विशेषतः बड़ी कठपुतलियाँ होती हैं, जबकि आम लोगों और नौकर-चाकरों को छोटी कठपुतलियों द्वारा दिखाया जाता है। इसका प्रदर्शन मुख्य रूप से **किल्लेकयता समुदाय** द्वारा किया जाता है।  **तोगालु गोम्बेयाट्टा** स्रोत: www.ccrtindia.gov.in

रावणछाया *(ओडिशा)*	यह छाया कठपुतली में सबसे नाटकीय है और **ओडिशा** में मनोरंजन का लोकप्रिय रूप है। ये कठपुतलियाँ **हिरण की त्वचा** से बनी होती हैं और निर्भीक, नाटकीय मुद्राओं को दर्शाती हैं। इनमें **कोई जोड़ नहीं** होता है। लिहाज़ा यह अधिक जटिल कला बन जाती है। साथ ही वृक्षों और जानवरों के रूप में भी **कठपुतलियों** का प्रयोग होता है। इस प्रकार रावणछाया कलाकार (मुख्य रूप से भट समुदाय के लोग) गीतात्मक और संवेदनशील नाटकीय कथा का सर्जन करते हुए अपनी कला में अत्यंत प्रशिक्षित होते हैं।	 **रावणछाया** स्रोत: www.ccrtindia.gov.in
थोलू बोम्मालाटा *(आंध्र प्रदेश)*	यह **आंध्र प्रदेश** का छाया रंगमंच है। इसमें प्रदर्शन के साथ शास्त्रीय संगीत की पृष्ठभूमि होती है और यह महाकाव्यों और पुराणों की **पौराणिक** और **भक्तिमय कथाओं** के इर्द-गिर्द घूमता है। यह कठपुतलियाँ आकार में बड़ी होती हैं और दोनों ओर रँगी होती हैं।	 **थोलू बोम्मालाटा** स्रोत: www.ccrtindia.gov.in

दस्ताना कठपुतलियाँ

दस्ताना कठपुतलियों को आस्तीन, हाथ या हथेली की कठपुतलियों के रूप में भी जाना जाता है। ये पोशाक के रूप में लंबी, उड़नेवाली स्कर्ट पहने सिर और हाथोंवालीं छोटी आकृतियाँ होती हैं। यह कठपुतलियाँ सामान्यत: **कपड़े या लकड़ी** की बनी होती हैं, लेकिन काग़ज़ की कठपुतलियों के भी कुछ रूपांतर दिखाई देते हैं। कठपुतली नचानेवाला दस्ताने के रूप में कठपुतली पहनता है और अपनी तर्जनी से सिर को नचाता है। अँगूठे और बीच की उँगली का उपयोग करके दोनों हाथ चलाये जाते हैं, जिससे मूल रूप से निर्जीव कठपुतली को जीवन और अभिव्यक्ति मिलती है।

सामान्यत: ड्रम या ढोलक की लयबद्ध ताल के साथ प्रदर्शनवालीं दस्ताना कठपुतलियाँ सम्पूर्ण भारतवर्ष में लोकप्रिय हैं। भारत में दस्ताना कठपुतलियों का लोकप्रिय उदाहरण इस प्रकार हैं:

पावाकूथु (केरल)

यह **केरल** का पारंपरिक दस्ताना कठपुतली प्रदर्शन है। इसकी उत्पत्ति 18वीं सदी ईसवी के आसपास हुई। इन कठपुतलियों को रंगीन दुपट्टों, पंखों और चेहरे के रंगों से सजाया जाता है। यह **कथकली नृत्य शैली** से अत्यधिक प्रभावित है। इसमें नाटक **रामायण और महाभारत** की कथाओं पर आधारित होते हैं।

पावाकूथु
स्रोत: www.ccrtindia.gov.in

छड़ कठपुतलियाँ

छड़ कठपुतलियाँ दस्ताना कठपुतलियों के अपेक्षाकृत बड़ा रूपांतर हैं और स्क्रीन के पीछे से कठपुतली कलाकार छड़ी से इन्हें नियंत्रित करता है। यह मुख्य रूप से **पूर्वी भारत** में लोकप्रिय है। कुछ लोकप्रिय उदाहरण इस प्रकार हैं:

नाम	विवरण
यमपुरी *(बिहार)*	यह **बिहार** की पारंपरिक छड़ कठपुतली है। कठपुतलियाँ सामान्यतः लकड़ी की बनी होती हैं और इनमें **कोई भी जोड़** नहीं होता है। इन्हें लकड़ी के एक टुकड़े से तराशा जाता है और उसके बाद चमकदार रंगों से रँगा और सजाया जाता है।  **यमपुरी** स्रोत: www.ccrtindia.gov.in
पुतुल नाच	पश्चिम बंगाल, ओडिशा और असम के छड़ कठपुतली नृत्य में जात्र शैली की 3 से 4 फुट ऊँची गर्दन और कंधे के जोड़ोंवाली आकृतियाँ इस्तेमाल की जाती हैं। पर्दे के पीछे छिपे कठपुतली कलाकार, हारमोनियम, झाँझ और तबले के साथ कमर में लगी छड़ियों से उन्हें नियंत्रित करते हैं।
काठी कंढेई *(ओडिशा)*	काठी कुंडहेई नाचा का नाम काठी (लकड़ी की छड़) से लिया गया है। इसकी विषयवस्तु हिंदू पौराणिक कथाओं पर आधारित है, जिसमें 60 सेमी लंबी जात्र शैली की कठपुतलियाँ पूर्ण पोशाक में होती हैं।

क्या आप जानते हैं? 2004 में, **मगुनी चरण कुआनर** को काठी कंढेई नाच और भारतीय कठपुतली में उनके योगदान के लिए संगीत नाटक अकादमी पुरस्कार से सम्मानित किया गया था।

भारतीय सर्कस

भारत में एक शहर से दूसरे शहर जाकर सड़क पर रूपंकर कलाओं का प्रदर्शन करनेवाले कलाकारों की एक लंबी परंपरा रही है। हालाँकि, सर्कस काफ़ी नया उद्योग है। अँगरेज़ी सर्कस गुरु **'फ़िलिप एस्ले'** (आधुनिक सर्कस के जनक) के अनुसार, भारत में सर्कस **1880** के आस-पास अस्तित्त्व में आया।

ग्रेट इंडियन सर्कस

ग्रेट इंडियन सर्कस, भारत का पहला आधुनिक सर्कस था, जिसकी स्थापना निपुण घुड़सवार और गायक **प्रोफ़ेसर विष्णुपंत मोरेश्वर छत्रे** ने की थी, इसका विकास कुर्दुवाड़ी के राजा के संरक्षण में हुआ। कुर्दुवाड़ी के राजा के अधीन छत्रे, अस्तबल गुरु के रूप में काम करते थे। ग्रेट इंडियन सर्कस के प्रदर्शन का पहला आयोजन 1880 में किया गया था। इसके बाद इस सर्कस ने पूरे देश का व्यापक भ्रमण करने के साथ ही सीलोन (Ceylon) और दक्षिण पूर्व एशिया, जैसे विदेशी स्थानों का भी भ्रमण किया। छत्रे ने प्रत्येक स्थान पर सराहना प्राप्त की। हालाँकि, उत्तरी अमेरिका का उनका भ्रमण विफल रहा, क्योंकि वहाँ वे अपने प्रतियोगियों के आकार और भव्यता से बराबरी नहीं कर सके। विष्णुपंत छत्रे को **भारतीय** *सर्कस का जनक* कहा जाता है।

क्या आप जानते हैं? विष्णुपंत छत्रे को भारतीय सर्कस का जनक कहा जाता है।

विरासत स्मरण

कीलरी कुन्हीकन्नन

1901 में, उन्होंने **चिराक्कारा (केरल)** में एक **सर्कस** स्कूल खोला। यह भारत में सर्कस क्रांति का नाभिस्थल बन गया।

ग्रैंड मालाबार सर्कस, व्हाइटवे सर्कस (1922), ग्रेट रामायण सर्कस (1924), ग्रेट लायन सर्कस, ईस्टर्न सर्कस, फ़ेयरी सर्कस आदि जैसी अन्य कंपनियों का प्रवर्तन कुन्हीकन्नन के छात्रों ने ही किया था। इस प्रकार, **केरल** को **'भारतीय सर्कस के पालने'** के रूप में जाना जाने लगा।

1939 में कुन्हीकन्नन की मृत्यु के बाद उनके छात्र **एम. के. रमन** ने उनकी विरासत जारी रखी। **वर्ष 2010** में, केरल सरकार ने कीलरी कुन्हीकन्नन के सम्मान में **थालास्सेरी** में एक **सर्कस अकादमी** आरंभ की। उन्हें **'केरल के सर्कस के जनक'** की उपाधि से भी सम्मानित किया गया है।

*बंगाल के **प्रियनाथ बोस** ने 1887 में ग्रेट बंगाल सर्कस की स्थापना की और बंगाल, भारत और दक्षिणपूर्व एशिया का दौरा किया। वह ग्यूसेप चिआरिनी के रॉयल इतालवी सर्कस से प्रेरित थे, जिसने 1879 में भारत का दौरा किया था।*

भारत की प्रमुख सर्कस कंपनियाँ

नाम	विवरण
थ्री रिंग सर्कस	1930 के दशक में के. दामोदरन ने एक छोटा-सा दो-पोल सर्कस शुरू किया, जो बाद में दक्षिण भारत का प्रसिद्ध छह-पोल तीन-रिंग सर्कस बन गया, जो एशिया का **प्रथम और एकमात्र** सर्कस था।
ग्रेट रॉयल सर्कस	भारत के सबसे पुराने सर्कसों में से एक ग्रेट रॉयल सर्कस की शुरुआत मधुस्कर सर्कस (1909) के रूप में हुई और बाद में इसने अफ़्रीका, मध्य पूर्व और दक्षिण-पूर्व एशिया का दौरा किया।
ग्रेट बॉम्बे सर्कस	1920 में **बाबूराव कदम** द्वारा शुरू किये गये **ग्रैंड बॉम्बे सर्कस** का नाम 1947 में **के. एम कुन्हिकन्नन** की कंपनी के साथ विलय के बाद ग्रेट बॉम्बे सर्कस कर दिया गया। 300 कलाकारों और 60 जानवरों के साथ यह भारत के सबसे बड़े सर्कसों में से एक बन गया।
ग्रेट रेमैन सर्कस और अमर सर्कस	**ग्रेट रेमन सर्कस**, जिसकी स्थापना 1920 में कीलेरी कुन्हिकन्नन के शिष्य **कल्लन गोपालन** ने की थी, भारत सर्कस, नेशनल सर्कस और अभी भी सक्रिय अमर सर्कस (1960 के दशक) के साथ एक साम्राज्य में विकसित हुआ।
जेमिनी सर्कस	1951 में, जेमिनी सर्कस गुजरात के बिलिमोरा शहर में अस्तित्त्व में आया। इसका संचालन एक पूर्व सैनिक एम. वी. शंकरन करते थे। वे एक कुशल कलाबाज़ थे और **जेमिनी शंकरेट्टन** के रूप में लोकप्रिय हुए। 1964 में, जेमिनी सर्कस सोवियत संघ में आयोजित होनेवाले **इंटरनेशनल सर्कस फ़ेस्टिवल** में प्रतिनिधित्व करनेवाला **पहला भारतीय सर्कस** बना गया। मास्को, सोची और याल्टा में इसके प्रदर्शनों का आयोजन किया गया। बाद में जेमिनी सर्कस **राज कपूर** की *'मेरा नाम जोकर'* जैसी कई भारतीय फ़िल्मों की पृष्ठभूमि बना।
जंबो सर्कस	**'भारत की शान'** जंबो सर्कस आधुनिक काल का सबसे बड़ा भारतीय सर्कस है। इसका शुभारंभ 1977 में बिहार में हुआ था और आगे चलकर शंकरन परिवार ने इसका अधिग्रहण कर लिया। इसमें सामान्यतः रूसी कलाबाज़ और कलाकार सम्मिलित किये गये।

क्या आप जानते हैं?

दामू धोत्रे (1902-1973) पुणे के एक प्रसिद्ध **भारतीय रिंगमास्टर** थे, जो रूस, फ़्रांस और अमेरिका के सर्कसों में काम करते थे, जिनमें रिंगलिंग ब्रदर्स भी शामिल थे। 'वाइल्ड एनिमल मैन' के रूप में प्रसिद्ध, उन्होंने अमेरिकी सेना में सेवा की और बाद में पुणे लौट आये।

भारत में सर्कस उद्योग के पतन के लिए ज़िम्मेदार कारकों की आलोचनात्मक जाँच करें और चर्चा करें कि इसे सीमांत उद्योग क्यों माना जाता है?

भारतीय सर्कस उद्योग के पतन में कई कारक योगदान दे रहे हैं। अपनी वंशानुगत प्रकृति के कारण यह गिने-चुने परिवारों तक ही सीमित रहा है, जिससे पेशेवर प्रबंधन असंभव हो गया है। सर्वोच्च न्यायालय द्वारा 2011 में बाल कलाकारों पर प्रतिबंध लगने से प्रतिभाओं का भंडार कम हो गया और 1997 में जंगली जानवरों पर प्रतिबंध लगने से एक महत्त्वपूर्ण आकर्षण समाप्त हो गया। सर्कस की एक ख़तरनाक पेशे के रूप में सामाजिक धारणा ने नये प्रवेशकों को हतोत्साहित किया है। डिजिटल मनोरंजन और जिम्नास्टिक के उदय के कारण युवाओं की उनमें रुचि कम होने के कारण सर्कस का आधुनिकीकरण नहीं हो पाया। कोविड-19 महामारी ने उद्योग के संकट को और बढ़ा दिया।

कम नामांकन और वित्तीय कठिनाइयों के कारण, 2010 में थालास्सेरी में शुरू हुई भारतीय सर्कस अकादमी बंद होने के कगार पर है। सर्कस उद्योग को पुनर्जीवित करने के लिए कड़े सुरक्षा क़ानून, सर्कस के माध्यम से लुप्त होती कलाओं को बढ़ावा देना और कलाकारों को सरकारी सुरक्षा प्रदान करना आवश्यक है। समय से पहले सेवानिवृत्त होनेवाले कलाकारों को मुआवजे और सुरक्षा की आवश्यकता होती है।

*वर्तमान में सर्कस भारत सरकार के एक विशिष्ट मंत्रालय के अधीन हैं। इन्हें **संस्कृति मंत्रालय के** अधीन लाने से रणनीति बनाने में मदद मिलेगी और इन्हें पुनर्जीवित करने के लिए बेहतर होगा। यह सर्कस को एक कला के रूप में मान्यता देने जैसा भी होगा।*

भारत में मार्शल आर्ट

भारतीय मार्शल आर्ट की एक समृद्ध और विविध विरासत है, जो हज़ारों वर्षों से चली आ रही है और विभिन्न संस्कृतियों, क्षेत्रों और ऐतिहासिक घटनाओं से प्रभावित है। मार्शल आर्ट को **रामायण** और **महाभारत** जैसे प्रारंभिक महाकाव्यों से जाना जा सकता है।

भारत में मार्शल आर्ट के विकास का एक अवलोकन

वैदिक ग्रंथ (1500 ईसा पूर्व-600 ईसा पूर्व): प्रशिक्षण और युद्ध तक़नीकों का सबसे पहला उल्लेख वेदों में देखा जा सकता है। **धनुर्वेद** और **यजुर्वेद** के खंडों में मार्शल आर्ट का उल्लेख मिलता है। इन ग्रंथों में युद्ध के उन रूपों का उल्लेख है, जिन्हें **'धनुर्विद्या'** या **'अंगविद्या'** के नाम से जाना जाता है, जिसमें तीरंदाज़ी, युद्ध कला, तलवारबाज़ी, हथियारों का उपयोग और सेना का प्रशिक्षण शामिल है।

आरंभिक महाकाव्य (600 ईसा पूर्व-400 ई.पू.): रामायण और महाभारत में मार्शल कौशल और युद्ध कौशल का विस्तृत विवरण मिलता है। महाभारत में अर्जुन और कर्ण के बीच लंबे समय तक चले युद्ध को दर्शाया गया है, जिसमें उन्होंने धनुष, पेड़, शिलाओं, तलवारों और मुक्कों का उपयोग किया था और शेरों को केवल ख़ंजर (कटार) से पराजित किया था। इसे भारतीय मार्शल आर्ट के कई अभ्यासकर्ताओं के लिए एक प्रेरणा माना जाता है।

क्षेत्रीय प्रभाव (200 ईसा पूर्व-1200 ई.): दिन-प्रतिदिन, विभिन्न क्षेत्रीय मार्शल आर्ट शैलियाँ उभर कर सामने आयीं। उदाहरण के लिए, केरल से **'कलारीपयट्टु'**, तमिलनाडु से **'सिलम्बम'**, मणिपुर से **'थांग-ता'** और पंजाब से **'गतका'** कुछ पारंपरिक मार्शल आर्ट हैं, जिनकी उत्पत्ति इस अवधि के दौरान दौरान हुई।

विदेशी आक्रमणों के प्रभाव (1200 ई.-1800 ई.): मंगोल आक्रमण, तुर्क आक्रमण, फ़ारसी आक्रमण और बाद में मुग़ल और यूरोपीय आक्रमण जैसे कई विदेशी आक्रमणों ने विभिन्न मार्शल आर्ट की तक़नीकों और रणनीतियों को आकार देने में सहायता की।

मार्शल आर्ट का आधुनिकीकरण (19वीं सदी के अंत - वर्तमान): 19वीं सदी के अंत और 20वीं सदी की शुरुआत में पारंपरिक भारतीय मार्शल आर्ट में बदलाव देखा गया। अनेक मार्शल आर्ट शिक्षकों और संगठनों ने इसकी प्राचीन तक़नीकों के संरक्षण और आधुनिकीकरण की दिशा में प्रयास किये हैं।

भारत में लोकप्रिय मार्शल आर्ट की चर्चा इस प्रकार है :

कलारीपयट्टू

कलारीपयट्टू

यह भारत में सबसे पुराने मार्शल आर्ट्स में से एक है। यद्यपि इसका अभ्यास दक्षिणी भारत के अधिकतर भागों में होता था, परन्तु इसकी उत्पत्ति लगभग तीसरी शताब्दी ईसा पूर्व केरल राज्य में हुई थी। कलारी, एक मलयालम शब्द है, जिसका अर्थ है एक विशिष्ट प्रकार का विद्यालय/व्यायामशाला/प्रशिक्षण कक्ष, जहाँ मार्शल आर्ट्स का अभ्यास किया जाता था या सिखाया जाता था।

इस कला रूप में नक़ली **द्वंद्व युद्ध** (सशस्त्र और निःशस्त्र संघर्ष) और शारीरिक अभ्यास सम्मिलित है। सामान्य तौर पर, किसी ढोल-बाजे या गीत से **रहित** इस कला का सबसे महत्त्वपूर्ण पहलू, इसकी युद्ध शैली है। कलारीपयट्टू की सबसे महत्त्वपूर्ण विशेषता **फुटवर्क** (Footwork) है।

कलारीपयट्टू में कई तक़नीकों और पहलुओं का समावेश हैं। उनमें से कुछ हैं : *उझिचिल* या गिंगली तेल से मालिश, **ओट्टा** (एक 'S' की आकृति की लाठी), *मैपयट्टू* या शरीरिक व्यायाम, *कोल्थारिपयट्टू* या लड़ाई के लिए लकड़ी के हथियारों का उपयोग, *अंगाठारी* या *धातु के तेज़* हथियारों और कोल्थारी की छड़ियों का उपयोग, *वेरुमकई* या नंगे हाथ से लड़ाई।

> **क्या आप जानते हैं?** 2017 में, भारत सरकार ने कलारीपयट्टू के संरक्षण में उनके प्रयासों के लिए श्री मीनाक्षी अम्मा को पद्मश्री से सम्मानित किया। 2021 में, केरल राज्य सरकार ने तिरुवनंतपुरम में कलारीपयट्टू अकादमी की स्थापना की घोषणा की।

कलारीपयट्टु का उल्लेख **वडक्कन पट्टुकल** में किया गया है, जो मध्यकाल के मलयालम गाथागीतों का संग्रह है। यह केरल के मालाबार क्षेत्र के **चेकावर (योद्धा उपनाम)** के बारे में लिखा गया था।

सिलम्बम

सिलम्बम, एक प्रकार की **लाठी चलाने** या पटेबाज़ी की कला है, जो कि **तमिलनाडु** की एक आधुनिक और वैज्ञानिक मार्शल आर्ट है। पांड्य, चोल और चेर वंश के राजाओं ने अपने शासनकाल के दौरान इसे बढ़ावा दिया। यह द्वितीय शताब्दी ईसवी की रचना है। सिलम्बम बाँस की लाठी, रोम, यूनान और मिस्र के व्यापारियों और यात्रियों के मध्य सबसे लोकप्रिय व्यापारिक वस्तुओं में से एक थी।

लम्बी-लाठी का उपयोग **नक़ली लड़ाई** और **आत्मरक्षा** दोनों के लिए किया जाता था।

सिलम्बम में **विभिन्न प्रकार की तक़नीकों** का उपयोग किया जाता है, जिसमें सम्मिलित है पैरों की तेज़ चाल, लाठी चलाने के लिए दोनों हाथों का उपयोग, शरीर के विभिन्न स्तरों (सिर, कन्धा, कूल्हा और पैर के स्तर) पर बल, वेग और सटीकता को विकसित करने के लिए तथा प्रवीणता प्राप्त करने के लिए कटाक्ष, कटाव, वार और घुमाव का उपयोग। खिलाड़ी को *सर्प प्रहार*, *बन्दर प्रहार*, और *बाज़ प्रहार*, जैसे प्रहारों का उपयोग करके, एक अदम्य झुण्ड को छिन्न-भिन्न करने में और उनके द्वारा फेंके गये पत्थरों का मार्ग मोड़ने में भी प्रशिक्षित होना चाहिए।

सिलम्बम की आधिकारिक संस्था - **वर्ल्ड सिलम्बम ॲसोसिएशन (डब्ल्यू.एस.ए.)** की स्थापना वर्ष 1999 में हुई थी।

थांग-ता और सरित सरक

थांग-ता

मणिपुर के मेइती लोगों द्वारा सर्जित **थांग-ता एक सशस्त्र मार्शल आर्ट** है, जिसका उल्लेख सबसे घातक संग्राम के रूपों में होता है। दूसरी तरफ़ , **सरित सरक** एक **निःशस्त्र मार्शल आर्ट** है, जिसमें हाथापायी के रूप में युद्ध किया जाता है।

'थांग' का अर्थ होता है **'तलवार'**, जबकि 'ता' का अर्थ होता है **'भाला'**, इस प्रकार तलवार और भाला इस थांग-ता के दो मुख्य तत्त्व हैं।

थांग-ता और सरित सरक एक साथ **हुयेन लांगलोन** कहलाता है।

गुरुमायुम गौरकिशोर शर्मा – हुयेन लांगलोन के प्रमुख प्रतिपादक, वर्ष 2009 में पद्म श्री से सम्मानित हुए थे।

मल्लखंब

मल्लखंब

मल्लखंब का अभ्यास मुख्य रूप से महाराष्ट्र और मध्य प्रदेश में किया जाता है। इसमें **डंडे और रस्सी** का उपयोग शामिल है। इसमें अत्यधिक एकाग्रता की आवश्यकता होती है। वर्ष 2013 में, **मध्य प्रदेश** ने मल्लखंभ को राज्य खेल घोषित किया था।

मल्लखंब के कुछ रूप का संदर्भ रामायण, दूसरी से पहली शताब्दी ईसा पूर्व के प्राचीन चंद्रकेतुगढ़ मिट्टी के बर्तनों और भारत में बौद्ध चीनी तीर्थयात्रियों के वृत्तांतों में भी पाया जा सकता है। मल्लखंब का सबसे पहला प्रत्यक्ष साहित्यिक उल्लेख बारहवीं शताब्दी के **मानसोलासा** नामक पाठ में मिलता है, जिसे चालुक्य राजा सोमेश्वर-तृतीय ने लिखा था। मल्लखंभ को चार श्रेणियों में विभाजित किया गया है, जहाँ प्रत्येक श्रेणी का नाम हिंदू देवी-देवताओं और पौराणिक

सेनानियों के नाम पर रखा गया है :

- **जरासंधि** – इसका ध्यान युद्ध के दौरान अंगों और जोड़ों को तोड़ने पर होता है।
- **भीमसेनी** – यह झटके से मुड़ने की ताक़त पर केंद्रित है।
- **हनुमंती** – यह तकनीकी श्रेष्ठता पर ध्यान केंद्रित करता है।
- **जंबुवंती** – यह प्रतिद्वंद्वी को समर्पण के लिए मजबूर करने के लिए घेरने और पकड़ने का उपयोग करती है।

बहुत समय से, मल्लखंब को **ग़रीबों का खेल** कहा जाता रहा है, क्योंकि इसके संरक्षक अधिकतर समाज के वंचित वर्गों से रहे हैं। हालाँकि, जब से युवा मामले एवं कार्य खेल मंत्रालय (Ministry of Youth Affairs and Sports) ने इसे **खेलो इंडिया यूथ गेम्स** के तहत मान्यता दी है, तब से यह खेल देश में लोकप्रियता प्राप्त कर रहा है।

चेइबी गद-गा

मणिपुर के सबसे प्राचीन मार्शल आर्ट्स में से एक, चेइबी गद-गा के अंतर्गत एक *तलवार और एक ढाल* का उपयोग करके युद्ध किया जाता है। अब इसमें संशोधन करके तलवार के स्थान पर एक मुलायम चर्म आवरण युक्त छड़ी और एक चर्म निर्मित ढाल का उपयोग किया जाने लगा है। प्रतियोगिता एक सपाट सतह पर *7 मीटर व्यासवाले* एक वृत्ताकार क्षेत्र में होती है। इस वृत्ताकार क्षेत्र के भीतर, हर दो मीटर की दूरी पर दो रेखाएँ होती हैं। 'चेइबी' छड़ी की लम्बाई 2 से 2.5 फ़ीट के बीच होती है, जबकि ढाल का व्यास प्राय: 1 मीटर होता है। इस प्रतियोगिता में विजय की प्राप्ति एक द्वंद्व के दौरान अर्जित किये जानेवाले अंकों के आधार पर होती है। अंक, **कौशल** और शारीरिक बल के आधार पर प्रदान किये जाते हैं

छोलिया

छोलिया उत्तराखंड का एक पारंपरिक मार्शल नृत्य और युद्ध कला है, जो मुख्यत: **कुमाऊँ** और गढ़वाल क्षेत्रें में प्रचलित है। इसकी उत्पत्ति युद्ध से पहले योद्धाओं द्वारा साहस का आह्वान करने और युद्ध कौशल का प्रशिक्षण लेने के लिए की जानेवाली एक रस्म के रूप में हुई थी। समय के साथ, यह विवाह समारोहों का एक महत्त्वपूर्ण हिस्सा बन गया, जो नवयुगलों के लिए वीरता, सुरक्षा तथा शुभता का प्रतीक होता है।

इस नृत्य में **तलवार तथा ढाल की कला, फुर्तीले पैरों** की गति और समन्वित समूह रचनाएँ शामिल होती हैं, जिसके साथ अक्सर स्थानीय किंवदंतियों तथा वीरतापूर्ण गाथाओं का गायन और ढोल-वादन भी होता है। नर्तक पारंपरिक योद्धा पोशाक पहनते हैं, जिसमें पगड़ी, धोती और सजावटी हथियार शामिल हैं। छोलिया युद्ध कौशल, सामुदायिक बंधन और सांस्कृतिक विरासत को संरक्षित करता है, जिससे यह पीढ़ियों से चली आ रही एक जीवंत परंपरा बन जाती है।

परी-खंडा

राजपूतों द्वारा सर्जित *परी-खंडा* **बिहार** में मार्शल आर्ट का एक रूप है। इसमें तलवार और ढाल का उपयोग करके लड़ाई की जाती है। बिहार के कई भागों में अभी भी प्रचलित इस कला के विभिन्न चरणों और तक़नीकों का उपयोग व्यापक रूप से *छऊ नृत्य* में किया जाता है। इस मार्शल आर्ट के नाम में दो शब्दों का समावेश है, 'परी' जिसका अर्थ है–ढाल जबकि 'खंडा' का अर्थ होता है–तलवार, इस प्रकार इस कला में तलवार और ढाल दोनों का उपयोग होता है।

परी-खंडा में चालियों या चरणों का अभ्यास शामिल है, जो हाथी चाली (हाथी चाल), बाघ चाली आदि जैसी चालों से जुड़ा हुआ है।

थोडा

हिमाचल प्रदेश राज्य सें उत्पन्न होनेवाला थोडा मार्शल आर्ट्स, खेल और संस्कृति का एक मिश्रण है। इसे प्रतिवर्ष **बैसाखी** के दौरान खेला जाता है। प्रधान देवी-देवता, देवी माशू और दुर्गा का आशीर्वाद प्राप्त करने के लिए अनगिनत सामुदायिक प्रार्थनाएँ की जाती हैं।

मार्शल आर्ट एक खिलाड़ी के **धनुर्विद्या कौशल** पर निर्भर करता है। थोडा के साक्ष्य महाभारत से भी प्राप्त होते हैं, जिस समय कुल्लू और मनाली की घाटियों में लड़े गये बड़े-बड़े युद्धों में **तीर-धनुष** का उपयोग किया जाता था।

इस खेल में, दो समूह होते हैं, जिनमें से प्रत्येक समूह में प्राय: 500 लोग होते हैं। इनमें से अधिकांश लोग धनुर्धारी नहीं, बल्कि नर्तक होते हैं, जो अपने-अपने दल का मनोबल बढ़ाने के लिए सम्मिलित होते हैं। इस खेल को एक चिह्नित आँगन में खेला जाता है, ताकि एक निश्चित सीमा तक अनुशासन को बनाये रखा जा सके। दोनों दलों को **पशि** और **साथी** कहा जाता है, जिन्हें महाभारत के पांडवों और कौरवों का वंशज माना जाता है। धनुर्धारी पैरों पर, घुटने के नीचे, निशाना लगाते हैं, क्योंकि शरीर के किसी अन्य अंग पर प्रहार करने पर ऋणात्मक अंक मिलते हैं।

तेरी छा

तेरी छा **सिक्किम** की एक पारंपरिक मार्शल आर्ट है, जो इस क्षेत्र के इतिहास और संस्कृति से गहराई से जुड़ी हुई है। इसमें **सशस्त्र युद्ध, निहत्थे युद्ध** तकनीक और शारीरिक प्रशिक्षण का समावेश है, जो आत्मरक्षा और युद्ध की तैयारी दोनों का काम करता है। ऐतिहासिक रूप से, स्थानीय योद्धाओं द्वारा गाँवों की रक्षा और क़ानून-व्यवस्था बनाये रखने के

लिए इसका अभ्यास किया जाता था। तेरी छा में अनुष्ठान, व्यायाम और अनुशासित प्रशिक्षण भी शामिल है, जो सिक्किमी समाज के आध्यात्मिक और सांस्कृतिक मूल्यों को दर्शाता है। इसकी तकनीकें चपलता, गति और हथियारों के रणनीतिक उपयोग पर बल देती हैं, जो इसे मार्शल कौशल और सांस्कृतिक परंपरा का एक अनूठा मिश्रण बनाती हैं।

गतका

गतका एक हथियार आधारित मार्शल आर्ट है, जिसका प्रदर्शन **पंजाब के सिक्खों** द्वारा किया जाता है। 'गतका' का अर्थ है, एक ऐसा व्यक्ति, जिसकी स्वाधीनता का सम्बन्ध अनुग्रह से होता है। गतका में हथियारों का कौशलपूर्ण उपयोग देखने को मिलता है, जिनमें सम्मिलित हैं–छड़ी, *कृपाण*, *तलवार* और *कटार*। इस कला रूप में आक्रमण और रक्षा का निर्धारण, हाथों और पैरों की विभिन्न स्थितियों और उपयोग किये गये हथियार की प्रकृति के आधार पर किया जाता है। इसका प्रदर्शन मेले सहित राज्य के कई त्यौहारों में किया जाता है। द्वितीय विश्व युद्ध से पहले कैप्टन विलियम ई. फ़ेयरबैर्न और कैप्टन एरिक एंथोनी साइक्स द्वारा तैयार की गयी मार्शल आर्ट की डिफेंदु प्रणाली में गतका से तक़नीकें गृहीत की हैं।

गतका

मर्दानी खेल

यह एक पारंपरिक **महाराष्ट्रीय** सशस्त्र मार्शल आर्ट है, जिसका प्रचलन व्यापक रूप से **कोल्हापुर** ज़िले में है। मर्दानी खेल मुख्यत: हथियारों के कौशल पर केन्द्रित है, जिसमें विशेष रूप से तलवारों, द्रुत चालों, झुकी मुद्राओं का उपयोग किया जाता है, जो उसके उत्पत्ति स्थल, पहाड़ी शृंखलाओं के लिए अनुकूल है। इसे अद्वितीय भारतीय *पट्टा* (तलवार) और *विटा* (डोरीदार बर्छी) के उपयोग के लिए जाना जाता है। **शिवाजी** इस कला के प्रसिद्ध प्रशंसकों में से एक थे। इस मार्शल आर्ट के प्रसिद्ध अभ्यासकर्ताओं में शिवाजी और तानाजी मालुसरे शामिल थे। मराठी लोगों की मार्शल संस्कृति का उल्लेख 7वीं शताब्दी में चीनी भिक्षु ह्वेनत्सांग ने किया था।

लाठी

यह देश का एक प्राचीन सशस्त्र मार्शल आर्ट है। लाठी मार्शल आर्ट्स में उपयोग होनेवाले **विश्व के सबसे पुराने हथियारों** में से एक है। लाठी का अर्थ है एक 'छड़ी' (सामान्यतया बाँस की छड़ी), जो सामान्य रूप से 6 से 8 फ़ीट लम्बी होती है और कभी-कभी धातु की नोंक से युक्त होती है। भारतीय पुलिस द्वारा भीड़ को नियंत्रित करने के लिए ऐसी लाठियों का उपयोग करते हुए देखा जा सकता है। मुख्य रूप से पंजाब और बंगाल में प्रचलित यह लाठी अभी भी गाँवों में खेले जानेवाले लोकप्रिय खेलों में से एक है।

लाठी

इन्बुआई कुश्ती

मिज़ोरम के इस देशी मार्शल आर्ट, इन्बुआई कुश्ती का उद्भव मान्यता के अनुसार 1750 ईसवी में हुआ था। इसमें बहुत कड़े नियम हैं, जिसके अंतर्गत वृत्ताकार क्षेत्र से बाहर पैर रखने, लात चलाने और घुटने मोड़ने की मनाही है। इस खेल में विजय प्राप्त करने के लिए नियमों का कड़ाई से पालन करते हुए प्रतिद्वंद्वी के पैरों को उठाना पड़ता है। इसमें पहलवानों द्वारा बेल्ट (कमर में पहने गये) को पकड़ना भी सम्मिलित है।

कुट्टू वरिसाई (ख़ाली हाथ सिलम्बम)

सर्वप्रथम **संगम साहित्य** में उल्लिखित *कुट्टू वरिसाई* का अर्थ है 'ख़ाली हाथ से संग्राम'। *कुट्टू वरिसाई* की परंपरा मुख्यत: **तमिलनाडु** में है, हालाँकि यह **श्रीलंका** और **मलेशिया** के उत्तरी-पूर्वी भाग में भी काफ़ी लोकप्रिय है। यह एक **नि:शस्त्र** द्रविड़ी मार्शल आर्ट है, जिसका उपयोग श्वेतसार, योग, व्यायाम और श्वास अभ्यास के माध्यम से दंगल और पग कार्य को उन्नत बनाने के लिए किया जाता है। इस कला में उपयोग की जानेवालीं प्रमुख तक़नीकों में सम्मिलित है दबोचना, प्रहार करना और उलझाना। इसमें साँप, बाज़, बाघ, हाथी और बन्दर सहित कई पशु आधारित शैलियों का भी उपयोग होता है। इसे **सिलम्बम के एक नि:शस्त्र घटक** के रूप में जाना जाता है।

मुष्टि युद्ध

देश के पुराने शहरों में से एक, **वाराणसी** में उत्पन्न *मुष्टि युद्ध*, एक नि:शस्त्र मार्शल आर्ट है, जो **मुक्केबाज़ी के समान** है। इसमें लात, घूँसे, घुटने और कोहनी से वार करने, जैसी तक़नीकों का उपयोग होता है। हालाँकि अब शायद ही कभी दिखाई देनेवाला यह मार्शल आर्ट 1960 के दशक में काफ़ी लोकप्रिय था। *मुष्टि युद्ध* में शारीरिक, मानसिक और आध्यात्मिक, तीनों पहलुओं का समागम था।

इस कला में होनेवाली लड़ाइयों को चार वर्गों में विभक्त किया गया है। महत्त्वपूर्ण है कि इसका नामकरण **हिन्दू देवताओं** के आधार पर किया गया है, जो एक विशेष प्रकार के कला रूप में श्रेष्ठ थे। पहला कहा जाता है, *जम्बुवंती*, जिसका अर्थ है प्रतिद्वंद्वी को उलझाकर और पकड़कर रखते हुए आत्मसमर्पण करने के लिए विवश करना। दूसरा है, *हनुमंती*, जो तक़नीकी श्रेष्ठता के लिए है। तीसरा संदर्भित करता है, **भीमसेनी**, जो विशुद्ध शक्ति पर केन्द्रित है। जबकि अंतिम को कहा जाता है जरासंधि, जो अंग और अस्थिसंधि को तोड़ने पर केन्द्रित है।

भारत के कुछ अन्य प्रमुख मार्शल आर्ट फ़ॉर्म (सामरिक या युद्धकला रूप)

मार्शल आर्ट का नाम	उत्पत्ति स्थल	विवरण
पाइक (Paika) अखाड़ा	ओडिशा	नृत्य और संग्राम का एक संयोजन। इसका उपयोग पहले योद्धाओं द्वारा किया जाता था, अब इसका अभ्यास एक प्रदर्शन कला के रूप में किया जाता है। **'पाइक'** शब्द किसी योद्धा या सैनिक को संदर्भित करता है, और **'अखाड़ा'** प्रशिक्षण मैदान या अखाड़े को संदर्भित करता है। पहले, इसका अभ्यास पाइक द्वारा किया जाता था, जो **ओडिशा** के योद्धा समुदायों से थे और अपनी बहादुरी और कौशल के लिए प्रसिद्ध थे। उन्होंने क्षेत्र की रक्षा में महत्त्वपूर्ण भूमिका निभायी और राजाओं एवं स्थानीय प्रमुखों के लिए सैनिकों एवं अंगरक्षकों के रूप में सेवा की।
स्क्वे (Sqay)	कश्मीर	यह मार्शल आर्ट तलवार से लड़ने की तक़नीक और सुंदर हरकतों के अनूठे संयोजन के लिए जानी जाती है। **'स्क्वे'** शब्द का अर्थ है **'युद्ध का ज्ञान'**। यह अब स्क्वे फ़ेडरेशन ऑफ़ इंडिया द्वारा शासित है और वर्ष 2015 में युवा मामले एवं खेल मंत्रालय (Ministry of Youth Affairs and Sports) द्वारा इसे एक खेल के रूप में मान्यता दी गयी थी। स्क्वे की आधिकारिक वर्दी नीले रंग की है। वर्दी के साथ हेड गार्ड और चेस्ट गार्ड पहने जाते हैं।
काठी सामू	आंध्र प्रदेश	इसका अभ्यास शाही सेनाओं द्वारा किया जाता था। काठी का अर्थ है 'तलवार'। तलवारों से लड़ना काठी सामू की प्रमुख विशेषता है। काठी सामू में विभिन्न प्रकार की तलवारों का उपयोग किया जाता है। जिस स्थान पर काठी सामू का प्रदर्शन किया जाता है उसे **'गारिडी'** के नाम से जाना जाता है। काठी सामू 'वैरी' से शुरू होता है, जो असली तलवार की लड़ाई से पहले एक महत्त्वपूर्ण भूमिका निभाता है। 'गरेजा' एक और महत्त्वपूर्ण हिस्सा है, जिसमें एक व्यक्ति चार तलवारें पकड़ता है, (प्रत्येक हाथ में दो)। प्राचीन काल में इसे विजयनगरम और कर्वेतिनगरम साम्राज्य द्वारा संरक्षण दिया गया था।

मार्शल आर्ट का नाम	उत्पत्ति स्थल	विवरण
बंदेश	भारत	प्राचीन निःशस्त्र मार्शल आर्ट, जिसमें प्रतिद्वंद्वी की हत्या किये बिना उसके विरुद्ध विभिन्न उलझाववाली पकड़ का उपयोग होता है।
मल्ल युद्ध	दक्षिण भारत	*नबन* सहित अन्य दक्षिण पूर्व एशियाई कुश्ती शैलियों से संबंधित पारंपरिक संग्राम कुश्ती। सिद्धार्थ गौतम एवं राजा **कृष्णदेवराय** इसका अभ्यास करते थे।
इंसु नावर (Insu-Knawr)	मिज़ोरम	खिलाड़ी एक वृत्ताकार आकृति के भीतर इस खेल को खेलने के लिए गोल लकड़ी की छड़ी का प्रयोग करते हैं।
मुकना	मणिपुर	आमतौर पर लाई हरोबा त्योहार के अंतिम दिन खेला जाता है।
किरिप, साल्डु	निकोबार	इसे निकोबारी कुश्ती के रूप में जाना जाता है।
वर्मकलई	तमिलनाडु	इसमें हमले शरीर के महत्त्वपूर्ण अंगों पर किये जाते हैं।
अडिमुरई	तमिलनाडु और केरल	माना जाता है कि सिद्धर कहे जानेवाले तमिल संतों द्वारा विकसित किया गया था। तमिलनाडु के नादर समुदाय और दक्षिण केरल के कुछ एझावा और नायरों द्वारा व्यापक रूप से अभ्यास किया जाता है।

मार्शल आर्ट का अभ्यास करने के लाभ

मार्शल आर्ट का अभ्यास या प्रशिक्षण करने के अत्यधिक लाभ हैं। वे इस प्रकार हैं :

- सम्पूर्ण शरीर और मांसपेशी तंत्र के व्यायाम से शारीरिक दक्षता बढ़ती है। मस्तिष्क भी सक्रिय होता है। प्रशिक्षण ताक़त, सहनशक्ति, लचीलेपन, गतिशीलता, समन्वय आदि को बढ़ाने में सहायता करता है।
- यह भावनात्मक और आध्यात्मिक कल्याण में सहायक है। पारंपरिक मार्शल आर्ट का उपचारात्मक प्रभाव भी होता है।

क्या आप जानते हैं? स्वदेशी खेलों को बढ़ावा देने के लिए युवा मामले एवं खेल मंत्रालय ने खेलो इंडिया यूथ गेम्स में मल्लखंब, कलारीपयट्टू, गतका, थांग-ता, सिलम्बम और योगासन को शामिल किया है।

भारतीय स्वदेशी/पारंपरिक खेल

भारतीय स्वदेशी/पारंपरिक खेल	समय सीमा	स्थान और विवरण
कबड्डी	संगम साहित्य में उल्लेखित	उत्पत्ति : तमिलनाडु
तुली लांगुन	—	जम्मू और कश्मीर
रूमाल झपट्टा और ऊँट दौड़	मध्यकालीन भारत	उत्पत्ति : राजस्थान के ग्रामीण भागों में
सतोलिया	प्राचीन भारत	उत्पत्ति - भारतीय उपमहाद्वीप का दक्षिणी भाग। **भागवत** पुराण में उल्लेखित
गतका	सत्रहवीं शताब्दी	पंजाब, गतका की सिख मार्शल तकनीक की जड़ें **शस्त्र विद्या** में हैं।
सागोल कांगजेई (मणिपुरी पोलो)	पहली शताब्दी के बाद से	मणिपुर, **सागोल कांगजेई** यह पोलो के आधुनिक खेल का अग्रदूत है।
धूपखेल	प्राचीन	असम में, यह **बिहू** त्योहार के दौरान एक पारंपरिक गेंद खेल के रूप में खेला जाता है
युबी लापकी (नारियल रग्बी)	पहली शताब्दी के बाद से	मणिपुर, युबी लपकी - तेल लगे नारियल और तेल लगे शरीरवाले प्रतिभागियों के साथ खेला जानेवाला यह खेल रग्बी जैसा दिखता है और उत्सवों, विशेष रूप से **संगाई त्योहारों** के दौरान खेला जाता है।

भारतीय स्वदेशी/पारंपरिक खेल	समय सीमा	स्थान और विवरण
खो-खो (राठेरा)	प्राचीन भारत	खो-खो का पूर्ववर्ती **राठेरा** था, जिसकी उत्पत्ति प्राचीन महाराष्ट्र में हुई थी, जो रथ-आधारित खेल से विकसित होकर अपने आधुनिक रूप में आया, इसे 1914 में पुणे के **दक्कन जिमखाना क्लब** द्वारा मानकीकृत किया गया।
सेवल संदाई, जल्लीकट्टू	संगम साहित्य में उल्लेखित	तमिलनाडु में **पोंगल** फ़सल उत्सव के एक भाग के रूप में मनाया जाता है।
चतुरंग - शतरंज (चौस)	महाभारत में उल्लेखित	भारत में इसकी शुरुआत **गुप्त** साम्राज्य के दौरान हुई, संभवतः छठी शताब्दी ई. में।
क्रीड़ा पत्रम (कार्ड)	प्राचीन भारत	इन कार्डों को **गंजीफा** नाम दिया गया था। मध्यकालीन भारत में ताश का खेल खेला जाता था और यह खेल कई भारतीय राज दरबारों के साथ-साथ नेपाल में भी खेला जाता था।

यू.पी.एस.सी. विगत वर्षों के बहुविकल्पीय प्रश्न

1. 19वीं सदी के अंत और 20वीं सदी की शुरुआत में बंगाली रंगमंच की अग्रणी हस्ती बिनोदिनी दासी के बारे में निम्नलिखित में से कौन-सा कथन सही है? **(CAPF, 2018)**
   1. कलकत्ता में स्टार थियेटर (1883) की स्थापना के लिए क़दम उठानेवाले प्रमुख लोगों में से एक थीं।
   2. उन्होंने 1910 और 1913 के बीच अपनी आत्मकथा *आमार कोथा* (माई स्टोरी) को शृंखलाबद्ध किया।

   नीचे दिये गये कूट का प्रयोग कर सही उत्तर का चयन करें :

   (a) केवल 1 (b) केवल 2
   (c) दोनों 1 और 2 (d) ना 1 और ना ही 2

2. भारत की संस्कृति और परंपरा के अनुसार, 'कलारीपयट्टू' क्या है? **(CSE, 2014)**
   (a) यह दक्षिण भारत के कुछ भागों में अभी भी प्रचलित शैव धर्म का एक प्राचीन भक्ति पंथ है।
   (b) यह कोरोमंडल क्षेत्र के दक्षिणी भाग में अभी भी मिलनेवाली एक प्राचीन शैलीवाली काँसे और पीतल की कलाकृति है।
   (c) यह मालाबार के उत्तरी भाग में नृत्य और नाटक का एक प्राचीन रूप और एक जीवन्त परंपरा है।
   (d) यह दक्षिण भारत के कुछ भागों में एक प्राचीन मार्शल आर्ट और एक जीवन्त परंपरा है।

उत्तरमाला

1. (c) 2. (d)

यू.पी.एस.सी. विगत वर्षों के प्रश्न - मुख्य परीक्षा

1. निम्नलिखित पारंपरिक नाट्यकला रूपों में से किन्हीं पाँच पर एक वाक्य लिखिए : **(CSE, 2011)**
   (a) भाण्ड पाथेर (b) स्वाँग
   (c) माँच (d) भाओना
   (e) मुदियेट्टु (f) दशावतार

2. यक्षगान के संबंध में लिखिए। **(CSE, 1995, 2005, 2007)**

3. निम्नलिखित लोक नाट्यकलाएँ कहाँ उत्पन्न हुईं? **(CSE, 1987)**
   (a) जात्रा (b) तमाशा
   (c) कुडियट्टम (d) भवई
   (e) नौटंकी

4. भारत में नाट्यकला को विकसित करने के क्या प्रयास हुए हैं? इस कला के विकास से संबंधित किन्हीं दो महत्त्वपूर्ण व्यक्तियों के नाम बताइए। **(CSE, 1985)**

5. घासीराम कोतवाल – नाटक किसने लिखा? **(CSE, 1982)**

13

भारतीय सिनेमा

अध्याय की रूपरेखा

- भारतीय सिनेमा का महत्त्व
- भारतीय सिनेमा का इतिहास
- मूक फ़िल्मों का युग
- समानांतर सिनेमा
- बदलते भारतीय सिनेमा में महिलाओं की भूमिका
- भारतीय चलचित्र अधिनियम, 1952
- केंद्रीय फ़िल्म प्रमाणन बोर्ड

एशिया के **विशाल फ़िल्म उद्योगों** में भारत का प्रमुख स्थान है। भारतीय फ़िल्म उद्योग *विश्व में सबसे अधिक फ़िल्मों* के निर्माता के रूप में भी जाना जाता है। यहाँ हिंदी, तेलुगू, तमिल, भोजपुरी इत्यादि भाषाओं में भी फ़िल्में बनायी जाती हैं।

हाल ही में, फ़िल्म क्षेत्र में सम्पूर्ण (100%) **प्रत्यक्ष विदेशी निवेश (एफ़.डी.आई.)** की अनुमति प्रदान करने का प्रविधान पारित किया गया, जिसके पश्चात् प्रमुख अंतरराष्ट्रीय मीडिया घरानों, जैसे- 20वीं सेंचुरी फ़ॉक्स, वारनर ब्रदर्स आदि ने भारतीय फ़िल्म निर्माण में निवेश किया। परिणामस्वरूप कुछ विदेशी फ़िल्म निर्देशकों ने भी भारत से जुड़े सामाजिक-सांस्कृतिक विषयों का चयन किया है।

भारतीय सिनेमा का महत्त्व

- स्वतंत्रता के बाद, भारतीय फ़िल्मों ने एक राष्ट्र के रूप में हमारी पहचान को आकार दिया और शहरी तथा ग्रामीण दोनों क्षेत्रों तक पहुँच बनायी।
- फ़िल्में भारतीयों के सामाजिक-आर्थिक और राजनैतिक जीवन को प्रतिबिंबित करती हैं और दर्शकों पर गहरा प्रभाव डालती हैं तथा पात्रों के साथ सहानुभूति पैदा करती हैं।
- दो प्रकार के सिनेमा होते हैं—पहला, मनोरंजन के लिए और दूसरा, जो जीवन की दिन-प्रतिदिन की *वास्तविकता से हमारा परिचय* कराते हैं, जिसे हम **'वैकल्पिक'** या **समानांतर सिनेमा** (Parallel Cinema) कहते हैं।

भारतीय सिनेमा का इतिहास

चलचित्र की अवधारणा को भारत में **लुमियर बन्धु** (जो कि सिनेकैमरा के अन्वेषक के रूप में प्रसिद्ध हैं) लाये थे। **लुमियर ब्रदर्स** ने भारत में चलचित्रों की शुरुआत की, 1896 में बम्बई में छह मूक फ़िल्में दिखायीं। पहली भारतीय फ़िल्म, **कोकोनट फ़ेयर** और **आवर इंडियन एम्पायर** 1897 में प्रदर्शित हुई।

किसी भारतीय द्वारा चलचित्र का पहला प्रयास **हरीशचन्द्र भटावडेकर** द्वारा किया गया था, जिन्हें *सावे दादा* (Save Dada) के नाम से भी जाना जाता है। उन्होंने वर्ष 1899 में दो लघु फ़िल्में प्रस्तुत की थीं। वर्ष 1900 में बहुत कम भारतीय फ़िल्म निर्माता इस कार्य में लगे हुए थे, पर उनमें सबसे उल्लेखनीय **एफ़. बी. थानावाला** थे, जिन्होंने *ताबूत प्रोसेशन* और *स्प्लेंडिड न्यू व्यूज़ ऑफ़ बॉम्बे* का निर्माण किया था। इसके अतिरिक्त वर्ष 1903 में **हीरालाल सेन** भी अपने चलचित्र *इंडियन लाइफ़ ऐंड सीन्ज* के लिए जाने गये।

क्रमशः इन चलचित्रों का बाज़ार बढ़ने लगा था और चूँकि इनका प्रदर्शन अस्थायी स्थानों पर किया जाता था, इसलिए सर्वप्रथम सिनेमाघरों की उपलब्धता की आवश्यकता अनुभव हुई। इस आवश्यकता को **मेजर वारविक** ने पूरा किया, जिन्होंने वर्ष 1900 में **मद्रास** (अब चेन्नई) में *पहला सिनेमाघर* स्थापित किया था। इसके पश्चात् एक धनी भारतीय व्यापारी **जमशेदजी मदान** ने वर्ष 1907 में कलकत्ता (अब कोलकता) में **एलफ़िन्सटन पिक्चर हाऊस** की स्थापना की। उभरते हुए इस नये भारतीय बाज़ार से प्राप्त होनेवाले लाभ को देखते हुए वर्ष 1916 में भारत में **यूनिवर्सल स्टूडियोज** ने पहली हॉलीवुड आधारित एजेंसी की स्थापना की।

भारतीय सिनेमैटोग्राफ़ समिति की स्थापना 1927 में ब्रिटिश राज द्वारा की गयी थी। इसका उद्देश्य सेंसरशिप की उपयुक्तता पर ग़ौर करना और चलचित्र फ़िल्मों के अनैतिक प्रभाव की जाँच करना था।

मूक फ़िल्मों का युग

1910 से 1920 तक के दशक में मूक फ़िल्मों की भरमार रही। भले ही उन्हें मूक फ़िल्में कहा जाता था, उनके साथ सारंगी, तबला, हारमोनियम और वायलिन जैसे वाद्य यंत्रों पर लाइव संगीत बजाया जाता था। पहला भारत-ब्रिटिश सहयोग 1912 में एन.जी. चित्रे और आर.जी. टॉर्नी की **"पुंडलिक"** के साथ हुआ। उनकी फ़िल्म का नाम "पुंडलिक" था।

दादासाहेब फाल्के ने वर्ष **1913** में पहली स्वदेशी मूक फ़िल्म **राजा हरिशचंद्र** का निर्माण किया। उन्हें *भारतीय सिनेमा के जनक* के रूप में जाना जाता है और *मोहिनी भस्मासुर, सत्यवान सावित्री,* जैसी फ़िल्मों के लिए भी उन्हें श्रेय दिया जाता है। बॉक्स ऑफ़िस पर पहली सफल फ़िल्म ***लंका दहन*** (1917) को बनाने का श्रेय भी उन्हीं को जाता है।

वर्ष 1918 में **दो** फ़िल्म कम्पनियों के आरम्भ होने से फ़िल्म निर्माण प्रक्रिया को बहुत प्रोत्साहन मिला था। वे कंपनियाँ थीं, कोहिनूर फ़िल्म कम्पनी और दादा साहेब फाल्के की हिंदुस्तान सिनेमा फ़िल्म्स कम्पनी। जैसे ही फ़िल्मों से अच्छी आमदनी होनी शुरू हुई, तो सरकार ने **वर्ष 1922 में कलकत्ता में 'मनोरंजन कर'** लगा दिया। अगले वर्ष यह कर बम्बई में भी लगा दिया गया।

क्या आप जानते हैं?

फ़ातमा बेगम पहली भारतीय महिला थीं जिन्होंने 1926 में *बुलबुल-ए-परिस्तान* नामक अपनी फ़िल्म का निर्माण और निर्देशन किया था।

संस्कृति संक्षेपण

टॉकीज का युग

1931	अर्देशिर ईरानी	**आलम-आरा**	उनके द्वारा निर्देशित पहली मौखिक फ़िल्म। भारत के पहले पार्श्व गायक डब्ल्यू.एम. ख़ान थे। आलम-आरा में उनका गाना **"दे दे खुदा के नाम पर"** भारतीय सिनेमा का पहला रिकॉर्ड किया गया गाना था।
1933	प्रभात	**सैरंध्री**	यह पहली भारतीय रंगीन फ़िल्म थी (जर्मनी में निर्मित)।
1935	पी.सी. बरुआ	**देवदास**	यह स्टूडियो प्रणाली का उपयोग करनेवाला प्रथम था।
1935	जे. बी. एच. वाडिया और होमी वाडिया	**हंटरवाली** **तूफ़ान मेल** **पंजाब मेल** **फ्लाइंग रानी**	ये पहली भारतीय स्टंट फ़िल्में थीं। इसमें एक ऑस्ट्रेलियाई मूल की भारतीय अभीनेत्री *मैरी इवांस* थी, जो '**फ़ीयरलैस नाडिया** (Fearless Nadia)' के उपनाम से बहुत प्रसिद्ध हुई थी।
1937	अर्देशिर ईरानी	**किसान कन्या**	पहली स्वदेशी रंगीन फ़िल्म
1937	जे. बी. एच. वाडिया	**नौजवान**	बिना गीतों की पहली फ़िल्म
1939	के. सुब्रह्मण्यम	**प्रेमसागर**	पहली **दक्षिण** भारतीय फ़िल्म

समानांतर सिनेमा

भारत में समानांतर सिनेमा 1940 के दशक के उत्तरार्ध में मुख्यधारा की व्यावसायिक फ़िल्मों के विकल्प के रूप में उभरा। समानांतर फ़िल्मों का उद्देश्य ग़रीबी, सामाजिक अन्याय और मानवीय पीड़ा जैसे विषयों पर केंद्रित था। इसने साहित्य और रंगमंच से प्रेरणा ली थी। आइए, निम्नलिखित चित्र की सहायता से इस पर चर्चा करें-

मूल : (1940 के दशक के अंत का सामाजिक यथार्थवाद, गैर-व्यावसायिक)

निर्णायक मोड़ : (1969 में मृणाल सेन की फ़िल्म भुवन शोम)

उत्पत्ति के कारण : [नियो-यथार्थवादी फ़िल्म संग्रह और वैश्विक महोत्सव]

पथप्रदर्शक : सत्यजीत रे (पाथेर पांचाली, अपुर संसार, अपराजितो) ऋत्विक घटक (नागरिक, अजन्त्रिक, मेघे ढाका तारा)

1980 का दशक : बदलाव और महिलाओं के मुद्दों पर ध्यान केंद्रित
सई परांजपे (चश्मे बद्दूर, स्पर्श)
कल्पना लाजमी (एक पल)
अपर्णा सेन (36 चौरंगी लेन)

अंतर्राष्ट्रीय मान्यता : मीरा नायर (सलाम बॉम्बे) को 1988 में कान फ़िल्म महोत्सव में सम्मानित किया गया।

बदलते भारतीय सिनेमा में महिलाओं की भूमिका

- बदलते समय के साथ फ़िल्मों में महिलाओं के चित्रण में भी परिवर्तन आया है। मूक फ़िल्मों के दौर में निर्देशकों ने महिलाओं पर लगाये गये बन्धनों पर ध्यान केंद्रित किया था।
- 1920-40 के समय में अधिकांश निर्देशक, जैसे वी. शांताराम, धीरेन गांगुली और बाबूराव पेंटर ने ऐसी फ़िल्में बनायीं, जिनमें महिलाओं की मुक्ति से संबंधित समस्याओं को, जैसे बाल विवाह पर प्रतिबंध, सती प्रथा का अंत इत्यादि को प्रभावी ढंग से उठाया गया था।

- क्रमशः सिनेमाई दृष्टिकोण में भी परिवर्तन आया और उन्होंने विधवा पुनर्विवाह, महिला शिक्षा और कार्यक्षेत्र में महिलाओं की समानता को भी समर्थन दिया।
- 1960-80 के समय में महिलाओं के प्रति दृष्टिकोण बहुत ही पारंपरिक था। जब नायिका या 'आदर्श महिला' को दिखाना होता था, तो वे मातृत्व, महिलाओं में निष्ठा और महिलाओं द्वारा अपने परिवार के लिए असंगत त्याग को महिमामंडित करते थे।
- सत्यजीत रे, ऋत्विक घटक, गुरु दत्त और श्याम बेनेगल के समानांतर सिनेमा ने महिलाओं के वास्तविक संघर्ष और मुक्ति को दर्शाया।
- वर्तमान सिनेमा के युग में 'आधुनिक' महिला को करियर, मातृत्व और पहचान के बीच संतुलन बनाते हुए दिखाया जाता है।

पुस्तक के अतिरिक्त

'दक्षिण भारतीय सिनेमा' से संबंधित पाठ्य सामग्री के लिए स्कैन करें।

पुस्तक के अतिरिक्त

'भारतीय सिनेमा के प्रसिद्ध विवाद' से संबंधित पाठ्य सामग्री के लिए स्कैन करें।

भारतीय चलचित्र अधिनियम, 1952 — परीक्षोपयोगी

फ़िल्मों को प्रमाणित करने के लिए भारत सरकार ने भारतीय चलचित्र अधिनियम, 1952 पारित किया। इसका मुख्य *कार्य* **केन्द्रीय फ़िल्म प्रमाणन बोर्ड** [Central Board of Film Certification (CBFC)] का संविधान और कार्यशैली का निर्धारण करना था।

इस अधिनियम के तहत सेंसर बोर्ड के *अध्यक्ष* और कार्य निष्पादन में उनकी सहायता के लिए एक सदस्य मंडल (12 से कम नहीं और 25 से अधिक नहीं) की *नियुक्ति* का प्रविधान है। बोर्ड को एक *फ़िल्म की समीक्षा करने* के पश्चात् यह निर्णय लेना होता है कि अमुक फ़िल्म को किसी भौगोलिक क्षेत्र, आयु वर्ग, धार्मिक वर्ग या राजनैतिक समूह के प्रति अपमान/अभद्रता के आधार पर प्रदर्शन से रोका जा सकता है या नहीं। यह आवेदक की फ़िल्म को प्रमाणित करने से पहले उसमें परिवर्तन या काट-छाँट करने का निर्देश भी दे सकते है। यदि वांछित परिवर्तन नहीं किये जाते हैं, तो प्रमाणन बोर्ड उस फ़िल्म के सार्वजनिक प्रदर्शन पर रोक लगा सकता है।

यद्यपि फ़िल्मों को प्रमाणित करने का विषय संघ के अधीन है, परन्तु सेंसरशिप को लागू करने का कार्य राज्य सरकारों के अधिकार क्षेत्र में आता है। फ़िल्मों का प्रमाणीकरण निम्नलिखित आधार पर होता है:

श्रेणी	प्रमाणीकरण
यू (U)	व्यापक प्रदर्शन
ए (A)	केवल वयस्कों के लिए सीमित प्रदर्शन
वर्ष 1983 में **चलचित्र (प्रमाणीकरण) नियमों** में सुधार किया गया और उनमें वर्तमान श्रेणियों में दो अन्य श्रेणियाँ भी जोड़ी गयी हैं, जो इस प्रकार हैं:	
यूए (U/A)	असीमित व्यापक प्रदर्शन, परन्तु 12 वर्ष से कम आयु के बच्चों के लिए माता-पिता की निगरानी आवश्यक
एस (S)	केवल विशेषज्ञ दर्शकों जैसे डॉक्टर, इंजीनियर इत्यादि के लिए प्रदर्शन

1952 के इस अधिनियम में एक और प्रमुख प्रविधान है, **फ़िल्म प्रमाणन अपीलीय अधिकरण** [Film Certification Appellate Tribunal (FCAT)] की स्थापना। इसकी स्थापना इस अधिनियम के अनुच्छेद 5D के अंतर्गत की गयी, जिसका गठन विशेष रूप से सेंसर बोर्ड (सी.बी.एफ़.सी.) के निर्णय से असंतुष्ट पक्षों की अपील सुनने के लिए किया गया है, जो अपनी फ़िल्म की पुनः समीक्षा की माँग कर सकते हैं।

केंद्रीय फ़िल्म प्रमाणन बोर्ड

भारत में जो सरकारी संस्था सेंसरशिप का संचालन और निर्देशन करती है, उस को **केन्द्रीय फ़िल्म प्रमाणन बोर्ड** [Central Board of Film Certification (CBFC)] कहा जाता है। इसकी स्थापना वर्ष 1950 में सेंट्रल बोर्ड ऑफ़ फ़िल्म सेंसर्स के नाम से की गयी थी, परन्तु बाद में इसे 1952 के अधिनियम के अंतर्गत परिवर्तित कर दिया गया। यह प्रत्यक्ष रूप से **सूचना और प्रसारण मंत्रालय** के अधीन कार्य करती है। इसका मुख्य कार्यालय *मुम्बई* में स्थित है, यद्यपि इसके क्षेत्रीय कार्यालय, जो विशेष रूप से क्षेत्रीय फ़िल्मों के लिए बनाये गये हैं, वे दिल्ली, कोलकाता, चेन्नई, बंगलुरु, गुवाहाटी, कटक, तिरुवनंतपुरम और हैदराबाद में भी हैं। ये सभी संस्थान फ़िल्मों के प्रदर्शन का प्रमाण-पत्र जारी करते हैं। प्रमाण-पत्र के बिना कोई भी फ़िल्म प्रदर्शित नहीं की जा सकती।

सी.बी.एफ़.सी. का प्रतीक चिह्न

सी.बी.एफ़.सी. एक सुनियोजित ढाँचेवाला संगठन है, जिसके अध्यक्ष और सदस्यों की नियुक्ति **सूचना और प्रसारण मंत्रालय** द्वारा की जाती है। इनकी नियुक्ति सरकार के निर्देशानुसार तीन साल या इससे अधिक समय के लिए की जा सकती है। सामान्यतः इसके सदस्य फ़िल्म उद्योग से जुड़े प्रसिद्ध और प्रतिभाशाली व्यक्ति या अन्य बुद्धिजीवी होते हैं।

सभी फ़िल्मों को सेंसर बोर्ड से प्रमाण-पत्र प्राप्त करना पड़ता है, यहाँ तक कि **विदेशी फ़िल्मों,** जिनको भारत में आयात किया जाता है, उन्हें भी सी.बी.एफ़.सी. का प्रमाण-पत्र प्राप्त करना पड़ता है। वे सभी फ़िल्में, जिन्हें एक भाषा से दूसरी भाषा में **डब किया जाता है,** उन्हें भी यह सुनिश्चित करने के लिए नया प्रमाण-पत्र प्राप्त करना पड़ता है कि भाषा बदले जाने से वे किसी भी प्रकार से अप्रिय या अपमानजनक तो नहीं हो गयी हैं। सी.बी.एफ़.सी. प्रमाण-पत्र का एकमात्र **अपवाद** है **दूरदर्शन पर प्रदर्शित** विशेष रूप से बनायी जानेवालीं फ़िल्में, क्योंकि दूरदर्शन भारत सरकार का अधिकृत प्रसारणकर्ता है और इस प्रकार की फ़िल्मों के परीक्षण के लिए उनके अपने नियम हैं। इसे टेलीविज़न प्रोग्राम और सीरियलों के लिए भी सी.बी.एफ़.सी. प्रमाण-पत्र की आवश्यकता **नहीं** होती है।

टीवी कार्यक्रमों और धारावाहिकों के लिए **सी.बी.एफ़.सी. प्रमाणन** की आवश्यकता **नहीं** है। केबल टेलीविज़न नेटवर्क (विनियमन) अधिनियम, 1995 के तहत केबल टीवी नेटवर्क पर प्रदर्शित होनेवाले कार्यक्रमों और विज्ञापनों के लिए सामग्री/विज्ञापन कोड निर्धारित है। केबल टेलीविज़न नेटवर्क (विनियमन) अधिनियम के तहत अपराध गैर-संज्ञेय हैं।

क्या आप जानते हैं?

चलचित्र अधिनियम 1952 के तहत अप्रमाणित फ़िल्मों का प्रदर्शन एक संज्ञेय और गैर-जमानती अपराध है।

पुस्तक के अतिरिक्त

'क्या भारत को एक नेशनल फ़िल्म पॉलिसी की ज़रूरत है?' से संबंधित पाठ्य सामग्री के लिए स्कैन करें।

भाग C

साहित्यिक कलाएँ (LITERARY ARTS)

14

भाषाएँ एवं लिपियाँ

अध्याय की रूपरेखा

- ✤ भारतीय भाषाओं का वर्गीकरण
- ✤ भारत की आधिकारिक भाषाएँ
- ✤ शास्त्रीय भाषा का दर्जा
- ✤ भारत की लुप्तप्राय एवं विलुप्त भाषाएँ
- ✤ भारतीय भाषाओं की बोलियाँ
- ✤ भारत की प्राचीन एवं आधुनिक लिपियाँ

मानवीय लेखन ने सम्पूर्ण इतिहास के दौरान संस्कृति, जीवन शैली, समाज और समकालीन समाज की राजनीति को प्रतिबिम्बित किया है। इस प्रक्रिया में, प्रत्येक संस्कृति ने अपनी भाषा विकसित की और एक विशाल साहित्यिक आधार का सृजन किया। साहित्य का यह विस्तृत आधार, हमें शताब्दियों से प्रत्येक भाषा और संस्कृति के विकास की झलक देता रहा है।

साहित्यिक अर्थ में भाषा, वाणी के माध्यम द्वारा संचार करने की प्रणाली है, यह ध्वनियों का एक संग्रह है, जिससे लोगों का समूह एक समान अर्थ ग्रहण करता है।

क्या आप जानते हैं?

"एक भाषा परिवार" अभिलिखित इतिहास से पूर्व एक ही पूर्वज से संबंध रखनेवालीं अलग-अलग भाषाओं को सम्मिलित करता है।

"बोली" भाषा का स्थानीय क्षेत्र में बोले जानेवाला रूप है। ध्यान देने योग्य बात यह है, कि किसी एक विशिष्ट भाषा से विविध बोलियाँ उत्पन्न हो सकती हैं। ब्रज, अवधी, हरियाणवी आदि सभी हिन्दी भाषा की बोलियाँ हैं। बोलियों को उपभाषा या सहभाषा भी कहा जाता है।

भारत के विभिन्न क्षेत्रों में बोली जानेवालीं भाषाएँ, कई भाषाओं के परिवारों से संबंधित हैं, जिनमें से अधिकतर भारतीय-आर्य भाषाओं के समूह से संबंध रखती हैं। यह भारतीय-आर्य समूह "हिंद-यूरोपीय" (Indo-European) परिवार से उत्पन्न हुआ है। हालाँकि कुछ भाषा समूह भारतीय उप-महाद्वीप के स्वदेशी समूह हैं।

वीडियो अंतर्दृष्टि

भारत की भाषा और लिपियाँ पर वैचारिक वीडियो के लिए स्कैन करें

भारतीय भाषाओं का वर्गीकरण

भारत में भाषाएँ निम्नलिखित प्रमुख उप-समूहों में वर्गीकृत हैं :

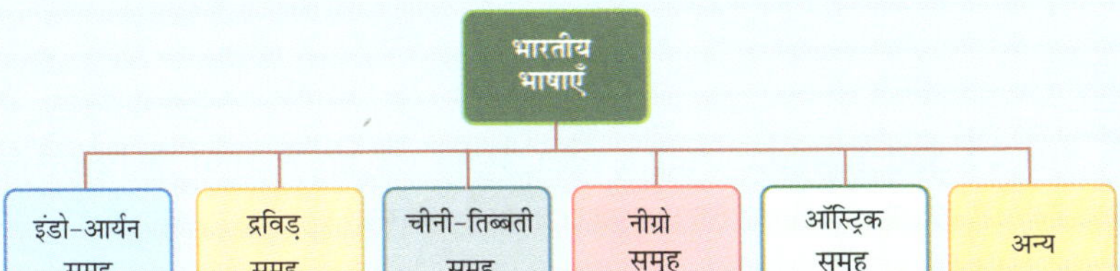

इंडो-आर्यन भाषाओं का समूह

यह बृहत्तर हिंद-यूरोपीय परिवार की शाखा है, जो आर्यों के आगमन के साथ भारत में आयी। (*इंडो-यूरोपीय भाषाएँ यूरोप, ईरानी पठार और उत्तरी भारतीय उपमहाद्वीप के विशाल बहुमत का मूल भाषा परिवार हैं*) यह भारत का सबसे बड़ा भाषा समूह है और लगभग **74 प्रतिशत** भारतीय इस समूह से संबंधित भाषाएँ बोलते हैं। इस भाषा समूह को *उत्पत्ति काल* के आधार पर पुन: *तीन उप-समूहों* में विभाजित किया गया है।

प्राचीन भारतीय-आर्य समूह

इस समूह का विकास लगभग **1500 ई.पू.** में हुआ और इसी से **संस्कृत** का जन्म हुआ था। संस्कृत का प्राचीन रूप हमें वेदों में दिखाई देता है। यहाँ तक कि उपनिषद्, पुराण और धर्मसूत्र सभी संस्कृत में लिखे गये हैं। **संस्कृत को कई भारतीय भाषाओं की जननी** कहा जा सकता है। उस समय के दौरान संस्कृत भाषा के विकास के कारण हमारी संस्कृति की विविधता और समृद्धि की समझ संभव हुई है। यह हमारे देश की **सबसे प्राचीन भाषा है** और संविधान की आठवीं अनुसूची में **सूचीबद्ध 22 भाषाओं में से एक** है।

विरासत स्मरण

प्राचीन संस्कृत : भारतीय संस्कृति के एक वाहक के रूप में

संस्कृत व्याकरण का विकास पाणिनी के समय से उनकी पुस्तक **'अष्टाध्यायी'** के साथ **ईसा पूर्व 400** में आरंभ हुआ। यह पुस्तक संस्कृत व्याकरण पर सबसे पुरानी पुस्तक है। यहाँ तक कि महायान और हीनयान सम्प्रदाय से संबंधित कुछ बौद्ध साहित्य भी संस्कृत भाषा में लिखे गये हैं। हीनयान सम्प्रदाय की पुस्तक **'महावस्तु'** कहानियों का ख़ज़ाना है और मिश्रित संस्कृत, पालि और प्राकृत में लिखी गयी है। सबसे पवित्र महायान ग्रंथ, **'ललितविस्तर सूत्र'** और अश्वघोष का **बुद्धचरित** भी संस्कृत भाषा में लिखे गये थे।

संस्कृत का प्रांजल (शुद्ध) स्वरूप 300 ई.पू. से 200 ई.पू. के बीच विकसित हुआ। यह वैदिक संस्कृत का परिष्कृत संस्करण था। संस्कृत के उपयोग का **पहला साक्ष्य** वर्तमान दक्षिणी गुजरात क्षेत्र के जूनागढ़ में रूद्रदामन के शिलालेख में पाया जा सकता है। (यह लगभग 150 ईसवी का है। इसे **गिरनार शिलालेख** के नाम से भी जाना जाता है।)

दक्षिण भारत में, सातवाहन राजा विजय (207 ईसवी में जारी किया गया) का **चेबरोलु शिलालेख** (आंध्र प्रदेश में) है। यह अब तक दक्षिण भारत के आरंभिक संस्कृत के शिलालेखों में से एक है। इसकी खोज 2019 में की गयी।

हालाँकि कविताओं में संस्कृत के उपयोग की जानकारी **गुप्त काल** से मिलती है। यह पूर्णत: शुद्ध साहित्य रचना की अवधि है, जो महाकाव्यों तथा खण्डकाव्यों के कार्यों में स्पष्ट होती है।

संस्कृत साहित्य के क्षेत्र में इस अवधि को अद्वितीय रचना काल के रूप में जाना जाता है, जिसका कारण इस शासन काल में विभिन्न प्रकार के साहित्यक कार्यों की रचना होना था। इसका एक अन्य महत्त्वपूर्ण पहलू साहित्यिक कार्यों में इसकी अलंकृत शैली से संबंधित है। गुप्तकाल के दौरान विकसित कई नाटकों को भी संस्कृत भाषा में लिखा गया था।

लेकिन ध्यान देने योग्य तथ्य यह है, कि इन अभिनयों की एक विशेषता **उच्च वर्णों के लोगों द्वारा संस्कृत भाषा का उपयोग किया जाना तथा महिलाओं और शूद्रों द्वारा प्राकृत भाषा का उपयोग किया जाना** था।

भाषाओं का मध्य इंडो-आर्यन समूह

इस उप-समूह के विकास की अवधि **ईसा पूर्व 600 से 1000 ईसवी** के बीच है और यह **प्राकृत भाषा** के विकास के साथ शुरू हुई। प्राकृत का अर्थ सहज, मूल, सामयिक (अनौपचारिक) समझा जाता है, जिससे यह प्रकट होता है कि इसे

प्रयोग करने के कोई कठोर नियम नहीं होते हैं और यह सर्वसामान्य बोली है। प्राकृत एक **व्यापक शब्द** है, जिसमें सामान्य रूप से मध्य भारतीय-आर्य समूह की सभी भाषाओं को समाहित कर लिया जाता है। **अर्द्ध-मागधी**, **पालि** (थेरवाद बौद्ध अनुयायियों द्वारा प्रयोग की गयी) **अपभ्रंश** आदि अनेक भाषाओं का मूल प्राकृत में पाया जाता है।

प्राकृत सामान्य लोगों के जीवन-यापन से संबंधित थी। वहीं दूसरी ओर, संस्कृत रूढ़िवादी थी, जिसके निश्चित नियम होते थे और इसका प्रयोग विद्वानों एवं संभ्रात लोगों, विशेष रूप से ब्राह्मणों द्वारा किया जाता था। संस्कृत की अपेक्षा प्राकृत भाषा में लिपि का विकास अपेक्षाकृत बाद में हुआ था।

प्राकृत में सम्मिलित हैं :

- **पालि :** इसे मगध में बड़े पैमाने पर बोला जाता था। यह ईसा पूर्व पाँचवीं से पहली शताब्दी के बीच लोकप्रिय थी। कुछ विद्वानों के अनुसार, पालि की उत्पत्ति उज्जैन अथवा तक्षशिला में हुई, किंतु विंध्य और उत्तर-पूर्वी क्षेत्रों में इसका विस्तार हुआ। यह संस्कृत से निकटतापूर्वक संबंधित है और इसे ब्राह्मी लिपि में लिखा जाता था। **बौद्ध धर्म के त्रिपिट्टक पालि में ही लिखे गये थे।** यह **थेरवाद बौद्ध धर्म** की सामान्य भाषा के रूप में कार्य करती है। ऐसा विश्वास किया जाता है, कि बुद्ध स्वयं पालि भाषा नहीं बोलते थे, अपितु उन्होंने अपने उपदेश **अर्द्ध-मागधी भाषा** में दिये।
- **मागधी प्राकृत या अर्द्ध-मागधी :** यह प्राकृत भाषा का सबसे महत्त्वपूर्ण प्रकार है। संस्कृत और पालि के पतन अथवा जनता से अलगाव के बाद इसका साहित्यिक उपयोग बढ़ गया। **बुद्ध और महावीर** संभवतः अर्द्ध-मागधी का उपयोग करते थे। यह कुछ महाजनपदों एवं साथ ही मौर्य राजवंश के दरबार की भाषा थी। अनेक जैन ग्रंथों एवं अशोक के शिलालेखों को भी अर्द्ध-मागधी में लिखा गया था। यह बाद में पूर्वी भारत की भाषाओं अर्थात् बंगाली, असमिया, उड़िया, मैथिली, भोजपुरी आदि में विकसित हुई।
- **शौरसेनी :** इसे मध्यकालीन भारत में **नाटक लिखने** के लिए व्यापक रूप से उपयोग किया जाता था। इसे **नाटकीय प्राकृत भाषा** भी कहा जाता है। यह उत्तरी भारतीय भाषाओं की पूर्ववर्ती है। **जैन साधुओं** ने मुख्य रूप से प्राकृत को इस प्रकार में लिखा। दिगंबर जैनों के सबसे प्राचीन ग्रन्थ **'षट्खंडागम'** का लेखन शौरसेनी में किया गया है।
- **महाराष्ट्री प्राकृत :** नौवीं ईसवी शताब्दी तक बोली जानेवाली यह भाषा मराठी और कोंकणी की पूर्ववर्ती थी। पश्चिमी और दक्षिणी भारत में इसका व्यापक उपयोग किया जाता था। यह **सातवाहन राजवंश की आधिकारिक भाषा** थी। इसमें अनेक नाटकों का लेखन किया गया था, जैसे-राजा हाल द्वारा 'गाहा कोश', वाक्पति द्वारा गौडवहो' (राजा गौड का वध)।
- **इलु :** श्रीलंका की आधुनिक **सिंहल भाषा** का प्राचीन रूप (यह पालि के समान) है।
- **पैशाची :** इसे **भूत-भाषा** (मृत भाषा) भी कहा जाता है और इसे प्रायः प्राकृत और साथ-साथ कम महत्त्व का माना जाता है। गुणाढ्य की **बृहत्कथा** (छठी शताब्दी) नामक प्राचीन महाकाव्य पैशाची भाषा में लिखी गयी है। प्राकृत भाषा की व्याकरण पुस्तक, **प्राकृत प्रकाश** में पैशाची प्राकृत को एक अध्याय समर्पित है, जिसका श्रेय **वररुचि** को दिया जाता है।

अपभ्रंश : छठी-सातवीं शताब्दी ईसवी तक, 'अपभ्रंश' (भ्रष्ट या ग़ैर-व्याकरणीय) का विकास हो गया था। अपभ्रंश एक समावेशी शब्द है, जो **संस्कृत अथवा यहाँ तक कि प्राकृत के अतिरिक्त अन्य सभी बोलियों** को समाविष्ट करती है। यह मध्य से आधुनिक इंडो-आर्यन समूह की भाषाओं में संक्रमण को दर्शाती है।

अपभ्रंश धीरे-धीरे साहित्यिक भाषा बन गयी एवं अनेक ग्रंथों, कथाओं आदि के लेखन में इसका उपयोग किया गया। सातवीं शताब्दी ईसवी तक, अपभ्रंश ने अपनी पहचान विकसित कर ली थी। इसे इस तथ्य से उजागर किया जा सकता है कि छठीं या सातवीं शताब्दी ईसवी में कश्मीर के विख्यात कवि **भामह** ने कविता को संस्कृत, प्राकृत एवं अपभ्रंश में विभाजित किया साथ ही संस्कृत के प्राचीन साहित्यकार **दण्डी** ने भी कहा था, कि अपभ्रंश सामान्यजन की भाषा है। कई जैन मुनियों और विद्वानों ने अपभ्रंश में बड़े पैमाने पर लेखन कार्य किया और इसका संरक्षण किया। इसके प्रमुख ग्रंथ और लेखक हैं- पुष्पदन्त का **महापुराण** (दिगम्बर जैन ग्रंथ), धनपाल का **भविसयत्तकहा** आदि।

आधुनिक इंडो-आर्यन समूह

इस समूह से संबंधित भाषाएँ *हिन्दी, असमिया, बांग्ला, गुजराती, मराठी, पंजाबी, राजस्थानी, सिंधी, ओडिया तथा* उर्दू इत्यादि हैं। इस उप-वर्ग की भाषाएँ **1000 ईसवी के बाद** विकसित हुईं। इन भाषाओं को मुख्य रूप से भारत के उत्तरी, पश्चिमी और पूर्वी भागों में बोला जाता है।

क्या आप जानते हैं? **रोमनी** एक इंडो-आर्यन भाषा है, जो बाल्कन भाषा समूह का हिस्सा है। यह एकमात्र नयी इंडो-आर्यन भाषा है, जो विशिष्ट रूप से भारतीय उपमहाद्वीप के बाहर बोली जाती है।

विरासत स्मरण

बंगाली भाषा आंदोलन

पाकिस्तान बनने के बाद, 1948 के आरंभ में पूर्वी पाकिस्तान के निवासियों ने यह देखा कि मनी ऑर्डर का फ़ॉर्म केवल उर्दू भाषा में था। उसमें बांग्ला भाषा को सम्मिलित नहीं किया गया था। मनी ऑर्डर का प्रयोग डाक घर के माध्यम से पैसे भेजने में किया जाता था। इसके कारण **पूर्वी पाकिस्तान** में बंगाली भाषा आंदोलन आरंभ हुआ।

बांग्ला को राष्ट्रीय भाषा (उर्दू के साथ) के रूप में सम्मिलित करने की माँग, पहली बार पूर्वी पाकिस्तान के **धीरेंद्रनाथ दत्ता** ने 1948 में पाकिस्तान की संविधान सभा में उठायी। 21 फ़रवरी, 1952 को पुलिस ने रैली पर गोलियाँ चलायीं, जिससे अपनी मातृभाषा के लिए लोगों ने बलिदान दिया। वर्षों के संघर्ष के बाद, केंद्र सरकार ने 1956 में बंगाली भाषा को आधिकारिक भाषा का दर्जा दिया।

1999 में UNESCO ने **21 फ़रवरी** को **अंतरराष्ट्रीय मातृभाषा दिवस** के रूप में घोषित किया। इसका उद्देश्य भाषाई और सांस्कृतिक विविधता के साथ-साथ बहुभाषावाद को भी बढ़ावा देना था। इस दिवस को औपचारिक रूप से 2002 में संयुक्त राष्ट्र द्वारा मान्यता दी गयी। **2008** को **अंतरराष्ट्रीय भाषा वर्ष** घोषित किया गया।

द्रविड़ समूह

इस समूह में मुख्य रूप से भारत के दक्षिणी भागों में बोली जानेवालीं भाषाएँ सम्मिलित हैं। लगभग **25%** भारतीय जनसंख्या इस समूह में सम्मिलित है। आद्य द्रविड़ भाषा से 21 द्रविड़ भाषाएँ उत्पन्न हुईं। कुछ विद्वानों के अनुसार, द्रविड़ भाषाओं का उद्‌भव प्राकृत और पैशाची भाषा से हुआ है। वे नेग्रिटो भाषाओं के साथ भी मिश्रित हो गयीं। द्रविड़ समूह को सामान्यत: ***तीन समूहों*** में वर्गीकृत किया जा सकता है- उत्तरी समूह, केन्द्रीय समूह और दक्षिणी समूह।

उत्तरी समूह

इसमें *तीन भाषाएँ* सम्मिलित हैं, अर्थात् **ब्राहुई, माल्टो** और **कुरुख़**। ब्राहुई बलूचिस्तान में बोली जाती है, माल्टो बंगाल और ओडिशा के आदिवासी क्षेत्रों जबकि कुरुख़ बंगाल, ओडिशा, बिहार और मध्य प्रदेश में बोली जाती है।

केन्द्रीय समूह

इसमें *ग्यारह भाषाएँ* सम्मिलित हैं, अर्थात् गोण्डी, खोण्ड, कुई, मण्डा, पर्जी, गडबा, कोलामी, पैंगो, नैकी, कुवी और **तेलुगु**। केवल तेलुगु एक लोकप्रिय भाषा बनी और इसे आंध्र प्रदेश तथा तेलंगाना राज्यों में बोला जाता है, जबकि अन्य जनजातीय भाषाएँ हैं।

दक्षिणी समूह

इस समूह में *सात भाषाएँ* सम्मिलित हैं। ये **कन्नड़, तमिल, मलयालम, तुलु, कोडगु, टोडा** और कोटा हैं। इन सब में **तमिल** सबसे पुरानी है।

अतः, इन 21 भाषाओं के बीच, द्रविड़ समूह की **चार प्रमुख भाषाएँ** हैं :

- **तेलुगु** (संख्यात्मक रूप से सभी द्रविड़ भाषाओं में सबसे बड़ी)।
- **तमिल** (द्रविड़ भाषा का सबसे पुराना और शुद्धतम रूप)।
- **कन्नड़**
- **मलयालम** (द्रविड़ समूह की सबसे छोटी और नवीनतम भाषा)

तुलु भाषा

तुलु एक द्रविड़ भाषा है, जो मुख्य रूप से दक्षिण कन्नड़ और कर्नाटक के उडुपी और केरल के कासरगोड ज़िले के उत्तरी हिस्सों में बोली जाती है। तुलु के मूल वक्ताओं को तुलुवा या तुलु लोग कहा जाता है और भौगोलिक क्षेत्र को अनौपचारिक रूप से तुलुनाडु कहा जाता है।

तुलु को **परदाना** नामक महाकाव्य में कविताओं के रूप में इसके मौखिक साहित्य और पारंपरिक लोकनाट्य **यक्षगान** के लिए जाना जाता है।

संस्कृति संक्षेपण

पूर्व की इतालवी : तेलुगु भाषा को 'पूर्व की इतालवी' कहा जाता है। यह उपनाम इसकी मधुर और लयबद्ध विशेषताओं के कारण है, जो इतालवी भाषा की विशेषताओं से मिलती-जुलती है। उल्लेखनीय है, कि इतालवी भाषा अपनी संगीतमय प्रकृति के लिए प्रसिद्ध है। इस शब्द का प्रयोग पंद्रहवीं शताब्दी के इतालवी खोजकर्ता **निकोलो डी कोंटी** ने किया था, जिन्होंने पाया कि तेलुगु शब्द अक्सर इतालवी शब्दों की तरह स्वर ध्वनियों से समाप्त होते हैं।

अन्य उल्लेखनीय तथ्य

परीक्षोपयोगी

- पल्लव वंश **के शासनकाल में तमिल** दक्षिण भारतीय अभिलेखों की एक महत्त्वपूर्ण भाषा बन गयी। सातवीं शताब्दी के बाद से द्विभाषी तमिल-संस्कृत पल्लव अभिलेखों के उदाहरण मिलते हैं।
- **चोल और पांड्य** राजवंशों के राजाओं ने भी तमिल और द्विभाषी संस्कृत-तमिल अभिलेख जारी किये।
- **सबसे प्राचीन कन्नड़ अभिलेख** छठी शताब्दी के अंत/सातवीं शताब्दी के प्रारंभ के हैं।
- बारहवीं शताब्दी का एक **अभिलेख, कुर्गोड** (कर्नाटक) से प्राप्त हुआ है, जो तीन भाषाओं - **संस्कृत, प्राकृत और कन्नड़** में है।
- छठी शताब्दी के उत्तरार्ध में **प्रारंभिक तेलुगु चोल राजाओं** के अभिलेख, शिलालेखों की भाषा के रूप में **तेलुगु की शुरुआत** का संकेत देते हैं।
- नौवीं शताब्दी का **कोल्लम ताम्रपत्र** अधिकांशतः तमिल में है और वट्टेलुत्तु लिपि में अंकित है, जिसमें कुछ शब्द ग्रंथ लिपि में हैं। हालाँकि, छठी पट्ट पर तीन भाषाओं और लिपियों में - **कुफिक लिपि में लिखी अरबी; पहलवी; हिब्रू लिपि में लिखी यहूदी-फ़ारसी** गवाहों के हस्ताक्षर हैं।

चीनी-तिब्बती समूह

इस समूह की भाषाएँ मंगोलियाई परिवार से संबंधित हैं और सम्पूर्ण हिमालय, उत्तरी बिहार, उत्तरी बंगाल, असम और देश की उत्तर-पूर्वी सीमाओं तक पायी जाती हैं। ये भाषाएँ भारतीय-आर्य भाषाओं से अधिक पुरानी मानी जाती हैं और सर्वाधिक

पुराने संस्कृत साहित्य में इसका उल्लेख '*किरात*' के रूप में हुआ। 0.6% प्रतिशत भारतीय जनसंख्या इस समूह से संबंधित भाषाएँ बोलती है।

चीनी-तिब्बती समूह को पुनः निम्नलिखित समूहों में विभाजित किया जाता है:

- तिब्बती बर्मन
- स्यामी चीनी

तिब्बती-बर्मन

तिब्बती-बर्मन समूह की भाषाओं को पुनः चार समूहों में विभाजित किया जाता है :

(a) *तिब्बती :* सिक्किमी, भूटिया, बाल्टी, शेरपा, लाहौली और लद्दाखी

(b) *हिमालयी :* किन्नौरी और लिम्बू

(c) *उत्तरी असम :* अबोर, मिरी, अका, दाफला और मिश्मी

(d) कुकी, गारो, बोडो, मिकिर, नागा आदि। *मैतेई (Meitei)* इस उप-समूह के अंतर्गत बोली जानेवाली सबसे महत्त्वपूर्ण भाषा है। मैतेई मुख्यतः मणिपुर में बोली जाती है।

स्यामी-चीनी

इस समूह से संबंधित एक भाषा ***अहोम*** है। हालाँकि यह भाषा भारतीय उप-महाद्वीप से विलुप्त हो गयी है।

आस्ट्रिक

इस समूह की भाषाएँ *आस्ट्रो-एशियाई* उप-परिवार से संबंधित हैं, जिनमें **मुण्डा** और **कोल** समूह की भाषाएँ आती हैं तथा मध्य, पूर्वी और उत्तर-पूर्वी भारत में बोली जाती हैं। उनमें से कुछ **मोन-ख्मेर समूह** से भी संबंधित हैं, जैसे- **खासी** और **निकोबारी**।

इन भाषाओं का अस्तित्त्व आर्यों के आगमन के बहुत पहले से रहा है और इन्हें प्राचीन संस्कृत साहित्य में **"निषाद"** के रूप में संदर्भित किया जाता था।

इस समूह के अंतर्गत सबसे महत्त्वपूर्ण भाषा **संथाली** है, जो झारखण्ड, बिहार और बंगाल के संथाल आदिवासियों द्वारा बोली जाती है।

खासी और **संथाली** के अलावा भारतीय क्षेत्र में सभी आस्ट्रिक-एशियाई भाषाएँ *लुप्तप्राय* हैं।

क्या आप जानते हैं?

भारतीय-आर्य समूह और *द्रविड़ समूह* की भाषाओं में अंतर :

1. इन दो भाषा परिवारों में *मूल शब्द* भिन्न हैं।
2. दोनों समूहों में व्याकरणीय संरचना भिन्न है।
   (a) द्रविड़ परिवार की भाषाओं की व्याकरणीय संरचना *संश्लिष्ट (agglutinative)* है, अर्थात् इसका संयोजन इस प्रकार का है, जिसमें मूल शब्द इस प्रकार संयुक्त रूप बनाये रखते हैं कि न तो शब्दों की हानि होती है और न ही उनके रूप में परिवर्तन होता है।
   (b) भारतीय-आर्य समूह की भाषाओं की व्याकरणीय संरचना शिलष्टयोगात्मक या विभक्तिप्रधान होने के चलते *बदलती* रहती है, अर्थात् शब्दों का अन्त या इनकी वर्तनी (शब्दरूप) वाक्य में इनके प्रकार्य के अनुसार परिवर्तित होती रहती है।

अन्य

यह समूह अनेक द्रविड़ आदिवासी भाषाओं, जैसे–गोण्डी, ओराँव, प्रजी इत्यादि को सम्मिलित करता है, जो बहुत भिन्न हैं और उपर्युक्त उल्लिखित समूहों में वर्गीकृत नहीं की जा सकतीं।

भारत की आधिकारिक भाषाएँ ------------→ परीक्षोपयोगी

भारतीय संविधान के **अनुच्छेद 343(1)** के अनुसार ''संघ सरकार की **राजभाषा देवनागरी लिपि** के साथ हिन्दी होगी।'' जब तक संसद अन्यथा तय न करे, सरकारी प्रयोजनों के लिए अँगरेज़ी का उपयोग संविधान प्रभावी होने के 15 वर्षों के बाद अर्थात् 26 जनवरी, 1965 तक जारी रहेगा। इसका अर्थ है कि भारतीय संविधान के लागू/प्रारंभ होने के 15 वर्ष पश्चात् हिंदी राजभाषा के रूप में अँगरेज़ी का स्थान ले लेगी। हालाँकि, संसद यह निर्धारित कर सकती है कि राजभाषा के रूप में अँगरेज़ी का प्रयोग किया जाए या नहीं।

इस संवैधानिक प्रविधान के जारी होने की वजह से गै़र-हिंदी भाषी समुदायों द्वारा देश भर में राज-भाषा को परिवर्तित कर अँगरेज़ी से हिन्दी करने के विरुद्ध **विरोध प्रदर्शन** किये गये।

इस विरोध के परिणामस्वरूप **राजभाषा अधिनियम 1963** प्रभाव में आया। यह अधिनियम **देवनागरी लिपि में हिन्दी** को संघ की राजभाषा के रूप में निर्धारित करता है। **अँगरेज़ी** को संघ की '**सहायक राजभाषा**' की प्रस्थिति प्रदान की गयी है।

भारत के संविधान ने प्रत्येक भारतीय राज्य के लिए राज्य स्तर पर संचार-व्यवस्था हेतु अपनी राजभाषा चयन करने का प्रावधान भी निर्मित किया था। संविधान की आठवीं अनुसूची में कई भाषाएँ सूचीबद्ध हैं, जिन्हें राज्यों द्वारा आधिकारिक प्रयोजन हेतु प्रयोग किया जा सकता है।

प्रारंभ में आठवीं अनूसुची के अंतर्गत निम्नलिखित *14 भाषाएँ* चयनित की गयीं थीं :

- *असमिया*
- *बांग्ला*
- *गुजराती*
- *हिंदी*
- *कन्नड़*
- *कश्मीरी*
- *मलयालम*
- *मराठी*
- *ओडिया*
- *पंजाबी*
- *संस्कृत*
- *तमिल*
- *तेलुगु*
- *उर्दू*

बाद में 1967 के *21वें संविधान संशोधन अधिनियम* द्वारा पंद्रहवीं भाषा के रूप में **सिन्धी** को सम्मिलित किया गया। 71वें संशोधन अधिनियम, 1992 द्वारा तीन और भाषाओं को सम्मिलित किया गया। ये भाषाएँ **कोंकणी, मणिपुरी तथा नेपाली** थीं। 92वें संशोधन अधिनियम, 2003 ने चार और भाषाओं को आठवीं अनुसूची में सम्मिलित किया। ये भाषाएँ **बोडो, मैथिली, डोगरी** तथा **संथाली** हैं।

अतः भारतीय संविधान की आठवीं अनुसूची के अंतर्गत वर्तमान में **कुल 22 भाषाएँ** सूचीबद्ध हैं।

क्या आप जानते हैं?

- भारत की कोई **राष्ट्र भाषा नहीं** है। हिन्दी राष्ट्र भाषा नहीं है। संविधान या कोई अधिनियम 'राष्ट्र भाषा' शब्द की व्याख्या नहीं करता। संविधान में हिन्दी के लिए 'राजभाषा' शब्द का उल्लेख है।
- संविधान, राज्यों के लिए उनके आधिकारिक कार्यों के संचालन हेतु राजभाषा निर्दिष्ट नहीं करता। **राज्य इसे स्वयं निर्धारित कर अपनाने हेतु स्वतंत्र हैं।**
- यह अनिवार्य **नहीं** है, कि राज्यों द्वारा अपनायी जानेवाली भाषा आठवीं अनुसूची में सूचीबद्ध हो, अनेक राज्यों ने ऐसी भाषा को राजभाषा के रूप में अपनाया है, जो आठवीं अनुसूची में सूचीबद्ध नहीं है।

  उदाहरण:
  - त्रिपुरा – कोक्बोरोक (चीनी-तिब्बतन परिवार से संबधित)
  - पुडुचेरी - फ़्रांसीसी
  - मिज़ोरम - मिज़ो
- भारतीय संविधान की आठवीं अनुसूची के अनुसार **22 अनुसूचित भाषाओं की सूची में अँगरेज़ी नहीं है।**
- **अरुणाचल प्रदेश** और **नागालैंड** ऐसे राज्य हैं, जिनकी **एकमात्र** राजभाषा **अँगरेज़ी** है।

शास्त्रीय भाषा का दर्जा ----------> परीक्षोपयोगी

भारत सरकार द्वारा वर्ष 2004 में घोषित किया गया, जो भाषाएँ कुछ निश्चित मापदंडों को पूरा करेंगी उन्हें 'भारत की शास्त्रीय भाषा' (Classical Language of India) का दर्जा प्रदान किया जायेगा।

मापदंड

भाषाओं को ''शास्त्रीय भाषाओं'' में वर्गीकृत करने हेतु उनकी पात्रता का निर्धारण करने के लिए निम्नलिखित **मापदण्ड** निर्धारित किये गये :

1. इनके प्रारंभिक ग्रंथों तथा अभिलिखित इतिहास की प्राचीनता 1500-2000 वर्षों से भी अधिक की अवधि की होनी चाहिए।
2. प्राचीन साहित्य/ग्रन्थों का एक समूह, जो बोलनेवालों की पीढ़ियों द्वारा अमूल्य विरासत माना जाता है;
3. साहित्यिक परंपरा मूलभूत हो और किसी अन्य भाषिक समुदाय से अपनायी हुई न हो;
4. शास्त्रीय भाषा और इसके परवर्ती रूपों तथा उसकी उप-शाखाओं में अनिरंतरता हो सकती है, जिसका कारण शास्त्रीय भाषा और उसके साहित्य का आधुनिक की अपेक्षा भिन्न रूप का होना है।

अभी तक निम्नलिखित भाषाओं को शास्त्रीय भाषा **घोषित या निर्धारित** किया गया है :

- वर्ष 2004 में **तमिल**
- वर्ष 2005 में **संस्कृत**
- वर्ष 2008 में **तेलुगु**
- वर्ष 2008 में **कन्नड़**
- वर्ष 2013 में **मलयालम**
- वर्ष 2014 में **ओडिया**
- वर्ष 2024 में **मराठी**
- वर्ष 2024 में **पाली/पालि**
- वर्ष 2024 में **प्राकृत**
- वर्ष 2024 में **असमिया/असमी**
- वर्ष 2024 में **बंगाली**

लाभ

भारत सरकार द्वारा स्वीकृत प्रस्ताव यह बताता है कि ''शास्त्रीय भाषा'' के रूप में निर्धारित भाषा को निम्नलिखित लाभ प्राप्त होंगे :

- शास्त्रीय भाषाओं के प्रतिष्ठित विद्वानों को दो प्रमुख अंतरराष्ट्रीय पुरस्कार वार्षिक रूप से प्रदान किये जायेंगे।
- 'शास्त्रीय भाषाओं में अध्ययन के लिए उत्कृष्टता केंद्र' की स्थापना की जायेगी।
- विश्वविद्यालय अनुदान आयोग से निवेदन किया जायेगा, कि कम-से-कम केन्द्रीय विश्वविद्यालयों में शास्त्रीय भाषा का व्यावसायिक अध्यापन कराने हेतु प्रतिष्ठित विद्वानों के लिए निश्चित पदों का सृजन किया जाना चाहिए।

राष्ट्रीय शिक्षा नीति (एनईपी) 2020 एक **अतिरिक्त विकल्प** के रूप में, विद्यालयों में शास्त्रीय भाषाओं के अध्ययन पर ज़ोर देती है। एनईपी के अनुसार, 'संस्कृत के अलावा, तमिल, तेलुगु, कन्नड़, मलयालम, उड़िया, पालि, फ़ारसी और प्राकृत सहित भारत की अन्य सभी शास्त्रीय भाषाओं और साहित्य का शिक्षण भी विद्यालयों में विकल्प के रूप में व्यापक रूप से उपलब्ध होगा'।

संस्कृति संक्षेपण

राष्ट्रीय अनुवाद मिशन (National Translation Mission)

राष्ट्रीय अनुवाद मिशन (एन.टी.एम.) भारतीय भाषाओं में बौद्धिक ग्रंथों को छात्रों और शिक्षाविदों के लिए सुलभ बनाकर उच्च शिक्षा को सुसाध्य करने हेतु भारत सरकार की योजना है। एन.टी.एम. का लक्ष्य अनुवाद के माध्यम से संविधान की आठवीं अनुसूची में सूचीबद्ध सभी *22 भाषाओं* में ज्ञान का प्रसार करना है।

वर्तमान में, एन.टी.एम. उच्च शिक्षा से संबंधित सम्पूर्ण शिक्षण सामग्री का **22 भारतीय भाषाओं** में अनुवाद करने में संलग्न है।

एक भाषा का अंत

1971 की जनगणना के बाद, भारत सरकार द्वारा घोषित किया गया कि 10,000 से कम लोगों द्वारा बोली जानेवाली किसी भी स्वदेशी भाषा को अब भारत की आधिकारिक भाषाओं की सूची में सम्मिलित नहीं किया जायेगा। UNESCO के अनुसार, 10,000 से कम लोगों द्वारा बोली जानेवाली कोई भी भाषा संभावित रूप से ख़तरे में है।

अधिकांश लुप्त होतीं भाषाएँ देश भर में फैले मूलनिवासी जनजातीय समूहों से संबंधित हैं। उनमें से कुछ महाराष्ट्र, कर्नाटक और तेलंगाना में ख़ानाबदोश लोगों द्वारा बोली जानेवालीं भाषाएँ हैं।

क्या आप जानते हैं?

लिंगुआ फ्रेंका (Lingua Franca)

लिंगुआ फ्रेंका (Lingua franca), जिसे **सेतु भाषा**, सामान्य भाषा, व्यापार भाषा या वाहक भाषा भी कहा जाता है, यह किसी **देशी भाषा या बोली को साझा न करनेवाले व्यक्तियों के बीच संवाद संभव करने हेतु** व्यवस्थित रूप से प्रयोग की जानेवाली भाषा या बोली है एवं विशिष्ट रूप से जब यह दोनों स्थानीय भाषाओं से भिन्न कोई **तीसरी भाषा** हो।

सामान्य बोलचाल की भाषा विश्व में सम्पूर्ण मानव इतिहास के दौरान विकसित हुई। यह कभी-कभी वाणिज्यिक प्रयोजनों के साथ ही सांस्कृतिक, धार्मिक, राजनयिक और प्रशासनिक सुविधा और वैज्ञानिकों तथा विभिन्न राष्ट्रीयता के अन्य विद्वानों के बीच सूचना विनिमय के माध्यम के रूप में भी विकसित होती रही है। इसका सबसे अच्छा उदाहरण **अँगरेज़ी** भाषा है।

भारत की लुप्तप्राय एवं विलुप्त भाषाएँ

परीक्षोपयोगी

जब किसी भाषा को कोई बोलनेवाला नहीं रहता है और उसका उपयोग बंद हो जाता है, तो इससे सामाजिक और सांस्कृतिक हानि होती है। ऐतिहासिक रूप से भाषा की हानि एक वास्तविकता रही है। किसी भाषा के मूल वक्ता सामाजिक और आर्थिक आवश्यकताओं के अनुसार अपनी भाषा से दूसरी भाषा की ओर पलायन करते रहते हैं। इस प्रवासन में, यदि वे अपनी मूल भाषा का उपयोग सम्पूर्ण रूप से बंद कर देते हैं, तो अंतर-पीढ़ीगत अवधि में भाषा विलुप्त होती है।

UNESCO ख़तरे में पड़ी भाषाओं की पहचान करने और भाषाओं को विलुप्ति के ख़तरे से संरक्षण देने के लिए, 1996 से **ख़तरे में विश्व भाषाओं का एटलस** (Atlas of the World Languages in Danger) जारी कर रहा है।

वर्ल्ड एटलस ऑफ़ लैंग्वेजेज़ (डब्ल्यूएएल) एक परस्पर संवादात्मक और गत्यात्मक ऑनलाइन साधन है, जो दुनिया के देशों और भाषाओं में भाषा की स्थिति के विभिन्न पहलुओं और विशेषताओं का दस्तावेज़ीकरण करता है। इसका उद्देश्य अपने सामाजिक-सांस्कृतिक और सामाजिक-राजनैतिक संदर्भों में संचार उपकरण और ज्ञान संसाधनों के रूप में भाषाओं को विस्तृत रूप से अभिलिखित करना है।

UNESCO विश्व एटलस में **'सुरक्षित'** (लुप्तप्राय नहीं) और **'विलुप्त'** के बीच ख़तरे के 4 स्तर हैं, जो इस प्रकार हैं -

1. असुरक्षित, 2. निश्चित रूप से लुप्तप्राय, 3. गंभीर रूप से लुप्तप्राय और 4. गंभीर रूप से संकटग्रस्त।

डब्ल्यूएएल के अनुसार, **भारत में 197 भाषाएँ हैं** - जो इस सूची में लुप्तप्राय, अतिसंवेदनशील या विलुप्त हैं। इनमें से, 5 भाषाएँ विलुप्त हो चुकी हैं, 42 गंभीर रूप से लुप्तप्राय हैं, 7 अत्यधिक रूप से लुप्तप्राय हैं, 62 निश्चित रूप से लुप्तप्राय हैं और 81 अतिसंवेदनशील हैं। यह दुनिया के किसी भी देश में ख़तरे में पड़ी भाषाओं की सबसे उच्च संख्या है।

भारत की पाँच विलुप्त भाषाएँ निम्नलिखित हैं :

1. **अका-बो :** अंडमान द्वीप समूह पर बोली जानेवाली एक अंडमानी भाषा। इसके अंतिम वक्ता का वर्ष 2010 में निधन हो गया।
2. **अका-कारी :** अंडमान द्वीप समूह की एक और महान् अंडमानी भाषा, जिसके अंतिम वक्ता का वर्ष 2020 में निधन हो गया।
3. **अहोम :** असम में ऐतिहासिक रूप से बोली जानेवाली एक ताई भाषा।
4. **पजेह :** भारत में ऐतिहासिक रूप से बोली जानेवाली एक ऑस्ट्रोनेशियन भाषा, हालाँकि इसके अंतिम वक्ता का वर्ष 2010 में ताइवान में निधन हो गया।
5. **कोंडा-डोरा :** आंध्र प्रदेश में कोंडा-डोरा जनजाति द्वारा बोली जानेवाली एक द्रविड़ भाषा।

भाषाओं के संवर्धन और संरक्षण हेतु सरकार की पहल

भारत सरकार ने अपनी भाषाई विविधता को बढ़ावा देने और संरक्षित करने के लिए कई कार्यक्रम शुरू किये हैं, जिनमें प्रौद्योगिकी का लाभ उठाने और स्वदेशी भाषाओं को पुनर्जीवित करने पर विशेष ध्यान दिया गया है। आरंभ की गयीं प्रमुख पहलों में निम्नलिखित शामिल हैं :

- **आदि वाणी :** वर्ष 2025 में लॉन्च किया जानेवाला यह AI टूल हिंदी, अंगरेज़ी और कई आदिवासी भाषाओं के बीच रीयल-टाइम टेक्स्ट और स्पीच ट्रांसलेशन की सुविधा प्रदान करता है। IIT दिल्ली के नेतृत्ववाले एक संघ द्वारा विकसित, यह टूल आदिवासी भाषाई विरासत को डिजिटल बनाने और संरक्षित करने के व्यापक प्रयास का हिस्सा है।
- **भाषिणी :** यह **वर्ष 2022** में लॉन्च किया गया एक AI-संचालित **अनुवाद मिशन** है। इसका उद्देश्य भाषा संबंधी बाधाओं को दूर करना और सभी नागरिकों के लिए डिजिटल समावेशन सुनिश्चित करना है। इसमें कई भारतीय भाषाओं में रीयल-टाइम अनुवाद को सक्षम करने के लिए अनुवाद (टेक्स्ट), वाणी अनुवाद (स्पीच-टू-स्पीच) और चित्रानुवाद (वीडियो) जैसी सेवाएँ शामिल हैं।
- **भारतवाणी पोर्टल :** केंद्रीय भारतीय भाषा संस्थान (CIIL) द्वारा प्रबंधित एक व्यापक बहुभाषी ज्ञान पोर्टल और मोबाइल ऐप। यह 100 से अधिक भारतीय भाषाओं में असंख्य शब्दकोशों और अन्य संसाधनों तक डिजिटल पहुँच प्रदान करता है।
- **दीक्षा और स्वयं :** ये डिजिटल शिक्षा प्लेटफ़ॉर्म कई भारतीय भाषाओं में ऑनलाइन पाठ्यक्रम और शिक्षण सामग्री प्रदान करते हैं। उदाहरण के लिए, दीक्षा में 33 भाषाओं और भारतीय सांकेतिक भाषा में सामग्री उपलब्ध है, जबकि एआईसीटीई और यूजीसी ने तकनीकी पाठ्यक्रम पुस्तकों के अनुवाद के लिए अनुवादिनी जैसे उपकरणों का उपयोग किया है।

भाषाओं की शिक्षा और संवर्धन

राष्ट्रीय शिक्षा नीति (एनईपी) 2020 : यह नीति कम-से-कम कक्षा 5 तक और अधिमानतः कक्षा 8 तक, घरेलू भाषा या मातृभाषा में शिक्षण पर ज़ोर देती है। यह पूरे स्कूल और उच्च शिक्षा में भारतीय भाषा अधिगम (लर्निंग) के एकीकरण को भी बढ़ावा देती है।

भाषा संगम : संविधान की आठवीं अनुसूची में सूचीबद्ध सभी 22 भाषाओं से स्कूली छात्रों को परिचित कराने की एक पहल। स्कूल 22 कार्य दिवसों तक प्रतिदिन एक नयी भाषा से सरल संवाद प्रस्तुत करके भाषाई विविधता का समारोह मनाते हैं।

संस्कृति संक्षेपण

भाषाई विविधता सूचकांक (Linguistic Diversity Index)

भाषाई विविधता सूचकांक किसी देश में **बोली जानेवालीं भाषाओं की विविधता को मापता है**। पैमाना 0 से 1 तक होता है। जबकि 0 का सूचकांक किसी भाषाई विविधता को नहीं दर्शाता है, अर्थात् प्रत्येक व्यक्ति एक ही भाषा बोलता है, 1 का सूचकांक कुल-मिलाकर विविधता को दर्शाता है, जिसका अर्थ है कि कोई भी दो लोग एक ही भाषा नहीं बोलते हैं। किसी भी देश का सूचकांक मान बिल्कुल 0 या 1 नहीं है।

विश्व की भाषाओं की सबसे व्यापक सूची **एथनोलॉग** के अनुसार, आज विश्व में लगभग 7,000 भाषाएँ बोली जाती हैं। इनमें से केवल कुछ भाषाएँ (359) ही वास्तविकता में वैश्विक हैं, जो लाखों लोगों द्वारा बोली जाती हैं, जिनमें मंदारिन चीनी, अँगरेज़ी, स्पेनिश और हिंदी शामिल हैं। शेष भाषाओं का दायरा और भी सीमित है तथा कई भाषाओं को विलुप्ति का ख़तरा है। दिलचस्प बात यह है कि दुनिया की 94 प्रतिशत आबादी अपनी 6 प्रतिशत भाषाएँ बोलती है, जबकि दुनिया की 6 प्रतिशत आबादी अपनी 94 प्रतिशत भाषाएँ बोलती है।

भारतीय भाषाओं की बोलियाँ

भारतीय भाषाओं की बोलियाँ (dialects) महत्त्वपूर्ण क्षेत्रीय और सांस्कृतिक विविधता प्रदर्शित करती हैं, जिनमें प्रत्येक प्रमुख भाषा के विभिन्न स्थानीय रूप होते हैं जो उच्चारण, शब्दावली और व्याकरण की दृष्टि से काफ़ी भिन्न हो सकते हैं।

प्रमुख भारतीय भाषाओं में बोलियों की विविधता

भाषा का नाम	विवरण
हिंदी	हिंदी में कई बोलियाँ शामिल हैं, जिन्हें सामान्यतः पश्चिमी, पूर्वी, राजस्थानी, बिहारी और पहाड़ी श्रेणियों में वर्गीकृत किया जा सकता है। इनकी चर्चा नीचे की गयी है : **a. पश्चिमी हिंदी** **खड़ी बोली :** हिंदी का मानक या औपचारिक रूप मानी जानेवाली यह बोली दिल्ली और पश्चिमी उत्तर प्रदेश के आसपास के क्षेत्रों में बोली जाती है। **ब्रज भाषा :** ऐतिहासिक महत्त्व की यह बोली ब्रज क्षेत्र (मथुरा तथा आगरा) में बोली जाती है और अपनी मधुर गुणवत्ता और साहित्यिक महत्त्व के लिए प्रसिद्ध है। **बुंदेली :** यह बोली मध्य प्रदेश और उत्तर प्रदेश के बुंदेलखंड क्षेत्र में प्रचलित है। **हरियाणवी :** मुख्य रूप से हरियाणा और दिल्ली के कुछ हिस्सों में बोली जाती है। **कन्नौजी :** उत्तर प्रदेश के कन्नौज क्षेत्र की मूल स्थानिक हिंदी की एक बोली। **b. पूर्वी हिन्दी** **अवधी :** उत्तर प्रदेश के अवध क्षेत्र में बोली जाती है। **बघेली :** मध्य प्रदेश और उत्तर प्रदेश के बघेलखंड क्षेत्र में इस्तेमाल की जाती है। **छत्तीसगढ़ी :** छत्तीसगढ़ में मुख्य रूप से बोली जाती है। **c. राजस्थानी** राजस्थान में मारवाड़ी, मेवाड़ी, जयपुरी, मेवाती और मालवी सहित निकट रूप से संबंधित बोलियों का संग्रह पाया जाता है। **d. बिहारी** **भोजपुरी :** आमतौर पर पूर्वी उत्तर प्रदेश और पश्चिमी बिहार में बोली जाती है। हिन्दी की सभी बोलियों के बीच तुलनात्मक रूप से भोजपुरी बोलनेवालों की संख्या सर्वाधिक लगभग 6.5 करोड़ है। **मगही :** दक्षिणपूर्वी बिहार में बोली जाती है। **मैथिली :** पूर्वी बिहार, झारखंड और नेपाल के कुछ हिस्सों में बोली जाती है।

भाषा का नाम	विवरण
	e. पहाड़ी **कुमाऊँनी और गढ़वाली :** हिमालयी क्षेत्रों में प्रचलित बोलियाँ। **f. अन्य उल्लेखनीय बोलियाँ** **बंबइया हिंदी :** मुंबई में बोलचाल में इस्तेमाल होनेवाली हिंदी और उर्दू का मिश्रण। **हाफलोंग हिंदी :** असम में बोली जानेवाली एक विशिष्ट हिंदी बोली।
बंगाली	इसमें पश्चिमी, मध्य, पूर्वी और पहाड़ी बोलियाँ शामिल हैं, साथ ही कोलकाता, ग्रामीण पश्चिम बंगाल और बांग्लादेश में बोली जानेवालीं क्षेत्रीय विविधताएँ भी शामिल हैं। बंगाली भाषाविद् सुनील कुमार चटर्जी ने बंगाली भाषा को **चार मुख्य बोलियों : राढी, बंगाली, कामरूपी और वरेंद्री** में वर्गीकृत किया है।
पंजाबी	मुख्य बोलियाँ हैं : माझी (मानक पंजाबी की नींव), दोआबी, मालवई और पवधी, जो पंजाब के विभिन्न हिस्सों में प्रचलित हैं।
मराठी	इस भाषा में वरहदी (विदर्भ क्षेत्र से), देशी, अहिरानी और कोंकणी मराठी जैसी बोलियाँ शामिल हैं, जो प्रत्येक विशिष्ट क्षेत्रों और समुदायों से जुड़ी हैं।
तमिल	मध्य तमिल बोली: तमिलनाडु में तमिल का बोले जानेवाला एक मानक रूप माना जाता है। कोंगु तमिल : कोंगु नाडु क्षेत्र में प्रयुक्त। मदुरै तमिल : अपने विशिष्ट उच्चारण और शब्दावली के लिए जानी जाती है। मद्रास बशाई : चेन्नई (जिसे पहले मद्रास के नाम से जाना जाता था) में प्रचलित एक बोली। नेल्लई तमिल : तिरुनेलवेली ज़िले में बोली जाती है। कुमारी तमिल : कन्याकुमारी ज़िले में बोली जाती है।
तेलुगु	मुख्य बोलियों में तेलंगाना तेलुगु, तटीय आंध्र और रायलसीमा तेलुगु शामिल हैं, जो आंध्र प्रदेश और तेलंगाना के भौगोलिक और ऐतिहासिक प्रभावों से प्रभावित हैं।
कन्नड़	इसमें धारवाड़, बेंगलुरु और मैंगलोर कन्नड़ जैसी क्षेत्रीय बोलियाँ शामिल हैं, जिनमें कर्नाटक में बोली जानेवाली गुलबर्ग कन्नड़ भी शामिल है।
मलयालम	इसमें उत्तरी, मध्य और दक्षिणी क्षेत्रों की विशिष्ट बोलियाँ, साथ ही समुदाय-विशिष्ट विविधताएँ (जैसे- ईसाई, मुस्लिम तथा नायर मलयालम) शामिल हैं।
द्रविड़ जनजातीय बोलियाँ	द्रविड़ भाषा परिवार में गोंडी, कुई और टोडा जैसी जनजातीय बोलियाँ मुख्य रूप से मध्य और दक्षिण भारत में बोली जाती हैं। इनमें से कुछ को तो स्वतंत्र भाषाएँ माना जाता है।
ओड़िया	ओड़िया में कई बोलियाँ हैं, जिन्हें आम तौर पर तटीय, पश्चिमी और दक्षिण-पश्चिमी क़िस्मों में वर्गीकृत किया जाता है। यहाँ बोली जानेवालीं प्रमुख बोलियों में निम्नलिखित शामिल हैं : बालेश्वरी, कटकी, ढेंकनलिया, अनुगुलिया, गंजामी, सुंदरगाड़ी, संबलपुरी, हल्बी और देसिया। भुइयाँ, कुर्मी, सौंटी, बथुडी, कोंधन, अघरिया, भुलिया और मटिया जैसी छोटी बोलियाँ विभिन्न आदिवासी और सामुदायिक समूहों के बीच बोली जाती हैं।
असमिया	पश्चिमी, मध्य और पूर्वी बोलियों में विभाजित।
मैथिली	इसमें विभिन्न ग्रामीण और शहरी बोलियाँ शामिल हैं, जो ऐतिहासिक रूप से तिरहुता लिपि में लिखी गयी थीं, लेकिन अब मुख्य रूप से देवनागरी में उपयोग की जाती हैं।
गुजराती	इसमें काठियावाड़ी, सुरती और गामडिया बोलियाँ शामिल हैं।
उर्दू	इसमें दखिनी (दक्षिणी संस्करण), रेख्ता (एक पुराना/काव्यात्मक रूप) और पूरे उत्तर एवं दक्कन में क्षेत्रीय विविधताएँ शामिल हैं।

भारत की प्राचीन एवं आधुनिक लिपियाँ

लिपि को **लेखन पद्धति** या **वर्तनी** (या वर्णविन्यास) के रूप में भी जाना जाता है। यह बोली जानेवाली भाषा को किसी माध्यम (जैसे– कागज़, चट्टानों, भोजपत्र आदि) पर विशिष्ट चिह्न बनाकर प्रतिदर्शित करने के लिए मानक होती है। भारत की दो प्राचीन लिपियों में *ब्राह्मी लिपि* एवं *खरोष्ठी लिपि* सम्मिलित हैं।

भारत में अधिकतर प्राचीन और आधुनिक लिपियाँ ब्राह्मी लिपि से विकसित हुई हैं, चाहे वह देवनागरी, तमिल, तेलुगु, कन्नड़, ओड़िया, असमिया/बंगाली आदि कोई भी हों। इसलिए, दृढ़तापूर्वक कहा जा सकता है कि **ब्राह्मी लिपियों की जननी** है।

हालाँकि, उर्दू को अरबी से व्युत्पन्न लिपि में लिखा गया है और कुछ गौण भाषाएँ, जैसे-संथाली, स्वतंत्र लिपियों का प्रयोग करती हैं।

आइए, हम संक्षेप में इनकी चर्चा करें:

सिंधु लिपि

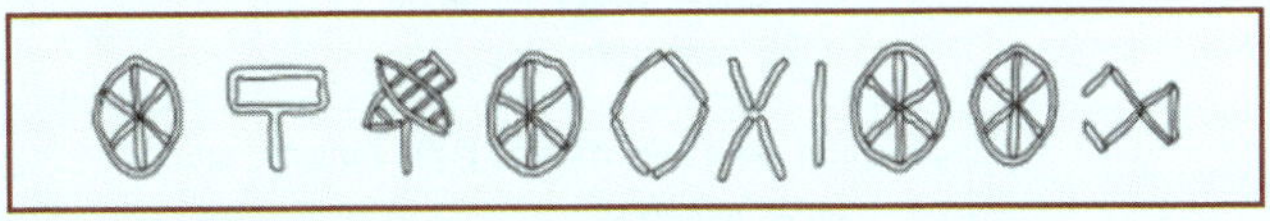

सिंधु लिपि, सिंधु घाटी सभ्यता द्वारा उत्पादित प्रतीकों का संग्रह है। इसके अधिकतर अभिलेख **बहुत छोटे** हैं। यह स्पष्ट नहीं है, कि क्या इन प्रतीकों का उपयोग भाषा को रिकॉर्ड करने हेतु लिपि के रूप में होता था कि नहीं। सिंधु लिपि **बौस्ट्रोफेडन** शैली का एक उदाहरण है, क्योंकि यह एक पंक्ति में बायें से दायें लिखी जाती है और फिर दूसरी पंक्ति में दायीं ओर से बायीं ओर लिखी जाती है।

ब्राह्मी लिपि

ब्राह्मी, भारतीय उपमहाद्वीप और मध्य एशिया में ईसा पूर्व अंतिम शताब्दियों एवं आरम्भिक ईसवी शताब्दियों के दौरान प्रयुक्त **प्राचीनतम लेखन प्रणाली** है। कुछ विद्वानों का विश्वास है कि ब्राह्मी समकालीन शामी (Semitic) लिपि या संभवत: सिंधु लिपि से उत्पन्न हुई थी। दक्षिण-पूर्व एशिया में सभी जीवित इंडिक लिपियाँ ब्राह्मी लिपि से उत्पन्न हुई हैं।

अशोक स्तम्भ पर ब्राह्मी लिपि

सबसे प्रसिद्ध ब्राह्मी अभिलेख उत्तर-मध्य भारत में **अशोक के शिलालेख** हैं, जो 250–232 ईसा पूर्व के हैं। इस लिपि का कूटवाचन (जटिल भाषा को पढ़ना) **1837 में जेम्स प्रिंसेप** द्वारा किया गया था।

हालाँकि प्रिंसेप इन अभिलेखों को पढ़ने में सफल रहे, लेकिन उन्हें उनमें वर्णित राजा पियदस्सी की पहचान का कोई अंदाज़ा नहीं था। इसका उत्तर जल्द ही मिल गया, जब **जॉर्ज टर्नर** ने पाली इतिहास, दीपवंश में उल्लेखों के आधार पर राजा की पहचान अशोक के रूप में की।

ब्राह्मी का प्रयोग मुख्यत: **प्राकृत, संस्कृत और यहाँ तक कि तमिल-ब्राह्मी भाषाओं** को लिखने के लिए किया जाता था, जिससे यह विभिन्न संस्कृतियों और भाषाओं में एक बहुमुखी लिपि बन गयी।

ब्राह्मी लिपि के विभिन्न चरण थे और इन्हें अक्सर राजवंशों के आधार पर वर्गीकृत किया जाता है, जैसे-अशोकन ब्राह्मी, कुषाण ब्राह्मी और गुप्त ब्राह्मी या उत्तरी ब्राह्मी। छठी शताब्दी के उत्तरार्ध में, गुप्त ब्राह्मी सिद्धमातृका या कुटिला नामक लिपि में विकसित हुई। बंगाली, असमिया, उड़िया और मैथिली जैसी आधुनिक उत्तर भारतीय लिपियाँ धीरे-धीरे **सिद्धमातृका** लिपि से ही विकसित हुई। यही वह समय भी था, जब कश्मीर में **शारदा** लिपि का उदय हुआ।

ब्राह्मी सामान्य रूप से **बायीं ओर से दायीं ओर** लिखी जाती है। ब्राह्मी **अबुगिडा** (abugida) है, अर्थात् प्रत्येक इकाई व्यंजन पर आधारित है और स्वर संकेतन द्वितीयक है सिवाय तब, जब कोई शब्द स्वर से आरंभ हो।

ब्राह्मी लिपि के वंशज इस प्रकार हैं :

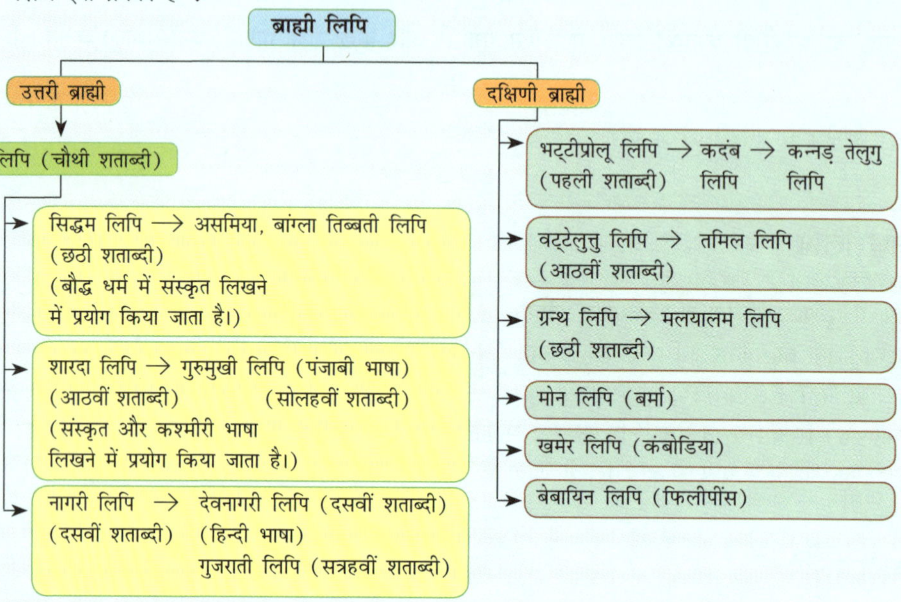

उत्तरी ब्राह्मी लिपि थोड़ी कोणीय है तथा दक्षिणी ब्राह्मी लिपि अधिक वृत्ताकार है।

गुप्त लिपि

यह गुप्त **साम्राज्य** से संबंधित है और इसका प्रयोग **संस्कृत** के लेखन के लिए किया जाता था। गुप्त लिपि ब्राह्मी से उत्पन्न हुई है और इससे **नागरी, शारदा** और **सिद्धम** लिपियों का उद्‌भव हुआ। इन लिपियों से आगे चलकर भारत की अनेक महत्त्वपूर्ण लिपियों का उद्‌भव हुआ, **जिनमें देवनागरी, गुरमुखी लिपि (पंजाबी भाषा के लिए), असमिया लिपि, बांग्ला लिपि एवं तिब्बती लिपि सम्मिलित हैं।**

सिद्धमातृका लिपि

सिद्धमातृका लिपि, जिसे अक्सर सिद्धम या सिद्धमातृका भी कहा जाता है, एक ऐतिहासिक भारतीय लेखन प्रणाली है, जो छठी और तेरहवीं शताब्दी ईसवी के बीच फली-फूली। **गुप्त लिपि से उत्पन्न**, इस लिपि ने नागरी, पूर्वी नागरी, तिरहुत, उड़िया और नेपाली जैसी विभिन्न लिपियों का आधार तैयार किया। यह उपाधि, जिसका अनुवाद 'सिद्ध माता' या 'सिद्ध रूप' होता है, संस्कृत मंत्रों और पवित्र लेखनों के अंकन में इसके प्रयोग को दर्शाती है।

इस प्राचीन लिपि का प्रयोग मुख्यत: **संस्कृत लेखन** के लिए किया जाता था और इसका **बौद्ध ग्रंथों**, विशेषकर वज्रयान बौद्ध धर्म से संबंधित ग्रंथों से गहरा संबंध है।

खरोष्ठी लिपि

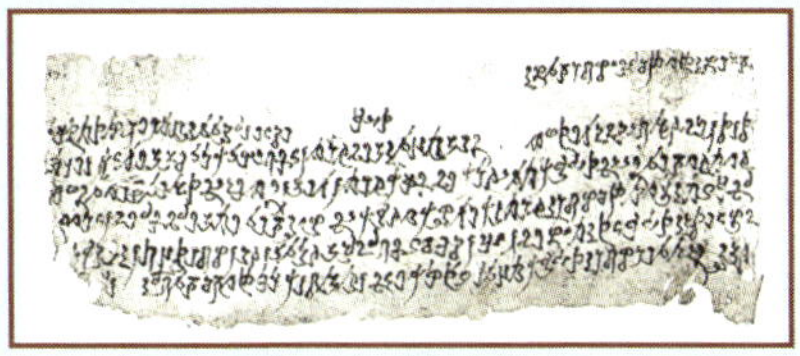

खरोष्ठी पाण्डुलिपि

खरोष्ठी लिपि (ईसा पूर्व तीसरी शताब्दी-तीसरी शताब्दी ईसवी) प्राचीन **गांधार** (वर्तमान अफ़ग़ानिस्तान और पाकिस्तान) में गांधारी प्राकृत और संस्कृत का लेखन करने के लिए उपयोग की जानेवाली प्राचीन लिपि है। यह **ब्राह्मी की समकालीन लिपि** है और इसका कूटवाचन भी **पुनः जेम्स प्रिंसेप द्वारा किया** गया था। उन्होंने इसका नाम **बैक्ट्रियन पहलवी** रखा, क्योंकि यह विभिन्न बैक्ट्रियन सिक्कों पर पायी गयी थी। बैक्ट्रियन एक विलुप्त पूर्वी ईरानी भाषा है, जो पहले मध्य एशियाई क्षेत्र बैक्ट्रिया (वर्तमान में अफ़ग़ानिस्तान) में बोली जाती थी। यह कुषाण साम्राज्य की राजभाषा थी।

खरोष्ठी भी ब्राह्मी के समान **अबुगिडा** (abugida) है। खरोष्ठी में अंकों का एक समूह होता है, जो रोमन अंकों I, X, के समान होते हैं।

खरोष्ठी अधिकतर **से दायीं ओर से बायीं ओर** लिखी जाती है, लेकिन कुछ अभिलेखों में खरोष्ठी लिखी जाने की दिशा बायीं ओर से दायीं ओर भी देखी गयी है।

कदम्ब लिपि

कदम्ब लिपि में लिखे गये कदम्ब राजा के सिक्के

कदम्ब लिपि **कन्नड़** का लेखन करने के लिए समर्पित लिपि के जन्म को चिह्नित करती है। यह भी ब्राह्मी लिपि से उत्पन्न हुई है और **चौथी से छठी शताब्दी ईसवी** में कदम्ब राजवंश के शासन के दौरान विकसित हुई है। यह लिपि बाद में **कन्नड़-तेलुगु** लिपि बन गयी।

वट्टेलुत्तु लिपि

वट्टेलुत्तु लिपि

वट्टेलुत्तु वर्णमाला **दक्षिण भारत** में उत्पन्न हुई। अबुगिडा लेखन प्रणाली है। दक्षिणी-ब्राह्मी से विकसित वट्टेलुत्तु, **तमिल और मलयालम** भाषाओं को लिखने के लिए विकसित तीन मुख्य वर्णमाला प्रणालियों में से एक है। सदियों तक इस लिपि का उपयोग दक्षिण भारत के शिलालेखों और पाण्डुलिपियों में किया गया। पल्लवों के दरबार में पल्लव-ग्रंथ लिपि ने वट्टेलुत्तु का स्थान प्राप्त किया।

ग्रन्थ लिपि

बृहदीश्वर मंदिर में लिखी ग्रन्थ लिपि

ग्रन्थ लिपि का व्यापक उपयोग छठी शताब्दी एवं बीसवीं शताब्दी ईसवी के बीच तमिल भाषियों द्वारा दक्षिण भारत में, विशेष रूप से **तमिलनाडु** और **केरल** में **संस्कृत** एवं शास्त्रीय भाषा **मणिप्रवलम्** का लेखन करने के लिए किया जाता था एवं अभी भी पारंपरिक वैदिक विद्यालयों में इसका प्रतिबंधित उपयोग किया जाता है। इसे ग्रंथ लिपि का नाम दिया गया, क्योंकि इसका उपयोग प्रारंभिक दिनों में संस्कृत ग्रंथ लिखने के लिए किया जाता था। **मलयालम लिपि**, तिगलरी और सिंहल वर्णमालाओं की तरह **सीधे ग्रन्थ लिपि से उत्पन्न हुई है।**

सारदा लिपि

सारदा या शारदा लिपि (विद्या की देवी, देवी सारदा या सरस्वती के नाम पर रखी गयी) ब्राह्मी मूल परिवार की अबुगिडा लेखन प्रणाली है, जिसका विकास **आठवीं शताब्दी** ईसवी के दौरान हुआ है। इसका प्रयोग **संस्कृत** एवं **कश्मीरी** लिखने के लिए किया जाता था। इसका उपयोग शुरू में अधिक व्यापक था, जो बाद में कश्मीर तक सीमित रह गया और कश्मीरी पंडित समुदाय द्वारा आनुष्ठानिक प्रयोजनों के अतिरिक्त अब यदा-कदा ही इसका प्रयोग किया जाता है।

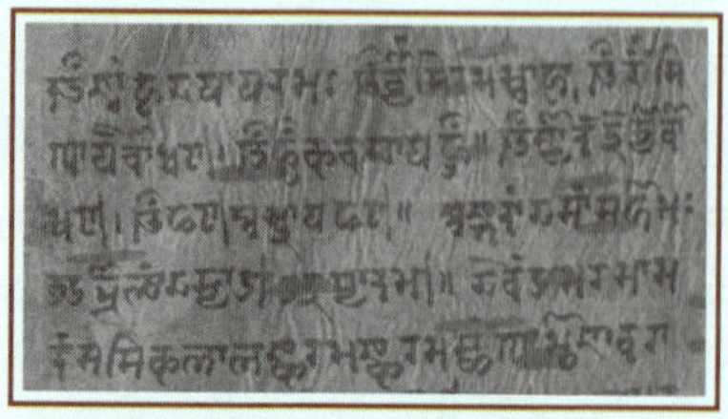

कश्मीरी सारदा पाण्डुलिपि

गुरमुखी लिपि

गुरमुखी सारदा लिपि से विकसित हुई है और इसे सोलहवीं शताब्दी ईसवी के दौरान दूसरे सिख गुरु, गुरु अंगद द्वारा मानकीकृत किया गया था। संपूर्ण **गुरु ग्रन्थ साहिब** इस लिपि में लिखा गया है और इसे सिखों और हिंदुओं द्वारा पंजाबी भाषा लिखने के लिए सर्वाधिक रूप से उपयोग किया जाता है। इस लिपि में कुछ अद्वितीय वर्तनी विशेषताएँ हैं, क्योंकि इसे अन्य लिपियों के विपरीत, संस्कृत भाषा और संबंधित सांस्कृतिक परंपरा के दायरे से बाहर विकसित किया गया था।

देवनागरी लिपि

यह भारत और नेपाल की **अबुगिडा** लेखन प्रणाली है। इसे **बायीं ओर से दायीं ओर** लिखा जाता है। **देवनागरी** का विकास सातवीं शताब्दी के दौरान गुप्त लिपि के पूर्वी संस्करण से हुआ था, जिसे नागरी लिपि के नाम से जाना जाता है। **देवनागरी लिपि** 47 प्राथमिक वर्णों से बनी है, जिसमें 14 स्वर और 33 व्यंजन शामिल हैं।

मोड़ी लिपि

मोड़ी लिपि का उपयोग **मराठी भाषा** लिखने के लिए किया जाता है। इसे चौदहवीं शताब्दी ईसवी में उन शास्त्रियों द्वारा देवनागरी के शॉर्टहैंड संस्करण के रूप में विकसित किया गया था, जो तेज़ी से लिखने के दौरान मूल देवनागरी को लिखने में असमर्थ थे। बीसवीं शताब्दी में मराठी के लिए मानक लेखन प्रणाली के रूप में **देवनागरी लिपि की बालबोध शैली** को प्रोत्साहित किये जाने तक लिखने के लिए आधिकारिक लिपि थी। यद्यपि मोड़ी लिपि को मुख्य रूप से मराठी लिखने के लिए उपयोग किया जाता था, लेकिन उर्दू, कन्नड़, गुजराती, हिंदी और तमिल जैसी अन्य भाषाओं को भी मोड़ी लिपि में लिखे जाने के लिए जाना जाता है। मोड़ी लिपि भी एक **अबुगिडा** लेखन प्रणाली है।

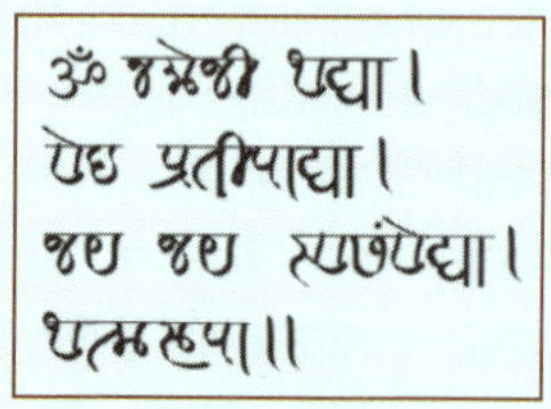

मोड़ी पाण्डुलिपि

उर्दू लिपि

उर्दू लिपि को **दायें-से-बायें** लिखा जाता है और इसका प्रयोग उर्दू भाषा को लिखने के लिए किया जाता है। यह फ़ारसी वर्णमाला का रूपांतरण है, जो स्वयं **अरबी वर्णमाला का व्युत्पन्न** है और इसका मूल **तेरहवीं शताब्दी** में है। यह फ़ारसी-अरबी लिपि की नस्तालीक़ शैली के विकास से मूलतः संबंधित है। उर्दू वर्णमाला में 40 भिन्न अक्षर हैं, जिनमें कोई ऐसा अलग अक्षर नहीं है, जो सामान्यतः सुलेख नस्ता'लीक़ लिपि में लिखा जाता है, जबकि अरबी प्रायः नस्ख़ शैली में लिखी जाती है।

उर्दू लिपि को इसके विस्तारित रूप में **शाहमुखी लिपि** के नाम से जाना जाता है और इसका प्रयोग उत्तर भारतीय उपमहाद्वीप की अन्य भारतीय-आर्य भाषाएँ जैसे-**पंजाबी** और **सैराइकी (सैराइकी पाकिस्तान के पंजाब प्रांत में बोली जाती है)** लिखने के लिए भी किया जाता है।

क्या आप जानते हैं?

नस्ता 'लीक़

नस्ता 'लीक़, जिसे नस्ता 'लीक़ के रूप में भी रोमनाइज़ किया जाता है, फ़ारसी और उर्दू भाषाओं में फ़ारसी-अरबी लिपि लिखने के लिए उपयोग किये जानेवाले मुख्य सुलेखित हाथ में से एक है और फ़ारसी सुलेख में प्रमुख शैली है। इसका विकास चौदहवीं और पंद्रहवीं शताब्दी में फ़ारस की भूमि पर हुआ था। कविता लिखने और कला के रूप में ईरान, अफ़ग़ानिस्तान, पाकिस्तान और अन्य देशों में नस्ता 'लीक़ का व्यापक रूप से उपयोग किया जाता है। **नस्ता 'लीक़** अरबी लिपि के लिए सबसे अधिक तरल सुलेख शैलियों में से एक है। इसमें बिना सेरिफ़ (शोशा) के छोटे ऊर्ध्वाधर और लंबे क्षैतिज स्ट्रोक हैं।

ओल चिकी लिपि

ओल चिकी लिपि का निर्माण 1925 में पंडित रघुनाथ मुर्मू द्वारा संथाली भाषा लिखने के लिए किया गया था। ओल का अर्थ है 'लिखना' और चिकी का अर्थ है 'लिपि'। अधिकांश इंडिक लिपियों के विपरीत, ओल चिकी एक अबुगिडा (जिसमें व्यंजन और स्वर को एक ईकाई में लिखा जाये) नहीं है, बल्कि एक सच्ची वर्णमाला है - जो स्वरों को व्यंजन के समान प्रतिनिधित्व देती है। भारत के संविधान का अनुवाद ओल चिकी लिपि में किया गया है।

संस्कृति संक्षेपण

भारती लिपि

आईआईटी मद्रास के अनुसंधानकर्ताओं ने **नौ भाषाओं के लिए एक ही लिपि** विकसित की है और इसका नाम भारती लिपि रखा है। रोमन लिपि की तरह ही, भारती भी इस प्रकार की नौ भाषाओं के लिए सामान्य लिपि है। इसका उद्देश्य यह है, कि राज्यों के बीच संवाद के मार्ग में जो बाधाएँ हैं उन्हें कम किया जाए। इन नौ भाषाओं में **देवनागरी, बंगाली, गुरमुखी, गुजराती, उड़िया, तेलुगु, कन्नड़, मलयालम और तमिल सम्मिलित हैं।**

कैथी लिपि

यह एक ऐतिहासिक ब्राह्मी लिपि है। इसका उत्तरी और पूर्वी भारत, मुख्य रूप से **उत्तर प्रदेश, झारखंड** और **बिहार** में व्यापक रूप से उपयोग किया जाता था। विशेष रूप से, इसका उपयोग **क़ानूनी, प्रशासकीय और निजी** अभिलेख लिखने के लिए किया जाता था। इस लिपि का मुग़लकाल में व्यापक रूप से उपयोग किया जाता था।

नंदिनागरी

नंदिनागरी, ब्राह्मी परिवार की एक लिपि है, जो नागरी लिपि से विकसित हुई है। नागरी लिपि **दक्षिण भारत** में **सातवीं से उन्नीसवीं शताब्दी** तक प्रचलित थी। इसका प्रयोग मुख्यत: **संस्कृत पांडुलिपियों** और दर्शन, विज्ञान और कला से संबंधित अभिलेखों की **रचना**

के लिए किया जाता था। हालाँकि इसका देवनागरी से संबंध है, नंदिनागरी लिपि अद्वितीय है, क्योंकि इसमें कोई संयोजक शीर्षलेख नहीं है तथा अक्षर रूप, विशेष रूप से संयुक्त व्यंजनों में भिन्नताएँ हैं। देवनागरी की तरह, नंदिनागरी को **अबुगिदा** के रूप में वर्गीकृत किया गया है, जो दर्शाता है कि प्रत्येक व्यंजन में एक अंतर्निहित स्वर ध्वनि होती है, जिसे बदलने या हटाने के लिए स्वर चिह्नों का उपयोग किया जाता है। इस लिपि का प्रयोग मुख्यत: संस्कृत लेखन के लिए किया जाता था, लेकिन कुछ कन्नड़ ग्रंथों में भी इसका उल्लेख मिलता है। यह लिपि मुख्यत: दक्षिण भारत में, विशेष रूप से **दक्षिणी महाराष्ट्र, कर्नाटक, आंध्र प्रदेश और तमिलनाडु** के कुछ हिस्सों में केंद्रित थी। **विजयनगर साम्राज्य** के दौरान नंदिनागरी लिपि का विशेष रूप से संस्कृत ताम्रपत्र अभिलेखों के लिए व्यापक रूप से प्रयोग किया गया था।

यू.पी.एस.सी. विगत वर्षों के बहुविकल्पीय प्रश्न

1. निम्नलिखित कथनों में से कौन-सा सही है? **(CAPF, 2023)**

(a) अशोक के अनेक शिलालेखों के लेखन के लिए प्रयुक्त ब्राह्मी, स्थानीय रूपभेदों को दर्शाती है।
(b) चित्रलिपि लेखनकला का विकास प्राचीन मेसोपोटामिया में हुआ था ।
(c) कीलाकार लेखनकला का विकास मिस्र में लगभग तीसरी सहस्राब्दि BCE में हुआ था ।
(d) एक प्राचीन लिपि, खरोष्ठी का प्रयोग भारत के दक्षिणी भाग में व्यापक रूप से होता था।

2. निम्नलिखित में से भारत का सबसे बड़ा भाषायी समूह कौन-सा है? **(CDS I, 2021)**

(a) चीनी-तिब्बती (b) ऑस्ट्रिक
(c) भारतीय-आर्य (d) द्रविड़

3. भारत के संदर्भ में 'हल्बी, हो और कुई' पद किससे संबंधित है? **(CSE, 2021)**

(a) पश्चिमोत्तर भारत का नृत्य रूप
(b) वाद्ययंत्र
(c) प्रागैतिहासिक गुफा चित्रकला
(d) जनजातीय भाषा

4. निम्नलिखित कथनों पर विचार कीजिये: **(CSE, 2021)**

1. यूनिसेफ द्वारा घोषणा की गयी कि 21 फ़रवरी को अंतरराष्ट्रीय मातृभाषा दिवस के रूप में मनाया जायेगा।
2. बांग्ला को राष्ट्रीय भाषा बनाने की माँग पाकिस्तान की संविधान सभा में उठायी गयी।

उपर्युक्त में से कौन-सा/कौन-से कथन सही है/हैं?

(a) केवल 1 (b) केवल 2
(c) 1 और 2, दोनों (d) न तो 1 और न ही 2

5. निम्नलिखित में से कौन-सी जम्मू-कश्मीर की मुख्य भाषा नहीं है? **(CDS I, 2020)**

(a) उर्दू (b) गुजरी
(c) कोशुर (d) मोनपा

6. मध्य एशिया के मुख्य भाग में निम्नलिखित में से किस भाषा परिवार का वर्चस्व है? **(CDS I, 2020)**

(a) भारतीय-यूरोपीय (b) चीनी-तिब्बती
(c) ऑस्ट्रिक (d) अल्टाइक

7. हड़प्पा लिपि के बारे में निम्नलिखित में से कौन-सा कथन सही नहीं है? **(CAPF, 2020)**

(a) इसमें लगभग चार सौ संकेत हैं।
(b) यह दायें से बायें ओर लिखी जाती है।
(c) यह हड्डियों और आभूषणों पर पायी गयी है।
(d) यह मेलुहा के लोगों को संबोधित करती है।

8. संत भाषा क्या है? **(CAPF, 2019)**

(a) निर्गुण संप्रदाय की भाषा
(b) उलटबाँसी संप्रदाय की भाषा
(c) निराकार संप्रदाय की भाषा
(d) सगुण संप्रदाय की भाषा

9. ब्राह्मी और खरोष्ठी लिपि का कूटवाचन किसने किया? **(CDS I, 2018)**

(a) पियदस्सी (b) कॉलिन मकंजी
(c) एलेक्जेंडर कनिंघम (d) जेम्स प्रिंसेप

10. खासी भाषा को सम्मिलित किया गया है? **(CDS II, 2018)**

(a) ऑस्ट्रो-एशियाई उप-परिवार की मुंडा शाखा में
(b) ऑस्ट्रो-एशियाई उप-परिवार की मॉन-खमेर शाखा में
(c) चीनी-तिब्बती परिवार की उत्तरी असम शाखा में
(d) चीनी-तिब्बती परिवार की असम म्यांमारी शाखा में

11. गंदतिन्दु जातक कथा किस भाषा में लिखी गयी है? **(CDS II, 2018)**

(a) संस्कृत (b) तेलुगु
(c) तमिल (d) पालि

12. भारत के संविधान की आठवीं अनुसूची में सम्मिलित की गयीं भाषाओं का निम्नलिखित में से कौन-सा एक संयोजन सही है? **(CAPF, 2018)**

(a) नेपाली, कोंकणी, तुलु और संथाली
(b) संथाली, उर्दू, कोंकणी, और मैथिली
(c) संथाली, कोंकणी, भोजपुरी और उर्दू
(d) डोंगरी, कोंकणी, भोजपुरी और उर्दू

13. जिप्सीयों को भारतीय मूल का क्यों माना जाता है? **(CDS II, 2016)**

1. वे भारतीय धार्मिक परंपराओं का पालन करते हैं।
2. उनकी भाषा रोमनी है, जो एक भारतीय-आर्य भाषा है।
3. उनका मानना है कि वे भारत से आये।
4. अभिलेखीय साक्ष्य से पता चला है कि वे मूलत: उत्तर प्रदेश के रहने वाले हैं।

नीचे दिये गये कोड का उपयोग करके सही उत्तर चुनिए।

(a) केवल 1 और 4 (b) केवल 2
(c) 1, 2 और 4 (d) 2 और 3

14. हाल ही में निम्नलिखित में से किस एक भाषा को शास्त्रीय भाषा का दर्जा दिया गया है? **(CSE, 2015)**

(a) ओडिया (b) कोंकणी
(c) भोजपुरी (d) असमिया

15. निम्नलिखित में से कौन-सी भारत के संविधान के अनुच्छेद 343 की मुख्य सुविधा **नहीं** है/हैं? **(CDS II, 2015)**

1. देवनागरी लिपि में हिंदी संघ की राष्ट्रभाषा होगी।
2. संघ की राजभाषा देवनागरी लिपि में हिंदी होगी।
3. राज्यों में अँगरेज़ी भाषा को शासकीय उद्देश्यों के लिए प्रयोग किया जाता रहेगा।
4. अगर दो या उससे अधिक राज्य सहमत होते हैं, तो हिंदी भाषा राज्यों के बीच संचार की राजभाषा होनी चाहिए।

नीचे दिये गये कोड का उपयोग करके सही उत्तर चुनिए।

(a) 1, 3 और 4 (b) केवल 2 और 4
(c) 2, 3 और 4 (d) केवल 2

16. निम्नलिखित भाषाओं पर विचार कीजिये: **(CSE, 2014)**

(i) गुजराती (ii) कन्नड़
(iii) तेलुगु

उपर्युक्त में से किसे सरकार द्वारा शास्त्रीय भाषा/भाषाएँ घोषित किया गया है?

(a) केवल (i) और (ii)
(b) केवल (iii)
(c) केवल (ii) और (iii)
(d) (i), (ii) और (iii)

उत्तरमाला

1. (a)	2. (c)	3. (d)	4. (b)	5. (d)	6. (a)	7. (d)	8. (a)
9. (d)	10. (b)	11. (d)	12. (b)	13. (d)	14. (a)	15. (a)	16. (c)

15

भारतीय साहित्य

अध्याय की रूपरेखा

- यूनेस्को विश्व स्मृति रजिस्टर
- यूनेस्को विश्व स्मृति रजिस्टर में अंकित भारत की पांडुलिपियों और अभिलेखीय प्रविष्टियों की सूची
- उपदेशात्मक और कथात्मक ग्रंथों के बीच अंतर
- प्राचीन भारत में साहित्य
- वेद
- ब्राह्मण
- उपनिषद्
- आरण्यक
- पुराण
- उपवेद
- उप-पुराण
- शास्त्रीय संस्कृत साहित्य
- बौद्ध साहित्य
- महत्त्वपूर्ण बौद्ध साहित्यिक ग्रंथ और रचनाएँ
- जैन साहित्य
- पारसी साहित्य
- सिख साहित्य
- द्रविड़ साहित्य
- दक्षिण भारतीय राजवंश और संगम साहित्य में उनका योगदान
- गुप्तकालीन साहित्य
- मध्यकालीन साहित्य
- आधुनिक साहित्य

हिन्दी में प्रयुक्त 'साहित्य' शब्द संस्कृत 'सहित' शब्द में 'ष्यञ्' प्रत्यय के योग से बना है, जिसका अर्थ होता है- साहचर्य, भाईचारा, मेल-मिलाप, सहयोगिता आदि के भाव से रचित कोई आलंकारिक रचना। साहित्य का वर्गीकरण, गद्य, पद्य और चम्पू, तीन प्रकारों में किया जाता है। गद्य का अर्थ होता है, जिस प्रकार बोला जाए, उसी प्रकार से लिखना। पद्य का अर्थ होता है, विशेष प्रकार से छंद के चरणों में बाँधकर तुक, ताल, लय के साथ लिखना। गद्य और पद्य दोनों में मिश्रित रचना को चम्पू कहते हैं। अँगरेज़ी का 'लिटरेचर' शब्द लैटिन *लिटरेचुरा* या 'अक्षरों से गठित लेखन' से लिया गया है। यह लेखन के ऐसे किसी भी रूप को दर्शाता है, जिसमें कुछ साहित्यिक गुण होता है। इसे विस्तृत रूप से **काल्पनिक** और **ग़ैर-काल्पनिक** में वर्गीकृत किया जाता है। इसके अतिरिक्त, इसको कविता और गद्य के मध्य भी वर्गीकृत किया जा सकता है। इन व्यापक श्रेणियों के भीतर, उपन्यास, लघु कथा, नाटक आदि के बीच अंतर दर्शाया है। ग्रीको-रोमन काल के कुछ सबसे लोकप्रिय साहित्यिक महाकाव्य हैं, जिन्हें मौखिक रूप से प्रेषित किया जाता था और आगे चलकर जटिल भाषाओं के विकास के साथ ये लिखित रूप से संकलित किये जाने लगे थे।

भाषा के वितरण और प्रचार-प्रसार ने अठारहवीं सदी में मुद्रण प्रौद्योगिकी के विकास के साथ आगे की ओर बड़ा क़दम उठाया, जिससे अधिक-से-अधिक लोग साहित्य पढ़ने और उसकी सराहना करने लगे। वर्तमान में, इलेक्ट्रॉनिक साहित्य ने केंद्रीय स्थान ग्रहण कर लिया है और अधिक संख्या में लोग इस माध्यम द्वारा पढ़ने लगे हैं।

यूनेस्को विश्व स्मृति रजिस्टर

यूनेस्को विश्व स्मृति रजिस्टर में दुनिया भर की कई महत्त्वपूर्ण पांडुलिपियाँ शामिल हैं, जो अपने उत्कृष्ट मानवीय मूल्यों के लिए विख्यात हैं। ये पांडुलिपियाँ विभिन्न सभ्यताओं की विविध सांस्कृतिक, धार्मिक, वैज्ञानिक और ऐतिहासिक विरासत को दर्शाती हैं। यूनेस्को के विश्व स्मृति रजिस्टर में **भारत की 14 प्रविष्टियाँ** हैं, जो वैश्विक महत्त्व की दस्तावेज़ी विरासत को मान्यता प्रदान करती हैं।

यूनेस्को विश्व स्मृति रजिस्टर में अंकित भारत की पांडुलिपियों और अभिलेखीय प्रविष्टियों की सूची

संग्रह	वर्ष	महत्त्व
भगवद् गीता की पांडुलिपियाँ	2025	व्यापक पाठक वर्गवाला भारतीय परंपरा का केंद्रीय दार्शनिक ग्रंथ।
नाट्यशास्त्र	2025	**भरत मुनि** द्वारा भारतीय काव्य, नृत्य, रंगमंच और सौंदर्यशास्त्र पर आधारभूत ग्रंथ।
रामचरितमानस	2024	**तुलसीदास** द्वारा **रामायण** का **अवधी** में पुनर्कथन।
पंचतंत्र	2024	**प्राचीन भारतीय पशु-कथाओं और नैतिक कथाओं** का संग्रह।
सहृदयलोक-लोकना	2024	**अभिनवगुप्त** की कृतियों पर भाष्य, सौंदर्यशास्त्र और तंत्र पर केंद्रित।
अभिनवगुप्त पांडुलिपियाँ	2023	**सौंदर्यशास्त्र और तंत्र** पर दसवीं शताब्दी के कश्मीरी ग्रंथ।
सांग लोक संग्रह	2023	**पारंपरिक लोक कला और प्रदर्शन** पर सामग्री का संग्रह।
गिलगित पांडुलिपि	2017	**प्राचीन भारत के सबसे पुराने बौद्ध पांडुलिपि संग्रहों** में से एक।
मैत्रेयवरकरण	2017	**व्याकरण और दर्शन** पर केंद्रित **बौद्ध ग्रंथ।**
शांतिनाथ चरित्र	2013	16वें तीर्थंकर **शांतिनाथ** के जीवन का वर्णन करनेवाला **जैन ग्रंथ।**
तारीख़-ए-ख़ानदान-ए-तैमूरिया	2011	भारत में **तैमूरी राजवंश** पर फ़ारसी इतिहास।
लघुकालचक्रतंत्रराजातिक विमलप्रभा	2011	**कालचक्र तंत्र** परंपरा से संबद्ध बौद्ध तांत्रिक भाष्य।
ऋग्वेद	2007	**वैदिक परंपरा का सबसे प्राचीन पवित्र ग्रंथ,** जो **हिंदू दर्शन** का आधार बना।
पांडिचेरी में शैव पांडुलिपि	2005	**तमिल और संस्कृत** में संरक्षित **शैव सिद्धांत ग्रंथों** का महत्वपूर्ण संग्रह।
डच ईस्ट इंडिया कंपनी के अभिलेखागार	2003	दक्षिण एशियाई इतिहास से संबंधित **औपनिवेशिक अभिलेखों और पत्राचार** का संग्रह।
आई.ए.एस. तमिल चिकित्सा पांडुलिपि संग्रह	1997	**पारंपरिक तमिल चिकित्सा ज्ञान** (सिद्ध चिकित्सा) का संग्रह।

उपदेशात्मक और कथात्मक ग्रंथों के बीच अंतर

अंतर बिंदु	उपदेशात्मक	कथात्मक
ग्रंथ का प्रकार	इसे **निर्देशक ग्रंथ** के रूप में भी जाना जाता है, क्योंकि यह पाठक के बुद्धि-विवेक, चिंतन और आचरण को प्रभावित करने का प्रयास करता है।	यह ग्रंथ विषय के संबंध में सभी **आवश्यक जानकारियाँ** देता है, ताकि कथन में जिस विषय पर भी चर्चा हो, उसे पढ़नेवाले को समझने में आसानी हो।
उद्देश्य	लेखक का उद्देश्य विशेष प्रकार से, पढ़नेवाले को मनाना, फुसलाना और सोचने के लिए विवश करना होता है।	लेखक का उद्देश्य विषय के संबंध में पढ़नेवाले की रुचि और जिज्ञासा को बढ़ाना और बनाये रखना होता है।
सामान्य प्रयोजन	सामान्यतः इसका प्रयोग **राजनैतिक या नैतिक समस्याओं** के विषय में लिखने के लिए किया जाता है; विशेष रूप से उपदेशों और धार्मिक ग्रंथों में।	यह गद्य का सबसे सामान्य प्रकार है और मुख्य रूप से **कहानी लेखन और उपन्यासों** में प्रयोग किया जाता है।

भारत में, चार प्रमुख वाक् समूहों का अनुसरण किया जाता है, अर्थात् आस्ट्रिक, द्रविड़, चीनी-तिब्बती और इंडो-यूरोपीय। निम्नलिखित परिचर्चा संस्कृत साहित्य पर केंद्रित है, जो भारतीय उपमहाद्वीप की प्राचीनतम भारतीय-यूरोपीय भाषा है।

प्राचीन भारत में साहित्य

- प्राचीन भारतीय साहित्य आम धारणा की अवज्ञा करता है, यह वेदों और उपनिषदों सदृश पवित्र ग्रंथों तक ही सीमित था। प्राकृत भाषा में बहुत साहित्य है, जो धार्मिक लक्ष्यार्थ से दूर यथार्थवाद और नैतिक मूल्यों से भरा हुआ है।
- प्राचीन काल की रचनाओं का सबसे लोकप्रिय समूह वेद हैं। ये धार्मिक अनुष्ठानों के साथ ही दैनिक स्थितियों में उपयोग किये जानेवाले पवित्र ग्रंथ हैं।
- परंतु कई महाकाव्यों और असंख्य गीतात्मक काव्यों की रचना प्राचीन समय की मुख्य भाषाओं में की गयी है। उदाहरण के लिए, संस्कृत, प्राकृत, पालि, अर्द्धमागधी में रचे गये काव्य आदि। इस पर भी बाद में चर्चा होगी।
- वैदिक साहित्य को दो श्रेणियों में विभाजित किया गया है, जिन्हें **श्रुति** और **स्मृति** के नाम से जाना जाता है। श्रुति में हिंदू धर्म के पवित्र ग्रंथ, जैसे- **वेद**, **ब्राह्मण**, **आरण्यक** और **उपनिषद्** सम्मिलित हैं। **स्मृति** (जिसका अर्थ है 'जो याद किया जाता है') उत्तरवैदिक शास्त्रीय संस्कृत साहित्य का संग्रह है। इसमें **वेदांग**, **स्मृति धर्मशास्त्र**, **षड्दर्शन**, **पुराण**, **इतिहास**, **उपवेद** और **महाकाव्य** सम्मिलित हैं।

वेद

- वेद की उत्पत्ति 'विद्' धातु से हुई है, जिसका अर्थ है 'जानना'। 'वेद' शब्द **ज्ञान** का प्रतीक है और ये ग्रंथ वास्तव में पृथ्वी पर और उससे परे अपने समस्त जीवन का **संचालन करने हेतु** मनुष्यों को **ज्ञान** उपलब्ध कराने के विषय में हैं। वेद को **अपौरुषेय** भी माना जाता है, जिसका अर्थ है '**वह जिसका, निर्माण मनुष्य द्वारा नहीं हुआ है**'।
- काव्यात्मक शैली में लिखे गये इन ग्रंथों की भाषा **प्रतीकों और मिथकों** से भरी है।
- प्रारंभ में वेद ब्राह्मण परिवारों द्वारा मौखिक रूप से पीढ़ी-दर-पीढ़ी हस्तांतरित किये जाते थे, लेकिन इतिहासकारों द्वारा अनुमान लगाया जाता है कि **1500-1000 ईसा पूर्व** के आसपास इन्हें **संकलित** किया गया।
- हिंदू परंपरा में, इन्हें पवित्र माना जाता है, क्योंकि इनकी उत्पत्ति दैवीय हैं, जिन्हें सदैव मनुष्यों का मार्गदर्शन करने के लिए देवताओं द्वारा विहित किया गया है। हमारे जीवन पर भी इनका बड़ा प्रभाव है, क्योंकि ये ब्रह्मांड और उसके निवासियों को एक बड़े परिवार का हिस्सा मानते हैं तथा **''वसुधैव कुटुम्बकम्''** का उपदेश देते हैं।
- **ऋग्वेद, यजुर्वेद, सामवेद और अथर्ववेद चार प्रमुख वेद** हैं। प्रत्येक वेद के कई पाठ (शाखाएँ) हैं, जो विभिन्न संप्रदायों (चरणों) से जुड़े हैं। इन संप्रदायों ने मौखिक परंपरा के माध्यम से उनका संरक्षण, अध्ययन और व्याख्या की। प्रत्येक शाखा में आमतौर पर निम्न शामिल हैं :
  - संहिता का अपना संस्करण
  - एक संबद्ध ब्राह्मण
  - एक आरण्यक (कभी-कभी)
  - एक या एक से अधिक उपनिषद्

  चरण वैदिक अध्ययन के एक ऐसे संप्रदाय या परंपरा को संदर्भित करता है, जो एक विशिष्ट शाखा को संरक्षित करता था। ये संप्रदाय परिवार-आधारित या गुरु-आधारित वंश होते थे, जो अक्सर विशिष्ट भौगोलिक क्षेत्रों या ब्राह्मण समुदायों से जुड़े होते थे। प्रत्येक चरण एक विशिष्ट शाखा में विशेषज्ञता रखता था और उसका कर्त्तव्य था, उसे मौखिक रूप से प्रसारित करे, जिससे उच्चारण, स्वर-उच्चारण और स्मरण में सटीकता सुनिश्चित हो।

- इन्हें मुख्य रूप से ऋषि कहलानेवाले उन वैदिक सिद्ध ज्ञानियों और कवियों द्वारा रचा गया है, जो ब्रह्मांडीय रहस्यों की कल्पना करते थे और उन्हें संस्कृत कविता के रूप में लिख देते थे।
- सभी वेदों में **यज्ञ** (बलि) को प्रमुखता दी गयी है।
- *ब्राह्मण, उपनिषद्* और *आरण्यक* प्रत्येक वेद के साथ जुड़े हुए हैं।

ऋग्वेद

- चारों वेदों में ऋग्वेद **सबसे पुराना** वेद है। इसमें 1028 अलग-अलग संस्कृत सूक्त हैं। सूक्त (सु+उक्त) का अर्थ होता है अच्छी या समझदारी की उक्ति (कथन)।
- इसे किसी भी इंडो-यूरोपीय भाषा में पहली व्यापक रचना कहा जाता है, जो हमारे अवलोकन के लिए बची हुई है। इतिहासकारों का तर्क है, कि इसे **1500-1200 ईसा पूर्व** के आसपास संकलित किया गया था। यद्यपि इसके रचनाकाल को लेकर कुछ मतभेद भी हैं।
- इस वेद का ध्यान **सांसारिक समृद्धि** और **प्राकृतिक सुंदरता** पर केंद्रित है। ऋग्वेद में पारंपरिक रूप से 21 शाखाएँ थीं, लेकिन वर्तमान में केवल **शाकला** शाखा ही पूरी तरह से बची हुई है और **बश्कला** शाखाओं के कुछ हिस्से भी अस्तित्त्व में हैं। प्रमुख चरणों में **शाकाल, बश्कला** और आश्वलायन शामिल हैं, जिनमें से प्रत्येक में अद्वितीय व्याख्याएँ और अनुष्ठान प्रथाएँ संरक्षित हैं। **आश्वलायन** अपने **गृह्य सूत्रों** के लिए जाना जाता है।
- यह ग्रंथ विभिन्न काल और लंबाई की 10 पुस्तकों में संगठित है, जिन्हें **मंडलों** के रूप में जाना जाता है। इसके अतिरिक्त, प्रत्येक मंडल में कई **सूक्त** या श्लोक सम्मिलित हैं। ये सामान्यतः यज्ञ के प्रयोजनों के लिए हैं।
- अधिकतर श्लोक जीवन, मृत्यु, सृष्टि, बलिदान और दैवीय आनंद या **सोम** की आकांक्षा पर केंद्रित हैं।
- समस्त ऋग्वैदिक श्लोक, कई देवताओं विशेष रूप से उनके **मुख्य देवता इंद्र** को समर्पित हैं।
- ऋग्वेद में वर्णित अन्य प्रमुख देवता *अग्नि* (आग के देवता), *वरुण* (जल के देवता), रुद्र (पवन/तूफ़ान के देवता), *आदित्य* (सूर्य देव का एक रूप), *वायु* (वायु के देवता) तथा अश्विन है। नारी देवियों, जैसे- *ऊषा* (भोर की देवी), *पृथ्वी* (पृथ्वी की देवी) और *वाक्* (भाषा की देवी) को भी समर्पित कई श्लोक हैं।
- यद्यपि ये सब प्राकृतिक परिघटनाएँ हैं, तथापि मनुष्यों की यह आदिम प्रवृत्ति है कि वे प्राकृतिक शक्तियों का दैवीकरण और देवी-देवताओं का मानवीकरण करते हैं।
- ऋग्वेद के भजनों (ऋचाओं) का पाठ होतृ ऋषियों द्वारा किया जाता था।
- **वेंकट माधव** द्वारा रचित ऋगार्थदीपिका ऋग्वेद पर एक प्रारंभिक भाष्य है, जो वैदिक भाष्य परंपरा से संबंधित है।

10 मंडलों का संक्षिप्त विवरण निम्नलिखित है :

मंडल	श्लोक	कालखंड और लंबाई	विवरण
मंडल I	191	नवीनतम और सबसे लम्बा	मुख्यतः अग्नि और इंद्र, वरुण, मित्र, अश्विन आदि को संबोधित किया गया है।
मंडल II	43	प्राचीनतम और सर्वाधिक लघु	मुख्यतः अग्नि और इंद्र को संबोधित किया गया है। इसका श्रेय मुख्य रूप से ऋषि गृत्समद सौनोहोत्र को दिया जाता है।
मंडल III	62	प्राचीनतम और लघु	मुख्यतः अग्नि और इंद्र और विश्वदेवों को संबोधित किया गया है। **गायत्री मंत्र** सम्मिलित है।
मंडल IV	58	प्राचीनतम और लघु	मुख्यतः अग्नि और इंद्र के साथ-साथ ऋभु, अश्विन, बृहस्पति, वायु, ऊषा आदि को संबोधित किया गया है। अधिकतर भजन वामदेव गौतम से संबंधित हैं।
मंडल V	87	प्राचीनतम और लघु	मुख्यतः अग्नि, इंद्र, विश्वदेवों, मरुत् गण, देवद्वय मित्र-वरुण और अश्विन को संबोधित किया गया है। अधिकतर भजन अत्रि कुल से संबंधित है।

मंडल	श्लोक	कालखंड और लंबाई	विवरण
मंडल VI	75	प्राचीनतम और लघु	मुख्यतः अग्नि और इंद्र, सभी देवताओं, पूषण, अश्विन, उष्रा आदि को संबोधित किया गया है।
मंडल VII	104	प्राचीनतम और लघु	मुख्यतः अग्नि, इंद्र, विश्वदेवों, मरुत् गण, मित्र-वरुण, अश्विन, उष्रा, इंद्र-वरुण, वरुण, वायु, दो-दो सरस्वती (प्राचीन नदी/ज्ञान की देवी) और विष्णु को संबोधित किया गया है। इस मंडल के अधिकतर भजन वशिष्ठ मैत्रवरुणि से संबंधित हैं।
मंडल VIII	103	मिश्रित कालखंड	कण्व कुल और अन्य (आंगिरस) ऋषियों से संबंधित है।
मंडल IX	114	मिश्रित कालखंड	पूर्ण रूप से **सोम पवमान** को समर्पित है, जो वैदिक धर्म में पवित्र पेय को स्वच्छ करने की प्रक्रिया है।
मंडल X	191	नवीनतम और सबसे बड़ा	अग्नि, इंद्र और अन्य कई देवताओं को संबोधित किया गया है। इसमें **नदिस्तुति सूक्त** (नदियों की प्रशंसा), **पुरुष सूक्त** (वैदिक समाजशास्त्र), नासदीय सूक्त (ब्रह्मांड के सर्जन से संबंधित विभिन्न अनुमान), सूर्य सूक्त (**विवाह श्लोक**), **मृत्यु श्लोक** आदि सम्मिलित है।
कुल	**1028**		

क्या आप जानते हैं? दूसरे से सातवें तक के छह मंडलों को गोत्र या वंश मंडल कहा जाता है, जिन्हें सामूहिक रूप से **कुल ग्रंथ** के नाम से भी जाना गया है।

यजुर्वेद

- 'यजुस' शब्द 'यज्ञ' का प्रतीक है और यह वेद वैदिक काल में प्रचलित विभिन्न प्रकार के **यज्ञों** के **कर्मकांडों और मंत्रों** पर केंद्रित है।
- *यजुर्वेद* के दो प्रमुख पाठ (शाखाएँ) निम्न हैं : **शुक्ल** (सफ़ेद/शुद्ध) और **कृष्ण** (काला/गहरा)। शुक्ल में **माध्यंदिन** और **कण्व शाखाएँ** शामिल हैं, जबकि कृष्ण में **तैत्तिरीय, कथक, मैत्रायणी** और **कपिष्ठला** शामिल हैं। प्रमुख चरण हैं **तैत्तिरीय (कृष्ण), कण्व (शुक्ल),** और **मैत्रायणी**, प्रत्येक के पास अलग-अलग अनुष्ठान प्रणालियाँ और ग्रंथ हैं।
- *यजुर्वेद* मुख्य रूप से **आनुष्ठानिक वेद** है, क्योंकि यह **यज्ञीय अनुष्ठान** करनेवाले ऋषियों/पुजारियों के लिए मार्गदर्शक पुस्तक की भाँति कार्य करता है।
- ऐसा प्रतीत होता है कि *यजुर्वेद* में **लौह** धातु का उल्लेख किया गया है।

सामवेद

- *सामवेद* का नामकरण 'सामन्' (राग) के नाम पर किया गया है और यह **राग या शांतिदायक छन्दोबद्ध गीतों** पर केंद्रित है।
- संपूर्ण ग्रंथ में 1875 श्लोक हैं। इतिहासकारों का तर्क है कि 75 श्लोक मौलिक हैं और शेष *ऋग्वेद* की शाकल शाखा से लिये गये हैं।
- इसमें श्लोक, पृथक् छंद और 16000 राग (संगीतात्मक स्वर) और रागिनियाँ हैं। इस ग्रंथ की लयबद्ध प्रकृति के कारण इसे **'गायन पुस्तक'** भी कहा जाता है। इससे हमें पता चलता है, कि वैदिक काल में **भारतीय संगीत** का विकास कैसे हुआ था। सामवेद के भजनों का पाठ उद्गातृ ऋषियों द्वारा किया जाता था।
- ऋग्वेद, सामवेद और यजुर्वेद को सामूहिक रूप से त्रजी या त्रयी विद्या (अर्थात् त्रिविध विज्ञान) के नाम से जाना जाता है।
- **छांदोग्य उपनिषद्**, एक प्रमुख वैदान्तिक ग्रंथ, सामवेद से संबंधित है।

- सामवेद की 1000 से अधिक मूल शाखाओं में से केवल **कौथुम, जैमिनीय (तलवकार)** और **राणायणीय** ही बची हैं। कौथुम और जैमिनीय चरणों ने संगीतमय मंत्रोच्चार पर ज़ोर देते हुए इन परंपराओं को क़ायम रखा, जो साम वैदिक अनुष्ठानों का केंद्रबिंदु है।

अथर्ववेद

- इस वेद को ***ब्रह्म वेद*** के रूप में भी जाना जाता है और इसके लिए क्रमश: **अथर्व** और **अंगिरा** नामक दो *ऋषियों* को श्रेय दिया जाता है। इन दो *ऋषियों* के साथ इसके संबंध के कारण, पुराने समय में इसे **अथर्वांगिरस** भी कहा जाता था।
- जहाँ यह मुख्य रूप से मानव समाज की **शांति और समृद्धि** से संबंधित है और **मनुष्य के दैनिक जीवन** के सभी पहलुओं को आच्छादित करता है, वहीं यह विशेष रूप से **कई रोगों के उपचार पर भी केंद्रित** है। इस ग्रंथ को लगभग 99 रोगों के लिए उपचार परामर्श देने हेतु भी जाना जाता है।
- अथर्ववेद में **नौ शाखाएँ** थीं, लेकिन केवल **शौनक** और **पैप्पलाद** ही बची रहीं। **शौनक** और **पैप्पलाद** चरणों द्वारा संरक्षित, इसमें उपचार, सुरक्षा और घरेलू अनुष्ठानों पर स्तुतियाँ शामिल हैं, जो वैदिक साहित्य को एक अधिक व्यावहारिक और जादुई आयाम प्रदान करती हैं।
- अधिकतर ग्रंथ चिकित्सा और **काले और सफ़ेद जादू** (अथर्ववेद को जादुई सूत्रों की पुस्तक भी कहा जाता है); **ब्रह्मांड में होनेवाले परिवर्तनों** पर अटकलों से संबंधित हैं और यहाँ तक कि गृहस्थ जीवन की **दैनिक समस्याओं** के मुद्दों को भी स्पर्श करते हैं।

*वेदों को पूर्णत: समझने के लिए, **वेदांगों** या वेद की शाखाओं/वेद के अंगों को पढ़ना आवश्यक है। वेदों के अध्ययन से जुड़ीं ऐसी छह सहायक विधाएँ हैं। ये मूल वेद के लिए पूरक की भाँति हैं और **शिक्षा, निरुक्त** (व्युत्पत्ति या शब्द की उत्पत्ति), **छंद** (संस्कृत व्याकरण में मीट्रिक्स), **कल्पसूत्र** (यज्ञ अभ्यास और व्यवस्थित सूत्र), **ज्योतिष,** (खगोल विज्ञान) और **व्याकरण** जैसे विषयों पर केंद्रित हैं। आगे चलकर, कई लेखकों ने इन विषयों को चुना और उन पर ग्रंथ लिखे, जिन्हें **सूत्र कहा जाता है**। इन्हें ऐसे ग्रंथ या नियम निर्देशों के रूप में लिखा गया था, जो मानव जाति के विचारों और व्यवहार का नियमन करनेवाले सामान्य नियमों को परिभाषित करते हैं। इस प्रकार के साहित्य का एक सबसे प्रभावशाली उदाहरण **संस्कृत व्याकरण** के नियमों को परिभाषित करनेवाला **पाणिनी का अष्टाध्यायी** है।*

ब्राह्मण

- ब्राह्मण हिंदू *श्रुति* (प्रकट ज्ञान) साहित्य का भाग हैं। प्रत्येक वेद के साथ एक ब्राह्मण जुड़ा हुआ है, जो अनिवार्य रूप से विशेष वेद पर **टिप्पणियोंवाले** ग्रंथों का संग्रह हैं। ब्राह्मण सामान्यत: किंवदंतियों, तथ्यों, दर्शन और वैदिक अनुष्ठानों की विस्तृत व्याख्या का मिश्रण हैं।
- इनमें उचित प्रकार से कर्मकांडों का संचालन करने और यज्ञ का विज्ञान उच्चारित करने के विषय में **निर्देशों** का भी समावेश है। इसके अतिरिक्त; इनमें अनुष्ठानों में उपयोग किये जानेवाले पवित्र शब्दों का **प्रतीकात्मक महत्त्व भी समझाया** गया है।
- हालाँकि इतिहासकार ब्राह्मणों में तिथि निर्धारण को लेकर मतैक्य नहीं हैं, लेकिन सामान्यत: 900-700 ईसा पूर्व के बीच इनकी रचना और संकलन का अनुमान लगाया जाता है। जैसा कि नीचे बताया गया है, **प्रत्येक वेद के साथ उसका एक ब्राह्मण है।**

वेद	संबद्ध ब्राह्मण
ऋग्वेद	**ऐतरेय ब्राह्मण, कौषितकी ब्राह्मण (या शांखायन) ब्राह्मण**
यजुर्वेद	**तैत्तिरीय ब्राह्मण** (कृष्ण यजुर्वेद) - **शतपथ ब्राह्मण** (शुक्ल यजुर्वेद)
सामवेद	**ताण्ड्य महाब्राह्मण** (जिसे **पंचविंश ब्राह्मण** भी कहा जाता है) - जैमिनीय ब्राह्मण
अथर्ववेद	गोपथ ब्राह्मण

- शतपथ ब्राह्मण सभी ब्राह्मणों में सबसे बड़ा और दार्शनिक दृष्टि से सर्वाधिक समृद्ध है।

उपनिषद्

- रोचक यह है कि उपनिषद् शब्द या *उ* (पर), *प* (पैर), *नि* (नीचे) और *स (समीप) द* (बैठना), यानी शिक्षक **के चरणों के समीप बैठना**। इस ग्रंथ का भली-भाँति वर्णन करता है।
- हमारे पास 200 से भी अधिक ज्ञात उपनिषद् हैं और शिक्षक सामान्यत: वन में अपने छात्रों को जब वे उसके सामने बैठे होते थे, मौखिक रूप से इन्हें प्रेषित करते थे। यह परंपरा **गुरु-शिष्य परम्परा** का अंग थी।
- उपनिषद् **संस्कृत** में लिखित ग्रंथ हैं और मुख्य रूप से मठवासी और रहस्यमय अर्थों में वेदों का विवरण देते हैं। चूँकि सामान्यत: ये **वेदों के अंतिम भाग** हैं, इसलिए इन्हें **वेदाँत** या 'वेद के अंत' के रूप में भी जाना जाता है।
- उपनिषदों को मानव जीवन के विषय में **'सत्य'** और मानव मुक्ति या **मोक्ष** की ओर मार्ग दिखालानेवाला कहा जाता है। इनमें मानव जाति के सामने आनेवालीं *अमूर्त और दार्शनिक समस्याओं*, विशेष रूप से इस ब्रह्मांड की उत्पत्ति, मानव जाति की कल्पित उत्पत्ति, जीवन और मृत्यु के चक्र और मनुष्य के *भौतिक व आध्यात्मिक अन्वेषण* के विषय में बात करना जारी रखा गया है।
- उपर्युक्त 200 उपनिषदों में से **108 उपनिषदों** के समूह को **मुक्तिका** सिद्धांत कहा जाता है। इनमें से केवल 10 उपनिषदों को प्रमुखता दी गयी है, जैसे- *ईश, केन, कठ, प्रश्न, मुंडक, मांडूक्य, तैत्तिरीय, ऐतरेय, छांदोग्य* और *बृहदारण्यक*। इसे महत्त्वपूर्ण सिद्धांत माना जाता है, क्योंकि यह 108 संख्या हिंदू *माला* में मोतियों की संख्या के बराबर है।
- **बृहदारण्यक** और **ईश** उपनिषद् **शुक्ल यजुर्वेद** से संबंधित हैं, जबकि **तैत्तिरीय, कठ** और **श्वेताश्वतर** उपनिषद् **कृष्ण यजुर्वेद** से जुड़े हैं। सामवेद में सबसे प्रमुख उपनिषद् **छांदोग्य** और **केन** हैं। ऋग्वेद ऐतरेय उपनिषद् से जुड़ा है और अथर्ववेद में **मुंडक, मांडूक्य** और **प्रश्न** उपनिषद् शामिल हैं।
- सबसे प्राचीन उपनिषद् ***बृहदारण्यक*** और ***छांदोग्य*** उपनिषद् हैं।

सत्यमेव जयते वाक्यांश, जो भारत का राष्ट्रीय आदर्श-वाक्य है, मुंडक उपनिषद् से लिया गया है। उपनिषदों में प्रतिपादित शिक्षाएँ हिंदू धर्म के संस्थापक कर्मकांडों का अंग रही हैं। वे हिंदू दार्शनिक विचार की नींव रखती हैं। मनुष्य के अस्तित्त्व और ब्रह्मांडीय वास्तविकताओं का संबंध उपनिषदों का केंद्रीय विचार है।

पुस्तक के अतिरिक्त

'महाकाव्य: महाभारत और रामायण' पर ज्ञानवर्धक पाठ्य सामग्री के लिए स्कैन करें

आरण्यक

- आरण्यक शब्द का अर्थ है 'वन से संबंधित'। आरण्यक भी वेदों से जुड़े ग्रंथ हैं और विभिन्न दृष्टिकोणों से वेदों में सम्मिलित **कर्मकांडों** और **यज्ञों** के पीछे के दर्शन का वर्णन करते है। इन्हें जन्म और मृत्यु के चक्र के साथ-साथ; आत्मा की जटिलता के विषय में कर्मकांडीय सूचनाओं का संकलन कहा जाता है।

- यह तर्क दिया जाता है कि **वनों** की सीमा के भीतर रहना पसंद करनेवाले, *मुनि* कहलानेवाले, पवित्र और विद्वान् पुरुषों ने इन्हें सिखाया था।
- ब्राह्मणों के समान ही, प्रत्येक वेद के साथ एक आरण्यक भी है।
- आरण्यक ब्राह्मणों द्वारा प्रतिपादित कार्य के मार्ग (कर्म मार्ग) और उपनिषदों द्वारा प्रतिपादित ज्ञान के मार्ग (ज्ञान मार्ग) को संयोजित करते हैं।

पुराण

- जैसा कि **'पुराण'** शब्द से पता चलता है, ये ग्रंथ उसके विषय में चर्चा करते हैं 'जो पुराने को नया बनाता है।'
- ये प्राचीन भारतीय पौराणिक ग्रंथ हैं, जिनमें **ब्रह्मांड के निर्माण** के विषय में वर्णनात्मक कहानियाँ हैं एवं ब्रह्मांड के कल्पित **विनाश** तक इसके इतिहास का वर्णन करते हैं। वे लोक कथाओं, तीर्थयात्राओं, खगोल विज्ञान, व्याकरण और धर्मशास्त्र जैसे विषयों की एक विस्तृत शृंखला का वर्णन करते हैं।
- इनमें राजाओं, नायकों, संतों, यक्ष-यक्षिणियों की कहानियाँ हैं, लेकिन यह दिव्य हिंदू ***त्रिमूर्ति*** या त्रयी (तीन) भगवानों - ब्रह्मा, विष्णु और महेश पर केंद्रित है।
- 18 प्रमुख *पुराण* (***महापुराण***) हैं। प्रत्येक पुराण किसी विशेष देवता को प्रमुखता देता है, जो उनसे संबंधित दार्शनिक और धार्मिक अवधारणाओं की व्याख्या करता है।
- कुछ अधिक प्रमुख और प्रसिद्ध *पुराण* हैं : ***भागवत, ब्रह्मा, वायु, अग्नि, गरुड, पद्म, विष्णु*** और ***मत्स्य***। इनमें वैदिकोत्तर भारत के सामाजिक, सांस्कृतिक और धार्मिक जीवन के विषय में उपाख्यान हैं और इतिहासकारों को भूगोल, इतिहास और वंशवादी वंशावलियों के विषय में महत्त्वपूर्ण जानकारी प्रदान करते हैं। **स्कंद पुराण** सबसे दीर्घतम और **मार्कंडेय पुराण** सबसे अल्पतम पुराण है।
- इन *पुराणों* को **कहानियों** के रूप में लिखा गया है, जिसमें देवताओं के विषय में मिथकों, किंवदंतियों और उपदेशों का संयोजन है और कहानी लेखन के इस **सरल रूप** ने इसे सदैव जटिल वेदों को समझ न पानेवाले आम लोगों के बीच बहुत लोकप्रिय बना दिया।
- इसलिए, *पुराणों* का विभिन्न क्षेत्रीय भाषाओं में अनुवाद और वितरण किया गया है। *पुराण* अपने संदेश का प्रसार करने के लिए दृष्टान्तों और दंतकथाओं का उपयोग करते हैं:

दृष्टान्त बनाम दंतकथाएँ

दृष्टान्त	दंतकथाएँ
लघु कथाएँ, जो गद्य या पद्य में हैं, आध्यात्मिक, नैतिक या धार्मिक शिक्षा का वर्णन करती हैं। ये सामान्यतः **मानव चरित्र** का चित्रांकन करती हैं।	लघु कथाएँ, जो गद्य या पद्य में हैं, सारगर्भित कहावत या चतुराई भरी कहानी के माध्यम से 'शिक्षा' का वर्णन करती हैं। ये **पशुओं, निर्जीव वस्तुओं, पौराणिक प्राणियों, पौधों** का चित्रांकन करते हैं, जिन्हें मानव सदृश गुण दिये गये हैं।

- हम सभी ने कभी-न-कभी **विष्णु शर्मा** द्वारा लिखित **पंचतंत्र** की कहानियों को सुना होगा। इस शिक्षाप्रद कल्पित दंतकथा में जानवरों के माध्यम से विश्व के बारे में नैतिक शिक्षा और ज्ञानवर्धक कई कहानियाँ सम्मिलित हैं। यह संस्कृत में अंत:संबंधित पशु दंतकथाओं पर आधारित कहानियों का ऐसा संग्रह है, जो धार्मिक प्रकृति का नहीं है। ऐसा माना जाता है, कि यह 200 ईसवी पूर्व-300 ईसवी के आस-पास का है। कहानियों में पशुओं के मनुष्य जैसे व्यवहार या विशेष कर उनके बुद्धिमानी भरे व्यवहारों का वर्णन है।
- इसी शैली की अन्य चर्चित रचना **हितोपदेश** है। माना जाता है कि इसे बारहवीं शताब्दी के आस पास **नारायण पंडित** ने लिखा था। इसमें भी कई मानवीय और पशु चरित्र हैं, जो मनुष्य को वैश्विक ज्ञान और राजनैतिक परामर्श प्रदान करते हैं।

उपवेद

हिंदू धर्म में, उपवेद शब्द (जिसका अर्थ व्यवहारिक ज्ञान है) कुछ तकनीकी विषयों से संबंधित पारंपरिक साहित्य को संदर्भित करता है। उपवेद इस प्रकार हैं-

1. **धनुर्वेद** - यह युद्ध के विज्ञान को संदर्भित करता है और यजुर्वेद से जुड़ा है।
2. **गंधर्ववेद** - यह संगीत, नृत्य, कविता, मूर्तिकला, कामुकता आदि जैसे कला-रूपों सहित सौंदर्यशास्त्र के विभिन्न पहलुओं से संबंधित है। यह सामवेद से जुड़ा है।
3. **आयुर्वेद** - यह स्वास्थ्य और जीवन का विज्ञान है तथा अथर्ववेद से जुड़ा है।
4. **अर्थशास्त्र** - यह सार्वजनिक प्रशासन, शासन, अर्थव्यवस्था और राजनीति से जुड़ा है। यह अथर्ववेद से संबंधित है।
5. **स्थापत्यवेद** - इसे पाँचवा उपवेद माना जाता है, जो अभियांत्रिकी और वास्तुकला से जुड़ा है। इसका संबंध यजुर्वेद से भी है।

उप-पुराण

जन सामान्य में *पुराण* इतने लोकप्रिय थे कि इन्होंने **उप-*पुराण*** या लघु *पुराण* कहलानेवाली एक और उप-शैली को जन्म दिया। लगभग 19 लघु *पुराण* हैं और पाँच प्रमुख विषयों पर आधारित हैं, जैसा कि गुप्त काल के संस्कृत कोशकार **अमर सिंह** द्वारा बताया गया है :

सर्ग	ब्रह्मांड की रचना
प्रतिसर्ग	विनाश और पुनर्निर्माण का आवधिक चक्र
मन्वन्तर	मनु के जीवनकाल की अवधि
वंश (चंद्र और सूर्य)	देवताओं और ऋषियों की सूर्य और चंद्र राजवंशों की वंशावलियाँ
वंशानुचरित	राजाओं का राजवंशीय इतिहास।

विरासत स्मरण

धर्मशास्त्र

यह संस्कृत में रचित प्राचीन ग्रंथों का संग्रह है। इसमें बताया गया है, कि हिंदुओं का **आचरण कैसा होना चाहिए और उनके लिए नैतिक सिद्धांतों (धर्म) का वर्णन किया गया है।** अनुमान है कि *धर्मशास्त्र* के संग्रह में 18 से 100 के बीच ग्रंथ सम्मिलित हैं। ऐसा मत है कि मूल रूप से ये *धर्मसूत्र* ग्रंथ के भाग हैं, जो वैदिक युग में विकसित हुए। *धर्मशास्त्र* में एक व्यक्ति की स्वयं के प्रति, अपने परिवार के प्रति और अपने समुदाय के प्रति दायित्वों, कर्त्तव्यों और आचरण का उल्लेख किया गया है। *धर्मशास्त्र* ग्रंथ को **कविता की पंक्तियों** के रूप में लिखा गया है। जहाँ *धर्मसूत्र* ग्रंथ वेदों पर आधारित हैं, वहीं *धर्मशास्त्र* ग्रंथ मुख्य रूप से पुराणों पर आधारित हैं। *धर्मशास्त्र* में निम्नलिखित ग्रंथ सम्मिलित हैं-

1. **मनुस्मृति** (लगभग दूसरी से तीसरी शताब्दी तक) - **सर्वाधिक पढ़ी गयी** - कम्बोडिया और इंडोनेशिया में मध्यकाल में बौद्ध और हिंदू धर्म पर विशेष रूप से प्रभाव। ***मनुस्मृति*** भारतीय समाज में प्रचलित कुछ महत्त्वपूर्ण क़ानूनी और सामाजिक मानदंडों का वर्णन करती है। इसके अनुसार, किसी व्यक्ति के धन और संपत्ति के वितरण के संदर्भ में, पैतृक संपत्ति को माता-पिता की मृत्यु के बाद बेटों के बीच समान रूप से विभाजित किया जाना चाहिए।

   महिलाएँ इन संसाधनों में हिस्सेदारी का दावा नहीं कर सकती थीं। *स्त्रीधन* (शाब्दिक अर्थ 'एक महिला का धन') के अंतर्गत वे उपहार थे, जो उन्हें एक महिला द्वारा उनकी शादी के अवसर पर मिलते थे। महिलाओं को यह *स्त्रीधन* अपने पास रखने की अनुमति थी। इस संपत्ति पर पति के किसी दावे के बिना, उनकी संतानों को विरासत में मिल सकती है।

   संपत्ति और धन तक पहुँच के इन मानदंडों ने पुरुषों और महिलाओं के बीच विभिन्न सामाजिक मतभेद पैदा किये।

2. *याज्ञवल्क्य स्मृति* (चौथी से पाँचवीं शताब्दी तक) - धर्मशास्त्र परंपरा का **सर्वोत्तम रचित** ग्रंथ माना जाता है।
3. *नारदस्मृति* (पाँचवीं से छठी शताब्दी तक) - धार्मिक आचरण के उलट **न्यायिक ग्रंथ**
4. *विष्णुस्मृति* (सातवीं शताब्दी से) - प्रत्यक्ष रूप से धर्म के स्थान पर **भक्ति परंपरा** का बखान।

धर्मशास्त्रों से संबंधित रचनाओं को **भाष्य** और **निबंध** कहा गया।

भाष्य

उनमें मुख्य रूप से धर्मशास्त्र की व्याख्या और विवेचना की गयी हैं और किसी विचार को सकारण स्वीकार या अस्वीकार किया गया है। मनुस्मृति से संबंधित प्रमुख भाष्य लेखक थे भरूचि, मेधातिथि आदि।

निबंध

निबंध की आवश्यकता मुख्य रूप से इसलिए पड़ी, क्योंकि विभिन्न धर्मग्रंथों के कुछ विशिष्ट विषयों को लेकर संघर्ष और मतभेद थे। उनके माध्यम से मूल धर्मग्रंथों में उपस्थित असंख्य मतभेदों को दूर करने, उनके बीच की खाई पाटने या उनके समाधान के लिए दिशानिर्देश दिये गये हैं।

अब तक शेष प्राचीनतम निबंध कृत्यकल्पतरु है, जिसे बारहवीं शताब्दी के आरंभ में लिखा गया था। इसे कन्नौज (वर्तमान में उत्तर प्रदेश) के लक्ष्मीधर ने लिखा था।

निबंधों के अन्य उल्लेखनीय लेखकों में जीमूतवाहन और रघुनंदन *(उत्तराधिकार पर लिखा)*, नंद-पंडित *(दत्तकग्रहण पर लिखा)*, टोडरमल *(राजा के कर्तव्यों पर लिखा)*, कांडेश्वर, कमलाकर-भट्ट, नीलकंठ और मित्र-मिश्र *(उन सभी ने न्यायिक प्रक्रिया पर लिखा)* सम्मिलित हैं।

कुछ चर्चित निबंध **महिलाओं** द्वारा लिखे गये। उनमें लक्ष्मीदेवी का विवादचंद्र और महादेवी धीरमति का दानवाक्यावली सम्मिलित हैं।

शास्त्रीय संस्कृत साहित्य

- भारत में शास्त्रीय संस्कृत साहित्य का काल चौथी शताब्दी ई. से बारहवीं शताब्दी ई. तक है। अधिकांश संस्कृत साहित्य **वैदिक** और **शास्त्रीय** श्रेणियों में विभाजित हैं।
- दोनों महाकाव्य : *महाभारत और रामायण* भी शास्त्रीय साहित्य श्रेणी के अंग हैं, लेकिन उनके धार्मिक महत्त्व के कारण अलग से उनकी चर्चा की गयी है। हिंदू धर्म के निमित्त अपनी केंद्रीय भूमिका से निरपेक्ष, इन महाकाव्यों को संस्कृत *काव्य* (महाकाव्य), *नाटक* (शास्त्रीय नाटक) और चिकित्सा, शासन कला, व्याकरण, खगोल विज्ञान, गणित आदि से संबद्ध अन्य ग्रंथों का अग्रगामी माना जा सकता है।
- इस संस्कृत साहित्य का अधिकांश भाग **पाणिनी** *कृत अष्टाध्यायी* में उत्तम प्रकार से समझाये गये व्याकरण के नियमों से बँधा हुआ है। यह संस्कृत भाषा को बाँधनेवाले कठोर नियमों का ग्रंथ है। प्राचीन भारत के संस्कृत व्याकरण पर दो अन्य सबसे प्रसिद्ध उदाहरण, पतंजलि (250 ईसा पूर्व) द्वारा लिखित ***महाभाष्य*** (जिसका अर्थ है 'महान् टिप्पणी') और कात्यायन द्वारा लिखित **वर्तिका-सूत्र** हैं। वर्तमान में कात्यायन का साहित्य (जिसमें पाणिनि पर 1500 छंद सम्मिलित हैं, जिन्हें **पाणिनि के सूत्रों पर वर्त्तिका** के नाम से जाना जाता है) केवल पतंजलि के साहित्य मे संदर्भों के माध्यम से उपलब्ध है। वे **पाणिनि** और **पतंजलि** के बीच के काल के थे।

संस्कृति संक्षेपण

योगवासिष्ठ संहिता

लोकप्रिय रूप से **महारामायण**, आर्ष रामायण और वसिष्ठ रामायण के रूप में जाना जाता है, यह हिंदू धर्म का ऐतिहासिक रूप से लोकप्रिय और प्रभावशाली दार्शनिक पाठ है, जो लगभग सातवीं - पंद्रहवीं शताब्दी ईसवी का है। संपूर्ण पाठ में लगभग 29,000 श्लोक हैं और इसका

नाम ऋषि वसिष्ठ के नाम पर रखा गया है, जिनका ऋग्वेद की सातवीं पुस्तक में उल्लेख है। यह पाठ **ऋषि वसिष्ठ द्वारा राजकुमार राम को दिये गये प्रवचन** के रूप में संरचित है और इसमें निम्नलिखित छह पुस्तकें सम्मिलित हैं-

- पुस्तक 1 : वैराग्य-प्रकरणम् - राम जीवन की प्रकृति, मानव पीड़ा और दुनिया के प्रति तिरस्कार से निराश हैं।
- पुस्तक 2 : मुमुक्षुव्याहार-प्रकरणम् - मुक्ति की इच्छा, मुक्ति चाहनेवालों की प्रकृति और समस्त आध्यात्मिक गतिविधियों में आत्म-प्रयास की आवश्यकता का वर्णन है।
- पुस्तक 3 : उत्पत्ति-प्रकरणम् - संपूर्ण सृष्टि के जन्म के साथ-साथ राम के आध्यात्मिक पक्ष के जन्म का भी वर्णन है।
- पुस्तक 4 : स्थिति-प्रकरणम - दुनिया की प्रकृति और विभिन्न कहानियों के साथ अनेक ग़ैर-द्वैतवाद विचारों का वर्णन है।
- पुस्तक 5 : उपशम-प्रकरणम - असत्य द्वैतवाद के विघटन, व्यक्ति को मुक्त करने में एकता और उसकी शक्तियों को अनुभव करने के लिए ध्यान पर चर्चा।
- पुस्तक 6 : निर्वाण-प्रकरणम - प्रबुद्ध और आनंदमय राम की स्थिति का वर्णन करती है। इसमें योग पर भी चर्चा की गयी है।

पाठ का दार्शनिक आधार **अद्वैत वेदाँत** के समान है, जो विशेष रूप से अद्वैत के दृष्टि-सृष्टि उप-विद्यालय से जुड़ा हुआ है। इस उप-विद्यालय की धारणा है कि "संपूर्ण वस्तुओं का संसार मन का ही विषय है।"

योगवासिष्ठ संहिता के महत्त्व को देखते हुए इसका कई बार अनुवाद किया गया है।

संस्कृत नाटक

- नाटक काव्य और गद्य की सबसे लोकप्रिय विधाओं में से एक लोकप्रिय रोमांटिक कहानियाँ हैं, जिनका एकमात्र उद्देश्य जनता का मनोरंजन करना या *लोकरंजन* था।
- इन्हें सामान्यत: विस्तृत नाट्य के रूप में लिखा गया है। यद्यपि इनमें विभिन्न कहानियाँ और कथानक हैं, परंतु वे जीवन के अद्वितीय दृष्टिकोण प्रस्तुत करती हैं।

महत्त्वपूर्ण संस्कृत लेखक और उनका नाटक साहित्य --------------------------------> **परीक्षोपयोगी**

लेखक	प्रमुख कार्य	विषय-वस्तु
भरत मुनि	नाट्य शास्त्र	भारतीय नाटक, संगीत और नृत्य पर **मूलभूत ग्रंथ।** पाँचवें वेद के नाम से जाना जाता है। **रस, भाव** और **स्टेजक्राफ्ट** जैसी अवधारणाओं का परिचय देता है।
शूद्रक	मृच्छकटिकम्, विनवासवदत्त, पद्मप्रभृतक	**मृच्छकटिकम्** में एक **वैश्या नायिका** और एक **ब्राह्मण प्रेमी** की भूमिका है। यह पौराणिक कथाओं पर आधारित नहीं है। इसे **यथार्थवाद, शहरी परिवेश** और **होली** के प्रारंभिक संदर्भ के लिए जाना जाता है।
विशाखदत्त	मुद्राराक्षस, देवी-चन्द्रगुप्तम्	**मुद्राराक्षस चंद्रगुप्त मौर्य** पर एक राजनीतिक नाटक है। यह **चाणक्य की कूटनीति** पर प्रकाश डालता है।
भवभूति	उत्तररामचरितम्, मालतीमाधव, महावीरचरितम्	**रामायण** पर आधारित है। **भावना, नैतिकता** और **कर्त्तव्य** को दर्शाता है तथा मानव को इन गुणों को अपनाने के लिए प्रेरित करता है। **उत्तररामचरित्** राम के राज्याभिषेक और सीता के साथ पुनर्मिलन के बाद के जीवन को कवर करता है।
भास	पंचरात्र, स्वप्नवासवदत्तम् (वासवदत्त का स्वप्न), उरुभंग, चारुदत्त, दूतघटोत्कच, दूतवाक्यम्	**सबसे पहले संस्कृत नाटककारों** में से उरुभंग **दुर्योधन के प्रति सहानुभूतिपूर्ण दृष्टिकोण** प्रस्तुत करता है। स्वप्नवासवदत्तम को 1912 में टी. गणपति शास्त्री द्वारा **पुनः खोजा गया** था।
कालिदास	अभिज्ञानशाकुंतलम्, मालविकाग्निमित्रम्, विक्रमोर्वशीयम्	**भारत के शेक्सपियर** के रूप में जाने जाते हैं। **गोएथे** द्वारा अभिज्ञानशाकुन्तलम् की प्रशंसा। **रोमांस, प्रकृति** और दर्शन का मिश्रण। **गुप्तकालीन दरबारी संस्कृति** को दर्शाता है।

लेखक	प्रमुख कार्य	विषय-वस्तु
त्रिविक्रम भट्ट	दमयंती-कथा	**शास्त्रीय संस्कृत कथा साहित्य** महाभारत के **नलोपाख्यान प्रकरण** पर आधारित है।
हर्षवर्धन	रत्नावली, प्रियदर्शिका, नागानंद	**रत्नावली** में होली का उल्लेख है। **नागानंद बौद्ध प्रभाव** और **आत्म-बलिदान** के विषय को दर्शाता है। **प्रियदर्शिका** एक रोमांटिक कॉमेडी है जो, राजा उदयन और राजा दृढ़वर्मन की बेटी नायिका प्रियदर्शिका के बीच प्रेम पर आधारित है।
महाराणा कुम्भा	संगीत राज, संगीत मीमांसा, सुधा प्रबंध	संगीत राज (संगीत और नृत्य पर ग्रंथ) संगीत मीमांसा (संगीत सिद्धांत का दार्शनिक अध्ययन) सुधा प्रबंध (भक्ति और सौंदर्यशास्त्र पर काव्य कार्य)।

संस्कृत काव्य

- इस शैली को *काव्य* या कविता भी कहा जाता है। नाटक खण्ड में जहाँ कहानी ग्रंथ का मुख्य केंद्र बिंदु होती है, वहीं इसमें कविता प्रकार, शैली, अलंकारों आदि पर अधिक केंद्रित होती है।

संस्कृत काव्य की प्रमुख शैलियाँ

शैली	वर्णन
महाकाव्य	औपचारिक संरचनावाला महाकाव्य : मंगलाचरण, दरबारी दृश्य, प्रकृति, आदि।
खंडकाव्य	छोटे स्वतंत्र गीतिकाव्य - एक ही विषय या भाव पर केंद्रित।
गद्य काव्य	गद्य-काव्य, जैसे-*कादम्बरी* और *दशकुमारचरित*।
चम्पू	गद्य और पद्य की मिश्रित शैली (उदाहरण : सुबन्धु द्वारा रचित *वासवदत्त*)।

महत्त्वपूर्ण संस्कृत लेखक और उनका काव्य (poetry) साहित्य ------------------------→ परीक्षोपयोगी

लेखक	प्रमुख कृतियाँ	विषय-वस्तु
कालिदास	कुमारसंभवम्	शिव और पार्वती के पुत्र **कुमार (कार्तिकेय)** के जन्म पर महाकाव्य। **शैव धर्म** का महिमामंडन, **उपमाओं** और **रस** से भरपूर।
	रघुवंश	**रघुवंश** पर महाकाव्य, जिसमें राम भी शामिल हैं। आदर्श राजत्व (**राजर्षि**) और **धर्म-केंद्रित शासन** को दर्शाता है।
	मेघदूत	एक यक्ष अपनी पत्नी को बादल के माध्यम से संदेश भेजता है। यह **प्रेमपूर्ण चित्रण, शृंगार रस** और **भौगोलिक वर्णन** के लिए प्रसिद्ध है।
	ऋतुसंहार	**छह भारतीय ऋतुओं** का सौंदर्यपरक और भावनात्मक वर्णन करता है। **पर्यावरण-साहित्य विश्लेषण** के लिए उपयोगी।
	मालविकाग्निमित्रम्	**राजा अग्निमित्र (शुंग वंश)** और मालविका के बीच का प्रेमपूर्ण नाटक। **इतिहास और कल्पना** का मिश्रण।
	विक्रमोर्वशीयम्	**वैदिक कथा** पर आधारित **राजा पुरुरवा** और **अप्सरा उर्वशी** की प्रेमकथा।
जयदेव	गीत गोविंद	**राधा-कृष्ण के प्रेम** पर केंद्रित भक्ति काव्य। **भक्ति, प्रेम और संगीत** का मिश्रण; **ओडिसी नृत्य** के लिए प्रमुख ग्रंथ।
दंडिन	काव्यादर्श	**संस्कृत काव्यशास्त्र** और अलंकार (figures of speech) पर आधारभूत ग्रंथ। **शास्त्रीय सौंदर्यशास्त्र** को समझने के लिए मूल ग्रंथ।
	दशकुमारचरित	दस राजकुमारों के साहसिक कारनामे; गद्य प्रेमकथा। **दरबारी राजनीति, कूटनीति** और **अलंकृत गद्य शैली** को दर्शाता है।

लेखक	प्रमुख कृतियाँ	विषय-वस्तु
बाणभट्ट	कादम्बरी, हर्षचरित	कादम्बरी एक प्रेमकथा गद्य कृति है; हर्षचरित भारत की **पहली ऐतिहासिक जीवनी** है, जो **हर्ष के जीवन** पर आधारित है।
हरिषेण	इलाहाबाद स्तंभ शिलालेख	एक स्तंभ पर उत्कीर्ण **समुद्रगुप्त** की स्तुति। **गुप्तकालीन राजनीतिक इतिहास** का प्रमुख स्रोत; यह **काव्य गद्य** में लिखा गया है।
भारवि	किरातार्जुनीयम्	शिशु के साथ अर्जुन का शिकारी रूप में युद्ध। **भाषा की गहराई**, **वीर रस** और **दार्शनिक अंतर्ध्वनि** के लिए प्रसिद्ध।
माघ	शिशुपालवध	कृष्ण द्वारा शिशुपाल का वध। **जटिल संस्कृत, अलंकृत शैली** और **मौखिक कलात्मकता** के लिए प्रसिद्ध।
श्रीहर्ष	नैषधीयचरित	**नल और दमयंती** की प्रेमकथा। **भाषाई कौशल** और **अलंकरण** के लिए विख्यात।
नयचंद्र सूरि	हम्मीर महाकाव्य	**राजा हम्मीर** की पौराणिक **जीवनी**। महाकाव्य के रूप में **जैन ऐतिहासिक कथावाचन** को दर्शाती है।
सोमदेव सूरि	उपासकाध्ययान, नीतिवाक्यमृत	**आध्यात्मिक कथाओं और राजनीतिक नैतिकता** पर जैन रचनाएँ; **दिगंबर जैन परंपरा** और **मध्यकालीन राजनीति** में महत्वपूर्ण।
सुबंधु	वासवदत्त	**उदयन** और **वासवदत्त** से संबंधित प्रेमकथात्मक गद्य। **चंपू शैली** (गद्य और पद्य का मिश्रण) में लिखित, रूपकों से भरपूर।

अन्य प्रमुख संस्कृत ग्रंथ

- चाणक्य द्वारा रचित **अर्थशास्त्र**, राजव्यवस्था पर एक प्रमुख मौर्य ग्रंथ है। इस ग्रंथ में उल्लेख है, कि इसे '**कौटिल्य**' या '**विष्णुगुप्त**' ने लिखा था। इतिहासकारों का तर्क है कि ये दोनों नाम **चाणक्य** के उपनाम थे, जो सम्राट् **चंद्रगुप्त** मौर्य के दरबार में एक विद्वान् थे।

क्या आप जानते हैं? **संस्कृत काव्य में, अलंकार** का अर्थ है उपमा और रूपक जैसे अलंकार, जो काव्य को सुशोभित करते हैं। **रस** वह भाव है, जो कविता में प्रकट होता है, जैसे प्रेम या वीरता। **ध्वनि** शब्दों से परे सुझाया गया अर्थ है। **रीति** कवि की अभिव्यक्ति की शैली है। **वक्रोक्ति** का अर्थ है अप्रत्यक्ष या रचनात्मक अभिव्यक्ति में सौंदर्य। **गुण** सुकाव्य की विशेषताएँ होती हैं, जैसे-स्पष्टता, मधुरता और ओज।

- संस्कृत दरबारी भाषा थी तथा गुप्त काल में इसे प्रमुखता मिली।

इस अवधि के दौरान लिखे गये कुछ वैज्ञानिक ग्रंथ इस प्रकार हैं:

पिंगल	**छन्दः शास्त्र** (संस्कृत कविता के छंदों पर पुस्तक)
चरक	**चरक संहिता** (चिकित्सा पर पुस्तक)
सुश्रुत	**सुश्रुत संहिता** (शल्यक्रिया पर पुस्तक)
माधव	**माधव निदान** (रोगविज्ञान पर पुस्तक)
वराहमिहिर	**पंच-सिद्धांतिका** (गणितीय खगोलविज्ञान पर पुस्तक)
	बृहत् संहिता (ग्रहीय चाल, भूविज्ञान, वास्तुकला आदि जैसे व्यापक विषयों पर पुस्तक)
आर्यभट	**आर्यभटीय** (खगोल विज्ञान और गणित पर पुस्तक)
लगध	**वेदांग ज्योतिष** (ज्योतिष पर पुस्तक)
भास्कर द्वितीय	**सिद्धान्त शिरोमणि**

यद्यपि, **मध्यकाल** संस्कृत में साहित्य इतना प्रबल नहीं था, फिर भी राजस्थान और कश्मीर में कुछ उत्कृष्ट रचनाएँ रची गयीं। मध्ययुगीन कश्मीर की दो सबसे उल्लेखनीय रचनाएँ; *कश्मीर के राजाओं* का विस्तृत विवरण देनेवाली **कल्हण की** ***राजतरंगिणी*** और **सोमदेव की** ***कथासरित्सागर*** थी, जो कि एक काव्यात्मक कृति है। ***कथासरित्सागर*** (ग्यारहवीं शताब्दी

में लिखित) कश्मीर के लेखक सोमदेव भट्ट द्वारा लिखित भारतीय दंतकथाओं, इतिहास और लोक कथाओं का एक संस्कृत संग्रह है। ***विक्रमांकदेवचरित*** एक संस्कृत महाकाव्य (पश्चिमी चालुक्य साम्राज्य के राजा विक्रमादित्य VI के जीवन पर आधारित) है, जो ग्यारहवीं शताब्दी के दौरान कश्मीरी कवि **बिल्हण** द्वारा लिखा गया था।

बौद्ध साहित्य

वैदिकोत्तर काल के दौरान, संस्कृत के अतिरिक्त, प्राकृत और पालि में भी साहित्य की रचना की गयी। प्राकृत वह शब्द है, जिसे मानक भाषा, अर्थात् संस्कृत से व्युत्पन्न किसी भी भाषा से शिथिल ढंग से जोड़ा जाता है। इन भाषाओं ने तब प्रमुखता प्राप्त की, जब **बौद्ध और जैनियों** के धार्मिक साहित्य की रचना की जाने लगी। गौतम बुद्ध ने अपने उपदेशों के प्रचार के लिए अर्ध मागधी और पाली का उपयोग किया।

बौद्ध साहित्य को कैनोनिकल (मानक) साहित्य और नॉन-कैनोनिकल (अमानक) साहित्य रचनाओं में विभाजित किया जा सकता है। ये त्रिपिटक निम्नलिखित हैं : *विनय पिटक, सुत्त पिटक* और *अभिधम्म पिटक*।

महत्त्वपूर्ण बौद्ध साहित्यिक ग्रंथ और रचनाएँ ------------------------→ **परीक्षोपयोगी**

ग्रंथ/उपखंड	विवरण, संप्रदाय और भाषा
विनय पिटक	इसमें भिक्षुओं और भिक्षुणियों के लिए **मठवासी अनुशासन के नियम** संकलित हैं। **सुत्तविभंग, खंडक** और **परिवार** में विभाजित। **संप्रदाय :** थेरवाद; **भाषा :** पाली
सुत्त पिटक	इसमें **नैतिकता, ध्यान, दर्शन** और **सामाजिक कर्तव्यों** पर बुद्ध के 10,000 से अधिक प्रवचन (सुत्त) हैं। यह बौद्ध धर्म का नैतिक आधार है। **संप्रदाय :** थेरवाद; **भाषा :** पाली **सुत्त पिटक पाँच निकायों (संग्रहों)** में विभाजित है : 1. **दीघ निकाय - बुद्ध** के **लंबे प्रवचनों** का संग्रह। 2. **मज्झिम निकाय - मध्यम लंबाई** के **प्रवचनों** का संग्रह। 3. **संयुक्त निकाय - विषयगत रूप से समूहीकृत प्रवचनों** का संग्रह। 4. **अंगुत्तर निकाय - संख्यात्मक रूप से व्यवस्थित शिक्षाओं** का संग्रह। 5. **खुद्दक निकाय - धम्मपद, जातक कथाओं** और **सुत्त निपात** जैसी रचनाओं सहित **लघु ग्रंथों** का संग्रह।
अभिधम्म पिटक	अत्यधिक **विश्लेषणात्मक और दार्शनिक**; मानसिक घटनाओं, चेतना, कार्य-कारण, नैतिकता, ज्ञानमीमांसा से संबंधित। इसमें धम्मसंगनी और पत्तन जैसी 7 पुस्तकें शामिल हैं। **संप्रदाय** : थेरवाद **भाषा** : पाली
जातक कथाएँ	**बोधिसत्व** के रूप में **बुद्ध के पूर्व जन्मों** की 550+ कहानियाँ। सत्य, उदारता और धैर्य जैसे नैतिक मूल्यों का चित्रण। **अंतिम 10 जातक** 10 पारमिताओं (पूर्णताओं) को दर्शाते हैं। **संप्रदाय** : थेरवाद (मूल); **भाषा :** पाली और संस्कृत **निदानकथा जातक कथाओं** का एक आख्यान है, जो बुद्ध के पूर्व जन्मों और आध्यात्मिक यात्रा की व्याख्या करता है।
बुद्धचरित	प्रारंभिक महायान विचारक **अश्वघोष** द्वारा बुद्ध की महाकाव्यात्मक जीवनी। **काव्यात्मक शास्त्रीय संस्कृत** में लिखित, कथा और दर्शन का सम्मिश्रण। **संप्रदाय** : प्रारंभिक महायान भाषा : संस्कृत

ग्रंथ/उपखंड	विवरण, संप्रदाय और भाषा
मिलिंदपञ्हो	**यूनानी राजा मिलिंद (मेनांडर)** और भिक्षु **नागसेन** के बीच संवाद। इसमें जटिल विचारों जैसे-**अनात्मा, पुनर्जन्म, कर्म** का **तर्कों** और दृष्टांतों के माध्यम से अन्वेषण किया गया है। पाली में प्रश्न को पञ्हों कहा जाता है। **संप्रदाय** : थेरवाद **भाषा** : पाली
दीपवंश	सबसे प्राचीन **श्रीलंकाई इतिहास** (लगभग तीसरी-चौथी शताब्दी ई.)। इसमें बुद्ध की तीन श्रीलंका यात्राओं, बौद्ध धर्म के प्रसार और बुद्ध के दंत अवशेष के आगमन का वर्णन है। **संप्रदाय** : थेरवाद **भाषा** : पाली
महावंश	**महानामा** द्वारा रचित पाँचवीं शताब्दी का महाकाव्य। इसमें **श्रीलंकाई राजाओं, बुद्ध की यात्राओं** और महिंदा द्वारा सीलोन में बौद्ध धर्म के आगमन का वर्णन है। दीपवंश के बाद का। **संप्रदाय** : थेरवाद **भाषा** : पाली
महावस्तु	**महासांघिक-लोकोत्तरवाद संप्रदाय** का ग्रंथ। **जातक कथाओं, अवदानों, चमत्कारों और दैवीय तत्त्वों** का **मिश्रण**। **प्रारंभिक महायान विकास** के लिए महत्त्वपूर्ण। **संप्रदाय :** प्रारंभिक महायान **भाषा :** मिश्रित - संस्कृत, पाली, प्राकृत
ललितविस्तर सूत्र	महायान ग्रंथ जो **बुद्ध के जीवन** को एक **दिव्य लीला के रूप** में चित्रित करता है। यह बुद्ध के चमत्कारों और **अलौकिक गुणों** पर केंद्रित है। **सारनाथ में प्रथम उपदेश** के साथ समाप्त। **संप्रदाय** : महायान **भाषा** : संस्कृत
उदान	**प्रारंभिक थेरवाद ग्रंथों** में से एक, **खुद्दक निकाय** का एक भाग। प्रसिद्ध **"अंधे आदमी और हाथी"** के दृष्टांत सहित छोटे, प्रेरणादायक छंदों के लिए जाना जाता है। **संप्रदाय** : थेरवाद **भाषा** : पाली
बोधि-वंश	बारहवीं शताब्दी का काव्य ग्रंथ जो भारत से श्रीलंका तक **बोधि वृक्ष** की यात्रा का वर्णन करता है। **उपतिस्स** द्वारा रचित। सांस्कृतिक-ऐतिहासिक महत्त्व। **संप्रदाय** : थेरवाद (श्रीलंका) **भाषा** : संस्कृतनिष्ठ पाली
मूलमध्यमकारिका	**नागार्जुन** द्वारा **माध्यमिक संप्रदाय** का केंद्रीय ग्रंथ। शून्यता पर केंद्रित, अतिवादों का खंडन। दार्शनिक रूप से कठोर और अत्यधिक प्रभावशाली। **संप्रदाय** : महायान (मध्यमिका) **भाषा** : संस्कृत
अभिधर्म महाविभस शास्त्र	150 ई. में लिखा गया; **सर्वास्तिवाद** परंपरा का प्रमुख विद्वत्तापूर्ण ग्रंथ। **वैभाषिक संप्रदाय** का आधार। इसमें **घटना विज्ञान, कारणता** पर चर्चा की गयी है तथा अन्य सिद्धांतों की आलोचना की गयी है।। **संप्रदाय** : महायान (सर्वास्तिवाद) **भाषा** : संस्कृत
विशुद्धिमग्ग	**बुद्धघोष** (पाँचवीं शताब्दी) **द्वारा लिखित सिद्धांत और ध्यान पुस्तिका**। यह **नैतिकता (शील), एकाग्रता (समाधि) और ज्ञान (प्रज्ञा)** पर केंद्रित है। थेरवाद में आज भी प्रामाणिक। **संप्रदाय** : थेरवाद **भाषा** : पाली
महावंशशतिका	**महावंशशतिका, थेरवाद बौद्ध** धर्म से संबंधित है। यह **श्रीलंकाई भिक्षुओं** द्वारा लिखित एक **पाली वृत्तांत** है, जिसमें द्वीप के इतिहास और **थेरवाद बौद्ध** धर्म के प्रसार का विवरण दिया गया है।
दिव्य वंदना	**धर्मरक्षित** द्वारा दूसरी शताब्दी ईसवी में संकलित; बौद्ध नैतिकता और शिक्षाओं को दर्शानेवाली **चमत्कारी कहानियों (अवदानों)** का संग्रह।
सर्वास्तिवाद विनय पर टीका	चौथी सदी के **सर्वास्तिवाद संप्रदाय** के भारतीय भिक्षु **संघभूति** ने **सर्वास्तिवाद विनय पर एक टीका** लिखी थी।

जैन साहित्य

प्राकृत और अर्द्ध मागधी में लिखने के अतिरिक्त, काल, क्षेत्र और अपना समर्थन करनेवाले संरक्षकों के आधार पर जैन भिक्षुओं ने कई अन्य भाषाओं में भी लिखा था।

- दक्षिण भारत में **संगम काल के दौरान उन्होंने तमिल में लिखा। उन्होंने संस्कृत, शौरसेनी, गुजराती और मराठी में भी लिखा।**
- इन्हें व्यापक रूप से **दो प्रमुख श्रेणियों में विभाजित किया जा सकता है, 'जैन आगम नामक धर्मवैधानिक'** या **धार्मिक ग्रंथ** और **धर्मेतर साहित्यिक रचनाएँ**। जैन धर्म में ग़ैर-विहित साहित्य में ***निर्युक्तियाँ*** और ***संहिता*** नामक विभिन्न ग्रंथ शामिल हैं। ये भद्रबाहु द्वारा लिखे गये थे, जो जैन संघ के विभाजन से पहले, अंतिम आचार्य थे।

जैन आगम

- ये पवित्र ग्रंथ हैं और इन्हें जैन तीर्थंकरों की शिक्षाएँ बताया जाता है। इन्हें मूल रूप से **गांधारों** द्वारा संकलित किया गया बताया जाता है, जो महावीर के मुख्य शिष्य थे।
- वर्तमान अंगों को मध्य पाँचवीं शताब्दी ईसवी के दौरान **वल्लभी (गुजरात)** में आयोजित, **श्वेतांबर पंथ के भिक्षुओं की परिषद्** में, आचार्य श्रमण देवर्धिगणि के नेतृत्व में, पुनर्संकलित किया गया बताया जाता है। दिगम्बर संप्रदाय का मानना है कि मूल शिक्षाएँ बहुत समय पहले लुप्त हो गयी थीं और वे वल्लभी में संकलित आगमों के अधिकार को अस्वीकार करते हैं।
- ***''आगम''*** में 45 ग्रंथ सम्मिलित हैं, जिनमें से 11 *अंग*, 12 *उपांग*, 10 *प्रकीर्णक*, 4 *मूलसूत्र*, 6 *छेदसूत्र*, 2 *चूलिका* सूत्र हैं।
- इन्हें **अर्द्ध-मागधी प्राकृत भाषा में लिखा गया है**। *अंग, जीवन के सभी प्रकार के लिए आदर, शाकाहार, वैराग्य, दया और अहिंसा की कठोर संहिताएँ सिखाते हैं।*
- उपांग आगम की व्याख्या हैं; प्रकीर्णक सूत्र विविध विषयों पर ग्रंथ हैं, मूलसूत्र भिक्षुओं के प्रारंभिक दिनों के लिए मार्गदर्शक ग्रंथ हैं, चेदसूत्र भिक्षुओं और भिक्षुणियों के आचरण और व्यवहार से संबंधित ग्रंथ हैं और चूलिकासूत्र अंग के अर्थ को बढ़ाते हैं।
- **दिगंबरों** ने दो रचनाओं को पवित्र का दर्जा दिया: **कर्मप्रभृत** (*कर्म पर चर्चा*) या *शतखंडगम* और **कश्यपप्रभृत**।

अन्य महत्त्वपूर्ण जैन साहित्यिक ग्रंथ और रचनाएँ -------------------------> **परीक्षोपयोगी**

लेखक	ग्रंथ का नाम	विवरण
भद्रबाहु	*उवसग्गहारम् स्तोत्र, कल्प सूत्र*	**तीसरी शताब्दी ईसा पूर्व** के भिक्षु, **अंतिम श्रुतकेवली** (जैन शास्त्रों के पूर्ण ज्ञाता), **चंद्रगुप्त मौर्य के गुरु**; **श्रवणबेलगोला** प्रवास; **दिगंबर संप्रदाय के प्रवर्तक**; *उवसग्गहारम् स्तोत्र* **पार्श्वनाथ** को समर्पित एक **पवित्र स्तोत्र** है, जो बाधाओं को दूर करनेवाला माना जाता है; *कल्प सूत्र* में **तीर्थंकरों की जीवनियाँ** हैं और पर्युषण (श्वेतांबर पर्व) के दौरान इसका पाठ किया जाता है।
आचार्य कुंदकुंद	*समयसार, नियमसार*	प्रारंभिक **दिगंबर दार्शनिक**, आधारभूत ग्रंथों के रचयिता; *समयसार* में **आत्मा की पवित्रता,** जीव और अजीव के बीच भेद पर चर्चा की गयी है; *नियमसार* मुक्ति के लिए आवश्यक **नैतिक आचरण और आध्यात्मिक अनुशासन** पर केंद्रित है।

लेखक	ग्रंथ का नाम	विवरण
सामंतभद्र	*रत्नकरंद श्रावकचार, आप्तमीमांसा*	दूसरी शताब्दी के **दिगंबर विचारक**; रत्नकरंद ने **जैन गृहस्थों के नैतिक कर्तव्यों** की रूपरेखा तैयार की है, जिसमें 12 व्रतों (vows) पर ज़ोर दिया गया है; आप्तमीमांसा में **तर्क** का उपयोग करते हुए जैन धर्म का समर्थन किया गया है, इसमें स्याद्वाद (सशर्त पूर्वानुमान) से परिचय कराया गया है तथा **विरोधी विचारधाराओं का खंडन** किया गया है।
तिरुत्तक्कतेवर	*सिवक चिंतामणि*	लगभग दसवीं शताब्दी ईसवी में रचित, तमिल साहित्य के पाँच बृहत महाकाव्यों (ऐम्पेरुमकप्पियम) में से एक, एक योद्धा-राजकुमार **जीवक** की जीवन गाथा, जिसमें **कामुकता एवं विजय** के **जीवन** से **आध्यात्मिक त्याग और जैन मुक्ति तक** की यात्रा का उल्लेख है; **जैन मूल्यों** के साथ **कामुक रूमानियत** के सम्मिश्रण के लिए उल्लेखनीय।
जैन भिक्षु	*नलतियार*	जैन भिक्षुओं द्वारा रचित प्राचीन तमिल जैन नैतिक ग्रंथ; इसमें **नैतिक सिद्धांतों** के साथ 400 चौपाइयाँ हैं; **प्रारंभिक तमिल शिक्षाप्रद साहित्य** पर **जैन प्रभाव** को दर्शाता है तथा **अहिंसा एवं संयम** के मूल्यों पर बल देता है।
	वलैयपति	**पाँच महान् तमिल महाकाव्यों** में से एक; अधिकांशतः लुप्त हो चुका है, वर्तमान में इसके केवल कुछ अंश ही शेष हैं; जैन तमिल महाकाव्य राजकुमार वलैयपति के जीवन और त्याग का वर्णन करता है; तमिल संस्कृति में जैन तपस्वी आदर्शों को दर्शाता है।
	वाग्वतीसूत्र	भिक्षुओं और गृहस्थ अनुयायियों के लिए आचरण, अनुशासन और दर्शन पर जैन धर्मग्रंथ।
आचार्य उमास्वामी/ उमास्वाति	*तत्त्वार्थसूत्र*	**दूसरी और पाँचवीं शताब्दी ईसवी** के बीच रचित; **दिगंबर और श्वेतांबर दोनों संप्रदायों द्वारा स्वीकृत एकमात्र जैन ग्रंथ**; **संस्कृत** में रचित; **तर्कशास्त्र**, **तत्त्वमीमांसा**, **कर्म सिद्धांत**, **नैतिकता** और ब्रह्मांड विज्ञान से संबंधित; जैन दर्शन के केंद्र में स्थित **सात तत्त्वों** की रूपरेखा प्रस्तुत करता है।
जिनसेन	*महापुराण, आदिपुराण*	**आठवीं-नौवीं शताब्दी ईसवी के दिगंबर भिक्षु, वीरसेन** के शिष्य; *आदिपुराण* में **ऋषभनाथ (प्रथम तीर्थंकर)** के जीवन का वर्णन है; *महापुराण* में **जैन ब्रह्मांड विज्ञान, दर्शन** और **तीर्थंकरों की जीवनियाँ** हैं; दोनों में **अहिंसा, कर्म** और **जैन विश्व व्यवस्था** पर बल दिया गया है।
पारंपरिक, महावीर की शिक्षाओं पर आधारित	*निगन्थ निकाय*	प्रारंभिक ईसा पूर्व की शताब्दियों का; बौद्ध निकायों के अंतर्गत प्रारंभिक जैन ग्रंथ; जैन सिद्धांतों और भिक्षुओं के आचरण से संबंधित।
शुभचंद्र	*पांडवपुराण*	**महाभारत का एक जैन संस्करण**, जो पांडवों को **अहिंसक**, **जैन नैतिक दृष्टिकोण** से चित्रित करता है; इसमें युद्ध और विजय की तुलना में **कर्म**, **करुणा** और **आध्यात्मिक विकास** पर ज़ोर दिया गया है।
हरिभद्र सूरि	*सद्दर्शनसमुच्चय, समारैच्चकह*	पाँचवीं - छठी शताब्दी ईसवी के श्वेताम्बर विद्वान्, **तुलनात्मक दर्शन** के अग्रदूत; *सद्दर्शनसमुच्चय* में जैन धर्म की तुलना **छह अन्य भारतीय दर्शनों** (जैसे- सांख्य, न्याय, बौद्ध धर्म) से की गयी हैं; *समारैच्चकह* में **कर्म कारणता और पुनर्जन्म** की व्याख्या करने के लिए **शिक्षाप्रद कहानियों** का उपयोग किया गया है तथा इसमें **अनेकांतवाद** (विचारों की बहुलता) को बढ़ावा दिया गया है।
हेमचंद्र सूरी	*परिशिष्टपर्वण*	बारहवीं शताब्दी के श्वेताँबर बहुश्रुत, **संस्कृत और प्राकृत व्याकरण, कोशरचना (लेक्सिकोग्राफी), काव्य, छंदशास्त्र और दर्शनशास्त्र** में पारंगत; **चालुक्य शासक कुमारपाल** के सलाहकार; **कलिकालसर्वज्ञ** (कलियुग के सर्वज्ञ) की उपाधि प्राप्त; **गुजरात में जैन पुनरुत्थान** और **जैन इतिहास के संहिताकरण** में महत्त्वपूर्ण भूमिका निभायी। **परिशिष्टपर्वण जैन धर्म और राजसी राजवंशों के इतिहास** को दर्शाता है।

क्या आप जानते हैं?

पतन से पहले वल्लभी और कलिंग विश्वविद्यालय जैनों के लिए शिक्षा के महत्त्वपूर्ण केंद्र थे।

नौवीं से बारहवीं सदी के बीच, जैन भिक्षुओं ने व्यापक रूप से **कन्नड़** में लिखा। **कन्नड़ साहित्य के तीन रत्न पम्पा, पोन्ना और रन्ना** जैन धर्म से संबंधित प्रसिद्ध लेखक थे।

हिंदू धर्म के पुनरुद्धार और **कर्नाटक में लिंगायतों** के प्रसार के साथ ही जैन धर्म की लोकप्रियता में कमी आयी। इस प्रकार बारहवीं - तेरहवीं शताब्दियों के बाद साहित्यिक कार्यों में कमी देखी गयी।

मौर्योत्तर राजवंश और उनके साहित्यिक योगदान

राजवंश	महत्त्वपूर्ण शासक और विद्वान	प्रमुख साहित्यिक कृतियाँ	योगदान
शुंग (लगभग 185 - 73 ईसा पूर्व)	पतंजलि, भास	*महाभाष्य* (संस्कृत) - पतंजलि; *स्वप्नवासवदत्त, प्रतिज्ञायुगंधरायण* (संस्कृत) - भास	शुंगों ने **संस्कृत विद्या और शास्त्रीय नाटक** का पुनरुद्धार किया। पतंजलि के *महाभाष्य* ने **पाणिनि के व्याकरण पर एक व्यवस्थित टीका** प्रस्तुत की, जबकि भास के नाटक **संस्कृत रंगमंच के प्रारंभिक विकास** को दर्शाते हैं और **कालिदास** जैसे बाद के लेखकों को प्रभावित करते हैं।
सातवाहन (लगभग प्रथम ईसा पूर्व - द्वितीय ईसवी)	राजा हाल	*गाथा सप्तशती (गाथा सत्तासई)* (प्राकृत)	*गाथा सप्तशती*, राजा हाल द्वारा संकलित 700 प्राकृत प्रेम कविताओं का संग्रह है। यह भारतीय साहित्य के **प्रारंभिक धर्मनिरपेक्ष संकलनों** में से एक है तथा इसमें **महिला कवियों** की कविताओं सहित **महाराष्ट्रीय प्राकृत** में **प्रेम, प्रकृति और दैनिक जीवन** का चित्रण किया गया है।
भारतीय-यूनानी (द्वितीय ईसा पूर्व - प्रथम ईसवी)	मेनांडर (मिलिंद), नागसेन	*मिलिंदपञ्हो (मिलिंद के प्रश्न)* (पाली/संस्कृत)	*मिलिंदपञ्हो*, **राजा मेनांडर और भिक्षु नागसेन के बीच एक संवाद** है, जिसमें **यूनानी तार्किक अन्वेषण** को बौद्ध दर्शन के साथ जोड़ा गया है। यह एक प्रमुख **पाली गद्य रचना** है, जो **भारतीय-यूनानी सांस्कृतिक आदान-प्रदान** को दर्शाती है।
कुषाण साम्राज्य (पहली-तीसरी ईसवी)	कनिष्क प्रथम, अश्वघोष, चरक	*बुद्धचरित, सौंदरानंद* (संस्कृत) - अश्वघोष; *चरक संहिता* (संशोधित) (संस्कृत)	कनिष्क के तहत, कुषाण युग में **संस्कृत बौद्ध** और **वैज्ञानिक साहित्य का विकास हुआ**। अश्वघोष की रचनाएँ सबसे **प्रारंभिक संस्कृत बौद्ध महाकाव्य** हैं और संशोधित चरक संहिता ने आयुर्वेद के शास्त्रीय रूप की स्थापना की।

पारसी साहित्य

पारसीवाद, फ़ारसी पैगंबर **ज़ोरोस्टर या ज़रथुश्त्र** की शिक्षाओं से विकसित धर्म को संदर्भित करता है। पारसी धर्म का नाम **मज़्दायस्ना** है, जो माज़्दा को अवेस्तान शब्द यस्ना के साथ जोड़ता है - जिसका अर्थ है पूजा या भक्ति। पारसीवाद का फ़ारस के इतिहास, संस्कृति और कला के साथ अन्य धर्मों के विकास पर प्रभाव पड़ा है। विद्वानों के अनुसार, पारसीवाद स्वर्गदूतों, न्याय के दिन, राक्षसी व्यक्ति और **अच्छाई एवं बुराई के मध्य लड़ाई** में विश्वास करनेवाला पहला धर्म था। अवेस्ताई भाषा और संस्कृत में बहुत साम्य है। मज़्दायस्ना का संस्कृत पर्याय है- महत् यज्ञ, अर्थात् महान् यज्ञ।

ईरान में सासानी साम्राज्य के शासन के दौरान, यह धर्म सुधारों से गुज़रा और बहुत सारे ग्रंथ लिखे गये तथा उनकी पुनः व्याख्या की गयी।

सबसे महत्त्वपूर्ण ग्रंथ **अवेस्ता** कहा जाता है, जो **धार्मिक मान्यताओं, प्रथाओं और निर्देशों** से संबंधित एक समयावधि के दौरान लिखित और संकलित विभिन्न ग्रंथों का संग्रह है। **इसे अवेस्ताई भाषा में लिखा गया था,** जो अब विलुप्त हो गयी है। यह **संस्कृत के समान** थी। ईरान के ससानियन शासन के दौरान, संभवतः **चौथी शताब्दी ईसवी** में अंतिम रूप से इसका संकलन किया गया था।

अवेस्ता में ***यास्ना*** का संग्रह है। इसमें 72 अध्याय हैं और यह बहुत महत्त्वपूर्ण है। इनमें से, पाँच अध्याय **'गाथा'** जिसमें 17 श्लोक सम्मिलित हैं, जो सबसे सम्मानित हैं, जिन्हें स्वयं ज़ोरोस्टर द्वारा लिखा हुआ माना जाता है। यास्ना, इस धर्म की सबसे महत्त्वपूर्ण धर्मक्रिया है। **विदेवदाद** राक्षसों के विरुद्ध क़ानून हैं। **यष्ट** पूजा के रूप में स्तुति है। **खोरदेह अवेस्ता** दैनिक प्रार्थनाओं पर एक पुस्तक है।

अवेस्ता के अलावा कुछ महत्त्वपूर्ण ग्रंथ हैं:

- **डेनकार्ड:** यह पुस्तकों का संग्रह है और इसमें आस्था के विभिन्न पहलू समाहित हैं। इसे **पारसी धर्म का विश्वकोश** माना जाता है। इसकी कोई दिव्य स्थिति नहीं है। यह **दसवीं शताब्दी** में लिखा गया था।
- **बुंडाहिशन:** इसका शाब्दिक अर्थ है **प्रारम्भिक रचनाएँ**। यह धर्म में निर्माण के सिद्धांत के विषय में विवरण देता है। इसमें खगोलीय विचार और सिद्धांत शामिल हैं। इसमें अहुरा मज़्दा और 'अंगरा मेंयू' की लड़ाइयों का भी उल्लेख किया गया है। अधिकांश अध्याय **आठवीं और नौवीं शताब्दी** में लिखे गये थे।

सिख साहित्य

सिख धर्म या सिखवाद पंद्रहवीं शताब्दी में स्थापित अपेक्षाकृत एक नया धर्म है। यह गुरु नानक की शिक्षाओं पर आधारित है। सिख धर्म की मान्यताएँ और दर्शन पवित्र ग्रंथ, **गुरु ग्रंथ साहिब** में लिखी गयी हैं। **गुरबानी** सिख गुरुओं की रचना है। इसमें भजन और गुरु ग्रंथ साहिब है।

सिख धर्म से संबंधित महत्त्वपूर्ण साहित्यिक रचनाएँ हैं:

- **आदि ग्रंथ: 1604 में पाँचवे गुरु अर्जन देव** के तत्त्वावधान में **भाई गुरदास** द्वारा इसका संकलन किया गया था। यह ग्रंथ, गुरु ग्रंथ साहिब का पूर्ववर्ती है। इस ग्रंथ में सिख गुरुओं के साथ-साथ भक्ति और सूफ़ी परंपराओं के 15 भगतों की शिक्षाएँ सम्मिलित हैं।
- **गुरु ग्रंथ साहिब :** दसवें गुरु, **गुरु गोबिंद सिंह** के तत्त्वावधान में 1678 में आदि ग्रंथ का आगे और विस्तार किया गया।
  - इसका सिखों में बहुत सम्मान है। इसे सिखों का **ग्यारहवाँ और अंतिम आध्यात्मिक प्राधिकार** माना जाता है।
  - इसे **गुरुमुखी लिपि** में और **'संत भाषा'** नामक भाषा में लिखा गया है। संत भाषा में विभिन्न भाषाओं, जैसे- पंजाबी, अपभ्रंश, हिंदी, ब्रज भाषा, संस्कृत, खड़ीबोली और फ़ारसी के शब्द हैं।
  - इस ग्रंथ में **भक्ति संतों की शिक्षाएँ भी सम्मिलित हैं, जिन्हें 'भगत' कहा जाता था**, जैसे- रामानंद, नामदेव, रविदास, परमानंद, सेना, सूरदास आदि और दो मुस्लिम भगत-कबीर और बाबा फ़रीद।
- **दसम ग्रंथ :** माना जाता है, कि **गुरु गोबिंद सिंह** (दसवें गुरु) द्वारा लिखित भजन इस पुस्तक में संकलित किये गये हैं, हालाँकि कई लोग इससे सहमत नहीं हैं। इनमें दंतकथाएँ और पौराणिक कहानियाँ हैं। इस ग्रंथ के कुछ भजन **'नितनेम'** नामक दैनिक प्रार्थना में अर्पित किये जानेवाले माने जाते हैं। यह अधिकतर ब्रज भाषा में और कुछ भाग अवधी, पंजाबी, फ़ारसी और हिंदी में लिखा गया है।
- **जनमसाखियाँ :** इन ग्रंथों में पहले गुरु, गुरु नानक की पौराणिक और अतिरंजित कहानियाँ हैं। सबसे लोकप्रिय ग्रंथ 'भाई बाला जनमसाखी' है। अन्य मेहरबान जनमसाखी और आदि जनमसाखी हैं।

क्या आप जानते हैं?

अरदास : यह गुरु ग्रंथ साहिब को खोलने या इसे बंद करने आदि के दौरान **गुरुद्वारे में** दैनिक अनुष्ठानों के दौरान की जानेवाली प्रार्थना का एक सेट है, इसमें तीन भाग शामिल हैं - पहला भाग 10 सिख गुरुओं का गुणगान है।

पाँच बानियाँ : ये **गुरु ग्रंथ साहिब** और **दशम ग्रंथ** से ली गयीं 5 प्रार्थनाएँ हैं, जिन्हें सिख गुरुओं और वाहेगुरु के प्रति प्रतिबद्धता के रूप में प्रतिदिन पढ़ा जाता है। पाँच बानियाँ हैं- **जपजी साहिब**, **जाप साहिब** और **तव-प्रसाद सवय्ये** (सुबह के गायन के लिए), **बेंती चौपायी** और **आनंद साहिब** (शाम के गायन के लिए)।

द्रविड़ साहित्य

- इस खंड में **चार प्रमुख** द्रविड़ भाषाओं: **तमिल, कन्नड़, तेलुगू और मलयालम** का साहित्य सम्मिलित है।

- इन चारों भाषाओं में **तमिल** सबसे पुरानी मानी जाती है और माना जाता है कि यह **संस्कृत के बहुत निकट** है, विशेष रूप से व्याकरण और शब्दों को उधार लेने के संबंध में।
- तमिल में सबसे प्रसिद्ध साहित्य शास्त्रीय रचनाएँ या **संगम साहित्य** है।

तमिल संगम साहित्य ----------> परीक्षोपयोगी

- 'संगम' का अर्थ भ्रातृत्व होता है और यह साहित्य लोगों के बीच बहुत लोकप्रिय था। यह साहित्य ऐसी **रचनाओं का संग्रह** है, जिसमें लगभग 2381 कविताएँ सम्मिलित हैं, जिसके लिए 473 कवियों को श्रेय दिया जाता है और गुमनाम बने रहनेवाले 102 कवियों द्वारा लिखित साहित्य का कोष भी है। यह दक्षिण भारत का सबसे पहला ज्ञात साहित्य है। इन्हें मुख्य रूप से आठ संकलनों (एट्टुथोकै) और दस आदर्शों (पट्टुप्पाटु) के रूप में संरक्षित किया गया है।
- कवियों में समाज के विभिन्न वर्गों के पुरुष और महिलाएँ सम्मिलित थीं। साहित्यिक परंपरा इतनी अधिक लोकप्रिय थी कि **300 ईसा पूर्व से 300 ईसवी के बीच** की **अवधि** को प्रायः संगम काल कहा जाता है, जिस अवधि के दौरान इनमें से अधिकतर की रचना और संकलन किया गया था।

संगम साहित्य की **दो प्रमुख शैलियाँ** हैं :

- **आगम 'भीतरी क्षेत्र'** जो **प्रेम, यौन संबंध** आदि जैसे मानवीय पहलुओं की अमूर्त चर्चा पर केंद्रित है।
- दूसरी शैली **'पुरम'** या **'बाहरी क्षेत्र'** जिसमें सामाजिक जीवन, नैतिकता, वीरता, रीति-रिवाज़ों आदि जैसे **मानवीय अनुभवों** की चर्चा की गयी है।
- यह साहित्य 'संगम' नाम धारण करता है, क्योंकि पांड्य राज्य ने ऐसी सभाओं का आयोजन किया, जिसमें दक्षिण भारत के विभिन्न भागों से कवि, चारण और लेखक सम्मिलित होते थे एवं इन **'सभाओं को 'संगम'** कहा जाता था।
- इन सभाओं की अवधि में निर्मित साहित्य **संगम साहित्य** कहलाता है।
- 600-700 वर्षों की अवधि के दौरान तीन संगमों का आयोजन किया गया था। हालाँकि, पहले दो संगमों का निर्णायक ऐतिहासिक विवरण उपलब्ध नहीं हैं। कई विद्वानों द्वारा पहले और दूसरे संगम किंवदंती और मिथक माने जाते हैं।

संगम	राज्य	आयोजन स्थल	अध्यक्ष	पुस्तकें
पहला या मुख्य	पांड्य	मदुरई	अगस्त्य या शिव	कोई पुस्तक नहीं बची है। व्याकरण के रूप में अगत्तियम का उपयोग किया गया।
दूसरा या मध्य संगम	पांड्य	कपाटपुरम	प्रारंभ में अगस्त्य थे और उनके बाद उनके शिष्य तोलकाप्पियर ने पदभार सँभाला।	*तोलकाप्पियम्* में लगभग 2,000 कविताएँ एकत्र और संकलित की गयीं। *तोलकाप्पीयम तमिल व्याकरण की पाठ्यपुस्तक है, जिसमें शब्दों और वाक्यों का रूपान्तरण और वाक्य- विन्यास दिया गया है और साथ ही इसमें निवासों, जन्तुओं, पौधों और मनुष्यों का वर्गीकरण भी सम्मिलित है।*
तीसरा	पांड्य	मदुरई	नक्कीरर	संगम साहित्य का अधिकांश मौजूदा कोष लिखा गया।

- यह भी ध्यान देने योग्य है कि संगम साहित्य में, लगभग 30,000 पंक्तियों की कविताएँ **एट्टुथोकै** नामक आठ संकलनों और **पट्टुप्पाट्टु** (दस रमणीय काव्य) में व्यवस्थित हैं। **एट्टुथोकै** प्रेम, युद्ध, नैतिकता और प्रकृति के विभिन्न पहलुओं पर केंद्रित है तथा इसमें आठ संकलन शामिल हैं : **ऐंकुरुनुरु, अकानानुरु, पूरनुरु, कलित्टोकै, कुरुंतोकई, नत्रिनै, परिपदल और पथित्रुपथु।**

- **पट्टुप्पाट्टु** लंबी कविताएँ हैं, जिसमें राजाओं की प्रशंसा की गयी है तथा परिदृश्य, व्यापार और नगरीय जीवन का वर्णन किया गया है और इसमें **तिरुमुरुकररुप्पाटई और पट्टिनप्पलई** जैसी 10 रमणीय रचनाएँ शामिल हैं।
- बहुचर्चित और प्रतिष्ठित तमिल संत **तिरुवल्लुवर** ने **तिरुक्कुरल** में लिखा, जो संगम साहित्य में उनका योगदान है। अब तक इसका कई भाषाओं में अनुवाद किया जा चुका है और यह महाकाव्य, राजनीति-शासन और प्रेम के विषय में चर्चा करनेवाले तीन भागों में विभाजित है।
- संगम साहित्य में योगदान देनेवाली एक अन्य प्रसिद्ध **महिला संत अव्वइयर** हैं। संगम काल की अन्य महिला कवयित्री **नच्चेल्लैयार** और **कक्कईपदिनियार** थीं, जिन्होंने तमिल साहित्य में योगदान दिया था।

संगम साहित्य के अतिरिक्त, तमिल में लिखित कई अन्य प्रसिद्ध ग्रंथ भी हैं।

- तोलकाप्पियम को तमिल व्याकरण और कविता की बारीकियों को समझाने के लिए लिखा गया है।
- इसे सबसे प्राचीन जीवंत तमिल साहित्यिक कृति माना जाता है तथा इसकी रचना **तोलकाप्पियार** (संत अगस्त्य के बारह शिष्यों में से एक) ने की थी। यह तमिल भाषा के बोलचाल और लेखन के व्याकरण पर आधारित एक ग्रंथ है। इसमें जीवन के दो पहलुओं, अहम् या आगम और पुरम् का वर्णन किया गया है। यह प्राचीन तमिल भूमि के सांस्कृतिक इतिहास और भौगोलिक अध्ययन से भी संबंधित है।
- दोनों संस्कृत महाकाव्य *रामायण और महाभारत* की भाँति, तमिल में भी पाँचवी-छठी शताब्दी ईसवी में लिखे गये दो प्रमुख ग्रंथ हैं **इलंगो आदिगाल** द्वारा लिखा गया ***शिलप्पादिकारम्*** (पायल की कहानी) और दूसरा ग्रंथ **सतनार** द्वारा लिखित ***मणिमेखलाई*** (मणिमेखलाई की कहानी) है। ये ग्रंथ *तमिल समाज* और उन *आर्थिक* और *राजनीतिक* परिवर्तनों पर केंद्रित हैं, जिसका वह अनुभव कर रहा था।

संस्कृति संक्षेपण

05 महान् तमिल महाकाव्य

[संगमोत्तर काल में लिखित (लगभग पाँचवीं - दसवीं शताब्दी ई.)]

- शिलप्पादिकारम
- मणिमेखलै
- सिवक चिंतामणि
- वलैयपति
- कुण्डलकेसि

शिलप्पादिकारम्

यह प्रारंभिक तमिल महाकाव्य (ताड़ के पत्ते पर लिखी गयी हस्तलिपि) एक साधारण दंपती, ***कन्नगी***, उसके पति कोवलन और कोवलन की बाद में बनी प्रेमिका माधवी की ***दुखद प्रेम कथा*** है। दंपती सार्वभौमिक प्रश्न और आंतरिक, भावनात्मक युद्ध के बीच फँस जाते हैं। शिलप्पादिकारम् का शब्दश: अर्थ होता है ***एक पायल की कहानी*** और यह कन्नगी से संबंधित होती है। ***यह कहानी कन्नगी के आसपास घूमती है।*** वह पांड्यन वंश के दरबार में न्याय नहीं होने के कारण अपने पति को खो देती है और पांड्यन के राज्य से वह बदला लेती है। इस तमिल महाकाव्य में लेखक ***इलांग-आदिगल*** द्वारा ***कावेरी नदी, सूर्य, चंद्रमा और पूमपुहार शहर*** की प्रशंसा की गयी है। इसे लगभग पाँचवीं-छठी शताब्दी में लिखा गया है। ऐसा माना जाता है कि इसमें ***जैन तत्त्व*** हैं।

मणिमेखलै

यह भी एक तमिल महाकाव्य है, जिसकी रचना ***सत्तनार*** द्वारा लगभग छठी सदी में की गयी। यह एक ***प्रेम-विरोधी कथा*** है, जो प्रारंभिक तमिल महाकाव्य में प्रेम कथा का परिणाम है। इसमें कोवलन और माधवी की सुंदर पुत्री ***मणिमेखलै*** का वर्णन मिलता है। वह ***महायान बौद्ध मत*** की भिक्षुणी थी। यह माना जाता है, कि यह ग्रंथ ***बौद्ध धर्म से संबंधित*** है।

सिवक चिंतामणि (सिवक की रत्नजड़ित माला)

तिरुतक्कतेवर द्वारा रचित, यह सिवक के जीवन पर आधारित है, जो कला और युद्ध में निपुण एक आदर्श नायक है; जो बाद में मोक्ष के लिए सांसारिक सुखों का त्याग कर देता है। इसमें ***जैन प्रभाव*** है तथा यह तपस्वी/आत्म संयमी (ascetic) आदर्शों पर ज़ोर दिया गया है।

वलैयपति

एक अज्ञात लेखक द्वारा रचित, यह गृहस्थ सद्गुण, पवित्रता और नैतिकता पर आधारित है। इसमें *जैन प्रभाव* भी परिलक्षित होता है।

कुंडलकेशी

नाथकथानार द्वारा रचित, यह कुंडलकेशी की कहानी है, एक ऐसी महिला है, जो अपने पति की हत्या कर देती है, पश्चात्ताप करती है और बौद्ध भिक्षुणी बन जाती है। इसमें *बौद्ध प्रभाव* परिलक्षित होता है।

अन्य उल्लेखनीय संगम कवि/लेखक और उनकी रचनाएँ

कवि/लेखक	प्रमुख रचनाएँ	महत्त्व
कपिलर	*पुराणानुरू, अकनानुरू (कई कविताएँ)*	संगम संग्रह में सबसे बड़ा योगदानकर्ता; पुरम विषयों (युद्ध, उदारता) के लिए प्रसिद्ध।
नक्कीरार	पुरम कविताएँ; भाष्य	महत्त्वपूर्ण टीकाकार और कवि; व्याकरण और काव्य परंपरा में योगदान दिया।
अव्वैयार	शिक्षाप्रद और नैतिक कविताएँ	प्रसिद्ध महिला कवि; नैतिकता, मूल्यों और दैनिक जीवन पर लिखीं।
तिरुवल्लुवर	*तिरुक्कुरल* (1,330 दोहे)	सदाचार (*अरम*), राजनीति (*पोरुल*) और प्रेम (*इनबम*) पर तमिल नैतिक साहित्य का उत्कृष्ट उदाहरण; पारंपरिक रूप से संगम से जुड़ा हुआ है, लेकिन संभवतः संगम के बाद का है।

दक्षिण भारतीय राजवंश और संगम साहित्य में उनका योगदान

राजवंश	महत्त्वपूर्ण शासक	साहित्यिक योगदान (पूर्ण वाक्य)
चेर	**उथियन चेरालथन, सेंगुट्टुवन**	**चेर राजाओं** ने कई **संगम कवियों** का समर्थन किया। तमिल महाकाव्य **शिलप्पादिकारम** इसी काल में **इलांगो आदिगल** द्वारा लिखा गया था तथा **कन्नगी/पट्टिनी** की कहानियाँ उनके संरक्षण में लोकप्रिय हुईं।
चोल	**करिकाल चोल**	**चोल राजा करिकाल** की प्रशंसा पट्टिनप्पलई और **पोरुनाराट्रुपदाई** जैसी **संगम कविताओं** में की गयी है। कई कवियों ने उनकी **वीरता**, उनके **प्रशासन** और उनके **बंदरगाहों** के विषय में लिखा, जिससे **तमिल साहित्य** का विकास हुआ।
पांड्य	**नेदुंचेलियन, मुदुकुडुमी पेरुवाझी**	**पांड्य शासकों** ने **मदुरै** में **संगम सभाओं** का आयोजन किया, जिनमें संपूर्ण तमिल क्षेत्र के कवि एकत्रित होते थे। उन्होंने **एट्टुथोकै (आठ संकलन)** और **पट्टुप्पट्टु (दस रमणीय कथाएँ)** की कविताओं को प्रायोजित किया।
पल्लव	**महेंद्रवर्मन प्रथम, नरसिंहवर्मन प्रथम, नंदीवर्मन**	**पल्लव राजाओं** ने तमिल और **संस्कृत** दोनों ही रचनाओं को प्रोत्साहित किया। उन्होंने **भक्ति संतों** और विद्वानों का समर्थन किया। **दंडिन** द्वारा रचित संस्कृत गद्य **दशकुमार चरित** उनके दरबार से जुड़ा है।

विरासत स्मरण

संगम काल की सांस्कृतिक प्रथाएँ

संगम काल के दौरान कुछ महत्त्वपूर्ण सांस्कृतिक प्रथाएँ-

- संगम काल के दौरान वंशानुगत राजशाही सरकार थी। शाही दरबार को *अवाई* के नाम से जाना जाता था।
- **शिलप्पादिकारम** दो प्रकार की परिषदों को संदर्भित करता है - *ऐम्पेरुंकुलु* और *एनपेरायम*।
- *ऐम्पेरुंकुलु* या पाँच सदस्यों की परिषद् मंत्रियों की परिषद् थी।

- *एनपेरायम* या महान् सभा (पेरायम) में 8 सदस्य (सरकारी अधिकारी) शामिल थे।
- *पट्टिनाप्पलाई* पुहार के बंदरगाह में कार्यरत कस्टम अधिकारियों को संदर्भित करता है।
- **तोलकाप्पियम** इन क्षेत्रों में रहनेवाले लोगों के क़ब्ज़े के आधार पर भूमि के पाँच गुना विभाजन को संदर्भित करता है, जैसे- *कुरिंजी* (शिकार और शहद संग्रह), *मुल्लाई* (मवेशी-पालन), *मरुदम* (कृषि), *नेदाल* (मछली पकड़ने और नमक निर्माण) एवं *पलाई* (डकैती)।
- तोलकाप्पियम में चार विभिन्न जातियों का उल्लेख किया गया है। 1. **अरासर** (शासक वर्ग) 2. **अंथनार** (संगम राजनीति और धर्म से संबंधित), 3. **वनिगार** (व्यापार और वाणिज्य पर आधारित) और 4. **वेल्लालस** (कृषक)।
- संगम काल के प्रमुख देवता **सेयोन** या **मुरुगन** थे।
- शाही दरबारों में गानेवाले गायकों को पनार और विरलियार कहा जाता था (जो लोकगीत और लोकनृत्य में कुशल थे)।
- नृत्य **कनिगैयार** द्वारा प्रस्तुत किया गया था। *कूथु* (लोक कला या अनौपचारिक नृत्य) लोगों का सबसे लोकप्रिय मनोरंजन था।
- **वातककिरुत्तल** संगम युग के दौरान मृत्यु तक उपवास करने का एक तमिल अनुष्ठान था। तमिल राजा अपने सम्मान और प्रतिष्ठा की रक्षा करने हेतु और पराजय के बाद युद्ध में उत्तर दिशा की ओर मुँह करके, मौत का सामना करने के लिए तैयार थे।

भक्ति साहित्य

- इस साहित्य में अंतिम मोड़ प्रारंभिक मध्यकाल के दौरान तब आया, जब वैष्णव भक्ति भावनाओं ने तमिल साहित्य को रँगना प्रारंभ किया। सातवीं और बारहवीं शताब्दी के बीच रचित ग्रंथ प्रकृति में अत्यधिक भक्तिमय हैं।
- तमिल भाषी क्षेत्रों में, विष्णु (या उनके अवतार कृष्ण) की भक्ति में डूबे 12 **आलवारों** या संत कवियों ने अनेक ग्रंथों की रचना की। आलवार संतों में से एक **अंडाल** नामक महिला थी।
- एक अन्य महत्त्वपूर्ण *भक्ति* समूह नयनारों या शिव की प्रशंसा में गानेवाले लोगों का था।
- तमिल भक्ति और भक्ति साहित्य परंपरा ने संगम काल से लेकर चोल और चोलोत्तर काल तक आध्यात्मिक और दार्शनिक कृतियों का एक समृद्ध भंडार रचा। ये साहित्यिक कृतियाँ नीचे दी गयी तालिका में दर्शायी गयी हैं :

प्रमुख तमिल भक्ति और भक्तिमय साहित्यिक कृतियाँ ----------> **परीक्षोपयोगी**

कृति	लेखक/संत	विषय/महत्त्व
नलयिर दिव्यप्रबंधम	12 अलवार	**विष्णु और उनके अवतारों** की स्तुति करनेवाले 4,000 तमिल भजनों का संग्रह; जिसे तमिल वेद माना जाता है।
तेवरम	अप्पार, संबंदर, सुंदरर	**शिव के प्रति प्रेम और समर्पण** व्यक्त करनेवाले **भक्ति भजन**; **शैव सिद्धांत** का आधार।
तिरुवाचकम	मणिक्कवचकर	शिव के प्रति **आध्यात्मिक समर्पण और दिव्य प्रेम** को दर्शानेवाले **रहस्यमय भजन**।
पेरिया पुराणम	सेक्किझर	*चोल काल (कुलोत्तुंग द्वितीय के शासनकाल)* के दौरान बारहवीं शताब्दी ईसवी का ग्रंथ, और यह 63 नयनारों के जीवन का काव्यात्मक विवरण प्रस्तुत करता है। यह *तमिल साहित्य की एक उत्कृष्ट कृति* है तथा इसे **तमिल में पाँचवाँ वेद** माना जाता है।
कंब रामायणम (रामवतरम)	कम्बर	**तिरुवेन्नई नल्लूर सदयप्पा वल्लल के संरक्षण** में रचित **रामायण का तमिल संस्करण**; प्रत्येक 1,000 छंदों में एक बार संरक्षक के नाम का संदर्भ प्रस्तुत करता है।
तिरुप्पावै	अंडाल	**विष्णु** के प्रति **भक्ति और अभिलाषा** व्यक्त करनेवाले 30 भजन; **मार्गाजी** (मार्गशीर्ष महीने का तमिल नाम) महीने के दौरान पाठ किया जाता है।

कृति	लेखक/संत	विषय/महत्त्व
तिरुमुरुकर्रुपपादे	नक्कीरार	**संगम-युग की कविता** भक्तों को **मुरुगन के मंदिरों** की ओर मार्गदर्शन करती है; प्रारंभिक तमिल भक्ति कृति।
तिरुक्कुरल (कुरल)	तिरुवल्लुवर	**सद्गुण (अरम), धन (पोरुल)** और **प्रेम (इनबाम)** पर उपदेशात्मक ग्रंथ; **सार्वभौमिक नैतिकता** का प्रतीक है।
तिरुमंदिरम	तिरुमूलर	यह **दार्शनिक और यौगिक ग्रन्थ, आध्यात्मिक अनुशासन** और **परमात्मा के साथ मिलन** पर बल देते हैं।
थायुमानवर भजन/ सितार कविता	थायुमानवर (1705-44)	**शैव सिद्धांत** पर आधारित **दार्शनिक और भक्ति भजन**; **जाति व्यवस्था** और **मंदिर प्रवेश प्रतिबंधों का विरोध** किया।

गुप्तकालीन साहित्य

गुप्त काल को कला और साहित्य का स्वर्ण युग कहा जाता है। इस युग में धार्मिक और धर्मनिरपेक्ष दोनों प्रकार के ग्रंथों की व्यापक रचना की गयी। इस काल के प्रमुख पुराणों में विष्णु पुराण, वायु पुराण, मत्स्य पुराण, शिव पुराण, वराह पुराण, वामन पुराण और नरसिंह पुराण शामिल हैं। **गुप्त काल** में कई **स्मृतियाँ** (क़ानूनी ग्रंथ) संकलित की गयीं, जिनमें **नारद स्मृति** प्रमुख है, जो उस युग के सामाजिक और आर्थिक रीति-रिवाज़ों को दर्शाती है। **संस्कृत**, साहित्यिक अभिव्यक्ति की प्रमुख भाषा थी। पाँचवीं शताब्दी के कवि **कालिदास**, जो **चंद्रगुप्त द्वितीय के दरबार** में रहे, तत्कालीन समय के महानतम कवि माने जाते हैं। उनकी प्रसिद्ध कृतियाँ *मेघदूत, अभिज्ञानशाकुंतलम्, रघुवंश, कुमारसंभव और ऋतुसंहार का कई यूरोपीय भाषाओं में अनुवाद किया गया है।* गुप्त काल में पाणिनि और पतंजलि पर आधारित संस्कृत व्याकरण का भी विकास हुआ। यह काल **चंद्रगुप्त द्वितीय** के दरबार के एक विद्वान् **अमरसिंह** द्वारा रचित **अमरकोश** के संकलन के लिए विशेष रूप से स्मरणीय है। गुप्त साहित्य में आर्यभट की *आर्यभटीय* और वराहमिहिर की *बृहत् संहिता* जैसी वैज्ञानिक और तकनीकी रचनाएँ भी शामिल थीं, जिन्होंने गणित, खगोल विज्ञान और ज्योतिष में महत्त्वपूर्ण योगदान दिया। **इलाहाबाद स्तंभ शिलालेख** या प्रयाग प्रशस्ति **गद्य और पद्य का मिश्रण** है (इस शैली को **चंपू काव्य** के नाम से जाना जाता है)। **भिट्टारी स्तंभ शिलालेख, जूनागढ़ शिलालेख, उदयगिरि शिलालेख** और उस काल के कई अन्य शिलालेख गुप्तकालीन साहित्य के गौरव को दर्शाते हैं।

लेखक	कृति	विवरण
भास	*प्रतिमा-नाटक*	**रामायण** पर आधारित एक नाटक, जो एक मंदिर में स्थापित मूर्तियों के माध्यम से **राम** की कथा का चित्रण करता है।
	यज्ञ-फलम्	**यज्ञ के फल** पर केंद्रित है तथा रामायण से **अनुष्ठान** संबंधी विषयों का अन्वेषण करता है।
	अभिषेक-नाटक	**धर्म** की पुनर्स्थापना के प्रतीक, **राम के राज्याभिषेक** का चित्रण करता है।
	पंच-रात्र	**महाभारत** पर आधारित, जिसका अर्थ है "पाँच रातें", पाँच रातों में एक महत्त्वपूर्ण प्रसंग का वर्णन करता है।
	मध्यम-व्यायोग	**महाभारत** के एक नाटकीय प्रसंग में **"मध्यम पुत्र"** की पहचान पर प्रकाश डालता है।
	दूत-घटोत्कच	**घटोत्कच** को एक **दूत** के रूप में दर्शाता है, जो महाभारत युद्ध में कूटनीति पर बल देता है।
	दूत-वाक्य	"दूत का संदेश" - **वार्ता और रणनीति** पर बल देनेवाला एक प्रभावशाली दूत दृश्य।
	उरुभंग	"टूटी हुई जाँघ" – **दुर्योधन के** नैतिक पतन और दुखद पराजय को दर्शाता है।
	कर्णभारम	"कर्ण का बोझ" – कर्तव्य और निष्ठा के बीच **कर्ण के आंतरिक संघर्ष** पर केंद्रित है।
	हरिवंश या बालचरित	"हरि का वंश" या "बचपन की कहानी" – **कृष्ण** और उनके प्रारंभिक कार्यों की किंवदंतियाँ।
	दरिद्र चारुदत्त	**निर्धन चारुदत्त** और गणिका **वसंतसेना** की कहानी, जो *मृच्छकटिकम्* का पूर्ववर्ती है।

लेखक	कृति	विवरण
शूद्रक	*मृच्छकटिकम् ("मिट्टी की छोटी गाड़ी")*	**चारुदत्त** और **वसंतसेना** की कहानी, जिसमें **प्रेम, सामाजिक व्यंग्य और न्याय** का मिश्रण है; नालंदा के शहरी जीवन और दरबारों का एक सजीव चित्रण प्रस्तुत करती है।
विशाखदत्त	*मुद्राराक्षस ("राक्षस की अंगूठी")*	**चंद्रगुप्त मौर्य के** सत्ता में आने और नंदों के वफ़ादार मंत्री राक्षस पर जीत हासिल करने की **चाणक्य की** वाक्पटुतापूर्ण रणनीति का नाटकीय चित्रण किया गया है।
	देवीचंद्रगुप्तम् (खंडित)	**चंद्रगुप्त द्वितीय विक्रमादित्य** के वीरतापूर्ण कारनामों को दर्शाता है; केवल **खंडों** में ही शेष है।
कालिदास	*मालविकाग्निमित्रम्*	**शुंग राजा अग्निमित्र** और दासी **मालविका** की प्रेम कहानी; **पुष्यमित्र के राजसूय यज्ञ** का उल्लेख है।
	अभिज्ञानशाकुंतलम्	**राजा दुष्यंत** और शकुंतला की मार्मिक कथा, जिसमें **प्रेम, कर्तव्य** और **दिव्य नियति** का सम्मिश्रण है।
	विक्रमोर्वशीयम्	**पुरुरवा** और **उर्वशी** की प्रेमकथा; **पुरुरवा चंद्रगुप्त विक्रमादित्य** को "सूर्य की महिमा" के रूप में दर्शाते हैं।
	रघुवंश	**राजा दिलीप** से **अग्निवर्ण** तक **रघुवंश की वंशावली** का वर्णन करनेवाला महाकाव्य, **वीरता और धर्म** का गुणगान करता है।
	कुमारसंभवम्	**शिव और पार्वती** के पुत्र **कार्तिकेय के जन्म** का वर्णन करनेवाला महाकाव्य, जो **दिव्य शक्ति** का प्रतीक है।
	ऋतुसंहार	**छह भारतीय ऋतुओं** पर आधारित लघु महाकाव्य, जो **प्रेमियों की भावनाओं** और **प्राकृतिक सौंदर्य** को दर्शाता है।
	मेघदूत	**कुबेर** द्वारा निर्वासित एक **यक्ष**, बादल के माध्यम से अपनी पत्नी को संदेश भेजता है; **प्रकृति की छवि** और प्रेमी की **उत्कंठा/तड़प को चित्रित करने** के लिए प्रसिद्ध।
भारवि	*किरातार्जुनीय*	बृहत **महाकाव्य** जिसमें **अर्जुन का शिकारी (किरात)** वेशधारी **भगवान् शिव से सामना** होने का वर्णन है तथा इसमें **वीरता और तपस्या** पर बल दिया गया है।
दण्डिन	*काव्यादर्श*	**संस्कृत काव्यशास्त्र** पर आधारभूत ग्रंथ, जो काव्य की शैलियों, अलंकारों और सौंदर्यबोध को परिभाषित करता है।
	दशकुमारचरित	**दस राजकुमारों** के साहसिक कारनामे, जो **राजनीतिक षडयंत्र, कूटनीति और सामाजिक जीवन** का चित्रण करते हैं।
भट्टी	*भट्टिकाव्य (रावणवध)*	**रावण के वध** का वर्णन करनेवाला महाकाव्य, साथ ही **संस्कृत व्याकरण** का भी चित्रण करता है।
माघ	*शिशुपालवध*	**कृष्ण द्वारा शिशुपाल के वध** का वर्णन; **जटिल शैली, शब्दों के खेल** और **अनुप्रास** के लिए प्रसिद्ध।
भर्तृहरि	*वाक्यपदीय*	**व्याकरण** और भाषा **दर्शन** पर ग्रंथ, जो **अर्थगत एकता** के विचारों का परिचय देता है।
	नीतिशतक	जीवन के लिए **नैतिक, दार्शनिक और व्यवहारिक ज्ञान** प्रदान करनेवाले 100 श्लोक।
वात्स्यायन	*कामसूत्र*	**मानव यौन व्यवहार** और **जीवन कलाओं** पर आधारभूत ग्रंथ, **कामशास्त्र परंपरा** का एक अंग।
	न्याय सूत्र भाष्य	**गौतम के न्याय सूत्रों** पर प्रारंभिक भाष्य, तर्क और विवेक को स्पष्ट करता है।
आर्यभट	*आर्यभटीय*	**गणित और खगोल विज्ञान** में मौलिक कार्य, **शून्य, स्थानीय मान, त्रिकोणमिति** और **ग्रहीय मॉडलों** का परिचय।
वराहमिहिर	*बृहत् संहिता*	**ज्योतिष, प्राकृतिक विज्ञान, वास्तुकला, मौसम** और ग्रहणों पर व्यापक ग्रंथ, जो **गुप्तकालीन वैज्ञानिक विचारों** की व्यापकता को दर्शाता है।
(पारंपरिक)	*सूर्य सिद्धांत*	**ग्रहों की स्थिति** और **खगोलीय घटनाओं** की गणना करनेवाला महत्त्वपूर्ण **खगोलीय ग्रंथ।**
(भाष्य)	*युक्तिदीपिका*	**आर्यभट के** कार्यों पर **भाष्य**, जिसमें **खगोलीय और गणितीय अवधारणाओं** का विस्तार से वर्णन है।
विष्णु शर्मा	*पंचतंत्र*	**राजनीति विज्ञान, नैतिक शिक्षा** और **राजकाज** की शिक्षा देनेवाली पशु-कथाओं का संग्रह।
गुणाढ्य	*बृहत्कथा*	**कथासरित्सागर** जैसी परवर्ती रचनाओं को प्रभावित करनेवाली **कहानियों का** विशाल **संग्रह**।

मलयालम साहित्य

- यह भाषा सामान्यत: **केरल** और आसपास के क्षेत्रों में बोली जाती है।
- मध्यकाल की दो प्रमुख मलयालम रचनाएँ ***कोकसंडिसन और भास कौटिल्य*** (अर्थशास्त्र पर टिप्पणी) है।
- मलयालम में एक और प्रमुख साहित्यिक रचना ***रामचरितम*** है, जो बारहवीं शताब्दी में **चीरामन** द्वारा लिखित एक महाकाव्य है। **तिरुनिझलमाला** (पवित्र छाया की माला) और **रामचरितम** पुरानी मलयालम में लिखी गयी दो महाकाव्य कविताएँ हैं। वे मलयालम भाषा की कविताओं की **'पट्टू'** शैली से संबंधित हैं और मलयालम की सबसे प्रारंभिक साहित्यिक कृतियाँ हैं।
- भक्ति आंदोलन के एक मज़बूत प्रस्तावक **एझुयाचन (एजुयचन)** को **मलयालम भाषा के जनक** के रूप में जाना जाता है।
- **वल्लथोल नारायण मेनन** बीसवीं सदी के मलयालम कवि थे और **कुमारन आसन** और **उल्लूर एस. परमेश्वर अय्यर** के साथ आधुनिक मलयालम कविता के विजयी कवियों में से एक थे। उनकी महान् रचना **महाकाव्य चित्रयोगम** है।

तेलुगू साहित्य

- भाषाविदों का तर्क है कि **नन्नय्य** या नन्नय्या भट्टारक (ग्यारहवीं सदी) तेलुगू के पहले कवि थे। उन्होंने ***महाभारत*** का संस्कृत से तेलुगू में अनुवाद किया।
- सबसे पुराना तेलुगू शिलालेख सातवीं शताब्दी का **'टिप्पलार शिलालेख'** और **'भोड़मपुडु शिलालेख'** है।
- तेलुगू में कई महान् रचनाएँ लिखी गयी हैं, लेकिन तेलुगू साहित्य **विजयनगर काल** के दौरान यह अपने चरम पर पहुँच गया, जिसे **तेलुगू साहित्य के स्वर्ण युग** के रूप में भी जाना जाता है। इसे **प्रबंध युग** भी कहा जाता है, क्योंकि अल्लासानी पेद्दाना जैसे कवियों ने इस अवधि के दौरान काव्य लिखे, जो **'प्रबंध'** के नाम से लोकप्रिय हैं।
- इस अवधि की सबसे सफल रचनाओं में से एक **राजा बुक्का प्रथम** के जाने-माने दरबारी कवि **नचना सोमनाथ** द्वारा रचित **उत्तरहरिवंशम्** है।
- न केवल दरबारी कवियों ने श्रेष्ठतर साहित्य की रचना की, बल्कि **कृष्णदेवराय** (1509 ई.-1529 ई.) जैसे राजा ने भी **अमुक्तमाल्यद** शीर्षक से असाधारण कविताओं की रचना की थी।

कृष्णदेवराय के शासनकाल के दौरान आठ तेलुगू कवि उनके दरबार से जुड़े थे। इन्हें ***अष्टदिग्गज*** कहा जाता था। इनमें से कुछ विशेष ध्यान देने योग्य हैं:

कवि	रचना का नाम
अल्लासानी पेद्दाना (आंध्र कविता के **पितामहदु** के रूप में भी जाने जाते हैं)	*मनुचरित्र*
नंदी तिम्मना	पारिजातपहरनमु (हरिवंशम की एक कहानी पर आधारित)
तेनाली रामकृष्ण *(दरबारी विदूषक और कवि थे। कहा जाता है, कि उनका राजा के साथ अच्छा तालमेल रहा था और तेनाली राम की कहानियाँ आधुनिक समय में भी प्रचलित हैं।)*	*पांडुरंग माहात्म्य, घटिकाचला महात्म्यम्* (वैष्णव भक्ति पाठ) और *उद्भतारध्य चरित्रमु* (शैव पाठ)
रामराजाभूषणु (भट्टूमूर्ति के रूप में भी जाने जाते हैं।)	*वसुचरितमु*
	नरसाभूपाल्यमु
	हरीशचंद्र नलोपाख्यानमु, काव्यालंकारसंग्रहमु
मदय्यागरी मल्लाना	*राजशेखरचरित* (अवंती के राज्य के राजा राजशेखर के प्रेम और युद्ध के विषय में)

कवि	रचना का नाम
अय्यालराजु रामभद्रदु	रामाभ्युदयमु
पिंगली सुरन्ना	राघव-पाण्डवीयम् (**रामायण** और **महाभारत** दोनों का वर्णन करते हुए), कलापूर्णोदयम् (तेलुगू में पहला मौलिक काव्य उपन्यास।)

विरासत स्मरण

कृष्ण देवराय-महान् विद्वान् और साहित्य के संरक्षक

- वे कई भाषाओं के विद्वान् और संरक्षक थे, जिसमें **तेलुगू, कन्नड़, तमिल और संस्कृत** सम्मिलित थी।
- विजयनगर साम्राज्य में **कृष्ण देवराय** (1509-1529) का शासनकाल **तेलुगू साहित्य के स्वर्ण युग** के रूप में जाना जाता है।
- **आठ विद्वान् साहित्यिक व्यक्ति** उनके दरबार से जुड़े थे और उन्हें **अष्टदिग्गज** कहा जाता था, सबसे महत्त्वपूर्ण **अल्लासनी पेद्दाना** थे।
- उन्होंने **कन्नड़ कवियों** मल्लनरया, छटु विट्टल-अनंत, थिमन्ना कवि को संरक्षण दिया। **कन्नड़ संत व्यासतीर्थ उनके राजगुरु** थे।
- **कृष्णदेव की रायना दिनाचरी** कन्नड़ में उनकी एक और रचना है।
- कलिंग अभियान के दौरान, जब वह विजयवाड़ा से होकर यात्रा कर रहे थे, तब उन्होंने स्वयं **अमुक्तमाल्यद की रचना** की, जो उनके सपनों में **विष्णु** का उदाहरण प्रस्तुत करनेवाला ग्रंथ है।
- **उन्होंने संस्कृत में ग्रंथ लिखे,** जिसमें सम्मिलित हैं—मदालसा चरित, सत्यावधु परिणय, रसमंजरी और जम्बावती कल्याण।
- उन्होंने तमिल कवि हरिदास को संरक्षण दिया।

क्या आप जानते हैं? बीसवीं सदी के आधुनिक तेलुगू साहित्य को **के. वीरेशलिंगम पेंटालु** ने आकार दिया था, जिन्होंने पहला तेलुगू उपन्यास ***'राजशेखर चरित्रमु'*** लिखा था।

कन्नड़ साहित्य

- कन्नड़ साहित्य में जैन विद्वानों ने सबसे पहले प्रवेश किया। जैन-प्रभावित ग्रंथों का सबसे अच्छा उदाहरण पंद्रहवें ***तीर्थंकर*** (जैन गुरु) के जीवन पर **माधव** लिखित **धर्मनाथ पुराण** है।
- कन्नड़ दक्षिण भारत की दूसरी सबसे पुरानी भाषा है। सबसे प्राचीन कन्नड़ शिलालेख पाँचवीं शताब्दी ईसवी का **'हल्मिडी शिलालेख'** है।
- **उरित्ता विलास** जैसे कई अन्य विद्वानों ने इस काल की **जैन शिक्षाओं** पर ***धर्म परीक्षा*** की रचना की।
- कन्नड़ में सबसे पहले अभिलेखित ग्रंथों में से एक नौवीं शताब्दी में, **अमोघवर्ष प्रथम** द्वारा लिखित ***कविराजमार्ग*** **(Kavirajamarga)** है। वह भी बहुत शक्तिशाली राष्ट्रकूट राजा थे। उन्होंने संस्कृत में ***प्रश्नोत्तर रत्नमालिका*** भी लिखी है।

कन्नड़ भाषा में कई महान् कवि हुए हैं, लेकिन 'तीन रत्न' अद्वितीय थे।

- **पंपा** (नौवीं - दसवीं शताब्दी ईसवी)
- **पोन्ना** (नौवीं - दसवीं शताब्दी ईसवी) और
- **रन्ना** (दसवीं - ग्यारहवीं शताब्दी ईसवी)

- दसवीं शताब्दी में ही, *'कन्नड़ के जनक'* के रूप में अधिक ज्ञात आदिकवि पंपा (एक जैन कवि) ने अपनी दो सबसे महानतम काव्यात्मक रचनाएँ, ***आदिपुराण (चम्पू शैली में लिखी गयी)*** और ***विक्रमार्जुन विजय*** (**पंपा भरत** के नाम से भी जाना जाता है) (महाभारत का कन्नड़ रूपांतरण और शिलालेख के रूप में प्रस्तुत किया गया) लिखीं। काव्य रचनाओं में सम्मिलित रस पर अपनी प्रवीणता के लिए प्रसिद्ध पंपा, **चालुक्य राजा अरिकेसरी** के दरबार से जुड़े थे।
- दूसरे रत्न या **पोन्ना** ने ***शांति पुराण*** (16वें जैन तीर्थंकर शांतिनाथ की जीवनी) शीर्षक से प्रसिद्ध ग्रंथ की रचना की और तीसरे रत्न, **रन्ना** ने ***अजीत पुराण*** (द्वितीय जैन तीर्थंकर अजितनाथ के जीवन पर आधारित) की रचना की। ये दोनों कवि राष्ट्रकूट राजा कृष्ण तृतीय के दरबार से जुड़े थे। रन्ना की एक और रचना **सहसा भीम विजया** है, जिसे **गदा युद्ध** के नाम से भी जाना जाता है। **पोन्ना** को संस्कृत और कन्नड़ दोनों में पकड़ के लिए **उभय कविचक्रवर्ती** की उपाधि से सम्मानित किया गया था।
- हालाँकि कन्नड़ दसवीं शताब्दी तक पूर्ण भाषा बन चुकी थी, लेकिन कन्नड़ साहित्य के विकास के लिए सूक्ष्मता से विजयनगर साम्राज्य से मिलनेवाले संरक्षण को उत्तरदायी ठहराया जाता है। साहित्य के विकसित हो जाने पर, भाषा का व्याकरण स्पष्ट करनेवाली ***शब्दमणिदर्पण,*** जैसी कई पुस्तकें लिखी जाने लगीं, जिसे केशिराजा ने लिखा था।
- इस अवधि में कई अर्द्ध-धार्मिक ग्रंथों की भी रचना की गयी। **नरहरि** ने ***तोरवेरामायण*** की रचना की, इसे *वाल्मीकि* **रामायण** से प्रेरित और पूर्णतः कन्नड़ में लिखी गयी राम पर पहली कहानी कहा जाता है।
- एक अन्य प्रसिद्ध ग्रंथ ***जैमिनी भरत*** था। इसे *लक्ष्मिश* ने लिखा था।
- कन्नड़ को अलग बनानेवाली बात इसे पढ़नेवाले लोगों के साथ इसका निकटता से जुड़ाव है। ***'लोगों का कवि'*** होने की पदवी ***त्रिपदी*** (तीन पंक्ति की कविता) लिखनेवाले कवि **सर्वज्ञ** (सोलहवीं शताब्दी) को दी जाती है।
- इससे भी अधिक असाधारण कन्नड़ में कुछ ख्यातिवाली ***हदीबदेय धर्म*** (समर्पित पत्नी के कर्तव्य) लिखनेवालीं **पहली कवयित्री होन्नम्मा** थीं।
- **मदन विजया** या **कबिगरा कावा अंडय्या** द्वारा लिखा गया था (यह बिना किसी संस्कृत शब्द के पहला शुद्ध कन्नड़ पाठ है)।

उल्लेखनीय शासक और उनके दरबारी कवि ----------> परीक्षोपयोगी

राजाओं के दरबार में कवि और विद्वान् आकर्षण के केंद्र होते थे, क्योंकि वे अपनी कविता और गद्य के माध्यम से दरबार के वातावरण को ख़ास बना देते थे।

प्रसिद्ध शासक और उनके दरबारी कवि

राजवंश	राजा	दरबारी कवि/विद्वान्	प्रसिद्ध कृतियाँ
मौर्य	चन्द्रगुप्त मौर्य	कौटिल्य (चाणक्य)	*अर्थशास्त्र,चाणक्य नीति*
गुप्त	समुद्रगुप्त	हेरिसेण	*प्रयाग प्रशस्ति (इलाहाबाद स्तंभ शिलालेख)*
	चन्द्रगुप्त द्वितीय (विक्रमादित्य)	कालिदास	*रघुवंश, कुमारसंभव, मेघदूत, अभिज्ञानशाकुन्तलम्*
पुष्यभूति (वर्धन)	हर्षवर्धन	बाण (बाण भट्ट)	*हर्षचरित, कादम्बरी*
कन्नौज	कन्नौज के राजा यशोवर्मन	भवभूति	*महावीरचरित, मालतीमाधव, उत्तररामचरित*
चालुक्य	पुलकेशिन द्वितीय	रविकीर्ति	*ऐहोल शिलालेख*

राजवंश	राजा	दरबारी कवि/विद्वान्	प्रसिद्ध कृतियाँ
	चालुक्य राजा अरिकेसरी द्वितीय	आदिकवि पम्पा	विक्रमार्जुन विजया (पम्पा भरत)
कल्याणी चालुक्य (पश्चिमी चालुक्य)	विक्रमादित्य VI (त्रिभुवनमल्ल)	बिल्हण	विक्रमांकदेव चरित
राष्ट्रकूट	अमोघवर्ष I	जिनसेन, गुणभद्र	*महापुराण (जिनसेन), आदिपुराण (गुणभद्र)*
	राष्ट्रकूट राजा कृष्ण तृतीय	श्री पोन्ना	शांतिपुराण, भुवनैक-रामभ्युदय
प्रतिहार (गुर्जर)	गुर्जर प्रतिहार	राजशेखर	*बालभारत, कर्पूरमंजरी, बालरामायण, काव्यमीमांसा*
परमार	राजा भोज	धनंजय, पद्मगुप्त	*दशरूप (धनंजय), नवसहसांक-चरित (पद्मगुप्त), सरस्वती-कंठाभरण (भोज स्वयं)*
होयसल	होयसल राजा	राघवंक	*हरिश्चंद्र काव्य*
विजयनगर (तुलुव)	श्री कृष्णदेव राय	अष्टदिग्गज (अल्लासानि पेद्दाना, आदि)	*मनुचरित्रम् (अल्लासानि पेद्दना), अमुक्तमाल्यद (स्वयं कृष्ण देव राय)*
	श्री कृष्णदेव राय	अल्लासानी पेद्दना	*स्वारोचिष मनु सम्भवम*
	श्री कृष्णदेव राय	नंदी थिम्मन	*पारिजातपहरणम्, वाणीविलासम्*
मैसूर (वोडेयार)	राजा वोडेयार	तिरुमलारिया	*कर्ण वृत्तान्त कथे*
तंज़ोर (सर्फोजी II)	तंज़ोर के राजा सर्फोजी द्वितीय	वेदनायगम शास्त्रियार	बेथलहम कुरावनजी, ज्ञानकुम्मी
दिल्ली सल्तनत	अलाउद्दीन ख़िलजी (7 अन्य दिल्ली सुल्तान भी)	अमीर खुसरो	तुहफ़ातुस-सिघ्र, क़िरानुस-सादैन
सेन राजवंश (बंगाल)	लक्ष्मणसेन	जयदेव	गीत गोविंद
कुमारपाल (चौलुक्य)	कुमारपाल	हेमचन्द्र	*सिद्ध-हेम-शब्दानुशासन, द्वयाश्रय महाकाव्य*
शिवाजी का दरबार (मराठा)	शिवाजी	परमानंद	शिवभरत
संबलपुर (ओडिशा)	संबलपुर राजा बलियार सिंह	पंडित गंगाधर मिश्र	कोसलानन्द महाकाव्य
कामता (असम)	कामतापुर राजा दुर्लभ नारायण	हेमा सरस्वती	प्रहलाद चरित
चोल	कुलोत्तुंग चोल प्रथम	जयमकोंदर	*कलिंगट्टु पराणी*
मुग़ल	अकबर	अबुल फ़ज़ल	*अकबरनामा, आईन-ए-अकबरी*
	जहाँगीर	मुतमद ख़ान, मुहम्मद हादी	*इक़बाल-नामा-ए-जहाँगीरी (मुतमाद खान), तुज़्क-ए-जहाँगीरी (मुहम्मद हादी द्वारा संपादित)*
	शाहजहाँ	अब्दुल हामिद लाहौरी	*पादशाहनामा*
	औरंगज़ेब	साक़ी मुस्तैद ख़ान	*मासिर-ए-आलमगिरी*
सिख साम्राज्य	रणजीत सिंह	रतन सिंह भंगू	*श्री गुर पंथ प्रकाश*
अवध	वाजिद अली शाह	आग़ा हसन अमानत	*इन्दर सभा*
नादिया (बंगाल)	नादिया के कृष्ण चंद्र	रामप्रसाद सेन	*विद्यासुन्दर, शक्तिगीति*

मध्यकालीन साहित्य

मध्यकाल में कई विभिन्न प्रवृत्तियाँ उभरीं, जिन्होंने उभरनेवाली भाषाओं और बोलियों को प्रभावित किया। प्रमुख परिवर्तन दिल्ली सल्तनत और मुग़ल दरबारों के लेखन के रूप में फ़ारसी का उद्भव था। इस अवधि में प्राचीन ***अपभ्रंश*** भाषा से **हिंदी का विकास** भी दिखाई दिया और स्वयं अपभ्रंश भाषा का विकास प्राकृत से हुआ।

- हालाँकि फ़ारसी भाषा की जड़ें संस्कृत जितनी ही पुरानी हैं, लेकिन **बारहवीं शताब्दी** में **तुर्क और मंगोलों** के आगमन के साथ यह भारत आयी। उनके शासन के दौरान फ़ारसी दरबार के संचार का साधन बन गयी।

दिल्ली सल्तनत और मुग़ल काल के दौरान की उल्लेखनीय साहित्यिक कृतियाँ ---------------→ **परीक्षोपयोगी**

लेखक/कवि/ इतिहासकार	कृति	काल/संरक्षण	महत्त्व
हसन निज़ामी	*ताज-उल-म'आसिर*	**प्रारंभिक दिल्ली सल्तनत** *(कुतुबुद्दीन ऐबक)*	प्रारंभिक दिल्ली सल्तनत का **पहला फ़ारसी इतिहास**; ऐबक के शासन का महिमामंडन।
मिन्हाज-अल-सिराज	*तबक़ात-ए-नासिरी*	**दिल्ली सल्तनत (नासिरुद्दीन महमूद)**	**मुस्लिम शासन का** विस्तृत **इतिहास**; **गुलाम वंश** का महत्वपूर्ण स्रोत।
अमीर खुसरो देहलवी *("तूती-ए-हिंद" - भारत का तोता)*	*दीवान, नूह सिपिहर, देवल रानी-ख़िज़्र खान*	**दिल्ली सल्तनत (7 शासकों की सेवा की)**	प्रसिद्ध हिंद-फ़ारसी कवि; **क़व्वाली** और फ़ारसी कविता के प्रणेता; *देवल रानी-ख़िज़्र खान* एक **दुखद प्रेम कविता**। **दीवान** - **प्रेम, भक्ति** और **रहस्यवाद** पर **अमीर खुसरो** की **फ़ारसी गीतात्मक कविताओं** का संग्रह; नूह सिपिहर - अमीर खुसरो द्वारा **फ़ारसी मसनवी (1318)** में **अलाउद्दीन ख़िलजी** की प्रशंसा और **भारत की सांस्कृतिक विविधता, जलवायु, भाषा, वनस्पति** और जीव-जंतुओं का वर्णन; **देवल रानी-ख़िज़्र खान** - **ख़िज़्र खान** और **गुजरात** की **देवल रानी** की **प्रेम कहानी** बतानेवाली **रोमांटिक मसनवी**।
ज़ियाउद्दीन बरनी *(राजनीतिक विचारक)*	*तारीख़-ए-फ़िरोज़ शाही, फ़तवा-ए-जहाँदारी*	**दिल्ली सल्तनत (तुग़लक़ काल)**	प्रमुख **इतिहासकार और राजनीतिक विचारक**; **आदर्श राजत्व** और शासन की नैतिकता पर लिखा। **तारीख़-ए-फ़िरोज़ शाही** - **फ़िरोज़ शाह तुगलक** तक **दिल्ली सल्तनत के इतिहास** पर **ज़ियाउद्दीन बरनी** द्वारा लिखित फ़ारसी इतिहास। **फ़तवा-ए-जहाँदारी** - **आदर्श इस्लामी राजत्व** औरं शासकों के **नैतिक कर्तव्यों** पर **बरनी** द्वारा लिखित **राजनीतिक ग्रंथ**।
शम्स-ए-सिराज अफ़ीफ़	*तारीख़-ए-फ़िरोज़ शाही*	**फ़िरोज़ शाह तुग़लक़**	**सामाजिक**, आर्थिक और **कल्याणकारी नीतियों** का वर्णन; **तुग़लक़ प्रशासन** का प्रमुख स्रोत।
इसामी (अब्दुल मलिक इसामी)	*फुतुह-उस-सलातीन*	**मुहम्मद बिन तुग़लक़/ बहमनी काल**	**काव्य इतिहास**; **दिल्ली सल्तनत के पतन** और **दक्कन राज्यों के उत्थान को** दर्शाता है।

लेखक/कवि/इतिहासकार	कृति	काल/संरक्षण	महत्त्व
शेख निज़ामुद्दीन औलिया/अमीर हसन सिज्जी	*फ़वाद-उल-फुवाद*	**दिल्ली सल्तनत**	**सूफ़ी प्रवचनों** का संग्रह; **चिश्ती रहस्यवाद** को दर्शाता है।
मलिक मुहम्मद जायसी **(सूफ़ी कवि)**	*पद्मावत*	**सूर काल (1540 ई.)**	**सूफ़ी रोमांटिक महाकाव्य इतिहास** और **किंवदंती** (रानी पद्मिनी और अलाउद्दीन ख़िलजी) का मिश्रण।
बाबर (मुग़लों का संस्थापक)	*बाबरनामा (तुज़्क-ए-बाबरी)*	**मुग़ल काल (बाबर)**	बाबर की **आत्मकथा**; इस्लामी दुनिया में सबसे प्राचीन; **प्रारंभिक मुग़ल विजयों और भूगोल** का विवरण।
गुलबदन बेगम (हुमायूँ की सौतेली बहन)	*हुमायूँनामा*	**मुग़ल काल (हुमायूँ)**	दुर्लभ **महिला-लिखित ऐतिहासिक कृति**; **हुमायूँ के जीवन और संघर्षों** का विवरण।
अबुल फ़ज़ल (अकबर का दरबारी इतिहासकार)	*अकबरनामा (आइन-ए-अकबरी सहित)*	**मुग़ल काल (अकबर)**	**अकबर के नवरत्नों** में से एक; विस्तृत **प्रशासन, अर्थव्यवस्था और संस्कृति**; आधिकारिक **दरबारी वृत्तांत**।
फ़ैज़ी (अबुल फजल के बड़े भाई)	*नल-दमन, लीलावती (भास्कराचार्य) का अनुवाद*	**मुग़ल काल (अकबर)**	**अकबर के नवरत्नों** में से एक; अनुवादित संस्कृत क्लासिक्स - इंडो-फ़ारसी सांस्कृतिक संश्लेषण।
हाजी इब्राहिम सरहिन्दी (विद्वान्)	*अथर्ववेद का फ़ारसी में अनुवाद*	**मुग़ल काल (अकबर)**	**फ़तेहपुर सीकरी** में अकबर की **अनुवाद परियोजनाओं** का हिस्सा।
मोहम्मद आरिफ़ कंधारी (इतिवृत्तकार)	*तारीख़-ए-अकबरी (मुज़फ़्फ़रनामा)*	**मुग़ल काल (अकबर)**	अकबर के प्रारंभिक शासनकाल का **पहला इतिहास वृत्तांत**।
निज़ामुद्दीन अहमद	*तबक़ात-ए-अकबरी*	**मुग़ल काल (अकबर)**	अकबर तक मुस्लिम शासकों का **सामान्य इतिहास**; विश्वसनीय रिकॉर्ड।
अब्दुल क़ादिर बदायूँनी (अकबर के आलोचक)	*मुंतख़ब-उत- तवारीख़, महाभारत का अनुवाद (रज़्मनामा)*	**मुग़ल काल (अकबर)**	अनेक **संस्कृत कृतियों** का अनुवाद किया; अकबर की **धार्मिक नीतियों (दीन-ए-इलाही)** का विरोध किया।
अब्दुर रहीम ख़ान-ए-ख़ाना	*दोहा, फ़ारसी और हिंदी कविता*	**मुग़ल काल (अकबर)**	**अकबर के नवरत्नों** में से एक; **फ़ारसी और हिंदी दोनों** में लिखा गया; मिश्रित **सूफ़ी-भक्ति आदर्श**।
हमजानामा (सचित्र पांडुलिपि)	*फ़ारसी नायक अमीर हमजा की कहानी*	**मुग़ल काल (अकबर)**	**अकबर द्वारा** बनवायी गयी **सचित्र पांडुलिपि**; **मुग़ल कला और कथा परंपरा** को प्रदर्शित करता है।
मुहम्मद क़ासिम फ़रिश्ता	*तारीख़-ए-फ़रिश्ता / गुलशन-ए-इब्राहिमी*	**दक्कन सल्तनत (बीजापुर, लगभग 1600 ई.)**	मुस्लिम भारत का **व्यापक इतिहास; दक्कन और उत्तर भारत** के लिए मूल्यवान्।
जहाँगीर (नूर-उद-दीन मुहम्मद)	*तुज़्क-ए-जहाँगीरी*	**मुग़ल काल (जहाँगीर)**	**आत्मकथा**; कला, वनस्पति, जीव-जंतु, न्याय और शासन कला पर विस्तृत विवरण।
इनायत ख़ान (दरबारी इतिहासकार)	*शाहजहाँनामा*	**मुग़ल काल (शाहजहाँ)**	**शाहजहाँ के शासनकाल** का इतिहास; **राजनीति, वास्तुकला और दरबारी जीवन** का वर्णन।
अब्दुल हमीद लाहौरी (दरबारी इतिहासकार)	*पादशाहनामा*	**मुग़ल काल (शाहजहाँ)**	शाहजहाँ के शासनकाल का **आधिकारिक इतिहास** (*शाहजहाँनामा* से भ्रमित न हों)।

लेखक/कवि/ इतिहासकार	कृति	काल/संरक्षण	महत्त्व
जहाँआरा बेगम (शाहजहाँ की पुत्री)	*मुनिस-अल-अरवाह (शेख़ मुईनुद्दीन चिश्ती का जीवन)*	**मुग़ल काल (शाहजहाँ)**	**सूफ़ी संत** को श्रद्धांजलि; **महिला रचनाकारिता** और **आध्यात्मिक भक्ति** को दर्शाता है।
ख़वास ख़ान	*आलमगीरनामा*	**मुग़ल काल (औरंगज़ेब - प्रारंभिक वर्ष)**	औरंगज़ेब के **प्रथम दशक** का **आधिकारिक इतिहास**।
मिर्ज़ा मुहम्मद काज़िम (इतिहासकार)	*आलमगीरनामा (जारी)*	**मुग़ल काल (औरंगज़ेब)**	औरंगज़ेब के शासन के **आधिकारिक इतिहास** की निरंतरता।
जफ़र जतल्ली - व्यंग्यकार	*व्यंग्यात्मक कविता*	**मुग़ल काल (औरंगज़ेब)**	**फ़ारसी साहित्य** में **व्यंग्य और हास्य** के लिए जाना जाता है; अपने समय का अद्वितीय।

क्या आप जानते हैं?

- औरंगज़ेब की पसंदीदा और सबसे बड़ी बेटी ***ज़ेब-उन-निसा*** एक महान् ***कवयित्री*** थीं और उनके लेखन को मरणोपरांत "***दीवान-ए-मख़्फ़ी***" के रूप में संकलित किया गया था। उसे उसके पिता ने उसके जीवन के अंतिम 20 साल के लिए क़ैद करके रखा था।
- ***कलिला वा डिमना*** अरबी में दंतकथाओं का एक संग्रह है, जिसमें **कलिला** और **डिमना** नाम के दो सियारों को (अन्य जानवरों सहित) कथावाचक और नायक दोनों के रूप में दिखाया गया है। यह पुस्तक संस्कृत पाठ ***पंचतंत्र*** का अनुवाद है, जिसका छठी शताब्दी में पुरानी **फ़ारसी** में अनुवाद किया गया था और आठवीं शताब्दी में इसका अरबी में अनुवाद किया गया था।

उर्दू साहित्य

- भाषाविदों का तर्क है कि उर्दू, फ़ारसी और हिंदी की होनेवाली अंतर्क्रिया, विशेष रूप से तुर्की सेना की बैरकों के माध्यम से विकसित हुई। अमीर ख़ुसरो ने भी उर्दू में कई ग्रंथ लिखे थे। उर्दू भाषा इस अवधि में अपनी प्रारंभिक अवस्था में थी। भाषा विज्ञान के आधार पर यह इंडो-आर्यन भाषा है, जिसकी उत्पत्ति भारत में हुई और हिंदी की मूल संरचना पर ही आधारित (खड़ी बोली) है।
- अमीर ख़ुसरो ने भी उर्दू में कई ग्रंथ लिखे थे। उर्दू इस अवधि में अपनी प्रारंभिक अवस्था में थी।
- यह भाषा अधिकांशतः *हिंदी के व्याकरण और फ़ारसी के प्रकार और पटकथा* का अनुगमन करती है। चूँकि अहमदनगर, गोलकुंडा, बीजापुर और बरार के बहमनी राज्यों द्वारा इसका उपयोग किया जाता था, इसलिए प्रारंभ में इसे **दक्कनी** (दक्षिणी) भी कहा जाता था।
- सबसे बड़े उर्दू कवियों में से एक उर्दू में ***दीवान*** (केवल ग़ज़लों का संग्रह) की रचना करनेवाले **मिर्ज़ा ग़ालिब (1797-1869)** थे।
- सौदा, दर्द और मीर तक़ी मीर, कई अन्य उर्दू कवि थे। बीसवीं सदी में, उर्दू साहित्यिक लेखन में एक बड़ी हस्ती ***बाँग-ए-दरा*** लिखनेवाले **इक़बाल** थे। वह **'सारे जहाँ से अच्छा'** लिखने के लिए प्रसिद्ध है, जो भव्य राष्ट्रवादी गीत बन गया है। बाद में वे पाकिस्तान के अवधारणा के प्रस्तावक बन गये थे।
- उर्दू में भी लिखनेवाले बहादुर शाह ज़फ़र जैसे मुग़ल साम्राज्य के अंतिम सम्राटों के अतिरिक्त अवध के नवाबों ने भी उर्दू में रचना करनेवाले कई विद्वानों को संरक्षण दिया था।

- बीसवीं सदी में, आधुनिकतावादी सर सैय्यद अहमद ख़ान द्वारा भी इसे बढ़ावा दिया गया था। उन्होंने उर्दू और अँगरेज़ी में कई शिक्षाप्रद और राष्ट्रवादी ग्रंथ लिखे थे। उन्होंने एक पत्रिका का प्रकाशन किया, जिसका नाम ***तहज़ीब-उल-अख़्लाक़*** था। उसमें प्रगतिशील विचार सम्मिलित किये गये थे, जैसे- शिक्षा के माध्यम से महिलाओं की स्थिति में सुधार, पर्दा प्रथा और बहुविवाह का विरोध आदि।

क्या आप जानते हैं?

क़सीदा - क़सीदा का **एक ही मुख्य विषय** होता है। यह सामान्यत: किसी **राजा या** उच्चाधिकारी की **प्रशंसा में** लिखा जाता है। मध्य एशिया में इस्माइली पंथ द्वारा अरबी, फ़ारसी या ताजिक में क़सीदे पढ़े जाते हैं।

गिनान - ये भक्तिपूर्ण भजन होते हैं, जिसे दक्षिण एशिया में निज़ारी इस्माइली मुस्लिम समुदाय **(खोजा)** गाते हैं। गिनान के विषयों में दैवीय प्रेम, ब्रह्माण्ड, धार्मिक कर्मकांड, परलोक, नैतिकता और ध्यान सम्मिलित होते हैं। आरंभ में इसे पीरों द्वारा मौखिक रूप से गाया जाता था, परंतु बाद में ग्रंथ के रूप में इसकी रचना की गयी। वे *क़ुरान* की आयतों पर आधारित होते हैं। इनकी रचना कई भाषाओं, जैसे- गुजराती, उर्दू, पंजाबी, सिंधी और अन्य में की गयी।

शहर आशोब - यह दक्षिण एशिया की प्राचीन उर्दू कविता शैली है। आशोब में सामान्यत: विभिन्न स्थितियों पर आधारित वर्णात्मक कविता में एक लेखक के भावनात्मक विचारों का वर्णन किया जाता है। **मुग़ल शासनकाल** में कवियों द्वारा इसका प्रयोग व्यापक रूप से राजनीतिक और सामाजिक परिवर्तनों पर **क्रोध और दुख** प्रकट करने के लिए किया जाता था।

हिंदी और उसकी बोलियाँ

- हिंदी, जैसा आज हम इसे जानते हैं, सातवीं और चौदहवीं सदी के बीच प्राकृत से विकसित होनेवाली **अपभ्रंश** से विकसित हुई। इस भाषा को सबसे बड़ा प्रोत्साहन उस **भक्ति आंदोलन** से मिला, जिसने *संस्कृत का उपयोग त्याग दिया था,* क्योंकि यह *ब्राह्मणों* की भाषा थी और आम लोग इसका उपयोग नहीं करते थे। इसलिए, उन्होंने लोगों की आम जन भाषा में लिखना प्रारंभ किया और बारहवीं शताब्दी के बाद से हमें बंगाली, हिंदी, मराठी, गुजराती आदि जैसी क्षेत्रीय भाषाओं की तीव्र प्रगति दिखायी देती है।
- लंबे समय तक, हिंदी साहित्य अपनी पूर्ववर्ती संस्कृत की छाया में रहा, लेकिन चंदवरदाई द्वारा लिखित ***पृथ्वीराज रासो*** **संभवत: पहली हिंदी पुस्तक** थी और इसमें पृथ्वीराज चौहान के जीवन और उनके सामने आनेवाली चुनौतियों का प्रलेखन किया गया है।
- अधिकांश रचनाएँ **कबीर** जैसे भक्त लेखकों द्वारा लिखित कविताएँ है। वह अपने ***दोहों*** के लिए प्रसिद्ध हैं, जिनका आज भी भारत के आम लोगों द्वारा प्रयोग किया जाता है।
- **तुलसीदास** अन्य वैष्णव संत थे, जो सबसे प्रतिष्ठित हिंदू ग्रंथों में से एक ***रामचरितमानस*, अवधी भाषा में** लिख कर अमर हो गये। उनके द्वारा लिखित अन्य रचनाओं में विनय पत्रिका, कृष्ण गीतावली, कवितावली, दोहावली और वैराग्य संदीपनी सम्मिलित हैं।
- भगवान् कृष्ण का **जीवन भी सूरदास** जैसे विभिन्न मध्ययुगीन कवियों का विषय बन गया। उन्होने कृष्ण के बचपन और गोपियों के साथ किशोरावस्था के प्रसंगों के विषय में ***सूर सागर*** लिखा। रहीम, भूषण और रसखान ने भी भगवान् कृष्ण के प्रति भक्ति के विषय में लिखा।
- **मीराँबाई** भी ऐसी स्त्री के रूप में प्रसिद्ध हैं, जिन्होंने भगवान् कृष्ण के लिए संसार का त्याग कर दिया और उनके लिए भक्ति कविताएँ और भजन लिखती थीं।
- सोलहवीं - सत्रहवीं शती में **नारायण भट्ट गोस्वामी** ने 50 से अधिक भक्ति ग्रंथ लिखे। ***ब्रज भक्ति विलास*** के शीर्षकवाली उनकी प्रसिद्ध ब्रज मंडल परिक्रमा मार्गदर्शिका में उल्लेख किया गया है, कि उन्होंने 333 वन और श्री कृष्ण के पवित्र स्थानों की खोज की।

- ***सतसई*** सत्रहवीं शती के आरंभ के हिंदी कवि **बिहारी** की प्रसिद्ध रचना है, जो हिंदी की ब्रज भाषा बोली में लिखी गयी है और भक्ति एवं प्रेम पर आधारित है।
- **अष्ट-छाप, वल्लभाचार्य** के आठ कवि-शिष्यों का एक समूह था, जिन्होंने भगवान् कृष्ण की स्तुति में भक्ति गीतों की रचना की। ये गीत ब्रज भाषा में पुष्टिमार्ग भक्ति परंपरा का एक महत्त्वपूर्ण हिस्सा बन गये।

आधुनिक साहित्य

आधुनिक साहित्य की अवधि को आधुनिक काल (अधिकांशतः हिंदी के संदर्भ में प्रयुक्त शब्द) नाम दिया गया है। हिंदी उत्तर भारत में एक प्रमुख भाषा के रूप में उभरी, तथापि कई अन्य भाषाओं ने भी अपनी छाप छोड़ी, विशेष रूप से बंगाली ने।

हिंदी साहित्य

- अँगरेज़ों के आगमन के साथ, साहित्य का केंद्र बिंदु परिवर्तित हो गया। यह परिवर्तन अद्भुत रूप से हिन्दी गद्य लेखन में हुआ, जिसमें शास्त्रीय की ओर वापस जाने और संस्कृत से प्रेरित होने का उत्साह था। यह उत्साह राष्ट्रवादी उत्साह के साथ जुड़ गया।
- **भारतेन्दु हरिश्चंद्र** ने 1881 ई. के दशक में अपना सबसे प्रसिद्ध नाटक ***'अंधेर नगरी'*** लिखा और यह राजनीतिक व्यंग पर प्रमुख नाटक बन गया। उनकी एक और अत्यधिक प्रसिद्ध राष्ट्रवादी रचना ***भारत दुर्दशा*** है। उन्हें *'भारतीय आधुनिक हिंदी साहित्य का जनक'* कहा जाता है।
- इस अवधि के एक अन्य प्रमुख लेखक **महावीर प्रसाद द्विवेदी** थे, जिनके नाम पर हिन्दी लेखन के एक संपूर्ण युग का नामकरण किया गया है। **आधुनिक काल** नामक हिन्दी के **आधुनिक काल** में चार उप-वर्ग हैं, जिन्हें कहा जाता है:

भारतेंदु युग : इस काल के प्रसिद्ध लेखक राधाकृष्ण दास, प्रतापनारायण मिश्र, बालकृष्ण भट्ट, बद्रीनारायण चौधरी और सुधाकर द्विवेदी हैं।	1850 ई. - 1900 ई.
द्विवेदी युग : इस काल के प्रसिद्ध लेखक नाथूराम शर्मा शंकर, रामनरेश त्रिपाठी, अयोध्या सिंह उपाध्याय और मैथिलीशरण गुप्त हैं।	1900 ई. - 1918 ई.
छायावादी युग : इस काल के लोकप्रिय कवि सुभद्राकुमारी चौहान, सुमित्रानंदन पंत, महादेवी वर्मा, जयशंकर प्रसाद और माखनलाल चतुर्वेदी हैं।	1918 ई. - 1937 ई.
समकालीन युग : रामधारी सिंह दिनकर, भगवती चरण वर्मा और हरिवंश राय बच्चन इस काल के प्रसिद्ध कवि थे।	1937 ई. - वर्तमान

- हिंदी को राष्ट्रीय भाषा बनाने, जो सभी क्षेत्रों को जोड़ती है, के आंदोलन का नेतृत्व **स्वामी दयानंद** ने किया था। हालाँकि उन्होंने गुजराती में काफ़ी अधिक लिखा, लेकिन हिंदी में उनकी सबसे प्रसिद्ध रचना 1875 ई. में रचित **सत्यार्थ प्रकाश** है।
- मुंशी प्रेमचंद, **सूर्यकांत त्रिपाठी 'निराला'**, मैथिली शरण गुप्त, जैसे अनेक हिन्दी लेखकों ने समाज में रूढ़िवादिता पर प्रश्न उठाया। प्रेमचंद ने हिन्दी और उर्दू में अनेक संग्रहों की रचना की और उनकी प्रसिद्ध कृतियों में ***गोदान, कर्मभूमि*** आदि सम्मिलित हैं।
- हिंदी के अन्य उल्लेखनीय लेखकों में सुमित्रानंदन पंत, रामधारी सिंह 'दिनकर' तथा ***मधुशाला*** और ***मधुकलश*** लिखनेवाले हरिवंश राय बच्चन सम्मिलित हैं।

- बीसवीं सदी में हिंदी की सबसे प्रसिद्ध महिला लेखकों में से एक **महादेवी वर्मा** थीं।
- जयशंकर प्रसाद की **कामायनी** (1936 ई.) को हिंदी साहित्य की छायावाद (नव-रूढ़िवाद) शैली की प्रसिद्ध रचना माना जाता है।

बंगाली, ओडिया और असमिया साहित्य

बंगाली साहित्य

- बीसवीं सदी में बंगाली साहित्य का विकास, उर्दू और हिंदी का प्रतिद्वन्द्वी था। इसके साहित्य के विस्तार को 1800 ई. में अँगरेज़ **विलियम कैरी** द्वारा सिरामपुर, बंगाल में **बैपटिस्ट मिशन प्रेस** की स्थापना से सहायता मिली। कैरी को बंगाली के व्याकरण के विषय में पुस्तक लिखने और अँगरेज़ी-बंगाली शब्दकोष प्रकाशित करने का श्रेय दिया जाता है। उनके प्रेस ने स्वयं का प्रेस खोलने और बंगाली में साहित्य का प्रसार करने के लिए संपन्न स्थानीय बंगालियों को प्रेरित किया।
- **चर्यापद** दसवीं और ग्यारहवीं सदी के भक्ति गीतों का संग्रह है। इन्हें बंगाली भाषा का प्राचीनतम साहित्यिक दस्तावेज़ माना जाता है। इसकी खोज बंगाली के विद्वान् **हरप्रसाद शास्त्री** ने 1916 ई. में नेपाल दरबार पुस्तकालय में की।
- यद्यपि उन्नीसवीं शताब्दी से पहले बंगाली में **मंगल-काव्य** जैसी अनेक प्राचीन और मध्यकालीन साहित्यिक कृतियाँ मौजूद थीं, फिर भी उनका व्यापक प्रकाशन नहीं हुआ था। बंगाल की मंगलकाव्य परंपरा में **मुकुंदराम चक्रवर्ती** द्वारा रचित **चंडीमंगल**, **बिप्रदास पिपिलई** द्वारा रचित **मानसमंगल**, मयूरमुख द्वारा रचित धर्ममंगल, भरतचंद्र राय द्वारा रचित आनन्दमंगल और रूपचंद पाखी द्वारा रचित शिवमंगल जैसी कृतियाँ शामिल थीं। इन कविताओं में चंडी, मनसा, धर्म, अन्नपूर्णा और शिव जैसे देवताओं की स्तुति की गयी है, जो भक्ति, नैतिकता और ग्रामीण आस्था को दर्शाती हैं।
- **रामेश्वर भट्टाचार्य** द्वारा रचित **शिवसंकीर्तन** भगवान् शिव की स्तुति करनेवाली एक बंगाली भक्ति रचना है।
- बंगाल के ग्यारहवीं शताब्दी के आयुर्वेदिक विद्वान् **चक्रपाणिदत्त** ने सुश्रुत संहिता पर एक प्रसिद्ध टीका, **भानुमति** लिखी।
- **रामचरित** बंगाल के बारहवीं शताब्दी के कवि **संध्याकर नंदी** द्वारा रचित था, जो रामायण को रूपक के रूप में प्रयोग करते हुए पाल वंश के राजा रामपाल की कहानी का वर्णन करता है।
- बंगाल पहुँचनेवाले राष्ट्रवादी उत्साह के साथ ब्रिटिश शासन के अधीन जन सामान्य की पीड़ा और देश की दुर्दशा की चिंताओं के प्रति साहित्य ने निश्चित मोड़ ले लिया। **राजा राम मोहन राय (1772 ई. - 1833 ई.)** बंगाली और अँगरेज़ी में लिखनेवाले पहले लेखकों में से एक थे और उनकी कृतियों को व्यापक रूप से पढ़ा जाता था। उन्होंने बंगाली कविता की वास्तविक नींव रखी और भारतीय पुनर्जागरण का सूत्रपात भी किया।
- उनकी विरासत को समाज सुधारकों ने आगे बढ़ाया, जैसे कि **ईश्वर चंद्र विद्यासागर (1820 ई. - 1891 ई.)** और अक्षय कुमार दत्त (1820 ई. - 1886 ई.), जिनकी रचनाओं से बंगाली भाषा की प्रचुर संभावना प्रकट हुई।
- लेखक **ईश्वर चंद्र विद्यासागर** और अक्षय कुमार दत्त थे। लेकिन राष्ट्रवादी बंगाली साहित्य की पराकाष्ठा **बंकिमचंद्र चटर्जी** के लेखन से प्राप्त हुई। उनकी कृति ***आनंदमठ*** इतना अधिक लोकप्रिय है कि ***वंदे मातरम्***, हमारा राष्ट्रीय गीत, इस उपन्यास से लिया गया अंश है।
- नोबेल पुरस्कार जीतनेवाले पहले भारतीय (पहले एशियाई भी) भी बंगाली लेखक **रवींद्रनाथ टैगोर (1861 ई. - 1941 ई.)** थे। उन्हें 1913 ई. में अपनी बंगाली कृति ***गीतांजलि*** के लिए पुरस्कार मिला। भारत और बांग्लादेश दोनों के राष्ट्रगान उनके द्वारा रचित हैं।

- **माइकल मधुसूदन दत्त** ने रामायण की एक घटना पर आधारित अपने महाकाव्य मेघनाद वध काव्य में यूरोपीय रूपों को बंगाली कविता में सफलतापूर्वक शामिल किया। कविता रावण के पुत्र मेघनाद के निधन पर आधारित है। यह 1861 ई. में प्रकाशित हुई थी। उनकी **तिलोत्तमा संभव काव्य** (1860 ई.) मुक्तछंद में लिखी गयी पहली बंगाली कविता थी।
- **शरत चंद्र चटर्जी**, **क़ाज़ी नज़रूल इस्लाम** और **आर.सी. दत्त** ने बंगाली साहित्य में महत्त्वपूर्ण योगदान दिया।

असमिया साहित्य

- मध्यकाल में, **असमिया** साहित्य में **बुरंजिस** (दरबारी इतिहास) का वर्चस्व था।
- इन आधिकारिक रचनाओं के अतिरिक्त, **शंकरदेव** ने पंद्रहवीं - सोलहवीं सदी में असमिया में भक्तिपरक कविताओं की रचना की। शंकरदेव द्वारा रचित **कीर्तन घोष** भगवान् कृष्ण की स्तुति में रचित है तथा यह भक्ति का संदेश प्रसारित करता है।
- आधुनिक असमिया साहित्य के संदर्भ में, दो प्रमुख विद्वानों यानी **पद्मनाथ गोहाईं बरुआ और लक्ष्मी नाथ बेजबरूआ** ने अपनी छाप छोड़ी है।

ओडिया साहित्य

- भारत के पूरब से, एक बड़ा कोश ओडिया साहित्य से आता है। पहली प्रमुख कृति **सरला दास** (पंद्रहवीं शताब्दी) से आयी है।
- मध्य काल में, अठारहवीं शताब्दी के प्रारंभ में लिखनेवाले एक श्रेष्ठ लेखक **उपेंद्र भांजा** थे।
- जयदेव उड़िया साहित्य के प्रसिद्ध कवियों में से एक थे, जो अपने **गीत गोविंद** (संस्कृत में **गीत गोविंदम्**) के लिए अति प्रसिद्ध हैं। पुरी के जगन्नाथ मंदिर में हर रात **जयदेव** के गीत गोविंद को ओडिसी संगीत शैली में गाया जाता है, यह परंपरा **जयदेव** के समय से ही निरंतर जारी है।
- उड़िया साहित्य को पाँच कवियों (जिन्हें **पंचसखा** के नाम से जाना जाता है) के योगदान से बढ़ावा मिला। वे थे-जगन्नाथ दास, बलराम दास, अच्युतानंद दास, यशोवंता दास और अनंत दास।
- आधुनिक काल में, **राधा नाथ रे और फ़क़ीर मोहन सेनापति** ने अपनी कृतियों में राष्ट्रवादी स्वर के साथ अपनी छाप छोड़ी है।

गुजराती, राजस्थानी और सिंधी साहित्य

गुजराती

- जैसा कि पहले उल्लेख किया जा चुका है, भक्ति आंदोलन गुजरात में अपनी पराकाष्ठा पर था और इस बात से वहाँ लिखा जानेवाला साहित्य भी प्रभावित हुआ। **नरसी मेहता** (पंद्रहवीं शताब्दी) इस क्षेत्र में बहुत ही लोकप्रिय नाम है, क्योंकि उन्होंने भगवान् कृष्ण के भक्ति गीतों को स्थानीय लोक परंपराओं के साथ संयुक्त किया था।
- परवर्ती काल में **नर्मदा** (उन्नीसवीं शताब्दी) द्वारा लिखित कविताएँ और **गोवर्धन राम** (उन्नीसवीं - बीसवीं शताब्दी) द्वारा रचित गद्य दिखाई देता है। गोवर्धन राम ने शास्त्रीय गुजराती उपन्यास, **सरस्वती चंद्र** की रचना की थी तथा इस पर हाल ही में टेलीविज़न सीरियल बनाया गया था।
- गुजराती साहित्य में सफलता का शिखर फ़िक्शन और नॉन-फ़िक्शन (ऐतिहासिक) रचनाएँ लिखनेवाले **डॉ. के. एम. मुंशी** द्वारा प्राप्त किया गया। उनके श्रेष्ठतम उपन्यासों में से एक **पृथ्वी वल्लभ** (1928) है।

राजस्थानी साहित्य

- मध्यकालीन राजस्थानी साहित्य कई बोलियों से प्रभावित था और **डिंगल** और **पिंगल** नामक काल्पनिक लेखन के दो मुख्य रूप थे।
- इस संदर्भ में सबसे प्रसिद्ध ग्रंथ ***ढोला मारू*** है।
- ब्रज में मीराँबाई का लेखन बहुत प्रसिद्ध रहा है। कई अन्य संतों ने भी इस क्षेत्र में भक्ति काव्यों की रचना की।
- राजस्थानी लेखकों की कहानियाँ प्रकृति में सामान्यत: मौखिक होती थीं और **वीर काव्य** (विजय काव्य गीत) गानेवाले चारणों द्वारा प्रसारित की जाती थी।

सिंधी साहित्य

- **सिंधी** साहित्य इसे घेरनेवाले दो क्षेत्रों: राजस्थान और गुजरात से बहुत प्रभावित रहा है।
- चूँकि सिंध हमेशा भारत की सीमा पर रहा, इसलिए यह भारत में बसनेवाले इस्लाम धर्म के अनुयायियों के संपर्क में आनेवाले पहले क्षेत्रों में से एक था, जिससे सिंधी कविता पर इस्लाम और सूफ़ीवाद का प्रभाव भी स्पष्ट होता है। यह कविता काव्यात्मक और गायन के लिए बनायी गयी है।
- **शाह अब्दुल लतीफ़** (सत्रहवीं सदी) एक सिंधी सूफ़ी फ़क़ीर और कवि थे। उन्हें व्यापक रूप से सिंधी भाषा का सबसे बड़ा कवि माना जाता है। उनकी कविताओं को उनके शिष्यों ने संकलित किया था, जिन्हें 1866 में ***शाह जो रिसालो*** के रूप में प्रकाशित किया गया।
- सिंधी साहित्य में दो प्रमुख नाम (अठारहवीं - उन्नीसवीं शताब्दी के) **दीवान कौड़ामल** और **मिर्ज़ा कलिच बेग** हैं।
- **पीर नूरुद्दीन** सिंधी साहित्य में भी एक प्रसिद्ध नाम थे। उनके काव्य छंदों को **गिनान** के नाम से जाना जाता है।

कश्मीरी साहित्य

- कश्मीरी भाषा का प्रयोग राजनाका शिति कंठ की कृति **महानय-प्रकाश** से प्रारंभ हुआ।
- जैसा कि पहले उल्लेख किया जा चुका है, कश्मीर के सबसे प्रारंभिक ग्रंथों में से एक बारहवीं शताब्दी ईसवी में **संस्कृत** में लिखी गयी कल्हण की ***राजतरंगिणी*** थी।
- स्थानीय लोग कश्मीरी भाषा का उपयोग करते थे और इस पर फ़ारसी और हिंदी बोलियों का प्रभाव पड़ा था।
- प्रारंभिक मध्यकाल में, जब *भक्ति* आंदोलन अपने चरम पर था, कश्मीरी भाषा ने अपनी पहली महिला कवयित्री, ललद्यद (Laldyad) नामक एक शैव रहस्यवादी को देखा।
- लेकिन इसका व्यापक प्रसार कश्मीर में इस्लाम और सूफ़ीवाद के आगमन के बाद हुआ तथा उनके साथ सूफ़ी गुलाम मोहम्मद, जिंदा कौल और महजूर जैसे कई प्रमुख लेखक भी आये।
- **जैनविलास** पंद्रहवीं शताब्दी के कश्मीरी इतिहासकार **श्रीवर** द्वारा लिखा गया था, जिसमें सुल्तान **जैन-उल-आबिदीन** के शासनकाल और उपलब्धियों तथा उनके शासन के तहत कश्मीर की सांस्कृतिक समृद्धि का वर्णन किया गया था।
- **हब्बा ख़ातून** (सोलहवीं शताब्दी), एक कश्मीरी मुस्लिम कवि और संत थीं, जिन्हें **द नाइटिंगेल ऑफ़ कश्मीर** के नाम से जाना जाता था। उन्होंने कश्मीरी में गीत की रचना की। यह कहा जाता है कि उसने कश्मीरी कविता में "लोल" पेश किया, जो अँगरेज़ी 'गीत' के बराबर है।

- कश्मीरी साहित्य में एक और आर्कषक व्यक्ति **नुंद ऋषि** के रूप में पहचाने जानेवाले नूरूद्दीन थे और उन्हें अपनी कविता में हिंदी और इस्लामी तत्त्वों को एक साथ लाने का श्रेय दिया जाता है।
- 1846 में जम्मू में राजनीतिक सत्ता डोगरा परिवार के पास हस्तांतरित होने के साथ, कश्मीरी के ऊपर **डोगरी** भाषा का ग्रहण लग गया। हाल ही में, इस भाषा को पुनर्जीवित करने में फिर से कुछ रुचि पैदा हुई है।

पंजाबी साहित्य

- पंजाबी में सबसे प्रारंभिक रचनाएँ नौवीं – चौदहवीं शताब्दी ईसवी के बीच नाथ योगी युग की हैं।
- कई क्षेत्रीय और भौगोलिक प्रभावों ने न केवल पंजाब की राजनीति को प्रभावित किया है, बल्कि इसके साहित्य पर भी प्रभाव डाला और इसकी दो प्रमुख लिपियों में रचना की गयी : फ़ारसी और गुरुमुखी। विश्व के सबसे महान् ग्रंथों में से एक सिखों की धार्मिक पुस्तक ***आदि ग्रंथ*** है और इसका अधिकांश भाग **गुरुमुखी** में है। इसमें हिंदी या ब्रज में कबीर, दादू और नानक के दोहे भी सम्मिलित हैं, लेकिन यह बहुत ही सम्मिश्रित ग्रंथ है।
- आदि ग्रंथ में भी योगदान देनेवाले **गुरु गोबिंद सिंह** ने पंजाबी में **सवैय्ये** (कविता) लिखी थी।
- स्थानीय साहित्य ने *सोहनी-महींवाल*, *शशी-पुन्नू* और **वारिस शाह** द्वारा रचित बहुत ही प्रसिद्ध ***हीर-राँझा***, जैसी प्रेम कहानियों और महाकाव्यों से बहुत कुछ लिया है।
- **बाबा फ़रीद** और **बुल्ले शाह** की सूफ़ी कविताएँ आम जनता के साथ-साथ इस क्षेत्र के शासकों में भी लोकप्रिय थीं। उन्होंने कई गानों या ***'काफ़ी'*** कहलानेवालीं शास्त्रीय कृतियों की भी रचना की थी। इन्हें सामान्यत: आम लोगों द्वारा गाया जाता था।
- आधुनिक पंजाबी साहित्य भी राष्ट्रवादी लेखन से प्रभावित हुआ और **भगत सिंह** की **मिथकीय 'रंग दे बसंती चोला'** इस प्रवृत्ति का उत्कृष्ट उदाहरण है।
- अँगरेज़ों को निकाल बाहर करनेवाले पिछले शासकों को भी याद करने की प्रवृत्ति थी और भाई वीर सिंह ने इस प्रकार की भावनाओं को मन में रखते हुए ***राणा सूरत सिंह*** की रचना की। समकालीन लेखकों में डॉ. मोहन सिंह और पूरन सिंह सम्मिलित हैं।
- **अमृता प्रीतम** के उपन्यास, लघु कथाएँ और कविताएँ महिलाओं के अनुभव और भारत के विभाजन के उदाहरण हैं। उनका सबसे प्रसिद्ध उपन्यास ***पिंजर*** है।

मराठी साहित्य

- मराठी साहित्य का सफ़र **पुराने यादव वंश** से शुरू हुआ।
- 'महानुभाव पंथ' और 'वारकरी संप्रदाय' ने मराठी साहित्य की नींव रखी और वे 'नाथ पंथ' (नौवीं और दसवीं शताब्दी) से प्रभावित थे।
- **महानुभाव पंथ** की स्थापना **सर्वदन्य श्री चक्रधर स्वामी** ने 1100-1200 में की थी। इस पंथ ने जाति का भेद किये बिना सभी सदस्यों को स्वीकार किया। इन संप्रदायों ने साहित्य के माध्यम से देवताओं के अवतारों का वर्णन करने और दर्शन की व्याख्या करने का प्रयास किया। इससे मराठी साहित्य का संवर्धन हुआ।

- *लीला चरित्र* को मराठी भाषा में लिखी गयी **पहली जीवनी** माना जाता है। इसे महिन्द्रभट्ट (1278 ई.) ने लिखा था। और महानुभाव संप्रदाय के चक्रधर स्वामी की जीवनी है।
- **ज्ञानेश्वर और विट्ठल** जैसे भक्ति संतों ने अपनी स्थानीय बोलचाल की भाषा में गाया।
- मराठी में सबसे पुरानी ज्ञात रचना संत **ज्ञानेश्वर** द्वारा तेरहवीं सदी में लिखी गयी थी। उन्हें महाराष्ट्र में *कीर्तन* प्रारंभ करने का श्रेय दिया जाता है और उन्होंने ही मराठी में ***भगवद् गीता*** पर विस्तृत टिप्पणी लिखी थी।

पुस्तक के अतिरिक्त

'भारत के राष्ट्रीय साहित्य' पर ज्ञानवर्धक पाठ्य सामग्री के लिए स्कैन करें

पुस्तक के अतिरिक्त

'भारतीय अंग्रेजी साहित्य' पर ज्ञानवर्धक पाठ्य सामग्री के लिए स्कैन करें

- उनके अतिरिक्त, नामदेव, शिवसेन और गोरा की भाँति कई संत इसी अवधि में लोकप्रिय थे। सबसे पुरानी ज्ञात महिला लेखिका **जनाबाई** (तेरहवीं - चौदहवीं शताब्दी) हैं।
- **नामदेव** ने भगवान् की भक्ति पर बहुत सारे **'अभंग'** लिखे। इसे हम मराठी साहित्य का प्रथम या प्रारंभिक काल कह सकते हैं। इसका विस्तार 1200-1350 ई. तक है।
- चौदहवीं शताब्दी के मध्य से सोलहवीं शताब्दी के प्रारंभ तक मराठी साहित्य में कोई उल्लेखनीय विकास नहीं हुआ।
- संत **एकनाथ** का जन्म 1518 ई. में हुआ था। इनके माध्यम से साहित्यिक प्रतिभा का बीज फिर से अंकुरित हुआ।
- तीसरी अवधि मराठी साहित्य के इतिहास में सबसे शानदार अवधि है। इसका समय सत्रहवीं शताब्दी की शुरुआत से पेशवा शासन के अंत तक का है। इस दौरान तीन महान् कवियों **रामदास, तुकाराम** और **मुक्तेश्वर** का जन्म हुआ।
- मराठी साहित्य के सबसे महान् कवि **संत तुकाराम** ने तप, सहनशीलता और ईश्वर के प्रति समर्पण का उपदेश दिया। उन्होंने अभंग काव्य की रचना की। तुकारामगाथा उनकी रचनाओं का मराठी भाषा में संकलन है। इसमें प्रवृत्ति और निवृत्ति, अर्थात् जीवन, परिवार और व्यवसाय के प्रति जुनून एवं त्याग, सब कुछ पीछे छोड़ देने और व्यक्तिगत मुक्ति (मोक्ष) की इच्छा के बीच के संघर्ष की चर्चा शामिल है।
- **समर्थ रामदास** ने अमूर्त विषयों के साथ-साथ व्यावहारिक विषयों पर उपदेश देनेवाला ग्रन्थ **'दासबोध'** लिखा।
- **मुक्तेश्वर** ने भी ***'महाभारत'*** के अपने अनुवाद से जनता को प्रेरित किया।
- राष्ट्रवादी आंदोलन ने मराठी कविता और गद्य लेखन को प्रभावित किया। हमारे महान् राष्ट्रवादी व्यक्तित्त्वों में से एक, **बाल गंगाधर तिलक** ने मराठी में अपना क्षेत्रीय समाचार पत्र ***केसरी*** प्रकाशित किया। इस पत्र ने अँगरेज़ों और उनकी नीतियों की आलोचना की और उस समय के प्रमुख क्रांतिकारियों द्वारा लिखित लेख प्रकाशित किये।
- 6 जनवरी, 1832 ई. को, बालशास्त्री जम्भेकर ने पहली मराठी-अँगरेज़ी पाक्षिक पत्रिका **दर्पण** का आरंभ किया। उन्हें मराठी ***पत्रकारिता के जनक*** के रूप में जाना जाता है।
- हरि नारायण आप्टे, वी.एस. चिपलूणकर और केशवसुत की रचनाओं से मराठी गद्य लेखन में एक नया आयाम जुड़ा। समकालीन मराठी कवियों में एम.जी. रानाडे, जी.टी. माडखोलकर और के.टी. तेलंग शामिल हैं।

संस्कृति संक्षेपण

सुब्रमण्यम भारती-महाकवि भरतियार

- **सी. सुब्रमण्यम भरतियार (भारती) (1882-1921)** तमिलनाडु के एक कवि, पत्रकार, स्वतंत्रता सेनानी और समाज सुधारक थे। उन्हें **महाकवि भरतियार** के नाम से जाना जाता था और उन्हें भारत के महान् कवियों में से एक माना जाता है। राष्ट्रवाद और भारत की स्वतंत्रता पर उनके गीतों ने तमिलनाडु में भारतीय स्वतंत्रता आंदोलन का समर्थन करने के लिए जनता को एकजुट करने में मदद की।
- तमिल साहित्य में एक नये युग का सूत्रपात उनकी रचनाओं से हुआ। भारती मूलत: एक गेय कवि थे। उनकी अधिकांश रचनाएँ देशभक्ति, भक्ति और रहस्यवादी विषयों पर लघु गीतात्मक उद्गार हैं। *''कन्नन पट्टू'' कण्णन पाट्टु (श्री कृष्ण गान) ''नीलवम वनमिनम कट्टुम'' ''पाँचली सबदम'' (पाँचालि सपथम) ''कुयिल पाट्टु''* उनकी कुछ कविताएँ हैं।
- भारती को देशभक्तिवाली उनकी कविताओं की संख्या के कारण **राष्ट्रीय कवि** माना जाता है। उन्होंने लोगों को स्वतंत्रता संग्राम में भाग लेने और देश की मुक्ति के लिए लगन से काम करने का आह्वान किया था। उन्होंने केवल अपने देश पर गर्व करने के बजाए एक स्वतंत्र भारत के लिए अपने दृष्टिकोण को भी रेखांकित किया था।
- उन्होंने 1908 ई. में सनसनीखेज **''सुदेश गीतांगल''** प्रकाशित किया।
- उन्होंने *'इंडिया'* नाम के साप्ताहिक समाचार पत्र को लाल कागज़ में छापा, ताकि इसकी क्रांतिकारी भावना उजागर हो। यह तमिलनाडु में राजनीतिक कार्टून प्रकाशित करनेवाला पहला समाचार पत्र था। उन्होंने *''विजय''* जैसी कुछ अन्य पत्रिकाओं का प्रकाशन और संपादन भी किया।

यू.पी.एस.सी. विगत वर्षों के बहुविकल्पीय प्रश्न

1. रामचरित, एक द्वयाश्रय-काव्य का उदाहरण है, जिसमें एक साथ दो कथाएँ कही गयी हैं। इसके रचयिता हैं : **(NDA II, 2025)**

(a) सुबंधु (b) भट्टी
(c) संध्याकर (d) कम्बन

2. लोकप्रिय कविता "खूब लड़ी मर्दानी वह तो झाँसीवाली रानी थी" (Like a man she fought, she was the Rani of Jhansi) किसके द्वारा लिखी गयी थी? **(CDS II, 2025)**

(a) महादेवी वर्मा (b) सुभद्रा कुमारी चौहान
(c) अमृता प्रीतम (d) बालमणि अम्मा

3. निम्नलिखित में से किस पुस्तक में मातृ-देवी के तीन चित्रों : "माँ जैसी वह थी", "माँ जैसी वह है" और "माँ जैसी वह होगी" को चित्रित किया गया है? **(CDS II, 2025)**

(a) दुर्गेशनंदिनी (b) कपालकुंडला
(c) आनंदमठ (d) देवी चौधरानी

4. निम्नलिखित ग्रंथों में से कौन-सा सबसे प्राचीन है? **(CDS I, 2025)**

(a) भरत का नाट्यशास्त्र (b) सुश्रुत संहिता
(c) अष्टाध्यायी (d) मनुस्मृति

5. व्याकरणाचार्य कात्यायन के बारे में निम्नलिखित में से कौन-सा कथन सही है? **(CDS I, 2025)**

(a) वह पाणिनि के समकालीन थे।
(b) वह पतंजलि के समकालीन थे।
(c) उनका संबंध पाणिनि और पतंजलि के बीच की अवधि से है।
(d) उनका संबंध पाणिनि और पतंजलि दोनों की उत्तरवर्ती अवधि से है।

6. जैनुल आबिदीन के समय, कश्मीर के शासकों का इतिहास जैनविलास की रचना किसने की? **(CDS I, 2025)**

(a) भट्टावतार (b) जोनराज
(c) श्रीवर (d) वाचस्पति

7. निम्नलिखित में से किस रचना में अमीर खुसरो ने भारत की जलवायु, इसकी भाषा, मुख्यत: संस्कृत, इसकी कला एवं संगीत और यहाँ तक कि इसके पशुओं की प्रशंसा की है? **(CDS I, 2025)**

(a) इजाज़-ए खुसरवी (b) देवल रानी ख़िज्र ख़ान
(c) ख़जायनुल फ़ुतूह (d) नूह सिपिह

8. अठारहवीं शताब्दी के आरंभिक वर्षों में, बांग्ला कवि रामेश्वर भट्टाचार्य ने निम्नलिखित में से किसकी रचना की? **(CDS I, 2025)**

(a) धर्ममंगल (b) शिवसंकीर्तन
(c) मानसिंह (d) विद्यासुंदर

9. इन शास्त्रीय कवियों में से किरातार्जुनीयम् पुस्तक का लेखक कौन है? **(CAPF, 2025)**

(a) तिरुवल्लुवर (b) भारवि
(c) वाल्मीकि (d) पाणिनि

10. विजयनगर के राजा कृष्णदेवराय ने शासनकला पर आमुक्तमाल्यद नामक ग्रंथ की रचना किस भाषा में की? **(CAPF, 2025)**

(a) तेलुगु (b) कन्नड़
(c) तमिल (d) संस्कृत

11. निम्नलिखित युग्मों पर विचार करें : **(CAPF, 2025)**

साहित्यिक कृति	*लेखक*
1. ऋगर्थदीपिका	*माधव योगी*
2. कटक	*वेंकट माधव*
3. दमयंती-कथा	*त्रिविक्रम भट्ट*
4. यशस्तिलक चंपू	*सोमदेव*

उपर्युक्त में से कितने युग्म सही सुमेलित हैं?

(a) 1 (b) 2
(c) 3 (d) 4

12. निम्नलिखित ग्रंथों और उनके विषयों के युग्म पर विचार करें : **(CAPF, 2024)**

1. तिलकमंजरी : गणित
2. निघंटु : चिकित्सा शास्त्र
3. जानकीहरण : तर्कशास्त्र

उपयुक्त युग्मों में से कौन-सा/कौन-से सही सुमेलित है/हैं?

(a) केवल 1 (b) केवल 2
(c) 1 और 2 (d) 2 और 3

13. नलयिरा दिव्यप्रबंधम् क्या है? **(CAPF, 2024)**

(a) आलवारों द्वारा रचित पद्यावली के रूप में संकलित रचनाएँ
(b) नयनारों द्वारा रचित भजन (स्तोत्र)
(c) चोल राजाओं के लिए रचित स्तुतियाँ
(d) मलयालम में ऋग्वेद के स्तोत्रों की व्याख्या

14. कौटिल्य के अर्थशास्त्र में, विजेता राजा से अपेक्षित था कि वह जीते गये राज्य क्षेत्र में विशेष सामाजिक व्यवस्था स्थापित करे। यह विशेष सामाजिक व्यवस्था किस पर आधारित थी? **(CAPF, 2024)**

(a) केवल वर्ण व्यवस्था पर
(b) धर्म, वर्ण और आश्रम व्यवस्था पर
(c) केवल धर्म पर
(d) वर्ण और आश्रम व्यवस्था पर

15. निम्नलिखित में से किसने संगीत विज्ञान पर संगीतराज, संगीत मीमांसा और सुधा प्रबंध नामक तीन कृतियाँ लिखी हैं? **(UPSC Geo Scientist, 2024)**

(a) तानसेन (b) इब्राहिम आदिल शाह
(c) अमीर खुसरो (d) मेवाड़ के महाराणा कुम्भा

16. निम्नलिखित में से कौन-सा/से कथन सही है/हैं? **(UPSC Geo Scientist, 2024)**

1. नलयिर दिव्यप्रबंधम आलवार संतों की रचनाओं का संकलन है।
2. तेवारम, तमिल शैव भजनों का संग्रह है।
3. नलयिर दिव्यप्रबंधम को तमिल वेद के रूप में भी वर्णित किया गया है।

नीचे दिये गये कूट का उपयोग करके उत्तर चुनें :

(a) केवल 1 और 2 (b) केवल 2 और 3
(c) 1, 2 और 3 (d) केवल 1

17. निम्नलिखित में से कौन कीर्तन-घोष के लेखक हैं? **(UPSC Geo Scientist, 2024)**

(a) वत्सदास (b) माधवदेव
(c) रमा सरस्वती (d) श्रीमंत शंकरदेव

18. निम्नलिखित कथनों पर विचार करें : **(CSE, 2024)**

1. उपनिषदों में कोई नीति-कथा (पैरॅबॅल) नहीं हैं।
2. उपनिषदों की रचना पुराणों से भी पहले हुई थी।

उपर्युक्त कथनों में से कौन-सा/कौन-से सही है/हैं?

(a) केवल 1 (b) केवल 2
(c) 1 और 2 दोनों (d) न तो 1, न ही 2

19. निम्नलिखित में से कौन-सी नाटककार भास की रचना है? **(CSE, 2024)**

(a) काव्यालंकार (b) नाट्यशास्त्र
(c) मध्यम-व्यायोग: (d) महाभाष्य

20. संघभूति, एक भारतीय बौद्ध भिक्षु, जिन्होंने चौथी शताब्दी ईसवी के अंत में चीन की यात्रा की, निम्नलिखित में से किस पर भाष्य के लेखक थे? **(CSE, 2024)**

(a) प्रज्ञापारमिता सूत्र
(b) विसुद्धिमग्गो
(c) सर्वास्तिवाद विनय
(d) ललितविस्तर

21. निम्नलिखित में से कौन-सा ग्रंथ, चक्रपाणिदत्त (बंगाल से 11वीं ईसवी) द्वारा सुश्रुत संहिता पर लिखा गया भाष्य है? **(NDA I, 2024)**

(a) शब्दचंद्रिका (b) भानुमती
(c) नीतिरत्नाकर (d) लोहसर्वस्व

22. मेवाड़ के राणा कुंभा के संबंध में, निम्नलिखित कथनों पर विचार करें : **(CDS I, 2024)**

1. उन्होंने जयदेव के गीतगोविंद पर भाष्य लिखा था।
2. उन्होंने चार नाटक लिखे थे, ऐसा कहा जाता है कि इनमें उन्होंने चार प्रांतीय भाषाओं का उपयोग किया।
3. उन्होंने गुजरात पर अपनी विजय के स्मरणोत्सव के रूप में चित्तौड़ में कीर्तिस्तंभ स्थापित किया।

उपर्युक्त कथनों में से कौन-सा/कौन-से सही है/हैं?

(a) 1, 2 और 3 (b) केवल 2 और 3
(c) केवल 1 और 2 (d) केवल 3

23. इनमें से कौन राजा कृष्णदेवराय का दरबारी कवि नहीं था? **(CDS I, 2024)**
(a) थिम्मन (b) धूर्जटी
(c) मल्लाना (d) सिद्धेश्वर

24. प्रसिद्ध राजनीतिक ग्रंथ आमुक्तमल्यद की भाषा निम्नलिखित में से कौन-सी है? **(CDS II, 2023)**
(a) संस्कृत (b) तमिल
(c) कन्नड़ (d) तेलुगु

25. सोलहवीं शताब्दी की रचना, चंडीमंगल, का रचनाकार कौन था? **(NDA II, 2023)**
(a) हेमा सरस्वती (b) माधव कंदली
(c) तुकाराम (d) मुकुंदराम चक्रवर्ती

26. निम्नलिखित को सही कालानुक्रम में व्यवस्थित करें : **(NDA II, 2023)**
1. चरक संहिता 2. भरत का नाट्यशास्त्र
3. संगम साहित्य 4. अष्टाध्यायी
नीचे दिये गये कूट का प्रयोग कर सही उत्तर चुनें :
(a) 1-3-4-2 (b) 2-4-1-3
(c) 4-3-1-2 (d) 3-1-2-4

27. अर्थशास्त्र में यथानिर्धारित निम्नलिखित में से कौन-सा कार्यकलाप राजा के दैनिक समय-सारणी का हिस्सा नहीं था? **(CAPF, 2023)**
(a) प्रतिरक्षा के संबंध में सूचना प्राप्त करना।
(b) गुप्त रूप से नगर का भ्रमण करना।
(c) राजस्व को नक़दी में प्राप्त करना।
(d) अपने मंत्रि-परिषद् से परामर्श करना।

28. मध्यकालीन मथुरा और वृंदावन के प्रतिष्ठित कवियों का समूह, जो अष्टछाप कहलाते थे, निम्नलिखित में से किस मध्यकालीन भक्ति संत के उत्तरवर्ती थे? **(CAPF, 2023)**
(a) बनारस के कबीर (b) बंगाल के चौतन्य
(c) पंजाब के गुरु नानक (d) ब्रज क्षेत्र के सूरदास

29. निम्नलिखित में से कौन, प्रसिद्ध संस्कृत ग्रंथ 'मृच्छकटिक (Mrichchhakatika)' का रचनाकार था? **(NDA I, 2023)**
(a) कालिदास (b) भास
(c) वाल्मीकि (d) शूद्रक

30. निम्नलिखित में से कौन-सा तमिल ग्रंथ, व्याकरण से संबंधित है? **(CISF, 2023)**
(a) मणिमेकलई (b) सिलप्पादिकारम
(c) तोलकाप्पियम (d) पदिरुप्पत्तु

31. निम्नलिखित में से कौन-सा एक, संगम कविताओं में यथावर्णित 'बट्टकिरुतल' की प्रथा को स्पष्ट करता है? **(CSE, 2023)**
(a) राजाओं द्वारा महिला अंगरक्षिकाओं को नियुक्त करना
(b) राजदरबारों में विद्वानों का, धर्म और दर्शन से जुड़े विषयों पर विचार-विमर्श करने हेतु, एकत्र होना
(c) किशोरियों द्वारा कृषि-क्षेत्रों की निगरानी करना और चिड़ियों तथा पशुओं को भगाना
(d) युद्ध में पराजित राजा का आमरण अनशन कर आनुष्ठानिक मृत्युवरण करना

32. प्राचीन भारतीय इतिहास के संदर्भ में, निम्नलिखित युग्मों पर विचार करें : **(CSE, 2023)**

साहित्यिक कृति	रचनाकार
1. *देवीचंद्रगुप्त*	: बिल्हण
2. *हम्मीर-महाकाव्य*	: नयचंद्र सूरि
3. *मिलिंद-पञ्हो*	: नागार्जुन
4. *नीतिवाक्यामृत*	: सोमदेव सूरि

उपर्युक्त युग्मों में से कितने सही सुमेलित हैं?
(a) केवल एक (b) केवल दो
(c) केवल तीन (d) सभी चार

33. निम्नलिखित में से किसने समुद्रगुप्त की 'प्रयाग प्रशस्ति' की रचना की थी? **(NDA I, 2023)**
(a) हरिषेण (b) चंद बरदाई
(c) विशाखदत्त (d) कालिदास

34. निम्नलिखित में से कौन, प्रसिद्ध संस्कृत ग्रंथ 'मृच्छकटिक (Mrichchhakatika)' का रचनाकार था? **(NDA I, 2023)**
(a) कालिदास (b) भास
(c) वाल्मीकि (d) शूद्रक

35. प्राचीन दक्षिण भारत में संगम साहित्य के बारे में, निम्नलिखित कथनों में से कौन-सा एक, सही है? **(CSE, 2022)**
(a) संगम कविताओं में भौतिक संस्कृति का कोई सन्दर्भ नहीं है।
(b) वर्ण का सामाजिक वर्गीकरण संगम कवियों को ज्ञात था।
(c) संगम कविताओं में समर शौर्य का कोई सन्दर्भ नहीं है।
(d) संगम साहित्य में जादुई ताक़तों को असंगत बताया गया है।

36. किसके राज्यकाल में "योगवासिष्ठ" का निज़ामुद्दीन पानीपती द्वारा फ़ारसी में अनुवाद किया गया? **(CSE, 2022)**
(a) अकबर (b) हुमायूँ
(c) शाहजहाँ (d) औरंगज़ेब

37. भारतीय इतिहास के संदर्भ में, निम्नलिखित मूलग्रंथों पर विचार करें : **(CSE, 2022)**
1. नेत्तिपकरण 2. परिशिष्टपर्वन
3. अवदानशतक 4. त्रिशष्टिलक्षण महापुराण
उपर्युक्त में कौन-से जैन ग्रन्थ हैं ?
(a) 1, 2 और 3 (b) केवल 2 और 4
(c) 1, 3 और 4 (d) 2, 3 और 4

38. निम्नलिखित कृतियों में से कौन-सी एक, कृष्णदेवराय द्वारा शासन-कला (स्टेटक्राफ्ट) के विषय पर तेलुगू में रची गयी थी? **(CDS I, 2022)**

(a) आमुक्तमाल्यद (b) जाम्बवती कल्याणम
(c) रायवाचकमु (d) सत्यवादु परिणय

39. *तोलकाप्पियम* क्या है? (CDS II, 2022)
(a) व्याकरण ग्रंथ
(b) राजेंद्र चोल की प्रशंसा में तमिल कविता
(c) तमिल में प्राचीन उपदेशात्मक कृति
(d) चेर राजा द्वारा रचित नाटक

40. सूची I और सूची II को सुमेलित करें और सूचियों के नीचे दिये गये कूट का प्रयोग कर सही उत्तर चुनें : (CDS II, 2022)

सूची I (साहित्यिक कृति)		सूची II (लेखक)	
A.	दूत घटोत्कच	1.	भट्टि
B.	मृच्छकटिकम्	2.	भास
C.	किरातार्जुनीयम्	3.	शूद्रक
D.	रावणवध	4.	भारवी

कूट

	A	B	C	D
(a)	1	3	4	2
(b)	1	4	3	2
(c)	2	3	4	1
(d)	2	4	3	1

41. निम्नलिखित में से कौन-सी, अश्वघोष की कृति नहीं है? (CDS II, 2022)
(a) सारिपुत्रप्रकरण (b) बुद्धचरित
(c) सौंदरानंद (d) मंजुश्रीमूलकल्प

42. *स्मृति* साहित्य के अनुसार स्वामित्व के मामले में निम्नलिखित में से कौन-सा कथन सही ***नहीं*** है? (CDS II, 2022)
(a) पैतृक संपदा का बँटवारा पुत्र के मध्य समान रूप से करना होता था।
(b) स्त्रियों को उन उपहारों को रखने की अनुमति थी, जो उन्हें उनके विवाह के अवसर पर प्राप्त होते थे।
(c) स्त्रियों को उनके विवाह के अवसर पर दिए जाने वाले उपहारों को *स्त्रीधन* के नाम से जाना जाता था।
(d) पति की अनुमति के बिना *स्त्रीधन* उनकी संतानों को उत्तराधिकार में नहीं मिलता था।

43. *कालिला वा दिम्ना* पुस्तक किसका अरबी अनुवाद है? (NDA II, 2022)
(a) हितोपदेश (b) पंचतंत्र
(c) सूर्यसिद्धांत (d) कथासरितसागर

44. भारतीय राजनीतिक विचारधारा का क्लासिकी ग्रंथ, *अर्थशास्त्र*, मुख्यत: किस पर केन्द्रित है? (NDA I, 2022)
(a) अर्थव्यवस्था (b) संस्कृति
(c) शासनकला (स्टेटक्राफ्ट) (d) राजतंत्र

45. कब चरक संहिता अस्तित्त्व में आयी? (NDA I, 2022)
(a) छठी शताब्दी ई. पू.
(b) तीसरी से दूसरी शताब्दी ई. पू.
(c) चौथी शताब्दी ई. पू.
(d) पाँचवीं शताब्दी ई. पू.

46. अकबर के दरबार में निम्नलिखित में से किस विद्वान् ने भास्कराचार्य की 'लीलावती' का फ़ारसी में अनुवाद किया? (CDS I, 2022)
(a) अबुल फ़ज़ल (b) फ़ैज़ी
(c) फ़थुल्ला सिराज़ी (d) अताउल्लाह रशीदी

47. पतंजलि के *महाभाष्य* के बारे में निम्नलिखित कथनों पर विचार करें : (CDS II, 2021)
1. इसमें कौटिल्य का उल्लेख है।
2. यह व्याकरण ग्रंथ है और इसमें ऐतिहासिक व्यक्तित्त्वों का संदर्भ केवल प्रसंगवश आया है।

उपर्युक्त कथनों में से कौन-सा/कौन-से सही है/हैं?
(a) केवल 1 (b) केवल 2
(c) 1 और 2, दोनों (d) न तो 1, न ही 2

48. जहाँआरा लिखित शेख़ मुईनुद्दीन चिश्ती की जीवनी किस नाम से जानी जाती है? (CDS II, 2021)
(a) मुनिश अल अरवाह (b) फ़वाएद उल फ़वाद
(c) सीरत उल औलिया (d) मुरक़्क़ा-ए देहली

49. इनमें से कौन अँगरेज़ी में अनूदित प्राचीन भारतीय धार्मिक गीतिकाव्य- 'सॉन्ग्स फ़्रॉम प्रिजन' से संबद्ध हैं? (CSE, 2021)
(a) बाल गंगाधर तिलक
(b) जवाहरलाल नेहरू
(c) मोहनदास करमचंद गाँधी
(d) सरोजिनी नायडू

50. माध्यमिक शाखा के मूल ग्रंथ, *माध्यमिक कारिका* के रचयिता कौन थे? (CAPF, 2021)
(a) नागार्जुन (b) असंग
(c) वसुबंधु (d) धर्मकीर्ति

51. संस्कृत साहित्य की निम्नलिखित रचनाओं और उनके रचनाकारों का कौन-सा युग्म सही रूप से सुमेलित ***नहीं*** है? (CAPF, 2021)
(a) सोमदेव : कथासरित्सागर
(b) अश्वघोष : बुद्धचरित
(c) बिल्हण : विक्रमांकदेवचरित
(d) कालिदास : वासवदत्ता

52. पंचतंत्र के प्रसिद्ध मूलपाठ के बारे में, निम्नलिखित में से कौन-सा कथन सही है? (CDS I, 2020)
(a) यह एक दार्शनिक मूलपाठ (विषय) है, जो समय के वाद-विवादों का प्रतिबिम्बक है और प्रतिस्पर्धी दृष्टिकोणों का खंडन करता है।

(b) यह भाषा-विज्ञान में घोषित किया गया एक मूलपाठ है, जो औपचारिक विज्ञान के रूप में है।
(c) यह प्राकृतिक विज्ञान के विभिन्न क्षेत्रों में विकास पर विचार करता हुआ मूलपाठ है।
(d) यह दृष्टांतों के माध्यम से दर्शाया गया एक मूलपाठ है कि क्या करना चाहिए और क्या नहीं करना चाहिए।

53. निम्नलिखित में से कौन किरातार्जुनीय के लेखक हैं? **(CAPF, 2020)**
(a) माघ (b) भारवि
(c) भास (d) भवभूति

54. तुलसीदास निम्नलिखित में से किसके लेखक थे
1. रामचरितमानस
2. पदावली
3. कवितावली

नीचे दिये गये कोड का उपयोग करके सही उत्तर चुनें : **(CAPF, 2020)**
(a) केवल 1 (b) केवल 2 और 3
(c) 1, 2 और 3 (d) केवल 1 और 3

55. उत्तर भारत के ब्रज क्षेत्र पर केंद्रित 16वीं शताब्दी के संस्कृत के मूलपाठ ब्रज भक्ति विलास के लेखक कौन हैं? **(CDS II, 2019)**
(a) तोदरमल (b) नारायण भट्ट
(c) चैतन्य (d) रूपगोस्वामी

56. थयूमनवर की सित्तार कविता क्यों प्रसिद्ध है? **(CAPF, 2019)**
(a) इस रचना में राष्ट्रवादी गीत हैं
(b) इस रचना में प्रेम कविताएँ हैं
(c) इस रचना में भक्ति गीत हैं
(d) इस रचना में जाति प्रथा का विरोध किया गया है

57. ऋग्वेद के 10वें मण्डल में निम्नलिखित में से कौन-सा भजन विवाह समारोहों को समर्पित है? **(CDS I, 2018)**
(a) सूर्य सूक्त (b) पुरुष सूक्त
(c) दान स्तुति (d) उर्ण सूत्र

58. इस्माइली संप्रदाय की एक शाखा खोजाओं द्वारा विकसित साहित्यिक विधा का नाम क्या है? **(CDS I, 2018)**
(a) गिनान (b) ज़ियारत
(c) राग (d) शहादा

59. 10वीं सदी में नलरीय दिव्य प्रबंधम् की रचना करनेवाले कौन थे? **(CDS I, 2018)**
(a) आलवार (b) नयनार
(c) अप्पार (d) सम्बंदर

60. मणिमेखलै के लेखक कौन हैं? **(CDS I, 2018)**
(a) कोवलन
(b) सत्तनार
(c) इलांगो आदिगल
(d) तिरुतक्कातेवर

61. अकबर के शासनकाल के लिए महत्त्वपूर्ण स्रोत, तारिख़-ए-अकबरी फ़ारसी भाषा के निम्नलिखित विद्वानों में से किसके द्वारा लिखी गयी थी? **(CDS II, 2018)**
(a) आरिफ़ कंधारी (b) बायज़ीद बायत
(c) अब्दुल क़ादिर बदायूँनी (d) निज़ामुद्दीन अहमद

62. 12वीं सदी के संस्कृत के वह विद्वान् कौन थे, जिन्होंने सर्वप्रथम महाकाव्यों और पौराणिक ग्रंथों के लिए निबंधों का संग्रहण किया? **(CDS II, 2017)**
(a) हर्ष (b) गोविंदचंद्र
(c) लक्ष्मीधर (d) कालिदास

63. 5वीं सदी के तमिल महाकाव्य, शिलप्पादिकारम में किस नदी की प्रशंसा की गयी है? **(CDS II, 2017)**
(a) कावेरी (b) गोदावरी
(c) सरस्वती (d) गंगा

64. भारत के सांस्कृतिक इतिहास के संदर्भ में, इतिहास, राजवंशीय इतिहास और महाकाव्य कथाओं को याद करना निम्नलिखित में से किसका पेशा था? **(CSE, 2016)**
(a) श्रमण (b) परिव्राजक
(c) अग्रहारिका (d) मगध

65. प्राचीन भारत की निम्नलिखित में से किस पुस्तक में शुंग वंश के संस्थापक के पुत्र की प्रेम कहानी है? **(CSE, 2016)**
(a) स्वप्नवासवदत्तम् (b) मालविकाग्निमित्रम्
(c) मेघदूत (d) रत्नावली

(थिएटर खंड में व्याख्या की गयी है)

66. निम्नलिखित कथनों पर विचार करें :
1. अभिनवगुप्त ने तंत्रलोक नामक एक व्यापक ग्रंथ लिखा, जिसमें कुल और त्रिक प्रणालियों की शिक्षाओं को व्यवस्थित रूप से प्रस्तुत किया गया है।
2. आठवीं शताब्दी के आसपास गुजरात में लिखा गया हरिभद्र सूरी का समराइच्चकहा तकनीकी रूप से एक तांत्रिक कार्य नहीं है, बल्कि तांत्रिक विचारों और प्रथाओं से भरा हुआ है। **(CDS I, 2016)**

उपर्युक्त में से कौन-सा/कौन-से कथन सही है/हैं?
(a) केवल 1 (b) केवल 2
(c) 1 और 2 दोनों (d) न तो 1 और न ही 2

67. महाकाव्य शिलप्पादिकारम् में किसका संदर्भ मिलता है? **(CDS II, 2016)**
(a) राम कथा
(b) कथानक में जैन धर्म के तत्त्व
(c) श्रीलंका के बौद्ध धर्म के अनुयायियों की
(d) शक्ति पूजा पंथ

68. बंगाली साहित्यिक महाकाव्य, मेघनाद वध (1861) के संबंध में निम्नलिखित में से कौन-सा/कौन-से कथन सही है/हैं? **(CAPF, 2016)**
1. इसे माइकल मधुसूदन दत्त द्वारा लिखा गया

2. यह रामायण में विद्यमान हिंदू और जैन परंपराओं से प्रेरित है
3. इसे असमिया और हिंदी में अनुवाद किया गया है

नीचे दिये गये कोड का उपयोग करके सही उत्तर चुनें:

(a) केवल 1 (b) 2 और 3
(c) 1 और 2 (d) 1 और 3

69. निम्नलिखित में से कौन-सा एक प्रसिद्ध उपन्यास है, जो 1869 में नज़ीर अहमद द्वारा लिखा गया था? **(CAPF, 2016)**

(a) ट्विाईलाईट इन डेल्ही
(b) मिरात-उल-उरूस
(c) बहिश्ती ज़ेवर
(d) सिटी ऑफ जिन्न

70. भारतीय उपमहाद्वीप में लोहे का सबसे पहला साहित्यिक संदर्भ किसमें मिलता है? **(CAPF, 2016)**

(a) ऋग्वेद
(b) सामवेद
(c) यजुर्वेद
(d) विनय पिटक

71. सूची-I का, सूची-II से मिलान करें और सूचियों के नीचे दिये गये कोड का उपयोग करके सही उत्तर चुनें :

सूची-I (व्यक्ति)	सूची-II (रचना)
A. उद्दंड	1. सुधानिधि
B. सायण	2. मल्लिकामरुत
C. यादवप्रकाश	3. मालतीमाधव
D. भवभूति	4. वैजयंती

(CDS II, 2015)

कोड :

	A	B	C	D
(a)	2	1	4	3
(b)	3	4	1	2
(c)	2	4	1	3
(d)	3	1	4	2

72. 'सूरसागर' है: **(CDS II, 2015)**

(a) तानसेन द्वारा रचित संगीत पर मध्यकालीन ग्रंथ
(b) सूरदास की काव्यात्मक रचना
(c) बहादुर शाह ज़फ़र की स्मृति
(d) उपर्युक्त में से कोई नहीं

73. सूची-I का, सूची-II से मिलान करें और सूचियों के नीचे दिये गये कोड का उपयोग करके सही उत्तर चुनें :

सूची-I (लेखक)	सूची-II (रचना)
A. सोमदेव	1. मालविकाग्निमित्रम्
B. कालिदास	2. कथासरित्सागर
C. भास	3. चौरपञ्चाशिका
D. बिल्हण	4. स्वप्नवासवदत्तम्

(CDS II, 2015)

कोड:

	A	B	C	D
(a)	2	1	4	3
(b)	3	4	1	2
(c)	2	4	1	3
(d)	3	1	4	2

74. पतंजलि थे **(CDS II, 2015)**

(a) 'योगाचार' स्कूल के एक दार्शनिक
(b) आयुर्वेद पर एक पुस्तक के लेखक
(c) 'माध्यमिक' विचारधारा के एक दार्शनिक
(d) पाणिनि के संस्कृत व्याकरण के एक टीकाकार

75. दशकुमारचरितम् या दस राजकुमारों की कथा की रचना किसके द्वारा की गयी? **(CDS II, 2015)**

(a) भट्टी (b) बाणभट्ट
(c) भास (d) दण्डि

76. तोलकाप्पियम किसका नाम है? **(CAPF, 2015)**

(a) पश्चिमी भारत का बावली
(b) तमिल व्याकरण पर पुस्तक
(c) तमिल भक्ति कविताओं का एक संग्रह
(d) कन्नड़ कविताओं का संग्रह

77. ऋग्वेद के संबंध में निम्नलिखित में से कौन-सा कथन सही नहीं है? **(CDS I, 2014)**

(a) प्रार्थना और यज्ञ के कर्मकांड में देवियों की पूजा की जाती थी।
(b) देवताओं को शक्तिशाली रूप में प्रस्तुत किया जाता है, जिन्हें यज्ञ के माध्यम से मनुष्य के कार्यों में हस्तक्षेप के लिए मनाया जा सकता है।
(c) ऐसा माना जाता था कि प्रसाद को आग के माध्यम से भगवान् द्वारा स्वीकार किया जाता था।
(d) मंदिरों में यज्ञ किया जाता था।

78. सूची-I का, सूची-II से मिलान करें और सूचियों के नीचे दिये गये कोड का उपयोग करके सही उत्तर चुनें :

सूची-I (मूलपाठ)	सूची-II (लेखक)
A. किताबुल हिंद	1. इब्न बतूता
B. रेहला	2. अल बरूनी
C. हुमायूँनामा	3. लाहौरी
D. बादशाहनामा	4. गुलबदन बेगम

(CDS I, 2014)

कोड:

	A	B	C	D
(a)	2	4	1	3
(b)	3	1	4	2
(c)	3	4	1	2
(d)	2	1	4	3

79. कल्हण की राजतरंगिणी के निम्नलिखित कथनों पर विचार करें :

1. आम लोग चावल और उत्पल-शाक (कड़वे स्वाद की जंगली सब्ज़ी) खाते थे।
2. हर्ष ने कश्मीर में राजा के लिए एक सामान्य पोशाक की शुरुआत की, जिसमें एक लंबा कोट सम्मिलित था।

(CDS I, 2014)

उपर्युक्त में से कौन-सा/कौन-से कथन सही है/हैं?

(a) केवल 1 (b) केवल 2
(c) 1 और 2 दोनों (d) न तो 1 और न ही 2

80. संगम साहित्य, दक्षिण भारत के इतिहास के पुनर्निर्माण के लिए एक बहुत ही महत्त्वपूर्ण स्रोत है। इसे किस भाषा में लिखा गया है? (CDS II, 2013)

(a) तमिल (b) कन्नड़
(c) तेलुगू (d) मलयालम

81. कल्हण द्वारा लिखित राजतरंगिणी में किसके इतिहास का वर्णन है? (CDS II, 2013)

(a) गुजरात (b) बंगाल
(c) कश्मीर (d) पंजाब

82. निम्नलिखित में से कौन संस्कृत व्याकरण की पुस्तक 'अष्टाध्यायी' के लेखक हैं? (CAPF, 2013)

(a) पतंजलि (b) पाणिनि
(c) कालिदास (d) बाणभट्ट

83. निम्नलिखित में से कौन-सी पुस्तक मुग़ल शाही घराने की एक महिला द्वारा लिखी गयी थी? (CDS I, 2012)

(a) अकबरनामा (b) बाबरनामा
(c) हुमायूँनामा (d) बादशाहनामा

84. ऋग्वेद के संबंध में निम्नलिखित कथनों पर विचार करें :

1. यह प्रकृतिवादी बहुदेववाद- कई देवताओं में आस्था, जो प्राकृतिक घटनाओं के प्रतीक हैं- का प्रतिबिम्बक है।
2. देवताओं की कल्पना मानवरूप में की गयी, अर्थात् भगवान् का भी मनुष्यों की तरह शारीरिक रंग-रूप है।

(CAPF, 2013)

उपर्युक्त में से कौन-सा/कौन-से कथन सही है/हैं?

(a) केवल 1 (b) केवल 2
(c) 1 और 2 दोनों (d) न तो 1 और न ही 2

उत्तरमाला

1. (c)	2. (b)	3. (c)	4. (c)	5. (c)	6. (c)	7. (d)	8. (b)
9. (b)	10. (a)	11. (b)	12. (b)	13. (a)	14. (b)	15. (d)	16. (c)
17. (d)	18. (d)	19. (c)	20. (c)	21. (b)	22. (c)	23. (d)	24. (d)
25. (d)	26. (c)	27. (b)	28. (d)	29. (d)	30. (c)	31. (d)	32. (c)
33. (a)	34. (d)	35. (b)	36. (a)	37. (b)	38. (a)	39. (a)	40. (c)
41. (d)	42. (d)	43. (b)	44. (c)	45. (b)	46. (b)	47. (b)	48. (a)
49. (c)	50. (a)	51. (d)	52. (d)	53. (b)	54. (d)	55. (b)	56. (d)
57. (a)	58. (a)	59. (a)	60. (b)	61. (a)	62. (c)	63. (a)	64. (b)
65. (b)	66. (c)	67. (b)	68. (a)	69. (b)	70. (c)	71. (a)	72. (b)
73. (a)	74. (d)	75. (d)	76. (b)	77. (d)	78. (d)	79. (c)	80. (a)
81. (c)	82. (b)	83. (c)	84. (c)				

यू.पी.एस.सी. विगत वर्षों के प्रश्न - मुख्य परीक्षा

1. भक्ति साहित्य की प्रकृति का मूल्यांकन करते हुए भारतीय संस्कृति में इसके योगदान का निर्धारण करें। (150 शब्दों में उत्तर दें) **(CSE, 2021)**
2. मध्यकालीन भारत के फ़ारसी साहित्यिक स्रोत उस युग की भावना को दर्शाते हैं। टिप्पणी करें। **(CSE, 2020)**
3. विजयनगर नरेश कृष्णदेव राय न केवल स्वयं एक कुशल विद्वान् थे, अपितु विद्या एवं साहित्य के महान् संरक्षक भी थे। विवेचना करें। **(CSE, 2016)**
4. हालाँकि दक्षिण भारत के सुसंबंधित राजनीतिक इतिहास की दृष्टि से बहुत उपयोगी न होते हुए भी, संगम साहित्य उल्लेखनीय जीवंतता के साथ अपने समय की सामाजिक और आर्थिक स्थिति का चित्रण करता है। टिप्पणी करें। **(CSE, 2013)**

भाग D

भारतीय विरासत (INDIAN HERITAGE)

16

यूनेस्को के विश्व धरोहर स्थल

अध्याय की रूपरेखा

- यूनेस्को द्वारा चयन के मानदंड
- घोषित स्थलों की विधिक स्थिति
- भारत में UNESCO के विश्व धरोहर स्थल

विश्व धरोहर स्थलों की सूची *संयुक्त राष्ट्र शैक्षिक, वैज्ञानिक और सांस्कृतिक संगठन* **(UNESCO)** द्वारा विश्व धरोहर समिति के माध्यम से विश्व धरोहर सम्मेलन के प्रविधानों के अनुसार संकलित की जाती है, जिसे 1972 में स्थापित किया गया था। UNESCO द्वारा विश्व धरोहर स्थलों को सांस्कृतिक, ऐतिहासिक, वैज्ञानिक या अन्य प्रकार का महत्त्व रखने के लिए चिह्नित किया जाता है। विश्व धरोहर स्थल या तो सांस्कृतिक या प्राकृतिक धरोहर या मिश्रित श्रेणी के अंतर्गत आते हैं।

महत्त्वपूर्ण तथ्य

विश्व धरोहर सम्मेलन

यह सबसे महत्त्वपूर्ण वैश्विक संरक्षण प्रपत्रों में से एक है। **1972 में अस्तित्त्व** में आनेवाले, विश्व धरोहर सम्मेलन का प्राथमिक मिशन उत्कृष्ट सार्वभौमिक मूल्य रखनेवाली विश्व की प्राकृतिक और **सांस्कृतिक धरोहरों की पहचान और उनका संरक्षण** करना है। विश्व धरोहर सम्मेलन, **विश्व धरोहर समिति** द्वारा शासित होता है।

विश्व धरोहर समिति

विश्व धरोहर समिति **विश्व धरोहर पर शासी निकाय** है। यह विश्व धरोहर सम्मेलन के कार्यान्वयन के लिए ज़िम्मेदार है। यह चुनाव के माध्यम से छह वर्ष के कार्यकाल के लिए चुने गये 21 राज्य पक्षकारों के प्रतिनिधियों से मिलकर बनी **अंतर-सरकारी समिति** है। यह समिति आमतौर पर **वर्ष में एक बार** बैठक करती है।

विश्व धरोहर समिति निम्नलिखित कार्य करती है :

- विश्व धरोहर सूची और संकटापन्न विश्व धरोहरों की सूची सहित UNESCO के विश्व धरोहर स्थलों के रूप में सूचीबद्ध किये जानेवाले स्थलों का चयन करती है,
- विश्व धरोहर कोष का उपयोग परिभाषित करती है, और
- राज्य पक्षकारों के अनुरोध पर वित्तीय सहायता आवंटित करती है।

विश्व धरोहर समिति को **तीन सलाहकारी निकायों**, अर्थात् **IUCN**, **ICOMOS** और **ICCROM** द्वारा सहायता प्रदान की जाती है।

जुलाई, 2025 तक, 170 देशों में कुल 1,248 विश्व धरोहर स्थल (972 सांस्कृतिक, 235 प्राकृतिक और 41 मिश्रित संपत्तियाँ) हैं। **इटली** में अभी तक सबसे अधिक विश्व धरोहर स्थल (58) हैं।

सितंबर, 2025 तक, भारत में UNESCO द्वारा घोषित 44 विश्व धरोहर स्थल (36 सांस्कृतिक, 7 प्राकृतिक और 1 मिश्रित श्रेणी के अंतर्गत) हैं।

यूनेस्को द्वारा चयन के मानदंड

नामित स्थलों को *'उत्कृष्ट सार्वभौम मूल्य'* का होना चाहिए तथा इसे निम्नलिखित **दस मानदंडों** में से **कम-से-कम एक** पर खरा उतरना चाहिए :

1. यह मानव की रचनात्मक प्रतिभा की उत्कृष्टतम रचना का प्रतिनिधि स्वरूप हो।
2. यह निश्चित समयावधि में या विश्व के किसी सांस्कृतिक क्षेत्र के भीतर वास्तुकला या प्रौद्योगिकी के विकास, स्मारक कलाओं, शहर नियोजन या भू-दृश्य रूपांकन के संबंध में मानव मूल्यों के महत्त्वपूर्ण अंतर्विनिमय को प्रदर्शित करता हो।
3. किसी सांस्कृतिक परम्परा अथवा जीवंत या लुप्त किसी सभ्यता का अनोखा व असाधारण प्रमाण हो।
4. मानव इतिहास की किसी महत्त्वपूर्ण अवस्था को दर्शानेवाले किसी भवन, वास्तुकला या प्रौद्योगिकी संबंधी समूह या भू-दृश्य का उत्कृष्ट उदाहरण हो।
5. किसी संस्कृति अथवा वातावरण के साथ मानव की अंतर्क्रिया का प्रतिनिधित्व करनेवाले किसी परम्परागत मानव-बस्ती-भू-प्रयोग अथवा सागर-प्रयोग का एक उत्कृष्ट उदाहरण हो। विशेषत: जब वह अपूरणीय क्षति के प्रभाव में अतिसंवेदनशील हो गया हो।
6. घटनाओं अथवा जीवंत परम्पराओं, विचारों, मान्यताओं, सार्वभौमिक महत्त्व की उत्कृष्ट कलात्मक या साहित्यिक कृतियों के साथ प्रत्यक्षत: या मूर्त रूप से सम्बद्ध हो।
7. अति उत्कृष्ट प्राकृतिक दृश्य या असाधारण प्राकृतिक सौन्दर्य के स्थानों तथा कलागत महत्त्व को समाहित करता हो।
8. मानव जीवन के इतिहास का विवरण, भू-प्रारूपों के विकास में महत्त्वपूर्ण, अविरत भू-वैज्ञानिक प्रक्रियाओं या महत्त्वपूर्ण भू-आकृतिक विशेषताओं सहित पृथ्वी के इतिहास की प्रमुख अवस्थाओं को दर्शानेवाला उत्कृष्ट उदाहरण हो।
9. स्थलीय, ताज़े पानी, तटीय तथा समुद्री पारितंत्रों तथा पादपों तथा जंतुओं के समुदायों के उद्‌विकास और प्रगति संबंधी महत्त्वपूर्ण, अविरत पारिस्थितिकी तथा जैविक प्रक्रियाओं का प्रतिनिधित्व करनेवाला उत्कृष्ट उदाहरण हो।
10. विज्ञान या संरक्षण की दृष्टि से उत्कृष्ट सार्वभौमिक महत्त्व की संकटापन्न प्रजातियों सहित जैव-विविधता के स्व-स्थाने संरक्षण के लिए सर्वाधिक महत्त्वपूर्ण तथा सार्थक प्राकृतिक वास-स्थलों को समाविष्ट करता हो।

क्या आप जानते हैं? पहले छह मानदंड सांस्कृतिक स्थलों से संबंधित हैं और शेष चार प्राकृतिक स्थलों से संबंधित हैं।

घोषित स्थलों की विधिक स्थिति

यदि किसी स्थल को यूनेस्को द्वारा विश्व धरोहर स्थल घोषित कर दिया जाता है, तो इस बात का इसे प्रथम दृष्टया प्रमाण माना जाता है कि ऐसा स्थल सांस्कृतिक रूप से संवेदनशील है, तथा इसे जेनेवा (Geneva) कन्वेंशन, उसके अनुच्छेदों, प्रोटोकॉल एवं परिपाटी, सशस्त्र संघर्ष की स्थिति में सांस्कृतिक परिसंपत्तियों के संरक्षण से सम्बन्धित हेग (Hague) कन्वेंशन

तथा अंतरराष्ट्रीय क़ानूनों सहित अन्य संधियों के अंतर्गत युद्ध क़ानून के आधार पर क़ानूनी संरक्षण की गारंटी प्रदान की जाएगी।

संस्कृति संक्षेपण

जेनेवा कन्वेंशन का अनुच्छेद 53 निम्नलिखित की घोषणा करता है :

'सांस्कृतिक वस्तुओं तथा आराधना स्थलों का संरक्षण' 14 मई, 1954 में संपन्न सशस्त्र संघर्ष की स्थिति में, सांस्कृतिक परिसंपत्तियों के संरक्षण हेतु 'हेग संधि' तथा अन्य सुसंगत अंतरराष्ट्रीय साधनों के प्रविधानों से बिना पक्षपात किये, निम्नलिखित कार्यवाही निषिद्ध है :

- लोगों की सांस्कृतिक तथा आध्यात्मिक धरोहर माने जानेवाले ऐतिहासिक स्मारकों, कलाकृतियों या आराधना स्थलों के विरुद्ध किसी प्रकार की शत्रुतापूर्ण कार्रवाई करना;
- सैन्य प्रयासों के समर्थन में ऐसी वस्तुओं का उपयोग;
- ऐसी वस्तुओं को प्रतिशोध का माध्यम बनाना।

भारत में UNESCO के विश्व धरोहर स्थल

सितम्बर, 2025 तक, भारत में, UNESCO ने **36 सांस्कृतिक स्थलों, 7 प्राकृतिक स्थलों और 1 को मिश्रित श्रेणी के अंतर्गत** विश्व धरोहर स्थल घोषित किया है। आइए, इन 36 सांस्कृतिक स्थलों के बारे में विस्तार से जानते हैं:

1983-2023 (15 अगस्त तक) के बीच घोषित सांस्कृतिक स्थल

क्रम	नाम	घोषित वर्ष	राज्य/केंद्र शासित प्रदेश	विवरण
1	**आगरा क़िला**	1983	**उत्तर प्रदेश**	16वीं शताब्दी का मुग़ल क़िला - मुख्यतः लाल बलुआ पत्थर से निर्मित - अकबर द्वारा निर्मित - बाद के मुग़ल सम्राटों द्वारा निर्मित - प्रमुख संरचनाएँ जहाँगीरी महल, दीवानी-ए-ख़ास (शाहजहाँ द्वारा), दीवानी-ए-आम (शाहजहाँ द्वारा), मोती मस्जिद (सफ़ेद संगमरमर में और शाहजहाँ द्वारा), अकबर दरवाज़ा (शाहजहाँ द्वारा इसका नाम बदलकर अमर सिंह गेट रखा गया), **हौज-ए-जहाँगिरी** *(विशाल कटोरा पत्थर के एक टुकड़े से तराशी गयी और सुगंधित गुलाब जल के पात्र के रूप में इस्तेमाल की गयी)*, **जहाँगीर की न्याय की शृंखला** या ***अदली-ए-ज़ंजीर*** (यदि न्याय प्रशासन में लगे लोग देरी करें या पाखंड करें, तो पीड़ित इस ज़ंजीर के पास आकर इसे हिला सकते हैं ताकि इसकी आवाज़ जहाँगीर का ध्यान आकर्षित कर सके), ग़ज़नी गेट, शीश महल, आदि। *(अध्याय 02 में विस्तृत विवरण)*
2	**अजंता की गुफाएँ**	1983	**महाराष्ट्र**	29 बौद्ध शैलकृत गुफाएँ - बौद्ध चित्रकला और मूर्तियों के लिए प्रसिद्ध - दूसरी शताब्दी ईसा पूर्व से छठी- सातवीं शताब्दी ईसवी तक - **सह्याद्रि पर्वतमाला** में **वाघोरा नदी** के तट पर *(अध्याय 02 और अध्याय 04 में विस्तृत विवरण)*

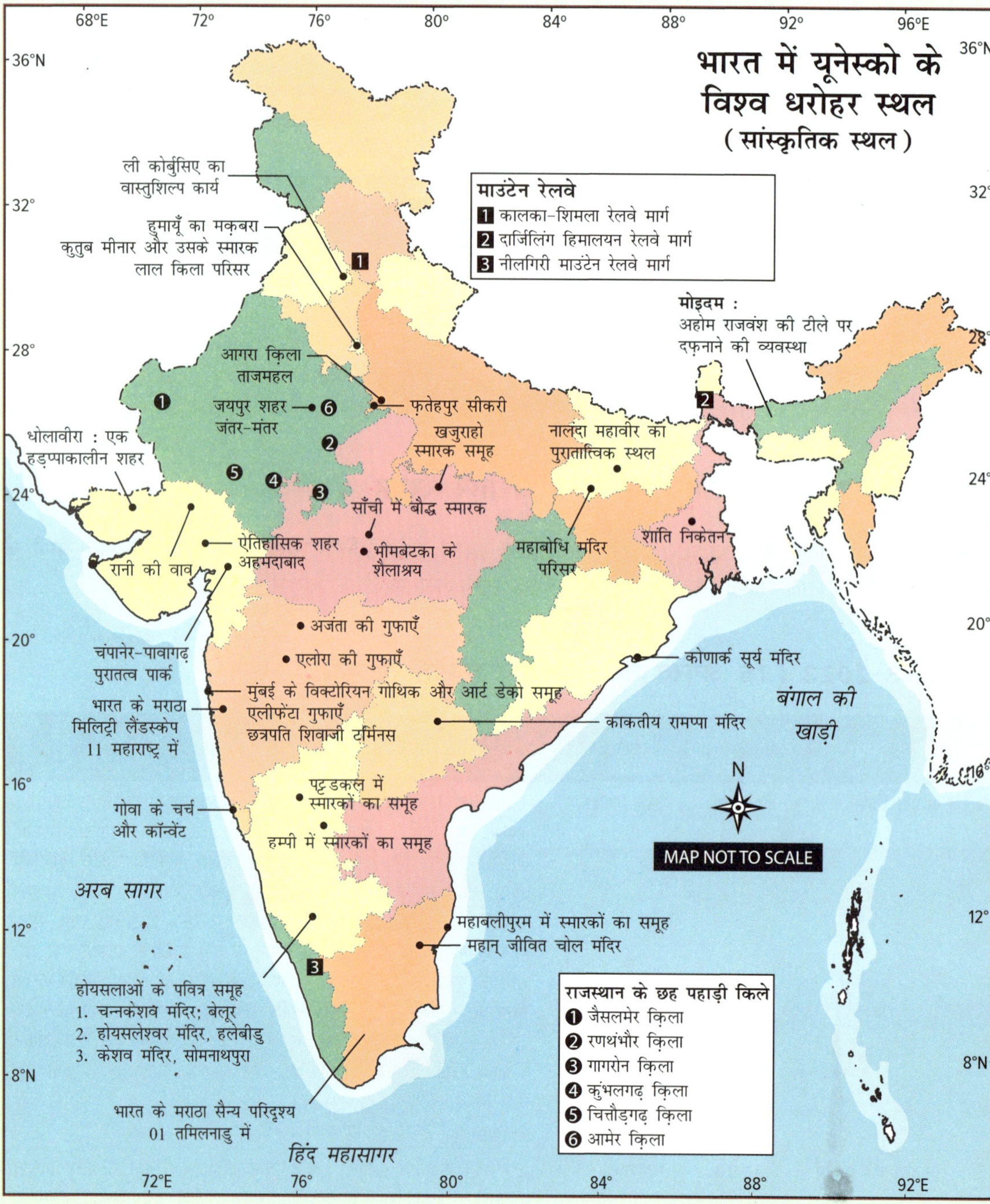
भारत में यूनेस्को के विश्व धरोहर स्थल
(सांस्कृतिक स्थल)
माउंटेन रेलवे
1 कालका-शिमला रेलवे मार्ग
2 दार्जिलिंग हिमालयन रेलवे मार्ग
3 नीलगिरी माउंटेन रेलवे मार्ग
ली कोर्बुसिए का वास्तुशिल्प कार्य
हुमायूँ का मक़बरा
कुतुब मीनार और उसके स्मारक
लाल किला परिसर
मोइदम : अहोम राजवंश की टीले पर दफ़नाने की व्यवस्था
आगरा क़िला
ताजमहल
फ़तेहपुर सीकरी
जयपुर शहर
जंतर-मंतर
धोलावीरा : एक हड़प्पाकालीन शहर
खजुराहो स्मारक समूह
नालंदा महावीर का पुरातात्त्विक स्थल
साँची में बौद्ध स्मारक
भीमबेटका के शैलाश्रय
ऐतिहासिक शहर अहमदाबाद
रानी की वाव
महाबोधि मंदिर परिसर
शांति निकेतन
चंपानेर-पावागढ़ पुरातत्व पार्क
अजंता की गुफाएँ
एलोरा की गुफाएँ
कोणार्क सूर्य मंदिर
मुंबई के विक्टोरियन गोथिक और आर्ट डेको समूह
एलीफेंटा गुफाएँ
छत्रपति शिवाजी टर्मिनस
भारत के मराठा मिलिट्री लैंडस्केप 11 महाराष्ट्र में
काकतीय रामप्पा मंदिर
बंगाल की खाड़ी
पट्टडकल में स्मारकों का समूह
गोवा के चर्च और कॉन्वेंट
हम्पी में स्मारकों का समूह
MAP NOT TO SCALE
अरब सागर
महाबलीपुरम में स्मारकों का समूह
महान् जीवित चोल मंदिर
होयसलाओं के पवित्र समूह
1. चन्नकेशव मंदिर; बेलूर
2. होयसलेश्वर मंदिर, हलेबीडु
3. केशव मंदिर, सोमनाथपुरा
भारत के मराठा सैन्य परिदृश्य 01 तमिलनाडु में
हिंद महासागर
राजस्थान के छह पहाड़ी किले
1 जैसलमेर क़िला
2 रणथंभौर क़िला
3 गागरोन क़िला
4 कुंभलगढ़ क़िला
5 चित्तौड़गढ़ क़िला
6 आमेर क़िला

क्रम	नाम	घोषित वर्ष	राज्य/केंद्र शासित प्रदेश	विवरण
3	एलोरा की गुफाएँ	1983	महाराष्ट्र	34 शैल गुफाएँ - हिंदू, बौद्ध और जैन - 5 वीं से 11 वीं शताब्दी ईसवी - चित्रकला और मूर्तियों के लिए प्रसिद्ध - इसमें अखंड **कैलास मंदिर, रावण द्वारा कैलास पर्वत को हिलाते हुए मूर्ति शामिल है** - 20 रुपये के भारतीय मुद्रा नोट में प्रदर्शित *(अध्याय 02 और अध्याय 04 में विस्तृत विवरण)*
4	ताजमहल	1983	उत्तर प्रदेश	शाहजहाँ द्वारा 17 वीं शताब्दी में अपनी पत्नी मुमताज महल की याद में - यमुना नदी के तट पर - जो विश्व के सात आश्चर्यों में से एक है - सफ़ेद संगमरमर और **पिएत्रा ड्यूरा कार्य का उपयोग किया गया।** *(अध्याय 02 में विस्तृत विवरण)*
5	सूर्य मंदिर, कोणार्क	1984	ओडिशा	पूर्वी गंग वंश के राजा नरसिंहदेव प्रथम द्वारा निर्मित, सूर्य देव को समर्पित 13वीं शताब्दी का मंदिर - नक़्क़ाशीदार पहियों और घोड़ों के साथ रथ के आकार में निर्मित - कलिंग वास्तुकला - जिसे काला पैगोडा भी कहा जाता है - 10 रुपये के भारतीय मुद्रा नोट में प्रदर्शित (अध्याय 02 में अधिक विवरण)  **सूर्य मंदिर, कोर्णाक**
6	महाबलीपुरम में स्मारकों का समूह	1984	तमिलनाडु	7वीं-8वीं शताब्दी के मंदिर और शैलचित्र - पल्लव राजाओं द्वारा - कोरोमंडल तट के साथ - तटीय मंदिर परिसर, पंच रथ, अर्जुन की तपस्या शैलचित्र, गणेश रथ, गुफा मंदिर, आदि (अध्याय 02 में विस्तृत विवरण)
7	गोवा के चर्च और कॉन्वेंट	1986	गोवा	सेंट कैथरीन चैपल, असीसी के सेंट फ्रांसिस चर्च और कॉन्वेंट, रोजरी की हमारी लेडी चर्च, बोम जीसस बेसिलिका, सेंट कैजेटन चैपल, आदि।
8	हम्पी में स्मारकों का समूह	1986	कर्नाटक	विजयनगर साम्राज्य के खंडहर - तुंगभद्रा नदी के पास - 14 वीं -16 वीं सदियों - मंदिर, महल, बाज़ार की सड़कें आदि - कल्याण मंडप, लक्ष्मी नरसिंह मूर्ति, विट्ठलस्वामी मंदिर परिसर, विरुपाक्ष मंदिर, पत्थर का रथ, हज़ारा राम मंदिर, आदि - 50 रुपये के भारतीय मुद्रा नोट में पत्थर का रथ चित्रित *(अध्याय 02 में विस्तृत विवरण)*  **हम्पी, कर्नाटक में स्मारक**
9	खजुराहो स्मारक समूह	1986	मध्य प्रदेश	चंदेल वंश द्वारा - नागर शैली की वास्तुकला - हिंदू और जैन मंदिर - मंदिर की दीवारों पर कामप्रवण मूर्तियाँ - कंदरिया महादेव मंदिर, विश्वनाथ मंदिर, आदि *(अध्याय 02 में विस्तृत विवरण)*
10	फ़तेहपुर सीकरी	1986	आगरा के पास, उत्तर प्रदेश	अकबर द्वारा निर्मित मुग़ल शहर - महल, मस्जिद, प्रांगण - कुछ समय के लिए मुग़ल साम्राज्य की राजधानी के रूप में कार्य किया *(अध्याय 02 में विस्तृत विवरण)*
11	एलिफेंटा गुफाएँ	1987	महाराष्ट्र	एलीफेंटा द्वीप पर चट्टानों को काटकर बनायी गयीं गुफाएँ - मुख्यतः भगवान् शिव को समर्पित - नक़्क़ाशीदार आकृतियाँ और मूर्तियाँ - प्रसिद्ध त्रिमूर्ति मूर्ति *(अध्याय 02 में विस्तृत विवरण)*  **त्रिमूर्ति, एलीफेंटा की गुफाएँ**

क्रम	नाम	घोषित वर्ष	राज्य/केंद्र शासित प्रदेश	विवरण
12	महान् जीवित चोल मंदिर	1987; 2004 में विस्तार	तमिलनाडु	चोल राजवंश के तीन मंदिर - द्रविड़ मंदिर वास्तुकला - बृहदीश्वर मंदिर और ऐरावतेश्वर मंदिर 1987 में शामिल - गंगईकोंडा चोलापुरम मंदिर को 2004 में शामिल किया गया - इन तीनों मंदिरों में भगवान् शिव मुख्य देवता हैं  **चोल मंदिरों में से एक** *(अध्याय 02 में विस्तृत विवरण)*
13	पत्तदकल में स्मारकों का समूह	1987	कर्नाटक	09 हिंदू मंदिर और 01 जैन मंदिर - वेसर शैली मंदिर वास्तुकला - प्रारंभिक चालुक्य वंश द्वारा - 7वीं-8वीं शताब्दी के दौरान - विरुपाक्ष मंदिर, लाड खान मंदिर आदि *(अध्याय 02 में विस्तृत विवरण)*
14	साँची में बौद्ध स्मारक	1989	मध्य प्रदेश	प्रारंभिक बौद्ध स्तूप, नक्क़ाशी; - मौर्य, सातवाहन आदि का योगदान - महान् स्तूप - अशोक के सिंह स्तंभ पर विभाजन आदेश - सिरी सातकर्णी शिलालेख - शालभंजिका मूर्तिकला - 200 रुपये के भारतीय मुद्रा नोट में साँची स्तूप का चित्रण  **साँची स्तूप का तोरण** *(अध्याय 02 में विस्तृत विवरण)*
15	हुमायूँ का मक़बरा	1993	नयी दिल्ली	मुग़ल मक़बरा - शैली और उद्यान मेहराब लेआउट में ताजमहल का पूर्ववर्ती - लाल बलुआ पत्थर का प्रमुख उपयोग *(अध्याय 02 में विस्तृत विवरण)*
16	कुतुब मीनार और उसके स्मारक	1993	नयी दिल्ली	इंडो इस्लामिक वास्तुकला - 12वीं शताब्दी में कुतुब-उद-दीन ऐबक द्वारा बनवाया गया कुतुब मीनार, बाद में इल्तुतमिश और फ़िरोज़ शाह तुग़लक़ द्वारा इसमें शामिल किया गया - कुतुब-उद-दीन ऐबक द्वारा कुव्वत-उल-इस्लाम मस्जिद - अलाउद्दीन ख़िलजी द्वारा अल्लाई दरवाज़ा - चंद्रगुप्त द्वितीय का लौह स्तंभ इस परिसर में स्थानांतरित किया गया *(अध्याय 02 में विस्तृत विवरण)*
17	दार्जिलिंग हिमालयन रेलवे (भारत के पर्वतीय रेलवे के अंतर्गत)	1999	पश्चिम बंगाल	1881 में खोला गया - सिलीगुड़ी और दार्जिलिंग के बीच चलता है - भाप इंजन का उपयोग करता है
18	महाबोधि मंदिर परिसर	2002	बोधगया, बिहार	वह स्थान जहाँ गौतम बुद्ध को ज्ञान प्राप्त हुआ - इसमें विशाल मंदिर, बोधि वृक्ष शामिल हैं।
19	भीमबेटका के शैलाश्रय	2003	मध्य प्रदेश	प्रागैतिहासिक शैलचित्र - रातापानी वन्यजीव अभयारण्य के अंदर - पहली बार वी.एस. वाकणकर द्वारा भोपाल से इटारसी तक ट्रेन में यात्रा करते समय देखे और खोजे गये।  **भीमबेटका शैलाश्रय** *(अध्याय 04 में विस्तृत विवरण)*

क्रम	नाम	घोषित वर्ष	राज्य/केंद्र शासित प्रदेश	विवरण
20	चंपानेर पावागढ़ पुरातत्त्व पार्क	2004	गुजरात	पुरातात्विक अवशेष, ऐतिहासिक इमारतें, क़िला शहर, बावड़ियाँ आदि - एकमात्र पूर्ण और अपरिवर्तित इस्लामी पूर्व-मुग़ल शहर - शहरी नियोजन, वर्षा जल संचयन - कालिकामाता मंदिर
21	छत्रपति शिवाजी टर्मिनस (पूर्व में विक्टोरिया टर्मिनस)	2004	मुंबई, महाराष्ट्र	विक्टोरियन गोथिक वास्तुकला, रेलवे विरासत; औपनिवेशिक काल की महत्त्वपूर्ण इमारत
-	नीलगिरि पर्वतीय रेलवे (भारत के पर्वतीय रेलवे के अंतर्गत)	2005	तमिलनाडु	1908 से - 46 क़िलोमीटर लंबी मीटर गेज सिंगल ट्रैक रेलवे - मेट्टुपालयम और उधगमंडलम के बीच चलती है
22	लाल क़िला परिसर	2007	नयी दिल्ली	1638 में शाहजहाँ द्वारा - मुग़ल क़िला, शाही निवास, राजनीतिक शक्ति का प्रतिनिधि - इसमें लाहौरी गेट, मीना बाज़ार, नौबत ख़ाना, नहर-ए-बिहिश्त (स्वर्ग की धारा), मुमताज़ शामिल हैं महल, ख़ास महल, दीवान-ए-आम, दीवान-ए-ख़ास और मोती मस्जिद (औरंगज़ेब द्वारा निर्मित) - 500 रुपये के भारतीय नोट में अंकित *(अध्याय 02 में विस्तृत विवरण)*  **लाल क़िला, दिल्ली**
-	कालका-शिमला रेलवे (भारत के पर्वतीय रेलवे के अंतर्गत)	2008	हिमाचल प्रदेश	96 किमी लंबा - 19वीं शताब्दी के मध्य में निर्मित एकल-ट्रैक कार्यशील रेल संपर्क
23	जंतर-मंतर	2010	जयपुर, राजस्थान	18वीं शताब्दी के प्रारंभ में सवाई जय सिंह द्वितीय द्वारा निर्मित इस मंदिर में 19 उपकरण हैं, जिनमें विश्व की सबसे बड़ी पत्थर की सूर्यघड़ी भी शामिल है, जो मुग़लकालीन उन्नत खगोलीय ज्ञान को प्रदर्शित करती है।
24	राजस्थान के छह पहाड़ी क़िले	2013	राजस्थान	माधोपुर में रणथंभौर क़िला - जयपुर में आमेर क़िला - जैसलमेर में जैसलमेर क़िला - झालावाड़ में गागरोन क़िला - **राजपूत सैन्य पहाड़ी वास्तुकला** के उदाहरण।
25	रानी की वाव (रानी की बावड़ी)	2014	पाटन, गुजरात	**सरस्वती नदी** के तट पर भूमिगत वास्तुकला से निर्मित विस्तृत बावड़ी - 11वीं शताब्दी में निर्मित - **मारू-गुर्जर** स्थापत्य शैली में - 100 रुपये के भारतीय मुद्रा नोट में प्रदर्शित  **रानी की वाव**
26	ली कोर्बुसिए का वास्तुशिल्प कार्य	2016	कैपिटल कॉम्प्लेक्स, चंडीगढ़	इसमें 7 देशों में फैले 17 स्थल शामिल हैं - जिनमें से अधिकांश फ़्रांस में स्थित हैं - तथा एक भारत में है - जो आधुनिक परंपराओं से युक्त स्थापत्य अभिव्यक्ति के नये रूपों का प्रमाण है
27	नालंदा महाविहार का पुरातात्विक स्थल	2016	बिहार	सबसे प्राचीन आवासीय विश्वविद्यालयों में से एक - मुख्यतः महायान बौद्ध धर्म और कुछ धर्मनिरपेक्ष विषय *(अध्याय 03 में विस्तृत विवरण)*

क्रम	नाम	घोषित वर्ष	राज्य/केंद्र शासित प्रदेश	विवरण
28	**ऐतिहासिक शहर अहमदाबाद**	**2017**	**गुजरात**	नदी के तट पर - 15वीं शताब्दी में सुल्तान अहमद शाह द्वारा स्थापित - विभिन्न कालों की वास्तुकलावाला पुराना शहर - भद्रा गढ़
29	**मुंबई के विक्टोरियन गोथिक और आर्ट डेको समूह**	**2018**	**महाराष्ट्र**	औपनिवेशिक काल की वास्तुकला - सार्वजनिक भवनों का संग्रह - 19वीं शताब्दी में विक्टोरियन नव-गॉथिक शैली में और 20वीं शताब्दी में आर्ट डेको शैली में डिज़ाइन किया गया
30	**जयपुर शहर**	**2019**	**राजस्थान**	**सवाई जय सिंह द्वितीय** के संरक्षण में
31	**धोलावीरा : एक हड़प्पा शहर**	**2021**	**गुजरात**	सिंधु घाटी सभ्यता के प्रमुख शहरी केंद्रों में से एक - उन्नत नगर नियोजन, परिष्कृत जल प्रबंधन प्रणाली, विशाल क़ब्रिस्तान। *(अध्याय 02 में विस्तृत विवरण)*
32	**काकतीय रामप्पा मंदिर**	**2021**	**तेलंगाना**	13वीं सदी का मंदिर - काकतीय राजवंश द्वारा - भगवान् शिव को समर्पित - उत्कृष्ट शिल्पकला - इसका नाम इसके मूर्तिकार 'रामप्पा' के नाम पर रखा गया है - रेत बॉक्स तकनीक - तारे के आकार का मंच - कुछ भागों में तैरती ईंटों का उपयोग *(अध्याय 02 में विस्तृत विवरण)*  **रामप्पा काकतीय मंदिर,**
33	**शांति निकेतन**	**2023**	**पश्चिम बंगाल**	रवींद्रनाथ टैगोर की शैक्षिक और सांस्कृतिक परियोजना का केंद्र - संगीत, कला, साहित्य।  **शांति निकेतन**
34	**होयसल के पवित्र समूह**	**2023**	**कर्नाटक**	होयसल मंदिर वास्तुकला - 12वीं-13वीं शताब्दी ईसवी के दौरान - अलंकृत नक़्क़ाशी, तारे के आकार का मंदिर योजना - बेलूर में चेन्नाकेशव मंदिर, हलेबिदु में होयसलेश्वर मंदिर, और सोमनाथपुरा में चेन्नाकेशव मंदिर *(अध्याय 02 में विस्तृत विवरण)*  **चन्नाकेशव मंदिर, सोमनाथपुरा**
35	**मोइदम - अहोम राजवंश की टीले पर दफ़नाने की प्रणाली**	**2024**	**असम**	अहोम राजवंश के दफ़न टीले, 'मोइडम्स' - ऐतिहासिक अंत्येष्टि परंपरा - मध्ययुगीन वास्तुकला
36	**भारत के मराठा सैन्य परिदृश्य**	**2025**	**महाराष्ट्र में 11 और तमिलनाडु**	महाराष्ट्र और तमिलनाडु में 12 क़िलों का एक नेटवर्क - मराठा शासकों द्वारा क़ब्ज़ा किया गया और विकसित किया गया - 17वीं सदी के अंत से 19वीं सदी के प्रारंभ तक निर्मित या विस्तारित - मराठा साम्राज्य द्वारा उपयोग किया गया; सैन्य वास्तुकला, भूभाग में रणनीतिक क़िलेबंदी - सलहेर, शिवनेरी क़िला, लोहागढ़, खंडेरी, रायगढ़ क़िला, राजगढ़ क़िला, प्रतापगढ़, सुवर्णदुर्ग, पन्हाला क़िला, विजयदुर्ग क़िला, सिंधुदुर्ग क़िला, ये सभी 11 महाराष्ट्र में स्थित हैं - तमिलनाडु में एक गिंगी क़िला महाराष्ट्र के बाहर का एकमात्र स्थल है

क्या आप जानते हैं? कंचनजंगा राष्ट्रीय उद्यान अब तक का एकमात्र भारतीय विश्व धरोहर स्थल है, जिसे UNESCO द्वारा *मिश्रित श्रेणी* के अंतर्गत घोषित किया गया है।

विश्व विरासत स्थल दर्जे के लाभ

- उक्त स्थल के संरक्षण तथा बचाव की आवश्यकता के प्रति अंतरराष्ट्रीय ध्यानाकर्षण।
- उक्त स्थल पर पर्यटन को आकर्षित कर आर्थिक लाभ सुनिश्चित करना।
- आवश्यकता होने पर UNESCO पुनःस्थापन, संरक्षण तथा प्रशिक्षण के लिए निधि प्रदान कर सकता है।
- संयुक्त राष्ट्र प्रणाली तथा उसके द्वारा प्रदत्त प्रतिष्ठा और सहायता के साथ निकट सम्बन्ध को प्रोत्साहित करता है।
- वैश्विक परियोजना प्रबंधन संसाधनों तक अभिगम की सामर्थ्य प्रदान करता है।
- संरक्षण संबंधी लक्ष्यों को प्राप्त करने के लिए सरकार, निजी क्षेत्र तथा ग़ैर-सरकारी संस्थाओं के बीच साझेदारी के निर्माण को सुगम बनाती है।
- स्थल, जेनेवा कन्वेंशन के अंतर्गत युद्ध के समय विनाश या दुष्प्रयोग से सुरक्षित हो जाता है।

संस्कृति संक्षेपण

संकटापन्न विश्व धरोहर स्थलों की सूची

संकटापन्न विश्व धरोहरों की सूची को; जिस वैशिष्ट्य के लिए किसी संपत्ति को; विश्व धरोहर सूची में दर्ज किया जाता है, उसी को ख़तरे में डालनेवालीं स्थितियों के बारे में लोगों को सूचित करने और उस संबंध में सुधारात्मक कार्रवाई प्रोत्साहित करने के लिए तैयार किया गया है।

जुलाई, 2025 तक, विश्व धरोहर समिति ने 1972 के विश्व धरोहर सम्मेलन के प्रविधानों के अनुसार, संकटापन्न विश्व धरोहरों की सूची में दुनिया भर से **53 संपत्तियों** को शामिल किया है। समिति लुप्तप्राय संपत्ति को **विश्व धरोहर कोष** से तत्काल सहायता आवंटित कर सकती है। विश्व धरोहर स्थल अपना पदनाम; UNESCO की विश्व धरोहर समिति द्वारा यह निर्धारित करने पर खो सकता है कि संकटापन्न सूची में शामिल किये जाने के बाद भी ठीक से उनका प्रबंध या संरक्षण नहीं किया जा रहा है। इसके बाद, उसे *पूर्व विश्व धरोहर स्थलों* की सूची में शामिल किया जाता है।

जुलाई, 2025 तक, UNESCO की 'संकटापन्न विश्व धरोहर' सूची में कोई भी भारतीय स्थल शामिल नहीं है। हालाँकि, पहले मानस वन्यजीव अभयारण्य और हम्पी के स्मारक समूह को जातीय अशांति और केबल पुलों के निर्माण जैसी समस्याओं के कारण इस सूची में रखा गया था, लेकिन संरक्षण और सुरक्षा में सुधार के बाद उन्हें सफलतापूर्वक सूची से हटा दिया गया है।

UNESCO की संभावित सूची में शामिल सांस्कृतिक स्थल (अगस्त 2025 तक)

क्रम.	नाम	राज्य/क्षेत्र	वर्ष	विवरण
1.	बिष्णुपुर के मंदिर	पश्चिम बंगाल	1998	मल्ल राजाओं के टेराकोटा मंदिर
2.	मट्टनचेरी पैलेस, एर्नाकुलम	केरल	1998	प्रसिद्ध भितिचित्रोंवाला इंडो-यूरोपीय महल
3.	मांडू में स्मारकों का समूह	मध्य प्रदेश	1998	अफ़ग़ान-मालवा मध्ययुगीन स्मारक
4.	प्राचीन बौद्ध स्थल, सारनाथ	उत्तर प्रदेश	1998	प्रारंभिक बौद्ध स्तूप और मठ
5.	श्री हरिमंदिर साहिब, अमृतसर	पंजाब	2004	सिख धर्म का स्वर्ण मंदिर परिसर
6.	माजुली नदी द्वीप	असम	2004	वैष्णव मठ द्वीप

क्रम.	नाम	राज्य/क्षेत्र	वर्ष	विवरण
7.	भारत में रेशम मार्ग स्थल	कई राज्यों में	2010	बौद्ध और व्यापार मार्ग स्थल
8.	कश्मीर में मुग़ल गार्डन	जम्मू और कश्मीर	2010	छह चारबाग़ शैली के उद्यान
9.	हैदराबाद के कुतुब शाही स्मारक	तेलंगाना	2010	गोलकुंडा क़िला, कुतुब शाही मक़बरे, चारमीनार
10.	दिल्ली - एक विरासत शहर	दिल्ली	2012	ऐतिहासिक परतोंवाला शहर
11.	बहाई उपासना गृह, नयी दिल्ली	दिल्ली	2014	आधुनिक कमल मंदिर
12.	चेट्टीनाड ग्राम समूह	तमिलनाडु	2014	व्यापारी घराने एवं स्थानीय संस्कृति
13.	भारत के पर्वतीय रेलवे (विस्तार)	महाराष्ट्र, हिमाचल प्रदेश	2014	माथेरान से काँगड़ा तक हेरिटेज हिल रेलवे
14.	हड़प्पा बंदरगाह नगर, लोथल	गुजरात	2014	डॉकयार्ड और सिंधु बंदरगाह
15.	बुर्जहोम की नवपाषाणकालीन बस्ती	जम्मू और कश्मीर	2014	प्रागैतिहासिक गड्ढे (गर्त) आवास
16.	एकाम्र क्षेत्र - मंदिर शहर, भुवनेश्वर	ओडिशा	2014	कलिंग मंदिर परिसर
17.	थेम्बांग क़िलेबंद गाँव	अरुणाचल प्रदेश	2014	क़िलेबंद स्थानीय गाँव - मोनपाओं द्वारा बसा हुआ
18.	सत्याग्रह स्थल	महाराष्ट्र	2014	स्वतंत्रता आंदोलन स्थल
19.	पद्मनाभपुरम पैलेस	तमिलनाडु	2014	त्रावणकोर शाही महल
20.	श्रीरंगपटना के स्मारक	कर्नाटक	2014	द्वीप शहर विरासत - कावेरी नदी पर
21.	श्री रंगनाथस्वामी मंदिर, श्रीरंगम	तमिलनाडु	2014	द्रविड़ मंदिर परिसर
22.	अपातानी सांस्कृतिक परिदृश्य	अरुणाचल प्रदेश	2014	कृषि -वानिकी परिदृश्य
23.	प्रतिष्ठित साड़ी बुनाई समूह	कई राज्यों में	2014	पारंपरिक बुनाई समूह
24.	सेलुलर जेल, अंडमान	अंडमान और निकोबार	2014	औपनिवेशिक दंड स्थल
25.	दक्कन सल्तनत स्मारक	कर्नाटक	2015	क़िलेबंद महल और मस्जिदें
26.	उत्तरापथ, बादशाही सड़क, सड़क-ए-आज़म, जीटी रोड	कई राज्यों में	2015	ऐतिहासिक सड़क समूह
27.	मंदिर वास्तुकलाः ऐहोल - बादामी-पट्टदकल	कर्नाटक	2015	प्रारंभिक मंदिर वास्तुकला
28.	ओरछा ऐतिहासिक समूह	मध्य प्रदेश	2019	बुंदेला क़िले और महल
29.	हिरे बेनाकल मेगालिथिक स्थल	कर्नाटक	2021	भारत में सबसे बड़ा महापाषाण स्थल
30.	काँचीपुरम के मंदिर	तमिलनाडु	2021	मंदिर समूह शहर
31.	वाराणसी रिवरफ्रंट	उत्तर प्रदेश	2021	घाट एवं आनुष्ठानिक वस्त्र
32.	कोंकण क्षेत्र की भू-आकृति	महाराष्ट्र	2022	ज़मीन सांस्कृतिक परिदृश्य आँकड़े
33.	जीवित मूल पुल	मेघालय	2022	जैव अभियांत्रिकी पुल
34.	लेपाक्षी में वीरभद्र मंदिर और अखंड बैल	आंध्र प्रदेश	2022	विजयनगर मंदिर भित्ति चित्र
35.	मोढेरा सूर्य मंदिर और उसके आसपास के स्मारक	गुजरात	2022	सौर मंदिर एवं मूर्तियाँ
36.	उनाकोटि रॉक रिलीफ़्स	त्रिपुरा	2022	चट्टान को काटकर बनायी गयीं मूर्तियाँ
37.	वडनगर ऐतिहासिक शहर	गुजरात	2022	प्राचीन बहुस्तरीय शहर
38.	कोंकण तट के क़िले	महाराष्ट्र	2024	समुद्री क़िलों की शृंखला
39.	ग्वालियर क़िला	मध्य प्रदेश	2024	पहाड़ी क़िले और महल
40.	ख़ूनी भंडारा, बुरहानपुर	मध्य प्रदेश	2024	ऐतिहासिक अंत्येष्टि परिसर
41.	चंबल घाटी रॉक कला	मध्य प्रदेश	2024	प्रागैतिहासिक शैल कला
42.	भोजेश्वर महादेव मंदिर	मध्य प्रदेश	2024	अधूरा शिव मंदिर
43.	रामनगर, मंडला के गोंड स्मारक	मध्य प्रदेश	2024	गोंड शाही स्मारक
44.	धमनार ऐतिहासिक समूह	मध्य प्रदेश	2024	क़िलाबंद बहु-अवधि स्थल

क्रम.	नाम	राज्य/क्षेत्र	वर्ष	विवरण
45.	मुदुमल मेगालिथिक मेनहिर	तेलंगाना	2025	3,500 साल पुराने मेनहिर
46.	अशोक के शिलालेख स्थल	कई राज्यों में	2025	35 मौर्यकालीन शिला एवं स्तंभ लेख तथा शिलालेख
47.	चौसठ योगिनी मंदिर	मध्य प्रदेश	2025	13 योगिनी मंदिर
48.	उत्तर भारत के गुप्त मंदिर	उत्तर प्रदेश	2025	20 गुप्त वंश मंदिर
49.	बुंदेला महल-क़िले	मध्य प्रदेश	2025	06 बुंदेलखंड क्षेत्र के क़िले

यू.पी.एस.सी. विगत वर्षों के बहुविकल्पीय प्रश्न

1. यूनेस्को (UNESCO) द्वारा जारी विश्व धरोहर सूची में शामिल की गयी निम्नलिखित संपत्तियों पर विचार कीजिए : **(CSE, 2024)**
   1. शांतिनिकेतन
   2. रानी-की-वाव
   3. होयसला के पवित्र मंदिर समूह
   4. बोधगया स्थित महाबोधि मंदिर परिसर

   उपर्युक्त में से कितनी संपत्तियों को वर्ष 2023 में शामिल किया गया?
   (a) केवल एक (b) केवल दो
   (c) केवल तीन (d) सभी चार

2. मानव दिल्ली में सभी UNESCO विश्व विरासत स्थलों का भ्रमण करने की योजना बना रहा है। वह भ्रमण करेगा **(CDS I, 2023)**
   (a) लाल क़िला, कुतुब मीनार, जामा मस्जिद
   (b) लाल क़िला, इंडिया गेट, कुतुब मीनार
   (c) लाल क़िला, कुतुब मीनार, हुमायूँ का मक़बरा
   (d) लाल क़िला, हुमायूँ का मक़बरा, इंडिया गेट

3. निम्नलिखित में से कौन-सा प्राचीन नगर अपने उन्नत जल संचयन और प्रबंधन प्रणाली के लिए सुप्रसिद्ध है, जहाँ बाँधों की शृंखला का निर्माण किया गया था और सबद्ध जलाशयों में नहर के माध्यम से जल प्रवाहित किया जाता था? **(CSE, 2021)**
   (a) धौलावीर (b) कालीबंगा
   (c) राखीगढ़ी (d) रोपड़

4. हाल ही में धोलावीरा क्यों समाचारों में आया? **(CDS I, 2021)**
   (a) इस स्थल पर कंकाल पाये गये
   (b) इसके संरक्षण प्रभावों के कारण
   (c) इस स्थल पर स्वर्ण और बहुमूल्य रत्न मिलने के कारण
   (d) इसे यूनेस्को विश्व धरोहर टैग मिला

5. हाल ही में UNESCO द्वारा रानी-की-वाव बावड़ी को विश्व धरोहर स्थल स्वीकृत किया गया है। यह स्थित है- **(CDS II, 2014)**
   (a) राजस्थान में (b) गुजरात में
   (c) मध्य प्रदेश में (d) महाराष्ट्र में

6. निम्नलिखित में से कौन-से UNESCO द्वारा मान्यता प्राप्त विश्व धरोहर स्थल हैं? **(CDS II, 2012)**
   1. अजंता की गुफाएँ
   2. ऐलोरा में मंदिर और गुफाएँ
   3. महाबलीपुरम के मंडप
   4. कन्हेरी की गुफाएँ

   नीचे दिये गये कूट का प्रयोग कर सही उत्तर चुनिए :
   (a) केवल 1 और 4 (b) 1, 2 और 3
   (c) 1, 3 और 4 (d) 2, 3 और 4

उत्तरमाला

1. (b) 2. (c) 3. (a) 4. (d) 5. (b) 6. (b)

यू.पी.एस.सी. विगत वर्षों के प्रश्न - मुख्य परीक्षा

1. सांस्कृतिक तथा प्राकृतिक धरोहरों के बीच अंतर स्पष्ट करें। **(CSE, 2013)**

17

अमूर्त सांस्कृतिक विरासतों की यूनेस्को सूची

अध्याय की रूपरेखा

- मानवता की अमूर्त सांस्कृतिक विरासत की प्रतिनिधि सूची
- यूनेस्को का अच्छी सुरक्षा पद्धतियों का रजिस्टर

अमूर्त सांस्कृतिक विरासत का अर्थ समुदायों, समूहों से सबंधित प्रथाएँ, निरूपण, अभिव्यक्तियाँ, ज्ञान, कौशल और साथ ही उपकरण, वस्तुएँ, कलाकृतियाँ तथा कुछ प्रकरणों में उनकी सांस्कृतिक विरासत का हिस्सा माने जानेवाले व्यक्ति भी शामिल होते हैं।

UNESCO के इस कार्यक्रम ने दो सूचियों को संकलित किया है :

1. **मानवता की अमूर्त सांस्कृतिक विरासत की प्रतिनिधि सूची (रेप्रिज़ेंटेटिव लिस्ट) :** इसमें सांस्कृतिक प्रथाएँ और अनुभव सम्मिलित हैं, जो इस विरासत की विविधता को प्रदर्शित करने में सहयोग करते हैं एवं इसकी महत्ता के संबंध में जागरूकता उत्पन्न करते हैं।
2. **उन अमूर्त सांस्कृतिक विरासतों की सूची, जिन्हें तत्काल संरक्षण की आवश्यकता है :** यह उन सांस्कृतिक तत्त्वों को सम्मिलित करती है, जिन्हें संबंधित समुदाय और देश जीवित रखने पर विचार करते हैं और उन्हें तत्काल संरक्षण की आवश्यकता है। अगस्त, 2025 तक, विभिन्न देशों के 81 सांस्कृतिक तत्व इस सूची में शामिल किये गये हैं, जिनमें से कोई भी भारत से नहीं है।

मानवता की अमूर्त सांस्कृतिक विरासत की प्रतिनिधि सूची -------> परीक्षोपयोगी

अगस्त, 2025 तक, मानवता की अमूर्त सांस्कृतिक विरासत की प्रतिनिधि सूची में भारत की निम्नलिखित 15 अमूर्त विरासतें हैं :

क्रम	नाम	शामिल किये जाने का वर्ष	विवरण
1.	कुडियट्टम (संस्कृत नाट्यकला)	2008	यह **केरल में चकयारों** (हिन्दुओं की एक उप-जाति) द्वारा किया जानेवाला नृत्य एवं नाटक का समावेश है, जिसमें वे परंपरागत रूप से पुरुष की भूमिका निभाते हैं। **अंबालवासी नंबियार जाति की महिलाएँ** नारी की भूमिका निभाती हैं। इसका प्रदर्शन **6 से 20 दिन** तक चलता है। इसका अभिनय मुख्य रूप से **मंदिरों में** किया जाता है और इसकी विषय-वस्तु **हिन्दू पौराणिकता** पर आधारित है। अन्य सभी चरित्र संस्कृत भाषा का प्रयोग कर अभिनय करते हैं। इसमें **मिझावू** नामक संगीत वाद्य यंत्र प्रमुख रूप से प्रयोग किया जाता है। 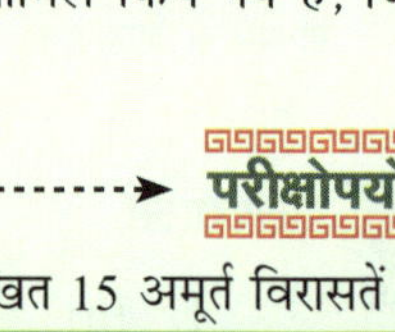 स्रोत : www.keralaculture.org

क्रम	नाम	शामिल किये जाने का वर्ष	विवरण
2.	**रामलीला**	2008	यह **उत्तर प्रदेश** क्षेत्र की प्रसिद्ध लोक अभिनय कला है। इसमें **दशहरे से पहले रामायण** को गीतों, नृत्यों और संवादों के रूप में अभिनीत किया जाता है। इसे सामान्य रूप से पुरुष अभिनेताओं द्वारा सम्पन्न किया जाता है। पुरुष अभिनेताओं द्वारा ही सीता का अभिनय भी किया जाता है। इस नाटक को प्रतिवर्ष 'शारदीय नवरात्रियों' की शुभ बेला में **10 या इससे अधिक रातों** तक मंचित किया जाता है।
3.	**वेदपाठ की परम्परा**	2008	वेदों की वाचिक परंपरा में *वेद* मंत्रों के *पाठ* अनेक प्रकार से किये जाते हैं। वैदिक पाठ की ऐसी परंपराओं को बहुधा अभी तक जीवित सर्वाधिक **प्राचीन अक्षत वाचिक परंपरा** माना जाता है। संरक्षित वैदिक ग्रन्थों का समय काल लगभग लौह युग के समकालीन नियत किया गया है। UNESCO ने वेदपाठ की परंपरा को मानवता की वाचिक तथा अमूर्त विरासतों की उत्कृष्ट कृति घोषित किया है।
4.	**रम्मन**	2009	यह **एक धार्मिक उत्सव** तथा **गढ़वाल क्षेत्र की पारंपरिक रीतिगत नाट्यकला** है। इसे **उत्तराखण्ड** के **चमोली ज़िले** में पैखंडा घाटी के सलूर डुँगरा-गाँव में हिन्दू समुदाय द्वारा मनाया जाता है। इसका एक महत्त्वपूर्ण पक्ष **जागर** का गान करना है, जो स्थानीय पौराणिक कथाओं का संगीतमय गायन है।
5.	**मुडियेट्टू**	2010	मुडियेट्टू एक पारम्परिक **रीतिगत नाट्य** कला है, जो **केरल** राज्य में सम्पन्न किया जानेवाला लोक नृत्य और नाटक है। यह **देवी काली** और **दारिका** राक्षस के बीच युद्ध की पौराणिक कथा को चित्रित करता है। इस नृत्य को भगवती कावुस नाम से जाना जाता है, जो **गाँव के मंदिरों** में फ़रवरी और मई में फ़सल कटाई के मौसम के बाद किया जाता है। इसमें देवी काली का ज़मीन पर डिज़ाइन तैयार किया जाता है (जिसे **कोलम** के रूप में जाना जाता है) और फिर उसकी पूजा की जाती है।  स्रोत : www.keralaculture.org
6.	**कालबेलिया**	2010	**राजस्थान** राज्य में कालबेलिया नाम की ही जनजाति द्वारा प्रदर्शित किये जानेवाले इस नृत्य का संचालन **सर्प** से मेल खाता हैं। इसके गीत पौराणिक गाथाओं पर आधारित हैं और गीतों को प्रदर्शन के दौरान गीत के शब्दों को तत्काल निर्मित भी किया जाता है। इसके प्रदर्शन के साथ उपयोग किये जानेवाले वाद्ययंत्रों में शामिल हैं - पूँगी, चाँग और झाँझ। 
7.	**छऊ**	2010	यह एक **जनजातीय युद्ध कला नृत्य** है, जिसे प्रमुख रूप से **ओडिशा, झारखण्ड** तथा **पश्चिम बंगाल** में प्रदर्शित किया जाता है। उत्पत्ति और विकास स्थान के आधार पर इस नृत्य की तीन उप-शैलियाँ हैं– पुरुलिया छऊ (पश्चिम बंगाल), सरायकेला छऊ (झारखण्ड) और मयूरभंज छऊ (ओडिशा)। मयूरभंज छऊ के अतिरिक्त अन्य सभी में प्रदर्शन के दौरान नर्तक द्वारा **मुखौटा** पहना जाता है। 
8.	**लददाख का बौद्ध मंत्रोच्चार**	2012	इसका संदर्भ ट्रांस-हिमालयी लद्दाख क्षेत्र में **पवित्र बौद्ध ग्रन्थों के पाठ** से है। लद्दाख में बौद्ध धर्म मुख्य रूप से दो उप-संप्रदायों, **महायान** और **वज्रयान** से संबंधित हैं।
9.	**संकीर्तन**	2013	यह कला रूप **मणिपुरी वैष्णवों** के जीवन में धार्मिक अवसरों और विभिन्न अवस्थाओं को चिह्नित करने के लिए प्रदर्शित किया जाता है। **मन्दिरों में** प्रचलित इस कला में प्रदर्शनकर्ता **भगवान् कृष्ण** के जीवन और कार्यों का गीतों और नृत्यों द्वारा वर्णन करते हैं। एक विशिष्ट संकीर्तन प्रदर्शन में घर के बरामदे में बने कक्ष में दो ढोलवादक और 10 गायक-नर्तक भक्तों से घिरकर प्रदर्शन करते है। संकीर्तन प्रदर्शन में ढोल और झाँझ वाद्य यंत्रों का प्रयोग किया जाता है।

क्रम	नाम	शामिल किये जाने का वर्ष	विवरण
10.	**पंजाब में जंडियाला गुरु के ठठेरों द्वारा पारम्परिक पीतल और ताँबे के बर्तन बनाने का शिल्प**	2014	यह एक मौखिक परम्परा है, जिसे **'ठठेरा' समुदाय** पीढ़ी-दर-पीढ़ी आगे बढ़ाता जा रहा है। इसमें धातुओं को गर्म किया जाता है और फिर उन्हें घुमावदार आकार में पतली परतों में ढाला जाता है। इसमें पीतल, ताँबा और काँसा धातुओं का उपयोग किया जाता है। 19वीं शताब्दी में **महाराजा रंजीत सिंह द्वारा** इन्हें संरक्षण और **प्रोत्साहन** दिया गया। 
12.	**योग**	2016	इसमें एक व्यक्ति की आत्म-अनुभूति के निर्माण में सहायता के लिए मुद्राओं, ध्यान, नियंत्रित श्वास, शब्द जाप और अन्य तकनीकें सम्मलित होती हैं। परम्परागत रूप से इसे **गुरु-शिष्य परम्परा** के माधयम से आगे बढ़ाया गया है।
13.	**कुंभ मेला**	2017	**कुंभ मेला** - पवित्र नदी में स्नान करने के लिए एक बड़े पैमाने पर हिंदू तीर्थस्थल है। ये चार स्थानों पर आयोजित किये जाते हैं : **प्रयागराज, हरिद्वार, नासिक** और **उज्जैन**। उपर्युक्त किसी भी स्थान पर, यह प्रत्येक 12 वर्षों के बाद आयोजित किया जाता है। (विस्तृत विवरण के लिए 'भारत के मेले' अध्याय देखें)
14.	**कोलकाता में दुर्गा पूजा**	2021	दुर्गा पूजा सितंबर या अक्टूबर में पूरे पश्चिम बंगाल राज्य में भव्य रूप से मनाया जानेवाला एक वार्षिक त्योहार है। यह भारत के अन्य हिस्सों और बंगाली प्रवासियों के बीच भी मनाया जाता है। यह हिंदू मातृ-देवी दुर्गा की पूजा का प्रतीक है। देवी माँ दुर्गा की पूजा महालय से शुरू होती है, जब देवी को जीवंत करने के लिए उनकी आँखें मिट्टी के मूर्तियों पर चित्रित की जाती हैं।
15.	**गुजरात का गरबा**	2023	गरबा एक विशेष नृत्य है, जो नवरात्रि में शक्ति को समर्पित किया जाता है। इसमें नर्तक धीरे-धीरे क़दमों से शुरुआत करते हैं और फिर तीव्र गति में घूमते हुए एक मिट्टी के बर्तन के चारों ओर नृत्य करते हैं। इस बर्तन को दीपक या देवी अंबा की तस्वीर से रोशन किया जाता है। गरबा को अभ्यास, सिखाने और मीडिया के ज़रिए आगे बढ़ाया जाता है। इसमें नर्तक, संगीतकार, कारीगर और पूरे समुदाय के लोग हिस्सा लेते हैं। गरबा सिर्फ़ एक नृत्य नहीं है, बल्कि यह धर्म, लिंग और सामाजिक-आर्थिक भेदभाव को मिटाकर समानता और एकता का संदेश देता है।
11.	**नवरोज़**	2024	यह **पारसियों के नववर्ष** के आरम्भ को इंगित करता है तथा इसे कश्मीरी समुदाय द्वारा वसंत-उत्सव के रूप में भी मनाया जाता है। यह **पर्यावरण के प्रति पारसी मत के सम्मान** को प्रदर्शित करता है। इस उत्सव में, एक चौकी स्थापित कर उस पर *गाथाओं* की एक प्रति रखने, दीपक या मोमबत्ती प्रज्वलित करने, मिट्टी की एक उथली तश्तरी में अंकुरित गेहूँ या सेम रखने, छोटी कटोरी में एक चाँदी का सिक्का, पुष्प, रँगे हुए अंडे, मिष्टान्न और **एक कटोरे में पानी रखकर उसमें गोल्डफ़िश रखने** की परम्परा है। ये सभी समृद्धि, सम्पन्नता, रंग और प्रसन्नता को दर्शाते हैं।

विरासत स्मरण

यूनेस्को का रचनात्मक शहरों का नेटवर्क (UCCN)

UNESCO के अनुसार, रचनात्मक शहरों के नेटवर्क (UCCN) का गठन **2004** में किया गया था। इसका उद्देश्य, ऐसे देशों के मध्य सहयोग को बढ़ाना है "जिन्होंने **रचनात्मकता** को संधारणीय शहरी विकास के लिए एक महत्त्वपूर्ण कारक के रूप में चिह्नित किया है"। इस नेटवर्क में **07 रचनात्मक क्षेत्रों** को सम्मिलित किया गया है : शिल्प और लोक-कला, मीडिया आर्ट्स, फ़िल्म, डिज़ाइन, पाक-कला, साहित्य और संगीत। अगस्त, 2025, **आठ (08)** भारतीय शहरों को UNESCO के रचनात्मक शहर नेटवर्क (UCCN) में सम्मिलित किया गया है :

1. **श्रीनगर** - शिल्प और लोक-कला (2021)
2. **हैदराबाद** - पाक-कला (2019)
3. **मुंबई** - फ़िल्म (2019)
4. **चेन्नई** - संगीत (2017)
5. **जयपुर** - शिल्प और लोक-कला (2015)
6. **वाराणसी** - संगीत (2015)
7. **ग्वालियर** - संगीत (2023)
8. **कोझिकोड** - साहित्य (2023)

यूनेस्को - भारत की अमूर्त सांस्कृतिक विरासत

भाग-I

अमूर्त सांस्कृतिक विरासत सूची

1 संरक्षण के लिए तत्काल आवश्यकतावाली अमूर्त सांस्कृतिक विरासत की सूची
82 तत्व सूचीबद्ध

2 अमूर्त सांस्कृतिक विरासत की मानवता की प्रतिनिधि सूची
611 तत्व सूचीबद्ध

3 सुरक्षा की श्रेष्ठ प्रथाओं का रजिस्टर
37 तत्व सूचीबद्ध

पाँच व्यापक श्रेणियाँ

1. मौखिक परंपराएँ और अभिव्यक्तियाँ
2. कला प्रदर्शन
3. सामाजिक प्रथाएँ, अनुष्ठान और उत्सव के आयोजन
4. प्रकृति और ब्रह्मांड पर आधारित ज्ञान और परंपराएँ
5. कला प्रदर्शन

भाग-II

भारत में मानवता की अमूर्त सांस्कृतिक विरासत की प्रतिनिधि सूची

- **वैदिक मंत्रोच्चार की परंपरा**
- **रामलीला**, रामायण का पारंपरिक प्रदर्शन
- **कुटियाट्टम**, संस्कृत थिएटर

2008

रम्मन, गढ़वाल हिमालय का आध्यात्मिक उत्सव और आनुष्ठानिक नाट्य कला

2009

- **मुडियेट्टु**, केरल का अनुष्ठानात्मक रंगमंच और नाट्य नृत्य
- राजस्थान के **कालबेलिया लोकगीत और नृत्य**
- **छऊ नृत्य**

2010

लद्दाख का बौद्ध मंत्रोच्चारण : जम्मू और कश्मीर के लद्दाख क्षेत्र में पवित्र बौद्ध ग्रंथों का धार्मिक पाठ

2012

संकीर्तन, मणिपुर का आनुष्ठानिक गायन, ढोल वादन और नृत्य

2013

योग : मन, शरीर और आत्मा के सामंजस्य से स्वास्थ्य और सुख प्राप्त करने की विधि

2016

कुंभ मेला : आध्यात्मिक महत्त्व की एक प्राचीन परंपरा और दुनिया का सबसे बड़ा शांतिपूर्ण आयोजन

2017

कोलकाता में दुर्गा पूजा : कला, अनुष्ठान, सामुदायिक सहभागिता, प्रदर्शन, और मूर्तियों व पंडालों के निर्माण की एक समृद्ध परंपरा

2021

गुजरात का गरबा : नवरात्रि के दौरान मनाया जानेवाला एक आनुष्ठानिक और सामुदायिक उत्सव

2023

नवरोज़ : वसंत ऋतु के आगमन और प्रकृति के पुनर्जीवन का उत्सव मनानेवाला एक प्राचीन पर्व

2024

यूनेस्को का अच्छी सुरक्षा पद्धतियों का रजिस्टर

अच्छी सुरक्षा पद्धतियों का रजिस्टर (Register of Good Safeguarding Practices) राज्यों, समुदायों और अन्य हितधारकों को यह अवसर प्रदान करता है कि वे अपनी सफल सुरक्षा अनुभवों और उन उदाहरणों को साझा करें, जिनसे उन्होंने अपनी जीवित विरासत, उसके अभ्यास और ज्ञान को अगली पीढ़ी तक पहुँचाने में आनेवालीं चुनौतियों को पार किया। इन विधियों और दृष्टिकोणों को ऐसे उपयोगी पाठ और मॉडल के रूप में देखा जाता है, जिन्हें अन्य परिस्थितियों, विशेष रूप से विकासशील देशों में लागू किया जा सकता है।

2009 से, विभिन्न देशों की **40** से अधिक अच्छी सुरक्षा पद्धतियों को इस रजिस्टर में शामिल किया गया है। अब तक **भारत से कोई भी पद्धति** इस रजिस्टर में शामिल नहीं की गयी है।

यू.पी.एस.सी. विगत वर्षों के बहुविकल्पीय प्रश्न

1. यूनेस्को (UNESCO) की अमूर्त सांस्कृतिक विरासत की सूची में निम्नलिखित में से कौन-सा नवीनतम समावेश था? **(CSE, 2024)**

   (a) छऊ (छाऊ) नृत्य (b) दुर्गा पूजा
   (c) गरबा नृत्य (d) कुंभ मेला

2. **मणिपुरी संकीर्तन** के संदर्भ में, निम्नलिखित कथनों पर विचार करें : **(CSE, 2017)**

   1. यह एक गीत और नृत्य प्रदर्शन है।
   2. झाँझ इस प्रदर्शन में इस्तेमाल किये जाने वाला एकमात्र वाद्ययंत्र हैं।
   3. यह भगवान् कृष्ण के जीवन और कार्यों को बताने के लिए प्रदर्शित किया जाता है।

   ऊपर दिये गये कथनों में से कौन-सा/से सही है/हैं?

   (a) 1, 2 और 3 (b) 1 और 3 केवल
   (c) 2 और 3 केवल (d) 1 केवल

उत्तरमाला

1. (c) 2. (b)

यू.पी.एस.सी. विगत वर्षों के प्रश्न - मुख्य परीक्षा

1. **भारतीय कला विरासत** को सुरक्षित रखना इस समय की आवश्यकता है। टिप्पणी करें। **(CSE, 2018)**

भाग E

भारत की संस्कृति (INDIAN CULTURE)

18

भारत में धर्म

अध्याय की रूपरेखा

- भारत में धर्म की संवैधानिक स्थिति
- हिंदू धर्म
- श्रमण संप्रदाय
- इस्लाम
- ईसाई धर्म
- सिख धर्म
- पारसी धर्म
- यहूदी धर्म

भारतीय उप-महाद्वीप में विविध धर्मों की एक विस्तृत शृंखला उपस्थित हैं, जिनके द्वारा यहाँ रहनेवाले लोगों की नैतिकता और आचार संबंधी मूल्यों का निर्धारण होता है। कई समुदाय आपस में मिल-जुल कर रहते हैं तथा हमें कई धर्मों के अनुयायी देखने को मिलते हैं। जैसा कि सितम्बर **1893** में *स्वामी विवेकानंद* ने शिकागो के **विश्व धर्म संसद** में उद्‌घोष किया था :

> *''मुझे उस धर्म का अनुयायी होने पर गर्व है, जिसने सम्पूर्ण विश्व को सहिष्णुता तथा वैश्विक मैत्री का पाठ पढ़ाया है और हम केवल सार्वभौमिक सहिष्णुता में ही विश्वास नहीं करते, बल्कि हम सभी धर्मों की सत्यता को स्वीकार भी करते हैं।''*

प्रत्येक धर्म की आध्यात्मिकता पवित्र ग्रंथों तथा उन मूर्त स्थलों में निहित है, जहाँ लोग प्रार्थना करने के लिए एकत्र होते हैं। धर्म, शक्ति संपन्न लोगों के हाथ में एक ताक़तवर हथियार है, जिसका उपयोग वे साम्प्रदायिक सम्बन्धों को बनाने अथवा बिगाड़ने में कर सकते हैं। भारतवर्ष साम्प्रदायिक तनावों की तुलना में धार्मिक शान्ति का साक्षी रहा है।

भारत में धर्म की संवैधानिक स्थिति

भारत का संविधान सभी व्यक्तियों को स्वतंत्र रूप से किसी भी धर्म को मानने एवं तदनुसार आचरण और प्रचार करने का अधिकार प्रदान करता है और एक धर्मनिरपेक्ष राज्य सुनिश्चित करता है। इसमें राज्य को सभी धर्मों के साथ निष्पक्ष व्यवहार करने और धर्म के आधार पर किसी भी प्रकार के भेदभाव पर रोक लगाने का प्रविधान है।

भारत में वर्तमान में प्रचलित प्रमुख धर्म इस प्रकार हैं :

हिंदू | बौद्ध | जैन | इस्लाम | ईसाई | सिख | पारसी | यहूदी

हिंदू धर्म

हिंदू धर्म देश के सबसे बड़े धर्मों में से एक है, किन्तु इसकी परिधि में विभिन्न प्रकार के मत तथा पंथ पाये जाते हैं। हिंदुत्व शब्द की उत्पत्ति **'हिंदू'** नामक शब्द से हुई है, जिसे **सिन्धु नदी के आस-पास के भौगोलिक क्षेत्र** में निवास करनेवाले लोगों को संबोधित करने के लिए प्रयुक्त किया गया था। मूल रूप से हिंदू धर्म के प्रमुख सिद्धांतों को पूर्व-वैदिक तथा वैदिक धार्मिक दर्शनों से लिया गया है।

पुरुषार्थ हिंदू धर्म में एक प्रमुख अवधारणा है, जो *मानव जीवन के चार अंतिम लक्ष्यों* का उल्लेख करती है। इसका शाब्दिक अर्थ है **'मानव की खोज का उद्देश्य'** या **'मानव का उद्देश्य'**।

निम्नतम से उच्चतम तक प्राथमिकता क्रम में व्यवस्थित करने पर **चार पुरुषार्थों** को इस प्रकार व्यवस्थित किया जा सकता है-

अर्थ (समृद्धि और आर्थिक मूल्य), **काम** (कामुक सुख के साथ सृष्टि चक्र को आगे बढ़ाना), **धर्म** (धार्मिकता और नैतिकता) और **मोक्ष** (आध्यात्मिक अनुभूति के माध्यम से जन्म और मृत्यु के चक्र से मुक्ति)।

सुखी और पूर्ण जीवन के लिए पुरुषार्थ के चार लक्ष्यों को आवश्यक माना गया हैं। हिंदू दर्शन **अर्थ** और **काम** पर **धर्म** को प्राथमिकता देता है और **मोक्ष** को मानव जीवन का अंतिम लक्ष्य मानता है। ये ब्रह्मांड के अंतर्निहित मूल्य भी हैं।

हिंदू परम्पराओं के अनुसार, *काम* (सुख) तथा *अर्थ (समृद्धि)* की प्राप्ति के लिए प्रयत्न किया जाना चाहिए, किन्तु इन्हें प्राप्त करने के पश्चात् व्यक्ति को *धर्म* (साधुता) को अपना लक्ष्य बनाना चाहिए।

उपनिषदों में स्पष्ट किया गया है, कि जीवन की चार अवस्थाएँ होती हैं : ***ब्रह्मचर्य*** (अविवाहित विद्यार्थी) जो, बाद में ***गृहस्थ*** (गृहस्वामी) बन जाता है। एक निश्चित आयु के पश्चात् वह ***वानप्रस्थ*** (एकांतवास) धारण कर लेता है तथा जीवन की अंतिम अवस्था ***संन्यासी*** (तपस्वी) की होती है। एक बार संन्यासी बन जाने के पश्चात्, व्यक्ति मुक्ति या मोक्ष की प्राप्ति की चेष्टा में रत हो जाता है।

हिंदू धर्म किसी के जीवन में उनके समर्थन के लिए प्रकृति, पर्यावरण और अन्य प्राणियों की विभिन्न शक्तियों सहित असंख्य कारकों के योगदान को मान्यता देता है। इस प्रकार के समर्थन के लिए आभार व्यक्त करने और कर्त्तव्यों एवं ज़िम्मेदारियों के प्रति जागरूकता पैदा करने के लिए प्राचीन विचारकों ने **ऋण (क़र्ज़)** की अवधारणा सूत्रबद्ध की है।

एक व्यक्ति विभिन्न प्रकार के उपकारों का ऋणी होता है, क्योंकि वे उसके जीवन को सुविधाजनक बनाते हैं। जीवन को समर्थन देनेवाले कारकों के प्रति सम्मान दर्शाने के लिए कुछ प्रमुख ऋण हैं। ये हैं- ***देव ऋण*** (देवताओं और दैवीय शक्तियों के प्रति), ***ऋषि ऋण*** (अतीत और वर्तमान ऋषियों एवं शिक्षकों का ऋण) और ***पितृ ऋण*** (अपने पूर्वजों का ऋण)।

क्या आप जानते हैं?

श्रौत अनुष्ठानों के रूप में जाने जानेवाले **वैदिक यज्ञों** में **तीन महत्त्वपूर्ण अनुष्ठान अग्नियों** का उपयोग सम्मिलित था : **गार्हपत्य** (एक गोलाकार गड्ढे में गृहस्थ की अग्नि), **आह्वनीय** (एक वर्गाकार गड्ढे में आहुति देनेवाली अग्नि) और **दक्षिणाग्नि या अन्वहार्यपचन** (अर्धवृत्ताकार या समलम्बाकार गड्ढे में दक्षिणी अग्नि)। ये अग्नियाँ यज्ञ अनुष्ठान का केंद्र बिंदु होती थीं तथा इनका उपयोग देवताओं को घी, दूध और अनाज जैसी आहुति अर्पित करने के लिए किया जाता था। ये प्रारंभिक वैदिक यज्ञ सरल थे, जिन्हें मंदिरों या प्रतिमाओं के बिना खुले स्थानों में किया जाता था।

उत्तर वैदिक काल में राजाओं के लिए **राजसूय** (प्रतिष्ठा संस्कार) और **अश्वमेध** (अश्व यज्ञ) जैसे अधिक जटिल सार्वजनिक अनुष्ठान हुए।

हिंदू धर्म के अंतर्गत चार प्रमुख पंथ

- **वैष्णववाद :** इसके अनुयायी **विष्णु** को सर्वोच्च भगवान् मानते हैं। इस परम्परा की उत्पति ईसा पूर्व पहली शताब्दी में भगवद्वाद के रूप में हुई थी एवं इसे कृष्णवाद भी कहा जाता है। वैष्णव परम्परा के कई समुदाय या उप-शाखाएँ हैं।
- **शैववाद :** इसमें **शिव** को सर्वोच्च भगवान् माना जाता है। शैववाद की उत्पत्ति, वैष्णवाद से पहले ईसा पूर्व दूसरी शताब्दी में वैदिक देवता रुद्र के रूप में मानी जाती है।
- **शाक्तवाद :** इसमें स्त्री या देवी को सर्वोच्च शक्ति माना जाता है। इसे तन्त्र की विभिन्न उप-परम्पराओं के लिए जाना जाता है। शाक्त प्रायः दुर्गा के उपासक होते है। पूजा अनुष्ठान पद्धति दो प्रकार की है- दक्षिणाचार और वामाचार।
- **स्मार्तवाद :** यह पुराणों की शिक्षाओं पर आधारित है। ये पाँच देवताओं के साथ पाँच धार्मिक स्थलों की घर में ही पूजा पर विश्वास करते हैं और सभी को समान माना जाता है। ये देवता हैं-*शिव, शक्ति, गणेश, विष्णु और सूर्य*। स्मार्तवाद में ब्रह्म की दो अवधारणाओं को स्वीकार किया जाता है-सगुण ब्रह्म यानी गुणयुक्त ब्रह्म और निर्गुण ब्रह्म यानी गुणों से रहित। इन चार प्रमुख परंपराओं के अंतर्गत विभिन्न उप-संप्रदाय या संप्रदाय हैं।

वैष्णव परंपरा के अंतर्गत प्रमुख उप-संप्रदाय ----------> परीक्षोपयोगी

- **वारकरी संप्रदाय :** इस समुदाय के अनुयायी भगवान् **विष्णु** के **विठ्ठल** के रूप में हुए अवतार के भक्त होते हैं और इनकी पूजा पद्धति का केंद्र **महाराष्ट्र** के **पंढरपुर** में स्थित **विठ्ठल** का मंदिर है। इस संप्रदाय में शराब और तंबाकू के प्रति कठोर निषेध होता है। उनकी 21 दिन तक चलनेवाली वार्षिक तीर्थयात्रा **वारी** में रोचक आयोजन होते हैं। वारी में, वारकरियों द्वारा समाधी से पंढरपुर तक संतों की पादुकाएँ ले जायी जाती हैं। तीर्थयात्रा के दौरान **रिंगण** एवं **धवा** के आयोजन होते हैं। रिंगण के अंतर्गत, तीर्थयात्रियों की पंक्तियों के बीच पवित्र घोड़ा दौड़ता है, जो उसके द्वारा उड़ायी धूल को पकड़ने का प्रयास करते हैं और उसे अपने माथे पर लगाते हैं। इस संप्रदाय के अंतर्गत प्रमुख व्यक्तियों में ज्ञानेश्वर (1275-1296), नामदेव (1270-1350), एकनाथ (1533-1599) और तुकाराम (1598-1650) सम्मिलित हैं।
- **रामानंदी संप्रदाय :** ये अद्वैत विद्वान् **रामानंद** की शिक्षाओं का अनुपालन करते हैं। यह हिंदू धर्म के भीतर **सबसे बड़ा मठ समूह** है एवं इन वैष्णव साधुओं को *रामानंदी, वैरागी या बैरागी* कहा जाता है। वे **राम की पूजा** करते हैं, जो विष्णु के दस अवतारों में से एक हैं। ये तपस्वी ध्यान करते हैं और तपस्वियों की कठोर प्रथाओं का पालन करते हैं, लेकिन उनका यह भी मानना है कि मुक्ति प्राप्त करने के लिए ईश्वर की कृपा आवश्यक होती है। वे मुख्य रूप से गंगा के मैदानों के आस-पास बसे हैं। इनके दो उप-समूह त्यागी और नागा हैं। संत **धन्ना** और **पीपा** रामानंद के निकटतम शिष्यों में से थे। उनके द्वारा लिखे गये भजनों का उल्लेख सिखों के पवित्र ग्रंथ ***आदि ग्रंथ*** में मिलता है। ***रामचरितमानस*** की रचना करनेवाले कवि-संत **तुलसीदास** इसी संप्रदाय के थे। **कबीर** भी रामानंद के शिष्य थे और रामानंदी संप्रदाय का हिस्सा थे, हालाँकि बाद में उन्होंने एक अलग संप्रदाय की स्थापना की, जिसे अब **कबीरपंथी** के नाम से जाना जाता है।
- **ब्रह्म संप्रदाय :** यह पर-ब्रह्म या सार्वभौम निर्माता भगवान् विष्णु (इसे भ्रमवश इष्टदेव ब्रह्मा नहीं समझा जाना चाहिए) के साथ संबंधित है। **इसके संस्थापक मध्वाचार्य थे।** यह मध्वाचार्य द्वारा प्रतिपादित **द्वैत वेदाँत दर्शन** और **साध वैष्णववाद** पर आधारित है। **चैतन्य महाप्रभु** द्वारा प्रचारित गौड़ीय वैष्णववाद ब्रह्म संप्रदाय से संबद्ध है। **इस्कॉन** (ISKCON) इस संप्रदाय से संबंधित है।
- **पुष्टिमार्ग संप्रदाय :** यह **वल्लभाचार्य** द्वारा लगभग 1500 ईसवी में स्थापित वैष्णव संप्रदाय है। उनका दर्शन है कि **परम सत्य** केवल एक एवं एकमात्र ब्रह्म है। उनकी भक्ति भगवान् कृष्ण के लिए शुद्ध प्रेम पर आधारित है। सभी अनुयायियों से **कृष्ण** के व्यक्तिगत प्रतीक की पूजा-अर्चना करने की अपेक्षा की जाती है।

- **निम्बार्क संप्रदाय :** इसे **हंस संप्रदाय, सनकादि संप्रदाय** एवं **कुमार संप्रदाय** के नाम से भी जाना जाता है, इसके अनुयायियों द्वारा राधा और कृष्ण जैसे इष्ट देवों की पूजा की जाती है। इसकी स्थापना एक तेलुगु ब्राह्मण योगी और दार्शनिक **निम्बार्क** ने की थी। यह **द्वैताद्वैत (द्वैत-अद्वैत)** दर्शन के वैष्णव भेदाभेद धर्मशास्त्र पर आधारित है, जिसका अर्थ है **द्वैतवादी अद्वैतवाद**।

शैव परंपरा के अंतर्गत प्रमुख उप-संप्रदाय --------> परीक्षोपयोगी

- **नाथपंथी :** इन्हें सिद्ध सिद्धांत के रूप में भी जाना जाता है, वे **गोरखनाथ** और **मत्स्येन्द्रनाथ** की शिक्षाओं का पालन करते हैं एवं शिव के एक रूप **आदिनाथ** की उपासना करते हैं। अपने शरीर को निरपेक्ष वास्तविकता के ज्ञान से जाग्रत चेतना में रूपांतरित करने के लिए वे **हठ योग** की तकनीक का प्रयोग करते हैं। ये साधु एक ही स्थान पर लंबे समय के लिए कभी नहीं रहते हैं एवं निरंतर भ्रमण करनेवाले यायावरों के समूह होते हैं। वे लंगोटी और *धोती* पहनते हैं और अपने शरीर को राख से आवृत्त भी करते हैं, अपने बालों को जटा-जूट के रूप में बाँधते हैं और जब वे भ्रमण करना बंद करते हैं, तो **धूनी** नामक पवित्र अग्नि को निरंतर जीवंत रखते हैं।
- **लिंगायत :** इसे वीर शैव संप्रदाय के रूप में भी जाना जाता है। यह एक विशिष्ट शैव परंपरा है, जो कि **एकेश्वरवाद** में विश्वास करता है। इनकी उपासना पद्धति लिंग के रूप में भगवान् शिव पर केन्द्रित होती है। यह **वेदों की सत्ता और जाति व्यवस्था को नकारता** है। इस परंपरा की स्थापना बारहवीं शताब्दी ईसवी में बसवा (एक कन्नड़ कवि) द्वारा की गयी थी।
- **दशनामी संन्यासी :** ये **अद्वैत वेदाँत परंपरा** से संबंध रखते हैं एवं आदि शंकराचार्य के शिष्य हैं। इन्हें ''दश नाम संन्यासी'' भी कहा जाता है, क्योंकि ये आगे दस समूहों में विभाजित हैं।
- **अघोरी :** ये शिव के **भैरव** अवतार के भक्त हैं एवं ऐसे साधु हैं, जो श्मशान भूमियों में **साधना** करके एवं अपने जीवन से सुख, क्रोध, लोभ, मोह, भय और घृणा जैसे बंधनों को समाप्त कर पुनर्जन्म के चक्र से मुक्ति प्राप्त करने का प्रयास करते हैं। वे अतिशय तामसिक अनुष्ठान प्रथाओं में प्रवृत्त रहते हैं। वे **कापालिक** परंपरा से प्राप्त एकमात्र जीवित संप्रदाय हैं, जो शैव धर्म का एक *तांत्रिक, ग़ैर-पौराणिक रूप* है, जिसकी उत्पत्ति 7वीं और 8वीं शताब्दी ईसवी के बीच मध्यकालीन भारत में हुई थी।
- **सिद्ध (सित्तर):** सिद्ध **तमिलनाडु** मूल के संत, चिकित्सक, **रसायनज्ञ** और रहस्यवादियों का सर्वसमावेशी वर्ग था। वे लंबे समय तक ध्यान बनाये रखने में सक्षम होने हेतु श्वास-प्रश्वासों की आवृत्ति कम करनेवाले *प्राणायाम* के एक प्रकार के साथ-साथ, अपने शरीर को सक्षम करने के लिए विशेष **गुप्त रसायनों** का प्रयोग कर, आध्यात्मिक पूर्णता प्राप्त करते हैं। सिद्धों के पास अष्ट सिद्धियाँ होने की बात कही जाती थी। सिद्धों को **वर्मम** नामक *आत्म-रक्षा* की युद्ध शैली एवं चिकित्सा उपचार की संयुक्त पद्धति का संस्थापक भी माना जाता है।

परीक्षोपयोगी

अन्य प्रमुख हिंदू आंदोलन अथवा वैष्णववाद/शैववाद से संबंधित सम्प्रदाय

- **पंचरात्र :** पंचरात्र हिंदू धार्मिक आंदोलन था और इस सिद्धांत को **शांडिल्य** द्वारा व्यवस्थित रूप प्रदान किया गया था। इसका उद्‌भव तृतीय शताब्दी ईसा पूर्व के अंत में हुआ था। इसके सदस्य **नारायण** और विष्णु के विभिन्न अवतारों की पूजा करते थे। बाद में इसका भागवत परंपरा में विलय हो गया और उसके बाद वैष्णववाद का विकास हुआ।
- **तंत्रवाद :** यह हिंदू धर्म और बौद्ध धर्म के भीतर एक आंदोलन था और इसमें जादू-टोनो और रहस्यवाद पर बल दिया जाता था। यह भारत में प्रथम सहस्राब्दी ईसवी से विकसित हुआ था। बौद्ध धर्म की वज्रयान परंपरा में तांत्रिक विचार और प्रथाएँ शामिल हैं। ब्राह्मणों ने भी तांत्रिक अनुष्ठानों को अपनाया। इसके अलावा, जैन धर्म में भी तंत्रवाद की घुसपैठ हुई है।

- **पाशुपत शैववाद :** यह प्रमुख शैव संप्रदायों में सबसे पुराना है। इसे द्वितीय शताब्दी ईसवी में लकुलीश द्वारा व्यवस्थित रूप दिया गया था। इस सम्प्रदाय के मुख्य ग्रंथ पाशुपतसूत्र और गणकारिका हैं। यह भक्ति और संन्यासी आंदोलन था।
- **कश्मीरी शैववाद (या त्राइका शैववाद) :** कश्मीर में शैववाद 8वीं शताब्दी ईसवी के बाद विकसित हुआ और यह पूरे भारत में फला-फूला। शिव सूत्र और उसका टीका स्पन्दकारिका वसुगुप्त द्वारा लिखे गये थे। ये कश्मीरी शैव धर्म के महत्त्वपूर्ण ग्रंथ हैं। **प्रत्यभिज्ञा** दर्शन कश्मीरी शैव धर्म से निकला अद्वैतवादी और आस्तिक सम्प्रदाय है।

परीक्षोपयोगी

श्री विद्या पंथ

श्री विद्या पंथ, **शक्तिवाद** की एक प्रमुख परंपरा है, जो **त्रिपुर सुंदरी (ललिता)** की सर्वोच्च देवी के रूप में उपासना पर केंद्रित है। **दक्षिण भारत** (तमिलनाडु और केरल) **में उत्पन्न**, यह **तांत्रिक अनुष्ठानों, मंत्र साधना** और **श्री चक्र उपासना** को आध्यात्मिक ज्ञान (मोक्ष) और सांसारिक समृद्धि दोनों प्राप्त करने के लिए सम्मिलित करता है। इसके प्रमुख ग्रंथों में **ललिता सहस्रनाम, सौंदर्य लहरी** और **त्रिपुर रहस्य** सम्मिलित हैं और गुरु द्वारा दीक्षा अनिवार्य है। यह पंथ देवी को परम सत्य के रूप में महत्त्व देता है, गूढ़ तांत्रिक साधनाओं को भक्ति के साथ संयोजित करता है और देवी के नौ रूपों का सम्मान करने के लिए नवरात्र जैसे त्योहार मनाता है।

अन्य हिंदू परंपराएँ

श्रौतवाद : इस दुर्लभ समुदाय में केरल के **अति-रूढ़िवादी** नम्बूदिरी ब्राह्मण सम्मिलित हैं। अन्य ब्राह्मणों द्वारा पालन किये जानेवाले वेदाँत दर्शन के विपरीत ये दर्शन की 'पूर्व-मींमांसा' पद्धति का पालन करते हैं। ये वैदिक बलि (यज्ञ) के निष्पादन की महत्ता पर बल देते हैं। नम्बूदिरी ब्राह्मण अपने उन प्राचीन सोमयाज्ञ : अग्निकायन अतिरात्रम् अनुष्ठानों को संरक्षित किये रहने के लिए प्रसिद्ध हैं, जो भारत के अन्य भागों से लुप्त हो चुके हैं।

मध्ययुगीन काल में, हिंदू धर्म उत्तर भारत में **भक्ति आंदोलन** से गुज़रा, जहाँ संतों ने संस्कृत ग्रंथों को स्थानीय भाषाओं में अनुवादित किया और भक्ति या देवताओं के प्रति समर्पण का संदेश जन-जन तक पहुँचाया।

दक्षिण भारत में, **वैष्णव आंदोलन** बहुत सशक्त अवस्था में था तथा इसका प्रभाव तेरहवीं शताब्दी तक रहा। **'आलवार'** (भगवान् में डूबा हुआ) कहलानेवाले ये संत विष्णु के भक्त थे तथा उनके गाये गीतों को **प्रबन्ध** नाम से संकलित किया गया। आलवार के भजनों को एक समेकित खंड में बनाया गया, जिसे **दिव्यप्रबंध** के नाम से जाना जाता है। आलवार के नाम से जाने जानेवाले 12 तमिल संत कवि थे, जिनमें से अंडाल एक महिला संत कवयित्री थीं। दक्षिण में एक और शक्तिशाली समूह **शैव मत** के लोगों का था, जो **शिव** की उपासना करते थे। इस परम्परा का पालन करनेवाले संतों को **'नयनार'** कहा गया, जो 63 संतों का एक समूह था। नाम्बियंदर नांबी (जो राजराज चोल प्रथम (Raja Raja Chola I) के दरबारी पुजारी थे) ने नयनारों के भजनों को **तिरुमुराई** नामक खंडों की एक श्रृंखला में संकलित किया।

आधुनिक काल में, हिंदू धर्म की उच्च आनुष्ठानिक प्रकृति को परिवर्तित करने की आवश्यकता पड़ी। ब्राह्मणों का *वर्चस्व, सती प्रथा, बाल विवाह* इत्यादि अनेक कुप्रथाएँ हिंदू धर्म का अंग बन चुके थे तथा जाति प्रथा के कारण बड़े पैमाने पर भेद-भाव होने लगा था। ब्रिटिशों के आगमन तथा समानता के पश्चिमी आदर्शों के प्रकट होने के पश्चात् कई विचारक इस स्थिति को परिवर्तित करने हेतु प्रेरित हुए तथा उन्होंने हिंदू धर्म में व्याप्त समस्याओं से मुक्ति पाने

के लिए आन्दोलनों का सूत्रपात किया, उनमें से कुछ प्रमुख हैं-ब्रह्म समाज, आर्य समाज और स्वामी विवेकानंद द्वारा स्थापित रामकृष्ण मिशन।

संस्कृति संक्षेपण

तंत्र का उद्‌भव

तंत्र अत्यंत जटिल है और इसे परिभाषित करना कठिन है। यह कोई धर्म नहीं है, बल्कि विभिन्न धार्मिक परंपराओं से संबंधित संप्रदायों में व्यक्त विविध विचारों और प्रथाओं का एक समूह है। तंत्र की कुछ सामान्य विशेषताओं में ऊर्जा, अनुष्ठान, योग साधना, उग्र देवताओं और यौन अनुष्ठानों को दिया जानेवाला महत्त्व सम्मिलित है। तंत्रवाद कई संप्रदायों में विभाजित था, जिनमें से प्रमुख शिव, शक्ति और विष्णु की पूजा से जुड़े थे। शैव और शाक्त पंथों के बीच घनिष्ठ संबंध था, क्योंकि शिव एवं शक्ति को निकट रूप से संबंधित माना जाता था। वैष्णवों में सबसे महत्त्वपूर्ण प्रारंभिक तांत्रिक संप्रदाय **पंचरात्र** था। **बंगाल के सहजिया** वैष्णववाद के तांत्रिक प्रकार से संबंधित एक बाद का संप्रदाय था। शैव तांत्रिक संप्रदाय जैसे-**कापालिक, कालमुख** और **नाथ** प्रारंभिक मध्यकाल में सामने आये।

श्रमण संप्रदाय

श्रमण शब्द का अर्थ है, जो किसी नेक या धार्मिक उद्देश्य के लिए **आत्मसंयम का पालन और तप करता है**। यह वैदिक धर्म के समानांतर कई भारतीय धार्मिक आंदोलनों को संदर्भित करता है।

विभिन्न श्रमण संप्रदायों में निम्नलिखित सम्मिलित हैं :

1. जैन धर्म (*इसकी चर्चा अध्याय 19 में की गयी है*)
2. बौद्ध धर्म (*इसकी चर्चा अध्याय 19 में की गयी है*)
3. आजीवक
4. अज्ञान
5. चार्वाक (*इसकी चर्चा अध्याय 21 में की गयी है*)

उपर्युक्त सभी पाँच दर्शन **नास्तिक या शास्त्र विरोधी विचारधारा** से संबंधित हैं।

आजीवक

- इस संप्रदाय की स्थापना **मक्खलि गोशाल** द्वारा **ईसा पूर्व छठी शताब्दी** में हुई।
- यह संप्रदाय सम्पूर्ण नियतत्त्ववाद (निश्चयवाद) के **नियति (भाग्य) सिद्धांत** के इर्द गिर्द घूमता है। इसका विश्वास है कि **कोई स्वतंत्र इच्छा नहीं** है और जो कुछ भी हुआ है, हो रहा है या होगा, वह पूर्णरूपेण, पूर्व-नियत या **पूर्व निर्धारित** है और ब्रह्मांडीय सिद्धान्तों पर आधारित है। इसलिए **कर्म का कोई लाभ नहीं है।**
- यह **परमाणु के सिद्धांत** पर आधारित है और यह माना जाता है कि सब कुछ परमाणुओं से निर्मित है और अणुओं के समूह से विभिन्न गुण उत्पन्न होते हैं, जो पूर्व निर्धारित हैं।
- आजीवक, **वस्त्रों और किसी भौतिक सम्पत्ति के बिना** सरल और संयमी जीवन व्यतीत करते हैं।
- ये **बौद्ध धर्म और जैन धर्म के विरोधी** थे तथा **नास्तिक** थे। हालाँकि, उन्होंने जाति या वर्ग के आधार पर **भेद भाव नहीं किया।**
- ये जैन धर्म और बौद्ध धर्म के विपरीत कर्म के सिद्धांत में विश्वास नहीं करते। ये **कर्म को भ्रामक मानते हैं।**
- इन्होंने बौद्ध धर्म और जैन धर्म की भांति **वेदों की सत्ता को नकारा था।**
- हालाँकि ये, जैन धर्म की भांति प्रत्येक जीव में **आत्मा के अस्तित्त्व को स्वीकार करते थे**। परन्तु ये जैन धर्म की निराकार आत्मा की अवधारणा के विपरीत **आत्मा के भौतिक रूप** में विश्वास करते थे।

- **बिंदुसार (चौथी शताब्दी ईसा पूर्व)** इसके अनुयायियों में से एक थे। **प्रसेनजित** (कोसल महाजनपद के राजा) को आजीवक संप्रदाय का संरक्षक माना जाता है।
- उत्तर प्रदेश में **सावत्थी (श्रावस्ती)** को आजीवक का केंद्र माना जाता है।
- **अशोक के सातवें प्रमुख स्तंभ शिलालेख** में आजीवकों के कल्याण का उल्लेख है। इसके अलावा, बिहार में **बराबर और नागार्जुनी गुफाओं** के अशोक शिलालेखों में अशोक और उनके पोते दशरथ द्वारा ऐसी गुफाओं के दान के रूप में आजीवकों को संरक्षण दिये जाने का उल्लेख है।
- आजीवकों/आजीविकों का एक **सामूहिक संगठन** था, जिसका प्रमाण ***सभा*** नामक निर्दिष्ट स्थानों पर उनकी नियमित बैठकों का होना है तथा उनके पास प्रामाणिक ग्रंथ थे, हालाँकि उनमें से अधिकांश समय के साथ लुप्त हो गये हैं, लेकिन बौद्ध और जैन धर्मग्रंथों में इनका उल्लेख मिलता है। **भगवती सूत्र** जैसे जैन ग्रंथ और **अंगुत्तर निकाय, दिव्यावदान** आदि जैसे बौद्ध ग्रंथ आजीवकों का उल्लेख करते हैं। वर्तमान समय में यह संप्रदाय भी लगभग निष्प्रभावी हो गया है।

अज्ञान

- अज्ञान संप्रदाय **कट्टरपंथी संशयवाद** में विश्वास करते थे।
- इस संप्रदाय का मानना है, कि प्रकृति के सम्बन्ध में **ज्ञान प्राप्त करना असम्भव है।** यदि यह सम्भव भी है, तो मोक्ष प्राप्ति के लिए व्यर्थ है।
- यह संप्रदाय **जैन और बौद्ध धर्मों का प्रमुख प्रतिद्वंदी** था।
- इन्हें खंडन में विशेषज्ञता प्राप्त थी और इन्हें **अनभिज्ञ** माना जाता था।
- इनका विश्वास था कि **''अनभिज्ञता (अज्ञानता) सर्वोत्तम** है''।

इस्लाम

इस्लाम, जो विश्व का दूसरा सबसे बड़ा धर्म है, की उत्पत्ति **सातवीं शताब्दी ईसवी** में अरब प्रायद्वीप में हुई तथा यह एक विशाल साम्राज्य के माध्यम से संपूर्ण विश्व में प्रसारित हुआ। 'इस्लाम' शब्द का अर्थ है **अल्लाह के प्रति 'समर्पण'**। अल्लाह के प्रति समर्पित तथा पैग़ंबर मुहम्मद के उपदेशों का अनुसरण करनेवाले मुसलमान कहलाते हैं। पैग़ंबर मुहम्मद अल्लाह के द्वारा पृथ्वी पर भेजे गये पैग़ंबरों (जैसे-अब्राहम, मूसा, इत्यादि) की सूची में अंतिम पैग़ंबर माने जाते हैं। **ईसाई** तथा **मुसलमान,** दोनों **अब्राहम** को **अपना पूर्वज** मानते हैं। अत: इन्हें **इब्राहीम धर्म** कहा जाता है।

इन तीन धर्मों की उत्पत्ति जेरूशलम शहर से जुड़ी हुई है। अल-अक्सा मस्जिद, जिसे **जेरूसलम में क़िबली मस्जिद** के रूप में भी जाना जाता है, मक्का और मदीना के बाद इस्लाम के अनुयायियों के लिए तीसरा सबसे पवित्र स्थान है।

- कहा जाता है कि एक फ़रिश्ते ने पर्वतों में पैग़ंबर मुहम्मद को अल्लाह का सन्देश दिया। उन्होंने इन हिदायतों को अपने अनुगामियों को सुनाया। आरम्भ में उन्हें बहुत-सी समस्याओं का सामना करना पड़ा तथा **मक्का स्थित अपने गृह को त्याग कर मदीना (हिजरा) जाना पड़ा।** एक सफल तख़्ता-पलट के बाद वे मक्का लौटने में सफल हो पाये। मक्का वापसी की यह यात्रा ही वह **पवित्र मार्ग** है, जो **हज** (पवित्र तीर्थयात्रा) बन गया तथा प्रत्येक मुसलमान को अपने जीवन काल में **एक बार** इस तीर्थयात्रा पर जाना चाहिए। यद्यपि हज की प्रथा उस इलाक़े में इस्लाम की उत्पत्ति के पहले से ही क़ायम थी।
- पैग़ंबर मुहम्मद के निर्देशों को उनकी मृत्यु के पश्चात् उनके अनुयायियों द्वारा मुसलमानों के पवित्र धर्म ग्रंथों में से एक, **हदीस**, में सम्मिलित किया गया। पवित्र ग्रंथ कुरान (या क़ुर्आन) का संकलन पैग़ंबर की मृत्यु से पहले हुआ था। भारत में इस्लाम में चार प्रमुख विचारधाराएँ और क़ानून हैं: हनफ़ी, शाफ़ई, मालिकी और हम्बली।

- इस्लाम के आधारभूत सूत्रों में **एक अल्लाह** का होना, जिन्होंने अपने दूत को धरती के लोगों की सहायता के लिए भेजा तथा पैग़ंबर मुहम्मद के अंतिम पैग़ंबर होने की बात सम्मिलित हैं।
- पाँच स्तंभ (अरकान) इस्लाम की मुख्य मान्यताएँ और प्रथाएँ हैं :
  1. **शहादा (यक़ीन की गवाही)** – इस्लाम की केंद्रीय मान्यता है '*अल्लाह के अलावा कोई अल्लाह नहीं है, और मुहम्मद अल्लाह के प्रेषित (पैग़ंबर) हैं*'।
  2. **सलात (प्रार्थना)** – मुसलमान दिन में पाँच बार मक्का की ओर मुँह करके नमाज़ पढ़ते हैं।
  3. **ज़कात** – भिक्षा देना।
  4. **सौन** – रमज़ान के दौरान रोज़ा।
  5. **हज** – मक्का की ज़ियारत।
- इस धर्म के अनुयायी **फ़ैसले के दिन,** अर्थात् **क़यामत** के दिन में भी विश्वास करते हैं। उनका मानना है कि उस दिन हर व्यक्ति की अच्छाइयों तथा बुराइयों का फ़ैसला होगा और तद्नुसार उसे स्वर्ग या नरक में भेजा जायेगा। उन्हें दिन में पाँच बार **नमाज़** अदा करनी चाहिए। शुक्रवार को होनेवाली प्रार्थना सामुदायिक प्रार्थना मानी जाती है तथा इसे **जुमे की नमाज़** कहा जाता है। किसी सच्चे मुसलमान के लिए **रमज़ान** के महीने में भोर से लेकर संध्या तक उपवास करना आवश्यक है, जिसकी परिणति अगले माह के प्रथम दिन **ईद** के उत्सव में होती है। पैग़ंबर के अनुसार, व्यक्ति को अपनी आय का एक अंश ज़रूरतमंदों तथा निर्धन लोगों को देना आवश्यक है तथा इसे **ज़कात** कहा जाता है।
- यद्यपि इस्लाम में विभिन्न पंथ हैं, परंतु मुख्य रूप से यह दो हिस्सों में विभाजित है–**शिया** (जो अली के पक्षावलम्बी हैं) तथा **सुन्नी** (जो सुन्नाह का पालन करते हैं)। दोनों के बीच का अंतर पैग़ंबर मुहम्मद के **उत्तराधिकारी** के संबंध में मत को लेकर है। सुन्नियों का मानना है कि पैग़ंबर का उत्तराधिकारी उन्हीं लोगों के बीच का होना चाहिए, जो उनके सर्वाधिक निकट थे तथा जो आरम्भ से ही उनके अनुगामी थे, यथा **अबू बकर**। इसके ठीक विपरीत शियाओं का दावा है कि पैग़ंबर का उत्तराधिकारी उनके अपने रक्त-वंशजों में से होना चाहिए तथा वे **उनके दामाद अली** के दावे का समर्थन करते हैं।
- यद्यपि भारत में मुसलमानों का **बहुसंख्यक** वर्ग **सुन्नियों** का है, मुहर्रम के समय इमाम हुसैन (अली का छोटा बेटा) की क्रूर मृत्यु का पुनराभिनय कर शिया वर्ग भी अपनी उपस्थिति का अनुभव कराते हैं। कुछ ऐतिहासिक क्षण ऐसे भी रहे हैं, जब धर्म को परिवर्तनों तथा आन्दोलनों से गुज़रना पड़ा है, जिसने इस प्रायद्वीप में इस्लाम की प्रकृति को प्रभावित किया है। उनमें से कुछ मुख्य आन्दोलन निम्नलिखित हैं :

भारतीय आंदोलन	प्रवर्तक	कारण
फ़राज़ी आंदोलन (उन्नीसवीं शताव्दी के आरंभ में)	**हाजी शरीयतुल्लाह** ने इस आन्दोलन का आरम्भ किया। इसके प्रमुख नेताओं में नया मियाँ तथा दुदु मियाँ थे।	उन्होंने विशुद्ध इस्लाम को वापस चलन में लाने का आह्वान किया तथा मुसलमानों से इस्लाम के अनिवार्य दायित्वों **(फ़र्ज/फ़राइज़)** का निष्पादन करने का आग्रह किया। इसने प्रतिपादित किया कि ग़ैर-इस्लामी प्रथाओं को छोड़ा जाए और मुसलमानों के रूप में अपने कर्त्तव्यों का निर्वाह करें।
अहमदिया आंदोलन (उन्नीसवीं शताव्दी के अंत में)	**मिर्ज़ा गुलाम अहमद,** जिन्होंने स्वयं को महदी (पथ-प्रदर्शक) कहा।	इसका आरम्भ पंजाब में इस्लाम के सच्चे मूल्यों को धारण करनेवाले लोगों के समुदाय के निर्माण के लिए किया गया।
तरीक़ा-ए-मुहम्मदिया आन्दोलन (उन्नीसवीं शताव्दी)	सैय्यद अहमद बरेलवी	आरंभिक रूप से यह विशुद्ध इस्लामिक राज्य की स्थापना को लेकर किया गया एक **सशस्त्र आन्दोलन** था।
अलीगढ़ आन्दोलन (उन्नीसवीं शताव्दी के अंत में)	सर सैय्यद अहमद ख़ाँ	उन्होंने मुसलमानों के लिए **आधुनिक शिक्षा** की वकालत की, जिससे वे ब्रिटिशों के लिए काम कर स्वयं को समृद्ध बना सकते थे।

क्या आप जानते हैं?

खोजा : ये पंजाब, सिंध और गुजरात में इस्माइलियों (एक शिया संप्रदाय) की एक शाखा हैं, जिन्होंने संचार के नवीन तरीके विकसित किये और क़ुरान से प्राप्त विचारों को स्वदेशी साहित्यिक विधाओं के माध्यम से प्रसारित किया। इनमें **जिनान** भी सम्मिलित है, जो दैनिक प्रार्थना सभाओं के दौरान विशेष रागों में गायी जानेवाली भक्ति कविताएँ हैं।

ईसाई धर्म

ईसाई धर्म विश्व में सर्वाधिक रूप से प्रचलित धर्म है। यह ईसा मसीह के जन्म, जीवन, मृत्यु और पुनर्जीवन के संबंध में मान्यताओं पर आधारित है। ईसाई मानते हैं कि **केवल एक ही ईश्वर** है (अर्थात् ईसाई एकेश्वरवादी हैं)। इस देवत्व में तीन शामिल हैं : पिता (स्वयं ईश्वर), पुत्र (यीशु मसीह) और पवित्र आत्मा। उनका मानना है, कि ईश्वर ने संसार को बचाने के लिए उनके मसीहा यीशु को भेजा और वे विश्वास करते हैं कि यीशु को सूली पर चढ़ा दिया गया था और स्वर्गारोहण से पहले **अपनी मृत्यु के तीन दिन बाद वे पुनर्जीवित हो गये** थे। ईसाइयों का दावे के साथ कहना है कि यीशु फिर से पृथ्वी पर लौटेंगे और इस घटना को **द्वितीय आगमन** के रूप में जाना जायेगा। ईसाई धर्म की पवित्र पुस्तक **बाइबिल** (66 पुस्तकों का संग्रह, जिसमें मूल रूप से हिब्रू, ग्रीक और अरमी भाषाओं में लिखे गये विभिन्न पाठ शामिल हैं) है, जिसमें कई महत्त्वपूर्ण धर्मग्रंथ शामिल हैं, जो यीशु की शिक्षाओं, प्रमुख पैग़ंबरों और शिष्यों के जीवन और शिक्षाओं को रेखांकित करते हैं और इस बात का निर्देश देते हैं, कि ईसाइयों को कैसे जीना चाहिए। बाइबिल **पुराना विधान** (Old Testament) और **नया विधान** (New Testament) में विभाजित है। ईसाई और यहूदी दोनों पुराने विधान का अनुगमन करते हैं, लेकिन ईसाई नये विधान का भी अनुगमन करते हैं।

पुराना विधान (Old Testament) में यहूदी लोगों के इतिहास का वर्णन किया गया है, पालन किये जाने के लिए विशिष्ट नियमों को रेखांकित किया गया है, कई पैग़ंबरों के जीवन का विवरण दिया गया है और मसीहा के आगमन की भविष्यवाणी की गयी है। नया विधान यीशु की मृत्यु के बाद लिखा गया था। नया विधान की पहली चार पुस्तकें - जो मैथ्यू, मार्क, ल्यूक और जॉन ने लिखी थी- को **''सुसमाचार''** (Gospels) के रूप में जाना जाता है। इन ग्रंथों द्वारा यीशु के जीवन और मृत्यु का विवरण प्रदान किया जाता है। प्रारंभिक ईसाई नेताओं द्वारा लिखे गये पत्र, जिन्हें **''धर्मपत्र''** (epistles) के रूप में जाना जाता है, नये विधान का एक बड़ा हिस्सा हैं। इन धर्मपत्रों द्वारा यह निर्देश दिया गया है कि चर्च को कैसे काम करना चाहिए। ***देवदूतों के कार्य (Acts of the Apostles)*** नया विधान में वह पुस्तक है, जो यीशु की मृत्यु के बाद देवदूतों की सेवकाई का लेखा-जोखा देती है। नये विधान की अंतिम पुस्तक, **प्रकाशितवाक्य** (Revelation), दिव्य दर्शन और भविष्यवाणियों का वर्णन करती है, जो संसार के अंत में घटित होंगी।

क्रॉस ईसाई धर्म का प्रतीक है। नये विधान के अनुसार, यीशु का जन्म यरुशलम के दक्षिण में वेस्ट बैंक में **बेथलहम** शहर में मरियम नामक एक युवा यहूदी कुँवारी से हुआ था। धर्मशास्त्रों से पता चलता है कि वह नासरत में बड़े हुए थे, वह और उनका परिवार राजा हेरोद के उत्पीड़न से बचने के लिए मिस्र पलायन कर गया और उनके ''सांसारिक'' पिता, जोसेफ एक बढ़ई थे। यीशु ने अपनी शिक्षाओं में नीति कथाओं (छिपे हुए संदेशोंवाली लघु कथाएँ) का उपयोग किया।

प्रारंभिक ईसाइयों को यहूदी और रोमन दोनों नेताओं द्वारा उनकी आस्था के लिए सताया गया। हालाँकि, जब प्रारंभिक चतुर्थ शताब्दी ईसवी में रोमन सम्राट् कॉन्सटेंटाइन ने ईसाई धर्म को अपनाया, तो रोमन साम्राज्य में धार्मिक सहिष्णुता स्थानांतरित हो गयी।

अब, ईसाई धर्म मोटे तौर पर तीन शाखाओं में विभाजित है : **कैथोलिक, प्रोटेस्टेंट और (पूर्वी) रूढ़िवादी**। कैथोलिक शाखा सारे विश्व में पोप और कैथोलिक बिशपों द्वारा नियंत्रित है। रूढ़िवादी (या पूर्वी रूढ़िवादी) स्वतंत्र इकाइयों में विभाजित हैं, जिनमें से प्रत्येक को एक पवित्र धर्मसभा द्वारा नियंत्रित किया जाता है और इसके संचालन के लिए कोई केंद्रीय शासी संरचना नहीं है। **प्रोटेस्टेंटों में** कई संप्रदाय हैं, जिनमें से कई बाइबिल की अपनी व्याख्या और चर्च की समझ में भिन्नता रखते हैं। इन कई संप्रदायों में शामिल हैं : बैपटिस्ट, एपिस्कोपेलियन, इवेंजलवादी, मेथोडिस्ट, असेंबली ऑफ गॉड, सेवेंथ-डे एडवेंटिस्ट, एंग्लिकन आदि।

सेंट थॉमस ईसाइयों के लिखित अभिलेखों के अनुसार, जिन्हें भारत के सीरियाई ईसाइयों के रूप में भी जाना जाता है, भारतीय उपमहाद्वीप में ईसाई धर्म की शुरुआत **थॉमस द एपोस्टल** (ईसा मसीह के 12 प्रेरितों में से एक) द्वारा की गयी थी, जो 52 ईसवी में वर्तमान केरल के मालाबार क्षेत्र में समुद्री यात्रा के माध्यम से गये थे।

बाद में ब्रिटिश शासन के दौरान, अधिकतर उन्नीसवीं सदी में, ईसाई मिशनरियों ने भारत में शिक्षा के प्रसार और स्थानीय भाषाओं के विकास में महत्त्वपूर्ण भूमिका निभायी।

ईसाई धर्म, हिंदू धर्म और इस्लाम के बाद, **भारत का तीसरा सबसे बड़ा धर्म** है और भारत में लगभग 3 करोड़ आबादी इसको मानती है। इनमें से **अधिकांश रोमन कैथोलिक** हैं, जिसके बाद प्रोटेस्टेंट हैं। राज्यवार, अधिकांश ईसाई आबादी केरल में है। प्रतिशत की दृष्टि से, ईसाई नागालैंड में 87.9%, मिज़ोरम में 87.2% और फिर मेघालय में 74.6% के साथ बहुमत में है।

संस्कृति संक्षेपण

सोसाइटी ऑफ़ जीसस

जेसुइट्स के रूप में भी जाना जानेवाला, **यह रोमन कैथोलिक चर्च** की एक धार्मिक कोटि है, जिसका मुख्यालय **रोम** में है। इसकी स्थापना 1540 में पोप पॉल III की मंज़ूरी से **इग्नाशियस ऑफ़ लोयोला** (एक स्पेनिश सैनिक) और उनके छह साथियों ने की थी। यह सोसाइटी बड़ी संख्या में देशों में अपने **शैक्षिक, धर्म प्रचारक और धर्मार्थ कार्यों** के लिए जानी जाती है। जेसुइट्स को कभी-कभी ''ईश्वर के सैनिकों'', ''गॉड्स मरीन्स'', या ''कंपनी'' के रूप में भी संदर्भित किया जाता है।

सिख धर्म

सिख धर्म का इतिहास गुरु नानक (1469–1539) के जीवन, समय तथा शिक्षाओं से आरम्भ होता है। वे स्थापित मान्यताओं से हटकर **स्वतंत्र दृष्टिकोण** से युक्त थे। उन्होंने हिंदू धर्म को संगठित संघर्ष प्रदान किया। उन्होंने न केवल पंजाब के लोगों की तत्कालीन जीवन-पद्धति की आलोचना की, बल्कि अपने अनुगामियों को सामाजिक-धार्मिक संगठन का एक वैकल्पिक मार्ग भी प्रदान किया। उन्होंने एक *धर्मशाला* में एकत्रित होकर सामूहिक आराधना तथा एक साथ भोजन करने की परंपरा के माध्यम से अपने अनुयायियों के सामुदायिक जीवन को व्यवस्थित स्वरूप प्रदान किया। सिख धर्म को **सिखी** के नाम से भी जाना जाता है, जिसका अर्थ है 'शिष्य' अथवा 'साधक'।

- गुरु नानक ने न केवल तात्कालिक **सामाजिक व्यवस्था** की भर्त्सना की, बल्कि इसका विकल्प भी प्रदान किया। उनके लिए, मानव अस्तित्त्व का **परम लक्ष्य मोक्ष** था, जिसे जन्म-मृत्यु के अंतहीन चक्र से मुक्त हो कर प्राप्त किया जाता है। यह मुक्ति जन्म, वर्ग, जाति तथा लिंग से इतर सभी मनुष्यों का विशेषाधिकार था। यह मुक्ति पंडितों तथा मौलवियों द्वारा सुझाये गये मार्गों–मूर्ति या पुस्तक पूजा से नहीं प्राप्त की जा सकती। न ही इसे अपनी सांसारिक संपत्तियों या घर-बार का त्याग कर के प्राप्त किया जा सकता है। इसे गुरु द्वारा सिखाये गये **सही विश्वास, सही आराधना** तथा **सही आचरण** के बल पर प्राप्त किया जा सकता है। उन्होंने आराधना की नयी पद्धति विकसित की, जैसे सामुदायिक रसोई (*लंगर*) में सभी को भोजन परोसने की प्रथा।
- नानक का धर्म अत्यंत व्यवहारिक है; वे वैराग्य की बात **नहीं** करते, मुक्ति के लिए घर तथा आराम छोड़ने की बात भी नहीं करते। उन्होंने अपने अनुयायियों को अपने परिश्रम के बल पर अपनी गृहस्थी चलानेवाले, सामुदायिक आयोजनों (संगत) में सम्मिलित होनेवाले तथा मुख्य आराधना स्थलों यथा *गुरुद्वारा तथा धर्मशाला* में आयोजित कीर्तन (ईश्वर की प्रशंसा में गाये जानेवाले सामुदायिक गीत) में सम्मिलित होनेवाले आदर्श व्यक्ति बन कर जीवन बिताने को कहा।

- उनके द्वारा रचित दोहों में से एक इस प्रकार है "*हे नानक, जो अपने परिश्रम का फल खाते हैं उन्हें सही मार्ग की पहचान है।*" सिख धर्म में एक अनुगामी से बिना अपनी आजीविका को प्रभावित किये ईश्वर के निकट होने की आशा की जाती है। सिख धर्म की इस व्यवहारिक शिक्षा ने पंजाब के **खत्री व्यापारियों** तथा अन्य व्यापारी वर्गों को बहुत अधिक प्रभावित किया तथा आरम्भिक चरण में यही वर्ग सिख धर्म के पहले अनुयायियों में से एक बना।
- सिख धर्म का एक महत्त्वपूर्ण पहलू गुरुओं की परंपरा है। 1469 ईसवी से 1708 ईसवी तक 239 वर्षों की अवधि में, सिख गुरु दिव्य आध्यात्मिक दूत या स्वामी थे। ये शिक्षक प्रबुद्ध आत्माएँ थे, जिनके जीवन का मुख्य उद्देश्य जनता का आध्यात्मिक और नैतिक कल्याण था।
    - **गुरु अंगद** ने **गुरुमुखी लिपि** (पंजाबी का लिखित रूप) का आविष्कार किया और परिचय दिया।
    - गुरु **अर्जनदेव** ने **आदि ग्रंथ साहिब** का संकलन किया।
- आरम्भ में मुग़लों तथा सिखों के बीच मधुर संबंध थे, किन्तु जहाँगीर के आदेश पर **गुरु अर्जनदेव** का प्राणदण्ड विवाद का विषय बन गयी। खुशवंत सिंह जैसे कुछ विद्वान् इसे 'सिखों के पहले बलिदान' के रूप में देखते हैं। गुरु हरगोबिंद (1595-1644) ने लड़ाकू प्रवृत्ति की नींव रखी तथा रामदासपुर में प्रतिरोध के लिए अपनी सेना बनायी। उन्होंने सिख पंथ को सिख सैन्य दल में परिवर्तित कर दिया, जिसके सदस्य 'संत सैनिक' या 'सैनिक संत' कहलाते थे।
- **गुरु हरगोबिंद** पहले गुरु थे, जिन्होंने दो तलवारों को धारण किया, पहली पीरी जो आध्यात्मिकता की प्रतीक थी तथा दूसरी मीरी जो कि सांसारिकता की प्रतीक थी तथा इस प्रकार यह भक्ति और शक्ति का प्रतीक थीं। उन्होंने अपने लौकिक प्राधिकार को प्रदर्शित करने के लिए तथा रोज़मर्रा के काम-काज तथा प्रतिरक्षा के उद्देश्य से **अकाल तख्त** तथा लोहारगढ़ दुर्ग का निर्माण करवाया।
- सातवें गुरु, **गुरु हरराय,** सतत् रूप से लड़ाइयों में व्यस्त रहे, इन्हें औरंगज़ेब के द्वारा गिरफ़्तार कर लिया गया। अगले गुरु, **गुरु हरकिशन** थे, जो कि पाँच वर्ष की आयु में आठवें गुरु बने थे तथा सात वर्ष की आयु में उनका चेचक की बीमारी के कारण देहांत हो गया था। **गुरु तेग़बहादुर** ने भी गुरुओं की परम्परा को आगे बढ़ाया तथा अपने नियंत्रणवाले क्षेत्र में संप्रभु सत्ता स्थापित की। वे भी सतत् रूप से मुग़ल बादशाह **औरंग़जेब** के साथ संघर्षरत रहे तथा उन्हें 1675 में दिल्ली में मृत्युदंड दिया गया।
- **गुरु गोबिंद सिंह** अंतिम गुरु थे, जिनकी मृत्यु के पश्चात् **व्यक्तिगत गुरुकी परम्परा** का अंत हो गया तथा गुरु के अधिकार **गुरु ग्रंथ** तथा गुरु पंथ को हस्तांतरित कर दिये गये। ऐसा इसलिए किया गया, क्योंकि मुग़लों तथा पहाड़ी सरदारों के विरुद्ध संघर्ष में गुरु गोबिंद सिंह के चार पुत्रों की मृत्यु हो गयी। अपनी मृत्यु के ठीक पूर्व उन्होंने सिखों के हित में निर्णय लेने के अधिकार को **गुरु ग्रंथ साहिब/आदि ग्रंथ** को हस्तांतरित कर दिया, जो कि सिख संतों की *वाणी* होने के कारण उनका नैतिक समर्थन भी प्राप्त कर चुका था।
- गुरु गोबिंद सिंह ने सिख योद्धा समुदाय **खालसा** पंथ की स्थापना की, जो कि ग़ैर-खालसा सिखों से स्पष्ट रूप से भिन्न थे, जिन्हें सहजधारी सिख भी कहा गया। उनमें नानक पंथी, भल्ला तथा उदासी सम्मिलित थे। ये वैसे समूह थे, जो या तो नानक के शब्दों का अनुसरण करते थे या सिख धर्म में गुरु परम्परा से इतर अन्य धार्मिक अधिकार प्राप्त व्यक्तियों के आदेशों का पालन करते थे। खालसा पंथ में प्रवेश पानेवाले पहले पाँच लोगों को *पंजप्यारे* कहा गया। इन्हें 1699 में खालसा आरंभ करने को कहा गया।
- दीक्षा प्राप्त सिख **'सिंह'** कहे जाते थे तथा महिलाएँ **'कौर'** कहलाती थीं। एकसमान बाह्य वेश-भूषा द्वारा सिख अनुयायियों ने समरूपता के नये स्तर को प्राप्त किया गया। खालसा सिखों को अपने बाल काटने की अनुमति नहीं थी तथा वे अपने पास स्वरूप के रूप में **पाँच 'क'** (*कच्छा, केश, कंघा, कृपाण तथा कड़ा*) को धारण करते थे। शारीरिक स्तर पर इस प्रकार के भेद ने आन्दोलन को एकरूपता प्रदान की तथा उन्हें अपने सह-धर्मपालकों से अलग स्वरूप प्रदान किया। **सहजधारी सिख**, सिख धर्म के भीतर एक उप-समूह है। एक सहजधारी सिख, सिख धर्म के सिद्धांतों और सिख

गुरुओं की शिक्षाओं का पालन करता है। लेकिन वह सिख धर्म के सभी पाँच प्रतीकों को नहीं पहन सकता है। उदाहरण के लिए, सहजधारी सिख प्राय: कड़ा (चूड़ी/कंगन) पहनते हैं, लेकिन उनमें से कई अपने बाल (*केश*) काटते हैं।

- सिख धर्म में, ईश्वर **एक सार्वभौमिक इकाई है, निर्माता है, स्वयं प्रकाशित है, शाश्वत है और लिंग-रहित है**। उन्हें सिख धर्मग्रंथों में विभिन्न नामों से संदर्भित किया गया है।

  भगवान् के कुछ लोकप्रिय नाम हैं :
  - **वाहेगुरु** का अर्थ है, अद्भुत शिक्षक, यह नाम सिखों में सबसे महान् माना जाता है और इसे गुरु के शब्द 'गुरमंतर' के रूप में जाना जाता है;
  - **अकाल पुरख** का अर्थ है, कालातीत आदिम अस्तित्त्व;
  - **एक ओंकार** का अर्थ है, एक निर्माता;
  - **सतनाम** का अर्थ है, सच्चा नाम।
- **सिख धर्म के तीन स्तंभ :** सिख धर्म के तीन स्तंभ गुरु नानक द्वारा दिये गये सिखों के लिए तीन बुनियादी दिशानिर्देश हैं, जो हैं :
  1. **नाम जपना** (भगवान् पर ध्यान केंद्रित करें),
  2. **किरत करनी** (सत्यवादिता से रहना) और
  3. **वंड छकना** (आय दूसरों के साथ साझा करना)।

पारसी धर्म

इस धर्म की उत्पत्ति पर्शिया (ईरान) में ईसा पूर्व **सातवीं शताब्दी** में **ज़रथुस्त्र** (संस्कृत में हरित् उष्ट्र-सुनहरे ऊँटवाले) के द्वारा हुई थी। यह एक **एकेश्वरवादी** धर्म है, जो **एक शाश्वत ईश्वर** में विश्वास करता है, जिसे अहुरा मज़्दा कहते हैं। **अहुरा मज़्दा** (संस्कृत में असुर महत्) न्यायोचित व्यवहार तथा अच्छाई का प्रतीक है। **अंगिरा मैन्यु** नामक ईर्ष्या तथा बुरे व्यवहार का प्रतीक एक बुरी आत्मा भी होती है। ये दोनों आपस में संघर्षरत रहते हैं, जो कि *चिरंतन* है। एक दिन अच्छाई की बुराई पर जीत होगी तथा वह अंतिम दिन होगा।

- **पारसियों** का **भारत** से प्रथम संपर्क इस्लामिक आक्रमणों के कारण उनके ईरान से भाग कर आने के क्रम में लगभग आठवीं - दसवीं शताब्दी ईसवी में हुआ। उन्हें सामान्यत: **पारसी** तथा **ईरानी** के नाम से जाना जाता है तथा वर्तमान में वे भारत में सर्वाधिक छोटे (तथा तेज़ी से कम हो रहे) समुदायों में से एक हैं। अधिकांशत: ये मुंबई, गोवा तथा अहमदाबाद में रहते हैं।
- भारत में, पारसियों की तुलना में ***ईरानी*** तुलनात्मक रूप से एक छोटा ***पारसी*** समुदाय है और पारसियों की तुलना में हालिया आगमन है।

उनका पवित्र ग्रंथ ***जेन्द अवेस्ता (Zend Avesta)*** प्राचीन अवेस्तन में लिखा गया है तथा उसमें 17 पवित्र गीत **(गाथा)** तथा ***अहुना वैर्या*** (पवित्र मन्त्र) हैं। माना जाता है कि ये ज़रथुस्त्र द्वारा ही रचित हैं। इन मूल पाठों के अनुवाद तथा शब्दावली ***''जेंद''*** कहलाते हैं। यह संकलन **पाँच भागों** में विभाजित है :

- *यश्न :* आयोजन तथा नैवेद्यों के साथ आराधना। (यह भारतीय आर्यों के यज्ञ का प्रतिरूप है)
- *वेंदिदाद :* दैत्यों तथा बुरी शक्तियों के विरुद्ध नियम।
- *यश्त् :* प्रशंसा के माध्यम से आराधना करना। (यह स्तुति का प्रतिरूप है)
- *खोर्देह अवेस्ता :* नित्य की प्रार्थनाओं की पुस्तक, जिसका अर्थ है, 'छोटा' या 'लघु' अवेस्ता।

- *गाथा :* ये **यास्ना ग्रंथ** के भाग हैं और यह पाँच अन्य भागों में विभक्त है। इन्हें अहुनावैती, उश्तावैती, स्पेन्ता-मैन्यु, वोहू-खशाथरा तथा वहिश्तोइश्ति कहा जाता है।

वे **अग्नि की पूजा** करते हैं, आग तथा पृथ्वी को भी पवित्र तत्त्व मानते हैं। उनका मानना है कि मृत पदार्थ सभी तत्त्वों के लिए विकृत कारक है, इसलिए वे **मृत शरीर को गिद्धों के द्वारा खाये जाने के लिए खुले में रखते** हैं। इन खुले स्थानों को **'दख्मा'** कहा जाता है, तथा उन्हें खानेवाले गिद्धों को **'दख्मा नाशिनी'** कहा जाता है। भारत में ऐसा एकमात्र स्थान मुंबई में **'टॉवर ऑफ़ साइलेंस' (Tower of Silence)** है, जहाँ उनके शवों को खुले में छोड़ दिया जाता है। आजकल इन लोगों ने भी भारतीय गिद्ध संकट के कारण अपने मृतकों को दफ़नाना शुरू कर दिया है।

टॉवर ऑफ़ साइलेंस, मुंबई

उनके **अग्नि मंदिर**, जिन्हें ***आतश बेहराम*** कहा जाता है, दुर्लभ हैं और पूरे देश में केवल **आठ** ज्ञात मंदिर मौजूद हैं *(अध्याय 2 में विवरण दिये गये हैं)*।

पारसियों के बीच **3 कैलेंडर** रूप हैं:-

शहंशाही	अपने कैलेंडर की गणना अंतिम सस्सानी राजा, यस्देगार्द III से करते हैं।
क़ादिमी	ये सबसे प्राचीनतम कैलेंडर होने का दावा करते हैं।
फ़ासली	ये सबसे सटीक धार्मिक कैलेंडर होने का दावा करते हैं।

क्या आप जानते हैं?

क़िस्सा-इ-संजान

यह भारतीय उप-महाद्वीप में पारसियों के प्रवास और उनकी स्थापना का लेखा-जोखा है। इसका पहला अध्याय संजान (गुजरात) में अग्नि मंदिर की स्थापना के साथ समाप्त होता है।

यहूदी धर्म

यह भी **एक ईश्वर** में विश्वास रखनेवाला एकेश्वरवादी धर्म है। उनका धर्म; ईसाई धर्म तथा इस्लाम के **पूर्व** का है, वस्तुत: इन दोनों धर्मों में बहुत कुछ यहूदी दर्शन से लिया गया है। यह प्राचीनतम धर्मों में से एक होने के बावजूद सबसे अधिक सताया गया धर्म है। इस धर्म के अनुयायियों को **यहूदी** कहा जाता है। कई साम्राज्यों ने इन्हें लक्षित कर उत्पीड़न का शिकार बनाया था। सबसे निकृष्टतम उदाहरण **हिटलर** का है, जिसने जर्मनी में लाखों **यहूदियों** को मार डाला या उन्हें यातनाएँ दीं।

- यहूदी **अब्राहम** के द्वारा प्रचलित **यहोवा** या एक सत्य ईश्वर में विश्वास करते हैं।
- **हलाखा** यहूदी धर्म में विधानों और अध्यादेशों की समग्रता है, जो यहूदी लोगों के धार्मिक अनुष्ठानों, दैनिक जीवन और आचरण को विनियमित करने के लिए बाइबिल के समय से विकसित हुए हैं।
- उनके पवित्र ग्रंथ को **''तोराह''** कहा जाता है, जो कि बड़े पाठ **तनख़ (Tanakh)** के पहले पाँच ग्रंथ भी हैं। इनके अलावा, क़ानूनी तथा आचार संबंधी लेखन तथा संक्षिप्त यहूदी इतिहास को **तालमुद** कहा जाता है। उनके पृथक् प्रार्थना कक्ष **सिनेगॉग़ (Synagogue)** (आराधना स्थल) होते हैं। वे *ऐलियाहु हनावी* या पैग़ंबर एलिजा को धन्यवाद-आयोजन नामक धार्मिक अनुष्ठानों का पालन करते हैं।

- अब्राहम सभी **यहूदियों** के पूर्वज थे तथा उन्होंने प्रस्तावित किया कि ईश्वर के निर्देशों का पालन करनेवालों पर उनकी कृपा बरसेगी। इनके बेटे **इसाक (Isaac)** तथा पोते **जैकब (याकूब)**, जिसे इज़राइल भी कहा जाता है, उन्हें भी ईश्वर का आशीर्वाद प्राप्त हुआ था। ईश्वर ने मूसा को धरती पर भेजा तथा उसे सिनाई पर्वत पर **दस धर्मादेश** दिये, जिन्हें **''सफ़र तोराह''** भी कहा जाता है। इसमें स्पष्ट किया गया है इज़राइलियों (जैकब या इज़राइल के बच्चे रहे यहूदियों के लिए प्रयुक्त) को किस प्रकार जीवन व्यतीत करना चाहिए। जैकब के 12 बच्चे थे, जो **इज़रायल की जनजातियों के** नाम से चर्चित 12 जनजातियों के पूर्वज बन गये।
- प्रार्थना के दौरान, सभी यहूदी पुरुषों को ***सिसिथ*** या प्रार्थना के लिए प्रयुक्त **दुशाले (शॉल)** को पहनना पड़ता है। यहूदी **फ़ैसले के दिन** में भी विश्वास करते हैं, जब मसीहा पवित्र लोगों को स्वर्ग ले जाने तथा दुष्टों को नरक भेजने आयेगा।

सबसे पहले यहूदी (अधिवासी) भारत के पश्चिमी तट पर आये, यद्यपि वे संख्यात्मक रूप से कम थे। भारत में पाँच प्रमुख यहूदी समुदाय हैं-

1. मलयालम भाषी **कोचीन यहूदी**
2. मराठी भाषी **बेने इज़राइल**
3. **बग़दादी यहूदी,** जो पश्चिम एशिया से व्यापारियों के रूप में आये थे और मुख्य रूप से सूरत के आसपास बसे थे। वे वर्तमान में मुख्य रूप से मुंबई और कोलकाता में पाये जाये हैं।
4. चौथा समूह है, **बेने मेनाश**। उन्होंने मेनाश या मेनासीह जनजाति के लिए वंशावली बनायी है, जो यहूदियों की 10 खोयी हुई जनजातियों में से एक थी। वे **मणिपुर और मिज़ोरम** में भारत और म्याँमार की सीमा पर रहते हैं और उनका दावा है कि उन्हें ग़ुलाम बनाकर अश्शूरियों (Assyrians) को बेच दिया गया एवं तत्पश्चात् वे चीन भागने में कामयाब रहे, जहाँ से वे आकर भारत की सीमा पर बस गये। वे ख़ुद को **'मेनासेह के शिशु'** कहते हैं। इन बेने मेनाशे में **मिज़ो, कुकी और चिन जनजातियाँ** शामिल हैं।
5. अंतिम **बेने एफ्रायम** है, जो तेलुगु भाषी यहूदियों का एक छोटा समूह है तथा जो 1990 के दशक में यहूदी धर्म में परिवर्तित हो गया।

भारत में सबसे **बड़ा** यहूदी समुदाय **बेने इज़राइल** है।

विरासत स्मरण

भारत में प्रमुख यहूदी उपासनागृह (Synagogue)

नाम	स्थित	संबद्धित समुदाय
मैगन डेविड यहूदी उपासनागृह	कोलकाता	बग़दादी यहूदी
परदेशी यहूदी उपासनागृह	कोचीन	कोचीन यहूदी
ओहेल डेविड यहूदी उपासनागृह (भारत में सबसे बड़ा और इसे लाल देवल भी कहा जाता है)	पुणे	बग़दादी यहूदी
नेसेट एलियाहू रूढ़िवादी यहूदी उपासनागृह	मुंबई	बग़दादी यहूदी
नरीमन हाउस	मुंबई	यह 2008 के मुंबई हमले के लक्ष्यों में से एक था।

भारत में अन्य प्रमुख धर्म

परीक्षोपयोगी

- **सनामही धर्म (Sanamahism)** – यह मुख्य रूप से मणिपुर से संबंधित **मैतेई (Meitei) जनजाति** द्वारा पालन किया जानेवाला धर्म है। इसमें पूर्वजों, सर्व शक्तिशाली भगवान, आकाश, तत्त्व और वन की **शमन प्रकार की पूजा** शामिल हैं। इस धर्म में लोग विभिन्न देवताओं की प्रार्थना करते हैं और प्रत्येक देवता एक अलग पहलू से संबंधित होता है। सनामही धर्म का पवित्र ग्रंथ **पुया** है। संबंधित त्योहार **लाई हाराउबा** है, जो पारंपरिक देवताओं और पूर्वजों की पूजा का प्रतिनिधित्व करता है। सनामही **घर में पूजनीय देवता** होते हैं और इन्हें सामान्यत: घर के **दक्षिण-पश्चिमी कोने** में रखा जाता है। इस धर्म को हिंदू धर्म का हिस्सा नहीं माना जाता है।
- **अय्यावाही (Ayyavazhi)** – इसे **हिंदू धर्म का हिस्सा** माना जाता है और **दक्षिण भारत** (विशेष रूप से तमिलनाडु और केरल) में इसका पालन किया जाता है। यह धर्म **अय्या वैकुंडर** के जीवन और उपदेशों पर केंद्रित है और संबंधित पवित्र ग्रंथ **अकिलथिरट्टू अम्मानई** और **अरुल नूल** हैं। अय्या वैकुंड अवतारम् (अर्थात् वैकुंडर के अवतार का दिन) तमिलनाडु और केरल में **राज्य अवकाश** घोषित किया गया है। पूजा केंद्रों में, गर्भगृह में एक देवता रखने के बजाए, एक लौ के आकार का ताँबा, एक भगवा वस्त्र और रुद्राक्ष और फूलों से बने विभिन्न मालाओं के एक संकलित ढाँचे को एक निराकार देवता को दर्शाने के लिए रखा जाता है और इसे **एलुनेत्रु** कहा जाता है।
- **सरना** – यह झारखंड, ओडिशा, पश्चिम बंगाल, बिहार, मध्य प्रदेश, महाराष्ट्र और छत्तीसगढ़ के **आदिवासी समुदाय** (मुंडा, हो, भूमिज, संथाल, बैगा और कुरूख) का एक स्वदेशी धर्म है। यह धर्म वृक्ष (साल का पेड़) द्वारा दर्शाये गये **प्रकृति की पूजा** पर केंद्रित है। सरना मंदिरों को **जाहेर थान** कहा जाता है। इस धर्म को आदि धर्म के नाम से भी जाना जाता है। आस्था का पवित्र आधार **'जल, जंगल, ज़मीन'** है और इसके अनुयायी वन क्षेत्रों की रक्षा में विश्वास करते हुए पेड़ों और पहाड़ियों से प्रार्थना करते हैं। **झारखंड सरकार** ने **सरना** धर्म को मान्यता देने और 2021 की जनगणना में इसे एक अलग कोड के रूप में शामिल करने का प्रस्ताव पारित किया।
- **बहाई आस्था** – इस धर्म के प्रारंभिक विकास का पता **उन्नीसवीं शताब्दी** में **फ़ारस** से किया जा सकता है। इसके संस्थापक **बहाउल्लाह** ने घोषणा की थी कि ईश्वर ने उन्हें नबी के रूप में भेजा है। बहाई आस्था के अनुसार, भगवान् को एकल और सर्वशक्तिशाली माना जाता है। यह धर्म एक एकीकृत दुनिया के लक्ष्य पर ज़ोर देता है, ताकि सभी राष्ट्रों, नस्लों, पंथों और वर्गों की समृद्धि सुनिश्चित की जा सके। यह तीन केंद्रीय सिद्धांतों पर आधारित है : **ईश्वर की एकता, धर्म की एकता और मानवता की एकता**। दिल्ली का लोटस टेम्पल बहाई विश्वास के अंतर्गत आता है। बहाई कैलेंडर के तहत एक वर्ष में 19 महीने होते हैं (प्रत्येक में 19 दिन होते हैं)। बहाई धर्म को दुनिया में सबसे तेज़ी से बढ़ते धर्म के रूप में माना जा रहा है।

लोटस टेम्पल, दिल्ली

वीडियो अंतर्दृष्टि

'लोटस टेम्पल' पर वैचारिक वीडियो के लिए स्कैन करें

यू.पी.एस.सी. विगत वर्षों के बहुविकल्पीय प्रश्न

1. आजीविकों के बारे में निम्नलिखित में से कौन-सा कथन सही *नहीं* है? **(CDS I, 2025)**
   (a) उन्होंने जाति या वर्ग के आधार पर भेदभावपूर्ण व्यवहार नहीं किया।
   (b) उनके पास निगमित संगठन और धर्म-वैधानिक ग्रंथ (canonical texts) थे।
   (c) वे प्राय: बहुत कम भोजन करके, कठोर तपस्या करते थे।
   (d) उन्होंने बौद्धों के विरुद्ध जैनियों के साथ संगठन बनाया।

2. वैदिक यज्ञों की प्रथा के बारे में निम्नलिखित कथनों पर विचार कीजिये: **(CAPF, 2023)**
   1. श्रौत (वैदिक यज्ञों) में तीन प्रकार की अग्नियों का उपयोग सम्मिलित है - गार्हपत्य (गृहस्वामी की अग्नि), आह्वनीय (नैवेद्य अग्नि) और दक्षिणाग्नि (दक्षिण-अग्नि)।
   2. माना जाता है कि इन अग्नियों को विभिन्न आकार के कुंडों में स्थापित किया जाता था, अर्थात् गार्हपत्य के लिए वर्गाकार, आह्वनीय के लिए गोलाकार और दक्षिणाग्नि के लिए आयताकार।

   उपर्युक्त कथनों में से कौन-सा/कौन-से सही है/हैं?
   (a) केवल 1 (b) केवल 2
   (c) 1 और 2 दोनों (d) नतो 1, नही 2

3. स्वामी दयानंद सरस्वती ने किनसे प्रेरणा ली? **(CDS II, 2021)**
   (a) पुराणों से (b) वेदों से
   (c) मध्यकालीन संतों से (d) सूफ़ीवाद से

4. सामूहिक सस्वर पाठयुक्त समवेतता आराधना (संगत) के नियम किसके द्वारा बनाये गये? **(CDS II, 2021)**
   (a) गुरु नानक (b) गुरु अंगद
   (c) गुरु अर्जन (d) गुरु गोबिंद सिंह

5. भारत के सांस्कृतिक इतिहास के संदर्भ में निम्नलिखित युग्मों पर विचार कीजिये :
   1. परिव्राजक - संन्यासी और घुमक्कड़
   2. श्रमण - उच्च दर्जे वाला पुजारी
   3. उपासक - बौद्ध धर्म के आम अनुयायी

   ऊपर दिये गये युग्मों में से कौन-सा सही सुमेलित है? **(CSE, 2020)**
   (a) केवल 1 और 2 (b) केवल 1 और 3
   (c) केवल 2 और 3 (d) 1, 2 और 3

6. निम्नलिखित में से कौन-सा धर्मशास्त्रों के अनुसार वैश्यों का कर्तव्य निर्धारित किया गया है?
   1. वेदों का अध्ययन
   2. व्यापार में लगना

   नीचे दिये गये कोड का प्रयोग कर सही उत्तर का चयन कीजिये: **(CAPF, 2020)**
   (a) केवल 1 (b) केवल 2
   (c) दोनों 1 और 2 (d) न तो 1 और न ही 2

7. किस भारतीय सामाजिक सिद्धांतकार ने तर्क दिया था कि समरूप हिंदुत्व के विचार का निर्माण ''ज्ञानोत्तर यूरोप के सांस्कृतिक अहंकार'' के माध्यम से किया गया था? **(CDS I, 2019)**
   (a) आशीष नंदी (b) पार्थ चटर्जी
   (c) टी के ओम्मेन (d) रजनी कोठारी

8. नयनार कौन थे? **(CDS II, 2019)**
   (a) जो विष्णु की भक्ति में लीन थे
   (b) जो बुद्ध के भक्त थे
   (c) जो शिव के भक्त थे
   (d) जो बसवेश्वर के भक्त थे

9. मध्यकालीन भारत के सांसकृतिक इतिहास के संदर्भ में निम्नलिखित कथनों पर विचार कीजिये: **(CSE, 2016)**
   1. तमिल क्षेत्र के सिद्ध (सित्तर) एकेश्वरवादी थे तथा मूर्तिपूजा की निंदा करते थे।
   2. कन्नड़ क्षेत्र के लिंगायत पुनर्जन्म के सिद्धांत पर प्रश्न चिह्न लगाते थे तथा जाति अधिक्रम को अस्वीकार करते थे।

   उपर्युक्त कथनों में से कौन-सा/से सही है/हैं?
   (a) केवल 1 (b) केवल 2
   (c) 1 और 2 दोनों (d) न तो 1, न ही 2

10. गोरखनाथ के अनुयायी कहलाते थे: **(CDS I, 2016)**
    (a) जोगी (b) नाथ-पंथी
    (c) तांत्रिक (d) संन्यासी

11. सोसाइटी ऑफ़ जीसस, जिनके अनुयायियों को जेसुइट्स कहा जाता था, की स्थापना की गयी थी। **(CDS I, 2016)**
    (a) मार्टिन लूथर द्वारा
    (b) उलरिच जिंग्लि द्वारा
    (c) इरास्मस द्वारा
    (d) इग्नाशियस लोयोला द्वारा

12. निम्नलिखित में से किसका उसके राज्य में हिंदुओं के संरक्षण के लिए उसकी प्रजा द्वारा उसका जगद्गुरु के रूप में वर्णन किया जाता था? **(CAPF, 2012)**
    (a) बीजापुर के इब्राहिम आदिल शाह द्वितीय
    (b) मालवा के महमूद द्वितीय
    (c) बंगाल के हुसैन शाहह
    (d) गुजरात के महमूद बेगड़ा

13. 'धर्म' तथा 'ऋत' भारत की प्राचीन वैदिक सभ्यता के मुख्य विचार का चित्रण करते हैं। इस सन्दर्भ में, निम्नलिखित कथनों पर विचार कीजिये: **(CSE, 2011)**
   (i) 'धर्म' व्यक्ति के दायित्वों तथा स्वयं और अन्यों के प्रति अपने कर्त्तव्यों के निर्वहन की अवधारणा है।
   (ii) 'ऋत' ब्रह्मांड तथा इसमें समाहित सभी वस्तुओं की कार्य-प्रणाली को नियंत्रित करने वाला एक आधारभूत नैतिक नियम था।

   उपर्युक्त कथनों में से कौन-सा/से सही है/हैं?
   (a) केवल (i) (b) केवल (ii)
   (c) (i) और (ii) दोनों (d) न तो (i), न ही (ii)

उत्तरमाला

1. (d)	2. (a)	3. (b)	4. (a)	5. (b)	6. (b)	7. (a)	8. (c)
9. (c)	10. (b)	11. (d)	12. (a)	13. (c)			

यू.पी.एस.सी. विगत वर्षों के प्रश्न - मुख्य परीक्षा

1. पारसी धर्म में अग्नि के महत्त्व पर टिप्पणी कीजिये। **(CSE, 2012)**
2. लिंगायत समुदाय के संबंध में लिखें। **(CSE, 2007)**

19

बौद्ध धर्म और जैन धर्म

अध्याय की रूपरेखा

- बौद्ध धर्म
- बौद्ध धर्म की उत्पत्ति के कारण
- बुद्ध का संक्षिप्त इतिहास
- गौतम बुद्ध के प्रथम पाँच साथी/शिष्य
- चार बौद्ध परिषद्
- बौद्ध संघ और लोकधर्मी
- प्रारंभिक बौद्ध संप्रदाय
- स्थविर निकाय संप्रदाय
- बौद्ध धर्म के अंतर्गत अवधारणाएँ और दर्शन
- बौद्ध धर्म और महिलाएँ
- बौद्ध धर्म के परवर्ती संप्रदाय
- जैन धर्म
- वर्धमान महावीर के संबंध में मूल बातें
- महावीर के शिष्य
- तीन जैन परिषदें
- जैन शिक्षाएँ और दर्शन
- दिगम्बर और श्वेताम्बर संप्रदायों के अंतर्गत उप-सम्प्रदाय

बौद्ध धर्म

बुद्धं शरणं गच्छामि।
धम्मं शरणं गच्छामि।
संघं शरणं गच्छामि।

बौद्ध धर्म भारतीय उपमहाद्वीप से प्रारंभ होनेवाले विश्व के प्रमुख धर्मों में से एक है, जो अब दक्षिण-पूर्व एशिया के बड़े भागों में विस्तृत हुआ है। बौद्ध धर्म की उत्पत्ति, **सिद्धार्थ** की कहानी से जुड़ी है, जिन्हें **बुद्ध** के नाम से जाना जाता है। बौद्ध धर्म में परम्पराओं, धारणाओं और प्रथाओं का श्रेय बुद्ध को दिया जाता है। ईसाई, इस्लाम और हिंदू धर्मों के पश्चात्, यह विश्व का **चौथा सबसे बड़ा धर्म** है। विश्व की लगभग **7 प्रतिशत जनसंख्या** ने बौद्ध धर्म को अपनाया है। **भारत की 0.7 प्रतिशत जनसंख्या**, या 8.4 लाख लोग, जिनमें से अधिकांश **महाराष्ट्र** में हैं, बौद्ध धर्म के अनुयायी हैं।

वीडियो अंतर्दृष्टि

बौद्ध और जैन धर्म पर वैचारिक वीडियो के लिए स्कैन करें

बौद्ध धर्म की उत्पत्ति के कारण *(जैसा कि माना जाता है)*

- ब्राह्मणों के वर्चस्व के ख़िलाफ़ क्षत्रियों की प्रतिक्रिया।

- बेहतर सामाजिक दर्जा और शांति व्यवस्था चाहनेवाले वैश्यों एवं अन्य व्यापारिक समूहों द्वारा बौद्ध धर्म और जैन धर्म का संरक्षण।
- सामान्य लोगों द्वारा बौद्ध और जैन धर्म के सरल, आत्मसंयमी, शांति केंद्रित सिद्धांतों की स्वीकृति।

बुद्ध का संक्षिप्त इतिहास

बुद्ध

सिद्धार्थ, या गौतम बुद्ध, का जन्म **563 ईसा पूर्व** में **लुम्बिनी** में हुआ था, जो वर्तमान नेपाल में स्थित है। उनके पिता, शुद्धोदन, कपिलवस्तु रियासत के प्रमुख थे। उनकी माता, माया देवी, का उनके जन्म के सातवें दिन निधन हो गया। उनका पालन-पोषण उनकी माता की बहन, **महाप्रजापति गौतमी** ने किया।

एक राजसी परिवार में जन्मे, सिद्धार्थ को जीवन के सभी सुख और विलासिता के साधन प्राप्त थे; उन्होंने गृहस्थ जीवन में अपना जीवन व्यतीत किया और **यशोधरा** से विवाह किया। उन्हें **राहुल नामक एक पुत्र** की भी प्राप्ति हुई।

असित नामक एक हिमालयी तपस्वी ने भविष्यवाणी की थी, कि सिद्धार्थ एक महान् सार्वभौमिक शिक्षक (universal teacher) बनेंगे। भविष्यवाणी के अनुसार, जीवन के चार लक्षण देखने के बाद उनका ज्ञान की शिक्षा के क्षेत्र में प्रवेश होना था। पहले तीन लक्षण – **एक वृद्ध व्यक्ति, एक बीमार व्यक्ति और एक शव** – निराशा का कारण थे; अंतिम लक्षण, **पीले वस्त्रधारी भिक्षु**, आशा का प्रतीक था। यह देखकर, सिद्धार्थ जीवन के सुखों से विमुख हो गये। उन्होंने गृह त्याग का निश्चय किया। **29 वर्ष की आयु में**, उन्होंने अपने प्रिय घोड़े **कंथक** पर सवार होकर **घर छोड़ दिया**। उन्होंने अपने राजसी वस्त्र त्याग दिये और एक घुमक्कड़ भिक्षु, परिव्राजक का जीवन अपना लिया। बौद्ध धर्म में इस घटना को **महा-भिनिष्क्रमण** (महान् प्रस्थान) कहा जाता है।

कुछ वर्षों तक वे अनेक गाँवों में घूमते रहे और अंततः वैशाली के बाहरी इलाक़े में उन्हें **अरदा कलाम** नामक एक गुरु मिले। अरदा कलाम एक प्रारंभिक सांख्य दार्शनिक थे। उन्होंने कलाम के आश्रम में ध्यान के अनेक चरणों की प्राप्ति की।

बाद में, वे कलाम के स्थान से आगे बढ़कर राजगृह के बाहरी इलाक़े में रहनेवाले एक अन्य गुरु, **रुद्रक रामपुत्र** के शिष्य बन गये। ऐसा भी कहा जाता है कि मगध नरेश **बिंबिसार** ने सिद्धार्थ को राजसी जीवन त्यागने से मना किया था, लेकिन दृढ़ निश्चयी सिद्धार्थ ने विनम्रतापूर्वक मना कर दिया और अपने नये गुरु के स्थान पर चले गये। यद्यपि सिद्धार्थ ने उच्चतम स्तर का ध्यान किया, फिर भी यह उन्हें मुक्ति नहीं दिला सका। एक बार फिर, सिद्धार्थ भटकने लगे और पाँच ब्राह्मण तपस्वियों के साथ कठोर तपस्या करने लगे। वे लगभग मृत्युपर्यन्त उपवास करने की स्थिति में पहुँच गये, जब उन्होंने एक महिला **सुजाता** से भोजन ग्रहण करने का निर्णय लिया, जो उनके जीवित रहने के लिए पर्याप्त था। इस समय, उनके पाँचों साथियों ने उनका साथ छोड़ दिया।

आगे बढ़ते हुए, सिद्धार्थ **उरुवेला** गाँव पहुँचे, जहाँ सिद्धार्थ ने **निरंजना नदी** के तट पर एक पीपल के वृक्ष के नीचे आसन ग्रहण किया। वह दृढ़निश्चयी थे और उन्हें पूर्ण विश्वास था कि जब तक उन्हें ज्ञान की प्राप्ति नहीं हो जाती, वे अपने आसन से नहीं हिलेंगे। वे मार के प्रलोभनों से विचलित नहीं हुए। 49वें दिन मध्यरात्रि में कठोर अभ्यास के बाद, सिद्धार्थ को अंततः सत्य का बोध हुआ। उन्होंने ज्ञान और अंतर्दृष्टि दोनों प्राप्त की। उन्हें पता था कि उनका पुनर्जन्म नहीं होगा। उन्होंने **निर्वाण** प्राप्त किया और बुद्ध (ज्ञानप्राप्त) बन गये।

उन्होंने जो सत्य अनुभव किया; वह इतना गहन था, कि उसे दुनिया के सामने प्रस्तुत करना ज़रूरी था। पहले तो उन्होंने इसे अपने पहले दो गुरुओं के साथ साझा करने के बारे में सोचा, लेकिन बाद में उन्हें पता चला कि वे अब इस दुनिया में नहीं

रहे। फिर उन्हें अपने पाँच ब्राह्मण साथियों का ख़्याल आया जो, **ऋषिपत्तन - आधुनिक सारनाथ** - में रहते थे। उन्होंने सारनाथ में अपना पहला उपदेश दिया। बौद्ध धर्म में यह घटना, जिसे **धर्मचक्रपरिवर्तन** के नाम से जानी गयी, जिसका अर्थ है - धर्म-चक्र का घूमना।

बुद्ध ने अपने पाँच ब्राह्मण सहयोगियों का धर्म परिवर्तन करके ऋषिपत्तन (सारनाथ) से एक शिक्षक के रूप में अपना जीवन शुरू किया। सारनाथ से, वे राजगृह गये, जहाँ उन्होंने दूसरा, तीसरा और चौथा वस्स (मानसून एकांतवास) बिताया। मगध में, उन्होंने कई ब्राह्मण शिक्षकों को धर्म परिवर्तन कराया, जिन्हें **तित्तिय और परिव्राजक** के रूप में जाना जाता था। उनके धर्म परिवर्तन करनेवालों में सामान्य अनुयायी **(उपासक)** और **सारिपुत्र और मौद्गलायन** जैसे कई उल्लेखनीय व्यक्ति शामिल थे। उन्होंने आगे चलकर वस्स समय वैशाली में बिताया, जहाँ उनकी मुलाक़ात प्रसिद्ध वेश्या **आम्रपाली** से हुई। **वैशाली** में ही, अपने चचेरे भाई आनंद के अनुरोध पर, उन्होंने **भिक्षुणियों के लिए एक संघ की स्थापना की। महाप्रजापति गौतमी इस संघ में शामिल होनेवालीं पहली महिला थीं**, उनके बाद आम्रपाली थी। बुद्ध ने इसके बाद का वस्स कौशाम्बी में बिताया।

कोशल ही वह स्थान था, जहाँ बुद्ध ने अपने अंतिम 21 वस्स बिताये। बौद्ध धर्म का पूर्ण विकास कोशल में ही हुआ। **गहपति** (धनवान् संपत्ति के स्वामी) **अनंतपिंडक** उनके भक्त अनुयायी थे, जिन्होंने **श्रावस्ती** में बुद्ध के लिए **जेतवन मठ** का निर्माण कराया। अवंती शासक प्रद्योत ने बुद्ध को आमंत्रित किया था, लेकिन उन्होंने अस्वीकार कर दिया और अपने एक शिष्य को भेजा। यद्यपि बुद्ध चंपा में कई बार रुके, उन्होंने अंग में कभी कोई वस्स नहीं बिताया।

बुद्ध ने मल्ल महाजनपद की ओर अपनी अंतिम यात्रा शुरू की। कुशीनगर (आधुनिक कुशीनगर) में, उन्होंने 483 ईसा पूर्व में महापरिनिर्वाण प्राप्त किया। उनके अंतिम शब्द थे, *'जो कुछ भी संसार में आया है, उसे अवश्य ही नष्ट होना होगा और केवल उसका प्रयास ही शेष रहना चाहिए।'* बुद्ध की अंतिम यात्रा का उल्लेख **महापरिनिब्बान सुत्त** में मिलता है। इसमें उनके अवशेषों के दावेदारों का भी उल्लेख है।

बुद्ध के महापरिनिर्वाण के बाद, उनकी शिक्षाओं को संकलित करने की आवश्यकता उत्पन्न हुई और इसलिए अगले 500 वर्षों में चार बौद्ध संगीतियाँ आयोजित की गयीं ताकि इनकी शिक्षा को पिटकों में संकलित किया जा सके। इसके परिणामस्वरूप, तीन प्रमुख पिटकों - **विनयपिटक, सुत्तपिटक** और **अभिधम्मपिटक** - का लेखन हुआ, जिन्हें सम्मिलित रूप से **त्रिपिटक** कहा गया। ये सभी **पालि भाषा** में लिखे गये हैं।

बुद्ध के जीवन की घटनाओं से संबंधित	संबंधित प्रतीक
जन्म	**बैल; हाथी; कमल; पदचिह्न**
महात्याग	**घोड़ा; गंधकुटी** (जिसे बुद्ध के उपयोग का कक्ष माना जाता है); **ख़ाली सिंहासन; भिक्षापात्र**
ज्ञान प्राप्ति (निर्वाण)	**वज्रासन; बोधि वृक्ष**
उपदेश (शिक्षाएँ)	**चक्र; सिंह; मृग**
मृत्यु (परिनिर्वाण)	**स्तूप**

क्या आप जानते हैं?

प्रारंभिक बौद्ध मूर्तिकारों ने बुद्ध को मानव रूप में नहीं दर्शाया। उन्होंने **ख़ाली सिंहासन, बोधि वृक्ष, चक्र, स्तूप** के माध्यम से बुद्ध की उपस्थिति का संकेत दिया - जो बुद्ध के जीवन की चार महत्त्वपूर्ण घटनाओं (त्याग, ज्ञानोदय, प्रथम उपदेश, मृत्यु) का संकेत देते हैं।

विरासत स्मरण

गौतम बुद्ध के प्रथम पाँच साथी/शिष्य

बुद्ध के प्रथम पाँच शिष्यों को **पंचवग्गीय भिक्षु** (पाँच तपस्वियों का समूह) के रूप में जाना जाता था। उनके नाम थे : *कोंडन्ना (कौडिन्य); भद्दिया (भद्रिका); वप्पा (वश्प); महानाम (महनामम); अस्साजी (अश्वजित)।*

ये पाँच तपस्वी मूल रूप से राजकुमार सिद्धार्थ (ज्ञानोदय से पूर्व के बुद्ध) के कठोर तप के वर्षों के दौरान उनके साथी थे। जब सिद्धार्थ ने मध्यम मार्ग के पक्ष में तप त्याग दिया, तो उन्होंने यह सोचकर उनका साथ छोड़ दिया कि उन्होंने आध्यात्मिक मार्ग त्याग दिया है। बोधि वृक्ष के नीचे ज्ञान प्राप्ति के बाद, बुद्ध ने उन्हें खोजा और सारनाथ के मृग उद्यान में अपना पहला उपदेश, **धम्मचक्कप्पवत्तन सुत्त** (धम्म चक्र प्रवर्तन) दिया। इस उपदेश को सुनने के बाद, वे **बुद्ध के प्रथम अनुयायी** और संघ के प्रथम भिक्षु (monk) **बने**। आइए, उनके बारे में संक्षेप में जानें :

कौडिन्य - वे सिद्धार्थ से पहले पैदा हुए थे तथा तीनों वेदों में तथा मुखाकृति विज्ञान में पारंगत थे। वे बुद्ध के बाद प्रथम अरहंत बने।

भद्रिका - उन्होंने बुद्ध क्रकसुंद के सहायक के रूप में कार्य किया।

वश्प - उन्होंने सिद्धार्थ के ज्ञान प्राप्ति की भविष्यवाणी की और सिद्धार्थ के साथ तपस्या की।

महानामन - वे सिद्धार्थ के प्रारंभिक अनुयायी थे और अनुराधापुर के राजा थे।

अश्वजित - उन्होंने सारिपुत्त को एक लघु श्लोक का उपदेश दिया, जिसके कारण सारिपुत्त और मोग्गल्लान (जो बुद्ध के दो प्रमुख शिष्य बने) दोनों ने धर्म परिवर्तन किया और अरहंत बन गये।

बौद्ध धर्म के अंतर्गत **तीन रत्न (त्रिरत्न)** इस प्रकार हैं :

बुद्ध	**धम्म**	**संघ**
प्रबुद्ध	*बुद्ध की शिक्षाएँ (सिद्धांत)*	*समूह*

तीन रत्नों या त्रिरत्नों में से बुद्ध द्वारा प्रथम धर्मोपदेश देने के समय **संघ (आदेश)** की अवधारणा प्रारंभ की गयी थी। उनके पाँच साथी एक संघ (एक समूह) बन गये थे।

कहा जाता है कि उनके जीवन का अधिकांश भाग राजा **बिंबिसार** के समकालीन और अंतिम वर्ष हर्यंक वंश के **अजातशत्रु** के समकालीन माना जाता है।

अनेक बौद्ध ग्रन्थों में बुद्ध को **तथागत और शाक्यमुनि** के नाम से जाना जाता है। बौद्ध धर्म के अंतर्गत बुद्ध के पूर्ववर्ती **कस्सप बुद्ध** थे और उनके उत्तराधिकारी **मैत्रेय (भावी बुद्ध)** होंगे।

क्या आप जानते हैं?

जैन धर्मग्रंथ ऐतिहासिक बुद्ध को स्वीकार करते हैं तथा अक्सर उन्हें केवल **गौतम** (उनके गोत्र के आधार पर) या बुद्ध कहते हैं। हालाँकि, जैन धर्म में गौतम बुद्ध को **तीर्थंकर** या मुक्त व्यक्ति (जिन) **नहीं** माना जाता है।

चार बौद्ध परिषद्

बौद्ध परिषद्	स्थान और वर्ष	संरक्षण और परिषद् के अध्यक्ष	विवरण
प्रथम बौद्ध परिषद्	राजगीर में **(लगभग 483 ईसा पूर्व)** यह बुद्ध की मृत्यु के तुरंत बाद सप्तपर्णी गुफा में आयोजित की गयी।	**राजा अजातशत्रु** के संरक्षण में। अध्यक्ष - **महाकश्यप**	उपालि ने विनय पिटक का पाठ किया, जिसमें बौद्ध व्यवस्था के नियम हैं। बुद्ध के दूसरे शिष्य आनंद ने सुत्त पिटक का पाठ किया, जिसमें सिद्धांत और नैतिक मान्यताओं के बारे में बुद्ध के उपदेशों का शानदार संग्रह था।
द्वितीय बौद्ध परिषद्	वैशाली में **(383 ईसा पूर्व)** बुद्ध की मृत्यु के लगभग 100 साल बाद आयोजित की गयी।	**राजा कालाशोक** के संरक्षण में। अध्यक्ष - **सबकामी**	मुख्य रूप से विनय पिटक के तहत 10 विवादित बिंदुओं के कारण आयोजित किया गया।
तृतीय बौद्ध परिषद्	पाटलिपुत्र में **(250 ईसा पूर्व)**	**राजा अशोक** के संरक्षण में। अध्यक्ष - **मोगलीपुत्त-तिस्स**	अभिधम्म पिटक का संकलन किया गया। तीसरी संगीति ने **थेरवाद** को बौद्ध धर्म के रूढ़िवादी संप्रदाय के रूप में मान्यता दी।
चतुर्थ बौद्ध परिषद्	कुंडलवन, कश्मीर में **(72 ईसवी)**	**राजा कनिष्क** के संरक्षण में अध्यक्ष - **वसुमित्र**	सभी संप्रदायों में, परिषद् ने **सर्वास्तिवाद** को प्राथमिकता दी। इस प्रकार, सर्वास्तिवाद सिद्धांतों को **महाविभस** में संहिताबद्ध किया गया। हीनयान और महायान में बौद्ध धर्म का विभाजन। इस परिषद् में अश्वघोष (वसुमित्र के डिप्टी) ने भाग लिया और सभी विचार-विमर्श संस्कृत में किये गये। एक और चतुर्थ बौद्ध परिषद् श्रीलंका में आयोजित की गयी थी।

बौद्ध संघ और लोकधर्मी

बुद्ध ने **संघ** के सदस्यों और लोकधर्मी अनुयायियों, दोनों के लिए एक **नैतिक आचार संहिता** निर्धारित की। भिक्षुओं और भिक्षुणियों के लिए **निम्नलिखित कार्य सख़्ती से वर्जित किये गये थे** : जीवन का नाश, जो दिया न जाए उसे लेना (चोरी), यौन क्रिया, झूठ बोलना, प्रमाद उत्पन्न करनेवाले नशीले पदार्थों का सेवन, दोपहर के बाद भोजन करना, मनोरंजन में भाग लेना, इत्र और आभूषणों का उपयोग, आलीशान बिस्तरों का उपयोग और सोने-चाँदी (मुद्रा सहित) का प्रयोग। पहले पाँच नियम लोकधर्मियों पर भी लागू होने थे, सिवाय इसके कि ब्रह्मचर्य के स्थान पर सतीत्व का पालन किया जाना था।

बौद्ध ग्रंथ **विनय पिटक** के दो मुख्य भाग हैं - *सुत्त विभंग* और *खंडक* और एक परिशिष्ट जिसे *परिवार* कहा जाता है।

- *सुत्त विभंग* में **पातिमोक्ख (मठवासी नियमों का एक समूह)** है, जिसमें भिक्षुओं के लिए 227 और भिक्षुणियों के लिए 311 नियम हैं। *पातिमोक्ख* का पाठ भिक्षुओं के समूहों द्वारा पूर्णिमा और अमावस्या के दिन आयोजित होनेवाले पाक्षिक *उपोसथ अनुष्ठान* में किया जाता था।
- *खंडक* में *महावग्ग* और *चुल्लवग्ग* शामिल हैं, जिनमें मठवासी नियम और बुद्ध के जीवन की घटनाओं, भिक्षुणियों के संघ की स्थापना और दो संगीत सभाओं का विवरण शामिल है।

मानसून एकांतवास (*वस्सवास*) के दौरान, भिक्षुओं को एक ही स्थान पर रहना होता था और वर्षा ऋतु में इधर-उधर नहीं जाना होता था। भिक्षुओं के अस्थायी एकांतवास संभवत: धीरे-धीरे *विहार* नामक अधिक स्थायी मठीय प्रतिष्ठानों का केंद्र बन गये।

प्रव्रज्या अनुष्ठान एक व्यक्ति के **घर से बेघर होने** और एक गुरु के अधीन एक नवदीक्षित बनने का प्रतीक था। इसमें सिर मुंडवाना और गेरुआ वस्त्र धारण करना शामिल था।

उपसम्पदा वह दीक्षा समारोह था जब नवदीक्षित मठवासी समुदाय का **पूर्ण सदस्य** बन जाता था। एक भिक्षु को दी जानेवाली आठ व्यक्तिगत वस्तुओं में तीन वस्त्र, एक भिक्षापात्र, उस्तरा, सुई, कमरबंद और पानी की छलनी शामिल थीं।

चार सबसे गंभीर अपराध (जिन्हें *पराजिका* कहा जाता है) *संघ* से निष्कासन का कारण बनते थे : संभोग करना, जो न दिया जाये, उसे लेना, किसी की हत्या करना और आध्यात्मिक प्राप्ति का झूठा दावा करना।

बुद्ध के अनुयायियों के पास एक विकल्प होता था – *संघ* में शामिल होना या एक सामान्य व्यक्ति के रूप में संघ से बाहर रहना। संघ के सदस्य सामान्य लोगों को धम्म की शिक्षा देते थे तथा भोजन एवं अन्य प्रकार के संरक्षण के लिए सामान्य लोगों पर निर्भर रहते थे। सामान्य लोगों में पुरुष अनुयायी (*उपासक*) और महिला अनुयायी (*उपासिका*) शामिल थीं। *उपासक/उपासिका* वह व्यक्ति होता था, जिसने घोषणा की थी कि उसने बुद्ध, *धम्म* और *संघ* की शरण ली है, लेकिन जिसने मठवासी प्रतिज्ञाएँ नहीं ली थीं। सामान्य लोगों के कर्तव्य *सिगलवदा सुत्त* में निर्धारित किये गये थे। ऐसे उदाहरण हैं, जब एक सामान्य व्यक्ति संघ में शामिल हुए बिना ही *अर्हत* बन गया। बुद्ध के प्रथम गृहस्थ अनुयायी या सामान्य जन दो व्यापारी, *तपस्सु और भल्लिक* थे। *गहपति* (धनी, संपत्ति के स्वामी) *संघ* के सबसे महत्त्वपूर्ण गृहस्थ समर्थकों में से होते थे। **अनाथपिंडिका**, गौतम बुद्ध के समकालीन, श्रावस्ती के प्रसिद्ध *गहपति* थे।

संयुक्त निकाय के *महामंगल सुत्त* में माता-पिता, पत्नी और बच्चों के प्रति **व्यक्ति के कर्तव्यों** पर बल दिया गया है।

प्रारंभिक बौद्ध संप्रदाय

ऐसा माना जाता है कि बुद्ध के परिनिर्वाण के बाद, मूल संघ 383 और 250 ईसा पूर्व के बीच **दो प्रारंभिक संप्रदायों** में विभाजित हो गया :

1. **स्थविर निकाय**
2. **महासंघिक**

स्थविर निकाय संप्रदाय

द्वितीय बौद्ध संगीति (वैशाली) में, सिद्धांत पर नहीं, बल्कि **मठवासी अनुशासन (विनय)** पर मतभेद उत्पन्न हुए। **वज्जिपुतक** क्षेत्र के भिक्षुओं का एक समूह ऐसे **नियमों** का पालन कर रहा था, जिन्हें अन्य लोग **शिथिल** मानते थे। पारंपरिक अनुशासन की वकालत करनेवाला कठोर समूह **इनसे अलग हो गया** और *स्थविर निकाय* **के रूप में जाना जाने लगा।** इसने **कठोर मठीय अनुशासन** पर बल दिया और **विनय परंपराओं और श्रीलंका और उसके बाहर बौद्ध धर्म के प्रसार पर गहरा प्रभाव डाला।**

स्थविर निकाय (**'वरिष्ठों का संप्रदाय'**) ने समय के साथ कई **उप-संप्रदायों** को जन्म दिया, क्योंकि प्रारंभिक बौद्धों के बीच सैद्धांतिक और अनुशासनात्मक मतभेद उभरे। ये उप-संप्रदाय बौद्ध विचार और व्यवहार के विकास को समझने के लिए महत्त्वपूर्ण हैं। दो धाराएँ उभरीं : **थेरवाद और आचार्यवाद**। इसके अलावा **थेरवाद के भीतर 11 संप्रदाय उभरे** और **आचार्यवाद में 7 संप्रदाय या उप-संप्रदाय उभरे**। इन सभी 18 उप-संप्रदायों में, स्थविर निकाय के अंतर्गत प्रमुख उप-संप्रदायों का विवरण नीचे दिया गया है :

स्थविर निकाय के अंतर्गत प्रमुख उप-संप्रदाय

उप-संप्रदाय	विवरण	महत्त्व
थेरवाद	**'बुजुर्गों की शिक्षा'**; को **पाली ग्रन्थों** में संकलित किया गया है; इसमें मूल शिक्षाओं के सख्त पालन पर ज़ोर दिया गया है। इसे बौद्ध धर्म का सबसे प्राचीन और सबसे रूढ़िवादी संप्रदाय माना जाता है।	**एकमात्र जीवंत** प्रारंभिक बौद्ध संप्रदाय। **श्रीलंका, म्याँमार, थाईलैंड, लाओस** और **कंबोडिया** में प्रमुख।
विभाज्यवाद	'विश्लेषण का सिद्धांत'। **सशर्त अस्तित्त्व** पर ज़ोर दिया और सर्वास्तिवाद के समय संबंधी दृष्टिकोण को अस्वीकार किया।	इसे **थेरवाद का पूर्वज** माना जाता है; यह स्वयं एक संप्रदाय नहीं, बल्कि एक सैद्धांतिक वर्गीकरण है।
सर्वास्तिवाद (थेरवाद की एक शाखा)	उनका मूल विश्वास यह था कि धर्म तीनों कालों - भूत, वर्तमान और भविष्य - में विद्यमान् रहते हैं, इस प्रकार **'सर्वम अस्ति'** वाक्यांश की अभिव्यक्ति हुई। विस्तृत **अभिधर्म** दर्शन का विकास किया। इस सिद्धांत के दो प्रमुख उप-संप्रदाय **सौत्रान्तिक और वैभाषिक** हैं। वैभाषिक यथार्थवाद और बहुलवाद पर ज़ोर देता है, लेकिन दूसरी ओर, सौत्रान्तिक सूत्र-आधारित शिक्षाओं से अधिक निकटता से जुड़ा हुआ है।	**उत्तर भारत, गांधार** और **मध्य एशिया** में अत्यंत प्रभावशाली। परवर्ती **वैभाषिक** संप्रदाय का आधार। **संघभूति** कश्मीर के एक भारतीय बौद्ध भिक्षु थे, जिन्होंने चौथी शताब्दी ईसवी के उत्तरार्द्ध (लगभग 381-382 ईसवी) में चीन की यात्रा की, जहाँ उन्होंने **सर्वास्तिवाद** पर एक महत्त्वपूर्ण भाष्य लिखा।
महिसास्क	इनका मानना था कि बुद्ध **सर्वव्यापी** हैं और उनका स्वभाव अधिक पारलौकिक है। अर्हतों के बारे में उनके **अनूठे विचार** थे। उनका मानना था कि सब कुछ विद्यमान् है, लेकिन केवल वर्तमान में। वे संघ को दिये गये दान को बुद्ध को दिये गये दान से अधिक पुण्य मानते थे। वे इस मुद्दे पर **धर्मगुप्तकों से असहमत** थे, क्योंकि धर्मगुप्तकों का मानना था कि बुद्ध को दान देना संघ को दान देने से अधिक पुण्यदायी है।	कम प्रभावशाली; कुछ त्रिपिटक ग्रंथ चीनी भाषा में पाये जाते हैं।
धर्मगुप्तक	भिक्षुओं और गृहस्थ अनुयायियों के **द्वैत मार्ग** पर बल देते थे; विशिष्ट विनय (मठवासी संहिता)। 20 हीनयान संप्रदायों में से एक। वे महिषासक सम्प्रदाय से निक़ले।	**मध्य एशिया और चीन** में फैले। उनके **विनय** का पालन आज भी **पूर्वी एशियाई** परंपराओं में किया जाता है।
काश्यपीय	संभवतः सर्वास्तिवाद और महिषासक सिद्धांतों का संश्लेषण।	चीनी स्रोतों से ज्ञात; मुख्यतः पाठ्य संदर्भों में ही जीवित रहे।
सौत्रान्तिक (सर्वास्तिवाद से विकसित)	केवल **सूत्रों** को ही प्रामाणिक मानते थे; जिसका अर्थ है कि उनका मुख्य ध्यान ज्ञान के साधन के रूप में बौद्ध धर्मग्रंथों पर था। यह **सर्वास्तिवादी परंपरा के एक विशिष्ट संप्रदाय के रूप में विकसित हुआ है।** वे आत्मज्ञान के मार्ग के संदर्भ में सर्वास्तिवादियों से भिन्न थे। अभिधर्म के कुछ अंशों को अस्वीकार किया।	प्रबल **दार्शनिक प्रभाव**; परवर्ती महायान विचारधारा का अग्रदूत।
वात्सिपुत्रीय	इस संप्रदाय ने सिखाया कि *पुद्गल* (व्यक्ति/आत्मा) **वास्तविक** है, यद्यपि **शाश्वत नहीं** है। यह पाँच समुच्चयों (पंच स्कंधों) - रूप, भावना, बोध, मानसिक संरचनाएँ, चेतना - के **न तो समरूप है** और न ही **उनसे पूर्णतः भिन्न है**।	**थेरवाद, सर्वास्तिवाद** और **महासंघिक** संप्रदायों ने पुद्गलवाद के दृष्टिकोण की आलोचना करते हुए कहा कि यह **हिंदू आत्मा के विचारों** के अत्यंत समान है।
सम्मितीय	**सम्मितीय** (या Saṃmitīya) सम्प्रदाय, वातसिपुत्रीय सम्प्रदाय का एक उप-संप्रदाय था और **पुद्गलवाद (व्यक्ति-सिद्धांत)** बौद्ध संप्रदायों में **सबसे प्रमुख और प्रभावशाली था।** उन्होंने इस विश्वास पर बल दिया कि यद्यपि एक व्यक्ति अपने अस्तित्त्व को बनानेवाले पाँच स्कंधों से अलग नहीं है, फिर भी वह उन वस्तुओं या भागों के योग से कहीं अधिक है।	**भारत में सबसे व्यापक प्रारंभिक बौद्ध सम्प्रदाय** (जैसा कि सातवीं शताब्दी ईसवी में *ह्वेनसांग* जैसे चीनी तीर्थयात्रियों द्वारा बताया गया है)। **ह्वेनसांग** ने इसे अपने समय में भारत में सक्रिय **चार प्रमुख प्रारंभिक बौद्ध संप्रदायों** में से एक बताया, अन्य तीन महासंघिक, थेरवाद और सर्वास्तिवाद थे।

महासंघिक संप्रदाय

वैशाली में विनय (मठवासी अनुशासन) पर मतभेदों को सुलझाने के लिए द्वितीय बौद्ध संगीति का आयोजन किया गया था। अधिकांश भिक्षुओं ने स्थविर निकाय द्वारा मठ के नियमों की, की गयी कठोर व्याख्या को अस्वीकार कर दिया। इससे उपजा बड़ा समूह महासंघिक ('महासभा') बन गया - इस प्रकार उनका नामकरण हुआ। अल्पसंख्यक स्थविर अलग होकर अपनी कठोर परंपरा बनाने लगे।

महासंघिक संप्रदाय बुद्ध के परिनिर्वाण के बाद उभरे सबसे प्रारंभिक और सबसे प्रभावशाली बौद्ध संप्रदायों में से एक था। इसने **महायान बौद्ध धर्म को आकार देने में महत्त्वपूर्ण भूमिका** निभायी तथा अपने विशिष्ट एवं अधिक **उदार सैद्धांतिक दृष्टिकोणों** के लिए जाना गया। **महाकस्सप को इस महासंघिक संप्रदाय का संस्थापक माना जाता है।**

महासंघिकों के प्रमुख सिद्धांतों में निम्नलिखित शामिल हैं :

- बुद्ध का पारलौकिक स्वरूप
- **अर्हत पूर्णतः परिपूर्ण नहीं होते;** उनमें अभी भी अज्ञान या संदेह हो सकता है। केवल बुद्ध ही सच्चे और पूर्ण जागरण से युक्त हैं। **यह दृष्टिकोण थेरवाद विचारधारा से भिन्न है**, जिसमें अर्हतों को सिद्ध पुरुष माना जाता है।
- अनेक बुद्ध, बोधिसत्व, बुद्ध-क्षेत्र (शुद्ध भूमि) और ब्रह्मांडीय करुणा जैसी अवधारणाएँ इसमें निहित हैं।
- मठवासी अनुशासन पर कम कठोरता और सामान्य लोगों, महिलाओं और बोधिसत्व आदर्शों को अधिक समावेशी।

महासंघिक के अंतर्गत प्रमुख उप-संप्रदाय

नाम	विवरण	महत्त्व
लोकोत्तरवाद	इसमें सिखाया गया कि बुद्ध पूर्णतः पारलौकिक (लोकोत्तर) हैं और सांसारिक अनुभव से परे हैं, अर्थात् बुद्ध कोई साधारण मनुष्य नहीं हैं। उनका जन्म, कर्म और मृत्यु अलौकिक (लोकोत्तर) थे। उन्होंने शून्यता (emptiness) की अवधारणाओं पर बल दिया - घटना और आत्मा दोनों के संदर्भ में।	प्रारंभिक महायान ग्रंथों को प्रभावित किया; महावस्तु, लोकोत्तरवाद संप्रदाय का प्रमुख ग्रंथ है, जो बुद्ध की आद्य-महायान जीवनी है।
एकव्यवहारिक	इसमें विश्वास किया गया कि बुद्ध एक एकीकृत सत्य बोलते हैं, लेकिन प्राणी उसे विभिन्न तरीक़ों से समझते हैं।	इसमें बुद्ध की सर्वज्ञता और कुशल साधनों (उपाय) के प्रारंभिक विचारों का परिचय दिया गया।
गोकुलिक (कुक्कुटिक)	इसमें पवित्रता और अनुशासन पर बल दिया गया, संभवतः विनय में अन्य उप-संप्रदायों की तुलना में अधिक कठोरता थी।	महासंघिक के भीतर इन्हें एक रूढ़िवादी प्रतिक्रिया के रूप में देखा जाता है, जो कठोर अनुशासन को बनाये रखती है।
बहुश्रुतीय	इसमें बुद्ध की शिक्षाओं के शाब्दिक और गहन अर्थ, दोनों को शामिल करने का दावा किया गया।	इसने हीनयान और महायान के विचारों को जोड़ने का प्रयास किया; सभी शिक्षाओं की समावेशिता पर बल दिया।
चैतन्य	मुख्यतः **आंध्र क्षेत्र** में फला-फूला; संभवतः स्थानीय मान्यताओं को इसमें शामिल किया गया।	महायान विचारधारा के विकास में अत्यधिक प्रभावशाली; अमरावती और नागार्जुनकोंडा कला से संबद्ध।
प्रज्ञाप्तिवाद	इसके बारे में बहुत कम जानकारी है; नाम से पता चलता है कि यह वैचारिक या नाममात्र की शिक्षाओं (*प्रज्ञाप्ति* = पदनाम) पर केंद्रित था।	संभवतः प्रारंभिक दार्शनिक विश्लेषण में इसका योगदान था; ग्रंथों के अभाव के कारण इसका प्रभाव सीमित रहा।

स्थविर निकाय और महासंघिक प्रारंभिक बौद्ध संप्रदायों के बीच मुख्य अंतर

स्थविर निकाय	महासंघिक
विनय में रूढ़िवादी	मठवासी नियमों की अधिक उदार व्याख्या
यह माना जाता था कि अर्हत **सिद्ध पुरुष** थे	यह माना जाता था कि अर्हतों में कुछ **अपूर्णताएँ** थीं
बाद में **अभिधर्म मतवाद** से संबद्ध	बाद में **महायान** विकास से संबद्ध
भाषा : **संस्कृत, प्राकृत, पाली**	भाषा : **प्राकृत बोलियाँ** और बाद में संस्कृत

बौद्ध धर्म के अंतर्गत अवधारणाएँ और दर्शन

सुत्त-पिटक को बुद्ध की शिक्षाओं का मूल स्रोत माना जाता है। सुत्त-पिटक में **पाँच निकाय** हैं, अर्थात् **दीघ निकाय, मज्जिम निकाय, संयुक्त निकाय, अंगुत्तर निकाय और खुद्दक निकाय।** यद्यपि ये मूलत: पाली में है, लेकिन मध्य एशिया और तुर्कमेनिस्तान में पाये गये उनके कुछ अंश संस्कृत में लिखे गये थे। जो ग्रंथ हमारे पास आया है, उसमें कई परिवर्तन और परिवर्धन हुए हैं, संभवत: बुद्ध के शिष्यों द्वारा।

गौतम बुद्ध मुख्यत: एक सुधारक और नैतिक शिक्षक थे। उन्होंने प्राय: एक विरोधी-चिन्तनात्मक दृष्टिकोण के विकास पर बल दिया। वे शाश्वत और अनित्य, शरीर और आत्मा एक ही हैं या नहीं अथवा संसार अनंत है या नहीं जैसे आध्यात्मिक प्रश्नों पर चर्चा से बचते थे। बुद्ध ने बार-बार इस बात पर बल दिया कि चिन्तनात्मक स्वभाव किसी को भी अर्हतत्त्व (पूर्ण व्यक्ति बनना) या विमुष्टि (दु:ख से मुक्ति) प्राप्त करने के उनके लक्ष्य के निकट नहीं ला सकता। बुद्ध ने **आर्य सत्य - चार आर्य सत्यों** के माध्यम से अज्ञान, तृष्णाओं और आसक्तियों को दूर करने पर बल दिया।

चार आर्य सत्य	विवरण
दु:ख	यह सांसारिक जीवन दुखों और कष्टों से भरा है।
समुदाय	सांसारिक जीवन के तीन कारण हैं - इच्छा, तृष्णा और आसक्ति।
निरोध	सभी इच्छाओं, तृष्णाओं और आसक्तियों का त्याग करके सांसारिक जीवन का अंत किया जा सकता है।
मार्ग	इच्छा, तृष्णा और आसक्ति के त्याग का एक मार्ग है।

बुद्ध द्वारा सुझाया गया मार्ग **अष्टांगिक मार्ग (Eight-fold Path)** है।

अष्टांगिक मार्ग	विकास का क्षेत्र
• सम्यक वाचा (उचित/सही वाणी) • सम्यक कामंत (उचित आचरण) • सम्यक आजीवन (आजीविका के उचित साधन)	*शील* अर्थात् शारीरिक नियंत्रण के विकास की ओर ले जाता है।
• सम्यक व्यायाम (उचित प्रयास) • सम्यक स्मृति (उचित ध्यान) • सम्यक समाधि (उचित एकाग्रता)	*चित्त* के विकास की ओर ले जाता है - अर्थात् मानसिक नियंत्रण।
• सम्यक दृष्टि (उचित दृष्टि) • सम्यक संकल्प (उचित संकल्प)	*प्रज्ञा* के विकास की ओर ले जाता है - अर्थात् बौद्धिकता।

शील, चित्त और प्रज्ञा के विकास के साथ, साधक सत्य का साक्षात्कार करता है। यह साक्षात्कार अधिक कठिन और सूक्ष्म अवधारणा की ओर ले जाता है, जो **निर्वाण** है। निर्वाण को शब्दों में परिभाषित करना कठिन है; यह अवर्णनीय है। अनंत को सीमित शब्दों से परिभाषित नहीं किया जा सकता। फिर भी, निर्वाण पर कुछ प्रकाश डालने की आवश्यकता है, जो इच्छा, आसक्ति, तृष्णा आदि की ज्वाला के शमन का अंतिम परिणाम है।

मध्यम मार्ग

ऋषिपत्तन में बुद्ध का पहला प्रवचन अष्टांगिक मार्ग की व्याख्या था, जिसे धर्म चक्र परिवर्तन सूत्र के नाम से जाना जाता है। यह **मध्यम मार्ग** का आधार है, जो **जीवन की दो चरम सीमाओं**: ऐश्वर्य, सुख एवं विलासिता का जीवन और चरम तप का जीवन, **के बीच रहने के बारे में है।**

बुद्ध के अनुसार, **मध्यम मार्ग (Middle Path),** मोक्ष की ओर ले जानेवाले आर्य अष्टांगिक मार्ग के स्वरूप का वर्णन करता है।

बौद्ध धर्म **वेदों की प्रामाणिकता को अस्वीकार करता है। यह जैन धर्म के विपरीत आत्मा (Soul) के अस्तित्व की अवधारणा को भी** *अस्वीकार* करता है। बुद्ध की शिक्षाएँ *संसार* (**transmigration**) **के विचार को स्वीकार करती हैं,** लेकिन *आत्मा* **के विचार को अस्वीकार** करती हैं।

क्या आप जानते हैं?

पटिच्चसमुप्पदा

बुद्ध की शिक्षा का एक महत्त्वपूर्ण पहलू **पटिच्चसमुप्पदा** यानी **प्रतीत्य समुत्पाद का नियम** था। यह सभी घटनाओं की व्याख्या और दु:ख की व्याख्या दोनों था। इस नियम के तत्त्वों को 12 निदानों से युक्त एक चक्र के रूप में प्रस्तुत किया गया था, जो एक दूसरे की ओर ले जाते थे : अज्ञान (*अविज्जा*), रचनाएँ (*संखारा*), चेतना (*विन्नान*), मन और शरीर (*नाम-रूप*), छह इंद्रियाँ (*शल्यतान*), इंद्रिय संपर्क (*फस्सा*), भावना (*वेदना*), तृष्णा (*तन्हा*), आसक्ति (*उपदान*), बनना (*भव*), जन्म (*जाति*) और वृद्धावस्था तथा मृत्यु (*जरा-मरण*)। निदानों को बाद में भूत, वर्तमान और भविष्य के जीवन से संबंधित तीन समूहों में विभाजित किया गया और इसलिए *पटिच्च-समुप्पदा* इस बात की भी व्याख्या बन गया कि पुनर्जन्म की उत्पत्ति अज्ञान में कैसे निहित है।

बौद्ध धर्म और महिलाएँ

शुरू में, **गौतम बुद्ध** महिलाओं को संघ (मठवासी संघ) में प्रवेश देने में **हिचकिचा** रहे थे, लेकिन अंतत: उन्होंने **महिलाओं को दीक्षा देने की अनुमति दे दी** तथा बारंबार अनुरोध करने पर **भिक्षुणी संघ** (भिक्षुणियों का संघ) की स्थापना की। इसके लिए उनसे निम्न अनुरोध किया :

- **महापजापति गौतमी** (बुद्ध की मौसी और पालक माँ)
- **आनंद**, उनके परिचारक और महिलाओं की दीक्षा के समर्थक

बुद्ध की शिक्षाओं का पालन करनेवाली एक महिला **उपासिका** कहलाती है, जबकि बौद्ध संघ में शामिल होनेवाली महिला को **भिक्षुणी** कहा जाता है।

यह *संघ* गर्भवती महिलाओं, दूध न छुड़ाए बच्चों की माताओं, युवकों के साथ संबंध बनानेवालीं विद्रोही महिलाओं और उन महिलाओं के लिए **खुला नहीं था** जिनके पास अपने माता-पिता या पति की अनुमति नहीं थी। भिक्षुणियों के लिए नियम मूलत: भिक्षुओं के समान ही थे, लेकिन भिक्षुणियों के लिए और भी नियम थे। बुद्ध को **आठ अतिरिक्त विशेष नियम (गरुधम्म)** निर्धारित करनेवाले के रूप में भी वर्णित किया गया है, जिससे भिक्षुणियों (nuns) का क्रम भिक्षुओं (monks) के नीचे हो गया। ये आठ अतिरिक्त नियम निम्नलिखित थे :

1. एक भिक्षुणी को हमेशा **एक भिक्षु का सम्मान करना चाहिए,** भले ही उसे दीक्षा दिये हुए बहुत समय हो गया हो।
2. एक भिक्षुणी को **वर्षावास (वस्स) ऐसे स्थान पर नहीं बिताना चाहिए,** जहाँ कोई भिक्षु मौजूद न हो।
3. एक भिक्षुणी को हर पखवाड़े **एक भिक्षु से निर्देश लेने** चाहिए।
4. एक भिक्षुणी को दोनों संघों के साथ **उपोसथ** (नियमों का पाक्षिक पाठ) **का पालन** करना चाहिए।
5. एक भिक्षुणी को पूर्ण दीक्षा से पहले दो वर्षों तक **औपचारिक प्रशिक्षण (शिखामान)** लेना चाहिए।
6. एक भिक्षुणी को **दोनों संघों** (भिक्षुणियों और भिक्षुओं) **द्वारा दीक्षित** होना चाहिए।
7. एक भिक्षुणी जो कोई **गंभीर अपराध** करती है, उसे दोनों संघों द्वारा अनुशासित किया जाना चाहिए।
8. एक भिक्षुणी को **किसी भिक्षु को फटकार या दोष** नहीं देना चाहिए।

इस प्रकार, बौद्ध धर्म में महिलाओं की स्थिति की व्याख्या निम्नलिखित पहलुओं से की जा सकती है:

पहलू	बौद्ध धर्म में स्थिति
आध्यात्मिक क्षमता	महिलाएँ **आत्मज्ञान (निर्वाण) के लिए पूरी तरह सक्षम** हैं।
सैद्धांतिक समानता	प्रारंभिक ग्रंथों में मान्यता है कि महिलाएँ **अर्हंत/अरहंत** बन सकती हैं।
संस्थागत भूमिकाएँ	अक्सर मठ के नियमों और सामाजिक मानदंडों के कारण सीमित।

प्राचीन काल की प्रमुख भिक्षुणी और उपासिकाएँ

भिक्षुणी/उपासिका का नाम	योगदान
महापजापति गौतमी	**प्रथम** दीक्षित महिला; भिक्षुणी संघ की संस्थापक; बुद्ध की मौसी और पालक माँ।
खेमा और उप्पलवण्णा	गहन ज्ञान और ध्यान-सिद्धिवाली प्रख्यात महिला अरहंत।
विशाखा (मिगरमाता)	प्रमुख उपासिका और दानदाता; जेतवन (श्रावस्ती) में **मिगरामतुपासद मठ** का निर्माण कराया।
रानी मल्लिका	बुद्ध के साथ गहन दार्शनिक संवादों के लिए प्रसिद्ध उपासिका।
पटाचारा	श्रावस्ती के एक साहूकार परिवार में जन्मीं। अपने दोनों बच्चों, पति और माता-पिता की मृत्यु के बाद, वे एक घुमक्कड़ बन गयीं और संघ में शामिल होकर अर्हंतत्त्व प्राप्त किया।
धम्मदीना थेरी	राजगृह की एक गृहस्थ महिला, जिन्होंने संघ में शामिल होने और भिक्षुणी बनने के तुरंत बाद अर्हंतत्त्व प्राप्त किया।
इसिदासी, अम्बपाली, शुभा	अपनी गहन अंतर्दृष्टि और काव्यात्मक अभिव्यक्ति के लिए विख्यात।
उब्बिरी	अपनी पुत्री की मृत्यु पर विलाप करते समय उनकी बुद्ध से भेंट हुई। उन्होंने उपासिका के रूप में अर्हंतत्त्व प्राप्त किया। बुद्ध और उब्बिरी के बीच संवाद को उब्बिरी के गीत के रूप में जाना जाता है।
मित्त	कपिलवस्तु की एक शाक्य महिला, उन्होंने अपने संघर्षों और अवलोकनों का वर्णन किया और बाद में एक बौद्ध भिक्षुणी बन गयीं। उनका वर्णन मित्त के गीत के रूप में जाना जाता है।

क्या आप जानते हैं?

थेरीगाथा

बौद्ध साहित्य में, थेरीगाथा (*वरिष्ठ भिक्षुणियों के पद*) दुनिया में **महिलाओं** द्वारा रचित धार्मिक काव्यों का सबसे पुराना ज्ञात संग्रह है। पाली भाषा में रचित, यह सुत्त पिटक के **खुद्दक निकाय** का हिस्सा है। इसकी रचना **73 प्रबुद्ध भिक्षुणियों (थेरियों)** द्वारा की गयी थी, **जिसके विषय** आध्यात्मिक जाग्रति, त्याग, मुक्ति, अनित्यता और व्यक्तिगत संघर्ष **पर आधारित थे।**

बौद्ध धर्म के परवर्ती संप्रदाय

ऐसा लिखा गया है कि राजा कनिष्क के शासनकाल में चौथी संगीति में बौद्ध धर्म का विभाजन हो गया और दो संप्रदायों का जन्म हुआ : **हीनयान** और **महायान** बौद्ध धर्म। बाद के समय से यह पता चलता है कि हीनयान सम्प्रदाय का पतन हुआ और बौद्ध धर्म के अंतर्गत और दो नये संप्रदायों का जन्म हुआ। इस प्रकार, अब तक बौद्ध धर्म के अंतर्गत निम्नलिखित चार प्रमुख मत (शाखाएँ) विकसित हुए :

1. **हीनयान बौद्धवाद** 2. **महायान बौद्धवाद** 3. **थेरवाद बौद्धवाद** 4. **वज्रयान बौद्धवाद**

बौद्ध धर्म के आचरण में बुद्ध, *धम्म* और *संघ* की शरण लेना, शास्त्रों का अध्ययन करना, नैतिक आदेशों का पालन करना, इच्छाओं और लगाव का त्याग, ध्यान का अभ्यास करना, बुद्धिमत्ता विकसित करना, प्रेम-दया और करुणा, **महायान की बोधिचित्त प्रथा** और **वज्रयान के प्रारम्भिक और समापन चरणों का पालन** सम्मिलित हैं।

थेरवाद में, अंतिम लक्ष्य श्रेष्ठ आठ-सूत्री मार्ग के माध्यम से **क्लेशों की समाप्ति** और निर्वाण की उत्कृष्ट अवस्था की प्राप्ति है, इस प्रकार से दुःख और पुनर्जन्म के चक्र से मुक्ति प्राप्त की जा सकती है।

निर्वाण के स्थान पर, महायान सम्प्रदाय में बोधिसत्व के मार्ग के द्वारा बुद्धत्व की प्राप्ति की आकांक्षा की जाती है, जहाँ हम अन्य प्राणियों को जाग्रति की अवस्था तक लाने हेतु पुनर्जन्म के चक्र में बने रहते हैं।

आइए, अब हम इन चारों संप्रदायों की विस्तृत चर्चा करें :

हीनयान बौद्धवाद

- इसका अर्थ है **छोटा वाहन**। इस संप्रदाय में बुद्ध के **मूल उपदेशों** के अनुयायी शामिल हैं। यह एक **रूढ़िवादी संप्रदाय** है।
- वे बुद्ध की **मूर्ति या छवि पूजा में विश्वास नहीं करते** थे। इसके बजाए, वे *व्यक्तिगत मोक्ष* में विश्वास करते थे तथा आत्म-अनुशासन और ध्यान के माध्यम से इसे प्राप्त करने का प्रयास करते थे। हीनयान का अंतिम लक्ष्य **निर्वाण** प्राप्ति है। हीनयान के उप-संप्रदायों में से एक **स्थविरवाद या थेरवाद** है।
- हीनयान के विद्वान् जनसाधारण के साथ संवाद करने के लिए **पालि भाषा** का प्रयोग करते थे।
- **सम्राट् अशोक** ने **हीनयान संप्रदाय** को संरक्षण दिया, क्योंकि महायान संप्रदाय बहुत बाद में अस्तित्त्व में आया।
- **हीनयान संप्रदाय** अपने मूल रूप में वर्तमान युग में लगभग अस्तित्त्वहीन है।

महायान बौद्ध धर्म

- इसका अर्थ है **बड़ा वाहन**। यह संप्रदाय अधिक उदार है तथा बुद्ध और बुद्ध-स्वरूप **बोधिसत्वों** को बुद्ध के दिव्य प्रतीक के रूप में मानता है। महायान बौद्ध धर्म का अंतिम लक्ष्य 'आध्यात्मिक उत्थान' है।
- महायान अनुयायी बुद्ध की **मूर्ति या छवि पूजा में विश्वास करते हैं**। **बोधिसत्व** की अवधारणा महायान बौद्ध धर्म का परिणाम है। महायान को **'बोधिसत्वयान'** या **'बोधिसत्व वाहन'** भी कहा जाता है। अर्थात, इसके अनुयायी सभी चेतन व्यक्तियों के मोक्ष की बोधिसत्व अवधारणा में विश्वास करते हैं। दूसरे शब्दों में, वे सभी *प्राणियों के दुखों से सार्वभौमिक मुक्ति* में विश्वास करते हैं।
- एक बोधिसत्व सभी प्राणियों के लाभार्थ पूर्ण ज्ञान की प्राप्ति चाहता है। जो बोधिसत्व इस लक्ष्य को पा लेता है, उसे **सम्यक्सम्बुद्ध/सम्यक्संबुद्ध** कहा जाता है।

- प्रमुख महायान ग्रन्थों में **कमलसूत्र, महावंश** आदि सम्मिलित हैं।
- कमलसूत्र के अनुसार महायान सम्प्रदाय प्रत्येक व्यक्ति द्वारा **छह परिपूर्णताओं (या परामिताओं)** का पालन किये जाने में विश्वास रखता है :
    i. *दान (उदारता)*
    ii. *शील (सदाचार, नैतिकता, अनुशासन और सदाचार)*
    iii. *शांति (धैर्य, सहनशीलता, प्रतिग्रह)*
    iv. *वीर्य (ऊर्जा, कर्मठता, ओज, प्रयास)*
    v. *ध्यान (एक बिंदु पर ध्यान केन्द्रित करना)*
    vi. *प्रज्ञान (बुद्धिमत्ता और परिज्ञान)*
- विद्वानों के अनुसार, बाद के समय में महायान के एक उप-पंथ (संप्रदाय) के रूप में **वज्रयान** विकसित हुआ। महायान विद्वानों ने प्रमुख रूप से **संस्कृत** भाषा का उपयोग किया। कुषाण वंश के **सम्राट् कनिष्क** को पहली शताब्दी में महायान सम्प्रदाय का **संस्थापक** माना जाता है।
- वर्तमान में विश्व में बौद्ध धर्म के **अधिकांश अनुयायी महायान सम्प्रदाय से संबंधित** हैं। (2010 की रिपोर्ट के अनुसार लगभग **53.2 प्रतिशत**)
- अन्य राष्ट्र जहाँ इसका पालन होता है, उनमें नेपाल, बांग्लादेश, जापान, वियतनाम, इंडोनेशिया, मलेशिया, सिंगापुर, मंगोलिया, चीन, भूटान, तिब्बत आदि सम्मिलित हैं।

महायान बौद्ध धर्म के अंतर्गत सम्प्रदाय

महायान बौद्ध धर्म के दो प्रमुख सम्प्रदाय हैं :

1. **माध्यमिक** - *महायान बौद्ध धर्म के अंतर्गत यह उप-सम्प्रदाय* **शून्यता सिद्धांत** *पर आधारित है। इसकी द्वितीय-तृतीय शताब्दी ईसवी में एक बहुत ही प्रमुख बौद्ध दार्शनिक* **नागार्जुन** *द्वारा स्थापना की गयी थी। महायान बौद्ध धर्म के अंतर्गत शून्यता सिद्धांत का केंद्रीय विचार इस तथ्य में निहित है, कि सभी चीज़ें या परिघटनाएँ (धर्म) प्रकृति, पदार्थ या सार (स्वभाव) से रिक्त (शून्य) हैं।* **चंद्रकीर्ति और शांतिदेव** *इस सम्प्रदाय के महान् विद्वान् थे।*
2. **योगाचार** - *इस सम्प्रदाय को "मन मात्र" सम्प्रदाय भी कहा जाता है। यह बौद्ध दर्शन और मनोविज्ञान की वह प्रभावशाली परंपरा है, जो* **ध्यान और योग पद्धतियों** *के आंतरिक चश्मे के* **माध्यम से बोध, धारणा और चेतना** *के अध्ययन पर बल देती है। योगाचार की प्रमुख विशेषताओं में बोध (विज्ञप्तिमात्र), तीन स्वभाव (त्रिस्वभाव), अलयविज्ञान (भंडार चेतना), आधार को उलटना (असरायप्रवृत्ति) और आठ चेतनाओं का सिद्धांत शामिल हैं। इसकी स्थापना का श्रेय दो भाइयों,* **असंग और वसुबंधु** *को दिया गया है। चीन में योगाचार सम्प्रदाय की शिक्षा सातवीं शताब्दी के भिक्षु यात्री जुआनजांग द्वारा प्रचलित की गयी थी।*

विरासत स्मरण

बौद्ध धर्म में बोधिसत्व

बोधिसत्व वह है, जिसने सभी संवेदनशील प्राणियों के लाभ के प्रयोजन से **बुद्धत्व** प्राप्त करने हेतु बोधचित्त (एक सहज इच्छा और करुणामय मन) विकसित कर लिया है। **महायान बौद्ध** धर्म के अंतर्गत **सार्वभौमिक मुक्ति** की अवधारणा में विश्वास किया जाता है।

जातक कथाओं के अनुसार **बुद्ध अपने पूर्व जन्मों में बोधिसत्व थे** और कथाओं में दर्शाया गया है कि त्याग और नैतिकता, जैसे गुणों को अपनाने के लिए बोधिसत्व ने अनेक प्रयास किये थे।

थेरवाद में एक व्यक्ति, जिसका उद्देश्य पूर्णतः प्रबुद्ध बनने का है, उसे भी जन्म, रोग, मृत्यु, दुःख, अशुद्धता और भ्रमों से गुज़रना पड़ता है।

बुद्ध बनने के मार्ग पर बोधिसत्व को **दस धराओं या भूमियों से गुज़रना पड़ता है**, जिनमें शामिल हैं- *प्रसन्नता, निर्मलता, प्रकाश, दीप्ति, अति कठिन प्रशिक्षण, उत्कृष्टता, बहुत दूर जाना, अचल, अच्छे विवेकवाली बुद्धिमता और धर्म रूपी बादल।*

इन 10 भूमियों को पार कर वह प्रबुद्ध बन पाता है।

बौद्ध धर्म के अंतर्गत प्रमुख बोधिसत्वों में निम्नलिखित सम्मिलित हैं–

1. **अवलोकितेश्वर :** यह बुद्ध के इर्द-गिर्द तीन सुरक्षात्मक देवताओं में से एक हैं। इन्हें **कमल का फूल पकड़े हुए** वर्णित किया जाता है। उन्हें **पद्मपाणि** के नाम से भी जाना जाता है। ऐसी चित्रकारी **अजंता की गुफाओं** में भी देखी जा सकती है। सभी बोधिसत्वों में से इन्हें सर्वाधिक मान्यता प्राप्त है। यह **करुणा के बोधिसत्व,** संसार के चीत्कार को सुननेवाले एवं कुशल माध्यमों के उपयोग से उनकी सहायता करते हैं। कम्बोडिया के थेरवाद बौद्ध धर्म में वे अनौपचारिक रूप से **लोकेश्वर** के नाम से जाने जाते हैं। इन्हें एक महिला के रूप में भी चित्रित किया गया है और इन्हें पवित्र दलाई लामा के रूप में अवतरित हुआ माना जाता है।
2. **वज्रपाणि :** यह भी बुद्ध के तीन सुरक्षात्मक देवताओं में से एक हैं एवं इन्हें भी अजंता की गुफाओं में चित्रित किया गया है। वज्रपाणि में बुद्ध की सभी **शक्तियों** के साथ वैरोचन, अक्षोभ्य, अमिताभ, रत्नसम्भव और अमोघसिद्धि नामक सभी पाँचों तथागतों की शक्तियाँ भी समाहित हैं।
3. **मंजूश्री :** यह भी बुद्ध के तीन सुरक्षात्मक देवताओं में से एक हैं एवं इन्हें भी अजंता की गुफाओं में चित्रित किया गया है। वे बुद्ध की **बुद्धिमत्ता** से संबंधित हैं और एक पुरुष बोधिसत्व हैं, जिन्हें हाथ में तलवार लिये हुए चित्रित किया जाता है।

अजंता में पद्मपाणि और वज्रपाणि

निष्कर्ष स्वरूप यह कहा जा सकता है कि अवलोकितेश्वर बुद्ध की करुणा व्यक्त करते हैं, वज्रपाणि बुद्ध की शक्ति व्यक्त करते हैं और मंजूश्री बुद्ध के ज्ञान को व्यक्त करते हैं।

4. **सामन्तभद्र :** ध्यान और आचरण से सम्बद्ध हैं। बुद्ध और मंजूश्री के साथ मिलकर वे बौद्ध धर्म में **शाक्यमुनि त्रिमूर्ति** की रचना कहलाते हैं।
5. **क्षितिगर्भ :** इन्हें एक ऐसे बौद्ध भिक्षु के रूप में दिखाया जाता है, जिन्होंने तब तक बुद्धत्व न प्राप्त करने की शपथ ली थी, जब तक कि नरक पूरी तरह से ख़ाली न हो जाये।
6. **मैत्रेय : भावी बुद्ध,** जो भविष्य में पृथ्वी पर आयेंगे, पूर्ण ज्ञान प्राप्त करेंगे और शुद्ध धर्म की शिक्षा देंगे। **हँसते हुए बुद्ध (लाफ़िंग बुद्धा)** को मैत्रेय का अवतार माना जाता है।
7. **आकाशगर्भ :** आकाश तत्त्व से जुड़े हैं।
8. **तारा :** यह **वज्रयान बौद्ध** संप्रदाय से जुड़ीं हैं और कार्यों एवं उपलब्धियों में सफलता के गुणों का प्रतिनिधित्व करती हैं।
9. **वसुधरा :** धन, समृद्धि और विपुलता से संबंधित हैं। **नेपाल** में लोकप्रिय हैं।
10. **स्कंद :** विहारों और बुद्ध की शिक्षा के रक्षक हैं।
11. **सीतातपात्र :** यह आलौकिक ख़तरों के विरुद्ध रक्षा करती हैं और इनकी महायान और वज्रयान, दोनों ही संप्रदायों में पूजा की जाती हैं।

क्या आप जानते हैं?

दीपंकर बुद्ध

दीपंकर अतीत के बुद्धों में से एक थे, जो **गौतम बुद्ध से पहले आत्मज्ञान तक पहुँचे थे।** बौद्ध धर्म के अनुसार, दीपंकर पूर्व बुद्ध थे, गौतम सबसे हाल के बुद्ध और मैत्रेय भविष्य के बुद्ध होंगे। उन्हें बौद्ध धर्म के तीनों उप संप्रदायों - महायान, वज्रयान और यहाँ तक कि थेरवाद के अंतर्गत सम्मान दिया जाता है।

थेरवाद बौद्ध धर्म

- यह **वयस्क भिक्षुओं** को संदर्भित करता है। यह सम्प्रदाय **पालि सिद्धांत** (अस्तित्त्व में एकमात्र पूर्ण बौद्ध सिद्धांत) में सरंक्षित बुद्ध के उपदेशों को अपने सिद्धांत के मर्म के रूप में मानता है।

- थेरवाद में अंतिम लक्ष्य ***क्लेशों* की समाप्ति** और निर्वाण की उत्कृष्ट स्थिति (अवस्था) को प्राप्त करना है, अर्थात् पुनर्जन्म एवं दु:ख के चक्र से निक़लने हेतु सर्वोत्तम आठ-सूत्री मार्ग अष्टांगिक का अभ्यास किया जाता है। **क्लेशों में विभिन्न मानसिक स्थितियाँ सम्मिलित हैं, जैसे-चिंता, भय, क्रोध, ईर्ष्या, लालसा, अवसाद आदि**।
- थेरवाद परम्परा के अनुसार, **समता** और **विपस्सना** बुद्ध के द्वारा वर्णित आठ-सूत्री श्रेष्ठ मार्ग के अभिन्न अंग हैं। समता **मन को शांत** करती है और विपस्सना का अर्थ है अस्तित्व के तीन गुणों की अंतदृष्टि : **अस्थायित्व, दु:ख और ग़ैर-आत्मा की अनुभूति**।
- थेरवाद **विभाज्जवाद** अर्थात् "**विश्लेषण का शिक्षण**" की अवधारणा में विश्वास करता है।
- ***विशुद्धिमार्ग* (*शुद्धिकरण का मार्ग*)** बौद्ध धर्म की थेरवाद शाखा का सबसे बड़ा ग्रन्थ है। इसकी रचना **बुद्धघोष** ने पाँचवीं शताब्दी में श्रीलंका में की थी। इसमें **शुद्धिकरण के सात चरणों (*सत्त-विशुद्धि*)** की चर्चा की गयी है। थेरवाद के अंतर्गत निर्वाण प्राप्ति हेतु इनका पालन करना पड़ता है। थेरवाद बौद्ध धर्म के लिए **पालि** पवित्र भाषा है। थेरवाद को **हीनयान सम्प्रदाय का परवर्ती** माना जाता है। विश्व के लगभग **35.8 प्रतिशत** बौद्ध थेरवाद परम्परा से संबंधित हैं। इसे माननेवाले देशों में श्रीलंका, कम्बोडिया, लाओस, थाईलैंड, म्याँमार आदि हैं।

वज्रयान बौद्ध धर्म (तांत्रिक बौद्ध धर्म)

- विद्वानों का यह मानना है कि वज्रयान सम्प्रदाय का विकास, शाही दरबारों द्वारा बौद्ध धर्म और शैववाद दोनों को ही सरंक्षण देने से हुआ, अर्थात् उनका कहना है कि यह **हिंदू धर्म से प्रभावित** है। इनकी **प्रमुख देवी तारा** हैं।
- इसमें बौद्ध दर्शन के साथ ब्राह्मणवादी (वेद आधारित) अनुष्ठान भी सम्मिलित होते हैं।
- वज्रयान **बौद्ध दर्शन के महायान पर आधारित** है। यह सम्प्रदाय तांत्रिक अनुष्ठानों सहित कई कुशल उपायों (**तंत्र, मंत्र और यंत्रों** की श्रेष्ठता) को मुक्ति का तीव्र साधन मानता है। इस सम्प्रदाय के अनुसार, महायान की छह पूर्णता या परमिता की तुलना में **मंत्र**, बुद्धत्व प्राप्त करने का एक सरल उपाय है। विश्व की **5.7 प्रतिशत बौद्ध जनसंख्या** इससे संबंधित है। देश जहाँ इसके अनुयायी हैं, उनमें **तिब्बत, भूटान तथा मंगोलिया** आदि सम्मिलित हैं।

परीक्षोपयोगी

बुद्ध द्वारा भ्रमण किये गये स्थान

अपने जीवनकाल में, बुद्ध ने गंगा के मैदानों में अपनी शिक्षाओं का प्रचार करने के लिए व्यापक यात्राएँ कीं। **कोसल और मगध** के महाजनपदों से उनका विशेष संबंध था। उन्होंने वज्जि और मल्ल गणराज्यों का भी दौरा किया। बुद्ध ने जिन राज्यों और साम्राज्यों का भ्रमण किया, वे **कोशल** और **मगध राज्यों द्वारा शासित** थे। इन दोनों राज्यों के अंतर्गत आनेवाले स्थानों में *कपिलवस्तु, राजगृह, वैशाली, गया, बोध गया, सारनाथ, कौशाम्बी, श्रावस्ती (कोशल की राजधानी), कुशीनगर, नालंदा, मथुरा, वाराणसी, साकेत तथा चंपापुरी आदि थे। आइए, इनमें से कुछ के बारे में संक्षेप में चर्चा की जाए :*

स्थान	वर्तमान अवस्थिति	ऐतिहासिक महत्त्व
बोध गया	बिहार	यह वह स्थान है, जहाँ बोधि वृक्ष के नीचे राजकुमार सिद्धार्थ को **ज्ञान (निर्वाण)** प्राप्त हुआ था।
चंपानगर	बिहार	यह वह स्थान है, जहाँ बुद्ध ने कंदरक सुत्त, प्रसिद्ध सोनादंड सुत्त की शिक्षा दी थी और कई अन्य महत्वपूर्ण उपदेश दिये थे।
गया	बिहार	यह वह स्थान है, जहाँ बुद्ध ने अपना प्रसिद्ध **अग्नि उपदेश** दिया था।
गुरपा	बिहार	वह पर्वत, जहाँ महाकश्यप (बुद्ध के उत्तराधिकारी) **मैत्रेय या भावी** बुद्ध की प्रतीक्षा में हैं।

स्थान	वर्तमान अवस्थिति	ऐतिहासिक महत्त्व
इंद्रसाल गुफा	बिहार	यह वह स्थान है, जहाँ बुद्ध ने सक्कपन्हा सुत्त की शिक्षा दी थी। ऐसा माना जाता है, कि इसी स्थान पर सक्क बुद्ध से अपने आठ प्रश्न पूछने आये थे।
जेठियन	बिहार	यह वह नगर था, जहाँ बुद्ध और राजा बिंबिसार पहली बार मिले थे। सातवीं शताब्दी ईसवी में, जेठियन तत्कालीन महानतम संत जयसेन के आसन के रूप में प्रसिद्ध था। चीनी तीर्थयात्री ह्वेनत्सांग ने यहीं जयसेन के साथ अध्ययन करते हुए दो वर्ष व्यतीत किये थे।
कपिलवस्तु	नेपाल	यह वह नगर था, जहाँ राजकुमार सिद्धार्थ ने अपने **पहले तीस वर्ष** व्यतीत किये थे।
केसरिया	बिहार	यह वह स्थान है, जहाँ बुद्ध ने अपने जीवन के अंतिम वर्ष में प्रसिद्ध कालाम सुत्त की शिक्षा दी थी। बुद्ध के समय में यह स्थान केसपुत्त के नाम से जाना जाता था। परिनिर्वाण प्राप्त करने से पहले कुशीनगर जाते समय बुद्ध ने यहाँ वैशाली के लोगों को **भिक्षापात्र दान** किया था। बाद में इस घटना स्थल पर एक स्तूप का निर्माण किया गया। इस **केसरिया स्तूप** के फाह्यान और ह्वेनत्सांग, दोनों ने दर्शन किये थे। यह भारत में सबसे बड़ा स्तूप है।
कौशाम्बी	उत्तर प्रदेश	यह वह स्थान है, जहाँ भगवान् बुद्ध रुके थे और **ज्ञान प्राप्ति** के छठे और नौवें वर्ष में उपदेश दिया था।
कुशीनगर	उत्तर प्रदेश	यह वह नगर था, जहाँ 80 वर्ष की आयु में साल के वन में **बुद्ध की मृत्यु** हुई थी और उन्होंने **महापरिनिर्वाण** प्राप्त किया था। **मुकुटबंधन-चैत्य** भी कहा जानेवाला रामभर स्तूप यहाँ बुद्ध का अंतिम संस्कार स्थल है।
लुम्बिनी	नेपाल	यह वह उपवन था, जहाँ राजकुमार सिद्धार्थ का **जन्म** हुआ था, जो आगे चलकर बुद्ध बने।
मथुरा	उत्तर प्रदेश	बुद्ध केवल एक बार मथुरा आये थे। अंगुत्तरनिकाय में वह कहते हैं, "मथुरा की पाँच प्रतिकूल स्थितियाँ हैं - भूमि असमान है, बहुत धूल है, कुत्ते भयंकर हैं, बुरी आत्माएँ हैं और भिक्षा में भोजन प्राप्त करना मुश्किल है।"
नालंदा	बिहार	यह वह स्थान है, जहाँ बुद्ध **महाकश्यप** (बुद्ध के उत्तराधिकारी) से मिले थे और उनका **मतपरिवर्तन** किया था। अपनी कई यात्राओं के दौरान, बुद्ध ने यहाँ कई महत्त्वपूर्ण उपदेश दिये।
पटना	बिहार	बुद्ध कुशीनगर की अपनी अंतिम यात्रा सहित कई बार यहाँ से गुज़रे थे।
प्रभोसा	उत्तर प्रदेश	यह वह पहाड़ी है, जहाँ बुद्ध ने मौन रहते हुए अपनी छठी वर्षाऋतु बितायी थी। जुआनजांग के यात्रा संस्मरणों में भी इसका उल्लेख मिलता है।
प्रागबोधि	बिहार	यह वह पर्वत है, जहाँ राजकुमार सिद्धार्थ ने **तपस्या** की थी। यह स्थान अब धुंगेश्वर के नाम से जाना जाता है।
राजगीर	बिहार	यह नगर बुद्ध के जीवन में घटित कई महत्त्वपूर्ण घटनाओं का दृश्यस्थल था। यह जैन तीर्थयात्रा के लिए भी एक महत्त्वपूर्ण स्थान है।
संकस्य या संकिसा	उत्तर प्रदेश	यह वह स्थान है, जहाँ किंवदंती कहती है कि बुद्ध **तुसीता स्वर्ग** से अवतरित हुए थे। माना जाता है कि बुद्ध ने अपनी माँ को अभिधम्म पिटक की शिक्षा देते हुए **तुसीता स्वर्ग** में तीन महीने बिताये थे और फिर इस गाँव में वापस धरती पर उतरे थे। यहाँ एक हाथी शीर्ष अवस्थित है।
सारनाथ	उत्तर प्रदेश	यहाँ बुद्ध ने सारनाथ में हिरण पार्क में अपने पाँच साथी साधकों को मध्य मार्ग, चार आर्य सत्य और आष्टांगिक मार्ग पर **अपना पहला** उपदेश दिया था।
श्रावस्ती या सावत्थी	उत्तर प्रदेश	श्रावस्ती वह नगर था, जहाँ बुद्ध ने अपने अंतिम बीस वर्षों में से एक को छोड़कर हर वर्षाऋतु बितायी थी। वह यहाँ **जेतवन मठ** में ठहरे थे, जो उन्हें एक धनी व्यापारी ने उपहार में दिया था। जेतवन ही वह स्थान था, जहाँ बुद्ध ने अपनी अधिकांश शिक्षाएँ और उपदेश दिये थे। बौद्ध धर्म का दूसरा सबसे पवित्र वृक्ष, **आनंदबोधि वृक्ष जेतवन** में स्थित है।

स्थान	वर्तमान अवस्थिति	ऐतिहासिक महत्त्व
वैशाली या वेशाली	बिहार	ज्ञान प्राप्ति के बाद, बुद्ध प्रायः वैशाली आते-जाते रहे थे। यह वह स्थान भी है, जहाँ बुद्ध ने अपनी मृत्यु से पहले अपना **अंतिम उपदेश** दिया था। यहाँ राजा कालाशोक द्वारा **द्वितीय बौद्ध परिषद्** भी आयोजित की गयी थी।

बुद्ध के दस महान् शिष्य

1. **सारिपुत्त** - इन्हें बुद्ध के दो **प्रमुख शिष्यों** में; (मौद्गल्यायन के साथ) माना जाता है। वह पहले शिष्य थे, जिन्हें बुद्ध ने अन्य भिक्षुओं को आदेश देने की अनुमति दी थी। थेरवाद बौद्ध धर्म में, उन्हें दूसरे बुद्ध के निकट का दर्जा दिया गया है। उन्हें बुद्ध का ज्ञान में सबसे अग्रगण्य शिष्य माना जाता है।
2. **मौद्गल्यायन या महामोग्गलन** - वह बुद्ध के दो **प्रमुख शिष्यों** में थे। बौद्ध कला में, उन्हें बुद्ध के सहचारी दो शिष्यों में से एक के रूप में दर्शाया गया है।
3. **महाकश्यप** - वह अंतरंग शिष्यों में से एक थे और बुद्ध की मृत्यु के समय संघ के सबसे वरिष्ठ सदस्य थे। उन्हें **''संघ का पिता''** कहा जाता था। बुद्ध की मृत्यु के बाद, महाकश्यप ने बुद्ध के जीवित भिक्षुओं और भिक्षुणियों का नेतृत्व सँभाला। उन्होंने **पहली बौद्ध संगीति** की अध्यक्षता भी की थी।
4. **आनंद** - वह बुद्ध के दस प्रमुख शिष्यों में से एक थे। आनंद सर्वश्रेष्ठ स्मृति (इस *प्रकार धम्म के कोषाध्यक्ष के रूप में भी जाना जाता है*) का पर्याय थे। वह बीस से अधिक वर्षों तक बुद्ध के साथ रहे और बुद्ध के प्रिय शिष्य थे। **महापरिनिर्वाण** के समय वह बुद्ध के साथ थे। उन्हें बुद्ध की मृत्यु के बाद महाकश्यप के मार्गदर्शन में ज्ञान की प्राप्ति हुई। उन्होंने बुद्ध की शिक्षाओं को दूसरों से अधिक सुना था। प्रारंभिक ग्रंथ आनंद को प्रारंभिक संघ व्यवस्था में **स्त्रियों को शामिल** करने का श्रेय देते हैं।
5. **पूर्ण मैत्रायणीपुत्र** - वह सभी 10 शिष्यों में **धर्म के महानतम शिक्षक** थे।
6. **अनुरुद्ध** - वह गौतम बुद्ध के चचेरे भाई थे। कुशीनगर में बुद्ध की मृत्यु के समय अनुरुद्ध उपस्थित थे।
7. **राहुल** - वह सिद्धार्थ गौतम के इकलौते **पुत्र** थे। वह ज्ञान के लिए अपनी उत्सुकता के लिए जाने जाते हैं। पुत्र पैदा होने पर, उसे अपने उठते विचार-चन्द्र के ग्रसने के लिए 'राहु' समझकर गौतम ने 'राहुल' नाम दिया था।
8. **कात्यायन** - इन्होंने **सबसे अच्छी तरह बुद्ध के व्याख्यानों को समझा** और बुद्ध के संक्षिप्त वक्तव्यों का विस्तार और व्याख्या करने में अग्रगण्य थे। महायान ग्रंथों में प्राय: कात्यायन का उल्लेख मिलता है।
9. **उपालि** - वह जन्म से निचली जाति के शूद्र नाई थे और बाद में बुद्ध के दस शिष्यों में से एक बन गये। उपालि को उनकी निपुण प्रवीणता और **विनय** (संघ अनुशासन) की सख़्ती के लिए जाना जाता था और विनय मामलों पर प्राय: उनसे सलाह ली जाती थी।
10. **सुभूति** - वह श्रावस्ती में जेतवन मठ के समर्पण समारोह में बुद्ध की शिक्षा सुनने के बाद भिक्षु बन गये थे। थेरवाद बौद्ध धर्म में, उन्हें वह शिष्य माना जाता है जो **''उपहार योग्य''** होने में अग्रगण्य थे। कहा जाता है कि प्रेम-दयालुता ध्यान में अपनी निपुण प्रवीणता के कारण, उन्हें दिया गया कोई भी उपहार दाता के लिए सबसे अधिक फलवान होता है, इस प्रकार उन्हें ''उपहार योग्य'' होने में अग्रगण्य की उपाधि प्राप्त हुई।

संस्कृति संक्षेपण

बुद्ध के 16 अर्हत

थेरवाद बौद्ध धर्म के अंतर्गत अर्हत उसे कहा जाता है, जिसने अस्तित्व के वास्तविक स्वरूप में अंतर्दृष्टि प्राप्त की है एवं निर्वाण प्राप्त किया है। हालाँकि, महायान बौद्ध धर्म के तहत, अर्हत वह व्यक्ति है, जो निर्वाण प्राप्त करने के मार्ग पर बहुत आगे है, लेकिन इसे प्राप्त नहीं किया है। कुल मिलाकर, 16 पौराणिक अर्हत बौद्ध धर्म के तहत प्रमुख हैं। **नागसेन** (दूसरी शताब्दी ईसा पूर्व का एक सर्वास्तिवादिन बौद्ध) और यहाँ तक कि गौतम बुद्ध के पुत्र **राहुल** को 16 अर्हतों में से एक माना जाता है।

महायान के तहत, अर्हत वह व्यक्ति है, जिसने स्वयं के लिए शांति प्राप्त की है, लेकिन इस शांति को दूसरों के लिए छोड़ना नहीं चाहता है। जबकि महायान बोधिसत्व के तहत बोधिसत्व एक जाग्रत व्यक्ति है, जिसने दूसरों के लिए संसार में अनिश्चित काल तक रहने की प्रतिज्ञा ली है। इसलिए, **महायान बौद्ध, अर्हत बनने की अपेक्षा बोधिसत्व** को एक लक्ष्य के रूप में पसंद करते हैं।

बौद्ध धर्म से संबंधित अन्य प्रमुख व्यक्तित्त्व

1. **नागसेन :** इन्होंने मिनान्दर प्रथम (या मिलिंद), भारत-यूनानी राजा द्वारा बौद्ध धर्म पर किये गये प्रश्नों के उत्तर दिये और यह वार्तालाप *मिलिंद पञ्हो* नामक पुस्तक में 150 शताब्दी ईसवी के आसपास दर्ज किया गया था।
2. **नागार्जुन :** 150 से 250 शताब्दी ईसवी के लगभग जीवनकाल रहा और महायान बौद्ध धर्म के **माध्यमिक सम्प्रदाय** के संस्थापक थे।
3. **वसुबन्धु :** चौथी-पाँचवीं शताब्दी ईसवी में गांधार के महायान बौद्ध धर्म के उन्नायक थे और इन्होंने सर्वस्तिवाद और सौत्रांतिक विचारधारा के दृष्टिकोण से लिखा था।
4. **बोधिधर्म :** जीवनकाल पाँचवीं या छठी शताब्दी के आसपास। इन्होंने बौद्ध धर्म का चीन में प्रसार किया था।
5. **बुद्धघोष :** पाँचवीं शताब्दी के भारतीय थेरवादी बौद्ध टीकाकार और अपने विद्वत्तापूर्ण पुस्तक '*विशुद्धिमग्ग*' (शुद्धिकरण का मार्ग) के लिए विख्यात हुए।
6. **पद्मसम्भव :** आठवीं शताब्दी के भिक्षु, जिन्हें तिब्बत, नेपाल, भूटान और हिमालय-स्थित राज्यों में **'दूसरे बुद्ध'** के रूप में जाना जाता है।
7. **अतिश :** एक **बंगाली** बौद्धधर्म गुरु और प्रमुख व्यक्तित्त्व थे। इन्होंने ग्याहरवीं शताब्दी में एशिया में तिब्बत से सुमात्रा तक महायान एवं वज्रयान संबंधी बौद्ध विचारों को प्रेरणा दी।
8. **दलाई लामा :** ये तिब्बती बौद्ध धर्म की पीली टोपीवाली शाखा के आधुनिक आध्यात्मिक गुरु हैं।

बौद्ध धर्म के शाही संरक्षक

- बिंबिसार, अजातशत्रु, अशोक, मिलिंद, कनिष्क, हर्ष आदि राजाओं ने इस धर्म को अपनाया।
- नेपाल में लुंबिनी स्तंभ शिलालेख, जिसे रुम्मिनदेई स्तंभ शिलालेख के रूप में भी जाना जाता है, यह जानकारी देता है कि अशोक के शासनकाल के बीसवें वर्ष के कुछ समय बाद, उन्होंने बुद्ध के जन्मस्थान की यात्रा की और व्यक्तिगत रूप से चढ़ावा चढ़ाया।

  उनकी पुत्री संघमित्रा और पुत्र महिंद्रा (तब ताम्रपर्णी के नाम से जाना जाता था) श्रीलंका में बौद्ध धर्म का प्रचार करने गये थे।
- कनिष्क ने ग्रीको-बौद्ध कला की गांधार शैली को प्रोत्साहित किया। कनिष्क बौद्ध विद्वान् अश्वघोष से जुड़े हुए थे, जो बाद के वर्षों में उनके धार्मिक सलाहकार बन गये थे।

क्या आप जानते हैं?

नवयान बौद्ध धर्म

नवयान विचारधारा (शाखा) को **डॉ. बी. आर. अम्बेडकर** द्वारा प्रतिपादित बौद्ध धर्म की नयी शाखा माना जाता है। थेरवाद, महायान और वज्रयान की मान्यता प्राप्त पारम्परिक प्रथाओं से भिन्न है और **उन्हें अस्वीकार करती है।** यह बौद्ध परम्पराओं का आधार मानी जानेवालीं प्रथाओं और उपदेशों, जैसे-परित्याग करनेवाले भिक्षु और मठ व्यवस्था, कर्म, मृत्यु के पश्चात् पुनर्जन्म, संसार, ध्यान, प्रबुद्धता और चार श्रेष्ठ सत्य को नकारती है। यह **बौद्ध धर्म की मूल शिक्षाओं की व्याख्या वर्ग संघर्ष और सामाजिक समानता के रूप में करती है।**

जैन धर्म

'जैन' शब्द की उत्पत्ति ***'जिन'*** से हुई है, जिसका अर्थ है **'विजेता'**। इनका यह मानना है कि इनके धर्म में उन लोगों का समावेश हैं, जो अपनी इच्छाओं को नियंत्रित या उस पर विजय पाने में सफल रहे हैं। जैन धर्म का कोई एक संस्थापक नहीं है, इसके विपरीत 'सत्य' एक ऐसे शिक्षक द्वारा कठिन और विभिन्न समयों पर आता है, जो हमारा मार्गदर्शन करते हैं एवं वे ***तीर्थंकर*** होते हैं।

जैन धर्म में महावीर से पहले 23 *तीर्थंकर* या महान् ज्ञानी पुरुष हुए हैं। प्रायः यह एक ग़लत धारणा है कि **महावीर** जैन धर्म के संस्थापक थे, बल्कि वह तो अंतिम और 24वें *तीर्थंकर* थे। उन्होंने आध्यात्मिकता के लक्ष्य को प्राप्त किया और दूसरों को मोक्ष या मुक्ति पाने का सही मार्ग सिखाया। वह भगवान् के अवतार की भाँति थे, जिन्होंने मानव शरीर धारण किया था और आत्मा की शुद्ध स्थिति तक पहुँचने के लिए तपस्या और ध्यान किया था।

बौद्ध धर्म की भांति ही जैन धर्म में भी **वेदों की सत्ता को नकारा गया है।**

हालाँकि, बौद्ध धर्म के विपरीत, इनका **आत्मा के अस्तित्त्व में** विश्वास है। जैन धर्म के दर्शन की मूल आत्मा है। यह आत्मा ही है, जो अस्तित्त्व और ज्ञान का अनुभव करती है, न कि शरीर और मन, क्योंकि इन दोनों को पदार्थों का ढेर माना जाता है।

प्रमुख जैन तीर्थस्थलों में **माउंट आबू** में दिलवाड़ा मंदिर (राजस्थान), **पालिताना मंदिर** (गुजरात), **गिरनार** (गुजरात) **शिखरजी** (झारखंड) और **श्रवणबेलगोला** (कर्नाटक) सम्मिलित हैं। *(व्यापक सूची अध्याय-2 में दी गयी है।)*

24 जैन तीर्थंकरों की सूची

क्रम संख्या	नाम	प्रतीक	रंग	मुख्य विशेषताएँ
1.	ऋषभनाथ (आदिनाथ)	बैल	स्वर्ण	प्रथम तीर्थंकर; कृषि, कला और सभ्यता का प्रवर्तन किया
2.	अजितनाथ	हाथी	सुनहरा	अहंकार और आंतरिक शत्रुओं पर विजय पाने के लिए जाने जाते हैं
3.	सम्भवनाथ	घोड़ा	सुनहरा	सादगी और सद्भाव का जीवन जिया
4.	अभिनंदननाथ	बंदर	सुनहरा	खुशी और वैराग्य के लिए जाने जाते हैं
5.	सुमतिनाथ	कर्ल्यू (बगुला)	सुनहरा	ज्ञान और बुद्धि का प्रतीक
6.	पद्मप्रभा	लाल कमल	लाल	पवित्रता, सौंदर्य और करुणा का प्रतीक
7.	सुपा र्श्वनाथ	स्वस्तिक	हरा	शांति, अहिंसा और नैतिकता का समर्थन किया
8.	चंद्रप्रभा	चंद्रमा	श्वेत	शांति और स्थिरता का संचार किया
9.	पुष्पदंत (सुविधिनाथ)	मगरमच्छ	श्वेत	नियंत्रण का प्रतीक और नैतिक शक्ति
10.	शीतलनाथ	कल्पवृक्ष (इच्छा-पूर्ति करनेवाला वृक्ष)	स्वर्ण	शीतलता और शांति का प्रतीक
11.	श्रेयांसनाथ	गैंडा	स्वर्ण	आध्यात्मिक अनुशासन का समर्थन किया
12.	वासुपूज्य	भैंसा	लाल	स्वर्ग में पुनर्जन्म के बिना निर्वाण प्राप्त किया

क्रम संख्या	नाम	प्रतीक	रंग	मुख्य विशेषताएँ
13.	विमलनाथ	सूअर	स्वर्ण	मन की स्पष्टता और आध्यात्मिक शुद्धि की शिक्षा दी
14.	अनंतनाथ	बाज़	स्वर्ण	अनंत ज्ञान, शक्ति और वैराग्य
15.	धर्मनाथ	वज्र (थंडरबोल्ट)	स्वर्ण	धर्म की स्थापना के लिए जाने जाते हैं
16.	शांतिनाथ	मृग	स्वर्ण	शांति, सहिष्णुता और सत्य को बढ़ावा दिया
17.	कुंथुनाथ	बकरा	स्वर्ण	राजसी ठाठ त्यागे; महान् वक्ता और शिक्षक
18.	अरहनाथ	नंद्यावर्त	स्वर्ण	विचारों में स्पष्टता और आचरण में शुद्धता का उपदेश दिया
19.	मल्लिनाथ	जल कलश	नीला	श्वेताम्बर द्वारा स्त्री माना गया; पवित्रता और त्याग का प्रतीक
20.	मुनिसुव्रतनाथ	कछुआ	काला	दृढ़ प्रतिज्ञाओं और आंतरिक शक्ति का प्रतीक
21.	नमिनाथ	नीला कमल	स्वर्ण	वैराग्य और त्याग पर बल दिया
22.	नेमिनाथ (अरिस्टनेमि)	शंख	काला	कृष्ण का चचेरा भाई; अपने विवाह के दिन संसार का त्याग किया
23.	पा श्र्वनाथ	सर्प	हरा	ऐतिहासिक व्यक्तित्त्व (आठवीं - नौवीं शताब्दी ईसा पूर्व); महावीर से पहले जैन धर्म का पुनरुद्धार किया
24.	महावीर (वर्धमान)	सिंह	स्वर्ण	ऐतिहासिक व्यक्तित्त्व (छठवीं शताब्दी ईसा पूर्व); पुनर्गठित जैन संघ; अंतिम तीर्थंकर

उपर्युक्त सभी 24 जैन तीर्थंकरों ने **केवल्य ज्ञान** (सर्वज्ञता) और मोक्ष प्राप्त किया। उन्होंने अहिंसा, सत्य, अपरिग्रह, ब्रह्मचर्य और आत्मानुशासन का मार्ग सिखाया। उनके प्रतीकों और रंगों का प्रयोग जैन मंदिरों की प्रतिमाओं में सामान्यत: किया जाता है।

वर्धमान महावीर के संबंध में मूल बातें

महावीर

- लगभग 599 ईसा पूर्व में, राजकुमार **वर्धमान** का जन्म वैशाली के पास (बिहार में) स्थित **कुंडलग्राम** में राजा सिद्धार्थ और रानी त्रिशला के यहाँ हुआ था, जो **ज्ञातृक** वंश पर शासन करते थे। 30 वर्ष की आयु में, वे एक तपस्वी का जीवन व्यतीत करने के लिए अपना घर छोड़ कर यात्रा पर निक़ल पड़े। जैन धर्मग्रंथों के अनुसार, *वैशाख* के 10वें दिन, उन्हें ऋजुपालिका नदी के तट पर जृम्भिकग्राम शहर के बाहर, समाग नामक एक गृहस्थ के खेत में *केवल्य ज्ञान* (अनंत ज्ञान, सर्वज्ञता) की प्राप्ति हुई थी। उन्होंने अपना **पहला उपदेश पावा** में दिया। प्रत्येक तीर्थंकर के साथ एक प्रतीक जुड़ा है और महावीर का प्रतीक **सिंह** था।
- उन्हें **'महावीर'** या महान् नायक की उपाधि प्रदान की गयी। कुछ अन्य उपाधियाँ भी उन्हें दी गयीं, जैसे-*जितेंद्रिय,* अर्थात् जिसने अपनी इंद्रियों पर विजय पा ली है और *निर्ग्रन्थ,* या जिसने स्वयं को सभी बन्धनों से मुक्त कर लिया है। 527 ईसा पूर्व में 72 वर्ष की आयु में बिहार के **पावापुरी** में उनका देहान्त हो गया।

क्या आप जानते हैं?

बौद्ध धर्मग्रंथ जैसे-दीघ निकाय, मज्झिम निकाय आदि में 24वें जैन तीर्थंकर **महावीर** को पाली में **नायपुत्त** के रूप में संदर्भित किया गया है।

महावीर के शिष्य

जैन धर्मग्रंथों के अनुसार, महावीर ने आम लोगों के बीच अपने ज्ञान का प्रसार करने के लिए **समवसरण** (उपदेश मंडप) का आयोजन कियाा। उनका पहला समवसरण सफल नहीं रहा और उन्होंने पावा नगर में महासेना के उपवन में अपना दूसरा समवसरण आयोजित किया। यहाँ उनका ज्ञान जनता को समझ में आ गया और ग्यारह ब्राह्मणों ने उनका उपदेश ग्रहण किया और जैन धर्म में परिवर्तित हो गये।

ये 11 ब्राह्मण थे : *अचलभद्र, अग्निभूति, अकंपित, इंद्रभूति, मांडिकत, मर्यादापुत्र, मेत्रार्य, प्रभास, सुधर्म, वयभूति और व्यक्त।* वे उनके प्रमुख शिष्य या **गणधर** बन गये, जिनके पास दिगंबर परंपरा के अनुसार जैन सिद्धांत का प्रसार और शिक्षण करने का कार्य था।

भगवान् महावीर ने अपने प्रमुख शिष्यों को त्रिपदी ज्ञान (तीन उच्चारण) - *उपनीव* (उद्भव), *विगामीव* (विनाश) और *धुवीव* (स्थायित्व) प्रदान किया।

तीन जैन परिषदें

प्रथम जैन परिषद्

- **हेमचंद्र के परिशिष्टपर्वन** में परिषद् के बारे में विस्तृत जानकारी शामिल है। लगभग 300 ईसा पूर्व में आयोजित प्रथम जैन परिषद् के बाद जैन धर्म दो संप्रदायों में विभाजित हो गया था।
  ये संप्रदाय श्वेतांबर और दिगंबर हैं। इस परिषद् में महावीर की शिक्षाओं को बारह अंगों में विभाजित किया गया। वे हैं :

1. *समवायंग*	5. *सूत्रकृतांग*	9. *दृस्टिवाद*
2. *ज्ञातृधर्मकथा*	6. *अनुत्तारूपपतिकादशः*	10. *अचरंगा सूत्र*
3. *अन्तक्रददशः*	7. *उपासकदशः*	11. *प्रश्नव्याकरणानि*
4. *व्याख्यप्रज्ञप्ति या भगवती सूत्र*	8. *विपाकाश्रुता*	12. *स्थानंगा*

- **तृतीय शताब्दी** ईसा पूर्व में **पाटलिपुत्र** में आयोजित की गयी थी और इसकी अध्यक्षता **स्थूलभद्र** ने की थी।

द्वितीय जैन परिषद्

- द्वितीय जैन परिषद् एक ही समय में दो स्थानों (गुजरात में वल्लभी, और उत्तर प्रदेश में मथुरा) पर आयोजित की गयी थी। इस परिषद् का मुख्य उद्देश्य पवित्र ग्रंथों का संकलन जारी रखना था। यह 512 ईसवी के आसपास आयोजित की गयी थी।
- **देवराधि क्षमा रमण** वल्लभी परिषद् के अध्यक्ष थे।
- 12 अंगों और 12 उपांगों का अंतिम संकलन किया गया।

तृतीय जैन परिषद्

- वल्लभी परिषद् II को तृतीय जैन परिषद् के रूप में जाना जाता है। वल्लभी में श्वेताँबर संप्रदाय के भिक्षु इस परिषद् में शामिल हुए।
- इस परिषद् का प्राथमिक उद्देश्य धार्मिक पुस्तकों (अगमास) में लेखों की संख्या को कम करना था।
- इसमें 500 से अधिक जैन आचार्य शामिल हुए।

जैन शिक्षाएँ और दर्शन

महावीर ने सही मार्ग या धर्म सिखाया और संसार में त्याग, कठोर तपस्या और नैतिकता विकसित करने पर बल दिया। जैन नैतिक रूप से अपने धर्म से बँधे हैं, ताकि वे ऐसा जीवन व्यतीत करें, जो अन्य किसी प्राणी को हानि नहीं पहुँचाये।

महावीर वैदिक सिद्धांतों में विश्वास नहीं करते थे। उन्होंने कभी भी ईश्वर के अस्तित्त्व पर विश्वास नहीं किया। महावीर ने कहा कि ब्रह्मांड कारण और प्रभाव की प्राकृतिक घटना का एक उत्पाद है। वह हमेशा कर्म और आत्मा के स्थानांतरण में विश्वास करते थे। महावीर के **मत में शरीर का अंत हो जाता है, लेकिन आत्मा जीवित रहती है**। मनुष्य को अपने कर्मों का फल भोगना ही पड़ता है। जैन धर्म समानता में विश्वास करता था, लेकिन बौद्ध धर्म के विपरीत, जाति व्यवस्था को अस्वीकार नहीं करता था। उपवास, नग्नता और आत्म-पीड़ा तपस्या के रूप हैं। जैन धर्म के अनुसार, ब्रह्मांड जीवित और निर्जीव संस्थाओं की परस्पर क्रिया के माध्यम से कार्य करता है। निर्जीव संस्थाएँ ईथर (व्योम), गति का माध्यम (धर्म), विश्राम का माध्यम (अधर्म), समय (काल) और पदार्थ (पुद्गल) हैं। आत्माएँ न केवल जानवरों और पौधों के जीवन की संपत्ति हैं, बल्कि पत्थर, चट्टानों, बहते पानी और कई अन्य प्राकृतिक वस्तुओं जैसी संस्थाओं की भी संपत्ति हैं, जिन्हें अन्य संप्रदायों द्वारा जीवित नहीं माना जाता है।

जैन दर्शन *जीवों* **(आत्माओं)** की अनंत संख्या की कल्पना करता है। जीव का अपना कोई रूप नहीं होता। जिस प्रकार दीपक का प्रकाश कमरे को भर देता है, उसी प्रकार वह जिस शरीर में रहता है, उसका आकार और रूप धारण कर लेता है और उसके साथ समाहित हो जाता है।

जीव **के तीन मुख्य गुण हैं** - चेतना (*चैतन्य*), आनंद (*सुख*) और ऊर्जा (*वीर्य*)। जैन सिद्धांत के अनुसार *जीव कर्म* के कारण देहांतरण करते हैं, लेकिन देहांतरण और *कर्म* के विषय में उनकी धारणाएँ अद्वितीय हैं।

कर्म को अंतरिक्ष में तैरते हुए भौतिक कणों से मिलकर बने हुए के रूप में समझा जा सकता है। कर्म पदार्थ विभिन्न प्रकार के होते हैं; कुछ का जीव पर सीधा नकारात्मक प्रभाव पड़ता है, अन्य का नहीं। मुख्य दोषी मोहनीय (भ्रम उत्पन्न करनेवाले) *कर्म* हैं। कर्म कण *जीव* की चेतना, आनंद और ऊर्जा को उसी प्रकार धुँधला और बाधित करते हैं, जिस प्रकार धूल दर्पण की परावर्तक शक्ति को क्षीण कर देती है। *कर्म* कण वासनाओं, इच्छा और घृणा से जुड़े होने के कारण *जीव* की ओर आकर्षित होते हैं।

वह अवस्था जब *कर्म* कण वास्तव में जीव को बाँधने के लिए उसकी ओर प्रवाहित होने लगते हैं, *आस्रव (प्रवाह)* कहलाती है। कर्म कणों से युक्त जीव को बंधन में *बँधा जीव* माना जाता है। कुछ जीवों में एक महत्त्वपूर्ण गुण होता है, जिसे *भाव्यत्व* कहते हैं, जिसका अर्थ है मुक्त होने की क्षमता - जो *कर्म* कणों से प्रभावित या अभिभूत नहीं होता। अभ्यास और सम्यक ज्ञान द्वारा, नये कर्मों के प्रवाह को रोका जा सकता है *(संवर)*। **अगली अवस्था निर्जरा** (क्षीणता) की है। क्रमिक चरणों में, चेतना और व्यवहार के परिवर्तन के माध्यम से, जीव बंधन से मुक्ति की ओर अग्रसर हो सकता है। जब अंतिम **कर्म** कण *जीव* से दूर चला जाता है, तो अज्ञान मिट जाता है और वह अपनी सर्वज्ञ, आदर्श अवस्था में पुनः आ जाता है। *संसार* का चक्र टूट जाता है और *मोक्ष* **की प्राप्ति** होती है। अज्ञान से सर्वज्ञता की ओर ले जानेवाली सीढ़ी को **शुद्धि के 14 चरणों या अवस्थाओं** के रूप में देखा जाता है, जिन्हें *गुणस्थान* कहा जाता है।

जो *केवल्यज्ञान* की तेरहवीं अवस्था में प्रवेश कर जाता है, उसे *अर्हत* कहते हैं। जिस *अर्हत* ने पहले ही **सिद्धांत सिखाने की क्षमता** प्राप्त कर ली है, उसे *तीर्थंकर* कहते हैं। चौदहवीं अवस्था एक *अर्हत* को उसकी मृत्यु से ठीक पहले प्राप्त होती है, जब वह सभी कर्मों और शेष बचे कुछ *कर्म* कणों से मुक्त हो जाता है। मुक्त आत्माओं का अंतिम निवास *सिद्धलोक* नामक लोक है।

संस्कृति संक्षेपण

अनेकांतवाद : यह जैन धर्म का मौलिक सिद्धांत है, जो इस बात पर बल देता है कि परम सत्य और वास्तविकता जटिल है और इसके बहुत सारे पहलू हैं, इसलिए यह **निरंकुश** है। अर्थात् केवल एक विशिष्ट कथन अस्तित्व का और परम सत्य का वर्णन नहीं कर सकता।

स्याद्वाद (संभववाद का सिद्धांत) एक और प्रमुख जैन दार्शनिक अवधारणा है जो इस बात पर बल देती है कि सभी निर्णय सशर्त, आंशिक और एक विशिष्ट दृष्टिकोण के सापेक्ष होते हैं, जिसका अर्थ है कि वास्तविकता के विषय में कोई भी कथन केवल एक विशेष संदर्भ में या एक निश्चित दृष्टिकोण से ही सत्य है। कोई भी निर्णय बिना किसी योग्यता के सत्य नहीं होता।

उनका विश्वास है कि **त्रि-रत्न** मार्ग – सही विश्वास (*सम्यकदर्शन*), सही ज्ञान (*सम्यकज्ञान*) और सही आचरण (*सम्यकचरित्र*) से कोई भी स्वयं को पुनर्जन्म के चक्र से मुक्ति प्राप्त कर सकता है। जैन धर्म के इन 3 रत्नों को **रत्नत्राय** कहा जाता है।

जैन साधु-साध्वियों को जीवन में इन **पाँच संयमों** (*पंच-महाव्रत*) का पालन करना आवश्यक है

1. *अहिंसा (हिंसा न करना);*
2. *सत्य (सच्चाई);*
3. *अस्तेय (चोरी न करना);*
4. *अपरिग्रह (उपार्जन न करना) और*
5. *ब्रह्मचर्य (जीवन में संयम)।*

पाँचवाँ निग्रह ब्रह्मचर्य **महावीर** द्वारा प्रतिपादित किया गया था।

जैन धर्म (*विशेषकर श्वेताँबर परंपरा*) के अंतर्गत संप्रदायवादी निम्नलिखित *आठ शुभ प्रतीकों (अष्टमंगल)* को सूचीबद्ध करते हैं। एक सामान्य या गृहस्थ अनुयायी को, भिक्षुओं और भिक्षुणियों द्वारा अपनाये जानेवाले पंच-महाव्रत का पालन करने के बजाए, महाव्रत के संशोधित रूप का पालन करना होता है, जिसे **पंच-अणुव्रत** कहा जाता है।

स्वस्तिक	यह सभी मानवों के लिए शांति और कल्याण का प्रतीक है।
नंदवर्त	यह एक बड़ा स्वस्तिक है, जिसके नौ सिरे हैं।
भद्रासन	एक सिंहासन, जिसे जैन के चरणों द्वारा पवित्र किया गया है।
श्रीवत्स (अंतहीन गाँठ)	तीर्थंकर की छाती में प्रकट हुआ एक चिह्न, जो उनकी शुद्धता का प्रतीक है।
दर्पण	एक शीशा, जिसमें अन्तरात्मा प्रतिबिम्बित होती है।
मीनयुगल	मछलियों का एक युगल, जो इन्द्रियों पर विजय का प्रतीक है।
वर्धमानक	दीपक की भाँति उपयोग किये जानेवाली एक छिछली प्लेट, जो धन और योग्यता में वृद्धि को प्रदर्शित करती है।
कलश	शुद्ध जल से भरा एक बर्तन, जो जल का प्रतीक है।

क्या आप जानते हैं?

कृपया नोट करें : हथेली पर चक्र का प्रतीक जैन धर्म में अहिंसा को दर्शाता है। इसके मध्य में **अहिंसा** शब्द लिखा हुआ है।

हथेली पर चक्र के साथ एक हाथ

नंदवर्त

जैन धर्म के तहत यह **श्वेताँबर संप्रदाय** के आठ शुभ प्रतीकों में से एक है। यह एक अष्टमंगल है, जो पूजा के लिए उपयोग किया जाता है। अनिवार्य रूप से **नौ कोने/मोड़ के साथ प्रतीक की चार भुजाएँ हैं**। यह प्रतीक अरनाथ तीर्थंकर से भी जुड़ा है।

जैन धर्म में दो प्रमुख विचारधाराएँ (शाखाएँ) या सम्प्रदाय हैं :

जैन धर्म

दिगम्बर | श्वेताम्बर

जैन धर्म की दो प्रमुख प्राचीन उप-परम्पराएँ या परिपाटियाँ हैं :

1. **दिगम्बर** - उप-संप्रदायों में मूल संघ (मूल समुदाय) और तेरापंथी, तारणपंथी और बीसपंथी सम्मिलित हैं (इन तीनों को आधुनिक समुदाय माना जाता है)।
2. **श्वेताम्बर** - उप-संप्रदायों में स्थानकवासी और मूर्तिपूजक सम्मिलित हैं।

कई अन्य छोटी उप-परम्पराएँ हैं, जो दूसरी सहस्राब्दी में उभरीं।

दिगंबर और श्वेताँबर साधुओं के दैनिक व्यवहारों में **अंतरों** में, सबसे महत्त्वपूर्ण अंतर **वस्त्रों से संबंधित** है। **दोनों परंपराएँ इस बात पर सहमत हैं कि महावीर और उनके प्रारंभिक शिष्य नग्न रहते थे**। दिगंबर इस परंपरा का कड़ाई से पालन करते हैं। उनके अनुसार, एक साधु को वस्त्रों सहित सभी प्रकार की संपत्ति का त्याग करना चाहिए। एक साधु केवल एक **छोटी झाड़ू** *(रजोहरण)* अपने साथ रख सकता है, ताकि बैठने से पहले कीड़ों को दूर भगाया जा सके और शौचालय की स्वच्छता के लिए एक **कमंडल (stoup)** रखा जा सके। दूसरी ओर, श्वेताँबर श्वेत वस्त्र पहनते हैं; वे नग्नता को एक ऐसी प्रथा मानते हैं, जो अब निषिद्ध और अनावश्यक हो गयी है।

दिगम्बर शाखा (विचारधारा)

- *दिगम्बर* संप्रदाय के भिक्षु **वस्त्र धारण नहीं करते,** क्योंकि यह पंथ पूर्ण नग्नता का समर्थन करता है।
- महिला भिक्षु (भिक्षुणियाँ) बिना सिली हुई श्वेत साड़ी पहनती हैं और उन्हें **अर्यिकाएँ** कहा जाता है।
- श्वेताम्बरों के विपरीत, *दिगम्बर महावीर की शिक्षा के अनुसार* **सभी पाँचों निग्रहों का पालन करते हैं** *(अहिंसा, सत्य, अस्तेय, अपरिग्रह और ब्रह्मचर्य)।*
- **भद्रबाहु** दिगम्बर पंथ के प्रतिपादक थे और लम्बे अकाल की भविष्यवाणी करने के बाद वह अपने अनुयायियों को लेकर कर्नाटक चले गये थे।
- *दिगम्बर* मान्यताओं का पहला अभिलेख कुंदकुंदाचार्य की प्राकृत **सुत्त पाहुड** में मिलता है।
- दिगंबर संप्रदाय का मानना है कि मोक्ष प्राप्त करने से पहले स्त्री को पुरुष के रूप में पुनर्जन्म लेना पड़ता है। इस प्रकार, कोई महिला तीर्थंकर नहीं थी और 19वें तीर्थंकर पुरुष थे।
- दिगम्बर पंथ में मठ सम्बन्धी नियम **अत्यधिक कठोर** हैं।

श्वेताम्बर शाखा (विचारधारा)

- **श्वेताम्बर पार्श्वनाथ** के उपदेशों का पालन करते हैं, अर्थात् उनका विश्वास है कि **केवल ज्ञान प्राप्त** करने के लिए **केवल चार निग्रह** (ब्रह्मचर्य को छोड़ कर) का ही पालन किया जाना चाहिए।
- *श्वेताम्बर,* दिगम्बरों की विचारधारा के विपरीत यह मानते हैं कि 23वें और 24वें तीर्थंकर विवाहित थे।
- *स्थूलभद्र इस परम्परा के महान् प्रतिपादक थे और भद्रबाहु (जो कर्नाटक गये थे) के विपरीत मगध में ही रहे।*
- श्वेताम्बर परम्परा के भिक्षु **साधारण श्वेत वस्त्र**, एक भिक्षा पात्र, मार्ग से कीड़ों को हटाने के लिए एक ब्रश, पुस्तकें और लेखन सामग्री अपने पास रखते हैं।
- श्वेताम्बर संप्रदाय महिलाओं के *जिन* बनने की संभावना को स्वीकार करता है। श्वेताम्बर संप्रदाय के अनुसार, उनके 19वें *तीर्थंकर* मल्लि एक महिला थीं।

- जैन धर्म की श्वेताम्बर परम्परा **5 अनन्त पदार्थों का अस्तित्त्व प्रकट करती है**- आत्मा (*जीव*), पदार्थ (*पुद्गल*), अंतरिक्ष (*आकाश*), गति (*धर्म*) तथा स्थिरता (अधर्म), जबकि दिगम्बर इसमें समय (*काल*) को भी इसके छठे अनन्त पदार्थ के रूप में जोड़ते हैं।

जैन ग्रंथ : दिगंबर बनाम श्वेताँबर

संप्रदाय	श्वेताँबर संप्रदाय	दिगंबर संप्रदाय
प्रामाणिक ग्रंथ	**आगम (45 ग्रंथ)** - माना जाता है कि ये महावीर की मूल शिक्षाओं से उत्पन्न हुए हैं।	श्वेताँबर आगमों को प्रामाणिक नहीं मानते; **इनके द्वारा ऐसा माना जाता है कि मूल ग्रंथ लुप्त हो गये हैं।**
संरक्षण	दावा है कि उनके धर्मग्रंथ मौखिक रूप से संरक्षित थे और **बाद में वल्लभी परिषद्** (पाँचवीं - छठवीं शताब्दी ईसवी) **में संकलित किये** गये थे।	विश्वास है कि मूल धर्मग्रंथ महावीर के निर्वाण के लगभग 200 वर्ष बाद लुप्त हो गया था।
प्राथमिक धर्मग्रंथ	**11 आगम** (जैसे- आचारंग, सूत्रकृतांग) + **चेदसूत्र, मूलसूत्र, उपांग**	श्वेताम्बर धर्मग्रंथ से कोई नहीं; आचार्यों के गौण कार्यों पर भरोसा करना
महत्त्वपूर्ण ग्रंथ	**45 आगम, नंदीसूत्र, अनुयोगद्वारसूत्र, भाष्य (निर्युक्ति, भाष्य)**	**शतखंडगम, कषायपाहुड**, बाद के ग्रंथ जैसे **गोम्मटसार, तत्त्वार्थसूत्र**
भाषा	**अर्धमागधी प्राकृत में**, कुछ संस्कृत में भी	**अधिकतर संस्कृत में**, शुरुआती प्राकृत में

दिगम्बर और श्वेताम्बर उप-सम्प्रदाय

दिगम्बर परम्परा

इसके दो प्रमुख उप-सम्प्रदाय हैं।

दिगम्बर परम्परा
- **मूल संघ**
- **बीसपंथी, तेरापंथी और तारणपंथी**

1. **मूल संघ** : मूल समुदाय
2. **बीसपंथी, तेरापंथी और तारणपंथी** : आधुनिक समुदाय

क्या आप जानते हैं?

सिद्धचक्र एक लोकप्रिय मंत्र या जैन धर्म में पूजा के लिए उपयोग किया जानेवाला एक रहस्यमय चित्र है। इसे श्वेताँबर परंपरा में नवपद और दिगंबर परंपरा में नवदेवता कहा जाता है।

परीक्षोपयोगी

तेरापंथी बनाम बीसपंथी

तेरापंथी, बीसपंथियों की भाँति, अष्ट-द्रव्य से मूर्ति पूजन करते हैं, **परन्तु फूलों और फलों के स्थान पर सूखे विकल्प का उपयोग करते हैं।**

बीसपंथी **तीर्थंकरों के साथ-साथ यक्ष और यक्षिणी**, जैसे कि भैरव तथा क्षेत्रपाल की भी पूजा करते हैं। उनकी धार्मिक प्रथाओं में आरती, फूलों, फलों और प्रसाद का चढ़ाना भी सम्मलित है। **भट्टारक उनके धर्मगुरु** हैं और वे **राजस्थान और गुजरात** में अधिक केंद्रित हैं।

दूसरी ओर, दिगम्बर **तेरापंथी सम्प्रदाय भट्टारक का विरोध करते हैं और केवल तीर्थंकर की पूजा करते हैं।**

श्वेताम्बर सम्प्रदाय

इसमें तीन उप-सम्प्रदाय सम्मिलित हैं।

श्वेताम्बर सम्प्रदाय
- स्थानकवासी
- मूर्तिपूजक (डेरावासी)
- तेरापंथी

1. **स्थानकवासी : वे मूर्तिपूजा के स्थान पर संतों की पूजा में विश्वास करते हैं**। संत, मूर्तिपूजकों के विपरीत, **मुखपट्टी पहनते** हैं।
2. **मूर्तिपूजक (डेरावासी) :** वे अपने **मंदिरों में तीर्थंकरों की मूर्तियाँ रखते** हैं और उनकी पूजा करते हैं और उनके संत **मुँहपट्टी नहीं पहनते** हैं।
3. **तेरापंथी :** वे स्थानकवासी जैसे मंदिर में मूर्ति की अपेक्षा संतों से प्रार्थना करते हैं। तेरापंथी संत भी मुहँपट्टी पहनते हैं।

जैन धर्म के कुछ प्रमुख शाही संरक्षक

जैन धर्म के कुछ प्रमुख शाही संरक्षक उत्तर भारत से बिंबिसार, अजातशत्रु, चंद्रगुप्त मौर्य, बिन्दुसार, हर्षवर्द्धन, खारवेल और दक्षिण भारत से कदंब वंश, गंगा वंश, अमोघवर्ष और कुमारपाल (चालुक्य वंश) थे।

कुछ महत्त्वपूर्ण जैन आचार्य

कुछ **महत्त्वपूर्ण जैन आचार्य** थे :

- आचार्य ज्ञानसागर, आचार्य सामंतभद्र (*रत्नाकरंद श्रावकाचार, आप्त-मीमांसा, स्वयंभूस्तोत्र के लेखक*), अकलंका, नेमिचंद्र सिद्धांत चक्रवर्ती (*गोम्मटसार के लेखक*), यतिवृषभ (*तिलोया पनाति प्रभाचंद्र के लेखक*), वीरसेन, पूज्यपाद, अपराजिता, आर्यानंदी, गणेशप्रसाद वर्णी, **दिगंबर तपस्वियों** में जम्बूविजय, कुमुदेंदु मनतुंगा (*भक्तामर स्तोत्र के रचयिता*) शांतिसागर, आदिकवि पंपा (*कवि, 'कन्नड़ साहित्य के तीन रत्नों में से एक'*)।
- **श्वेताँबर तपस्वियों** में सोमदेव सूरी, वल्लभसूरि महोपाध्या यशोविजयजी, राम चंद्र सूरी, आनंद ऋषिजी महाराज, स्थूलभद्र, भिक्षु (*जैन धर्म के तेरापंथी संप्रदाय के निर्माता*), विजयानंदसूरी, हरिभद्र, हेमचंद्र, हीराविजय, आचार्य विजय वल्लभ सूरी, आचार्य विमलसागर।

जैन धर्म की लोकप्रिय प्रथाएँ

परीक्षोपयोगी

- **सल्लेखना :** यह भोजन और तरल पदार्थों के सेवन को धीरे-धीरे कम कर **मृत्यु के लिए स्वेच्छा से उपवास** की एक धार्मिक प्रथा है। **जैन विद्वान् इसे आत्महत्या नहीं मानते हैं**, क्योंकि यह कोई जुनूनी कार्य नहीं है, न ही इसमें किसी प्रकार के विष या अस्त्र-शस्त्र का उपयोग होता है। इसे जैन तपस्वियों और गृहस्थ साधक, दोनों के द्वारा अपनाया जा सकता है।

  इसका उल्लेख **जैन आगमों** (प्रामाणिक ग्रंथों) में मिलता है तथा **श्वेताँबर तथा दिगंबर दोनों परंपराओं** में इसका पालन किया जाता है। इसे सर्वोच्च त्याग और आध्यात्मिक अनुशासन का एक कार्य माना जाता है। जैन परंपरा के अनुसार, **चंद्रगुप्त मौर्य और भद्रबाहु** ने सल्लेखना की थी।

  सन 2015 में राजस्थान उच्च न्यायालय ने *सल्लेखना* पर प्रतिबंध लगा दिया था, परन्तु माननीय सर्वोच्च न्यायालय ने उसी वर्ष के अंत में इस प्रतिबंध को हटा दिया।

- **प्रतिक्रमण :** यह एक प्रक्रिया है, जिसकी अवधि में **जैन अपने दैनिक जीवन में किये गये पापों के लिए पश्चात्ताप करते हैं** और स्वयं को याद दिलाते हैं कि उन पापों को दोहराना नहीं है। पाँच प्रकार के प्रतिक्रमण में *देवसी, राय, पाखी, चौमासी और सम्वतसरी* सम्मिलित हैं।

संस्कृति संक्षेपण

जैन ध्वज

जैन ध्वज में पाँच रंग हैं - **लाल, पीला, सफ़ेद, हरा और गहरा नीला**। ये पाँच रंग पंच-परमेष्ठी का प्रतिनिधित्व करते हैं। सभी 24 तीर्थंकर किसी-न-किसी रंग से जुड़े हैं।

सफ़ेद	अरिहंत का प्रतिनिधित्व करता है (जिसने केवल ज्ञान प्राप्त कर लिया है)।
लाल	सिद्ध (आत्मा, जिसने मोक्ष और सत्य प्राप्त कर लिया है) का प्रतिनिधित्व करता है।
पीला	आचार्य (निपुणों के गुरु) का प्रतिनिधित्व करता है।
हरा	उपाध्याय (जो भिक्षुओं को शास्त्र पढ़ाते हैं) का प्रतिनिधित्व करता है।
गहरा नीला	साधु (भिक्षुओं) का प्रतिनिधित्व करता है।

ध्वज के मध्य में **स्वस्तिक निम्न चार रूपों में से किसी एक में आत्मा के अवतार का प्रतिनिधित्व** करता है : *देवताओं में, मनुष्यों में, पशु/पक्षियों/कीटों/पौधों में या नरक के प्राणियों में*। इन चार रूपों में आत्मा का उत्थान या पतन उसके कर्मों पर निर्भर करता है। आत्मा का उद्देश्य इन चार रूपों/चरणों से मुक्त होकर अरिहंत या सिद्ध बनना है।

स्वस्तिक के ऊपर के तीन बिंदु जैन धर्म के **रत्नत्रय** (या तीन रत्नों) का प्रतिनिधित्व करते हैं, अर्थात्, सही श्रद्धा, सही ज्ञान और सही आचरण।

तीन बिंदुओं के ऊपर की वक्रता सिद्धशिला को दर्शाती है, अर्थात् ब्रह्मांड के शीर्ष पर स्थित एक शाश्वत स्थान, जहाँ अरिहंत और सिद्ध निवास करते हैं।

बौद्ध धर्म और जैन धर्म : एक संक्षिप्त तुलना

समानताएँ

- दोनों ने **वेदों का प्राधिकार अस्वीकार कर दिया**, मोक्ष प्राप्त करने के साधन के रूप में संन्यास और मानव प्रयास पर बल दिया और स्त्रियों और पुरुषों दोनों के लिए मठ संबंधी व्यवस्था की स्थापना की।
- दोनों उपनिषदों के **दर्शन से प्रेरित** थे, अर्थात् जीवन का अंतिम लक्ष्य मोक्ष है।

अंतर

- जैन धर्म ने **ईश्वर के अस्तित्त्व को मान्यता दी,** जबकि बौद्ध धर्म ने नहीं।
- जैन धर्म वर्ण व्यवस्था की **निंदा नहीं** करता, जबकि बौद्ध धर्म करता है।
- जैन धर्म आत्मा के देहांतरण, अर्थात् **पुनर्जन्म** में विश्वास करता है, जबकि बौद्ध धर्म पुनर्जन्म में विश्वास नहीं करता और यह आत्मा के अस्तित्त्व की अवधारणा को अस्वीकार करता है।
- बौद्ध धर्म **मध्यममार्ग** का उपदेश देता है, जबकि जैन धर्म अपने अनुयायियों के लिए पूर्ण तपस्या का जीवन जीने में विश्वास करता है।

यू.पी.एस.सी. विगत वर्षों के बहुविकल्पीय प्रश्न

1. प्राचीन भारत के संदर्भ में, गौतम बुद्ध को सामान्यत: निम्नलिखित में से किन उपनामों से जाना जाता था? **(CSE 2024)**

1. नायपुत्त
2. शाक्यमुनि
3. तथागत

नीचे दिये गये कूट का प्रयोग कर सही उत्तर चुनिए:

(a) केवल 1
(b) केवल 2 और 3
(c) 1, 2 और 3
(d) उपर्युक्त में से कोई भी गौतम बुद्ध के उपनाम नहीं हैं

2. संघभूति, एक भारतीय बौद्ध भिक्षु, जिन्होंने चौथी शताब्दी ईसवी के अंत में चीन की यात्रा की, निम्नलिखित में से किस पर भाष्य के लेखक थे? **(CSE 2024)**

(a) प्रज्ञापारमिता सूत्र
(b) विसुद्धिमग्गो
(c) सर्वास्तिवाद विनय
(d) ललितविस्तर

3. जैनधर्म के संदर्भ में निम्नलिखित कथनों पर विचार कीजिये: **(CAPF 2023)**

1. वर्धमान महावीर ने ज्रिंभिकाग्राम नगर के बाहर, ऋजुपालिका नदी के तट पर और सामाग नामक गृहस्वामी के क्षेत्र में कैवल्यज्ञान प्राप्त किया।
2. वह अवस्था जब कर्म तत्त्व वास्तव में जीव की दिशा में, इसे बाँधने के लिए, प्रवाहित होने लगते हैं उसे आस्रव कहते हैं।

उपर्युक्त कथनों में से कौन-सा/कौन-से सही है/हैं ?

(a) केवल 1
(b) केवल 2
(c) 1 और 2 दोनों
(d) न तो 1, न ही 2

4. जैन धर्म के श्वेताँबर संप्रदाय के बारे में निम्नलिखित में से कौन-सा कथन सही *नहीं* है? **(CDS II, 2023)**

(a) वे भिक्षु, जो श्वेत वस्त्र पहनते हैं।
(b) वे भिक्षु, जिन्होंने चौथी शताब्दी BCE में विंध्य के दक्षिण की ओर प्रवास किया।
(c) उन्होंने 12 अंगों सहित धर्म-सूत्रों (कैनोनिक़ल टेक्स्ट) को मान्यता दी।
(d) वे विश्वास करते थे कि स्त्रियाँ भी मोक्ष प्राप्त कर सकती हैं।

5. धान्यकटक, जो महासांघिकों के अधीन एक प्रमुख बौद्ध केन्द्र के रूप में समृद्ध हुआ, निम्नलिखित में सें किस एक क्षेत्र में अवस्थित था? **(CSE, 2023)**

(a) आंध्र
(b) गांधार
(c) कलिंग
(d) मगध

6. "आत्मा केवल जंतु और पादप जीवन की संपदा नहीं है,बल्कि शिलाओं, प्रवाहित जलधाराओं और अन्य अनेक प्राकृतिक वस्तुओं की भी है, जिन्हें अन्य धार्मिक संप्रदाय जीवित नहीं मानते।"

उपर्युक्त कथन प्राचीन भारत के निम्नलिखित में से किस एक धार्मिक संप्रदाय के एक मूलभूत विश्वास को प्रतिबिंबित करता है? **(CSE, 2023)**

(a) बौद्ध परंपरा
(b) जैन परंपरा
(c) शैव परंपरा
(d) वैष्णव परंपरा

7. भारतीय इतिहास के सन्दर्भ में, निम्नलिखित युग्मों पर विचार कीजिये :

	ऐतिहासिक व्यक्ति		किस रूप में जाने गये
1.	आर्यदेव	-	जैन विद्वान
2.	दिग्नाग	-	बौद्ध विद्वान
3.	नाथमुनि	-	वैष्णव विद्वान

उपर्युक्त युग्मों में से कितने युग्म सही सुमेलित हैं? **(CSE, 2022)**

(a) कोई भी युग्म नहीं
(b) केवल एक युग्म
(c) केवल दो युग्म
(d) सभी तीन युग्म

8. प्रारंभिक बौद्ध मूर्तिकारों ने बुद्ध को मानव रूप में नहीं दर्शाया। निम्नलिखित में से किन प्रतीकों के माध्यम से प्रारंभिक मूर्तिकारों ने बुद्ध की उपस्थिति को दर्शाया था? **(NDA I, 2022)**

(a) केवल रिक्त आसन और स्तूप
(b) केवल चक्र और वृक्ष
(c) केवल चक्र, वृक्ष और स्तूप
(d) रिक्त आसन, चक्र, वृक्ष और स्तूप

9. निम्नलिखित में से कौन जैन आचार्य नहीं था? **(CDS II, 2021)**

(a) भद्रबाहु
(b) खेमा
(c) हरिभद्र
(d) सिद्धसेना दिवाकर

10. भारत के सांस्कृतिक इतिहास के संदर्भ में निम्नलिखित युग्मों पर विचार कीजिये :

1. परिव्राजक - परित्यागी व भ्रमणकारी
2. श्रमण - उच्च पद प्राप्त पुजारी
3. उपासक - बौद्ध धर्म का साधारण अनुगामी

ऊपर दिये गये युग्मों में से कौन-सा सही सुमेलित है? **(CSE, 2020)**

(a) केवल 1 और 2
(b) केवल 1 और 3
(c) केवल 2 और 3
(d) 1, 2 और 3

11. भारत के सांस्कृतिक इतिहास के संदर्भ में, निम्नलिखित में से कौन-सा ''पारमिता'' शब्द का सही वर्णन है? **(CSE, 2020)**

(a) सूत्रात्मक शैली में लिखे गये सबसे पुराने धर्मशास्त्र पाठ
(b) वेदों का प्राधिकार अस्वीकार करनेवाले दार्शनिक सम्प्रदाय
(c) परिपूर्णताएँ, जिनकी प्राप्ति से बोधिसत्व पथ का मार्ग प्रशस्त हुआ
(d) प्रारंभिक मध्यकालीन दक्षिण भारत के शक्तिशाली व्यापारी श्रेणियाँ

12. भारत के धार्मिक इतिहास के संदर्भ में निम्नलिखित कथनों पर विचार कीजिये :

1. स्थविरवादी महायान बौद्ध धर्म से संबंधित है।
2. लोकोत्तरवादी संप्रदाय बौद्ध धर्म के महासंघिक संप्रदाय की एक शाखा थी।
3. महासंघिकों द्वारा बुद्ध में देवत्वारोपण ने महायान बौद्ध धर्म को प्रोत्साहित किया।

ऊपर दिये गये कथनों में से कौन-सा/से सही है/हैं? **(CSE, 2020)**

(a) केवल 1 और 2 (b) केवल 2 और 3
(c) केवल 3 (d) 1, 2 और 3

13. निम्नलिखित पर विचार कीजिये :

1. बुद्ध में देवत्वारोपण 2. बोधिसत्व के मार्ग पर चलना
3. मूर्तिपूजा और अनुष्ठान।

उपर्युक्त में से कौन-सा/से महायान बौद्ध धर्म की विशेषता/एँ है/हैं? **(CSE, 2019)**

(a) केवल 1 (b) केवल 1 और 2
(c) केवल 2 और 3 (d) 1, 2 और 3

14. निम्नलिखित में से किस बौद्ध ग्रंथ में राजा अवंतीपुत्त और बुद्ध के एक शिष्य कच्छन के बीच वर्ण पर संवाद है? **(CDS II, 2019)**

(a) मज्झिम निकाय (b) संयुत्त निकाय
(c) अंगुत्तर निकाय (d) अंबत्थ सुत्त

15. जैन धर्म के बारे में निम्नलिखित में से कौन-सा/से कथन सही है/हैं?

1. जैन धर्म में सबसे महत्त्वपूर्ण विचार यह है कि संपूर्ण संसार सजीव है, यहाँ तक कि पत्थर, चट्टानों और जल में भी जीवन है।
2. कर्म के चक्र से अपने आपको मुक्त करने के लिए तपश्चर्या और कायाक्लेश आवश्यक है।

नीचे दिये गये कोड का प्रयोग कर सही उत्तर चुनिए। **(CAPF, 2019)**

(a) केवल 1 (b) केवल 2
(c) दोनों 1 और 2 (d) न तो 1 और न ही 2

16. बोधिसत्व के बारे में निम्नलिखित में से कौन-सा/से कथन सही है/हैं?

1. उन्हें अत्यधिक दयालु मनुष्य माना जाता था, जिन्होंने अपने प्रयासों से उत्कृष्टता अर्जित की थी।
2. उन्होंने निर्वाण प्राप्त करने का प्रयास किया।

नीचे दिये गये कोड का प्रयोग कर सही उत्तर चुनिए। **(CAPF, 2019)**

(a) केवल 1 (b) केवल 2
(c) दोनों 1 और 2 (d) न तो 1 और न ही 2

17. किस बौद्ध ग्रंथ में मौर्य सम्राट् अशोक का विवरण है? **(CDS I, 2018)**

(a) विनय पिटक (b) सुत्त पिटक
(c) अभिधम्म पिटक (d) महावंश

18. भारत में बौद्ध स्तूपों के बारे में निम्नलिखित में से कौन-सा कथन सही नहीं है? **(CDS I, 2018)**

(a) अशोक ने स्तूप पंथ को लोकप्रिय बनाने में महत्त्वपूर्ण भूमिका निभायी।
(b) स्तूप बुद्ध और अन्य भिक्षुओं के अवशेषों के निधान थे।
(c) स्तूप ग्रामीण क्षेत्रों में स्थित थे।
(d) स्तूप व्यापार मार्गों के निकट स्थित थे।

19. भारत में धार्मिक प्रथाओं के संदर्भ में, ''स्थानकवासी'' संप्रदाय किससे संबंधित है? **(CSE, 2018)**

(a) बौद्ध मत (b) जैन मत
(c) वैष्णव मत (d) शैव मत

20. भारतीय इतिहास के संदर्भ में, निम्नलिखित में से कौन भावी बुद्ध है, जो संसार की रक्षा हेतु अवतरित होंगे? **(CSE, 2018)**

(a) अवलोकितेश्वर (b) लोकेश्वर
(c) मैत्रेय (d) पद्मपाणि

21. भारत के धार्मिक इतिहास के संदर्भ में, निम्नलिखित कथनों पर विचार करें :

1. सौत्रंतिक और सम्मितीय जैन धर्म के संप्रदाय थे।
2. सर्वस्तीवादिन ने माना कि परिघटना के घटक पूर्ण रूप से क्षणिक नहीं थे, लेकिन एक अव्यक्त रूप में हमेशा के लिए मौजूद थे।

ऊपर दिये गये कथनों में से कौन-सा/से सही है/हैं? **(CSE, 2017)**

(a) केवल 1 (b) केवल 2
(c) 1 और 2 दोनों (d) न तो 1 और न ही 2

22. छठी और चौथी शताब्दी ईसा पूर्व के बीच नास्तिक संप्रदायों के संबंध में निम्नलिखित में से कौन-से कथन सही हैं?

1. जैन विचार पहले से ही सातवीं शताब्दी ईसा पूर्व में पार्श्वनाथ द्वारा प्रसारित किये जा रहे थे।
2. हालाँकि बौद्ध धर्म और कुछ सीमा तक जैन धर्म ने भौतिक जीवन में हो रहे परिवर्तनों को ध्यान में रखा और रूढ़िवाद के विरूद्ध प्रतिक्रिया व्यक्त की, लेकिन इनमें से किसी ने भी जाति व्यवस्था को समाप्त करने का प्रयास नहीं किया।
3. कहा जाता है कि महावीर की पहली शिष्या एक बंदी दासी थी।
4. बुद्ध ने माना कि भिक्षुणियाँ भिक्षु की तरह आध्यात्मिक मुक्ति प्राप्त कर सकती हैं और उन्होंने भिक्षुक व्यवस्था में समान दर्जा प्रदान किया।

नीचे दिये गये कोड का प्रयोग कर सही उत्तर चुनिए। **(CDS II, 2017)**

(a) 1, 2, 3 और 4 (b) केवल 1, 2 और 3
(c) केवल 1, 2 और 4 (d) केवल 3 और 4

23. निम्न में से कौन-सा राज्य बुद्ध के जीवन से जुड़ा था? **(CSE, 2015)**

(i) अवंती (ii) गांधार
(iii) कोशल (iv) मगध

नीचे दिये गये कोड का प्रयोग करके सही उत्तर चुनिए।

(a) (i), (ii) और (iii) (b) (ii) और (iii)
(c) (i), (iii) और (iv) (d) (iii) और (iv)

24. किसके संरक्षण में चौथी बौद्ध परिषद् कश्मीर में आयोजित की गयी थी। **(CDS I, 2014)**

(a) बिंदुसार (b) अशोक
(c) कुनाल (d) कनिष्क

25. निम्नलिखित में से कौन-सा/से बुद्ध के जीवन से संबंधित नहीं था/थे?

1. कंथक 2. अलार कालाम
3. चन्ना 4. गोशाल मस्करीपुत्र

नीचे दिये गये कोड का प्रयोग कर सही उत्तर चुनिए। **(CDS II, 2013)**

(a) केवल 1 (b) केवल 4
(c) 1 और 2 (d) 3 और 4

26. **कथन I :** चंद्रगुप्त के शासनकाल के अंत में गंगा घाटी में पड़े भयंकर अकाल के बाद भद्रबाहु के नेतृत्व में जैन भिक्षुओं का दक्कन में भारी पलायन हुआ। **(CDS II, 2013)**

कथन II : चंद्रगुप्त मौर्य भिक्षु के रूप में जैन प्रस्ताव में शामिल हो गये।

(a) दोनों कथन अलग-अलग सही हैं और कथन II कथन I की सही व्याख्या है।
(b) दोनों कथन अलग-अलग सही हैं, लेकिन कथन II कथन I की सही व्याख्या नहीं है।
(c) कथन I सही है, लेकिन कथन II ग़लत है।
(d) कथन I ग़लत है, लेकिन कथन II सही है।

27. **कथन I :** महावीर शुरू में निरग्रंथ नामक तपस्वियों के समूह में शामिल हो गये। **(CDS II, 2013)**

कथन II : इस संप्रदाय की स्थापना 200 वर्ष पहले पार्श्वनाथ ने की थी।

(a) दोनों कथन अलग-अलग सही हैं और कथन II कथन I की सही व्याख्या है।
(b) दोनों कथन अलग-अलग सही हैं, लेकिन कथन II कथन I की सही व्याख्या नहीं है।
(c) कथन I सही है, लेकिन कथन II ग़लत है।
(d) कथन I ग़लत है, लेकिन कथन II सही है

28. बौद्ध धर्म के महायान और हीनयान सम्प्रदाय के बीच महत्त्वपूर्ण अंतर यह है कि : **(CAPF, 2013)**

(a) महायान ने पुण्य हस्तांतरण की अनुमति दी, जबकि हीनयान में कोई व्यक्ति केवल उदाहरण और सलाह से ही दूसरे की सहायता करता था।
(b) महायान बोधिसत्वों में विश्वास करता था, जबकि हीनयान नहीं।
(c) हीनयान ने दुख उद्धारकर्ता के विचार को बढ़ावा दिया।
(d) महायान ने 'अरहंत' का विचार प्रतिपादित किया।

29. बौद्ध संघ भिक्षुओं का संगठन था- **(CAPF, 2013)**

(a) जो धम्म के शिक्षक बन गये थे।
(b) जिन्होंने शिक्षा के प्रसार में सहायता की थी।
(c) जिन्होंने राज्य के एकीकरण में सहायता की थी।
(d) जिन्होंने संकट के समय में ग़रीबों को राहत प्रदान की थी।

30. प्राचीन भारत के इतिहास के संदर्भ में, निम्नलिखित में से कौन-सा बौद्ध धर्म और जैन धर्म, दोनों के लिए सामान्य था?

(i) तपस्या और भोग की चरम सीमाओं से बचना।
(ii) वेदों के प्राधिकार के प्रति उदासीनता।
(iii) अनुष्ठानों की प्रभावकारिता का अस्वीकार।

नीचे दिये गये कोड का उपयोग करके सही उत्तर चुनें **(CSE, 2012)**

(a) केवल (i) (b) (ii) और (iii)
(c) (i) और (iii) (d) (i), (ii) और (iii)

31. अनेकांतवाद एक मुख्य सिद्धांत और दर्शन है, जो निम्नलिखित में से किससे सम्बन्धित है? **(CSE, 2009)**

(a) बौद्ध धर्म (b) जैन धर्म
(c) सिख धर्म (d) वैष्णववाद

उत्तरमाला

1. (b)	2. (c)	3. (c)	4. (b)	5. (a)	6. (b)	7. (c)	8. (d)
9. (b)	10. (b)	11. (c)	12. (b)	13. (d)	14. (a)	15. (c)	16. (a)
17. (d)	18. (c)	19. (b)	20. (c)	21. (b)	22. (a)	23. (d)	24. (d)
25. (b)	26. (b)	27. (a)	28. (b)	29. (b)	30. (b)	31. (b)	

यू.पी.एस.सी. विगत वर्षों के प्रश्न - मुख्य परीक्षा

1. पाल काल भारत में बौद्ध धर्म के इतिहास में सबसे महत्त्वपूर्ण चरण है। वर्णन कीजिये। (150 शब्द) **(CSE, 2020)**

2. बोधिसत्व के बारे में लिखें। **(CSE, 2008)**

3. सुत्त पिट्टक के बारे में लिखें। **(CSE, 2005)**

20

भक्ति व सूफ़ी आंदोलन

अध्याय की रूपरेखा

- भक्ति आंदोलन का उदय
- भक्ति आंदोलन के उदय के कारण
- लिंगायत और वीरशैव आंदोलन
- भक्ति आंदोलन की मुख्य विशेषताएँ
- भक्ति के दो सम्प्रदाय : सगुण सम्प्रदाय और निर्गुण सम्प्रदाय
- भक्ति आंदोलन में महिलाएँ
- भक्ति आंदोलन का प्रभाव
- सूफ़ी आंदोलन
- प्रमुख सूफ़ी नियम और व्यवहार
- भारत में विभिन्न सूफ़ी सिलसिले
- सूफ़ी संतों का महत्त्व
- सूफ़ीवाद का प्रभाव
- सूफ़ी परंपराओं के इतिहास के पुनर्निर्माण हेतु प्रयुक्त विविध स्रोत
- मल्फ़ूज़ात (सूफ़ी संतों के वार्तालाप)
- सूफ़ीवाद पर अन्य उल्लेखनीय स्रोत

भक्ति आंदोलन का उदय

भक्ति आंदोलन का **उदय भारत के दक्षिणी भागों**, विशेष रूप से तमिलनाडु में **छठी और दसवीं शताब्दी** के मध्य हुआ। पंद्रहवीं शताब्दी के अंत-तक धीरे-धीरे उत्तर भारत की ओर इसका प्रसार हुआ।

भक्ति आंदोलन के उदय के कारण

- इसने समानता को बढ़ावा दिया और हाशिये पर मौजूद समुदायों के लिए एक समावेशी मंच प्रदान किया।
- बौद्ध और जैन धर्म में ठहराव तथा गिरावट ने भक्ति-आधारित धार्मिक आंदोलन के लिए स्थान निर्मित किया।
- राज्यों का संरक्षण इसके विकास में सहायक एक अन्य कारक था। उदाहरण के लिए, तमिलनाडु में चोल राजाओं द्वारा शैव आंदोलन को समर्थन।

तमिल भक्ति भजनों का एक प्रमुख विषय कवियों द्वारा **बौद्ध और जैन धर्म का विरोध** है। दक्षिण भारत में, भक्ति संतों के **दो मुख्य समूह** थे : **नयनार** (शिव भक्त) और **अलवार** (विष्णु भक्त), जिन्होंने ईश्वर की भक्ति को मोक्ष का साधन बताया और बौद्ध एवं जैन धर्म द्वारा प्रचारित तपस्या की अवहेलना की। उन्होंने तमिल और तेलुगु जैसी स्थानीय भाषाओं में ईश्वर के प्रति प्रेम पर केंद्रित लेखन कार्य किया और पुरोहितों की आवश्यकता को नकार दिया, जिससे यह आंदोलन व्यापक रूप से लोकप्रिय हुआ।

भक्ति आंदोलन
(दक्षिण भारत से शुरू हुआ)

- सगुण सम्प्रदाय
(गुणों के साथ)
  - निम्नलिखित किसी एक का उपासक/भक्त
    - शिव
    - विष्णु (और उनके अवतार)
    - देवी

  छठी शताब्दी ईसवी – दसवीं शताब्दी ईसवी
  (तमिलनाडु में)

  - आलवार
  (तमिल कवि – भगवान् विष्णु के भक्त)
    - मुख्य रूप से 12 आलवार
      - प्रसिद्ध हैं थोंडरादिपोदी और अंडाल (महिला आलवार)।
      - प्रमुख ग्रन्थ नलरीय दिव्य प्रबन्धम् है, (संस्कृत में 12 आलवारों द्वारा लिखा गया है और इसे **तमिल वेद** के रूप में जाना जाता है।)
  - नयनार
  (तमिल कवि – भगवान् शिव के संत और भक्त)
    - मुख्य रूप से 63 नयनार
      - प्रमुख लोगों में शामिल हैं : कराईकल अम्मियार (महिला नयनार)
        - लक्ष्य पाने के लिए कठोर तपस्या की।
      - अप्पार, समबंदर और सुंदरर – ने दसवीं शताब्दी में कविताओं का एक संग्रह तैयार किया, जिसे **तेवरम** कहा जाता है।

  (आलवार और नयनार) उन्होंने जैन धर्म और बौद्ध धर्म दोनों का विरोध किया

  कर्नाटक में लगभग बारहवीं शताब्दी के आसपास, वीरशैव आंदोलन (लिंगायतवाद) का नेतृत्व बासवन्ना ने किया था।

  तेरहवीं शताब्दी से, भक्ति आंदोलन को उत्तरी भारत में प्रमुखता मिली।

- निर्गुण सम्प्रदाय
(बिना गुणों के)
  - प्रमुखता मिली मुख्य रूप से तेरहवीं शताब्दी के बाद

परीक्षोपयोगी

आलवार

आलवार वैष्णव कवि एवं संत थे, जो एक स्थान से दूसरे स्थान पर यात्रा करते समय **विष्णु या उनके कृष्ण अवतार** के स्तुति-गीत गाया करते थे। वे वैष्णव धर्म के प्रवर्तक थे और विष्णु या कृष्ण को सर्वोच्च परमात्मा मानते थे। इन्होंने जैन तथा बौद्ध विचारधारा का **विरोध** किया। 12 अलवार संत निम्न थे : *पोयगई अलवार, पुद्दतअलवार, पे अलवार, तिरुमलीसई अलवार, (5) नम्मालवार, मधुरकवि अलवार, कुलशेखर अलवार, पेरियालवार, अण्डाल, टोंडाराडिप्पोडी अलवार, तिरुप्पन अलवार, और तिरुमलगई अलवार।*

परीक्षोपयोगी

नयनार

यह मूल रूप से **भगवान् शिव** की भक्ति करनेवाले **63 तमिल संतों** का एक समूह था। जिन्होंने बड़े लक्ष्य को प्राप्त करने के लिए अत्यधिक तपस्या को अपनाया। 3 नयनारों **(अप्पर, समबंदर और सुन्दरर)** ने दसवीं शताब्दी ईसवी में कविताओं का संकलन किया, जिसे **तेवरम** कहा गया। नयनार विभिन्न पृष्ठभूमियों से संबंधित थे, उनमें ब्राह्मण और कुलीन लोग तो थे ही, तेली और वेल्लाल भी थे।

63 नयनार वंश में **तीन महिला नयनार** थीं, जिनके नाम थे : **करैक्कल अम्मैयार, मंगयारक्करसियार और इसैगननियार**। करैक्कल अम्मैयार एक कवयित्री थीं और बचपन से ही भगवान् शिव की भक्त थीं, जबकि मंगयारक्करसियार पांड्य साम्राज्य की रानी थीं। इसैगननियार नयनार सुंदरार की माता थीं और उन्हें इस सूची में शामिल करने का श्रेय उनके पारिवारिक संबंधों को दिया जाता है।

आलवार और नयनार **ब्राह्मणवादी वर्चस्व** के साथ-साथ **जैन धर्म तथा बौद्ध धर्म के भी विरुद्ध थे**। साथ ही उन्होंने मिलकर भारत में **भक्ति आंदोलन** की नींव रखी।

लिंगायत और वीरशैव आंदोलन

परीक्षोपयोगी

लिंगायतवाद और वीरशैववाद (Veerashaivism) भारत, विशेष रूप से **कर्नाटक** क्षेत्र की, निकट रूप से संबंधित **शैव** धार्मिक परंपराएँ हैं। हालाँकि इन्हें अक्सर एक-दूसरे के स्थान पर प्रयोग किया जाता है, फिर भी इनके बीच महत्त्वपूर्ण ऐतिहासिक, दार्शनिक और धार्मिक अंतर हैं।

लिंगायत और वीरशैव एक ही नहीं हैं। कुछ लोग तर्क देते हैं, कि लिंगायत व्यापक वीरशैव परंपरा का एक आधुनिक रूप या सुधार आंदोलन हैं।

बसवन्ना द्वारा स्थापित लिंगायत परंपरा, **इष्टलिंग** (निराकार ईश्वर का प्रतीक) की अनन्य पूजा पर ज़ोर देती है और जाति एवं जटिल कर्मकांडों को अस्वीकार करते हुए एक समतावादी समाज को बढ़ावा देती है।

इसके विपरीत, पारंपरिक वीरशैव समुदाय बसवन्ना से पहले अस्तित्व में था, जिसकी उत्पत्ति **पंचाचार्यों** से मानी जाती है। इसमें जातिगत भेदभाव और पौराणिक हिंदू देवता जैसे - शिव की पूजा शामिल है।

लिंगायतवाद और वीरशैववाद के बीच समानताएँ

पूजे जानेवाले देवता	भगवान् शिव, विशेष रूप से इष्टलिंग के रूप में
पवित्र प्रतीक	शरीर पर धारण किया जानेवाला लिंग (इष्टलिंग)
मूल मान्यताएँ	शिव भक्ति, व्यक्तिगत आध्यात्मिक अनुशासन, सामाजिक सुधार
उत्पत्ति क्षेत्र	मुख्यतः कर्नाटक, लेकिन आंध्र, महाराष्ट्र और तमिलनाडु के कुछ हिस्से भी
विरोधी प्रथाएँ	जाति व्यवस्था, वैदिक कर्मकांड, ब्राह्मणवादी सत्ता

लिंगायत धर्म की विशिष्टताएँ

विशेषताएँ	विवरण
द्वारा स्थापित	बसवन्ना (बारहवीं शताब्दी ईसवी)
धर्मग्रंथ	**वचन** (बसवन्ना और अन्य शरणों द्वारा रचित काव्य रचनाएँ)

विशेषताएँ	विवरण
दर्शन	एकेश्वरवादी, शिव के प्रति प्रत्यक्ष भक्ति; पुजारियों जैसे मध्यस्थों की कोई आवश्यकता नहीं।
सामाजिक सुधार	समानता, जाति-विरोध, महिला अधिकारों, कर्मकांडों, मूर्ति पूजा और संस्कृत ब्राह्मणवाद के निषेध पर ज़ोर। उन्होंने पुनर्जन्म के सिद्धांत पर भी प्रश्न उठाये। उन्होंने यौवन के बाद विवाह और विधवाओं के पुनर्विवाह को प्रोत्साहित किया।
वेदों पर दृष्टिकोण	वेदों की प्रामाणिकता को अस्वीकार करता है।
परलोक में विश्वास	कायक (दिव्य कार्य) और दासोहा (सेवा) में विश्वास, जिसका उद्देश्य इस जीवन में लिंगैक्य (शिव से मिलन) प्राप्त करना है।
दफ़न प्रथा	दफ़न (न कि दाह संस्कार), जो अधिकांश हिंदू रीति-रिवाजों से भिन्न है।

वीरशैव धर्म की विशिष्टताएँ

विशेषताएँ	विवरण
उत्पत्ति	बसव से पूर्व का माना जाता है; पारंपरिक रूप से कैलास पर्वत से निकले पाँच आचार्यों, **रेणुका, दारुका, घंटाकर्ण, धेनुकर्ण और विश्वकर्ण**, से इसका संबंध माना जाता है।
धर्मग्रंथ	आगम, सिद्धांत शास्त्र और वेदांत ग्रंथ
दर्शन	अधिक रूढ़िवादी शैव धर्म, कुछ वैदिक परंपराओं को स्वीकार करता है और अक्सर मुख्यधारा के हिंदू धर्म के साथ सामंजस्य स्थापित करने का प्रयास करता है।
जाति व्यवस्था	लिंगायत धर्म के कट्टर जाति-विरोधी रुख़ के विपरीत, यह अभी भी वर्ण व्यवस्था को स्वीकार कर सकता है (हालाँकि अलग तरीक़े से)।
धार्मिक प्रथाएँ	शास्त्रीय शैव धर्म के कुछ अनुष्ठानों, गुरु वंश और धार्मिक सिद्धांतों को स्वीकार करता है।

महत्त्वपूर्ण तथ्य

जंगम : यह वीरशैव धर्म के प्रचार के लिए समर्पित एक विद्वान् व्यक्ति को संदर्भित करता है, जो इसके सिद्धांतों को साझा करने और अनुयायियों को उनकी आध्यात्मिक गतिविधियों में मार्गदर्शन करने के लिए व्यापक रूप से यात्रा करता है।

अनुभव मंडप : बारहवीं शताब्दी में **बसवन्ना द्वारा** स्थापित अनुभव मंडप, कर्नाटक के बीदर ज़िले के बसवकल्याण के तिप्रंथ क्षेत्र में स्थित एक महत्त्वपूर्ण आध्यात्मिक केंद्र है। विश्व की प्रथम आध्यात्मिक सभा के रूप में विख्यात और 'अनुभव मंडप' के रूप में अनुवादित, यह **लिंगायत मनीषियों, संतों और विद्वानों के लिए एक केंद्र** के रूप में कार्य करता था। ऋषि अल्लामा प्रभु के नेतृत्व में, यह लिंगायत धार्मिक और दार्शनिक प्रवचन का केंद्र बन गया। इसने समृद्ध संवादों में भाग लेने के लिए कर्नाटक और उसके बाहर से विचारकों और भक्तों को आकर्षित किया। इसके अतिरिक्त, इसे वचन साहित्य के जन्मस्थान के रूप में भी जाना जाता है, जिसने वीरशैववाद के सिद्धांतों के प्रसार में महत्त्वपूर्ण भूमिका निभायी।

नलवार : ये **मणिक्कवचकर** के साथ तीन प्रमुख नयनार हैं **: अप्पार, सुंदरार, संबंदार।**

मणिक्कवचकर : वे नौवीं शताब्दी के **तमिल शैव कवि-संत** थे, जिन्होंने शिव की भक्ति में अपना जीवन समर्पित करने से पहले एक पांड्य राजा के मुख्यमंत्री के रूप में कार्य किया और शक्तिशाली भक्ति भजनों की रचना की, जिनमें सबसे उल्लेखनीय **तिरुवाचकम** है। इन्हें चार सम्यक कुरवारों (धार्मिक गुरुओं) में से एक माना जाता है। उनकी आध्यात्मिक यात्रा और शिक्षाओं ने तमिल संस्कृति और शैव धर्म को गहराई से प्रभावित किया है।

अष्टवर्ण, वीरशैव धर्म के आठ नियम हैं, जिनका अनुयायियों द्वारा पालन किया जाना आवश्यक है।

उद्देश्य : शिव के साथ मिलन का भी लक्ष्य रखता है, लेकिन पारंपरिक शैव धर्मशास्त्र पर आधारित रहस्यमय और योगिक मार्गों के माध्यम से।

भक्ति आंदोलन की मुख्य विशेषताएँ

- मोक्ष के साधन के रूप में तीव्र प्रेम और भक्ति।
- परमेश्वर की एकता (सार्वभौमिकता) के मुख्य नाम का बारम्बार जाप करना।
- **अनुष्ठानों** और समारोहों की **अस्वीकृति**।
- समानता, जातिगत भेदभाव का उन्मूलन, लैंगिक समानता को बढ़ावा दिया तथा सती प्रथा एवं कन्या भ्रूण हत्या जैसी प्रथाओं की निंदा की।
- अपने संदेशों के प्रसार के लिए स्थानीय और क्षेत्रीय भाषाओं का प्रयोग किया।
- ईश्वर के साथ व्यक्तिगत संबंध और एक सच्चे गुरु की आवश्यकता पर बल दिया।
- बंधुत्व को प्रोत्साहित किया और पुजारियों को बिचौलियों के रूप में नकार दिया।

भक्ति के दो सम्प्रदाय : सगुण सम्प्रदाय और निर्गुण सम्प्रदाय

भक्ति संत **दो सम्प्रदायों** में विभाजित थे। **निर्गुण सम्प्रदाय** ईश्वर को निराकार और निर्गुण मानता था, कर्मकांडों की अपेक्षा ज्ञान को अधिक महत्त्व देता था, धर्मग्रंथों और मूर्ति पूजा को अस्वीकार करता था तथा ब्राह्मण वर्चस्व का विरोध करता था। यह ईश्वर के साथ व्यक्तिगत साक्षात्कार को महत्त्व देता था एवं वैष्णव भक्ति, नानपंथी और सूफ़ी परंपराओं का मिश्रण करता था। इस संप्रदाय की प्रमुख हस्तियों में **कबीर, गुरु नानक और दादू दयाल** शामिल हैं।

दूसरी ओर, **सगुण सम्प्रदाय** ईश्वर को साकार और सकारात्मक गुणोंवाला मानता था, जो राम और कृष्ण जैसे अवतारों में प्रकट होते हैं और घरों एवं मंदिरों में पूजा की जानेवालीं मूर्तियों में विद्यमान् होते हैं। **सगुण सम्प्रदाय** प्रेम और भक्ति पर बल देता है। यह सम्प्रदाय दो समूहों में विभाजित था। पहला समूह राम भक्ति को महत्त्व देता था और दूसरा समूह कृष्ण भक्ति को मानता था। उन्होंने वेदों की **आध्यात्मिक सत्ता** एवं भगवान् और उनके भक्त के बीच मध्यस्थ के रूप में मानव गुरु की आवश्यकता को स्वीकार किया। सगुण कवियों ने मूर्ति पूजा को बढ़ावा दिया और व्यक्तिगत ईश्वर के प्रति समर्पण और सरल विश्वास के धर्म की वकालत की। **रामानुज, रामानंद** और **चैतन्य महाप्रभु** इस **विचार** सम्प्रदाय से संबंधित थे।

महत्त्वपूर्ण भक्ति संत -----------> **परीक्षोपयोगी**

नाम	वर्ष और स्थान	विवरण
आदि शंकराचार्य	आठवीं शताब्दी ईसवी (सम्भवतः **केरल** से)	वेदांत दर्शन की **अद्वैत** (ग़ैर-द्वैतवाद) विचारधारा के मुख्य प्रस्तावक। यह विचारधारा आत्मा (मानव की आत्मा) और ब्रह्म (परम सत्य) की पहचान में विश्वास करती है। वे प्रारंभिक हिंदू दार्शनिक **गौडपाद** से प्रेरित थे और उन्हें परमगुरु कहते थे। उन्हें **दशनामी संप्रदाय** का संस्थापक माना जाता है। उन्होंने **चार मठ या आम्नाय पीठ** (मठ) की स्थापना की, जिसका मुख्यालय पश्चिम में द्वारका (गुजरात), पूर्व में जगन्नाथ पुरी (ओडिशा), दक्षिण में श्रृंगेरी (कर्नाटक) और उत्तर में बदरिकाश्रम (उत्तराखंड) में है। उन्होंने **उपदेशसाहस्री** (एक हज़ार शिक्षाएँ) लिखीं। शंकराचार्य की अन्य लोकप्रिय रचनाएँ हैं, विवेकचूड़ामणि और भज गोविंदम स्तोत्र। उनके द्वारा भगवद् गीता, ब्रह्म सूत्र और उपनिषदों पर एक भाष्य लिखा गया था। शंकराचार्य के अनुयायियों को **'स्मार्त'** कहा जाता है। उनकी सबसे प्रसिद्ध पंक्तियाँ हैं **'ब्रह्म सत्यम् जगत् मिथ्या जीवो ब्रह्मैव नापरः'**, जिसका अर्थ है *'पूर्ण आत्मा वास्तविकता है, उपस्थिति की दुनिया माया है'*, और **'एकमेव अद्वितीयम् ब्रह्म'**, जिसका अर्थ है 'पूर्ण एक है, दो नहीं'।

नाम	वर्ष और स्थान	विवरण
रामानुज (तमिल ब्राह्मण) इन्हें **इलैया पेरुमल** भी कहा जाता है, जिसका अर्थ है दीप्तिमान्।	1017-1137 ईसवी **तमिलनाडु**	वे **श्री वैष्णववाद** परंपरा के एक प्रमुख प्रतिपादक और वेदांत दर्शन के **विशिष्टाद्वैत विचारधारा** के प्रमुख प्रस्तावक थे। उन्होंने *प्रभातिमार्ग* या ईश्वर के प्रति आत्म-समर्पण की वकालत की। विशिष्टाद्वैत विचारधारा एक योग्य संपूर्णता के **ग़ैर-द्वैतवाद** का प्रतीक है, लेकिन इसमें बहुलता की विशेषता है। दूसरे शब्दों में, यह "सभी विविधताओं का एक अंतर्निहित एकता से समावेश" (योग्य अद्वैतवाद) में विश्वास करता है। रामानुज के सबसे महत्त्वपूर्ण कार्य वेदांत सूत्र (*श्री भाष्य, या 'सच्ची टिप्पणी'*) और **भगवद् गीता** (*गीताभाष्य, या 'गीता पर टिप्पणी'*) पर उनकी टिप्पणी हैं। उनकी अन्य लोकप्रिय रचनाएँ वेदार्थ संग्रह (*'वेद के अर्थ का सारांश'*), वेदांतसार (*'वेदांत का सार'*) और वेदांतदीपा (*'वेदांत का दीपक'*) हैं। तमिलनाडु में श्रीरंगम रंगनाथ मंदिर इस परंपरा से जुड़ा है।
माध्वाचार्य (कन्नड़ संत)	1238-1317 ईसवी **कर्नाटक**	वे वेदांत दर्शन के **द्वैतवाद सम्प्रदाय** के मुख्य प्रस्तावक थे। उन्होंने अपने दर्शन को **'तत्त्ववेद'** नाम दिया। उनकी लोकप्रिय रचनाएँ गीता भाष्य, ब्रह्म सूत्र भाष्य, अणु भाष्य, कर्म निर्णय और विष्णु तत्त्व निर्णय हैं। उनके अनुसार, आत्मन (व्यक्तिगत आत्मा) और ब्रह्म (अंतिम वास्तविकता या भगवान् विष्णु) के बीच एक बुनियादी अंतर है। दीक्षा के दौरान उन्हें पूर्णप्रज्ञ नाम दिया गया। वह आदि शंकराचार्य के अद्वैत वेदांत और रामानुज के विशिष्टाद्वैत वेदांत के **आलोचक** थे।
निंबार्क	बारहवीं शताब्दी ईसवी **महाराष्ट्र** *(लेकिन बाद में मथुरा चले गये)*	वह एक वैष्णव संत और **द्वैत-अद्वैत दर्शन** के प्रमुख प्रस्तावक थे, अर्थात् एक ही समय में द्वैत और अद्वैत। उन्होंने **निम्बार्क सम्प्रदाय** नामक एक समुदाय की स्थापना की। उन्होंने ब्रह्म सूत्र पर *वेदांत-पारिजात-सौरभ* नामक भाष्य लिखा। इस समुदाय की मूल प्रथा में **श्री राधा माधव** की पूजा होती है, जिसमें श्री राधा को श्री कृष्ण के अविभाज्य अंग के रूप में देखा जाता है।
नामदेव	1270-1350 ईसवी **महाराष्ट्र**	वे हिंदू धर्म के **वारकरी संप्रदाय** के लिए भी महत्त्वपूर्ण हैं और इन्होनें **भगवान् विठोबा** की पूजा की। उनके अभंग लेखन को सिख धर्म के पवित्र ग्रंथ **गुरु ग्रंथ साहिब** में शामिल किया गया था। वे हिंदू धर्म के दादूपंथ वंश के पाँच पूजनीय गुरुओं में से एक हैं। हिंदू धर्म के अन्य चार संत **दादू, कबीर, रविदास और हरदास** हैं। नामदेव वैष्णववाद से प्रभावित थे तथा भारत में अपने संगीतबद्ध भक्ति गीतों (भजन-कीर्तन) के लिए व्यापक रूप से जाने जाते थे। उनके दर्शन में वेदांत विषयों के साथ **निर्गुण ब्रह्म और सगुण ब्रह्म दोनों तत्व** शामिल हैं। वे भक्ति परंपरा को भारत के दक्षिणी भाग से उत्तर में प्रसारित करने के अपने प्रयासों के लिए जाने जाते हैं, जिससे **दोनों क्षेत्रों की आध्यात्मिक** संस्कृतियों के बीच एक **सेतु** का निर्माण हुआ। उन्होंने हमेशा कर्मकांडों और जाति भेद की आवश्यकता को दरकिनार करते हुए ईश्वर के साथ एक **व्यक्तिगत और सीधे संबंध** के महत्त्व पर जोर दिया। उनकी शिक्षाएँ और कविताएँ अक्सर जातिगत भेदभाव के विपरीत होती थीं, तथा समतावाद एवं **सार्वभौमिक बंधुत्व** की वकालत करती थीं।
ध्यानेश्वर	तेरहवीं शताब्दी ईसवी **महाराष्ट्र**	वह **विठोबा** के उपासक थे, जिन्हें भगवान् विष्णु का एक रूप माना जाता है और वह **वरकरी संप्रदाय** के संत थे। उन्होंने ध्यानेश्वरी (भगवद् गीता पर भाष्य) और अमृतानुभव की रचना की थी। ये दोनों रचनाएँ मराठी साहित्य की आरंभिक उपलब्ध रचनाएँ हैं। वह एक अन्य महान् मराठी संत **नामदेव** के भी **समकालीन** थे। एक अन्य वारकरी संत **मुक्ताबाई**, ज्ञानेश्वर की छोटी बहन थीं। उन्होंने **तातिचे अभंग** और **ज्ञानबोध** की रचना की थी।
चोखामेला	तेरहवीं-चौदहवीं शताब्दी महाराष्ट्र	वे भारत के प्रथम निम्न-जाति (महार) वरकारी कवियों में से एक थे। चोखामेला को नामदेव ने भक्ति की दीक्षा दी थी। एक बार जब वे पंढरपुर गये, तो उन्होंने संत नामदेव का कीर्तन सुना। विठोबा के भक्त चोखामेला पहले से ही नामदेव की शिक्षाओं से प्रभावित थे।

नाम	वर्ष और स्थान	विवरण
रामानंद	1300-1380 ईसवी **उत्तर प्रदेश**	वह एक **वैष्णव संत** थे और रामानंदी सम्प्रदाय के संस्थापक माने जाते हैं, जो भारत में सबसे बड़ा तपस्वी समुदाय है। वह **भगवान् राम** के भक्त थे। उन्होंने अद्वैत वेदांत और वैष्णव भक्ति के बीच संश्लेषण की दिशा में एक प्रयास किया। **कबीर और रविदास** उनके शिष्यों में से थे। वह अपनी शिक्षाओं के प्रचार के लिए **हिंदी का उपयोग करनेवाले पहले व्यक्ति** थे। उनकी लोकप्रिय रचनाएँ ज्ञान-लीला और योग-चिंतामणि (हिंदी), वैष्णव माता भजभास्कर और रामार्चन पद्धति (संस्कृत) हैं। उन्हें *"दक्षिण के भक्ति आंदोलन और उत्तर के भक्ति आंदोलन के बीच सेतु"* के रूप में भी जाना जाता है।
लल्लेश्वरी (ललद्यद)	1320-1392 कश्मीर	लल्लेश्वरी, जिन्हें स्थानीय रूप से लालद्यद के नाम से भी जाना जाता है, हिंदू दर्शन के **कश्मीरी शैव संप्रदाय** की एक **कश्मीरी रहस्यवादी** थीं। उन्होंने वत्सुन या वाख नामक रहस्यवादी काव्य शैली की रचना की। **लाल वाख** के नाम से प्रसिद्ध, उनके पद कश्मीरी भाषा की सबसे प्रारंभिक रचनाएँ हैं और आधुनिक कश्मीरी साहित्य के इतिहास में एक महत्त्वपूर्ण भूमिका निभाते हैं।
कबीर (बुनकर)	पंद्रहवीं शताब्दी ईसवी **उत्तर प्रदेश**	वह **वैष्णववाद** में विश्वास रखते थे और **अद्वैत दर्शन** के प्रति दृढ़ थे, जो प्रत्येक व्यक्ति और हर वस्तु के अंदर ईश्वर की उपस्थिति को दर्शाता है। वह **रामानंद के शिष्य** थे। वह निर्गुण विचारधारा से संबंधित थे और रूढ़िवादी विचारों और भेदभावपूर्ण जाति व्यवस्था की आलोचना करते थे। उन्होंने हिंदुओं और मुसलमानों को 'एक ही मिट्टी के बर्तन' बताया। वह योग तकनीकों में विश्वास करते थे और कहते थे कि ईश्वर की भक्ति मुक्ति की एक शक्तिशाली विधि है। वह अपने दो पंक्तियों के दोहे के लिए भी जाने जाते हैं, जिन्हें *'कबीर के दोहे'* के नाम से जाना जाता है। उनके विचारों को तीन साहित्यिक रूपों में पहचाना जा सकता है - दोहा (छोटी दो पंक्तियाँ), रमैनी (छंदबद्ध 4 पंक्तियाँ), और सबद (शब्द)। उनके अनुयायी **कबीर पंथी** के रूप में जाने जाते हैं। कबीर से संबंधित पदों को **तीन अलग-अलग**, लेकिन अतिव्यापी परंपराओं में संकलित किया गया है। कबीर **बीजक** को वाराणसी और उत्तर प्रदेश में अन्य जगहों पर **कबीरपंथ** (कबीर का मार्ग या संप्रदाय) द्वारा संरक्षित किया गया है; **कबीर ग्रंथावली** राजस्थान में **दादूपंथ** से जुड़ी है और उनकी कई रचनाएँ **आदि ग्रंथ साहिब** में पायी जाती हैं। ये सभी पांडुलिपि संकलन कबीर की मृत्यु के काफ़ी समय बाद किये गये थे। कबीर की कविताएँ कई भाषाओं और बोलियों में अभी भी मौजूद हैं; और कुछ **निर्गुण कवियों की विशेष भाषा**, ***संत भाषा*** में रची गयी हैं। अन्य, जिन्हें **उलटबाँसी** (उलटी बातें) के रूप में जाना जाता है, ऐसे रूप में लिखी गयी हैं, जिसमें रोज़मर्रा के अर्थ उलटे हैं।
नरसी मेहता	1414-1481 ईसवी **गुजरात**	वह एक **वैष्णव** संत-कवि थे। गुजराती साहित्य में उनका योगदान अत्यंत महत्त्वपूर्ण है और उनका प्रसिद्ध भजन ***"वैष्णव जन तो"*** महात्मा गांधी के पसंदीदा भजनों में से एक था। नरसिंह मेहता को **आदिकवि** भी कहा जाता है।
शंकरदेव	1449-1568 ईसवी **असम**	वह असम के **वैष्णव** संत-विद्वान, कवि, नाटककार और सामाजिक-धार्मिक सुधारक थे। उन्होंने **भगवान् विष्णु** के रूप में **"एकाशरण धर्म"** (या एक ईश्वर) के दर्शन का प्रचार किया। "सत्र" एकाशरण धर्म से जुड़े संस्थागत केंद्र या मठ हैं। उनकी शिक्षाएँ, जिन्हें अक्सर **भगवती धर्म** के नाम से जाना जाता है, क्योंकि वे भगवद् गीता और भागवत पुराण पर आधारित थीं, सर्वोच्च देवता, इस संदर्भ में विष्णु के प्रति पूर्ण समर्पण पर केंद्रित थीं। उन्होंने **नाम कीर्तन**, अर्थात् सत्संग या धर्मपरायण भक्तों की सभाओं में भगवान् के नामों के उच्चारण की आवश्यकता पर बल दिया। उन्होंने आध्यात्मिक ज्ञान के प्रसार के लिए सत्रों या मठों और **नामघरों** की स्थापना को भी प्रोत्साहित किया। उनकी प्रसिद्ध रचनाओं में ब्रजावली या ब्रजबुली (मैथिली और असमिया का मिश्रण) में लिखित **कीर्तन घोष** शामिल है। **माधवदेव** उनके उत्तराधिकारी बने।

क्या आप जानते हैं?

2022 में, भारत के पूर्व राष्ट्रपति श्री रामनाथ कोविंद ने मगहर (उत्तर प्रदेश) में स्वदेश दर्शन योजना के तहत संत कबीर अकादमी और अनुसंधान केंद्र का उद्घाटन किया।

नाम	वर्ष और स्थान	विवरण
गुरु नानक	1469-1539 ईसवी **पंजाब**	उनके बारे में कहा जाता है, कि वे *कबीर से प्रभावित* थे और **निर्गुण विचारधारा** के थे। वह 10 सिख गुरुओं में पहले थे तथा उन्हें **सिख धर्म का संस्थापक** के रूप में माना जाता है। **गुरु नानक की शिक्षाएँ :** गुरु नानक देव सिख धर्म के संस्थापक हैं। उनकी मुख्य शिक्षाएँ सिख धर्म के तीन स्तंभ हैं : ***नाम जपना*** सिमरन और नाम जपना गुरु नानक द्वारा शुरू की गयीं प्रथाएँ हैं। सिमरन का तात्पर्य भगवान् के नाम को दोहराकर याद करने से है। ***किरत करनी*** सिखों को 'किरत करनी' करने का निर्देश दिया जाता है, जिसका अर्थ है, सुख और दुख दोनों को भगवान् के उपहार एवं आशीर्वाद के रूप में स्वीकार करते हुए शारीरिक और मानसिक श्रम के माध्यम से ईमानदारी से पैसा कमाना। ***वंड छकना*** सिखों को वंड छकना - 'साझा करें और एक साथ उपभोग करें' का अभ्यास करके समुदाय के भीतर अपने धन को साझा करने का निर्देश दिया गया था।
सूरदास	1478-1580 ईसवी **उत्तर भारत**	वह जन्म से **अंधे** थे और **भगवान् कृष्ण** के अनन्य भक्त थे। वह **सगुण** संप्रदाय से संबंध रखते थे और **वल्लभाचार्य के शिष्य** थे। उनकी प्रसिद्ध रचना ***सूरसागर*** है। कृष्ण के बचपन का चित्रण उनकी प्रसिद्ध कृतियों 'सूरसागर' और 'सूर सारावली' में किया गया है।
वल्लभाचार्य (तेलुगू संत)	1479-1531 ईसवी **उत्तर भारत**	वे उत्तर भारत (मुख्य रूप से ब्रज क्षेत्र) में वैष्णववाद के कृष्ण-केंद्रित **पुष्टि मार्ग संप्रदाय** के संस्थापक थे। उन्होंने **शुद्ध अद्वैत** दर्शन को प्रतिपादित किया। उनके अनुसार स्नेह (ईश्वर के प्रति गहन प्रेम) के माध्यम से मोक्ष प्राप्त किया जा सकता है। राजस्थान में **नाथद्वारा** पुष्टि मार्ग सम्प्रदाय का एक महत्वपूर्ण तीर्थ स्थान है और अपने **श्रीनाथजी मंदिर** के लिए प्रसिद्ध है।
चैतन्य महाप्रभु	1486-1534 ईसवी **पश्चिम बंगाल**	वह एक बंगाली हिंदू संत और **अचिंत्य भेद-अभेद** और **गौड़ीय वैष्णववाद** परंपरा के मुख्य प्रस्तावक थे। एक प्रमुख **सगुण संत** होने के नाते, उन्होंने भक्ति योग के वैष्णव संप्रदाय का भी विस्तार किया और वह **भगवान् कृष्ण** के एक गहरे भक्त थे। उन्होंने अचिन्त्य भेद-अभेद के दर्शन की रचना की। संस्कृत में अचिंत्य का अर्थ है 'अकल्पनीय', 'भेद' का अर्थ है 'असमान' और अभेद का अर्थ है 'समान'। उन्होंने कृष्ण की पूजा के रूप में *कीर्तन* (धार्मिक गीत) को लोकप्रिय बनाया। **इस्कॉन (ISKCON)** ने उनकी शिक्षाओं से प्रेरणा ली है। उन्होंने एक पाठ ***"शिक्षाष्टकम्"*** लिखा, जो आठ छंदोंवाली गौड़ीय वैष्णव प्रार्थना है। चैतन्य महाप्रभु की शिक्षाएँ भगवान् कृष्ण की आराधना पर केंद्रित हैं।
एकनाथ	1533-1599 ईसवी **महाराष्ट्र**	वह एक वारकरी संत थे और सूफ़ी रहस्यवाद और वेदांत दर्शन से प्रभावित थे। उनका प्रसिद्ध काम ***'एकनाथ भागवत'*** (भगवद् गीता पर एक टिप्पणी) है। वे पहले भक्ति सुधारकों में से एक थे, जिन्होंने मराठी भाषा के विकास पर ज़ोर दिया। उनका उपनाम 'एका-जनार्दन' था। उन्होंने कीर्तन (भगवान् के नाम का गायन), नाम स्मरण (भगवान् का नाम याद रखना) और मेडिटेशन (ध्यान) को भी महत्त्व दिया।
दादू दयाल	1544-1603 ईसवी **गुजरात**	दादू दयाल कबीर के प्रति अत्यंत समर्पित थे। वह मुग़ल सम्राट् अकबर के समकालीन थे। ऐसा माना जाता है, कि अकबर उनका बहुत आदर करते थे। 'दादू' का अर्थ है भ्राता और 'दयाल' का अर्थ है 'दयालु'। उन्होंने वेदों के अधिकारों, जाति व्यवस्था और पूजा के बाहरी रूपों, जैसे-मंदिरों और तीर्थस्थलों पर जाने को अस्वीकार कर दिया। इसकी अपेक्षा, उन्होंने जाप (ईश्वर का नाम दोहराना) पर ध्यान केंद्रित किया। उनके अनुयायियों को **दादूपंथी** कहा जाता है। उनकी शिक्षाएँ 'दादू दयाराम की बानी' के नाम से संकलित हैं। दादू के शिष्य जनगोपाल ने दादू की पहली जीवनी लिखी।

नाम	वर्ष और स्थान	विवरण
तुकाराम	सत्रहवीं शताब्दी ईसवी **महाराष्ट्र**	वह भी **विट्ठल या विठोबा** (वारकरी संप्रदाय के देवता) के भक्त थे। वह अपनी भक्ति कविता के लिए प्रसिद्ध है, जिसे **अभंग** के रूप में जाना जाता है। वह लैंगिक भेदभाव और जाति व्यवस्था के ख़िलाफ़ थे।
समर्थ रामदास	1608-1681 ईसवी **महाराष्ट्र**	वह **भगवान् राम और हनुमान** के भक्त थे और अपने अद्वैत वेदांत पाठ **दासबोध** के लिए प्रसिद्ध हैं। वह *समर्थ संप्रदाय* के संस्थापक थे। संत रामदास के लिए **शिवाजी** के मन में बहुत सम्मान था।
गुरू घासीदास	1756-1850 ईसवी **छत्तीसगढ़**	उन्होंने समानता में विश्वास किया और जाति व्यवस्था की कड़ी आलोचना की। उन्होंने **"सतनामी समुदाय"** की स्थापना की। इसके अलावा, वह मूर्ति पूजा के ख़िलाफ़ थे, यानी वह निर्गुण विचारधारा से संबंधित थे। सतनामी संप्रदाय ईश्वर को सतनाम (वह, जिसका नाम सत्य है) मानता है। छत्तीसगढ़ सरकार ने संजय-दुबरी टाइगर रिज़र्व के एक हिस्से का नाम बदलकर उनके नाम पर गुरु घासीदास राष्ट्रीय उद्यान कर दिया।

क्या आप जानते हैं?

2022 में, भारत के प्रधानमंत्री श्री नरेंद्र मोदी ने पुणे ज़िले के मंदिर शहर देहु में संत तुकाराम शिला मंदिर का उद्घाटन किया।

क्या आप जानते हैं?

अष्टछाप **शब्द का प्रयोग वल्लभाचार्य के शिष्य आठ कवियों** के एक समूह के लिए किया जाता है, जो **भगवान् कृष्ण** की विभिन्न लीलाओं का वर्णन करते हुए हवेली संगीत प्रार्थना, स्तुति, कीर्तन और संगीतमय कथाएँ गाते थे। इसकी स्थापना 1565 ईसवी में पुष्टिमार्ग की स्थापना के साथ हुई थी। कवि **सूरदास** इस समूह के सबसे प्रसिद्ध सदस्य थे, अन्य कवियों में मथुरा और वृंदावन क्षेत्र के परमानंददास, नंददास, कृष्णदास, गोविंदस्वामी, कुंभनदास, छीतस्वामी और चतुर्भुजदास शामिल थे। अष्टछाप के प्रत्येक सदस्य को दैनिक पूजा के एक विशेष भाग का दायित्व सौंपा गया था।

भक्ति आंदोलन में महिलाएँ

महिलाओं ने भी भक्ति आंदोलन में महत्त्वपूर्ण भूमिका निभायी, उन्होंने सामाजिक मानदंडों को चुनौती देते हुए घर से निकलकर भक्ति की या अपने घरों में ही इसका अभ्यास किया।

महत्त्वपूर्ण महिला संत निम्नलिखित थीं :

- **मीराबाई :** मीराबाई एक शासक राजपूत परिवार से थीं और उनका विवाह मेवाड़ के राणा सांगा के बेटे भोज राज से हुआ था। परंतु वह भगवान् कृष्ण को अपना पति मानती थीं। उनकी कविताएँ कहती हैं – कृष्ण एक योगी और प्रेमी हैं, और उनकी योगिनी होने के नाते, वह आध्यात्मिक वैवाहिक आनंद में उनकी जगह लेने के लिए तैयार हैं। उनकी सबसे लोकप्रिय रचनाओं में से एक '*पायोजी मैंने राम रतन धन पायो*' है, जिसका अर्थ है 'मुझे भगवान् के नाम के आशीर्वाद की समृद्धि दी गयी है'। ऐसा माना जाता है कि गुरु रैदास मीराबाई के गुरु थे।
- **अक्का महादेवी :** वे बारहवीं सदी की भक्ति संत थीं, जो दक्षिण **कर्नाटक** की निवासी थीं। अपने समय के महान् दार्शनिक बसवन्ना, प्रभु देवा, मदिवलय्या और चेन्नाबसवन्ना द्वारा उन्हें 'अक्का' कहा जाता था, जिसका अर्थ है बड़ी बहन। वे **भगवान् शिव** की भक्त थीं।

- **जनाबाई :** शूद्र जाति से आने के कारण, उन्होंने संत नामदेव के घर में काम किया, जो आदरणीय भक्ति संतों में से एक थे। उनकी कोई औपचारिक शिक्षा नहीं हुई थी। इसके बावजूद, उन्होंने अपने जीवन, दैनिक कार्यों और निम्न जाति की महिला होने के प्रतिबंधों के विषय में 300 से अधिक कविताएँ लिखीं।
- **बहिना :** वे सत्रहवीं सदी की **महाराष्ट्र** की कवि-संत थीं। उन्होंने महिलाओं का कामकाजी जीवन, विशेषकर खेतों में चित्रित करनेवाले विभिन्न अभंग लिखे।
- **आंडाल (अंडाल) : तमिलनाडु की रहनेवालीं और आठवीं शताब्दी में जन्मीं, अलवारों** में **एकमात्र महिला** थीं। उनकी कविताओं में भगवान् विष्णु के प्रति उनका अटूट प्रेम झलकता था। उन्होंने शुद्ध तमिल में **थिरुप्पावई** और **नचियार तिरुमोझी** जैसे महत्त्वपूर्ण भक्ति ग्रंथों की रचना की। आंडाल के भजन अलवारों द्वारा रचित 4,000 तमिल छंदों के संग्रह, नलयिर दिव्य प्रबंधम का एक अभिन्न अंग हैं।
- **करैक्कल अम्मैयार :** वह 63 नयनार संतों में से तीन महिला नयनार संतों में से एक थीं। अपने लक्ष्य की प्राप्ति के लिए उन्होंने तप का मार्ग अपनाया।

संस्कृति संक्षेपण

सहजिया आंदोलन

सहजिया शब्द की उत्पत्ति दसवीं - ग्यारहवीं शताब्दी में **बंगाल और असम** में हुई थी और इसका अर्थ है 'आसान' या 'सहज', जो आध्यात्मिक अनुभूति प्राप्त करने का एक स्वाभाविक और सहज तरीक़ा दर्शाता है। यह आंदोलन, **भक्ति आंदोलन** और राधा-कृष्ण जैसे देवताओं की पूजा से **निकटता से जुड़ा** है। सहजिया **तांत्रिक बौद्ध परंपराओं** और महासिद्धों की शिक्षाओं से विकसित हुआ, जिन्होंने रहस्यवादी और गूढ़ साधनाओं का समर्थन किया। इस दर्शन का मूल प्रेम का अनुभव और सहज अवस्था, जो प्राकृतिक ज्ञानोदय की अवस्था है, की प्राप्ति है। वैष्णव सहजिया परंपरा ने बंगाल की **बाउल परंपरा** को भी प्रभावित किया।

कर्ताभज

कर्ताभज (गुरु के उपासक) एक उदार धार्मिक समुदाय है, जो अठारहवीं शताब्दी के बंगाल में उभरा। यह कठोर कर्मकांडों और सामाजिक पदानुक्रम **के बजाय** ईश्वर के प्रत्यक्ष, व्यक्तिगत अनुभव पर ज़ोर देता था। **सहजिया दर्शन** पर आधारित, इस आंदोलन में वैष्णववाद, सूफ़ीवाद और तंत्र के तत्व समाहित हैं। इस आंदोलन की स्थापना औलचंद ने की थी। औलचंद के प्रमुख शिष्य ज़मींदार रामशरण पाल और उनकी पत्नी सरस्वती थीं, जिन्हें **सती माँ** के नाम से जाना जाता था। पश्चिम बंगाल के नदिया ज़िले में एक वार्षिक मेला, सती मार डोल मेला, आयोजित होता है।

भक्ति आंदोलन का प्रभाव

- भक्ति आंदोलन से महिलाओं और समाज के निचले वर्गों के सदस्यों की स्थिति में सुधार हुआ है।
- भक्ति आंदोलन के विभिन्न प्रचारकों ने अपनी बात कहने और लिखने के लिए क्षेत्रीय भाषाओं का उपयोग किया। इससे हिंदी, मराठी, बंगाली, कन्नड़ आदि जैसी क्षेत्रीय भाषाओं के विकास को प्रोत्साहन मिला।
- इसके साथ ही मनुष्यों के प्रति परोपकारी जीवन और सेवा-भाव के एक नये दर्शन का विकास हुआ।
- भक्ति परंपरा और सूफ़ीवाद का संश्लेषण होने से हिंदू और मुस्लिम समुदायों के बीच एकता को बढ़ावा मिला।

पुस्तक के अतिरिक्त

'भक्ति साहित्य और भारतीय संस्कृति में इसका योगदान' से संबंधित पाठ्य सामग्री के लिए स्कैन करें।

सूफ़ी आंदोलन

उद्‌भव

सूफ़ीवाद इस्लाम की रहस्यवादी शाखा है। इस्लामी ग्रंथों में इसे तसव्वुफ़ के नाम से जाना जाता है। यह शब्द अरबी शब्द सूफ़ (ऊन) या सफ़ा (पवित्रता) से आया है। भारत में सूफ़ी आंदोलन लगभग 1300 ईसवी में शुरू हुआ और पंद्रहवीं शताब्दी तक दक्षिण भारत तक पहुँच गया।

विशेषताएँ

- **सूफ़ियों ने इख़लास** (शुद्ध उद्देश्य और कर्म) प्राप्त करने के लिए कठोर आत्मनिरीक्षण और मानसिक अनुशासन द्वारा अपने अंतर्मन को शुद्ध करने का प्रयास किया।
- मनीषियों ने बाह्य विज्ञान के ज्ञान से परे, आध्यात्मिक प्रकाश को महत्त्व दिया।
- सूफ़ीवाद पीर-मुर्शिदी परंपरा (गुरु-शिष्य परंपरा के समान) का कड़ाई से पालन करता है।
- सूफ़ीवाद का अंतिम लक्ष्य ईश्वर से मिलन है और यह सिखाता है, कि ईश्वर के प्रति प्रेम मानवता के प्रति प्रेम एवं सेवा के माध्यम से व्यक्त होता है।
- सूफ़ी मत ने अपने अनुयायियों के बीच **सहिष्णुता** की भावना विकसित की।
- सूफ़ी मत की महत्त्वपूर्ण विशेषताएँ हैं :
  - ***फ़ना :*** अल्लाह के साथ अल्लाह के बंदे का आध्यात्मिक विलय।
  - ***इन्सान-ए-कामिल :*** सर्वगुण संपन्न पूर्ण मनुष्य।
  - ***ज़िक्र–तौबा :*** भगवान् का हर समय स्मरण (ज़िक्र)।
  - ***वहादत–उल–वजूद :*** संपूर्ण ब्रह्माण्ड का एकमात्र अल्लाह; अल्लाह और जीव की एकता।
  - ***समा :*** अपनी अवधारणाओं को बढ़ावा देने के लिए आध्यात्मिक नृत्य और संगीत, हालाँकि संगीत ग़ैर-इस्लामी है।
- उन्होंने **विस्तृत रीति-रिवाजों को ख़ारिज कर दिया,** लेकिन भक्ति संतों की तरह सख़्त तपस्वी जीवन का प्रचार नहीं किया।
- भारतीय सूफ़ियों ने अनेक धर्मों से प्रेरणा ली तथा वेदांत दर्शन के समान ईश्वरीय एकता की शिक्षा दी।
- वे सभी मनुष्यों की समानता और मनुष्य के **सार्वभौमिक भाईचारे** में विश्वास करते थे।
- प्रारम्भिक सूफ़ी न केवल तपस्वी थे, बल्कि सभी प्रकार के सांसारिक सुखों का परित्याग कर स्वैच्छिक निर्धनता का जीवन भी जीते थे।
- सूफ़ी लोग ईश्वर के साथ अपने बंधन का वर्णन करने के लिए अक्सर प्रेम की भाषा का प्रयोग करते थे तथा ईश्वर के प्रेमी कहलाने में गर्व महसूस करते थे।

सूफ़ी संत, *फ़क़ीर* (ग़रीब आदमी) या *दरवेश* (भिक्षा के लिए दरवाज़े पर खड़ा) होते थे। कुछ इतिहासकारों के अनुसार, सूफ़ी मत के इतिहास में तीन चरण हैं :

चरण	अवधि	स्वरूप
पहला चरण : ख़ानक़ाह	दसवीं सदी	इसे सुनहरे रहस्यवाद का युग भी कहा जाता है।
दूसरा चरण : तरीक़ा	ग्यारहवीं - चौदहवीं सदी	जब सूफ़ीवाद संस्थागत हो रहा था और परंपराएँ और प्रतीक इससे जुड़ने लगे थे।
तीसरा चरण : तरीफ़ा	पंद्रहवीं सदी के बाद से	वह चरण, जब सूफ़ीवाद लोकप्रिय आंदोलन बन गया।

वह भूमि, जो युद्ध का वास थी, सूफ़ी के आध्यात्मिक अधिकार के आने के बाद शांति की भूमि **(दार-ए-इस्लाम)** बन गयी।

सूफ़ीवाद की मूल विशेषताओं में **'पवित्रता'** की 'अवधारणा' सम्मिलित थी। सूफ़ीवाद हृदय की शुद्धि *(तस्फ़ियत-उल-क़ुलूब)* की प्रक्रिया बन गया। इसका आशय **ध्यान अभ्यास** पर आधारित कठोर नैतिक अनुशासन होता था। सूफ़ी दर्शन में मूल विश्वास आंतरिक वास्तविकता की प्रधानता है, जिसका अर्थ है- ईश्वर को प्रथम, अंतिम, बाह्य और आंतरिक रूप में देखना।

सूफ़ी ख़ानक़ाह भी पदानुक्रम के बिना नहीं थी। जहाँ सूफ़ी संतों ने *विलय*, अर्थात् संतत्व का इस्लामी सिद्धांत प्राप्त कर लिया था, जिसने उसे अल्लाह के निकट पहुँचाया था और अल्लाह की कृपा से संरक्षित बनाया, वहीं पीर या शेख़, जैसे शिक्षकों और मार्गदर्शकों का मुख्य कार्य छात्रों यानी ***मुरीदों*** में शिक्षाओं का संचार करना था। मुख्य शिष्य को गुरु के उत्तराधिकारी *(ख़लीफ़ा)* या प्रतिनिधि *(मुक़द्दम)* के रूप में कार्य करने के लिए चुना जाता था। सूफ़ी संतों में अदृश्य आध्यात्मिक व क्षेत्रीय क्षमता होती थी। वे लोग, जो सामान्य वर्ग और जाति के थे, उनका स्थान बाह्य स्तर पर था और वे *मुरीद* नहीं थे।

प्रमुख सूफ़ी नियम और व्यवहार

नाम	विवरण
धिक्र	यह इस्लामी भक्तिपूर्ण कार्य है। इसमें वाक्यांशों या प्रार्थनाओं को दोहराया जाता है। धिक्र का पाठ करनेवाले को दकिर कहा जाता है। प्रार्थना की विषयवस्तु में अल्लाह का नाम या हदीस या क़ुरान से ली गयी दुआ शामिल होती है।
नशीद	यह कंठ संगीत की कृति है, जिसे इस्लाम में वाद्ययंत्रों के बिना या साथ गाया जाता है।
ज़ियारत	यह पैगंबर मुहम्मद, उनके परिवार के सदस्यों और वंशजों तथा उनके साथियों, सूफ़ी संतों की मजार और इस्लाम में अन्य पूजनीय हस्तियों से जुड़े स्थलों की तीर्थयात्रा का एक रूप है।
मुराक़बा	यह सूफ़ी ध्यान पद्धति है। इसका अभ्यास करने से सिद्धि के सभी चरण प्राप्त हो सकते हैं। यह आध्यात्मिक मार्गदर्शन पोषित करने के उद्देश्य से स्वयं को कुछ समय के लिए सांसारिक गतिविधियों से अलग करना होता है।
हद्र	यह सूफ़ी सिलसिलों द्वारा किया जानेवाला आवश्यकता से अधिक सामूहिक अनुष्ठान है।
उर्स	किसी सूफ़ी संत की पुण्यतिथि।
मल्फ़ूज़ात	सूफ़ी संतों के उपदेशों और प्रवचनों का संग्रह।
निस्बत	ईश्वर और मनुष्य के बीच विकसित होनेवाली आध्यात्मिक आत्मीयता।
वलि	शेख़ का पंथ

भारत में विभिन्न सूफ़ी सिलसिले

सूफ़ी मत कई 'सिलसिलों' में संगठित हुआ। **आइन-ए-अकबरी** कई दर्जन सिलसिलों का उल्लेख करता है। इन्हें 'बे-शारा' (शरीयत क़ानून के ख़िलाफ़) एवं 'बा-शारा' (शरीयत क़ानून के पक्ष में) में विभाजित किया गया था।

'बा-शारा' सूफ़ियों द्वारा इस्लाम के क़ानून (यानी शरिया) का पालन किया जाता था और एक संत द्वारा स्थापित सिलसिले (ऑर्डर) को उनके शिष्यों द्वारा जारी रखा जाता था। प्रमुख सिलसिले थे- **चिश्ती, सुहरावर्दी, फ़िरदौसी, क़ादरी, नक़्शबन्दी** आदि।

बे-शारा, शरिया में विश्वास नहीं करते थे। उन्हें मस्त कलंदर/मलंग/हैदरी कहा जाने लगा। इन यायावार (घुमंतू) संतों को सामान्य रूप से **'बाबा'** कहा जाता था। उनके लिखित विवरण शायद ही मिलते हैं। सामान्य रूप से, उन्होंने तपस्वी जीवन के अति कठोर रूपों का पालन किया और रस्मों की अवहेलना या उपेक्षा की।

अधिकतर सूफ़ी वंशों के नाम किसी संस्थापक व्यक्ति के नाम पर रखे गये थे। हालाँकि, चिश्ती संप्रदाय जैसे कुछ संप्रदायों का नाम उनके मूल स्थान के नाम पर रखा गया था।

चिश्ती सिलसिला

चिश्ती संप्रदाय की स्थापना भारत में ख़्वाजा मोइनुद्दीन चिश्ती (1143-1236 ई.) ने की थी, जो मूल रूप से चिश्त, अफ़ग़ानिस्तान के निवासी थे। इसकी शुरुआत 930 ई. में अफ़ग़ानिस्तान में हेरात के पास एक छोटे से क़स्बे चिश्त से हुई थी। चिश्ती संप्रदाय का नाम अफ़ग़ानिस्तान के इसी चिश्त क़स्बे के नाम पर पड़ा है। **ख़्वाजा मोइनुद्दीन चिश्ती** ने समाज के सबसे ग़रीब तबक़े के लिए काम करने हेतु अजमेर में ख़ानक़ाह की स्थापना की। वे **ग़रीब नवाज़** (ग़रीबों को दिलासा देनेवाले) के नाम से प्रसिद्ध थे। उनके निधन के बाद, अजमेर में प्रतिवर्ष वार्षिक समागम (उर्स) का आयोजन किया जाता है। सूफ़ी सिलसिलों में यह सबसे अधिक व्यापक है। शाहजहाँ और मुमताज़ महल की बेटी, मुग़ल राजकुमारी जहाँआरा बेगम ने **'मुनिस अल अरवाह'** (आत्माओं का विश्वासपात्र) लिखा, जो शेख़ मुइनुद्दीन चिश्ती की जीवनी है।

इस सिलसिले की विचारधारा **दीन एकेश्वरवादी** यानी **वहादत-उल-वुजूद** की अवधारणा पर आधारित थी, जो वेदान्त दर्शन से बहुत मिलती-जुलती है।

इस सिलसिले के अन्य प्रसिद्ध सूफ़ी संतों में से कुछ इस प्रकार हैं :

- **क़ुतुबुद्दीन बख़्तियार काकी :** वे ख़्वाजा मुइनुद्दीन चिश्ती के शिष्य थे। वे राजनीति, धर्म से इतनी गहराई से जुड़े हुए थे कि क़ुतुब-उद्-दीन ऐबक ने उनकी स्मृति में क़ुतुब मीनार का निर्माण आरम्भ किया था।
- **शेख़ सलीम चिश्ती :** वे मुग़ल काल के प्रसिद्ध सूफ़ी फ़क़ीरों में से एक थे, जिन्होंने मुग़ल साम्राज्य में 'चिश्ती सिलसिला' की अवधारणा पेश की थी। वे मुग़ल सम्राट् अकबर के पसंदीदा व्यक्तियों में से एक थे। अकबर ने चिश्ती के सम्मान में अपने पहले बेटे का नाम 'सलीम' (बाद में सम्राट् जहाँगीर) रखा। आगरा के निकट फ़तेहपुर सीकरी में शेख सलीम चिश्ती का मकबरा मुग़ल वास्तुकला का एक उत्कृष्ट उदाहरण है।
- **फ़रीदुद्दीन गंज-ए-शकर :** उन्हें लोकप्रिय रूप से **बाबा फ़रीद** के नाम से जाना जाता है और उन्होंने मुख्य रूप से **पंजाब क्षेत्र** में सूफ़ी मत का प्रचार किया। वह कहा करते थे कि भूख, समस्या का मूल कारण है।
- **शेख़ निज़ाम्मुद्दीन औलिया :** इन्हें महबूब-ए-इलाही के रूप में जाना जाता है। उन्होंने दुनियादारी को त्याग कर मानवता की सेवा के माध्यम से अल्लाह के निकट जाने में विश्वास किया। निज़ामुद्दीन औलिया के शिष्य उन्हें ***सुल्तान-उल-मशाइख़*** (अर्थात् शेख़ों का सुल्तान) कहकर संबोधित करते थे। **अमीर ख़ुसरो** उनके सबसे प्रसिद्ध शिष्य थे। चिश्ती संप्रदाय के एक अन्य संत **शेख़ सिराजुद्दीन उस्मानी** को निज़ामुद्दीन औलिया ने ***'आइन-ए-हिंद' (भारत का दर्पण)*** की उपाधि प्रदान की थी।
- **शेख़ नसीरुद्दीन महमूद :** उन्हें ***'चिराग़-ए-दिल्ली'*** या दिल्ली के दीपक की उपाधि दी गयी थी।
- **नागौर के शेख़ हमीदुद्दीन :** उन्हें ***सुल्तान-ए-तरकीन*** की उपाधि दी गयी थी और उन्होंने कई फ़ारसी पुस्तकों का हिन्दी में अनुवाद किया था।
- **शेख़ बुरहानुद्दीन ग़रीब :** वे दक्षिण भारत में चिश्ती समुदाय के संस्थापक थे।

क्या आप जानते हैं?

प्रारंभिक चिश्ती शिक्षाएँ दो महत्त्वपूर्ण सूफ़ी ग्रंथों में संकलित हैं। वे हैं - **शेख़ शिहब अल-दीन सुहरावर्द की अवारिफ़ अल-माश्आरिफ़** और **अली हुजविरी की कशफ़ अल-महजुब**। इन रचनाओं का आज भी अनुसरण किया जाता है।

सुहरावर्दी सिलसिला

इस सिलसिला की स्थापना **शेख़ शाहबुद्दीन सुहरावर्दी** द्वारा बग़दाद में की गयी थी। लेकिन इसकी भारत में स्थापना **शेख़ बहाउद्दीन ज़कारिया** (1182 ईसवी - 1262 ईसवी) द्वारा की गयी थी, जिन्हें इल्तुतमिश द्वारा **'शेख़-उल-इस्लाम'** की उपाधि दी गयी थी। उन्होंने **मुल्तान** में अपनी पहली ख़ानक़ाह खोली।

उनका विश्वास था कि सूफ़ी को **सम्पत्ति, ज्ञान** और **हल** (आध्यात्मिक बोध) प्राप्त करना चाहिए। उन्होंने धार्मिक प्रथाओं का अनुपालन किया और अध्यात्मवाद और इल्म (विद्वत्ता) के योग का समर्थन किया। सिलसिला में दीक्षा प्राप्त करने से पूर्व झुकने, जैसी चिश्ती प्रथा को सुहरावर्दियों द्वारा ख़ारिज कर दिया गया था। वे पंजाब, सिन्ध, कश्मीर और बंगाल के भागों में लोकप्रिय हो गये। बाद में यह बिहार और बंगाल में फ़िरदौसी सिलसिला के रूप में जाना गया। शेख़ रूकनुद्दीन (1251-1335 ईसवी) के अधीन सुहरावर्दी सिलसिला अपने शिखर पर पहुँचा। अन्य उल्लेखनीय सुहरावर्दी संत सैयद नुरूद्दीन मुबारक हैं।

क़ादरी सिलसिला

शाह नेमतुल्लाह ने इस सिलसिले को भारत में आरम्भ किया। यह पंजाब (विशेष रूप से सिन्ध) में लोकप्रिय हो गया। इस प्रणाली के पीरों ने **वहादत-अल-वुजुद** की अवधारणा का समर्थन किया। मियाँ मीर इस सिलसिले के प्रसिद्ध पीरों में से एक थे और उन्होंने **दारा शिकोह** *(शाहजहाँ का ज्येष्ठ पुत्र)* को इसमें सम्मिलित किया। दारा के लेखन में उनका प्रभाव देखा जा सकता है। उर्दू शायर **हसरत मोहानी** और **मोहम्मद इक़बाल** इस सिलसिले से जुड़े थे।

नक़्शबंदी सिलसिला

नक़्शबंदी सिलसिला भारत में **ख़्वाजा बहाउद्दीन नक़्शबंदी** द्वारा स्थापित किया गया था। इस सिलसिले के सबसे लोकप्रिय संत **अहमद सरहिंदी** थे। उन्होंने स्वयं को 'मुजद्दिद' या नयी सहस्राब्दी के सुधारवादी की उपाधि दी। **अकबर** के शासनकाल के दौरान यह लोकप्रिय हुआ। इसकी प्रकृति कट्टरपंथी थी और **औरंगज़ेब इसके अनुयायियों** में से एक था।

सत्तारी सिलसिला

इसकी स्थापना **शेख़ सिराजुद्दीन अब्दुल्ला सत्तारी** द्वारा की गयी थी और यह *मालवा, जौनपुर और बंगाल* में लोकप्रिय हुआ। अकबर के दरबार के लोकविख्यात संगीतकार **तानसेन** इस सिलसिले के अनुयायी थे।

कुबराविया सिलसिला

यह **नजमुद्दीन कुबरा** द्वारा आधुनिक तुर्कमेनिस्तान में स्थापित किया गया था। यह इन्हीं क्षेत्रों तक सीमित रहा और इसमें कोई अधिक विस्तार नहीं हुआ। इसे **फ़िरदौसी सिलसिला** के नाम से भी जाना जाता है तथा यह पूर्वोत्तर भारत, बांग्लादेश तथा मॉरीशस में प्रसिद्ध है।

क्या आप जानते हैं? पीर बुद्धन शाह, **जिन्हें पीर बोधन** के नाम से भी जाना जाता है, एक प्रतिष्ठित सूफ़ी पीर (संत) थे जो सोलहवीं और सत्रहवीं शताब्दी में हुए। वे सिखों, मुसलमानों और हिंदुओं द्वारा पूजे जाते हैं और **सिख गुरुओं के साथ अपने आध्यात्मिक जुड़ाव** के लिए जाने जाते हैं। उन्होंने रावलपिंडी में गुरु नानक के साथ आध्यात्मिक प्रवचन किया था। वे अपनी सादगीपूर्ण जीवनशैली के लिए जाने जाते थे, जहाँ वे केवल बकरी के दूध पर निर्भर रहते थे। उन्हें उस युग का सबसे महान् संगीतकार माना जाता है।

सूफ़ी संतों का महत्त्व

- अधिकांश सूफ़ी संतों को भूमि, अनुदान या *इनाम* के रूप में दी जाती थी, जिसे वे शेख़ के वंशजों को **हस्तांतरित कर सकते** थे। इन कार्यों ने शेख़ पंथ को संस्थागत बनाया और सामाजिक सीढ़ी पर ऊपर चढ़ने में उनके वंशजों के लिए आर्थिक आधार प्रदान किया।

- सूफ़ियों ने विश्व पर अपनी **आध्यात्मिक सत्ता** बढ़ायी और अपनी **राजनैतिक संप्रभुता,** जैसे-प्रशासन, युद्ध, कराधान आदि सांसारिक व्यवसायों का प्रभार देते हुए सौंप दी।
- उन्होंने लोगों के बीच **धार्मिक भ्रातृत्व** और **समानता** को बढ़ावा दिया एवं अपने विचारों और व्यवहारों को क्षेत्रीय भाषा या स्थानीय भाषा में लिखा, ताकि अधिक-से-अधिक लोग उनके गीतों और संदेशों को सुन या पढ़ सकें।
- हालाँकि सूफ़ी धार्मिक स्थलों का ग्रामीण जनता से लेकर सुल्तानों तक पर महत्त्वपूर्ण आर्थिक, सामाजिक एवं राजनैतिक प्रभाव था, लेकिन ये मुख्य रूप से **धार्मिक संस्था** थे।
- इसलिए, हम कह सकते हैं कि भले ही क़ानूनी तौर पर उनके पास समर्थन प्राप्त करने के लिए शरीयत की शक्ति **नहीं** रही होगी, लेकिन प्रथाओं और जनता को प्रभावित करने में सूफ़ियों ने उलेमा या पुजारियों से **अधिक हृदय और निष्ठा जीती।**

सूफ़ीवाद का प्रभाव

- सूफ़ीवाद का सबसे महत्त्वपूर्ण योगदान यह है, कि इसने हिंदू और मुस्लिम समुदायों के बीच की खाई को पाटने और इन **दोनों समुदायों को एक दूसरे के क़रीब लाने में सहायता की।**
- सूफ़ीवाद ने **ग्रामीण और शहरी, दोनों क्षेत्रों में जड़ें जमायीं** और जनता पर गहरा सामाजिक, राजनैतिक और सांस्कृतिक प्रभाव डाला। सूफ़ीवाद ने **शांति और सद्भाव** पैदा करने का प्रयास किया।

बे-शरिया सूफ़ी

ये सूफ़ी ख़ानक़ाह का तिरस्कार करते थे और भिक्षावृत्ति तथा ब्रह्मचर्य का पालन करते थे। वे कर्मकांडों की उपेक्षा करते थे और घोर तप करते थे। उन्हें विभिन्न नामों से जाना जाता था - कलंदर, मदारी, मलंग, हैदरी, आदि। आइए इनके बारे में संक्षेप में चर्चा करें :

कलंदर : दरगाहों पर उन्हें उनके चमकीले परिधानों की सहायता से आसानी से पहचाना जा सकता है। कलंदर शब्द मूल रूप से उस व्यक्ति के लिए प्रयुक्त होता था, जिसने सभी प्रकार की भौतिक संपत्ति त्याग दी हो और जो पूरी तरह से ईश्वर के प्रति समर्पित हो। ये फ़क़ीर केवल न्यूनतम धार्मिक कर्त्तव्यों का पालन करते हैं और एक दरगाह से दूसरी दरगाह जाने के लिए स्वतंत्र होते हैं। कलंदरों की एक अनूठी विशेषता यह है कि वे किसी सिलसिले से संबंधित नहीं होते। कलंदर मार्ग को भारत में इल्तुतमिश के शासनकाल के दौरान **शाह ख़िज़्र रूमी**, जो मूल रूप से अनातोलिया के निवासी थे, द्वारा लाया गया था। बू अली कलंदर (1209-1324) भारत के पहले और सबसे प्रसिद्ध कलंदर थे। सबसे प्रसिद्ध कलंदरों में से एक **लाल शाहबाज़ कलंदर** थे, जो सहवान के संरक्षक संत थे। वे एक घुमक्कड़ कवि और संगीतकार थे, जो हमेशा लाल वस्त्र पहनते थे। उन्होंने ही लोकप्रिय क़व्वाली, ***दम-ए-दम मस्त कलंदर*** की प्रेरणा दी थी।

मदारी : सैय्यद बदीउद्दीन अहमद ने मदारिया सिलसिले की स्थापना की, जिसे सबसे दिलचस्प मौजूदा सिलसिला माना जाता है। वे ***क़ुतुब-उल-मदार*** (संतों की धुरी) और ***ज़िंदा शाह मदार*** (जीवित संत) के रूप में प्रसिद्ध थे। यद्यपि उनका जन्म सीरिया के अलेप्पो में हुआ था, वे मदीना की अपनी यात्रा के दौरान एक रहस्योद्घाटन प्राप्त करने के बाद भारत आये। शाह मदार ने अपने जीवनकाल में साँप और बिच्छू के काटने के उपचार और पुरुष नपुंसकता के इलाज के लिए बहुत प्रसिद्धि प्राप्त की।

सत्रहवीं शताब्दी के दौरान, हिंदू योगियों का उन पर गहरा प्रभाव था। उनकी साधनाएँ सूफ़ियों की तुलना में नाथ योगियों और संन्यासियों से अधिक मिलती-जुलती थीं। वे अपने शरीर को ढकने के लिए राख का इस्तेमाल करते थे तथा भाँग का सेवन करते थे। वे काली पगड़ियाँ पहनते थे और हाथों में काले झंडे लिये रहते थे। वे योगियों के नक़्शेक़दम पर चलते थे तथा अक्सर श्वास नियंत्रण का अभ्यास करते समय सिर्फ़ एक लंगोटी पहनते थे। वे नाथ योगियों की तरह कठोर ब्रह्मचर्य का भी पालन करते थे।

शाह मदार के उर्स के दौरान, उनके अनुयायी जलते हुए कोयले पर चलते हैं और 'दम मदार' कहते हैं। वे नमाज़ पढ़ने या रोज़ा रखने की परवाह नहीं करते। मदारी सूफ़ी संत हिंदुओं और मुसलमानों दोनों द्वारा समान रूप से पूजनीय हैं।

मलंग : मलंग सिलसिला मदारिया संप्रदाय से जुड़ी एक सूफ़ी आध्यात्मिक शाखा है, जिसके अनुयायी मलंग कहलाते हैं।

हैदरी : हैदरी दरवेश कठोर तपस्या और शरीर को कष्ट पहुँचाने के लिए जाने जाते थे, जैसे कि अपने शरीर को लोहे के छल्लों से छेदना। वे फेल्ट के वस्त्र भी पहनते थे और नंगे पैर चलते थे। अल-जौबारी की तेरहवीं शताब्दी की पुस्तक ***कश्फ अल-असरार*** के अनुसार, इस संप्रदाय के कुछ सदस्य आत्म-क्षति के अनुष्ठानों से पहले खुद को सुन्न करने के लिए हशीश का इस्तेमाल करते थे। ऐसे दरवेशों के लिए हशीशिया शब्द का प्रयोग किया जाता था।

सूफ़ी परंपराओं के इतिहास के पुनर्निर्माण हेतु प्रयुक्त विविध स्रोत

परीक्षोपयोगी

मौखिक शिक्षाओं, जीवनवृत्तांतों और रहस्यवादी काव्य की समृद्ध परंपरा के आधार पर, प्राचीन और मध्यकालीन भारतीय सूफ़ीवाद ने अनेक ग्रंथों और पांडुलिपियों का निर्माण किया। इनमें से अधिकांश लेखन **मल्फ़ूज़ात** (सूफ़ी आचार्यों के लिखित वार्तालाप) और **मकतूबत** (सूफ़ियों द्वारा लिखे गये पत्र) के रूप में पाया जाता है।

मल्फ़ूज़ात (*सूफ़ी संतों के वार्तालाप*)

इन पुस्तकों में सूफ़ी आचार्यों के कथन, प्रवचन और शिक्षाएँ दर्ज हैं। ये उनके शिष्यों द्वारा संकलित की गयीं और सूफ़ियों के दर्शन, प्रथाओं और दैनिक जीवन के बारे में जानकारी का एक महत्त्वपूर्ण स्रोत हैं।

फ़वा'इद अल-फ़ुआ'द (*हृदय के नैतिक सिद्धांत*): प्रसिद्ध फ़ारसी कवि अमीर हसन सिज्जी देहलवी द्वारा संकलित, यह प्रसिद्ध चिश्ती संत निज़ामुद्दीन औलिया के वार्तालापों का एक अभिलेख है। यह दिल्ली में चौदहवीं शताब्दी के चिश्ती संप्रदाय के आध्यात्मिक और सामाजिक जीवन पर गहन नज़र डालता है।

सियार अल-अवलिया (*संतों का जीवन*): अमीर खुसरो द्वारा संकलित यह ग्रंथ चिश्ती संतों की एक विस्तृत जीवनी है। यह भारत में चिश्ती संप्रदाय और उसके संस्थापकों का विस्तृत ऐतिहासिक विवरण प्रस्तुत करता है।

ख़ैर अल-मजलिस (*सर्वोत्तम सभाएँ*): हामिद कलंदर द्वारा संकलित यह संग्रह, एक अन्य प्रमुख चिश्ती संत शेख़ नसीरुद्दीन चिराग़-ए-देहली के वार्तालापों का दस्तावेज़ीकरण करता है।

जवामी उल-कलीम (*शब्दों का संग्रह*): सैयद मुहम्मद हुसैनी, जिन्हें गेसूदराज़ के नाम से भी जाना जाता है, द्वारा संकलित, यह ग्रंथ उनके गुरु, शेख़ नसीरुद्दीन चिराग़-ए-देहली और अन्य लोगों के वार्तालापों को दर्ज करता है।

मकतूबत (सूफ़ी पत्र)

इन रचनाओं में सूफ़ी गुरुओं द्वारा अपने शिष्यों, अन्य मनीषियों और शासकों को लिखे गये पत्र शामिल हैं। ये पत्र अक्सर आध्यात्मिक मार्गदर्शन, सामाजिक मुद्दों और धार्मिक बहसों को संबोधित करते हैं।

मकतूबत-ए इमाम-ए रब्बानी (*दिव्य नेता के पत्र*) : ये नक़्शबंदी संत शेख अहमद सरहिंदी (1564-1624) के पत्र हैं, जो मुग़ल काल के दौरान प्रभावशाली थे। उनके पत्र सम्राट् अकबर की समन्वयवादी नीतियों की आलोचना करते हैं और इस्लामी क़ानून के सख़्त पालन की वकालत करते हैं।

मकतूबत-ए याह्या मनेरी (*याह्या मनेरी के पत्र*) : बिहार के फ़िरदौसी संत शरफुद्दीन याह्या मनेरी के पत्र आध्यात्मिक मार्ग और मानव सेवा पर मार्गदर्शन प्रदान करते हैं।

सूफ़ीवाद पर अन्य उल्लेखनीय स्रोत

***अली हजवेरी या दाता गंज बख़्श* द्वारा लिखित कश्फ अल-महजूब (*परदे का रहस्योद्घाटन*)** : सूफ़ीवाद पर सबसे पुराना और सबसे प्रामाणिक फ़ारसी-भाषा ग्रंथों में से एक माना जाता है, यह पुस्तक सूफ़ी मान्यताओं और प्रथाओं का विवरण प्रदान करती है।

तज़्किरा (आत्मकथा) : ये **सूफ़ी संतों के जीवन-वृत्तांत** हैं। चौदहवीं शताब्दी में **मीर खुर्वद किरमानी** द्वारा रचित ***सियार-उल-औलिया*** भारत में रचित **पहला सूफ़ी तज़्किरा** था। यह मुख्यत: चिश्ती संतों पर केंद्रित था। **सबसे प्रसिद्ध तज़्किरा अब्दुल हक़ मुहद्दिस देहलवी** (मृत्यु 1642) का अख़बार-उल-अख़यार है।

***जलालुद्दीन रूमी* द्वारा रचित मसनवी** : यह सूफ़ी साहित्य की संभवत: सबसे प्रसिद्ध और व्यापक रूप से पढ़ी जानेवाली रचना है। दंतकथाओं, कहानियों और उपाख्यानों से भरपूर यह छह खंडोंवाला काव्य प्रेम की प्रकृति और दिव्य मिलन के मार्ग पर गहन आध्यात्मिक शिक्षाएँ प्रदान करता है।

यू.पी.एस.सी. विगत वर्षों के बहुविकल्पीय प्रश्न

1. भक्ति कवि नामदेव के संबंध में, निम्नलिखित में से कितना/कितने कथन सही है/हैं? **(CDS I, 2024)**

1. ऐसा प्रतीत होता है कि उन्होंने दक्षिण की भक्ति को उत्तर भारत में प्रसारित करने में भूमिका निभाई।
2. वे दृढ़ एकेश्वरवादी थे और उन्होंने जातिगत भेदभाव का विरोध किया।
3. वे कबीर के सच्चे अनुयायी थे।

सही उत्तर चुनिए।

(a) 1 (b) 2
(c) 3 (d) कोई नहीं

2. वीरशैववाद के संबंध में, निम्नलिखित में से कौन-सा/कौन-से कथन सही है/है? **(CDS I, 2024)**

1. वीरशैववाद का उद्भव पाँच महान् धार्मिक गुरुओं-रेणुका, दारुका, घंटाकर्ण, धेनुकर्ण और विश्वकर्ण से माना जाता है।
2. वीरशैव दर्शन को शक्तिविशिष्टाद्वैत-ईश्वर की अद्वैतता कहा जाता है।
3. अष्टावरण वीरशैववाद के अनुयायियों द्वारा पालन किये जाने वाले आठ नियम हैं।

नीचे दिए गये कूट का प्रयोग कर सही उत्तर चुनिए।

(a) केवल 1 और 2 (b) 1, 2 और 3
(c) केवल 1 और 3 (d) केवल 3

3. सहजिया संप्रदाय जिसका प्रारंभ 10वीं और 11वीं शताब्दी में हुआ था, सामान्यत: किससे संबंधित है? **(CDS II, 2023)**

(a) आरंभिक भक्ति परंपरा
(b) एक प्रकार का आरंभिक सूफ़ीवाद
(c) आरंभिक उपनिषदीय दर्शन
(d) बौद्ध धर्म

4. असम के वैष्णव संत शंकरदेव के बारे में निम्नलिखित में से कौन-सा/कौन-से कथन सही है/हैं? **(CDS II, 2023)**

1. उनकी शिक्षाओं को प्राय: भगवती धर्म के रूप में जाना जाता है।
2. उन्होंने आध्यात्मिक ज्ञान के प्रसार के लिए सत्रों या मठों और नाम घरों या प्रार्थना घरों को स्थापित करने के लिए प्रोत्साहित किया।
3. उनकी प्रमुख रचनाओं में कीर्तन-घोष शामिल है।

नीचे दिए गये कूट का प्रयोग कर सही उत्तर चुनिए :

(a) केवल 1 और 2 (b) केवल 2 और 3
(c) 1, 2 और 3 (d) केवल 3

5. निम्नलिखित में से कौन एक महिला नायनार संत नहीं है? **(CDS II, 2023)**

(a) कराइक्कल अम्मइयार (b) मंगयार्ककरसियार
(c) अंडाल (d) इसाईग्नानियार

6. मध्यकालीन मथुरा और वृंदावन के प्रतिष्ठित कवियों का समूह, जो अष्ट-छाप कहलाते थे, निम्नलिखित में से किस मध्यकालीन भक्ति संत के उत्तरवर्ती थे? **(CAPF, 2023)**
   (a) बनारस के कबीर (b) बंगाल के चैतन्य
   (c) पंजाब के गुरु नानक (d) ब्रज क्षेत्र के सूरदास

7. भक्ति के विभिन्न रूपों को दर्शाने वाले निम्नलिखित युग्मों में से कौन-सा युग्म सही सुमेलित नहीं है? **(CDS I, 2023)**
   (a) सगुण : ईश्वर के साकार रूप में आस्था
   (b) निर्गुण : ईश्वर के निराकार रूप में आस्था
   (c) आलवार : शक्ति की उपासना में आस्था
   (d) नयनार : शिव की उपासना में आस्था

8. निम्नलिखित भक्ति संतों में से कौन निर्गुण भक्ति शाखा से संबद्ध नहीं है? **(CAPF, 2021)**
   (a) कबीर (b) नानक
   (c) दादू (d) चैतन्य

9. निम्नलिखित में से किसे मीराबाई का गुरु माना जाता था? **(NDA I, 2021)**
   (a) दादू (b) रैदास
   (c) रामानन्द (d) सूरदास

10. *ज़ियारत* शब्द का निम्नलिखित में से सही अर्थ क्या है? **(NDA I, 2021)**
   (a) सूफ़ी संतों की मज़ारों की यात्रा
   (b) राजस्व कृषि (रेवेन्यू फ़ार्मिंग) प्रथा
   (c) किसी सूफ़ी शेख़ की बरसी
   (d) एक प्रकार का इस्लामी तलाक़

11. *सगुण* भक्ति परंपराओं के संबंध में निम्नलिखित में से कौन-सा/कौन-से कथन सही है/हैं? **(NDA I, 2021)**
   1. *सगुण* भक्ति परंपराएँ विशिष्ट देवताओं, जैसे, विष्णु या उनके अवतारों की आराधना पर केंद्रित हैं।
   2. *सगुण* भक्ति परंपराओं में, देवी एवं देवताओं की अवधारणा मानवाकृतीय (मानवरूपी) रूपों में की जाती है।

   नीचे दिये गये कूट का प्रयोग कर सही उत्तर चुनिए :
   (a) केवल 1 (b) केवल 2
   (c) 1 और 2 दोनों (d) न तो 1 और 2

12. चिश्त नगर कहाँ स्थित है, जिससे सूफ़ी चिश्ती सिलसिला का नाम पड़ा? **(CDS II, 2021)**
   (a) पश्चिमी तुर्की (b) मध्य अफ़ग़ानिस्तान
   (c) पूर्वी ईरान (d) पूर्वी ईराक

13. जहाँआरा द्वारा लिखित शेख़ मुइनुद्दीन चिश्ती की जीवनी किस नाम से जानी जाती है। **(CDS II, 2021)**
   (a) मुनिस अल अरवाह
   (b) फवाएद उल फवाद
   (c) सीरत उल औलिया
   (d) मुरक्का-ए देहली

14. निम्नलिखित कथनों पर विचार कीजिए :
   1. संत निम्बार्क अकबर के समकालीन थे।
   2. संत कबीर शेख़ अहमद सरहिंदी से बहुत प्रभावित थे।

   ऊपर दिये गये कथनों में से कौन-सा/से सही है/हैं? **(CSE, 2019)**
   (a) केवल 1 (b) केवल 2
   (c) 1 और 2 दोनों (d) न तो 1 और 2

15. कवि संत कबीर के छंदों को निम्नलिखित में से किस परंपरा में संकलित किया गया है?
   1. वाराणसी में बीजक
   2. राजस्थान में कबीर ग्रंथावली
   3. आदि ग्रंथ साहिब

   नीचे दिये गये कोड का प्रयोग कर सही उत्तर का चयन कीजिए। **(CDS I, 2018)**
   (a) केवल 1 और 2 (b) 1, 2 और 3
   (c) केवल 2 और 3 (d) केवल 3

16. 12वीं शताब्दी के आसपास, सूफ़ी सिलसिले इस्लामी जगत् के विभिन्न हिस्सों में निश्चित रूप धारण करने लगे, यह द्योतक है :
   1. पीर और मुरीद के बीच निरंतर संबंध।
   2. पैग़ंबर मुहम्मद से अटूट आध्यात्मिक वंशावली।
   3. आध्यात्मिक शक्ति का संचरण और भक्तों को आशीर्वाद।

   नीचे दिये गये कोड का प्रयोग कर सही उत्तर का चयन कीजिए : **(CDS I, 2018)**
   (a) केवल 1 और 2 (b) केवल 2
   (c) केवल 1 और 3 (d) 1, 2 और 3

17. शंकर के विषय में निम्नलिखित में से कौन-सा/से कथन सत्य है/हैं?
   1. शंकर ने वेदांत के एक रूप अद्वैत का प्रतिपादन किया।
   2. उन्होंने गौड़पाद के दर्शन का विस्तार किया।
   3. शंकर ने यह दर्शाने का प्रयास किया कि उपनिषदों और ब्रह्मसूत्रों में एकीकृत, व्यवस्थित दर्शन है।
   4. शंकर ने अमनय मठों की स्थापना की।

   नीचे दिये गये कोड का प्रयोग कर उत्तर का चयन कीजिए। **(CDS I, 2016)**
   (a) केवल 1 और 2 (b) 1, 2 और 3
   (c) 3 और 4 (d) केवल 4

18. निम्नलिखित कथनों पर विचार कीजिए : **(CSE, 2014)**
   (i) 'बीजक-संत दादू दयाल के उपदेशों का संग्रह है।
   (ii) पुष्टि मार्ग का दर्शन मध्वाचार्य द्वारा दिया गया था।

उपर्युक्त कथनों में से कौन-सा/से सही है/हैं?

(a) केवल (i) (b) केवल (ii)
(c) (i) और (ii) दोनों (d) न तो (i), न ही (ii)

19. सूफ़ियों की भाषा में ज़ियारत क्या थी? (CDS I, 2013)

(a) बरकत (आध्यात्मिक कृपा) माँगने के लिए सूफ़ी संतों की क़ब्रों की तीर्थयात्रा
(b) दिव्य नाम का जाप
(c) फ़ुतुह पर चलनेवाली मुफ्त रसोई की पेशकश (दान के लिए बिना माँगे)
(d) औक़ाफ़ (धर्मार्थ ट्रस्ट) की स्थापना

20. दक्षिण भारत में भक्ति परंपरा के बारे में निम्नलिखित में से कौन-सा/से कथन सही नहीं है/हैं? (CDS II, 2013)

1. भारत में सबसे पहले भक्ति आंदोलन का नेतृत्व आलवार और नयनार संतों ने किया था।
2. नलरीय दिव्यप्रबंधम, जिसे अक्सर तमिल वेद के रूप में वर्णित किया जाता है, आलवारों की रचनाओं का संकलन है।
3. कराईकल अम्मियार, महिला आलवार संतों ने पितृसत्तात्मक मानदंडों का समर्थन किया।

नीचे दिये गये कोड का प्रयोग कर सही उत्तर का चयन कीजिए :

(a) 1, 2 और 3 (b) 1 और 2 केवल
(c) केवल 3 (d) केवल 2

21. सूफ़ीवाद के बारे में निम्नलिखित कथनों पर विचार कीजिए:

1. सूफ़ी धर्मशास्त्रियों द्वारा अपनायी गयी क़ुरान और सुन्ना (पैग़ंबर की परंपराओं) की व्याख्या करने की हठधर्मी परिभाषाओं और शैक्षिक तरीक़ों के आलोचक थे।
2. सूफ़ियों ने अपने व्यक्तिगत धर्मशास्त्रियों के आधार पर क़ुरान की व्याख्या की माँग की।

ऊपर दिये गये कथनों में से कौन-सा/से सही है/हैं? (CDS I, 2012)

(a) केवल 1 (b) केवल 2
(c) दोनों 1 और 2 (d) न तो 1 और न ही 2

22. अपने संदेश के प्रचार-प्रसार हेतु हिंदी का प्रयोग करने वाले निम्नलिखित में से प्रथम भक्ति मार्गी संत कौन थे? (CSE, 20019)

(a) दादू (b) कबीर
(c) रामानंद (d) तुलसीदास

उत्तरमाला

1. (b)	2. (c)	3. (a)	4. (c)	5. (c)	6. (d)	7. (c)	8. (d)
9. (b)	10. (a)	11. (c)	12. (b)	13. (a)	14. (d)	15. (b)	16. (d)
17. (b)	18. (d)	19. (a)	20. (c)	21. (c)	22. (c)		

यू.पी.एस.सी. विगत वर्षों के प्रश्न - मुख्य परीक्षा

1. भक्ति साहित्य की प्रकृति का मूल्यांकन करते हुए भारतीय संस्कृति में इसके योगदान का निर्धारण कीजिए। (150 शब्दों में उत्तर दीजिए) (CSE, 2021)

2. **श्री चैतन्य महाप्रभु** के आगमन से **भक्ति आंदोलन** को एक असाधारण नयी दिशा मिली थी। चर्चा करें। (CSE, 2018)

3. सूफ़ी और मध्ययुगीन रहस्यवादी संत हिंदू/मुस्लिम समुदाय धार्मिक विचारों और प्रथाओं या बाहरी सरंचना को किसी भी विवेचनीय स्तर तक परिवर्तित करने में विफल रहे। टिप्पणी कीजिए। (CSE, 2014)

4. चिश्ती सिलसिला के बारे में बताइए। (CSE, 2008)

21

दर्शन विचारधाराएँ

अध्याय की रूपरेखा

- रूढ़िवादी विचारधारा
- सांख्य विचारधारा
- योग विचारधारा
- न्याय विचारधारा
- वैशेषिक विचारधारा
- मीमांसा विचारधारा
- वेदान्त विचारधारा
- नास्तिक विचारधारा

'फ़िलॉसफ़ी' शब्द दो प्राचीन यूनानी शब्दों ('फ़िलॉस' तथा 'सोफ़िया') से मिलकर बना है। **'फ़िलॉस'** का अर्थ होता है 'प्रेम' और **'सोफ़िया'** का अर्थ होता है 'ज्ञान'। प्राचीन भारतीय दर्शन, जो अक्सर धर्म से जुड़ा होता था, राज्य और वर्ण-आधारित व्यवस्था के उदय के साथ अलग-अलग विचारधाराओं में विकसित हुआ। प्रमुख विद्यालय इस बात पर सहमत थे कि मनुष्यों को चार लक्ष्यों की पूर्ति के लिए प्रयास करना चाहिए, अर्थात् पुरुषार्थ - मानव प्रयास:

जीवन के लक्ष्य	अर्थ	लक्ष्यों पर प्रबंध
अर्थ	आर्थिक साधन या धन	***अर्थशास्त्र*** में अर्थव्यवस्था से संबंधित मुद्दों पर चर्चा की गयी है।
धर्म	सामाजिक व्यवस्था का विनियमन	राज्य से संबंधित मुद्दों की चर्चा ***धर्मशास्त्र*** में की गयी है।
काम	शारीरिक सुख-भोग या प्रेम	***कामशास्त्र/कामसूत्र*** की रचना यौन विषयों पर विस्तार से प्रकाश डालने के लिए की गयी थी।
मोक्ष	मुक्ति	***दर्शन*** से सम्बद्ध कई ग्रन्थ हैं, जिनमें मुक्ति की चर्चा की गयी है।

यद्यपि सभी ने इन चार को ही लक्ष्य माना, लेकिन मुख्य उद्देश्य पुनर्जन्म से मुक्ति था। ईसा युग के आरंभ तक, इस लक्ष्य तक पहुँचने के विभिन्न तरीक़ों ने दर्शन के दो मुख्य संप्रदायों को जन्म दिया। ये संप्रदाय निम्नलिखित थे: →

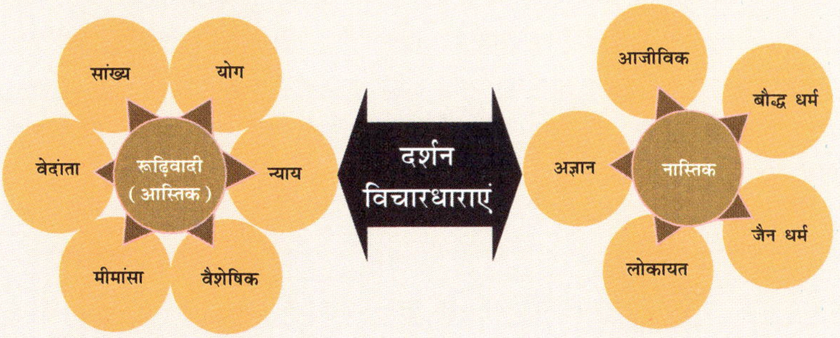

रूढ़िवादी विचारधारा

इस संप्रदाय का मानना था कि **वेद** मोक्ष का रहस्य छिपाये **सर्वोच्च प्रकाशित धर्मग्रंथ** हैं। इस संप्रदाय के प्रस्तावक वेदों की प्रामाणिकता पर प्रश्न **नहीं** उठाते थे। छह उप-संप्रदायों: ***सांख्य, योग, न्याय, वैशेषिक, मीमांसा और वेदांत को षड्दर्शन*** कहा जाता था।

सांख्य विचारधारा

यह दर्शनशास्त्र की प्राचीनतम विचारपद्धति है, जिसकी नींव ***सांख्य सूत्र*** के रचयिता माने जानेवाले *कपिल मुनि* ने रखी थी। 'सांख्य' का शाब्दिक अर्थ 'गिनना' होता है। यह विचारधारा विकास के दो चरणों से हो कर गुज़री, जो निम्नलिखित थीं:

मूल सांख्य दृष्टिकोण	नवीन सांख्य दृष्टिकोण
इस दृष्टिकोण को प्राचीन सांख्य दर्शन का रूप समझा जाता है तथा माना जाता है कि **प्रथम शताब्दी ईसवी** में इसकी उत्पत्ति हुई।	यह दृष्टिकोण **चौथी शताब्दी ईसवी** में प्राचीनतम सांख्य विचारधारा के नये तत्त्वों के साथ विलय का परिणाम माना जाता है।
समर्थकों का मानना था कि ब्रह्माण्ड की सृष्टि के लिए किसी दैवीय कारक की उपस्थिति **अनिवार्य नहीं** थी।	इनका तर्क था कि ब्रह्माण्ड की सृष्टि के लिए प्रकृति के तत्त्वों के साथ **पुरुष या आत्मा की उपस्थिति अनिवार्य** थी।
इन्होंने ब्रह्माण्ड की सृष्टि के संबंध में तर्कपूर्ण तथा **वैज्ञानिक दृष्टिकोण** प्रतिपादित किया।	इन्होंने ब्रह्माण्ड की सृष्टि के संबंध में एक **आध्यात्मिक तथा भाववादी दृष्टिकोण** का प्रतिपादन किया।
इन्होंने यह भी तर्क प्रस्तुत किया कि इस विश्व का अस्तित्व ***प्रकृति*** के कारण ही है।	इनका तर्क था कि विश्व की सृष्टि प्रकृति तथा **आध्यात्मिक तत्त्वों** के मिश्रण से हुई।
इस दृष्टिकोण को दर्शनशास्त्र की **भौतिक विचारधारा** समझा जाता है।	इस दृष्टिकोण का संबंध दर्शनशास्त्र के अपेक्षाकृत **अधिक आध्यात्मिक विचारधारा** से माना जाता हैं।

दोनों ही विचारधाराओं का यह तर्क था कि **ज्ञान** प्राप्ति के द्वारा ही मुक्ति संभव है। ज्ञान का अभाव मानव की दुर्दशा का मूल कारण है।

कपिल मुनि

यह विचारधारा ***द्वैतवाद*** में विश्वास रखती है, अर्थात् – **आत्मा** तथा **पदार्थ** दो पृथक् सत्ताएँ हैं। यह अवधारणा सभी **वास्तविक ज्ञान** का आधार है। इस ज्ञान को तीन मुख्य अवधारणाओं के द्वारा प्राप्त किया जा सकता है:

- ***प्रत्यक्ष:*** अनुभूति
- ***अनुमान:*** निष्कर्ष
- ***शब्द:*** श्रवण

यह विचारधारा अन्वेषण की अपनी वैज्ञानिक प्रणाली के लिए प्रसिद्ध रही है। इस दर्शन में यह तर्क दिया गया कि प्रकृति तथा पुरुष वास्तविकता का आधार हैं तथा वे पूर्ण एवं स्वतंत्र हैं। **चूँकि पुरुष (Purusha), पुरुष (Male)** विशेषताओं से अधिक समीपता रखता है, यह चेतना से संबंधित है तथा इसे बदला या परिवर्तित नहीं किया जा सकता। यह चेतना समस्त ज्ञान का आधार है। ***प्रत्यक्ष*** (धारणा), ***अनुमान*** (तर्क) और ***शब्द*** (श्रवण) के माध्यम से ज्ञान प्राप्त किया जा सकता है। इसके ठीक विपरीत, **प्रकृति** की **तीन मुख्य विशेषताएँ** हैं: विचार, गति तथा रूपांतरण। प्रकृति सत्व (शांति), रजस (गतिविधियाँ) और तमस (निष्क्रियता और नकारात्मकता) जैसे तीन गुणों के संतुलन की स्थिति भी है।

योग विचारधारा

पतंजलि का योगसूत्र (दूसरी शताब्दी ईसा पूर्व) योग को व्यक्तिगत और सार्वभौमिक आत्मा के मिलन के रूप में परिभाषित करता है। यह तर्क देता है कि मनुष्य ध्यान और योगिक तकनीकों के शारीरिक प्रयोग के संयोजन से मोक्ष प्राप्त कर सकता

है। कहा जाता है कि इस तकनीक के प्रयोग से **पुरुष प्रकृति से पृथक् हो जाता है** तथा अंततः मुक्ति को प्राप्त होता है। यह अंततः आत्म-नियंत्रण (संयम) और मन के विनाश या मन की एकनिष्ठता (समाधि) की प्राप्ति की ओर ले जाता है। वस्या का **योगभाष्य** और वाचस्पति का **तत्त्व-वैसारादि** इस क्षेत्र में महत्त्वपूर्ण निबंध हैं।

योग मुद्रा

इस विचारधारा के मूर्त या भौतिक पहलू विभिन्न मुद्राओं में किये गये व्यायाम हैं, जिन्हें *आसन* भी कहा जाता है। श्वास संबंधी बहुत-से व्यायाम भी होते हैं, जिन्हें ***प्राणायाम*** कहते हैं। समाधि प्राप्त करने के लिए व्यक्ति को आठ अभ्यासों से युक्त **'अष्टांग योग'** का अभ्यास करना चाहिए। मुक्ति प्राप्त करने के अन्य साधन हैं:

मुक्ति प्राप्त करने के साधन	इसे प्राप्त करने के साध्य/मार्ग
यम	स्व-नियंत्रण का अभ्यास करना
नियम	व्यक्ति के जीवन को संचालित करनेवाले नियमों का अवलोकन तथा पालन
प्रत्याहार	कोई विषय या वस्तु का चयन
धारणा	मन को स्थिर करना (किसी नियत बिंदु पर)
ध्यान	उपर्युक्त चयनित विषय पर ध्यान एकाग्र करना
समाधि	मन तथा वस्तु का विलय ही स्वयं के पूर्ण रूप से विच्छेद होने का कारण है।

योग इन तकनीकों में सहायक है, क्योंकि ये तकनीकें व्यक्ति को सांसारिक विषयों से विमुख होकर मोक्ष प्राप्ति पर ध्यान केंद्रित करने का मार्गदर्शन प्रदान करके अपने **मन, शरीर और इंद्रियों को नियंत्रित** करने में मदद करती हैं। अष्टांग योग का अभ्यास करके, व्यक्ति अष्टसिद्धियाँ (सुपर ह्यमन शक्तियाँ) प्राप्त कर सकता है।

सांख्य और योग सम्प्रदायों के बीच तुलना

समानताएँ	अंतर
शरीर, मन और बुद्धि को नियंत्रित करने की शक्ति से युक्त ज्ञान के माध्यम से मोक्ष प्राप्त किया जा सकता है। **दोनों सम्प्रदाय निम्न तीन प्रमाणों को स्वीकार करते हैं** : प्रत्यक्ष (Perception), अनुमान (Inference) और शब्द (Hearing)।	सांख्य सम्प्रदाय **ज्ञान प्राप्ति द्वारा** आत्म-साक्षात्कार पर बल देता है, जबकि **योग सम्प्रदाय** अधिक व्यावहारिक **मार्ग अपनाता** है। **सांख्य सम्प्रदाय** अनेक पुरुषों को **स्वीकार करता** है, जबकि **योग सम्प्रदाय** केवल एक पुरुष को स्वीकार करता है, जिसे 'परम आत्मा' कहा जाता है।

न्याय विचारधारा

अक्षपाद गौतम द्वारा स्थापित न्याय सम्प्रदाय यह सिखाता है कि **तार्किक और विश्लेषणात्मक चिंतन** के माध्यम से जीवन के रहस्यों को सुलझाकर मोक्ष प्राप्त किया जा सकता है। इस सम्प्रदाय का मानना है कि सत्य की जाँच अनुमान, श्रवण और सादृश्य के माध्यम से की जा सकती है।

इसका ये भी मानना था कि ईश्वर ने न केवल ब्रह्माण्ड की रचना की है, बल्कि वह इसका पालन व संहार भी करते है। यह दर्शन सतत् रूप से **सुनियोजित तर्क-वितर्क तथा चिंतन** पर बल देता है। संसार का निर्माण चार शाश्वत परमाणुओं से हुआ है, अर्थात् स्थान, समय, मन और आत्मा तथा ईश्वर इन तत्त्वों से परे है।

वैशेषिक विचारधारा

वैशेषिक विचारधारा **ब्रह्माण्ड की भौतिकीयता** में विश्वास करती है। इसे ब्रह्माण्ड का संचालक यथार्थपरक तथा वस्तुपरक दर्शन माना जाता है। वैशेषिक दर्शन के मूल ग्रन्थ की रचना करनेवाले **कणाद** इस विचारधारा के संस्थापक माने जाते

हैं। उनका तर्क है कि इस ब्रह्माण्ड का हर पदार्थ **चार शाश्वत तत्त्वों** द्वारा : **समय, स्थान, स्वयं तथा मन** और **पाँच ग़ैर-शाश्वत तत्त्वों – अग्नि, वायु, जल, पृथ्वी तथा आकाश** से बना है। इन स्थूल तत्त्वों को ***द्रव्य*** भी कहा जाता है।

इस संप्रदाय का दृष्टिकोण अत्यंत वैज्ञानिक है और इसने **परमाणु सिद्धांत** विकसित किया है। इसमें यह व्याख्या की गयी है कि परमाणु मिलकर पदार्थ बनाते हैं, जो सभी भौतिक वस्तुओं का आधार है। इसने **भारत में भौतिकी की शुरुआत की** और एक यांत्रिक प्रक्रिया के माध्यम से ब्रह्मांड की व्याख्या की।

महर्षि कणाद

- यह संप्रदाय **ईश्वर** में विश्वास करता है और उसे मार्गदर्शक शक्ति मानता है।
- अनित्य तत्वों का बोध पंचेन्द्रिय या पाँच इंद्रियों, अर्थात् आँख, नाक, जीभ, कान और त्वचा द्वारा होता है।
- वे यह भी मानते हैं कि **कर्म के नियम इस ब्रह्मांड का मार्गदर्शन** करते हैं, तथा कर्म के फलस्वरूप ही पुरस्कार या दंड मिलता है।
- वे यह भी मानते थे कि मोक्ष तो है, लेकिन ईश्वर की इच्छा के अनुसार, ब्रह्मांड के चक्रीय निर्माण और विनाश के बाद मिलता है।

मीमांसा विचारधारा

मीमांसा शब्द का वास्तविक अर्थ **तर्क-पूर्ण चिंतन, विवेचन तथा अनुप्रयोग** की कला है। यह विचार पद्धति वेदों के भाग रहे *संहिता* तथा *ब्राह्मणों* के विश्लेषण पर केन्द्रित थी। उनका तर्क है कि **वेदों में शाश्वत सत्य निहित** है तथा वे सभी ज्ञान के भण्डार हैं। वेद 'अपौरुषेय' (मानव निर्मित नहीं) हैं। यदि व्यक्ति को धार्मिक श्रेष्ठता, स्वर्ग तथा मुक्ति प्राप्त करनी है, तो उसे **वेदों के द्वारा नियत सभी कर्तव्यों की पूर्ति** करनी होगी।

जैमिनी ऋषि

मीमांसा दर्शन का विस्तृत वर्णन करनेवाले ग्रंथ जैमिनी के सूत्र (तीसरी शताब्दी ईसा पूर्व) हैं। इस दर्शन में और अधिक गहराई लाने का कार्य इसके दो महान् प्रवर्तकों, शबर स्वामी और कुमारिल भट्ट, ने किया।

उनका तर्क है कि उचित समझ के साथ **अनुष्ठान/संस्कार (rituals) करने** से मोक्ष संभव है। लोगों के कर्म ही उनके पुण्य और पाप के लिए ज़िम्मेदार होते हैं, तथा वास्तविक मोक्ष **जीवन-मरण के चक्र** को समाप्त कर देता है।

इस दर्शन का **मुख्य ध्यान वेदों के कर्मकांडीय पहलू** पर था, अर्थात् इनके अनुसार मोक्ष प्राप्त करने के लिए **वैदिक कर्मकांड** करने पड़ते हैं। चूँकि अधिकांश मनुष्य कर्मकांडों को ठीक से नहीं समझते थे, इसलिए उन्हें पुरोहितों की सहायता लेनी पड़ती थी। इसलिए, इसने सामाजिक विभाजन को वैध बना दिया तथा पदानुक्रम में ब्राह्मण प्रभुत्व को मज़बूत किया।

वेदान्त विचारधारा

वेदान्त दो शब्दों – 'वेद' तथा 'अंत', अर्थात् **वेदों का अंत** – से बना है। यह विचारधारा **उपनिषदों** में वर्णित जीवन प्रणाली के दर्शन को स्वीकार करती है। इस दर्शन के आधार का निर्माण करनेवाले प्राचीनतम ग्रन्थ **'बादरायण'** द्वारा लिखित ***ब्रह्मसूत्र*** थे। इस दर्शन के अनुसार ***ब्रह्म*** ही इस जीवन की वास्तविकता है तथा शेष सभी बातें ***मिथ्या*** या ***माया*** हैं।

इसके अतिरिक्त, *आत्मा* या स्व-चेतना *ब्रह्म* के ही समान है। यह तर्क **आत्मा तथा ब्रह्म को एक ही स्तर** पर ला खड़ा करता है तथा व्यक्ति को **स्व का ज्ञान** हो जाने पर, वह स्वत: ही ब्रह्म की अनुभूति कर मुक्ति को प्राप्त हो जायेगा।

यह तर्क *ब्रह्म* तथा *आत्मा* को **अविनाशी** तथा शाश्वत बना देता है।

9वीं शताब्दी में **आदि शंकराचार्य** की टीकाओं ने **अद्वैत वेदांत** को आकार दिया, जिसका अनुसरण 12वीं शताब्दी में रामानुज ने किया। उनके हस्तक्षेप से वेदांत स्कूल में कुछ मतभेद पैदा हो गये :

शंकराचार्य का दृष्टिकोण	रामानुज का दृष्टिकोण
उनके अनुसार **ब्रह्म** निर्गुण है।	उनके अनुसार **ब्रह्म** के कुछ गुण भी होते हैं।
उनके अनुसार ज्ञान ही मुक्ति का मुख्य साधन है।	उनके अनुसार श्रद्धा तथा समर्पण का अभ्यास मुक्ति प्राप्ति का साधन है।

वेदांत कर्म और पुनर्जन्म का समर्थन करता है, यह सिखाता है कि वर्तमान दुख पिछले कर्मों का परिणाम हो सकते हैं। मुक्ति केवल ब्रह्म की प्राप्ति से ही संभव है।

वेदांत की उप-विचारधाराएँ

परीक्षोपयोगी

उप विचारधारा	मुख्य प्रवर्तक	विवरण
अद्वैत *(एकत्ववाद)*	**आदि शंकराचार्य** (8वीं सदी ईसवी)	यह वेदांत की सबसे पुरानी विचारधारा है। इस विचारधारा का मुख्य सिद्धांत *जीवनमुक्ति* है, अर्थात् यह ऐसा विचार है कि **इस जीवन में ही मोक्ष प्राप्त किया जा सकता है।** यह भारत के अन्य दर्शनों के विपरीत है। अन्य दर्शनों का मुख्य सिद्धांत विदेहमुक्त अर्थात् मृत्यु उपरांत मोक्ष है। अद्वैत का लक्ष्य आत्मज्ञान प्राप्त करना और आत्मा एवं ब्रह्म की पहचान की पूर्ण समझ प्राप्त करना है। आत्मा और ब्रह्म के सही ज्ञान से सभी दोहरी प्रवृत्तियाँ समाप्त हो जाती हैं और अंततः मोक्ष प्राप्त होता है।
विशिष्ट अद्वैत *(विशिष्ट अद्वैतवाद या विशिष्ट अद्वैत)*	**रामानुज** (11-12वीं सदी ईसवी)	यह ईश्वर के **अद्वैतवाद** से संबंधित है, जिसमें **ब्रह्म के एक होने को सर्वोच्च वास्तविकता माना जाता है**, परंतु यह माना जाता है कि वह एक होकर भी अनेक है। इस उप-विचारधारा के अनुसार, ''सभी अनेकता एक अंतर्निहित एकता में समा जाती है''।
शिव अद्वैत *(शैव विशिष्ट अद्वैतवाद)*	**श्रीकांत शिवाचार्य** (12वीं सदी ईसवी)	इसमें कहा जाता है कि **शिव और ब्रह्म एक, और समान हैं।**
द्वैत *(द्वैतवाद)*	**माधवाचार्य/माध्वाचार्य** (1238-1317 ईसवी)	इस विचारधारा के अनुसार, आत्मा और ब्रह्म के बीच एक मौलिक अंतर है।
द्वैत अद्वैत *(द्वैताद्वैत)*	**निम्बार्क** (13वीं सदी ईसवी)	इस दर्शन के अनुसार, मनुष्य भगवान् से भिन्न और अभिन्न; दोनों है।
शुद्ध अद्वैत *(शुद्धाद्वैत)*	**वल्लभाचार्य** (1479-1531 ईसवी)	इसके अनुसार, आत्मा और परमात्मा भिन्न-भिन्न नहीं हैं, अपितु एक हैं। इस विचारधारा के अनुयायी **पुष्टिमार्ग सम्प्रदाय** से संबंधित हैं। इस मत के अनुयायियों की प्रार्थना में **नाथद्वारा** (राजस्थान) स्थित **श्रीनाथ जी मंदिर** और आठ कवियों की रचनाएँ (अष्टछाप) मुख्य हैं।
अचिंत्य भेद अभेद *(अचिंत्य भेदाभेद)*	**चैतन्य महाप्रभु** (1486-1534 ईसवी)	इस वेदांत उप-विचारधारा के अनुयायी **गौड़ीय वैष्णव** हैं। इस विचारधारा के बारे में माना जाता है कि यह माध्वाचार्य के कठोर द्वैत सिद्धांत और रामानुज के विशिष्ट अद्वैत का **एकीकरण** है। इस विचारधारा के अनुसार, सर्वोच्च भगवान् और व्यक्तिगत आत्मा एक ही समय में, एक और भिन्न-भिन्न भी है। **इस्कॉन** (ISKCON) इसी दर्शन का अनुसरण करता है।

क्या आप जानते हैं?

प्रस्थानत्रयी

वेदांत दर्शन में **उपनिषद्, भगवद् गीता** और **ब्रह्म सूत्रों** को ज्ञान का प्रमुख स्रोत माना जाता है। इन तीनों **ग्रंथों को सामूहिक रूप से प्रस्थानत्रयी कहा जाता है**।

(उपनिषद्, भगवद् गीता और ब्रह्म सूत्रों के बारे में अध्याय 20 में विस्तार से बताया गया है)

परीक्षोपयोगी

विभिन्न विचारधाराओं का तुलनात्मक विश्लेषण

क्र.सं.	वेदांत पर ग्रंथ (उपनिषद्)	लेखक	विकसित दर्शन	मोक्ष का मार्ग
1.	**सांख्य सूत्र**	कपिल	सांख्य	ज्ञान प्राप्ति से
2.	**योग सूत्र**	पतंजलि	योग	ध्यान और शारीरिक गतिविधि से
3.	**न्याय सूत्र**	गौतम	न्याय	तार्किक सोच से
4.	**वैशेषिक सूत्र**	कणाद	वैशेषिक	नित्य और पदार्थों का ज्ञान होने से
5.	**मीमांसा सूत्र**	जैमिनी	मीमांसा	वैदिक यज्ञों के निष्पादन से
6.	**वेदांत सूत्र**	बादरायण	वेदान्त	परमात्मा का ज्ञान होने से

संस्कृति संक्षेपण

स्वामी विवेकानंद का संस्कृति और दर्शन के प्रति योगदान

नेताजी सुभाष चंद्र बोस के अनुसार, *"स्वामीजी ने पूर्व और पश्चिम, धर्म और विज्ञान, अतीत और वर्तमान के मध्य सौहार्द स्थापित किया और यही कारण है कि वह महान् हैं। हमारे देशवासियों ने उनकी शिक्षाओं से अप्रत्याशित आत्म-सम्मान, आत्म-निर्भरता और आत्म-विश्वास प्राप्त किया है।"*

आध्यात्मिकविज्ञानी के रूप में, स्वामी विवेकानंद ने पूरे भारत का भ्रमण किया। अपनी इस यात्रा में, उन्होंने देखा कि लोगों के बीच अत्यंत निर्धनता और पिछड़ापन है। इससे उन्हें भारत के पिछड़े होने का कारण समझ में आया।

उन्होंने **1893 में शिकागो (अमेरिका) में** संपन्न **विश्व धर्म संसद** को संबोधित किया। उन्होंने पश्चिम के बुद्धिजीवियों को भारत की महान् संस्कृति और परंपरा से अवगत कराया और वे *"पश्चिमी जगत् में भारत के ज्ञान के दूत बन गये"*। वह भारत और पश्चिमी संस्कृति के बीच पुल बना सके और इस प्रकार भारत का सांस्कृतिक एकाकीपन समाप्त हुआ। भारतीय जनमानस के बीच देश की महान् आध्यात्मिक धरोहर की उचित समझ उत्पन्न की गयी।

स्वामी विवेकानंद ने **1897 में रामाकृष्ण मिशन** की स्थापना की। उनके संतों ने व्यावहारिक वेदांत का प्रचार किया। इसके अतिरिक्त, उन लोगों ने विभिन्न प्रकार की सामाजिक सेवाएँ कीं और प्राकृतिक आपदाओं के समय राहत और पुनर्वास कार्य किये।

नास्तिक विचारधारा

वे वेदों की मौलिकता पर **विश्वास नहीं करते हैं** और **भगवान् के अस्तित्व पर प्रश्न उठाते हैं**। वे पाँच प्रमुख उपधाराओं में विभाजित हैं: ***बौद्ध, जैन, लोकायत, अज्ञान*** और ***आजीविका*** या ***आजीविक***।

1. बौद्ध विचारधारा *(अध्याय 19 में समझाया गया है)*
2. जैन विचारधारा *(अध्याय 19 में समझाया गया है)*
3. अज्ञान *(अध्याय 18 में समझाया गया है)*
4. आजीविका या आजीवक *(अध्याय 18 में समझाया गया है)*
5. चार्वाक विचारधारा या लोकायत दर्शन

चार्वाक विचारधारा या लोकायत दर्शन

बृहस्पति ने इस विचारधारा की नींव रखी तथा माना जाता है कि दार्शनिक सिद्धांत का विकास करनेवाला यह सर्वाधिक पूर्ववर्ती विचारधाराओं में से एक है। यह दर्शन इतना प्राचीन है कि इसकी चर्चा वेदों तथा ***बृहदारण्यक*** उपनिषद् में भी

मिलती है। चार्वाक विचारधारा **मुक्ति प्राप्ति हेतु भौतिक दृष्टिकोण** की मुख्य प्रतिपादक थी। चूँकि यह सामान्य-जन की ओर प्रवृत्त थी, इसे शीघ्र ही **लोकायत** या *सामान्य जन* से व्युत्पादित की संज्ञा प्रदान कर दी गयी।

'लोकायत' का अर्थ है भौतिक जगत से आसक्ति। चार्वाक संप्रदाय ने अलौकिक, ईश्वर, ब्रह्म और मोक्ष को अस्वीकार कर दिया तथा केवल इंद्रियों के माध्यम से अनुभव की जा सकनेवाली चीज़ों पर ध्यान केंद्रित किया। उनकी कुछ प्रमुख शिक्षाएँ इस प्रकार हैं :

- उन्होंने देवताओं और पुरोहितों का विरोध किया और दावा किया कि ब्राह्मण अनुयायियों से उपहार (दक्षिणा) लेने के लिए झूठे कर्मकांड रचते हैं।
- चार्वाकों का मानना था कि मनुष्य को जीवन का आनंद लेना चाहिए तथा वे केवल चार तत्वों, अर्थात् अग्नि, पृथ्वी, जल और वायु, को मान्यता देते थे, **आकाश को छोड़ देते थे,** क्योंकि उसे देखा या छुआ नहीं जा सकता।
- इस विचारधारा का तर्क है कि इस लोक के बाद कोई दूसरा लोक नहीं है, इसलिए मृत्यु ही मनुष्य का अंत है और सुख ही जीवन का अंतिम उद्देश्य होना चाहिए। इसीलिए उन्होंने **'खाओ, पियो और मौज़ करो'** का सिद्धांत प्रतिपादित किया।

चार्वाक विचारधारा

पश्चिमी दार्शनिक अक्सर इस बात की आलोचना करते हैं कि भारतीय दार्शनिक प्रणालियों में व्यावहारिक विज्ञानों की उपेक्षा की गयी हैं। लेकिन, चार्वाक दर्शन में भौतिकवाद जैसे व्यावहारिक विचार शामिल थे। इनके द्वारा तर्क दिया गया कि शासक साम्यवाद के समान, निर्धनों को नियंत्रित करने के लिए धर्म का उपयोग करते हैं।

यू.पी.एस.सी. विगत वर्षों के बहुविकल्पीय प्रश्न

1. निम्नलिखित युग्मों में से कौन-सा भारतीय दर्शन की छह प्रणालियों का अंग नहीं है? **(CSE, 2014)**
   (a) मीमांसा तथा वेदांत (b) न्याय तथा वैशेषिक
   (c) लोकायत तथा कापालिक (d) सांख्य तथा योग

2. भारत में दार्शनिक चिंतन के सन्दर्भ में, सांख्य विचारधारा के संबंध में निम्नलिखित कथनों पर विचार करें:
   (i) सांख्य दर्शन में पुनर्जन्म या आत्मा के आवागमन के सिद्धांत को स्वीकार नहीं किया जाता।
   (ii) सांख्य दर्शन के अनुसार बाह्य प्रभाव या कारक नहीं, बल्कि आत्म-ज्ञान ही मोक्ष की ओर ले जाता है।
   उपर्युक्त कथनों में से कौन-सा/से सही है/हैं? **(CSE, 2013)**
   (a) केवल (i) (b) केवल (ii)
   (c) (i) और (ii) दोनों (d) न तो (i), न ही (ii)

उत्तरमाला

1. (c) 2. (b)

यू.पी.एस.सी. विगत वर्षों के प्रश्न - मुख्य परीक्षा

1. भारतीय दर्शन और परंपरा ने भारत में स्मारकों और उनकी कला का विचार उत्सर्जित करने और आकार देने में महत्त्वपूर्ण भूमिका निभायी। विवेचना कीजिए। (250 शब्द) **(CSE, 2020)**

2. चार्वाक पर संक्षिप्त टिप्पणी लिखें। **(CSE, 2007)**

22

भारत में त्यौहार

अध्याय की रूपरेखा

- राष्ट्रीय पर्व
- धार्मिक त्यौहार
- हिंदू त्यौहार
- कुछ अन्य उल्लेखनीय त्यौहार
- मुस्लिम त्यौहार
- ईसाई धर्म के त्यौहार
- सिख उत्सव
- जैन पर्व
- बौद्ध त्यौहार
- सिंधी उत्सव
- पारसी उत्सव
- उत्तर-पूर्व भारत के मुख्य त्यौहार

त्यौहार विविध समुदायों को एकजुट करते हैं तथा देश की धर्मनिरपेक्ष भावना को प्रतिबिंबित करते हैं। त्यौहार भारत की संस्कृति को समझने के लिए अत्यंत महत्त्वपूर्ण हैं। भारत में घुमने आनेवाले विदेशी भी भारत के त्यौहारों के संबंध में अपने सुखद अनुभव साझा करते हैं।

राष्ट्रीय पर्व

राष्ट्रीय त्यौहारों को राष्ट्रीय महत्त्व की महान् ऐतिहासिक घटनाओं के घटित होने के उपलक्ष्य में मनाया जाता है। इन पर्वों के माध्यम से भारतवासियों के हृदयों में देशभक्ति की भावना का संचार किया जाता है। भारत में **तीन राष्ट्रीय पर्व** मनाये जाते हैं, ये निम्नलिखित हैं: →

दिन	पर्व
26 जनवरी	गणतन्त्र दिवस
15 अगस्त	स्वतन्त्रता दिवस
02 अक्टूबर	गांधी जयंती

धार्मिक त्यौहार

कुछ त्यौहार विशिष्ट धर्मों से जुड़े होते हैं, लेकिन भारत में सभी धर्मों के लोग इसमें शामिल हो सकते हैं। उदाहरण के लिए, होली एक हिंदू त्यौहार है, लेकिन कई ग़ैर-हिंदू भी इसे मनाते हैं। भारत में मनाये जानेवाले कुछ प्रमुख त्यौहारों की चर्चा नीचे की गयी है:

हिंदू त्यौहार

कुछ प्रमुख हिन्दू त्यौहारों का वर्णन इस प्रकार है:

नाम	विवरण
दिवाली या दीपावली	इसे **''प्रकाश के उत्सव''** के रूप में भी जाना जाता है। यह कार्तिक मास में 'नव चन्द्र' या **(अमावस्या)** के शुभ दिन मनाया जाता है, जो प्रायः अक्टूबर या नवम्बर के महीने में आता है। त्यौहार से एक दिन पहले का दिन **नरक चतुर्दशी** के नाम से जाना जाता है।
देव दीपावली	इसे **वाराणसी** (उत्तर-प्रदेश) में हिन्दू महीने के अनुसार कार्तिक के महीने में (नवंबर-दिसंबर) में **पूर्णिमावाले दिन** मनाया जाता है और यह **दिवाली के 15 दिनों बाद** मनाया जाता है। वहाँ की परंपरा के अनुसार लोग वहाँ गंगा नदी के घाटों पर दीपक जलाते हैं। इसे **त्रिपुरी पूर्णिमा स्नान** के रूप में भी मनाया जाता है।
होली	इस त्यौहार को ***'रंगों का त्यौहार'*** कहा जाता है और सभी धर्म एवं समुदाय के लोगों द्वारा मनाया जाता है। इसे फाल्गुन मास (फ़रवरी-मार्च) में मनाया जाता है। यह बुराई के ऊपर अच्छाई की विजय का प्रतीक है और ***होलिका*** के जलने तथा **भक्त प्रह्लाद** के सुरक्षित निकलने का प्रतीक है। पश्चिम बंगाल और असम के कुछ भागों में इसे **दोल जात्रा** भी कहा जाता है।
भाई दूज	यह कार्तिक मास के शुक्ल पक्ष की द्वितीया तिथि को हिंदुओं द्वारा मनाया जानेवाला एक प्रसिद्ध त्यौहार है। भारत का दक्षिणी भाग उसी दिन को यम द्वितीया के रूप में मनाता है। बहनें अपने भाइयों की आरती करती हैं, उनके माथे पर टीका लगाती हैं और उनके लंबे एवं सुखी जीवन के लिए प्रार्थना करती हैं।
अक्षय तृतीया	यह एक महत्त्वपूर्ण हिंदू त्यौहार है, जो वैशाख महीने के शुक्ल पक्ष की तृतीया तिथि (तीसरे दिन) को मनाया जाता है। इसे आखा तीज के नाम से भी जाना जाता है। ऐसा माना जाता है कि भगवान् विष्णु के छठे अवतार भगवान् परशुराम का जन्म अक्षय तृतीया को हुआ था।
मकर संक्रांति	यह त्यौहार **सूर्य भगवान्** को समर्पित है, यह त्यौहार सूर्य के उत्तरी गोलार्द्ध की ओर प्रस्थान करने के उपलक्ष्य में मनाया जाता है। यह त्यौहार **जनवरी** के महीने में मनाया जाता है। लाखों भक्त इस अवसर पर पवित्र स्नान के लिए गंगा सागर **(पश्चिम बंगाल में) या प्रयाग की यात्रा भी करते हैं। भारत के कुछ भागों में इसे** पतंग उड़ाने के उत्सव के रूप में भी मनाया जाता है।
राम नवमी	यह भगवान् श्री राम के जन्म का उत्सव है। ऐसा माना जाता है कि इस दिन भगवान् विष्णु के सातवें अवतार भगवान् राम ने अयोध्या में मनुष्य के रूप में अवतार लिया था। अयोध्या में, इस त्यौहार को मनाने के लिए हज़ारों भक्तों के साथ एक विशाल मेले का आयोजन किया जाता है।
रक्षा बंधन	यह त्यौहार भारत में व्यापक रूप से मनाया जाता है। यह राखी के नाम से प्रसिद्ध है। यह त्यौहार भारतीयों के बीच भ्रातृत्व और प्रेम का प्रतीक है। इस त्यौहार में बहनें अपने भाइयों की कलाई पर राखी बाँधती हैं। रक्षा बंधन को भाई-बहनों और चचेरे भाइयों के बीच पवित्रता एवं सुरक्षा बंधन के रूप में परिभाषित किया गया है। यह श्रावण मास के अंत में पूर्णिमा के दिन होता है।
जन्माष्टमी	यह त्यौहार भगवान् कृष्ण के ***जन्म की वर्षगाँठ*** है और इसे अगस्त में मनाया जाता है।
दशहरा	दशहरा को ***'विजयदशमी'*** के रूप में भी जाना जाता है और यह सम्पूर्ण भारत में रावण पर भगवान् राम की विजय के उत्सव के रूप में मनाया जाता है। इस दिन विशेष रूप से उत्तर भारत में **रावण दहन** आमतौर पर देखा जा सकता है।
दुर्गा पूजा	यह भारत के पूर्वी भाग (विशेषकर पश्चिम बंगाल) में प्रमुखता से मनाया जाता है। यह दानव **महिषासुर पर देवी दुर्गा की विजय** का जश्न मनाने के लिए है।
गणेश चतुर्थी	यह त्यौहार **भगवान् गणेश** के जन्मोत्सव के उपलक्ष्य में पूरे भारत में मनाया जाता है, लेकिन **महाराष्ट्र** में इसे बड़े धूमधाम के साथ मनाया जाता है, क्योंकि यह वहाँ का प्रमुख त्यौहार है।
रथ यात्रा	यह **ओडिशा** का सबसे बड़ा त्यौहार है और तीन देवताओं को समर्पित है - भगवान् जगन्नाथ, बलभद्र (उनके भाई) और सुभद्रा (उनकी बहन)। पुरी का **रथ उत्सव** या रथ यात्रा इस संबंध में सबसे बड़ा एवं प्रसिद्ध है।
छठ पूजा	यह **बिहार, झारखंड और उत्तर प्रदेश** का मुख्य त्यौहार है और यह **सूर्य देव और उनकी बहन छठी मइया** (सृष्टि की अधिष्ठात्री प्रकृति का छठा अंश षष्ठी देवी) को समर्पित है। इसे कुछ दिनों के कठोर उपवास के बाद मनाया जाता है और इसके बाद पवित्र स्नान किया जाता है और अस्त एवं उदय होते सूर्य देवता को दोनों बार अर्घ्य अर्पित किया जाता है। छठी मइया देवी के प्रसाद में ***ठेकुआ*** (एक मीठा व्यंजन) विशेष आकर्षण है।

नबकलेबर त्यौहार

परीक्षोपयोगी

हिंदू कैलेण्डर के अनुसार, नबकलेबर त्यौहार **श्री जगन्नाथ मंदिर, पुरी** (ओडिशा) में पूर्व-निर्धारित समय (हर 8 से 19 साल बाद) पर मनाया जाता है। नबकलेबर का अर्थ है नया शरीर, अर्थात भगवान् *जगन्नाथ, बलभद्र, सुभद्रा और सुदर्शन* की मूर्तियों को **नयी मूर्तियों से बदल** दिया जाता है। ये नयी मूर्तियाँ विशेष रूप से चुने हुए नीम के पेड़ों की लकड़ियों से गढ़ी जाती हैं और अधिक मास (अतिरिक्त मास) के दौरान उन्हें प्रतिस्थापित किया जाता है। लाखों श्रद्धालु पवित्र वृक्षों की पूजा करने और मूर्ति प्रतिस्थापन समारोह देखने के लिए एकत्रित होते हैं। मार्च 2018 में, भारत के राष्ट्रपति ने नबकलेबर त्यौहार के उपलक्ष में 1000 रुपये और 10 रुपये के स्मारक सिक्के जारी किये थे।

कुछ अन्य उल्लेखनीय त्यौहार

मकरविलक्कु महोत्सव

यह केरल में **सबरीमाला** के मंदिर में **मकर संक्रांति पर** आयोजित होनेवाला एक वार्षिक उत्सव है। सबरीमाला मंदिर **पेरियार टाइगर रिज़र्व** के भीतर स्थित है। सबरीमाला मंदिर शिव और मोहिनी के पुत्र **भगवान् अय्यप्पन (धर्म शास्त्र)** को समर्पित है। दिव्य **मकर ज्योति** देखने के लिए भक्त यहाँ एकत्रित होते हैं। सबरीमाला की परंपराएँ **शैववाद, शक्तिवाद, वैष्णववाद** और अन्य **श्रमण परंपराओं** के संगम को दर्शाती हैं। हाल ही में, सुप्रीम कोर्ट ने प्रतिबंधों को असंवैधानिक ठहराते हुए सबरीमाला मंदिर प्रशासन को **सभी उम्र की महिलाओं के लिए मंदिर खोलने** का आदेश दिया।

अट्टुकल पोंगल

तिरुवनंतपुरम के **अटुकल भगवती मंदिर** में 10 दिवसीय अट्टुकल पोंगल को **महिलाओं का सबरीमाला** कहा जाता है, क्योंकि यहाँ केवल महिलाएँ ही अनुष्ठान करती हैं। पोंगल, जिसका अर्थ है 'उबालना', वह अनुष्ठान है, जिसमें महिलाएँ मीठा पायसम तैयार करती हैं और इसे देवी या 'भगवती' को अर्पित करती हैं।

अट्टुकल पोंगल

बथुकम्मा महोत्सव

बतुकम्मा, जिसका अर्थ है **माँ देवी प्रकट हो**, तेलंगाना और आंध्र प्रदेश के कुछ हिस्सों का नौ दिवसीय रंगीन पुष्प उत्सव है, जो सितंबर-अक्टूबर में मनाया जाता है। **बथुकम्मा**, मंदिर के **गोपुरम** के आकार में सात संकेंद्रित परतों में व्यवस्थित अलग-अलग अद्वितीय मौसमी फूलों (उनमें से अधिकांश औषधीय मूल्यवाले होते हैं) का एक सुंदर क्रमबद्ध संरचना है।

बथुकम्मा

नव वर्ष त्यौहार

स्थानीय परंपराओं के अनुसार, **भगवान् ब्रह्मा** ने इस दिन विश्व का निर्माण आरंभ किया था और इस कारण इसका उपयोग नये हिंदू कैलेण्डर के प्रारंभ को दर्शाने के लिए किया जाता है। देश के विभिन्न भागों में इस दिवस को अलग-अलग नामों से और अलग-अलग तिथियों (अधिकतर चैत्र और बैसाख में) पर इस प्रकार मनाया जाता है-

साल के त्यौहार	राज्य/संघ राज्य क्षेत्र
उगादि या **चैत्र शुद्ध पदयामि**	आन्ध्र प्रदेश और कर्नाटक
गुड़ी पड़वा या **गुड़ी पड़वो**	महाराष्ट्र
संवत्सर पाड़वो	गोवा
नववर्षा (पोइला बैसाख)	पश्चिम बंगाल
पुथांडु	तमिलनाडु
विशु	केरल
नवरेह	कश्मीर
पना संक्रांति	ओडिशा

सैर-ए-गुल फ़रोशाँ

सैर-ए-गुल फ़रोशाँ, जिसे ***'फूलवालों की सैर'*** के नाम से भी जाना जाता है, दिल्ली में सांप्रदायिक सद्भाव का प्रतीक त्रिदिवसीय पुष्प उत्सव है, जिसमें ख़्वाज़ा बख़्तियार काकी की समाधि से योगमाया मंदिर तक पुष्प पंखे ले जाये जाते हैं। इस उत्सव को शुरू में मुग़ल सम्राट् अकबर द्वितीय (19वीं शताब्दी) ने संरक्षण दिया था। **अँगरेज़ों ने इस पर प्रतिबंध** लगा दिया था, लेकिन 1962 में जवाहरलाल नेहरू ने इसे पुनः लागू कर दिया।

त्यागराज आराधना

त्यागराज आराधना, मुख्य रूप से तमिलनाडु के तिरुवैयारु में आयोजित की जाती है, जो संत-संगीतकार त्यागराज की **समाधि** का स्मरण कराती है और इसमें प्रमुख कर्नाटक संगीतकार श्रद्धांजलि अर्पित करते हैं। संत त्यागराज, मुथुस्वामी दीक्षितार और श्यामा शास्त्री, ***कर्नाटक संगीत की त्रिमूर्ति*** हैं।

राजा पर्व

यह ओडिशा का त्रिदिवसीय उत्सव है, जो आषाढ़ माह के दौरान नारीत्व का उत्सव मनाने और उसका सम्मान करने के लिए मनाया जाता है। यह धरती माता के मासिक धर्म और कृषि की तैयारी का प्रतीक है, जिसका समापन आनुष्ठानिक स्नान के साथ होता है।

ओणम

- ***केरल*** का राज्य त्यौहार, ओणम, मलयालम कैलेंडर के पहले महीने, चिंगम के आरंभ में पड़ता है। यह मुख्यतः एक ***फ़सल उत्सव*** है, लेकिन यह राजा महाबली की वापसी का भी प्रतीक है, जिसे भोज, नृत्य, पुष्पवर्षा, नौका दौड़ और हाथी जुलूस के साथ मनाया जाता है।
- ओणम की एक प्रमुख विशेषता *वल्लमकाली (सर्प-नौका दौड़)* है। सबसे अधिक लोकप्रिय वल्लमकाली *पुन्नमडा झील* में आयोजित होती है और विजेताओं को नेहरु नौका दौड़ प्रतियोगिता ट्रॉफ़ी दी जाती है। परम्परागत खेल जैसे *ओणकलिकल* भी ओणम उत्सव का भाग है।

पोंगल

तमिल में पोंगल का अर्थ 'उबालना' होता है, जो ताई (मध्य जनवरी से मध्य फ़रवरी तक का तमिल मास) के महीने में पहला चावल उबालने की रस्म के साथ मनाया जाता है। यह फ़सल की कटाई का प्रतीक है। इसमें सूर्य देव को पोषण के लिए धन्यवाद अर्पित किया जाता है।

नुआ खाई उत्सव

नुआखाई, जिसका अर्थ है 'नया भोजन', ओडिशा में भाद्रपद (अगस्त-सितंबर) में पंचमी तिथि को मनाया जानेवाला एक फ़सल उत्सव है। यह पारंपरिक अरिसा पीठा के साथ मौसम के पहले चावल का प्रतीक है।

सरहुल

- सरहुल, जिसका अर्थ है 'साल की पूजा', झारखंड, ओडिशा और पश्चिम बंगाल की जनजातियों, मुख्यत: मुंडा, उराँव और हो, के लिए नये साल का प्रतीक है। यह वसंत ऋतु (फाल्गुन माह) में मनाया जाता है।
- जनजातीय लोग *प्रकृति* का सम्मान और धरती माता की पूजा करते हैं। सरहुल कई दिनों तक मनाया जाता है, जिसमें प्रमुख पारम्परिक नृत्य सरहुल की प्रस्तुति की जाती है। यह **''सरना''** नामक धर्म से संबंधित है।

पुस्तक के अतिरिक्त

'विश्व शांति अहिंसा सम्मेलन' पर ज्ञानवर्धक पाठ्य सामग्री के लिए स्कैन करें

मुस्लिम त्योहार

ईद-उल-फ़ित्र

- यह विश्व भर के मुस्लिम समुदाय द्वारा मनाये जानेवाले त्योहारों में से एक है। इस्लामी कैलेण्डर का **नवाँ महीना रमज़ान** का पवित्र महीना माना जाता है और इस महीने के अंत में इस त्यौहार को मनाया जाता है। रमज़ान के महीने में लोग सूर्योदय से लेकर सूर्यास्त तक पूरा दिन रोज़ा (उपवास व्रत) व्रत रखते हैं।
- इस व्रत की प्रक्रिया को मुस्लिम क़ानून या शरीयत में निर्धारित किया गया है। ईद-उल-फ़ित्र की तिथि की गणना एक जटिल प्रक्रिया द्वारा की जाती है। इसका निर्धारण **शव्वाल महीने के पहले दिन** और रमज़ान महीने की समाप्ति पर नया चाँद दिखाई देने पर ही किया जाता है। यह ईद रोज़े पूरे होने की ख़ुशी में मनायी जाती है और इसमें सिवैयाँ पकती हैं।

ईद-उल-ज़ुहा या ईद-उल-अज़्हा

- इस त्योहार को, **बक़रीद** या वह ईद, जिसमें *बकरे* या दुम्बे की क़ुर्बानी/बलि दी जाती है, के रूप में जाना जाता है। इसे हिजरी कैलेण्डर के **बारहवें महीने** के दसवें दिन मनाया जाता है। इस त्यौहार को **पैग़म्बर इब्राहीम** की अल्लाह के प्रति निष्ठा के सम्मान में मनाया जाता है, जिसकी परीक्षा तब हुई थी, जब ख़ुदा ने उन्हें अपने पुत्र की बलि देने के लिए कहा। ऐसा कहा जाता है कि इब्राहिम ख़ुशी से इसके लिए अपने पुत्र का सर काटने के लिए तैयार हो गये, परन्तु ख़ुदा ने उस पर दया कर एक बकरे के सर की बलि स्वीकार कर ली थी।
- इसलिए ईद-उल-अज़्हा के दिन बकरे की बलि दी जाती है और उसके शरीर के मांस का वितरण प्रसाद के रूप में परिवार के सदस्यों और पड़ोसियों में किया जाता है। बलि का एक-तिहाई मांस निर्धन लोगों को भी दिया जाता है। इस ईद के आगमन से उस पवित्र समय के **प्रारम्भ** होने का संकेत भी मिलता है, जब लोग **मक्का की पवित्र तीर्थयात्रा**, जिसे *हज* कहा जाता है, के लिए प्रस्थान करते हैं। यह ईद हज की ख़ुशी में मनायी जाती है।

मिलाद-उन-नबी

- यह **पैगंबर मुहम्मद** की **जयंती और पुण्यतिथि** का प्रतीक है। ग्रंथों के अनुसार, पैगंबर का जन्म **रबी-उल-अव्वल** के महीने में हुआ था, जो हिजरी कैलेण्डर का तीसरा महीना है। इस दिन को **मिलाद-उन-नबी** या **मौलिद-उन-नबी** कहा जाता है। यह दिन **वह दिन भी माना जाता है, जब पैगंबर पृथ्वी से विदा हुए** थे।

- यह दिन राष्ट्रीय अवकाशों में सम्मिलित है। इसे बहुत श्रद्धा और सादगी से मनाया जाता है। लोग मस्जिदों में एकत्र होते हैं और वहाँ पवित्र .कुरान पढ़ी जाती है। कुछ स्थानों पर विशेष समारोहों में धार्मिक विद्वान् ***क़सीदा अल-बुर्दा*** का पाठ करते हैं, जो कि एक अति पवित्र कविता है एवं जिसे 13वीं शताब्दी के अरबी सूफ़ी संत ***बुसिरी*** ने लिखा था। लोग **नात** का गायन भी करते हैं, जो पैगंबर के सम्मान में और उनके द्वारा किये गये अच्छे कार्यों की मिसाल देने हेतु लिखी गयी परम्परागत कविताएँ हैं।
- इस त्यौहार को **बाराह वफ़ात** भी कहा जाता है, क्योंकि 12 दिन की बीमारी के बाद पैगंबर मोहम्मद की मृत्यु हो गयी थी। इस त्यौहार का कश्मीर जैसे स्थानों में बहुत अधिक महत्त्व है, जहाँ पैग़ंबर मुहम्मद के अवशेषों को श्रीनगर स्थित **हज़्रतबल नामक तीर्थस्थान** में प्रदर्शित किया जाता है। हज़ारों की संख्या में भक्त हज़्रतबल में एकत्रित होते हैं तथा जुलूस में भाग लेते हैं।

मुहर्रम

- मुहर्रम एक शोकपूर्ण त्यौहार है, क्योंकि इसका सम्बन्ध अली के बेटे **हुसैन की मृत्यु** से है। यह त्यौहार हिजरी कैलेण डर के **पहले महीने** में आता है, जिसे मुहर्रम कहा जाता है। मुहर्रम महीने के **दसवें दिन** को *''यौमे अशुरा''* भी कहा जाता है, जिसे विश्व भर में **शिया मुसलमान** एक शोक दिवस के रूप में मनाते हैं।
- भारत में लोग ***ताज़िया*** कहे जानेवाले जुलूस को निकालते हैं, जिसमें वे हुसैन द्वारा सही गयी पीड़ा को अपने ऊपर दोहराने के लिए स्वयं को ज़ंजीरों से पीटते हैं। भारत के अधिकांश भागों में लोग काले वस्त्र धारण करते हैं और सभी लोगों को ***शर्बत*** या जूस का वितरण करते हैं।

शब-ए-बारात

- इस त्यौहार को **'मुक्ति की रात'** के रूप में भी जाना जाता है और इसे **शाबान** के महीने के 14वें और 15वें दिन के बीच की रात मे मनाया जाता है। मुस्लिम परम्परा के अनुसार, इस रात प्रत्येक व्यक्ति की **नियति** का निर्धारण होता है। अधिकतर शिया मुसलमान **शाबान** के 15वें दिन को 12वें **इमाम मुहम्मद अल-महदी** के जन्मोत्सव के रूप में भी मनाते हैं। संसार को दमन और अन्याय से मुक्ति दिलाने का श्रेय उनको दिया जाता है।

शब-ए-मिराज़

शब-ए-मिराज़ का अर्थ है **'चढ़ाई की रात'**। ऐसा माना जाता था कि हज़्रत पैग़ंबर अपनी यात्रा जारी रखते हैं और सर्वशक्तिमान अल्लाह के सान्निध्य में पहुँचते हैं। इसी यात्रा में ही मुसलमानों के लिए रोज़ **पाँच वक़्त की नमाज़ अदा करना अनिवार्य** बनाया गया था।

ईसाई धर्म के त्यौहार

क्रिसमस

- यह दिन पूरे विश्व में **ईसा मसीह** के **जन्म की वर्षगाँठ** के रूप में मनाया जाता है। यह प्रतिवर्ष 25 दिसम्बर को आता है। इसका उत्सव 24-25 दिसंबर को 'मध्यरात्रि मास' के साथ शुरू होता है, और लोग चर्च जाते हैं, जहाँ वे ईसा मसीह के जीवन का सम्मान करते हैं और उनके अच्छे कार्यों को याद करते हैं।

- लोग उपहारों का आदान-प्रदान करते हैं, क्रिसमस ट्री सजाते हैं, सांता क्लॉज का जश्न मनाते हैं, कैरोल गाते हैं तथा केक और मिठाइयाँ बाँटते हैं।

ईस्टर और गुड फ़्राइडे

- इस दिन को **ईसा मसीह के पुनरुत्थान** के रूप में मनाया जाता है। बाइबिल के अनुसार, ईसा मसीह को सूली पर चढ़ाये जाने के तीन दिन बाद उनका पुनरुत्थान (पुनजीर्वित) हुआ था, इसलिए ईस्टर को **मृत्यु पर जीवन की विजय** के महत्त्व को दर्शाने के रूप में भी माना जाता है। ईसाई और यहूदी धर्म दोनों की ही परंपराओं में ईस्टर के सुअवसर के सम्बन्ध में कुछ समानताएँ हैं।
- शुरुआत में, यहूदी ईसाई ईस्टर निसान की 14 तारीख को मनाते थे, जबकि ग़ैर-यहूदी ईसाई इसे निकटतम रविवार को मनाते थे। 325 ईसवी में निकेया की परिषद् ने ईस्टर को वसंत विषुव के बाद आनेवाली पहली पूर्णिमा के बाद आनेवाले पहले रविवार, यानी लगभग 21 मार्च, के रूप में निर्धारित किया।
- **गुड फ़्राईडे** का त्यौहार **ईसा मसीह को सूली पर चढ़ाये जाने** के दिन की याद में मनाया जाता है। यह प्रत्येक वर्ष अप्रैल के महीने में पड़ता है।

सिख उत्सव

गुरुपुरब

- सम्पूर्ण विश्व का सिख समुदाय इस उत्सव को मनाता है। यद्यपि गुरुपुरब सभी दसों गुरुओं के जन्मदिवसों पर मनाया जाता है, लेकिन **गुरु नानक और गुरु गोबिंद सिंह** सबसे अधिक महत्त्वपूर्ण हैं। अन्य महत्त्वपूर्ण गुरुपरब **गुरु अर्जनदेव और गुरु तेग़बहादुर** के शहीदी दिवस की याद में मनाये जाते हैं, जिन्होंने अपना जीवन **मुग़लों** के हाथों गँवा दिया था।
- *अखंड पाठ* का आयोजन किया जाता है और लोग *प्रभात फेरियाँ* या सामुदायिक *शबद* या भजन गायन करते हैं, जिनमें प्रभु की प्रशंसा की जाती है। उत्सवों का समापन गुरु ग्रन्थ साहिब की फूलों से सुसज्जित झाँकी यात्रा से होता है, जिसका नेतृत्व पाँच सशस्त्र रक्षक करते हैं, जिनके हाथों में सिख ध्वज *(निशान साहिब)* होता है। यह पाँच व्यक्ति गुरु गोबिंदसिंह के 'पाँच प्रिय पुरुषों' या *पंज प्यारों* का प्रतिनिधित्व करते हैं।

प्रकाश उत्सव दसवे पातशाह

- इस उत्सव को 10वें सिख गुरु **गोबिंदसिंह के जन्म उत्सव** के रूप में मनाया जाता है। इसका अर्थ 10वाँ दिव्य प्रकाश या दिव्य ज्ञान का जन्म उत्सव भी है। इसे प्रति वर्ष **31 जनवरी** को सिखों द्वारा व्यापक रूप से मनाया जाता है।

माघी

- यह सिखों का सामयिक सम्मेलन है और यह प्रतिवर्ष मनाया जाता है। इसे *मुक्तसर में सिख शहीदों (चालीस मुक्ते)* की याद में मनाया जाता है, जिन्होंने मुग़लों से युद्ध किया था।
- सिख इस सिख-मुग़ल युद्ध स्थल की ओर एक जलूस के रूप में जाते हैं और मुक्तसर के पवित्र सरोवर में स्नान करते हैं। इसे प्रतिवर्ष **14 जनवरी** को मनाया जाता है।

होला मोहल्ला

- यह सिखों का बड़ा उत्सव है। यह प्राय: चैत्र मास के दूसरे दिन होता है और *आनंदपुर साहिब* में आयोजित किया जाता है।

- इसकी शुरुआत गुरु गोबिंद सिंह ने युद्धों और सैन्य अभ्यासों के अनुकरण के लिए की थी, जिनके पश्चात् कीर्तन और अन्य काव्य प्रतियोगिताएँ आयोजित की गयी थीं।
- इसे घुड़सवारी, तलवारबाज़ी आदि की प्रतियोगिताओं के लिए *'सिख ओलम्पिक'* के रूप में भी जाना जाता है।

बैसाखी/वैसाखी

- प्रतिवर्ष *13 या 14 अप्रैल* को मनाया जानेवाला यह एक धार्मिक उत्सव है। इसे सिख नव वर्ष और *ख़ालसा पंथ* के जन्मोत्सव के रूप में मनाया जाता है।
- यह सिखों का वसंत की फ़सल कटाई का उत्सव भी होता है।

लोहड़ी

- इस उत्सव को **13 जनवरी** को मकर सक्रांति से पहले, पौष के महीने में मनाया जाता है। लोहड़ी उर्वरता और जीवन के उत्साह का उत्सव मनाने का पर्व है। लोग अग्नि जला कर उसके इर्दगिर्द एकत्रित होते हैं और खील, मकई के भुने हुए दाने और मिठाइयाँ अग्नि को अर्पित करते हैं और लोकप्रिय गीत गाते हुए एक-दूसरे को बधाइयाँ देते हैं।
- यह *अँधेरे पर प्रकाश की विजय* का भी प्रतीक है।

सोडल मेला

- यह *पंजाब* के मुख्य मेलों में से एक है और इसे एक महान् आत्मा *बाबा सोडल को श्रद्धांजलि देने* के लिए मनाया जाता है। प्रत्येक वर्ष, मेले को भाद्रपद (सितम्बर) में *जालन्धर* में मनाया जाता है।
- सिख इस दिन को शुभ मानते हैं, बाबा की समाधि पर जाते हैं, सरोवर में स्नान करते हैं और प्रार्थना करते हैं।

जैन पर्व

महावीर जयंती

- इस पर्व को **जैन समुदाय** मनाता है। इसे भगवान् महावीर की जयंती के रूप में आयोजित किया जाता है, जो **24वें तीर्थंकर** और जैन धर्म के संस्थापकों में से एक थे। यह चैत्र मास के शुक्ल पक्ष के 13वें (तेरहवें) दिन आता है।
- इस पर्व को बहुत धूमधाम से मनाया जाता है और जैन मन्दिरों को **भगवा ध्वजों से** सजाया जाता है। महावीर की प्रतिमा को दूध से स्नान एवं एक अनुष्ठानात्मक स्नान (अभिषेक) कराया जाता है। फिर इसे एक यात्रा के रूप में ले जाया जाता है।

पर्युषण पर्व

- जैनियों के वार्षिक पर्व को पर्युषण के नाम से जाना जाता है। यह **भाद्रपद (अगस्त/सितंबर)** के महीने में *आठ दिन* तक मूलतः **श्वेताम्बर समुदाय** द्वारा मनाया जाता है।
- *दिगम्बर समुदाय का पर्व दस दिन तक चलता है।* यह पर्व घूमन्तू जैन भिक्षुओं के अपने आश्रयस्थलों की ओर वापसी को चिह्नित करता है, क्योंकि इस अवधि में होनेवाली मूसलाधार वर्षा और मानसून उनका जंगल की गुफाओं में निवास करना असम्भव बना देती है।

- इस पर्व में मंदिरों या *उपाश्रयों* की आनुष्ठानिक यात्राएँ और *कल्पसूत्र* पर प्रवचनों को सुनना सम्मिलित है। अधिकांश भक्तों को *प्रतिक्रमण* या ध्यान क्रिया करने के लिए कहा जाता है। पर्व की समाप्ति **क्षमावमी (क्षमा दिवस)** के रूप में होती है। समुदाय के सभी लोग एक दूसरे से *'मिच्छामी दुक्कडम्'* कहते हैं, अर्थात् यदि मैंने आपको जाने या अनजाने में वाणी या कर्म से चोट पहुँचायी है, तो मैं आपसे क्षमा माँगता हूँ।

महामस्तकाभिषेक

- यह कर्नाटक के *श्रवणबेलगोला* शहर में **12 वर्ष में एक बार** होनेवाला पर्व है। यह पर्व *ऋषभदेव के पुत्र सिद्ध बाहुबली* की 57 फीट ऊँची प्रतिमा के पवित्र स्नान का समारोह है।
- विशेष रूप से तैयार किये गये बर्तनों से भक्तों द्वारा गाढ़ा जल प्रतिमा पर डाला जाता है। प्रतिमा को दूध, गन्ने का रस और केसर के लेप से नहलाया जाता है और चंदन, हल्दी और सिंदूर के पाउडर का छिड़काव किया जाता है।

ज्ञान पंचमी

- कार्तिक महीने के पाँचवे दिन को *"ज्ञान पंचमी"* के रूप में जाना जाता है। इसे ज्ञान का दिन माना जाता है। इस दिन पवित्र ग्रन्थों का प्रदर्शन और पूजा की जाती है।

वर्षी तप या अक्षय तृतीया तप

- यह पर्व पहले जैन तीर्थंकर **ऋषभदेव** से सम्बन्धित है, जिन्होंने 13 महीने 13 दिन का निरंतर उपवास रखा था। उनका उपवास जैन कैलेण्डर के वैशाख महीने के शुक्ल पक्ष के तीसरे दिन समाप्त हुआ। जो लोग इस उपवास को करते हैं, उन्हें *वर्षी तप* कहा जाता है।

मौन अगियारा/मौन एकादशी

- इस पर्व को जैन कैलेण्डर के मगसर (महीने) के 11वें दिन मनाया जाता है। इस दिन *पूर्ण मौन रखा जाता है* और उपवास किया जाता है। ध्यान भी किया जाता है।

नवपद ओली

- *नौ-दिवसीय ओली अर्द्ध-उपवास का समय है।* इस अवधि के दौरान, जैन केवल एक समय पर सादा भोजन करते हैं। यह मार्च/अप्रैल और सितम्बर/अक्टूबर के दौरान **वर्ष में दो बार** मनाया जाता है।

बौद्ध त्यौहार

बुद्ध पूर्णिमा

बुद्ध पूर्णिमा या बुद्ध जयंती को भगवान् बुद्ध के जन्म दिवस के रूप में मनाया जाता है। यह अप्रैल/मई के महीने में आता है और भारत के उत्तर-पूर्वी भागों में व्यापक रूप से मनाया जाता है। इसे *थेरवाद परम्परा* **में** *विशाखा पूजा* और सिक्किम में *सागा दावा* (दसा) कहा जाता है। उत्तर भारत में इस त्यौहार को मुख्य रूप से उत्तर प्रदेश के सारनाथ और बिहार के बोध गया में मनाया जाता है।

इस त्यौहार में गौतम बुद्ध के जीवन से संबंधित उपदेश सुनना सम्मिलित है। इस दिन बौद्ध धर्म में ग्रन्थों का जप, बुद्ध की आकृति, बोधि वृक्ष की पूजा और ध्यान भी किया जाता है। विभिन्न पंथ विभिन्न नियमों का पालन करते हैं, जैसे:

- *महायान बौद्ध* संगीत वाद्य यंत्र **ग्यालिंग** के साथ शोभायात्रा आयोजित करते हैं। वे *कंग्युर* ग्रंथों को भी पढ़ते हैं।
- *थेरवाद बौद्ध* केवल बुद्ध की मूर्तियों की औपचारिक पूजा करते हैं।

सोंगक्रन

इस बौद्ध त्यौहार को *वसंत की सफ़ाई* के रूप में मनाया जाता है। अप्रैल के मध्य में इसे कई दिनों तक मनाया जाता है। लोग *अपने घरों की सफ़ाई करते हैं*, वस्त्र धोते हैं और भिक्षुओं पर सुगंधित जल छिड़कने का आनंद लेते हैं।

जुताई त्यौहार

इस त्यौहार को *बुद्ध के पहले ज्ञान प्राप्ति के क्षण* के रूप में मनाया जाता है, जब उनकी आयु सात वर्ष की थी और *वे अपने पिता के साथ खेतों की जुताई देखने गये थे।* इसे मई के महीने में मनाया जाता है और दो श्वेत बैल सुनहरे रंग से पेंट किये गये हल को खींचते हैं, जिनके पीछे श्वेत परिधान में चार कन्याएँ अपनी टोकरियों से धान के बीज फेंकती हैं।

उलम्बना (Ullambana)

- इस त्यौहार को आठवें चन्द्र मास के पहले से पन्द्रहवें दिन तक मनाया जाता है।
- ऐसा माना जाता है कि *नरक के द्वार पहले दिन खोले जाते हैं* और *भूत पन्द्रह दिन तक संसार में विचरण कर सकते हैं* इन **भूतों के कष्टों के निवारण के लिए** इस अवधि में उन्हें भोजन अर्पण किया जाता है। पन्द्रहवें दिन (*उलम्बना* या *पूर्वज दिवस)* लोग क़ब्रिस्तान जाकर दिवंगत आत्माओं को भेंट अर्पित करते हैं।

हेमिस गोम्पा

- इस त्यौहार को *गुरु रिन्पोचे (पद्मसम्भव) की जन्म शताब्दी के रूप में लद्दाख* के हेमिस गोम्पा मठ में आयोजित किया जाता है। अपने लोगों की रक्षा के लिए तिब्बती बौद्ध धर्म संस्थापक, गुरु पद्मसम्भव ने बुरी शक्तियों से युद्ध किया था। इसलिए इस त्यौहार को *बुराई पर अच्छाई की विजय* के रूप में मनाया जाता है।
- इस त्यौहार का मुख्य आकर्षण *लामाओं द्वारा मुखौटे पहन कर किया जानेवाला नृत्य* है। कई संगीतकार झाँझ, बड़े ड्रम, छोटी तुरही और बड़े आकार के वायु उपकरणों के उपयोग से परम्परागत संगीत बजाते हैं।

सिंधी उत्सव

चालिहा साहिब

- यह **सिन्धी समुदाय** का उत्सव है। इसे जुलाई-अगस्त के महीने में **चालीस दिन का उपवास** रख कर मनाया जाता है। ये **भगवान् झूलेलाल** की चालीस दिनों तक प्रार्थना करते हैं और उपवास की समाप्ति पर वे इस उत्सव को **धन्यवाद दिवस** के रूप में मनाते हैं।
- सिंध के आक्रमणकारी मीर्कशाह बादशाह ने थट्टा के निवासियों को परेशान किया था और वह उनसे इस्लाम क़बूल कराना चाहता था। लोगों ने वरुण देवता या जल देवता की नदी के तट पर चालीस दिन तक तपस्या की। चालीसवें दिन वरुण देवता ने उनकी प्रार्थना सुनी और उन्हें तानाशाही से मुक्ति दिलाने का वचन दिया। उनकी प्रार्थना का उत्तर **झूलेलाल** के रूप में मिला था।

चेटीचंड

- यह *सिंधी नव वर्ष* का उत्सव है और इसे विश्व भर में मनाया जाता है। इसे चैत्र के पहले दिन मनाया जाता है। चेटीचंड को सिंधियों के सरंक्षक **संत झूलेलाल के जन्म के उपलक्ष्य में** मनाया जाता है। सिन्धी समुदाय द्वारा इसे बहुत धूमधाम और उत्साह से मनाया जाता है। लोग **बहराणा साहिब** बनाते हैं, जो जोत, मिश्री, फोटा, फल, अखा से बना होता है, निकटवर्ती नदी पर ले कर जाते हैं। झूलेलाल की एक मूर्ति भी साथ ले जायी जाती हैं।

पारसी उत्सव

जमशेदी नवरोज़

- नवरोज़ उत्सव पारसी समुदाय के नव वर्ष के रूप में मनाया जाता है। यह ***शहंनशाही*** कैलेण्डर द्वारा प्रदर्शित पहले महीने ***फारवर्दिन*** के पहले दिन या **रोज़होर्मुज़्द** को पड़ता है। उसे सार्वभौम भोर का प्रारम्भ माना जाता है, क्योंकि यह शीत ऋतु की समाप्ति और नव वर्ष का प्रारम्भ है।

परम्परागत रूप से पारसी *ख़ोरशेद* और *मेहर याज़ाद* के प्रति सम्मान प्रदर्शित करते हैं, जो दो दिव्य प्राणी और **सूर्य के अग्रदूत** हैं। लोग एक-दूसरे के घर और **अग्नि मंदिर** जाते हैं।

पारसियों के अन्य उत्सव इस प्रकार हैं :

उत्सव का नाम	किस दिन होता है	अवसर	किये जानेवाले अनुष्ठान
ज़रथोस्त नो दीसो	10वें महीने के 11वें दिन। (Khorshed roz, Dae mah)	पैगंबर ज़रथुश्त्र की मृत्यु की वर्षगाँठ।	पारसी लोग अग्नि मन्दिर में जाकर पूजा करते हैं और पैगंबर के जीवन और कार्यों को सुनते हैं।
खोरदादसाल	पारसी महीने ***फरवर्दिन*** के छठे दिन (अगस्त/सितम्बर)	पैगंबर की जन्म (जयंती) पर	पारसी पूजा अर्चना करते हैं और विशेष भोज का आयोजन करते हैं।
पतेती	पारसी कैलेण्डर का अंतिम गाथा दिन।	वर्ष भर में किये गये अपराधों के लिए क्षमा याचना के लिए।	पारसी पूजा करते हैं, ग़रीबों को भिक्षा देते हैं और घर पर भोज आयोजित करते हैं।

उत्तर-पूर्व भारत के मुख्य त्यौहार

बेहदीनखलम महोत्सव

- बेहदीनखलम का अर्थ है प्लेग रोग को दूर भगाना।
- यह त्यौहार वार्षिक रूप से मानसून के मौसम में **मेघालय के जयंतिया हिल ज़िले** में मनाया जाता है।
- बेहदीनखलम उत्सव में प्रकृति और बीमारी के ख़िलाफ़ मानव जाति की लड़ाई को दर्शाया जाता है, जिसमें पॉलिश किये गये लट्ठे, 'रथ' ले जाते हुए लोग, और **दाद-लावाकोर** नामक फुटबॉल जैसा खेल खेला जाता है।

बेहदीनखलम महोत्सव

वांगला महोत्सव (100 ढोल महोत्सव)

वंगाला त्यौहार

- **मेघालय** में प्रमुख **गारो जनजाति** इसे मुख्य रूप से मनाती है। यह त्यौहार **शीतऋतु की शुरुआत** का संकेत देता है तथा **कटाई के बाद के समय** के उपलक्ष्य में मनाया जाता है।
- यह त्यौहार **मिसी सालजोंग** के प्रति आभार प्रकट करने के लिए मनाया जाता है, जो एक स्थानीय देवता हैं और जिनके बारे में माना जाता है कि वे सौभाग्य लाते हैं।
- **'100 ढोल महोत्सव'** के नाम से प्रसिद्ध इस त्यौहार में ढोल, बाँसुरी, उत्सवी पोशाकें और कुल के रंगों का प्रतिनिधित्व करनेवाले पंखोंवाले हेडगियर शामिल होते हैं।

सागा दावा (Triple Blessed Festival)

- यह त्यौहार अधिकतर **सिक्किम** राज्य में रहनेवाले **बौद्ध समुदायों** द्वारा मनाया जाता है।
- यह सागा दावा नामक तिब्बती चन्द्र-मास के बीच में पड़नेवाली पूर्ण चन्द्रोदय की रात्रि को मनाया जाता है। **तिब्बती समुदायों** द्वारा इस दिन को अत्यधिक शुभ माना जाता है। यह महीना मई और जून के बीच पड़ता है और **इस महीने को सागा दावा या 'पुण्य का महीना'** कहा जाता है।
- इस त्यौहार को बुद्ध के जन्म, ज्ञानोदय और मृत्यु (*परिनिर्वाण*) का स्मरण करने के लिए मनाया जाता है। अधिकांश लोग मठों की यात्रा करते हैं और वहाँ अगरबत्ती, *धोग* और जल अर्पण करते हैं।
- साथ ही लोग मठों की प्रदक्षिणा करते हैं मंत्रों का जाप करते हैं, धार्मिक ग्रंथों का पाठ करते हैं और धर्मचक्र घुमाते हैं। सागा दावा के पूरे महीने बौद्ध समुदाय के लोगों को बौद्ध धर्म की **तीन शिक्षाओं: उदारता** (*दान*), **धर्माचरण** (*सिला*) और **ध्यान** या शुभ विचार (*भावना*) का पालन करना होता है।

लोसूंग त्यौहार

- लोसूंग त्यौहार को **'सिक्किम का नव वर्ष'** के उपलक्ष्य में मनाया जाता है। यह त्यौहार पूरे सिक्किम राज्य में प्रत्येक वर्ष दिसम्बर के महीने में मनाया जाता है। जैसा कि पहले उल्लेख किया गया है कि सिक्किम राज्य का प्रमुख व्यवसाय कृषि है और यह **फ़सलों की कटाई के उत्सव** के रूप में किसानों और अन्य व्यावसायिक समुदायों द्वारा मनाया जाता है।
- परंपरागत रूप से, इस त्यौहार को **भूटिया जनजाति** का त्यौहार माना जाता है, परन्तु आजकल **लेप्चा** जनजाति के लोग भी इसे उसी प्रकार पूरे उत्साह और उमंग से मनाते हैं। इस त्यौहार का विशेष बिन्दु यह है कि इस उत्सव के अंग के रूप में लोग **स्थानीय स्तर पर निर्मित की जानेवाली शराब** पीते हैं, जिसे **चांग (या छांग)** कहते हैं। सब लोग परम्परागत नृत्यों, जैसे-खग्यु नृत्य और ब्लैक हैट नृत्य, को करने के लिए मठों में एकत्रित भी होते हैं। तीरंदाज़ी जैसे उत्सवों से सिक्किमी समुदाय के लोगों की युद्धप्रिय भावनाओं का प्रदर्शन होता है।

बिहू त्यौहार

बिहू त्यौहार

- बोहाग बिहू **असम** के सर्वाधिक लोकप्रिय त्यौहारों में से एक है। रोंगली अथवा बोहाग बिहू अप्रैल में मनाया जाता है, कोंगली अथवा काती बिहू अक्टूबर में मनाया जाता है, और भोगली बिहू (**बोहाग बिहू** के नाम से भी जाना जाता है) जनवरी में मनाया जाता है। **रोंगली बिहू** इन तीनों में से सबसे महत्त्वपूर्ण है और यह असमी नववर्ष के समय में ही मनाया जाता है। बिहू के दौरान गीत और नृत्य मुख्य आकर्षण हैं।

बोहाग बिहू **असम** के सबसे लोकप्रिय त्यौहारों में से एक है। यद्यपि असमी लोग वर्षभर में **तीन बार** बिहू मनाते हैं, पर बोहाग बिहू की बहुत उत्सुकता से प्रतीक्षा की जाती है।

बिहू त्यौहार परम्परागत रूप से **बदलती हुई ऋतुओं** और **फ़सलों की कटाई** से जुड़ा हुआ है। बोहाग बिहू प्रतिवर्ष 14 अप्रैल से आरम्भ होकर कई दिन तक मनाया जाता है। समुदायों और जनजातियों के निर्णय के अनुसार यह त्यौहार एक सप्ताह से लेकर लगभग एक महीने तक चलता है।

- त्यौहार के पहले दिन गाय और बैल, जो समुदाय का मूल आधार हैं, उन्हें नहलाया और खिलाया जाता है। इस त्यौहार को 'गोरा बिहु' कहते हैं।
- दूसरा दिन बिहु त्यौहारों का प्रमुख दिन है, और इस दिन लोग एक-दूसरे का अभिवादन करते हैं और अपने संबंधियों के साथ ***गमोसा*** (हाथ से बुना हुआ खादी का गमछा) का आदान-प्रदान करते हैं, सभी घरों में ***पिठा*** (चावल के आटे, गेहूँ के आटे, तिल, नारियल और गुड़ के मिश्रण से बना एक व्यंजन) बनाया जाता है। वे मंच भी बनाते हैं, जहाँ सभी समुदायों के पुरुष और स्त्रियाँ मिलकर बिहू नृत्य करते हैं।

अम्बुबाची मेला

- यह मेला **असम** राज्य के गुवाहाटी स्थित **कामाख्या मंदिर** में जून माह में आयोजित किया जाता है। यह पूर्वोत्तर भारत के प्रमुख त्यौहारों में से एक है। पूर्वोत्तर क्षेत्र में इसका महत्त्व इतना अधिक है कि इसे **'पूर्व का महाकुंभ'** भी कहा जाता है।
- यह त्यौहार उर्वरता से संबंधित **अनुष्ठानों** से जुड़ा है तथा कई भक्त देवी से संतान प्राप्ति का आशीर्वाद लेने आते हैं।

माजुली महोत्सव

यह **असम** राज्य के माजुली नदी द्वीप पर आयोजित होनेवाले आधुनिक त्यौहारों में से एक है।

द्विजिंग महोत्सव

द्विजिंग महोत्सव **असम** के चिरांग ज़िले में ऐई नदी के तट पर मनाया जानेवाला एक वार्षिक नदी महोत्सव है।

मी-दम-मे-फि

यह पूर्वजों की पूजा का त्यौहार है, जो **असम** में प्रतिवर्ष 31 जनवरी को **अहोम लोगों** द्वारा मनाया जाता है।

बैशागु

यह त्यौहार **असम** के 'बोरोकछारी' जनजाति द्वारा मनाया जाता है।

अली-ऐई-लिगांग उत्सव

यह उत्सव **असम** के **मिशिंग समुदाय** द्वारा मनाया जाता है। यह बीज बोने का त्यौहार और वसंत ऋतु का उत्सव है, जो अच्छी फ़सल की कामना के लिए मनाया जाता है।

रोंगकर और चोमांगकान उत्सव

रोंगकर और चोमांगकान, **असम** के कार्बी आंगलोंग की एक मूल जनजाति, **कार्बी** के दो त्यौहार हैं।

बड़े सहरिया भौना

बड़े सहरिया भौना, **असम** के जमुगुरीहाट में एक सामुदायिक नाट्य उत्सव है।

होर्नबिल महोत्सव

- यह **नागालैंड** में मनाये जानेवाले प्रमुख **त्यौहारों** में से एक है।
- 10 दिवसीय नागा महोत्सव 1 दिसंबर को किसामा हेरिटेज विलेज में शुरू होता है, जहाँ जनजातियाँ अपनी संस्कृति, वेशभूषा और पारंपरिक हथियारों का प्रदर्शन करती हैं, जिससे युवा पीढ़ी के बीच एकता और आपसी भाईचारा बढ़ता है।

मोअत्सु मोंग त्यौहार

- यह **नागालैंड** की **एओ** (Ao) **जनजाति** द्वारा मई के पहले सप्ताह में **बुवाई के बाद** मनाया जाता है।
- यह महोत्सव कठिन कृषि कार्य के बाद प्रसन्नता एवं मनोरंजन का माहौल प्रदान करता है, जिसमें गीत, नृत्य और **संगपांगटू** शामिल होते हैं, जिसमें एक बड़ी आग जलायी जाती है और लोग इसके चारों ओर इकटठे होते हैं।

येमशे महोत्सव

- यह भी **नागालैंड** का ही **एक महोत्सव** है, जो मुख्य रूप से **पोचुरी जनजाति** द्वारा मनाया जाता है। इस महोत्सव के दौरान मेंढक पकड़ना प्रतिबंधित होता है। यह **सितंबर** में मनाया जाता है।

सेकरेन्यी त्यौहार

- सेकरेन्यी महोत्सव **नागालैंड** की **अंगामी जनजाति** द्वारा फ़रवरी के महीने में मनाया जाता है।
- यह 10 दिनों से अधिक समय तक मनाया जाता है और इसे अंगामी लोग 'फुसैनी (phousanyi)' भी कहते हैं। यह एक शुद्धिकरण महोत्सव है।

लुई-नगई-नी त्यौहार

- **नागा जनजातियों** की लगभग सभी शाखाएँ इस उत्सव को मनाती हैं। यह पूरे **नागालैंड** में और मणिपुर राज्य के कुछ **नागा-बहुल क्षेत्रों** में भी मनाया जाता है।
- बीज बोने के मौसम में मनाया जानेवाला यह नागा उत्सव कृषि और ग़ैर-कृषक समुदायों को एकजुट करता है तथा भव्य समारोहों के माध्यम से **शांति और सद्भाव** का संदेश प्रसारित करता है।

खर्ची पूजा

- इस हिंदू त्यौहार का उद्भव **त्रिपुरा** राज्य में हुआ। यद्यपि यह त्यौहार राजसी परिवार के त्यौहार के रूप में आरंभ हुआ था, लेकिन वर्तमान समय में एक सामान्य परिवार द्वारा भी इस त्यौहार को जुलाई में एक सप्ताह तक मनाया जाता है। यह त्यौहार **पृथ्वी** के सम्मान में मनाया जाता है। इसमें 14 अन्य देवताओं की पूजा की जाती है।
- प्रत्येक वर्ष हज़ारों लोग इन देवताओं की आराधना करने के लिए अगरतला स्थित चतुर्दश मंदिर में दर्शन करने के लिए आते हैं।

खर्ची पूजा

चेरियाओबा त्यौहार

- यह त्यौहार पूरे **मणिपुर** राज्य में मनाया जाता है, क्योंकि मणिपुरी जनजातियों के अनुसार यह **नव वर्ष** है। यह अप्रैल के महीने में मनाया जाता है (जिसका अर्थ है साजिबू महीने का पहला दिन)।

- यह त्यौहार **मैतेई जनजाति** द्वारा पूजे जानेवाले **सनमही** नामक घरेलू देवता से भी संबंधित है। यह त्यौहार आमतौर पर सनमही मंदिर में मनाया जाता है, लेकिन हर घर में सफ़ाई की जाती है और परिवार के सदस्यों के लिए नये बर्तन और नये कपड़े ख़रीदे जाते हैं।

कांग चिंगबा (मणिपुर की रथ यात्रा)

- कांग चिंगबा त्यौहार **मणिपुर** राज्य में मनाये जानेवाले सबसे बड़े हिंदू त्यौहारों में से एक है। यह **'जगन्नाथ पुरी रथ यात्रा' जैसा ही है** और उसी से कई पूर्ववृत्त इससे जुड़े हुए हैं। यह 10 दिनों तक चलनेवाला त्यौहार है, जो हर साल जुलाई के महीने में मनाया जाता है।
- इस यात्रा का आरंभ इम्फाल स्थित श्री गोविंदजी के प्रसिद्ध पवित्र मंदिर से होता है। लकड़ी से बनी और अत्यधिक सुसज्जित प्रतिमाओं को विशाल रथों, जिन्हें 'कांग' कहा जाता है, पर आरूढ़ करके घुमाया जाता है। फिर इन देवी-देवताओं को दूसरे मंदिर में ले जाया जाता है। इस यात्रा के दौरान लोग जश्न मनाते हुए रात भर नृत्य करते हैं।

लाई हराओबा

यह **मणिपुर के मैतेई आदिवासी समुदाय** द्वारा मनाया जानेवाला एक आनुष्ठानिक (कर्मकांडीय) त्यौहार है। यह **सनमहिज़्म** धर्म के पारंपरिक देवता **उमंग लाई** को प्रसन्न करने के लिए मनाया जाता है। उमंग लाई स्थानीय वन देवताओं (इसी नाम से) के लिए संरक्षित पवित्र उपवनों का समूह है, जिनकी मणिपुर में प्राचीन काल से पूजा की जाती रही है।

लोसार उत्सव

लोसार, चंद्र नव वर्ष के उपलक्ष्य में मनाया जानेवाला त्रिदिवसीय त्यौहार है, जो अरुणाचल प्रदेश की **मोनपा जनजाति** के बीच लोकप्रिय है। यह त्यौहार **लद्दाख** में भी मनाया जाता है, खासकर तवांग में भव्य उत्सव के साथ।

द्री उत्सव (ड्री त्यौहार)

- **अरुणाचल प्रदेश** में **अपातानी/अपतानी जनजाति** के लोग मुख्य रूप से इस त्यौहार को मनाते हैं। वर्तमान में, और भी कई जनजातियाँ द्री उत्सव के अनुष्ठानों का अपना रही हैं।
- यह **जीरो घाटी** में आयोजित होनेवाले सबसे बड़े उत्सवों में से एक है।
- इस उत्सव के दौरान, लोग अच्छी फ़सल के लिए पाँच देवताओं - **तामु, मेतव, मेदवर, दानयी** और **मेपिन** - से प्रार्थना करते हैं, पारंपरिक नृत्य करते हैं तथा **फ़सल के प्रतीक के रूप में खीरे** वितरित करते हैं।

खान महोत्सव

- यह **अरुणाचल प्रदेश** की **मिजी जनजाति** द्वारा मनाया जानेवाला एक धार्मिक उत्सव है।
- यह उत्सव सभी पृष्ठभूमि के लोगों को एकजुट करता है, जिसमें एक पुजारी प्रत्येक प्रतिभागी के गले में एक पवित्र ऊनी धागा बाँधता है।

सोलुंग उत्सव

यह **अरुणाचल प्रदेश** में आदि जनजातियों का एक कृषि उत्सव है, जो अच्छी फ़सल एवं समृद्धि की कामना के लिए मनाया जाता है।

जो कुटपुई

जो कुटपुई उत्सव **मिज़ोरम** में मनाया जाता है। इसका उद्देश्य दुनिया के विभिन्न हिस्सों में रहनेवाली मिजो जनजातियों को एकजुट करना है।

चापचर कुट महोत्सव

यह **मिज़ोरम** में मार्च के दौरान स्थानीय लोगों के सबसे कठिन कार्य, झूम संचालन के पूरा होने के बाद मनाया जाता है।

अन्य महत्त्वपूर्ण पर्व (राज्यवार)

राज्य/केन्द्रशासित प्रदेश	पर्व
आंध्र प्रदेश	ब्रह्मोत्सवम्
अरुणाचल प्रदेश	न्योकोम, बूरी-बूट, रह, सॉन्ग
छत्तीसगढ़	बस्तर दशहरा
गोवा	शिमगा
गुजरात	मोढेरा नृत्य महोत्सव
हिमाचल प्रदेश	गोची उत्सव
जम्मू और कश्मीर	बहू मेला, छारी, ट्यूलिप महोत्सव, हेमिस महोत्सव
झारखंड	रोहिणी उत्सव, करम पूजा
कर्नाटक	कामबाला
केरल	पूरम मंदिर उत्सव, वल्लमकली नौका दौड़ उत्सव
लद्दाख	गाल्डन नामचोट, दोसमोचे, फियांग सेदुप, सिंधु दर्शन, साका दावा, टक टोक, मतहो नागरंग, स्टोक गुरु पर्व, नरोपा महोत्सव**
मध्य प्रदेश	लोकरंग महोत्सव, खजुराहो नृत्य महोत्सव
मेघालय	नोंगक्रेम
महाराष्ट्र	वारी-वारकरी (पंढारपुर में वारकरी समुदाय द्वारा), एलीफेंटा उत्सव, नाग पंचमी
मणिपुर	हेईक्रु हिडोंगबा, सांगाई, कांग चिंगबा, चवांग कुट
मिज़ोरम	अंथुरियम, चापचार कुट, अल्फालोनी
नागालैंड	नकन्युलम, मिमकुट, मीयू, ओलेअंग मोन्यु, बुशू जिबा, टोखू इमोंग, मोन्यु, टुलुनी, मोंगमोंग
ओडिशा	कंढेई जात्रा, ठकुरानी जात्रा, राजा पर्व, नौखाई जुहार, कोणार्क डांस महोत्सव
तमिलनाडु	चिथिराई, नाट्यांजलि, जल्लीकट्टू, पुथंडु
तेलंगाना	सम्माक्का सरलम्मा जतारा, नाट्यांजलि, बोनालू
उत्तराखंड	नंदा देवी राज जात यात्रा, फूल देई, गंगा दशहरा

*** **नरोपा महोत्सव (हिमालय का कुंभ)** तिब्बती कैलेण्डर के अनुसार हर 12 साल बाद **लद्दाख** में बौद्ध दार्शनिक और विद्वान् नरोपा के जीवन पर जश्न मनाया जाता है, **जो 11वीं शताब्दी ईसवी के दौरान रहते थे और नालंदा महाविहार में पढ़ाते भी थे।***

यू.पी.एस.सी. विगत वर्षों के बहुविकल्पीय प्रश्न

1. 'नारोपा' कहाँ का एक वार्षिक उत्सव है? **(CDS I, 2020)**
   (a) सिक्किम (b) लद्दाख
   (c) अरुणाचल प्रदेश (d) नागालैंड

2. निम्नलिखित युग्मों पर विचार कीजिए: **(CSE , 2018)**

	परम्पराएँ		राज्य
1.	चपचार कूट त्योहार	-	मिजोरम
2.	खोंगजॉम परबा गाथागीत	-	मणिपुर
3.	थांग-टा नृत्य	-	सिक्किम

   उपर्युक्त युग्मों में से कौन-सा/से सही सुमेलित है/हैं?
   (a) केवल 1 (b) 1 और 2
   (c) केवल 3 (d) 2 और 3

3. निम्नलिखित युग्मों पर विचार कीजिए: **(CSE, 2017)**

	परम्पराएँ		समुदाय
1.	चलिहा साहिब उत्सव	-	सिंधियों का
2.	नन्दा राज जात यात्रा	-	गोंडों का
3.	वारी-वारकरी	-	संथालों का

   ऊपर दिये गये युग्मों में से कौन-सा/सी सही सुमेलित है/हैं?
   (a) केवल 1
   (b) 2 और 3
   (c) केवल 1 और 3
   (d) उपर्युक्त में से कोई नहीं

4. सूची I को सूची II से सुमेलित कीजिए और सूचियों के नीचे दिये गये कूट का प्रयोग कर सही उत्तर चुनिए: **(CAPF, 2013)**

	सूची I (त्यौहार)		सूची II (अवसर)
A.	वल्लमकली	1.	मंदिर उत्सव
B.	पूरम त्यौहार	2.	नाव दौड़
C.	चपचार कूट	3.	भगवान् कृष्ण और रुक्मिणी का विवाह
D.	माधवराई मेला	4.	वसंत उत्सव

	A	B	C	D
(a)	3	1	4	2
(b)	2	1	4	3
(c)	2	4	1	3
(d)	3	4	1	2

उत्तरमाला

1. (b) 2. (b) 3. (a) 4. (b)

यू.पी.एस.सी. विगत वर्षों के प्रश्न - मुख्य परीक्षा

1. अरुणाचल प्रदेश के 'लोसार' और 'खान' महोत्सव के बीच या नागालैंड के 'मोअत्सु' और 'येमशे' महोत्सव में अंतर स्पष्ट करें। **(CSE, 2011)**
2. शब-ए-बारात पर संक्षिप्त टिप्पणी लिखें। **(CSE, 1995)**
3. गणेश चतुर्थी पर संक्षिप्त टिप्पणी लिखें। **(CSE, 1995)**
4. देव दीपावली पर संक्षिप्त टिप्पणी लिखें। **(CSE, 1994)**
5. राम नवमी पर संक्षिप्त टिप्पणी लिखें। **(CSE, 1992)**
6. बैसाखी पर संक्षिप्त टिप्पणी लिखें। **(CSE, 1991)**
7. जन्माष्टमी पर संक्षिप्त टिप्पणी लिखें। **(CSE, 1991)**
8. निम्नलिखित पर्व किस/किन राज्य/राज्यों में बड़े पैमाने पर मनाये जाते हैं? **(CSE, 1981)**
   (i) बैसाखी
   (ii) रथ यात्रा
   (iii) बिहू
   (iv) पोंगल
   (v) ओणम

23

भारत के मेले

अध्याय की रूपरेखा

- कुम्भ मेला
- भारत में अन्य प्रमुख मेले
- चिल्लई कलाँ

विभिन्न प्रकार की धार्मिक, मनोरंजनात्मक या वाणिज्य गतिविधियों के लिए लोगों के अस्थायी मिलन या उनके एक स्थान पर इकट्ठा होने को मेला कहते हैं। भारत के विभिन्न भागों में विभिन्न प्रकार के मेले आयोजित किये जाते हैं। उनमें से कुछ की चर्चा नीचे की गयी है:

कुम्भ मेला

परीक्षोपयोगी

- कुम्भ मेला विश्व का सबसे बड़ा धार्मिक सम्मेलन है। प्रतिदिन लाखों लोग पवित्र नदी में डुबकी लगाने आते हैं। यह मेला (सम्मेलन) **चार पवित्र हिंदू तीर्थस्थलों–प्रयागराज, हरिद्वार, नासिक-त्र्यम्बक** और **उज्जैन** में बारी-बारी से आयोजित होता है।
- यह मेला *12 साल के समय अंतराल के बाद* दिये गये स्थान पर **आयोजित किया जाता है।** मेले की सटीक तिथियाँ सूर्य, चन्द्र और वृहस्पति ग्रहों की स्थिति के अनुसार निर्धारित की जाती हैं। *नासिक और उज्जैन* में यह मेला तब होता है, जब वृहस्पति ग्रह, सिंह राशि में स्थित होता है, और इसे *सिंहस्थ कुम्भ* कहा जाता है।
- *हरिद्वार और प्रयागराज* में **अर्ध-कुम्भ मेला** प्रत्येक **छठे वर्ष** में होता है।

कुम्भ मेला

विरासत स्मरण

हिंदू पौराणिक कथाओं के अनुसार 'समुद्र मंथन', अर्थात् महासागर को मथने के दौरान एक 'कुम्भ' (बर्तन) में अमृत उत्पन्न हुआ था। देवों और असुरों के संग्राम में, विष्णु द्वारा कुम्भ को ले जाते समय अमृत की कुछ बूँदें पृथ्वी पर छलक गयीं। वे यही चार स्थान थे, जहाँ अब कुम्भ के मेलों का आयोजन होता है।

❋ 1915 के कुंभ मेले में **अखिल भारतीय हिंदू सभा** की स्थापना हुई थी (बाद में हिंदू महासभा बनी)।

स्थान जहाँ कुम्भ मेला होता है: --> **परीक्षोपयोगी**

स्थान	नदी
प्रयागराज (उत्तर प्रदेश)	गंगा, यमुना और पौराणिक सरस्वती नदी के संगम पर
हरिद्वार (उत्तराखंड)	गंगा
नासिक-त्र्यम्बक (महाराष्ट्र)	गोदावरी
उज्जैन (मध्य प्रदेश)	क्षिप्रा

2017 में, UNESCO द्वारा कुंभ मेले को *मानवता की अमूर्त सांस्कृतिक विरासत की प्रतिनिधि सूची* में शामिल किया गया।

भारत में अन्य प्रमुख मेले

नाम	विवरण
नागौर मेला	यह राजस्थान के नागौर में जनवरी और फ़रवरी के महीनों में आठ दिनों तक मनाया जाता है। इसमें घोड़ों, ऊँटों और मवेशियों के व्यापार के साथ-साथ पशु दौड़, मुर्गों की लड़ाई, संगीत और नृत्य का आयोजन होता है।
सोनपुर मेला	यह एशिया के सबसे बड़े पशु मेलों में से एक है। यह मेला **बिहार के सोनपुर** में गंगा और गंडक नदी के संगम पर आयोजित होता है। यह **एकमात्र ऐसा मेला** है, **जहाँ बड़ी संख्या में हाथी बेचे जाते हैं**, और किंवदंतियाँ इसे **चंद्रगुप्त मौर्य** द्वारा हाथियों और घोड़ों की ख़रीद से जोड़ती हैं।
चित्र विचित्र मेला	यह गुजरात का सबसे बड़ा ***आदिवासी मेला*** है, जो मुख्य रूप से '***गरासिया***' और '***भील***' जनजातियों द्वारा मनाया जाता है। गुजरात में होली के बाद आयोजित होनेवाला चित्र विचित्र मेला अमावस्या पर शोक अनुष्ठानों के साथ शुरू होता है और उसके बाद जीवंत आदिवासी नृत्य, हस्तशिल्प और चाँदी के आभूषणों का प्रदर्शन होता है, जो समृद्ध आदिवासी संस्कृति को प्रदर्शित करते हैं।
शामलाजी मेला	यह **गुजरात के एक आदिवासी समुदाय द्वारा भगवान् शामलाजी**, जिन्हें कृष्ण या विष्णु का अवतार माना जाता है, की **पूजा के उपलक्ष्य** में मनाया जाता है। भक्त, विशेष रूप से भील, कार्तिक पूर्णिमा को मुख्य दिन के रूप में पूजा और **मेश्वो नदी** में पवित्र स्नान के लिए एकत्रित होते हैं।
पुष्कर मेला	पुष्कर मेला **राजस्थान के पुष्कर** में एक वार्षिक मेला है, जो 'कार्तिक पूर्णिमा' के दिन शुरू होता है और लगभग एक सप्ताह तक चलता है। यह दुनिया के सबसे बड़े **ऊँट और पशु मेलों** में से एक है। किसान यहाँ पशुओं की ख़रीद-फ़रोख़्त करने आते हैं। इस मेले में **ऊँट दौड़, पगड़ी बाँधने, मूँछ प्रतियोगिता, नृत्य** और **सवारी** जैसे मनोरंजक कार्यक्रम होते हैं।
मरुस्थल महोत्सव	यह तीन दिवसीय उत्सव आमतौर पर फ़रवरी के महीने में **जैसलमेर** में आयोजित होता है। यह महोत्सव राजस्थान की जीवंत संस्कृति को दर्शाता है, जिसमें लोक नृत्य, रेत के टीलों की यात्राएँ, पगड़ी बाँधने की प्रतियोगिताएँ और पर्यटकों के लिए ऊँट की सवारी शामिल हैं।
कोलायत मेला (कपिल मुनि मेला)	कोलायत मेला **राजस्थान के बीकानेर** में आयोजित होता है। कार्तिक पूर्णिमा पर, भक्त पापों से मुक्ति पाने के लिए कोलायत झील में पवित्र स्नान करते हैं। ऋषि कपिल मुनि के नाम पर स्थापित इस मेले में **एक विशाल पशु मेला** भी लगता है।
सूरजकुंड शिल्प मेला	• यह ***हरियाणा*** में फ़रीदाबाद के निकट सूरजकुंड में फ़रवरी में आयोजित एक वार्षिक अंतरराष्ट्रीय शिल्प मेला है। • यह क्षेत्रीय शिल्प के साथ अंतरराष्ट्रीय शिल्प और सांस्कृतिक विरासत को भी प्रस्तुत करता है। भारत के सभी भागों से पारम्परिक शिल्पकार इस उत्सव में भाग लेते हैं। मिट्टी के बर्तनों, बुनाई, मूर्तिकला, कढ़ाई, पेपर मैश, बाँस और बेंत शिल्प के साथ धातु और लकड़ी का फ़र्नीचर आदि आकर्षित करते हैं।

नाम	विवरण
बेणेश्वर मेला	यह ***राजस्थान*** के डूंगरपुर ज़िले में आयोजित होनेवाला एक वार्षिक आदिवासी मेला है। यह जनवरी या फ़रवरी के महीने में सोम और माही नदियों के संगम के निकट आयोजित किया जाता है। यह आदिवासी संस्कृति का एक प्रमुख मेला है और इसे प्रायः 'आदिवासियों का कुंभ मेला' के रूप में वर्णित किया जाता है।
गंगासागर मेला	यह जनवरी-फ़रवरी के महीने में **पश्चिम बंगाल** में हुगली नदी के मुहाने (सागर द्वीप के दक्षिणी छोर) पर आयोजित किया जाता है। **मकर संक्रांति** पर, लाखों तीर्थयात्री **कपिल मुनि मंदिर** स्थित सागर द्वीप पर गंगा में पवित्र स्नान करते हैं, जहाँ **नागा साधुओं** की उपस्थिति इसे और भी अनोखा बना देती है।
गोवा कार्निवल	**पुर्तगालियों** ने भारत में गोवा कार्निवल की शुरुआत की। यह व्रत, संयम और आध्यात्मिकता के काल, **लेंट (Lent)** से 40 दिन पहले मनाया जाता है। यह गोवा का एक उत्सव है, जिसमें दावतें, मुखौटे और सड़क पर होनेवाली पार्टियाँ शामिल हैं, जो पुर्तगाली प्रभाववाली गोवा की विरासत को दर्शाता है।
जयदेव केंदुली मेला	**जयदेव केंदुली** पश्चिम बंगाल के बीरभूम ज़िले का एक गाँव है। इसे कवि जयदेव (जिन्हें राजा लक्ष्मण सेन का दरबारी कवि माना जाता है) का संभावित जन्मस्थान माना जाता है। उल्लेखीय है कि कवि जयदेव ने संस्कृत में गीत गोविंद की रचना की थी। जयदेव की स्मृति में, मकर संक्रांति के अवसर पर एक मेला आयोजित किया जाता है।
चित्रकूट मेला	चित्रकूट मेला, चित्रकूट (मध्य प्रदेश-उत्तर प्रदेश सीमा) में मंदाकिनी नदी के तट पर आयोजित होनेवाला एक प्रसिद्ध हिंदू तीर्थ मेला है। यह रामायण से जुड़ा हुआ है, क्योंकि भगवान राम, सीता और लक्ष्मण ने अपने वनवास के कई वर्ष यहीं बिताये थे।
डूंगरी मेला	इसे हडिम्बा देवी मेला भी कहा जाता है। यह देवी हडिम्बा के जन्मदिन के उपलक्ष्य में भारत के हिमाचल प्रदेश के मनाली में 14 से 16 मई तक प्रतिवर्ष आयोजित होनेवाला त्रिदिवसीय उत्सव है।
सूर्य ग्रहण मेला (सूर्य ग्रहण मेला)	सूर्य ग्रहण मेला (सूर्य ग्रहण मेला) कुरुक्षेत्र के ब्रह्म सरोवर में सूर्य ग्रहण के समय अनोखे और पारंपरिक रूप से आयोजित किया जाता है।
पंपापति मेला	हम्पी में पंपापति मेला विरुपाक्ष मंदिर में नौ दिनों तक चलनेवाला रथ उत्सव है, जो मार्च या अप्रैल में चैत्र दशमी से शुरू होता है।
माघ मेला	'माघ मेला' उत्तर प्रदेश के प्रयागराज में त्रिवेणी संगम पर आयोजित होनेवाला एक महत्त्वपूर्ण वार्षिक तीर्थयात्रा है, जो नदियों का एक पवित्र संगम है।
असलहा पूजा	यह आषाढ़ (जून-जुलाई) महीने की पूर्णिमा को मनाया जानेवाला एक बौद्ध त्योहार है। यह उस दिन की याद में मनाया जाता है, जब गौतम बुद्ध ने सारनाथ में अपने पाँच शिष्यों को अपना पहला उपदेश (धम्मचक्कप्पवत्तन सुत्त) दिया था।
वेसाक मेला	यह बौद्ध धर्मावलंबियों के लिए सबसे पवित्र दिन, वेसाक (बुद्ध पूर्णिमा) के बौद्ध त्योहार से जुड़ा है। यह गौतम बुद्ध के जन्म, ज्ञान प्राप्ति और महापरिनिर्वाण (मृत्यु) का उत्सव मनाता है, जिनके बारे में माना जाता है कि ये सभी वेसाक महीने (अप्रैल-मई) की पूर्णिमा को हुए थे।
बोध महोत्सव (बोधगया मेला)	बिहार में महाबोधि मंदिर में वार्षिक मेला, जहाँ बुद्ध को ज्ञान की प्राप्ति हुई थी।
श्रवणबेलगोला मेला (कर्नाटक)	श्रवणबेलगोला में महा मस्तकाभिषेक 12 वर्ष में एक बार आयोजित होनेवाला उत्सव है, जिसमें गोमतेश्वर (बाहुबली) प्रतिमा की पूजा की जाती है।

क्या आप जानते हैं?

चिल्लई कलाँ

यह **कश्मीर में कठोर सर्दियों की 40 दिनों की अवधि** (21 दिसंबर से 29 जनवरी तक हर वर्ष) को संदर्भित करता है। चिल्लई कलाँ के बाद 20 दिन का चिल्लई .खुर्द और 10 दिन का चिल्लई बच्चा होता है। चिल्लई कलाँ को शानदार **हरीसा** (बंद बर्तन में धीमे-धीमें पकाया गया गर्म मांस) के साथ मनाया जाता है। 'चिल्लई कलाँ' के पहले दिन को **'विश्व फेरन दिवस'** के रूप में जाना जाता है, पारंपरिक फेरन (पुरुषों और महिलाओं के लिए लंबे ऊनी गाउन) का उपयोग **ठंड से बचने के लिए** किया जाता है।

यू.पी.एस.सी. विगत वर्षों के बहुविकल्पीय प्रश्न

1. 1915 में हरिद्वार कुंभ मेला में किस संगठन की शुरुआत हुई थी? (CDS II, 2018)
   (a) सनातन धर्म सभा (b) देव समाज
   (c) ब्राह्मण सभा (d) हिन्दू महासभा

उत्तरमाला

1. (d)

यू.पी.एस.सी. विगत वर्षों के प्रश्न - मुख्य परीक्षा

1. कुम्भ मेले का क्या महत्त्व है? ये कहाँ आयोजित किये जाते हैं? (CSE, 1987)

24

भारत में शिक्षा

अध्याय की रूपरेखा

- प्राचीन भारतीय शिक्षा
- वैदिक एवं उत्तर वैदिक शिक्षा
- बौद्ध शिक्षा
- प्राचीन भारतीय विश्वविद्यालय
- मध्य काल में शिक्षा का विकास
- नालंदा महाविहार

प्राचीन भारत में शिक्षा ने समाज के मूल्यों को आकार दिया तथा नैतिक, आध्यात्मिक, शारीरिक और बौद्धिक विकास पर ज़ोर दिया। इस समय की शिक्षण परंपराएँ दुनिया भर में फैलीं।

तक्षशिला (जो विधि, चिकित्सा, खगोल विज्ञान और कला के लिए प्रसिद्ध है) और नालंदा (जहाँ ह्वेनसांग और इत्सिंग ने भ्रमण किया था) जैसे प्राचीन विश्वविद्यालयों ने दुनिया भर के विद्वानों को आकर्षित किया।

स्वतंत्रता के बाद, भारत में राष्ट्रीय शिक्षा नीति, शिक्षा के अधिकार को मौलिक अधिकार बनाने और शिक्षा का अधिकार अधिनियम, 2009 को लागू करने के माध्यम से शिक्षा को सार्वभौमिक बनाने के लिए कई प्रयास किये गये।

प्राचीन भारतीय शिक्षा

वैदिक काल में, शिक्षा प्रणाली का प्राथमिक लक्ष्य समग्र व्यक्तित्व का विकास करना था। प्राचीन प्रणाली अनौपचारिक शिक्षा और औपचारिक शिक्षा दोनों पर ज़ोर देती थी। **गुरुकुल** और वन विद्यालय सामान्यत: नदी के किनारे स्थित होते थे। विद्यालय **आत्मनिर्भरता** के सिद्धांत का पालन करते थे।

वैदिक एवं उत्तर वैदिक शिक्षा

वैदिक युग में, संस्कृति का प्रसार लेखन कला के बिना ही शिक्षा के माध्यम से किया जाता था। वैदिक प्रणाली में सीखने के **तीन चरण** प्रचलित थे- **श्रवण** (या सुनना), **मनन** (या आत्मसात् करना) और अंतत: **निदिध्यासन** (या ध्यान लगाना)। गुरुकुल, टोल, परिषद्, सम्मेलन आदि शिक्षा के प्रमुख संस्थान थे। शिक्षा का माध्यम आमतौर पर **संस्कृत** था। शिक्षा शुरू होने

से पहले **उपनयन संस्कार** किया जाता था। इसे शिक्षक द्वारा एक छात्र की स्वीकृति के रूप में माना जाता था। **स्वाध्याय** को अधिक महत्त्व दिया जाता था।

क्या आप जानते हैं? वैदिक समाज में स्त्रियों को उच्च स्थान प्राप्त था। महिलाओं के लिए भी उपनयन संस्कार किया जाता था। हमें लोपामुद्रा, गार्गी, अपाला, मैत्रेयी आदि जैसी कई विदुषी महिलाओं के संदर्भ मिलते हैं।

बौद्ध शिक्षा

वैदिक काल के बाद, बौद्ध शिक्षा का प्रसार मठों और विहारों के माध्यम से हुआ।

बौद्ध शिक्षा की **तीन मुख्य विशेषताएँ** थीं : ***अनुशासन, ध्यान और ज्ञान***।

- **पब्बज्जा समारोह** - मठों में प्रवेश के समय विद्यार्थी पारिवारिक बंधनों का त्याग कर देते थे।
- धार्मिक और आध्यात्मिक ग्रंथों के 12 वर्षों के अध्ययन के बाद, **उपसम्पदा समारोह** के तहत एक नव-प्रशिक्षित को भिक्षु (monk) बनाया जाता था।
- विद्यार्थी और शिक्षक दोनों ही अनुशासित जीवन जीते थे।
- महिला शिक्षा का महत्त्व कम था।

प्राचीन भारतीय विश्वविद्यालय

नालंदा महाविहार

नालंदा महाविहार **बिहार** राज्य में राजगीर के पास स्थित एक **प्रसिद्ध प्राचीन बौद्ध विश्वविद्यालय** है, और इसमें एक मठवासी और दार्शनिक शैक्षणिक संस्थान के पुरातात्विक अवशेष शामिल हैं। नालंदा महाविहार की स्थापना गुप्त वंश के **प्रथम शासक कुमारगुप्त** ने संभवत: पाँचवीं शताब्दी ईसवी में की थी। यह भारतीय उपमहाद्वीप के सबसे प्राचीन विश्वविद्यालय के रूप में विख्यात है। इसने 800 से अधिक वर्षों की निर्बाध अवधि में ज्ञान के संगठित प्रसार में योगदान दिया। गुप्तों के बाद, छठी-सातवीं शताब्दी में **पुष्यभूति वंश** और आठवीं से बारहवीं शताब्दी के बीच **पाल साम्राज्य** के सहयोग से नालंदा का विकास जारी रहा। धर्मपाल और देवपाल को मंदिरों का निर्माण करने और नालंदा मठ को दान देने के लिए जाना जाता है।

नालंदा महाविहार

इसे दुनिया का **पहला महान् आवासीय अंतरराष्ट्रीय विश्वविद्यालय** माना जाता है, जिसके बारे में कहा जाता है कि अपने चरम पर इसमें दुनिया भर से आये **10,000 से ज़्यादा छात्र** और **2,000 शिक्षक** रहते थे।

नालंदा में, सभी छात्रों को हीनयान और महायान, दोनों प्रमुख बौद्ध संप्रदायों की शिक्षाओं का अध्ययन करना अनिवार्य था, जिसमें महायान पर विशेष ध्यान दिया जाता था। नालंदा के पाठ्यक्रम में **मध्यमक, योगाचार और सर्वास्तिवाद** जैसे प्रमुख बौद्ध दर्शनों के साथ-साथ वैदिक अध्ययन, व्याकरण, चिकित्सा, तर्कशास्त्र, गणित, खगोल विज्ञान और रस विधा/कीमिया (alchemy) जैसे विषय भी शामिल थे। **संस्कृत** संभवत: यहाँ बौद्धिक चर्चा और शिक्षाओं की मुख्य भाषा थी। मठ से जुड़े प्रमुख संकाय और छात्रों में धर्मपाल, दिग्नाग, धर्मकीर्ति, असंग, वसुबंधु, चंद्रकीर्ति, ह्वेनसांग, इत्सिंग, शीलभद्र, वज्रबोधि और संभवत: आर्यभट शामिल थे। ऐसा माना जाता है कि बुद्ध के एक प्रमुख शिष्य, **सारिपुत्त** का जन्म एवं मृत्यु नालंदा में हुई थी।

वीडियो अंतर्दृष्टि

नालंदा महाविहार पर वैचारिक वीडियो के लिए स्कैन करें

महाविहार की वास्तुकला में स्तूप, चैत्य, विहार, मंदिर, अनेक मन्नत/पूजार्पित संरचनाएँ तथा प्लास्टर, पत्थर और धातु से बनी महत्त्वपूर्ण कलाकृतियाँ शामिल हैं। नालंदा में **धर्मगंज** पुस्तकालय परिसर में तीन इमारतें : **रत्न-सागर** (रत्नों का महासागर); **रत्न-उदधि** (रत्नों का सागर); और **रत्न-रंजक** (रत्नों से सुसज्जित) शामिल थीं, जिन्हें संभवत: बाद में 12वीं शताब्दी में आग लगा दी गयी थी।

पाँचवीं शताब्दी के आरंभ में भारत में 10 वर्ष बितानेवाले चीनी तीर्थयात्री **फाह्यान** ने नालंदा क्षेत्र सहित प्रमुख बौद्ध तीर्थस्थलों का दौरा किया था, लेकिन उनके यात्रा वृत्तांत में इस क्षेत्र के किसी भी विश्वविद्यालय के बारे में **कोई उल्लेख नहीं** है। **फाह्यान के संस्मरण में इसके उल्लेख नहीं होने का अर्थ है कि नालंदा महाविहार 400 ईसवी के आसपास अस्तित्व में नहीं रहा होगा।**

हालाँकि, **7वीं शताब्दी के दौरान** एक अन्य चीनी तीर्थयात्री **ह्वेनसांग** के वृत्तांतों से यह ज्ञात होता है कि उन्होंने नालंदा विहार में लगभग पाँच वर्ष बिताये और उन्हें **मोक्षदेव** का भारतीय नाम प्राप्त हुआ। उन्होंने **शीलभद्र** के मार्गदर्शन में महायान बौद्ध धर्म के **योगाचार** सिद्धांत का अध्ययन किया। उन्होंने अपने कार्यों में नालंदा महाविहार के पाठ्यक्रम, वास्तुकला और विद्वत्तापूर्ण जीवन के बारे में विस्तृत विवरण लिखा। इसके बाद, 7वीं शताब्दी के अंत में एक अन्य चीनी भिक्षु **इत्सिंग** ने नालंदा का दौरा किया और **वहाँ 10 वर्ष बिताये।** अपने वृत्तांतों में, उन्होंने नालंदा महाविहार के भिक्षुओं के रीति-रिवाजों, नियमों और विनियमों का विस्तृत विवरण किया। तिब्बती भिक्षु **थोनमी सम्भोता** ने भी 7वीं शताब्दी में नालंदा का दौरा किया और वहाँ संस्कृत व्याकरण का अध्ययन किया।

नालंदा पर पाँचवीं शताब्दी में **मिहिरकुल के नेतृत्व में हूणों** ने, आठवीं शताब्दी में **बंगाल के गौड़ राजा** ने और लगभग 1200 ई. में **मुहम्मद बख़्तियार ख़िलजी** ने आक्रमण किया था।

पुरातत्वविद् **अलेक्जेंडर कनिंघम** ने वर्ष 1861 में इस क्षेत्र का सर्वेक्षण किया और इसके बाद इस महाविहार स्थल का उत्खनन कार्य आरंभ करवाया गया।

वर्ष 2010 में, भारत सरकार ने इस प्राचीन विश्वविद्यालय के पुनरुद्धार हेतु एक प्रस्ताव पारित किया तथा राजगीर में एक समकालीन संस्थान, **नालंदा विश्वविद्यालय**, की स्थापना की गयी।

नालंदा महाविहार को वर्ष **2016** में **यूनेस्को विश्व धरोहर स्थल** के रूप में मान्यता दी गयी।

कुछ अन्य महत्त्वपूर्ण प्राचीन विश्वविद्यालयों पर नीचे चर्चा की गयी है :

विश्वविद्यालय का नाम	विवरण
तक्षशिला महाविहार	स्थापनाः आठवीं शताब्दी ईसा पूर्व (वर्तमान पाकिस्तान) में। शिक्षा का सबसे प्राचीन केंद्र; पाँचवीं शताब्दी ईसवी में हूणों द्वारा नष्ट कर दिया गया। महत्त्व : **वेद, 18 कलाएँ, विधि, चिकित्सा, खगोल विज्ञान और सैन्य विज्ञान पढ़ाया जाता था।** **सीरिया, इराक़ और ग्रीस** से छात्र आते थे। प्रसिद्ध शिक्षक : **पाणिनि, चाणक्य और कुमारलता।** प्रसिद्ध छात्र : पसेनदि, जीवक, चरक और चंद्रगुप्त मौर्य।
ओदंतपुरी महाविहार	स्थापना : पाल सम्राट् गोपाल प्रथम (बिहार) द्वारा 8वीं शताब्दी ईसवी में। महत्त्व : भारत का दूसरा सबसे पुराना महाविहार। छात्र : तिब्बती अभिलेखों के अनुसार लगभग 12,000। पुस्तकालय : इसमें बौद्ध और ब्राह्मणकालीन रचनाएँ थीं। विद्वान् : अतिसा दीपंकर ने यहाँ अध्ययन किया। विनाश : 12वीं शताब्दी ईसवी में बख़्तियार ख़िलजी द्वारा नष्ट किया गया। विरासत : वर्तमान बिहार शरीफ़, इसी स्थान पर निर्मित। पुनर्खोज : जोसेफ़ डेविड बेग्लर द्वारा।
विक्रमशिला महाविहार	स्थापना : पाल सम्राट् धर्मपाल द्वारा 8वीं शताब्दी ई. स्थान : वर्तमान भागलपुर जिला, बिहार। विनाश : 12वीं शताब्दी ई. में बख़्तियार ख़िलजी द्वारा। महत्त्व : नालंदा के साथ-साथ शिक्षा का प्रमुख केंद्र। विद्वान् : अतिसा दीपंकर (सबसे प्रतिष्ठित), अभयंकरगुप्त, शाक्य श्रीभद्र। प्रशासन : अध्यक्ष कहलानेवाले प्रमुख; जेतारि द्वारपाल से अध्यक्ष बने। अध्ययन : वज्रयान बौद्ध धर्म, तांत्रिक शिक्षाएँ, साथ ही तर्कशास्त्र, वेद, खगोल विज्ञान, विधि, व्याकरण, दर्शन। विस्तार : 100 से अधिक शिक्षकों द्वारा 1,000 से अधिक छात्रों को पढ़ाया जाता था। स्रोत : मुख्यतः तिब्बती, विशेष रूप से भिक्षु-इतिहासकार तारानाथ (16वीं-17वीं शताब्दी)।
जगद्दल महाविहार	स्थापना : 11वीं शताब्दी ई. पाल राजाओं द्वारा, संभवतः राजा रामपाल। स्थान : वर्तमान उत्तर-पश्चिम बांग्लादेश। मुख्य बल : वज्रयान बौद्ध धर्म पर ज़ोर दिया गया। योगदान : विद्याकर द्वारा संकलित सुभासितारत्नकोष (संस्कृत संकलन)। विद्वान् : विभूति चंद्र, दानशील, मोक्षकरगुप्त, शुभकरगुप्त। विनाश : 12वीं शताब्दी ई. में बख़्तियार ख़िलजी द्वारा।
सोमपुरा महाविहार	स्थापित : आठवीं शताब्दी ई. पाल राजा धर्मपाल द्वारा। स्थान : वर्तमान बांग्लादेश (पहाड़पुर)। महत्त्व : पाल काल के महानतम महाविहारों में से एक। विद्वान् : बौद्ध भिक्षु अतिसा दीपंकर श्रीज्ञान यहाँ कई वर्षों तक रहे।
वल्लभी	समयावधि : 600-1200 ई. स्थान : सौराष्ट्र, गुजरात; मैत्रक साम्राज्य की राजधानी। धर्म : हीनयान बौद्ध धर्म का महत्त्वपूर्ण केंद्र। ह्वेनसांग की यात्रा : लगभग 6000 भिक्षुओं का विवरण। शिक्षाएँ : बौद्ध विचार और ब्राह्मण विज्ञान दोनों। पाठ्यक्रम : राजनीति विज्ञान (नीति), व्यापार और कृषि (वार्ता), प्रशासन, दर्शन, विधि, अर्थशास्त्र, लेखाशास्त्र, धार्मिक अध्ययन।

विश्वविद्यालय का नाम	विवरण
नदिया (नबद्वीप)	स्थान : गंगा और जलंगी नदियों का संगम, पश्चिम बंगाल। केंद्र : नवद्वीप, शांतिपुर, गोपालपुर। विद्वान् : रघुनाथ शिरोमणि (15वीं शताब्दी के तर्कशास्त्री) ने तर्कशास्त्र का एक विद्यालय स्थापित किया।
उज्जयिनी	स्थान : उज्जैन; खगोल विज्ञान और गणित का केंद्र। वराहमिहिर : पंच-सिद्धांतिका और बृहत् संहिता की रचना की। ब्रह्मगुप्त : खंडखाद्यक और ब्रह्मस्फुटसिद्धांत (शून्य को संख्या माननेवाला प्रथम लेखन) की रचना की। भास्कराचार्य (द्वितीय) : वेधशाला के प्रमुख; सिद्धांत-शिरोमणि और लीलावती के रचयिता।
पुष्पगिरि	ओडिशा में बौद्ध महाविहार, जहाँ ह्वेनसांग आये थे। तीसरी शताब्दी ईसवी के बाद फला-फूला। ललितगिरि, रत्नागिरि और उदयगिरि पहाड़ियों में विस्तारित।
शारदा पीठ	समयावधि : छठी-बारहवीं शताब्दी ईसवी के बीच स्थान : पाकिस्तान के क़ब्ज़ेवाले कश्मीर में नीलम नदी पर स्थित मंदिर विश्वविद्यालय। महत्त्व : शारदा लिपि के विकास में महत्त्वपूर्ण भूमिका निभायी; सर्वप्रथम अल-बिरूनी द्वारा अभिलिखित; कल्हण की राजतरंगिणी में उल्लेखित; मुथुस्वामी दीक्षितार द्वारा सरस्वती के निवास के रूप में स्तुति। पाठ्यक्रम : बौद्ध धर्म के साथ-साथ इतिहास, भूगोल, संरचना विज्ञान, तर्कशास्त्र, दर्शनशास्त्र पढ़ाया जाता था। पैमाना : दुनिया का सबसे बड़ा पुस्तकालय और 5,000 अंतेवासी विद्वान् थे। उल्लेखनीय विद्वान् : कल्हण, आदि शंकराचार्य (एक दार्शनिक, जिन्होंने अद्वैत वेदांत सिद्धांत को संहिताबद्ध किया), वैरोत्सना (एक तिब्बती अनुवादक), कुमारजीव (बौद्ध विद्वान् और अनुवादक), और थोनमी संभोता (तिब्बती विद्वान्, जिन्होंने तिब्बती लिपि की रचना की)
मान्यखेत	स्थान : वर्तमान मालखेड, कर्नाटक; राष्ट्रकूटों के अधीन प्रमुख। छात्र : जैन धर्म, बौद्ध धर्म और हिंदू धर्म का अध्ययन किया जाता था। संस्थान : उत्तरादि मठ (माधवाचार्य का द्वैत संप्रदाय) और जैन भट्टारक मठ का गृह।
नागार्जुनकोंडा	स्थान : अमरावती, आंध्र प्रदेश से 160 किमी. महत्त्व : श्रीलंका और चीन के विद्वानों को आकर्षित करनेवाला प्रमुख बौद्ध केंद्र। विशेषताएँ : यहाँ कई विहार और स्तूप थे; महायान बौद्ध और हिंदू मंदिरों के अवशेष अब भी मौजूद हैं। नाम : नागार्जुन के नाम पर, मूल रूप से विजयपुरी कहा जाता था। वर्तमान स्थिति : भारत के सबसे समृद्ध बौद्ध स्थलों में से एक, जो अब नागार्जुनसागर बाँध के नीचे लगभग जलमग्न है।
केरल स्कूल ऑव़ मैथमेटिक्स ऐंड एस्ट्रोनॉमी	संस्थापक : माधव; 14वीं-16वीं शताब्दी ईसवी में फला-फूला। योगदान : घात श्रेणी, त्रिकोणमिति, कलन (बंसबनसने) की मूल बातें। उल्लेखनीय विद्वान् : नीलकंठ सोमयाजी, ज्येष्ठदेव, परमेश्वर, अच्युत पणिक्कर। प्रमुख कृतियाँ : तंत्रसंग्रह (नीलकंठ सोमयाजी), प्रक्रिया-सर्वस्वम और नारायणीयम (मेलपथुर नारायण भट्टथिरी)।
मंदिर महाविद्यालय (टेम्पल कॉलेज)	शिक्षा के केंद्र के रूप में मंदिर : शिलालेखों से पता चलता है कि यह मंदिर धार्मिक गतिविधियों के साथ-साथ शिक्षा का प्रसार करते हैं। मंदिर महाविद्यालयों के उदाहरण : सालोटगी (कर्नाटक) - विद्वानों के लिए कर-मुक्त भूमि। एन्नायिरम (तमिलनाडु, 11वीं शताब्दी) - दर्ज किये गये विषय, छात्र संख्या और शिक्षक भत्ते। वेंकटेश पेरुमल मंदिर, तिरुमुक्कुडल (11वीं सदी) - मंदिर महाविद्यालय। तिरुवोरियुर (13वीं सदी) - व्याकरण महाविद्यालय। मलकापुरम, गुंटूर (1268 ई.) - मंदिर परिसर के भीतर कॉलेज, छात्रावास और अस्पताल। प्रचलन : दक्षिण भारत और इसी प्रकार उत्तर भारत में लगभग प्रत्येक धार्मिक केंद्र में संस्कृत विद्यालय या महाविद्यालय थे।

क्या आप जानते हैं?

उस समय पाँच महान् महाविहारों ने नेटवर्क बनाया और एक-दूसरे के साथ समन्वय किया। वे थे-***नालंदा, विक्रमशिला, ओदंतपुरी, जगद्दला और सोमपुरा।***

विरासत स्मरण

नित्यसुमंगली : देवदासी, जो महिला कलाकार होती थीं, मंदिर में देवता को 'समर्पित' की जाती थीं। उन्हें नित्यसुमंगली कहा जाता था। यह व्यवस्था दक्षिण भारत में प्रचलित थी। इन लड़कियों ने शास्त्रीय नृत्य सीखा और अभ्यास किया तथा मंदिर की देखभाल की। वे यहाँ शास्त्रीय नृत्य सीखती थीं और अभ्यास करती थीं तथा मंदिर की देखभाल भी करती थीं।

अग्रहार, घटिका, ब्रम्हापुरी : *अग्रहार* दक्षिण भारत में शिक्षा के केंद्र थे। ये विद्वान् ब्राह्मणों की बड़ी संस्थाएँ और बस्तियाँ थीं और समाज में दान द्वारा पोषित होती थीं। *घटिका* शिक्षा का केंद्र थी, लेकिन आकार में छोटी थी। *घटिका* और *ब्रम्हापुरी* दोनों दक्षिण भारत में सांस्कृतिक संस्थाएँ थीं। जैन *बसादी* और बौद्ध *विहार* भी शिक्षा के केंद्र के रूप में कार्य करते थे।

मध्य काल में शिक्षा का विकास

10वीं शताब्दी ईसवी के बाद से 18वीं शताब्दी ईसवी के मध्य तक मुस्लिम शिक्षा व्यवस्था प्रमुख रही। इसका ध्यान मुस्लिम शासकों द्वारा स्थापित स्थायी साम्राज्यों के तहत ज्ञान और इस्लामी सिद्धांतों के प्रसार पर केंद्रित था।

शैक्षिक संगठन

शिक्षा को राज्य से बहुत अधिक संरक्षण मिला और कई मक्तब, मदरसे, स्कूल और पुस्तकालय स्थापित किये गये। प्राथमिक शिक्षा *मक्तबों* द्वारा प्रदान की जाती थी। *मदरसों* में उच्च शिक्षा दी जाती थी और उनका रख-रखाव शासकों द्वारा किया जाता था। **फ़ारसी** भाषा आमतौर पर शिक्षा के माध्यम के रूप में प्रयोग की जाती थी।

शिक्षा प्रणाली की विशेषताएँ

- शिक्षा को शासकों का संरक्षण प्राप्त था।
- धर्म के प्रचार को अत्यंत महत्त्वपूर्ण माना जाता था।
- व्यावसायिक शिक्षा पर अधिक बल दिया जाता था।
- पर्दा प्रथा के बावजूद महिलाओं की शिक्षा का विरोध नहीं किया गया। शाही परिवारों की महिलाएँ घर पर ही शिक्षा प्राप्त करती थी।

प्रमुख मध्यकालीन शिक्षा केंद्रों में दिल्ली, आगरा, जौनपुर और बीदर शामिल थे। अलाउद्दीन ख़िलजी ने दिल्ली में कई मदरसे बनवाये, जबकि मुग़लों ने दिल्ली को शिक्षा का मुख्य केंद्र बनाया। हुमायूँ ने एक खगोल विज्ञान संस्थान की स्थापना की, और अकबर ने फ़तेहपुर सीकरी में स्कूल, महिलाओं के लिए एक पुस्तकालय और रामायण (बदायूनी द्वारा) और महाभारत (फ़ैज़ी द्वारा **रज़्मनामा**) जैसे ग्रंथों के अनुवाद के लिए **मकतबख़ाना** बनवाया। बीदर में, महमूद गवान ने बहमनी शासकों के शासनकाल में कई मकतब बनवाये।

शिक्षा पर अमीर ख़ुसरो का प्रभाव

शिक्षा पर अमीर खुसरो का प्रभाव मुख्यतः एक विद्वान्, भाषा के नवप्रवर्तक और सांस्कृतिक मध्यस्थ के रूप में उनके कार्यों से उपजा है। उनके लेखन ने न केवल साहित्य और संगीत को, बल्कि मध्यकालीन भारत के बौद्धिक और शैक्षिक परिदृश्य को भी महत्त्वपूर्ण रूप से समृद्ध किया।

प्रमुख योगदान

भाषाविद् और कोशकार : खुसरो को **ख़ालिक़ बारी** के संकलन के लिए जाना जाता है, जो पद्य में प्रस्तुत एक शब्दावली है, जिसमें अरबी, फ़ारसी और हिंदवी शब्दों का समावेश है।

बहुभाषी साहित्यिक वातावरण को बढ़ावा देना : वे भारत के पहले मुस्लिम कवि थे, जिन्होंने फ़ारसी के साथ-साथ हिंदी और हिंदवी का भी व्यापक रूप से प्रयोग किया। विभिन्न भाषाओं में लिखकर, उन्होंने सांस्कृतिक और भाषाई अंतराल को पाटने में मदद की और विभिन्न भाषा समूहों में अधिगम (लर्निंग) को प्रोत्साहित किया।

साहित्यिक शैलियों का नवाचार और संरक्षण : ख़ुसरो ने मसनवी, ग़ज़ल, क़सीदा और रुबाइयों सहित साहित्यिक कृतियों की एक विस्तृत शृंखला रची। मध्यकाल के दौरान उनका रचनात्मक कार्य कविता, साहित्य और सांस्कृतिक अध्ययन के शैक्षिक कार्यक्रमों में एकीकृत हो गया, जिसने भावी लेखकों और विद्वानों को पीढ़ियों तक प्रेरित किया।

शैक्षिक और ऐतिहासिक लेखन के रचयिता : उनके कई ग्रंथ, जैसे नूह सिपिहर (सिपिह्र) और ख़ज़ाइन-उल-फ़ुतूह, न केवल ऐतिहासिक घटनाओं का विस्तृत विवरण प्रस्तुत करते हैं, बल्कि कथात्मक तकनीक, नैतिक मुद्दों और तत्कालीन सामाजिक मानदंडों को दर्शानेवाली शैक्षिक सामग्री के रूप में भी कार्य करते हैं। नूह सिपीह्र (नौ आसमान) एक फ़ारसी साहित्यिक कृति है, जिसमें अमीर खुसरो भारत की **जलवायु**, उसकी भाषाओं (विशेषकर **संस्कृत**), साथ ही उसकी **कलाओं, संगीत** और यहाँ तक कि उसके **प्राणी-जगत्** का भी वर्णन करते हैं।

सांस्कृतिक शिक्षा और सूफ़ी दर्शन : निज़ामुद्दीन औलिया के शिष्य और सूफ़ीवाद के समर्थक के रूप में, खुसरो ने समानता, आध्यात्मिक समझ और ज्ञान के मूल्य पर प्रकाश डालते हुए सूफ़ी शैक्षिक सिद्धांतों के प्रसार में मदद की।

यू.पी.एस.सी. विगत वर्षों के बहुविकल्पीय प्रश्न

1. निम्नलिखित में से किस रचना में अमीर खुसरो ने भारत की जलवायु, इसकी भाषा, मुख्यतः संस्कृत, इसकी कला एवं संगीत और यहाँ तक कि इसके पशुओं की प्रशंसा की है? **(CDS I, 2025)**
   (a) *इजाज-ए खुसरवी*
   (b) *देवल रानी खिज्र खानी*
   (c) *खजायनुल फुतूह*
   (d) *नूह सिपिहर*

उत्तरमाला

1. (d)

25

प्राचीन विज्ञान एवं प्रौद्योगिकी

अध्याय की रूपरेखा

- गणित
- औषधि
- आयुर्वेद
- लघुत्रयी (Lesser Trilogy) की प्रमुख रचनाएँ
- चिकित्सा ज्ञान से संबंधित अन्य उल्लेखनीय ग्रंथ/पांडुलिपियाँ
- चिकित्सा की वैकल्पिक प्रणालियाँ
- भौतिक शास्त्र और रसायन शास्त्र
- जहाज़ निर्माण और नौपरिवहन
- प्राचीन एवं मध्यकालीन भारत के अन्य महत्त्वपूर्ण योगदानकर्ता

भारतीय उप-महाद्वीप के हर कोने में आध्यात्मिक विकास प्राचीन काल से ही देखने को मिला है और कई विदेशी राष्ट्र भी इससे आकर्षित हुए हैं। इस देश पर आक्रमण करनेवाले बाहरी आक्रमणकारियों ने भी कई भारतीय धर्मों जैसे बौद्ध, जैन और हिन्दू धर्म को अपनाया है, जिनमें यूनानी, फ़ारसी, हूण और मंगोल भी शामिल थे। विश्व की भौतिक संस्कृति को समृद्ध बनाने में भारत ने भी बड़ा योगदान दिया है। बात चाहे इत्रों के आसवन, रंगों के निर्माण, चीनी के निष्कर्षण, कपड़ा बुनाई, बीजगणित एवं कलन गणित संबंधी तकनीक, शून्य की अवधारणा, शल्यचिकित्सा संबंधी तकनीक, परमाणु एवं सापेक्षता की अवधारणाओं, दवा के हर्बल सिस्टम, कीमिया (Alchemy) की तकनीक, धातु प्रगलन, शतरंज के खेल की हो या कराटे के मार्शल आर्ट आदि की, इन सभी के साक्ष्य प्राचीन भारत में देखने को मिलते हैं और इस बात के प्रमाण भी मिले हैं, जो यह दर्शाते हैं कि इनकी उत्पत्ति संभवत: यहीं हुई थी।

इससे यह संकेत मिलता है कि भारत के पास वैज्ञानिक विचारों की एक *समृद्ध परंपरा और विरासत* रही है। आइए, अब उन विभिन्न क्षेत्रों पर दृष्टि डालते हैं, जहाँ हमें भारत के विभिन्न विज्ञानियों के योगदान का पता चलता है।

गणित

इसे आम बोलचाल की भाषा में *हिसाब (गणित)* भी कहा जाता है, इसमें शामिल हैं :

- **अंक गणित (अरिथमेटिक/पाटी गणित)**
- **बीज गणित (अलजेब्रा)**
- **रेखा गणित (ज्योमेट्री)**
- **खगोल शास्त्र (एस्ट्रोनॉमी)**
- **ज्योतिष शास्त्र (एस्ट्रोलॉजी)**

1000 ईसा पूर्व से लेकर 1000 ईसवी के मध्य, भारतीय गणितज्ञों द्वारा गणित पर अनगिनत प्रबंधों, आलेखों की रचना की गयी, जो उपर्युक्त क्षेत्रों से संबंधित हैं। बीज गणित की तकनीक और शून्य की अवधारणा की उत्पत्ति संभवत: भारत में ही हुई थी।

जहाँ **हड़प्पा की नगर योजना** से पता चलता है कि उस समय के लोगों को माप और रेखा गणित का अच्छा ज्ञान था। वहीं मंदिरों में ज्यामितीय रूपांकनों के रूप में रेखा गणितीय स्वरूप देखने को मिल सकते हैं।

बीज गणित का अर्थ है 'अन्य गणित', क्योंकि *बीज* शब्द का अर्थ होता है–'अन्य' या 'दूसरा'। इस नाम का चयन इसमें निहित गणना की प्रणाली के कारण किया गया था, जिसे एक पारंपरिक गणना से अलग, एक **समानांतर गणना प्रणाली** के रूप में मान्यता दी गयी, जबकि भूतकाल में सिर्फ़ पारंपरिक गणना प्रणाली का ही उपयोग होता था, जो उस समय एकमात्र प्रणाली थी। इससे इस बात का पता चलता है कि वैदिक साहित्य में भी गणित का अस्तित्व था, जो आशुलिपि गणना प्रणाली से संबंधित था।

गणित पर आधारित सबसे आरंभिक पुस्तक 6वीं शताब्दी ईसा पूर्व में बौधायन द्वारा लिखित ***शुल्बसूत्र*** थी। 'शुल्ब' या 'शुल्व' का अर्थ होता है - मापने की डोरी या रस्सी। ***शुल्बसूत्र*** में 2 के वर्गमूल के लिए सूत्र और **पायथागोरस प्रमेय के समान** कुछ अवधारणाओं का भी उल्लेख है। इसमें अग्नि-वेदी निर्माण से संबंधित ज्यामिति भी शामिल है। अन्य तीन शुल्बसूत्र भी लिखे गये - आपस्तम्ब, काव्यायन एवं मानस द्वारा।

आपस्तम्ब ने **द्वितीय शताब्दी ईसा पूर्व** में **व्यावहारिक रेखागणित** की अवधारणाओं को प्रस्तुत किया, जिनमें **न्यूनकोण**, **अधिककोण** और **समकोण** का भी उल्लेख मिलता है। कोणों के इस ज्ञान से उन दिनों **अग्नि वेदियों** के निर्माण में सहायता मिलती थी।

परीक्षोपयोगी

बख्शाली पांडुलिपि भारत का एक ऐतिहासिक **गणितीय दस्तावेज़** है, जिसे भारतीय उपमहाद्वीप के सबसे प्राचीनतम या सबसे पुराने गणितीय लेखनों में से एक माना जाता है। बख्शाली (वर्तमान पेशावर, पाकिस्तान के निकट) के आसपास **वर्ष 1881** में खुदाई में प्राप्त, यह पांडुलिपि बौद्ध हाइब्रिड संस्कृत में भोजपत्र (birch) की छाल पर उत्कीर्ण है। रेडियोकार्बन काल-निर्धारण से पता चलता है कि यह तीसरी और चौथी शताब्दी ईसवी के बीच की है। बख्शाली पांडुलिपि **गाथा भाषा, जो प्राकृत की एक बोली है**, के एक रूप में लिखी गयी है। इसमें शारदा लिपि का प्रयोग किया गया है।

इस पांडुलिपि में निम्नलिखित से संबंधित नियम और चित्र शामिल हैं :

- **अंकगणित :** भिन्न, वर्गमूल, और अंकगणितीय एवं ज्यामितीय प्रगति जैसे विषयों को कवर किया गया।
- **बीजगणित :** समीकरणों को हल करने और अनिर्धारित समीकरणों को समझने के उदाहरण शामिल हैं।
- **ज्यामिति :** मापन (मापने की प्रक्रिया) की विशेषता।
- लाभ-हानि, ब्याज गणना आदि से संबंधित गणनाएँ।

आर्यभट (476-550 ईसवी)

आर्यभट

आर्यभट ने प्राय: **499 ईसवी** में *आर्यभटीय* की रचना की, जिसमें गणित के साथ-साथ खगोल शास्त्र की अवधारणाओं का स्पष्ट उल्लेख किया गया था। संस्कृत में लिखी गयी इस **पुस्तक के चार खंड** हैं :

1. **गीतिकापद** - समय की बड़ी इकाइयों को प्रस्तुत करता है, जैसे- कल्प, युग।
2. **गणितपद** - इसमें क्षेत्रमिति, अंकगणित, ज्यामिति आदि सम्मिलित हैं।

3. **कलाक्रियापद** - ग्रहों आदि की स्थिति निर्धारित करता है।
4. **गोलापद** - पृथ्वी की आकृति, दिन और रात के कारण, क्रांतिवलय के लक्षण आदि।

खगोल शास्त्र को अँगरेज़ी में ***एस्ट्रोनॉमी*** कहा जाता है। *खगोल* नालन्दा (बिहार) में स्थित प्रसिद्ध खगोलीय प्रयोगशाला का नाम था, जहाँ आर्यभट ने अध्ययन किया था।

आर्यभट ने अपनी पुस्तक में, खगोल शास्त्र अध्ययन के निम्नलिखित लक्ष्य बताये हैं :

- पंचांग की सटीकता का पता लगाना।
- जलवायु और वर्षा के स्वरूपों के बारे में जानना।
- नौपरिवहन (Navigation)
- जन्म कुंडली देखना।
- **ज्वार-भाटा** और **नक्षत्रों** के बारे में ज्ञान प्राप्त करना। इससे मरुस्थलों और समुद्रों को पार करने में और इस तरह रात के समय दिशा को दर्शाने में सहायता मिली।

आर्यभट ने अपनी पुस्तक में लिखा था कि **पृथ्वी गोल** है और वह अपनी धुरी **पर घूमती है।** उन्होंने **त्रिभुज के क्षेत्रफल का एक** सूत्र बनाया तथा **बीज गणित** का आविष्कार किया। आर्यभट द्वारा प्रदान किया गया 'पाई' का मान यूनानियों द्वारा दिये गये मान से ज़्यादा परिशुद्ध है।

आर्यभटीय के *ज्योतिष*वाले भाग में खगोल शास्त्र की परिभाषा, **ग्रहों की** सही **स्थिति** का पता लगाने की विधि, **सूर्य** एवं **चन्द्रमा** की गति और **ग्रहणों** की गणना का भी वर्णन किया है। उनकी पुस्तक में, ग्रहण का जो कारण बताया गया है, वह यह है कि जब अपनी धुरी पर घूमते समय पृथ्वी की छाया चन्द्रमा पर पड़ती है, तब चन्द्र ग्रहण होता है, और जब चन्द्रमा की छाया पृथ्वी पर पड़ती है, तब सूर्य ग्रहण होता है। हालाँकि, **रूढ़िवादी सिद्धांतों** में पहले इस बात का उल्लेख था कि यह एक ऐसी प्रक्रिया है, जहाँ राक्षस ग्रह को निगल लेता है। इस प्रकार, हम कह सकते हैं कि आर्यभट के सिद्धांत, ज्योतिष शास्त्र के रूढ़िवादी सिद्धांतों से बिलकुल भिन्न थे और ये सिद्धांत आस्थाओं की बजाय वैज्ञानिक व्याख्या पर आधारित थे। यहाँ ध्यान देने योग्य है कि अरब लोग गणित को **'हिंदीसत (हिंदसा)'** या भारतीय कला कहते थे, जिसे उन्होंने भारत से सीखा था। इस मामले में सम्पूर्ण पश्चिमी विश्व, भारत का ऋणी है।

क्या आप जानते हैं?

- प्राचीन भारतीय खगोलीय ज्ञान का सबसे पहला प्रमाण *ज्योतिष (astrology)* पर वेदांग ग्रंथों में निहित है।
- श्री आर्यभट ने कम-से-कम दो रचनाएँ लिखीं - ***आर्यभटीय***, जो आज भी मौजूद है और खगोल विज्ञान तथा गणित से संबंधित है, और ***आर्यभट-सिद्धांत***, जो केवल बाद की रचनाओं में संदर्भों के माध्यम से ही ज्ञात है।
- श्री भास्कर-प्रथम ने आर्यभटीय, *अश्मक-तंत्र* और *अश्मकीय* नामक ग्रंथों का उल्लेख किया है, और आर्यभट के अनुयायियों को ***अश्मकीय*** कहा है।
- श्री आर्यभट ***ग्रहणों*** *(eclipses)* की वैज्ञानिक व्याख्या प्रस्तुत करनेवाले **पहले खगोलशास्त्री** थे। आर्यभट ने यह खोज की कि **पृथ्वी अपनी धुरी पर घूमती** है। उन्होंने पृथ्वी के व्यास का अनुमान **योजन इकाइयों** में लगाया। उन्होंने **एक वर्ष की लंबाई (365.2586805 दिन) का सटीक अनुमान** प्रस्तुत किया।
- श्री आर्यभट का आर्यभटीय खगोल विज्ञान पर एक ग्रंथ है और इसमें केवल संयोगवश गणित के परिप्रश्नों (problems) का ही उल्लेख है। उन्होंने वृत्त के विभिन्न गुणों का वर्णन किया तथा **पाई (π) का सटीक मान 4 दशमलव स्थानों तक 3.1416 दिया।**
- आर्यभट को **बीजगणित का जनक** माना जाता है। उन्होंने 3¾ डिग्री के अंतराल पर 0 से 90 डिग्री तक के कोणों के लिए **त्रिकोणमितीय अनुपात** *साइन (sine)* (जिसे संस्कृत में ज्या कहा जाता है) की तालिकाएँ प्रस्तुत कीं।

ब्रह्मगुप्त (598-668 ईसवी)

ब्रह्मगुप्त ने (**7वीं शताब्दी** ईसवी में) अपनी पुस्तक *ब्रह्मस्फुत सिद्धांत* में **शून्य का उल्लेख एक संख्या के रूप में** किया। अपनी पुस्तक में, उन्होंने **ऋणात्मक संख्याओं** का भी सूत्रपात किया और ऋणात्मक संख्याओं का वर्णन ऋण के रूप में और **धनात्मक संख्याओं** का वर्णन लाभ के रूप में किया। **इसमें द्विघात** सूत्र का पहला स्पष्ट विवरण भी था। उन्होंने **ज्यामिति** (Geometry) में महत्त्वपूर्ण योगदान दिया।

संस्कृति संक्षेपण

शून्य की अवधारणा

'ज़ीरो' या शून्य को शून्यता की अवधारणा से लिया गया है। शून्यता की अवधारणा हिन्दू दर्शन शास्त्र में अस्तित्व में थी, अत: यह उसकी प्रतीकात्मक व्युत्पत्ति को दर्शाता है। शून्य की अवधारणा ने बौद्ध धर्म की निर्वाण (अनंतकालीन शून्यता में विलीन करके मोक्ष प्राप्त करना) की अवधारणा के माध्यम से दक्षिण-पूर्वी संस्कृति को प्रभावित किया है। भारत में, **शून्य का गोलाकार प्रतीक सर्वप्रथम** 876 ई. के **ग्वालियर मंदिर के शिलालेख में मिलता है।**

8वीं-9वीं शताब्दी ईसवी में, एक प्रसिद्ध **फ़ारसी** बहुलक-गणितज्ञ या पोलीमैथ **अल-ख़्वारिज़्मी** थे, जिन्होंने गणित, खगोल विज्ञान और भूगोल में अत्यधिक प्रभावशाली कार्य किये। अपने लोकप्रिय ग्रंथ **अल-जब्र** (बीजगणित पर एक पुस्तक) में, उन्होंने रैखिक और द्विघात समीकरणों का पहला व्यवस्थित समाधान प्रस्तुत किया। उन्होंने अपनी पुस्तक अल-जब्र में **कलन विधि या ऐल्गोरिदम** की गणितीय शाखा के बारे में विस्तार से लिखा, जो बाद में यूरोपीय देशों में भी लोकप्रिय हो गया।

अल-किंदी 9वीं शताब्दी ईसवी के अरब दार्शनिक, बहुज्ञ, गणितज्ञ, चिकित्सक और संगीतकार थे। उन्हें **'अरब दर्शन का पिता'** कहा जाता है। गणित में अपने योगदान में, अल-किंदी ने इस्लामी दुनिया में **भारतीय संख्या पद्धति** प्रचलित करने में महत्त्वपूर्ण भूमिका निभायी, और बाद में, अल-ख़्वारिज़्मी के साथ, इन्हें ईसाई दुनिया में अरबी अंकों का नाम दिया गया।

9वीं शताब्दी के पश्चात् महावीराचार्य ने **गणित सार संग्रह** की रचना की। यह **पूरी तरह से गणित को समर्पित** सबसे पहला भारतीय संग्रह है। अपनी पुस्तक में, उन्होंने बीजगणितीय अवधारणाओं, जैसे कि समबाहु और समद्वि बाहु त्रिभुज, समचतुर्भुज और वृत्त आदि के बारे में वर्णन किया है। उन्हें राष्ट्रकूट राजा अमोघवर्ष द्वारा संरक्षण प्रदान किया गया था।

क्या आप जानते हैं?

महावीर कर्नाटक के एक प्रसिद्ध गणितज्ञ थे, जिन्होंने राष्ट्रकूट राजा अमोघवर्ष नृपतुंग के दरबार में अपनी सेवाएँ दी थीं।

संस्कृति संक्षेपण

भास्कर-I

भास्कर-I 7वीं शताब्दी के गणितज्ञ थे, जिन्होंने गणित और खगोल विज्ञान से संबंधित **आर्यभटीय-भाष्य** लिखा था। शून्य के लिए एक वृत्त के साथ हिंदू दशमलव प्रणाली का उल्लेख सबसे पहले भास्कर-I ने किया था। उन्होंने आर्यभट के कार्य पर अपनी टिप्पणी में ज्या-फलन (sine function) का एक अनूठा और उल्लेखनीय तर्कसंगत अनुमान भी प्रदान किया। इसरो ने गणितज्ञ के सम्मान में 1979 में भास्कर-I उपग्रह लॉन्च किया।

भास्कराचार्य (भास्कर-II) (1114-1185 ईसवी)

भास्कराचार्य, 12वीं शताब्दी ईसवी में अग्रणी गणितज्ञों में से एक थे। उनकी पुस्तक *सिद्धांत शिरोमणि* को **चार खण्डों** में विभक्त किया गया है :

- *लीलावती* (अंकगणित से संबंधित)
- *बीजगणित* (बीजगणित से संबंधित)
- *गोलाध्याय* (गोलक के बारे में)
- *ग्रहगणित* (ग्रहों का गणित)

अपनी पुस्तक *लीलावती* में उन्होंने बीजगणितीय समीकरणों का समाधान करने के लिए एक चक्रवात विधि या **चक्रीय विधि** का सूत्रपात किया। 19वीं शताब्दी में, जेम्स टेलर ने *लीलावती* का अनुवाद किया और विश्व के लोगों को इससे अवगत कराया।

मध्य युग में, **नारायण पंडित** ने ऐसी गणित रचनाओं की रचना की, जिसमें *गणितकौमुदी* और *बीजगणितावतंस* का समावेश है। **नीलकंठ सोमयाजी** ने ***तंत्रसंग्रह*** (एक खगोलीय ग्रंथ) की रचना की, जिसमें ***त्रिकोणमितीय फलनों*** के नियमों का भी समावेश है।

फ़ैज़ी ने फ़ारसी में *लीलावती* का अनुवाद किया, ये अकबर के दरबार से संबंधित थे। इसके अतिरिक्त, **अकबर** ने उन दिनों गणित को शिक्षा व्यवस्था में अध्ययन का एक विषय बनाने का आदेश दिया।

खगोल शास्त्र के क्षेत्र में, **फ़िरोज़ शाह तुग़लक़** ने **दिल्ली में तथा फ़िरोज़ शाह बहमनी** ने *दौलताबाद* **में वेधशाला** की स्थापना की। फ़िरोज़ शाह बहमनी के दरबार के खगोल शास्त्री, महेंद्र सूरी ने **यंत्रराज** नामक एक खगोलीय यंत्र का आविष्कार किया।

क्या आप जानते हैं? तीसरी शताब्दी के उत्तरार्ध में ***यवनजातक*** नामक संस्कृत ग्रंथ **भारत में हेलेनिस्टिक खगोलीय विचारों** के प्रसारण को दर्शाता है।

सवाई जय सिंह द्वितीय ने दिल्ली, जयपुर, वाराणसी, उज्जैन और मथुरा में 5 खगोलीय वेधशालाओं की स्थापना की।

औषधि

वैदिक काल में, **अश्विनी कुमार** महान् चिकित्सक थे और उन्हें देव तुल्य माना जाता था। **धनवंतरी** आयुर्वेदिक औषधि के देवता थे।

अथर्व वेद वह पहली पुस्तक थी, जहाँ हमें रोग और उसके उपचार का उल्लेख मिलता है। इसके अनुसार, रोग, मानव शरीर में भूतों और आत्माओं के प्रवेश करने के कारण होते हैं और उन्हें जादू-टोने और मंत्रों से ठीक किया जा सकता है। अथर्व वेद में कई रोगों के उपचार का उल्लेख किया गया था, जिनमें *दस्त, घाव, खाँसी, कुष्ठ रोग, बुख़ार और उद्वेग* शामिल हैं।

हालाँकि, रोगों के व्यावहारिक तथा और अधिक तर्कसंगत उपचार का समय लगभग 600 ईसा पूर्व से आरम्भ होता है। औषधि शिक्षण के केन्द्रों के रूप में **तक्षशिला** और **वाराणसी** का प्रादुर्भाव हुआ।

आयुर्वेद

आयुर्वेद की उत्पत्ति वैदिक युग से होती है। स्वास्थ्य और रोग से संबंधित अधिकांश सामग्री अथर्ववेद में उपलब्ध है। इतिहासकारों का दावा है कि आयुर्वेद अथर्ववेद का एक हिस्सा है। आयुर्वेद पर सबसे पहला संहिताबद्ध दस्तावेज़ चरक संहिता है। एक अन्य संहिताबद्ध दस्तावेज़ सुश्रुत संहिता है। उनसे पहले, **आत्रेय** और उनके शिष्य **अग्निवेश** ईसा पूर्व छठी शताब्दी में आयुर्वेद के सिद्धांतों के बारे में बता चुके थे।

लगभग 500 ईसा पूर्व से 500 ईसवी तक आयुर्वेद के विभिन्न भागों का संकलन हुआ था। **आयुर्वेद के आठ भागों में सम्मिलित हैं** - कायाचिकित्सा (therapeutics), शल्य-तंत्र (major surgery), शलक्य-तंत्र (minor surgery), भूतविद्या

(demonology), कौमारभृत्य-तंत्र (बाल रोग या pediatrics), अगड़-तंत्र (विष विज्ञान या toxicology), रसायन-तंत्र (जराचिकित्सा या geriatrics), और वाजीकरण-तंत्र (विषाणुकरण या vilification)।

आयुर्वेद के सिद्धांतों को पौधों और पशु जीवन पर भी लागू किया गया था। इन पर चिकित्सा ग्रंथ हैं : पौधे का जीवन (वृक्षायुर्वेद), **घोड़ा** (अश्वायुर्वेद), **हाथी** (हस्त्यायुर्वेद), **गोजातीय प्रजातियाँ** (गवायुर्वेद)।

अरब देशों के साथ-साथ विश्व के अन्य भागों में आयुर्वेद का प्रसार विभिन्न आयुर्वेदिक ग्रंथों या वहाँ पाये गये उनके अनुवादों से स्पष्ट है। सुश्रुत संहिता का अनुवाद **किताब-ए-सुस्रुद-उल-हिन्दी** के शीर्षक के अंतर्गत किया गया था। अली-इब्न ज़ैन ने या **शरक** नाम से चरक संहिता का अनुवाद किया।

आइए, दो महत्त्वपूर्ण पुस्तकों पर विस्तार से चर्चा करें :

- आयुर्वेद के जनक चरक द्वारा रचित **चरक संहिता** (**आयुर्वेद** से संबंधित)।
- शल्य चिकित्सा के जनक सुश्रुत द्वारा रचित **सुश्रुत संहिता** (**शल्यक्रिया** से संबंधित)।
- वाग्भट्ट द्वारा रचित अष्टांग-हृदय।

चरक संहिता

चरक संहिता मुख्य रूप से औषधीय प्रयोजनों के लिए **पौधों और जड़ी-बूटियों** के उपयोग से संबंधित है। यह मुख्य रूप से **आयुर्वेद** विज्ञान से संबंधित है, जिसके विवरण 8 पुस्तकों में विभाजित हैं।

चरक संहिता में, **पाचन**, **चयापचय** और **प्रतिरक्षा तंत्र** पर व्यापक लेख की रचना की गयी है। चरक बल देकर कहते हैं कि एक मानव शरीर की क्रियाशीलता *तीन दोषों* पर निर्भर करती है–**1. पित्त, 2. कफ और 3. वायु**। ये दोष रक्त, मांस और मज्जा की सहायता से उत्पन्न होते हैं और इन तीन दोषों के असंतुलित होने पर शरीर रोगग्रस्त हो जाता है। औषधियों का उपयोग करके इन्हें पुन: संतुलित किया जा सकता है। अपनी पुस्तक में चरक ने *उपचार के बजाय रोकथाम* पर अधिक ज़ोर दिया है। चरक संहिता में अनुवांशिकी का भी उल्लेख मिलता है।

सुश्रुत संहिता

सुश्रुत संहिता का सम्बन्ध **शल्य चिकित्सा और प्रसूति** की व्यावहारिक समस्याओं से है। सुश्रुत ने एक **मृत मानव** शरीर की सहायता से शरीर का विस्तृत अध्ययन किया। वे मुख्य रूप से निम्नलिखित में निपुण थे :

- **राइनोप्लास्टी** (प्लास्टिक सर्जरी)
- **नेत्र विज्ञान** (मोतियाबिंद का निष्कासन)

सुश्रुत

सर्जरी या शल्य चिकित्सा को उन दिनों *शस्त्रकर्म* कहा जाता था। सुश्रुत संहिता में शल्य चिकित्सा के चरणों का विस्तृत विवरण दिया गया है। इस क्षेत्र में, सुश्रुत के सबसे महान् योगदानों में से एक था, राइनोप्लास्टी या कॉस्मेटिक सर्जरी, जिसके अंतर्गत प्लास्टिक सर्जरी के माध्यम से एक विकृत **नाक** को पूर्वावस्था में लाने का प्रयास किया जाता था। आँख से **मोतियाबिंद के निष्कासन** का कार्य भी सुश्रुत ने बड़ी आसानी से और सरल सर्जिकल औज़ार का उपयोग करके किया था। अत:, यह निष्कर्ष निकाला जा सकता है कि भारत में विश्व की तुलना में सर्वोत्तम औषधीय विकास देखने को मिला था।

अष्टांग-हृदय

यह **वाग्भट्ट** द्वारा लिखित है तथा इसका शाब्दिक अर्थ है "*आठ खंडों का सार*" यानी "*आयुर्वेद की आठ शाखाओं का हृदय या सार*"। यह ग्रंथ आयुर्वेदिक चिकित्सा ज्ञान का एक व्यापक और व्यवस्थित प्रस्तुतीकरण है, जो संभवत: लगभग 600

ईसवी पूर्व का है। यह ग्रंथ चरक और सुश्रुत संहिताओं की शिक्षाओं का संक्षिप्त संकलन है। एक अन्य ग्रंथ "अष्टांगसंग्रह" (चिकित्सा पर ग्रंथ) भी वाग्भट्ट द्वारा ही रचित है।

भारत से बौद्ध भिक्षुओं ने **तिब्बत और चीन में आयुर्वेद प्रणाली** का प्रसार किया। अरबी भाषा में भी दोनों पुस्तकों का अनुवाद हुआ। 180 ईसा पूर्व से 10 ईसवी के दौरान भारत में शासन के दौरान हिन्द-यूनानी शासक भी भारतीय चिकित्सा पद्धति से प्रभावित हुए।

रसचिकित्सा प्रणाली का सम्बन्ध **खनिज औषधियों** का उपयोग करके रोगों के उपचार से है।

लघुत्रयी (Lesser Trilogy) की प्रमुख रचनाएँ

ये मध्यकालीन ग्रंथ आयुर्वेद के अध्ययन में भी महत्त्वपूर्ण स्थान रखते हैं।

- **माधव निदान :** 7वीं या 8वीं शताब्दी ईसवी में **माधवकर** द्वारा रचित यह ग्रंथ विशेष रूप से रोगों के निदान (diagnosis) के लिए समर्पित है। यह अनेक रोगों के कारणों, लक्षणों और रोगजनकों के लिए एक व्यवस्थित और व्यापक मार्गदर्शिका प्रदान करता है।
- **सारंगधर संहिता :** 13वीं शताब्दी में **आचार्य सारंगधर** द्वारा रचित यह ग्रंथ आयुर्वेदिक औषध विज्ञान (द्रव्यगुण) के लिए एक प्रमुख संदर्भ है। इसमें विभिन्न हर्बल और खनिज-आधारित औषधियों के निर्माण और गुणों का वर्णन है। इसमें औषधियों में और प्रयोगशालाओं में **मूत्र परीक्षण** के लिए **अफ़ीम** के उपयोग पर बल दिया गया है।
- **भावप्रकाश : भावमिश्र** द्वारा रचित यह 16वीं शताब्दी का ग्रंथ अपनी विस्तृत मेटेरिया मेडिका एवं उपदंश (syphilis) जैसे नये प्रचलित रोगों के विस्तृत विवरण के लिए जाना जाता है।

चिकित्सा ज्ञान से संबंधित अन्य उल्लेखनीय ग्रंथ/पांडुलिपियाँ ------------------→ परीक्षोपयोगी

- **बोवर पांडुलिपि :** ये पांडुलिपियाँ **चौथी शताब्दी के उत्तरार्ध या पाँचवीं शताब्दी के प्रारंभ** की हैं तथा प्राचीन **भारतीय चिकित्सा** इतिहास का एक अमूल्य स्रोत साबित हुई हैं। ये गुजरात के कच्छ के निकट कुमतुरा मठ में रहनेवाले यशोमित्र नामक एक बौद्ध भिक्षु-चिकित्सक की थीं। इनमें सात ग्रंथ शामिल हैं - तीन आयुर्वेद पर, दो पासे द्वारा भविष्यवाणी पर और दो सर्पदंश के विरुद्ध मंत्रों पर।
- **भेल संहिता :** यह पारंपरिक भारतीय चिकित्सा विज्ञान पर एक अन्य प्राचीन ग्रंथ है, जो चरक और सुश्रुत संहिताओं के साथ आधारभूत ग्रंथों में से एक है।
- **शालिहोत्र संहिता :** लगभग तीसरी शताब्दी ईसा पूर्व में रचित, यह ग्रंथ अश्व चिकित्सा (हिप्पियाट्रिक्स) पर सबसे प्रारंभिक और पूर्ण ग्रंथों में से एक है। इसके रचयिता, शालिहोत्र, को भारतीय पशु चिकित्सा विज्ञान का संस्थापक माना जाता है।
- **अश्वशास्त्र :** ऋषि शालिहोत्र द्वारा रचित, घोड़ों (अश्वों) के लिए एक चिकित्सा ग्रंथ।
- **हस्त्यआयुर्वेद :** यह **पालकाप्य** द्वारा लिखित, पशु चिकित्सा विज्ञान से संबंधित एक ग्रंथ है, जो औषधि एवं शल्य चिकित्सा द्वारा **हाथियों** के प्रमुख रोगों के निदान और उपचार से संबंधित है।
- **नकुल की अश्व-चिकित्सा :** पांडव भाइयों में से एक और **अश्व** विशेषज्ञ नकुल द्वारा रचित इस ग्रंथ में अश्व चिकित्सा का भी वर्णन है।
- **गजशास्त्र :** यह भी **हाथी विज्ञान** पर केंद्रित और हाथियों की देखभाल एवं प्रबंधन पर आधारित एक तकनीकी ग्रंथ है।

❖ **मातंगलीला :** यद्यपि यह विशुद्ध रूप से पशु चिकित्सा ग्रंथ नहीं है, फिर भी **नीलकंठ** द्वारा लिखित इस ग्रंथ में **हाथियों** की विशेषताओं, व्यवहार और प्रबंधन के बारे में भी जानकारी है।

चिकित्सा की वैकल्पिक प्रणालियाँ

पद्धति	विवरण
आयुर्वेद	पहले चर्चा की जा चुकी है।
योग	• योग की उत्पत्ति भारत में हुई थी और योग को महर्षि **पतंजलि** द्वारा लगभग 150 ई.पू. में प्रतिपादित किया गया था। • यह व्यक्ति के शरीर, मन, भावना और ऊर्जा के स्तर पर कार्य करता है। • योग को सामान्यतः चार प्रकार से वर्गीकृत किया जाता हैं - **कर्म योग** (शरीर का उपयोग करना), **ज्ञान योग** (मन का उपयोग करना), **भक्ति योग** (भावना का उपयोग करना), **क्रिया योग** (ऊर्जा का उपयोग करना)। • **यूनेस्को** ने योग को **2016** में अमूर्त सांस्कृतिक विरासत की प्रतिनिधि सूची में सम्मिलित किया है।
यूनानी	• यूनानी चिकित्सा पद्धति अली इब्न साहल रब्बन अल तबारी द्वारा लिखित पुस्तक फ़िरदौस-अल-हिक्मा के साथ भारत आयी। • **मध्यकालीन इस्लाम** की यह **चिकित्सा परंपरा** 13वीं शताब्दी ईसवी के दौरान दिल्ली सल्तनत की स्थापना के साथ आरम्भ हुई थी। मुग़ल साम्राज्य के दौरान इसे और विकसित किया गया। • यह प्रणाली **ग्रीक (हेलेनिस्टिक) मूल** की है। • **अलाउद्दीन ख़िलज़ी** ने यूनानी चिकित्सा प्रणाली को शाही संरक्षण दिया था। संभवतः उसके दरबार में **हकीम** भी थे। • यूनानी में, रोगियों के इलाज के लिए आहार, औषधि-चिकित्सा (pharmacotherapy), व्यायाम, मालिश और सर्जरी जैसे विभिन्न साधन हैं। • यूनानी चिकित्सकों द्वारा प्रचलित उपचार की सबसे लोकप्रिय पद्धतियों में से एक, **रेजिमेंटल थेरेपी** है। *(इलाज-बिल-तदबीर)*
सिद्ध	• इस प्रणाली की उत्पत्ति दक्षिण भारत में हुई। • यह 'सिद्ध' शब्द 'सिद्धि' शब्द से बना है, जिसका अर्थ होता है 'पूर्णता' या 'लक्ष्य/वस्तु जिसे प्राप्त करना है'। • सिद्ध प्रणाली के अनुसार, मानव शरीर **96 तत्त्वों या मूल तत्त्वों** से बना है। • सिद्ध प्रणाली रोगों के उपचार के लिए विभिन्न जड़ी-बूटियों, या इनओर्गेनिक रासायनिक यौगिकों, जैसे (गंधक) सल्फर और पारा का उपयोग करती है। • अभ्यास करनेवालों को सिद्धार कहा जाता है। **नंदीसार** को प्रथम सिद्ध और सभी सिद्धारों का गुरु माना जाता है। • वर्तमान में, यह बड़े पैमाने पर दक्षिणी भारतीय राज्यों (मुख्य रूप से तमिलनाडु) में प्रचलित है। • **"नैकुरी" या Oil Drop test of Urine** सिद्ध चिकित्सा पद्धति में मूत्र परीक्षण के लिए एक अनूठी विधि है।
होम्योपैथी	• 'होम्योपैथी' शब्द ग्रीक शब्द 'होमोइस' और 'पैथोस' (क्रमशः 'समान' और 'पीड़ा') से लिया गया है। • **जर्मनी** में उत्पन्न होने के बाद, इस चिकित्सा प्रणाली को 1810-1839 के आसपास भारत में आरम्भ किया गया। • होम्योपैथी - *'सिमिलिया सिम्लिबस क्यूरेंटूर'* - के **उपचार के नियम** पर आधारित है, जिसका अर्थ है' 'समान चीज़ से समान चीज़ का इलाज हो जाता है'। • होम्योपैथिक उपचार पुरानी या दीर्घ प्रकृति के रोगों के इलाज लिए लोकप्रिय है।
सोवा-रिग्पा	• यह विश्व की सबसे **प्रचीन, जीवित और अच्छी तरह से प्रलेखित** चिकित्सा परंपराओं में से एक है। • तिब्बत के **युथोग योंटेन गोंपो** को सोवा-रिग्पा का जनक माना जाता है। • इस शब्द का अर्थ है **'चिकित्सा का विज्ञान'**। • इसे सामान्य रूप से **अमची चिकित्सा पद्धति** के रूप में जाना जाता है। • **ग्युद-जी** (चार तंत्र) सोवा-रिग्पा से संबंधित मौलिक ग्रंथ है। • सोवा-रिग्पा के अधिकांश सिद्धांत और व्यवहार **आयुर्वेद के समान** हैं। • यह तिब्बत, चीन के कुछ हिस्सों, **भारत के हिमालयी क्षेत्रों,** नेपाल, भूटान, रूस और मंगोलिया में व्यापक रूप से प्रचलित है। • हिमाचल प्रदेश में धर्मशाला और लद्दाख़ क्षेत्र सोवा-रिग्पा संस्थानों के मुख्य केंद्र हैं।

भौतिक शास्त्र और रसायन शास्त्र

वैदिक काल से ही, पृथ्वी पर उपलब्ध सामग्रियों को *पंचभूतों* में वर्गीकृत किया गया है। इन *पाँचों* की पहचान मानव इंद्रियों की अवधारणा की सहायता से की जाती थी :

- **गंध** के साथ पृथ्वी (*धरती*)
- **अनुभव** के साथ हवा (*माया*)
- **ध्वनि** के साथ व्योम (*आकाश*)
- **दृष्टि** के साथ अग्नि (*आग*)
- **स्वाद** के साथ जल (*आप*)

ऐसा माना जाता है कि यह भौतिक संसार इन पाँच तत्त्वों से निर्मित है। बाद में आये **बौद्ध दार्शनिकों** ने **व्योम** को एक तत्त्व के रूप में **स्वीकार नहीं किया** और उसे *जीवन, आनंद और दुःख* के साथ प्रतिस्थापित कर दिया। दार्शनिकों का विचार था कि व्योम को छोड़कर, अन्य सभी चार तत्त्व भौतिक रूप से प्रत्यक्ष हो सकते हैं और इसलिए उनमें पदार्थों के सूक्ष्म कणों का समावेश था। अंतिम सूक्ष्म कण, जिन्हें अब और उप-विभाजित नहीं किया जा सकता है, उन्हें **परमाणु** कहा जाता था। पाँच अलग-अलग तत्त्वों के लिए, पाँच अलग-अलग प्रकार के *परमाणु* के बारे में बताया गया। अतः यह निष्कर्ष निकाला जा सकता है कि भारतीय दार्शनिकों ने एक **परमाणु** के विभाजन की कल्पना की थी। 6ठी शताब्दी ईसा पूर्व के भारतीय दार्शनिक **कणाद** और **पकुधा कात्यायन** ने सबसे पहले परमाणुओं की अवधारणा के आधार पर यह स्पष्ट किया कि यह भौतिक संसार इन्हीं परमाणुओं से बना है। **कणाद** ने व्याख्या की कि यह भौतिक संसार *कणों* से बना है, जिन्हें किसी मानव अंग के माध्यम से नहीं देखा जा सकता है। उन्हें अब और उप-विभाजित नहीं किया जा सकता है और वे **अविनाशी** हैं, जैसा कि आधुनिक परमाणु सिद्धांत में भी कहा गया है।

रसायन शास्त्र

भारत में **रसायन शास्त्र** का विकास, प्रयोगों के माध्यम से कई चरणों में हुआ था। रसायन शास्त्र के **अनुप्रयोग के क्षेत्र** थे :

- धातुकर्म (धातुओं को गलाना)
- चीनी का निष्कर्षण
- बारूद का उत्पादन
- इत्रों का आसवन
- काग़ज़ का उत्पादन
- तोप का निर्माण, इत्यादि
- रंगों और रंजकों का निर्माण

भारत में, रसायन विद्या को *रसायन शास्त्र*, रसतंत्र, *रस विद्या* और *रसक्रिया* कहा जाता था, जिसका अर्थ **तरल पदार्थ का विज्ञान** है। रासायनिक प्रयोगशालाओं को *रसक्रिया शाला* और रसायनशास्त्री को *रसदान्य* कहा जाता था।

धातुकर्म का विकास भारत में कांस्य युग से आरम्भ हुआ। वास्तव में, धातुकर्म में होनेवाले विकास में कांस्य युग से लौह युग और वहाँ से वर्तमान युग तक हुई प्रगति का विशेष योगदान है। धातुओं को गलाने के क्षेत्र में, भारतीय लोग, अयस्क से धातुओं के निष्कर्षण और उसे ढालने में निपुण थे। संभव है कि भारत ने **यह विचार मेसोपोटामिया से ग्रहण किया** हो। भारतीय धातुकर्म का सर्वोत्तम साक्ष्य, दिल्ली में **महरौली का लौह स्तम्भ** और बिहार के सुल्तानगंज में **गौतम बुद्ध की एक प्रतिमा** है। हज़ारों वर्षों से भी पहले बने होने के बावजूद उनमें **अभी तक जंग नहीं लगा** है।

प्राचीन काल के एक *प्रसिद्ध धातुशोधक* **नागार्जुन थे**। वह मूल धातु को सोने में रूपांतरित करने में निपुण थे। **931 ईसवी** में गुजरात में जन्म लेनेवाले नागार्जुन को लोगों की मान्यता के अनुसार, **मूल धातुओं को सोने में रूपांतरित करने** और **'जीवन सुधा'** के प्रदान करने की शक्ति प्राप्त थी।

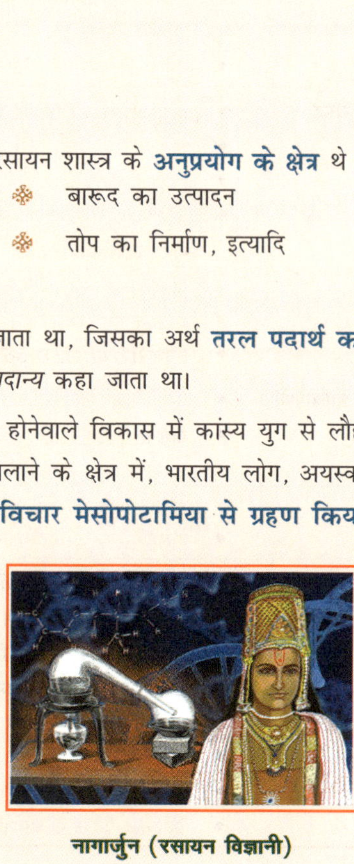

नागार्जुन (रसायन विज्ञानी)

एक और ग्रंथ ***रसरत्नाकर*** (रसायन शास्त्र पर आधारित एक पुस्तक) मुख्य रूप से तरल पदार्थों **(मुख्यतः पारा)** की तैयारी से संबंधित है। नागार्जुन द्वारा लिखित इस पुस्तक में धातु विज्ञान एवं रसायन विज्ञान के सर्वेक्षण पर भी ज़ोर दिया गया है।

पारा से **जीवन सुधा** तैयार करने के लिए, नागार्जुन ने खनिजों एवं क्षारों के अलावा पशु और वनस्पति उत्पादों का उपयोग किया। उन्होंने **सोने में मूल धातुओं के रूपांतरण** पर भी चर्चा की। सोने का उत्पादन नहीं किया जा सकता था, परन्तु यह विधि सोने जैसी पीली चमकवाली धातुओं के उत्पादन में उपयोगी रही, जिससे नक़ली आभूषण बनाने में भी सहायता मिलती है।

रसायन शास्त्र के क्षेत्र में नागार्जुन का योगदान इतना अधिक था कि धातुओं को रूपांतरित करने का विचार, भारतीय पुस्तकों से अरब लोगों द्वारा लिया गया प्रतीत होता है।

इसके अलावा **रसार्णव** एक संस्कृत पाठ है, जो मध्ययुगीन काल (12वीं शताब्दी) में लिखा गया और यह **तंत्र विद्या** से संबंधित है। रसायन विज्ञान के अंतर्गत तंत्र पर इसका काम **धातु तैयारियों** और **कीमियागिरी** से संबंधित है।

प्राचीन साहित्य का संरक्षण सामान्य रूप से **ताड़ के पत्तों** पर किया जाता था। हालाँकि, **काग़ज़ का उपयोग मध्य युग में आरम्भ हुआ।** कश्मीर, पटना, मुर्शिदाबाद, अहमदाबाद, औरंगाबाद, मैसूर इत्यादि काग़ज़ उत्पादन के सुप्रसिद्ध केंद्र थे। काग़ज़ बनाने की प्रक्रिया पूरे देश में प्रायः एक समान थी।

मुग़लों के आगमन के पश्चात्, भारत में **बारूद** का निर्माण और तोपों और बंदूक़ों में उसका उपयोग भी आरम्भ हो गया। विभिन्न प्रकार की बारूदों का निर्माण करने के लिए अलग-अलग अनुपात में शोरा, सल्फ़र और लकड़ी के कोयले का उपयोग किया जाता था। ***तुज़ुक-ए-बाबरी*** में तोपों के निर्माण का स्पष्ट उल्लेख मिलता है।

तुफ़ंगची : मध्यकाल में, मैचलॉक पुरुषों को तुफ़ंगची कहा जाता था। मुगल शासन के दौरान उन्हें समाज में एक सम्मानित पद दिया जाता था। संदर्भ के लिए, मैचलॉक (तोड़ेदार बंदूक़) एक ऐतिहासिक प्रकार की बन्दूक है, जिसमें बारूद को ज्वलनशील रस्सी या सुतली के जलते हुए टुकड़े से प्रज्वलित किया जाता है और बारूद से एक तंत्र द्वारा स्पर्श किया जाता है, जिसे बंदूकधारी अपनी उंगली से लीवर या ट्रिगर खींचकर सक्रिय करता है।

मुंज़ानिक़ : एक गुलेल या बैलिस्टिक उपकरण, जिसका उपयोग मध्यकाल में प्रक्षेप्य फेंकने के लिए किया जाता था।

आइन-ए-अकबरी में अकबर के **'इत्र कार्यालय के विनियमन'** का उल्लेख किया गया है। गुलाबों से इत्र की खोज का श्रेय **नूरजहाँ की माता अस्मत बेगम** को दिया जाता है।

भू-विज्ञान, जल विज्ञान और पर्यावरण विज्ञान के क्षेत्र में, **वराहमिहिर** के योगदान को भुलाया नहीं जा सकता है। वे गुप्त काल से संबंधित थे और उनकी गिनती संभवतः विक्रमादित्य के दरबार के नौ रत्नों में की जाती थी। उनकी भविष्यवाणी इतनी सटीक होती थी कि **राजा विक्रमादित्य ने उन्हें 'वराह' की उपाधि से सम्मानित कर दिया था।** उनका दावा था कि **दीमक** और **पौधों की उपस्थिति** किसी क्षेत्र विशेष में **जल की उपस्थिति** का संकेत हो सकती है। उन्होंने छह पशुओं और छत्तीस पौधों की एक सूची प्रदान की थी, जो जल की उपस्थिति का संकेत दे सकते थे।

उन्होंने अपनी पुस्तक **बृहत् संहिता** में **धरती बादल का सिद्धांत** भी प्रतिपादित किया था। उन्होंने कहा कि भूकंप का सम्बन्ध पौधों के प्रभाव, पशुओं के आचरण, भूमिगत जल, समुद्र के भीतर चल रही गतिविधियों और असामान्य रूप से बादल के निर्माण से है। उन्होंने ज्योतिष विद्या या *ज्योतिष शास्त्र* में भी अपना बहुमूल्य योगदान दिया था।

क्या आप जानते हैं?

रसेश्वर

यह एक शैव दार्शनिक परम्परा थी, जिसने शरीर को अमर बनाने के लिए **पारे** के उपयोग की वकालत की।

जहाज़ निर्माण और नौपरिवहन

प्राचीन काल में भारतीयों द्वारा समुद्री गतिविधियों के कई सन्दर्भ प्राप्त होते हैं। संस्कृत और पाली साहित्य में जहाज़ निर्माण और नौपरिवहन गतिविधियों का उल्लेख था। कौटिल्य द्वारा रचित प्राचीन ग्रंथ *अर्थशास्त्र* में राज्य के जलमार्ग विभाग का विस्तृत विवरण दिया गया है। इसके अनुसार तत्कालीन समय में जलमार्ग विभाग का अध्यक्ष एक **नवाध्यक्ष** (जहाज़ अधीक्षक) होता था। इस ग्रंथ में समुद्री व्यापार और प्रतिरक्षा के नियमों की रूपरेखा दी गयी है।

युक्ति कल्प तरु, 11वीं शताब्दी ईसवी में परमार वंश के राजा भोज-प्रथम द्वारा रचित **संस्कृत** ग्रंथ है। इसमें प्राचीन काल में **जहाज़ निर्माण में प्रयुक्त विभिन्न तकनीकों** का वर्णन किया गया है।

इस पुस्तक में जहाज़ों के प्रकार, उनके आकार और उन जहाज़ों के निर्माण में उपयोग होनेवालीं सामग्रियों के प्रकार के बारे में विस्तारपूर्वक चर्चा की गयी है। प्राचीन काल में भारतीय निर्माताओं को जहाज़ निर्माण के लिए उपयोग होनेवालीं सामग्रियों के बारे में अच्छा ज्ञान था। जहाज़ों को मुख्य रूप से **दो वर्गों** में वर्गीकृत किया गया था :

- *सामान्य* (साधारण वर्ग)
- *विशेष* (विशेष वर्ग)

साधारण वर्ग एक **समुद्री यात्रा** के लिए होता था और इसमें दो प्रकार के जहाज़ थे :

- *दीर्घ* प्रकार के जहाज़ – लम्बा और संकीर्ण ढाँचा
- *उन्नत* प्रकार के जहाज़ – अधिक ऊँचा ढाँचा

कक्षों की लम्बाई और स्थिति के अनुसार, जहाज़ों को निम्नलिखित वर्गों में वर्गीकृत किया गया था :

- *सर्वमंदिर* : इसमें डेक की एक छोर से दूसरी छोर तक कक्ष होते थे, इनका उपयोग **शाही जलयात्रा और घोड़ों** के परिवहन के लिए किया जाता था।
- *मध्यमंदिर :* इसमें डेक के बीचवाले हिस्से में कक्ष होते थे, इनका उपयोग **आनंद यात्रा** के लिए किया जाता था।
- *अग्रमंदिर :* इनका उपयोग **युद्ध** के लिए किया जाता था।

प्राचीन काल में जहाज़ के विभिन्न हिस्सों के लिए उपयोग किये जानेवाले संस्कृत शब्दों में से कुछ निम्नलिखित हैं :

- जहाज़ का एंकर - *नाव बंधन किला*
- पाल – *वात वस्त्र*
- जहाज़ की पतवार - *जेनी पत्ता या कर्ण*
- जहाज़ का कील - *नाव ताला (नौ तल)*
- जहाज़ का कम्पास – *मत्स्ययंत्र* (मछली की आकृति में)।

क्या आप जानते हैं?

- **कौंडिन्य :** पाँचवीं शताब्दी ईसवी के एक महान् **भारतीय नाविक**, जिन्होंने हिंद महासागर पार करके दक्षिण-पूर्व एशिया की यात्रा की थी। भारतीय नौसेना ने 2025 में एक पुनर्निर्मित पाँचवीं शताब्दी के 'सिले हुए जहाज़ (stiched ship)' को शामिल करके और उसका नाम INSV कौंडिन्य रखकर उनकी विरासत का सम्मान किया।
- **ब्लू-वाटर नेवी :** चोलों ने एक शक्तिशाली **'ब्लू-वाटर नेवी'** विकसित की, जिसने उनके शासन में दो शताब्दियों तक बंगाल की खाड़ी पर अपना प्रभुत्व बनाये रखा। चोल राजा राजेंद्र प्रथम ने व्यापार मार्गों को सुरक्षित करने के लिए दक्षिण-पूर्व एशिया में श्रीविजय साम्राज्य के विरुद्ध एक बड़ा नौसैनिक अभियान चलाया।
- **कुंजलि मरक्कर :** ये **कालीकट के जमोरिन** (16वीं शताब्दी) के **नौसेना कमांडर** थे। इन्होंने पुर्तगालियों के विरुद्ध भारत की पहली तटीय नौसैनिक रक्षा का आयोजन किया, जिससे मालाबार तट पर उनके प्रभुत्व को दशकों तक प्रभावी ढंग से बनाये रखा जा सका।

प्राचीन एवं मध्यकालीन भारत के अन्य महत्त्वपूर्ण योगदानकर्ता

पद्धति	विवरण
वररुचि	सोमदेव भट्ट (11वीं शताब्दी ईसवी) द्वारा लिखित ***कथासरित्सागर*** में वररुचि एक प्रतिष्ठित चरित्र के रूप में दिखाये गये थे। ***परयी पेट्टा पंथिरुकुलम*** केरल की एक लोकप्रिय लोककथा है। इसमें वररुचि के विक्रमादित्य (57 ईसा पूर्व-78 ईसवी) के दरबार के नौ रत्नों में से एक होने का उल्लेख है। वररुचि को उनकी कृति 'चंद्र वाक्य' के लिए जाना जाता है, और उन्होंने कटपयादि नामक अंकन प्रणाली भी शुरू की, जिसका उल्लेख कई स्रोतों में मिलता है। यह प्रणाली संस्कृत वर्णमाला के माध्यम से संख्याओं को दर्शाने की विधि प्रस्तुत करती है, जिसमें प्रत्येक अंक कटपयादि क्रम में एक विशिष्ट व्यंजन से जुड़ा होता है। इस कटपयादि प्रणाली का उपयोग वर्ष के किसी भी दिन चंद्रमा की स्थिति की गणना के लिए किया जाता था।
आचार्य पिंगल (तीसरी-दूसरी शताब्दी ईसा पूर्व)	वे एक प्राचीन भारतीय गणितज्ञ और कवि थे। उन्होंने **छंदशास्त्र** (जिसे पिंगल-सूत्र भी कहा जाता है) का निर्माण किया था। यह संस्कृत छंद-विद्या पर सबसे पहला ज्ञात ग्रंथ है। पिंगल द्विआधारी संख्याओं की अवधारणा का उपयोग करनेवाले पहले व्यक्ति थे। उन्होंने फिबोनाची श्रृंखला संख्याओं पर भी काम किया। प्रारंभ में इन्हें मातृमेरु कहा जाता था।
लगध	लगध मुनि एक प्राचीन भारतीय गणितज्ञ और खगोलशास्त्री थे। ऐसा माना जाता है कि उनका जन्म 1200 ई.पू. के दौरान हुआ था। उन्होंने ***वेदांग ज्योतिष*** लिखी, जिसमें लगभग 1400 ईसा पूर्व की अवधि के लिए शीतकालीन संक्रांति का वर्णन किया गया था।
जीवक	जीवक प्राचीन भारत के एक प्रसिद्ध चिकित्सक थे। उन्हें 'मेडिसिन किंग (Medicine King)' के रूप में वर्णित किया गया था और वे राजा बिंबिसार और भगवान् बुद्ध के निजी चिकित्सक थे। जीवक ईसा पूर्व 5वीं शताब्दी में मगध साम्राज्य के अंतर्गत राजगृह/राजगीर में रहते थे।
चतुर्वेद पृथुदक स्वामी (830-890)	वे एक प्राचीन भारतीय गणितज्ञ थे। वे समीकरणों को सुलझाने के लिए जाने जाते हैं। उन्होंने ब्रह्मगुप्त के कार्यों पर टिप्पणी लिखी थी।
आर्यभट II (920-1000)	वे एक भारतीय खगोलशास्त्री और गणितज्ञ थे। वे ***महा-सिद्धांत*** के लेखक थे।
नारायण पंडित (1340-1400)	नारायण पंडित एक मध्यकालीन भारतीय गणितज्ञ और 1356 में ***गणित कौमुदी*** (गणित की चाँदनी) के लेखक थे। यह गणितीय संक्रियाओं पर चर्चा करती है।
महेंद्र सूरी (1340-1400)	वे 14वीं सदी के जैन खगोलशास्त्री थे और उन्हें फ़िरोज शाह तुग़लक़ का संरक्षण प्राप्त था। उन्होंने ***यंत्रराज (एस्ट्रोलैब उपयोगकर्ता मैनुअल)*** लिखी थी।
संगमग्राम के माधव (1340-1425)	उन्हें केरल के खगोल-विज्ञान और गणित तालीम का संस्थापक माना जाता है। माधव ने अनंत श्रृंखला, त्रिकोणमिति, बीजगणित और ज्यामिति के अध्ययन में महत्त्वपूर्ण योगदान दिया है।
वत्सेरी परमेश्वर नंबूदिरी (1380-1460)	वे एक प्राचीन भारतीय गणितज्ञ और खगोलशास्त्री थे, जो केरल के खगोल विज्ञान और गणित स्कूल से जुड़े थे। परमेश्वर ने कई अवलोकनों के आधार पर खगोलीय कम्प्यूटेशनल मापदंडों को संशोधित किया, जिसे ड्रग्गनिटा के रूप में जाना जाता है।
केलालुर नीलकंठ सोमयाजी (1444-1545)	वे केरल स्कूल ऑफ़ ऐस्ट्रोनॉमी ऐंड मैथमेटिक्स से जुड़े गणितज्ञ और खगोलशास्त्री थे। उनके प्रसिद्ध कार्यों में से एक खगोलीय ग्रंथ ***तंत्रसंग्रह*** था। उन्होंने आर्यभटीय पर भाष्य की भी रचना की, जिसे ***आर्यभटीय भाष्य*** कहा जाता है।
चित्राभानू	वे 16वीं शताब्दी में केरल स्कूल (संक्षिप्त खगोलीय मैनुअल, **करण**, के लिए विख्यात) के गणितज्ञ थे। वे नीलकंठ सोमयाजी के छात्र थे।
अच्युत पिशरति (1550-1621)	उन्होंने ग्रहणों का विस्तृत विवरण प्रस्तुत करनेवाली एक कृति, उपरागक्रियाक्रम की रचना की। वे केरल विद्यालय के एक प्रतिष्ठित खगोलशास्त्री और गणितज्ञ थे, जो 16वीं-17वीं शताब्दी में सक्रिय रहे। उन्हें अपने शिष्य मेलपथुर नारायण भट्टतिरि के भक्ति काव्य, नारायणीयम की रचना में, उनकी भागीदारी के लिए विशेष रूप से याद किया जाता है। उन्होंने स्फुट-निर्णय, राशि-गोला-स्फुटनीति, करणोत्तम, छायाष्टक, उपरागविंशति और राशिगोलस्फुटनीति जैसी कई प्रमुख खगोलीय कृतियाँ भी लिखीं। उन्होंने अपनी कृति **प्रवेशक** के साथ संस्कृत व्याकरण में योगदान दिया। उनकी कृति **करणोत्तम** में ग्रहों, ग्रहणों और सूर्य व चंद्रमा के व्यातुपातों के माध्य और वास्तविक देशांतरों की गणना से संबंधित जानकारी है। उन्होंने संगमग्राम के माधव के वेनवरोहा पर एक मलयालम टीका लिखी, जिसे वेण्वारोहव्याख्य के नाम से जाना जाता है। इसके अतिरिक्त, उन्होंने श्रीपति की जातकपद्धति को अपने कार्य होरासारोकाया में रूपांतरित किया।

प्राचीन और मध्यकालीन भारत

प्राचीन काल

लगध (लगभग 1200 ईसा पूर्व)
प्राचीन गणितज्ञ और खगोलशास्त्री, जिन्होंने वेदांग ज्योतिष की रचना की, जिसमें लगभग 1400 ईसा पूर्व शीतकालीन संक्रांति का उल्लेख किया गया।

आचार्य पिंगल (3री-2री शताब्दी ईसा पूर्व)
गणितज्ञ और कवि; उन्होंने छंदशास्त्र लिखा (संस्कृत छंदशास्त्र पर सबसे प्राचीन ग्रंथ)। उन्होंने द्विआधारी संख्याओं (बाइनरी नंबर) की अवधारणा प्रस्तुत की और फिबोनाची संख्याओं (मात्रामेरु) पर कार्य किया।

मध्य काल

चतुर्वेद पृथुदक स्वामी (830-890)
गणितज्ञ, जो समीकरणों को हल करने और ब्रह्मगुप्त के कार्य पर अपनी टीका के लिए जाने जाते हैं।

आर्यभट द्वितीय (920-1000)
खगोलशास्त्री और गणितज्ञ, जिन्होंने महासिद्धांत की रचना की।

मध्य काल

नारायण पंडित (1340-1400)
गणितज्ञ, गणित कौमुदी (1356) के लेखक, जिसमें गणितीय क्रियाओं का विस्तारपूर्वक वर्णन किया गया है।

महेंद्र सूरी (1340-1400)
जैन खगोलशास्त्री, फ़िरोज़ शाह तुगलक के संरक्षण में; उन्होंने यंत्रराज की रचना की, जो अष्ट्रोलैब पर एक विस्तृत मार्गदर्शिका है।

अच्युत पिशारटी (1550-1621)
केरल स्कूल के प्रसिद्ध खगोलशास्त्री और गणितज्ञ। उन्होंने उपरागक्रियाक्रम, करणोत्तम, स्फुट-निर्णय, राशि-गोल-स्फुटनीति, होरसरोच्चय और अन्य ग्रंथों की रचना की। संस्कृत व्याकरण पर प्रवेशक नामक ग्रंथ लिखा और मलयालम में वेण्वरोहव्याख्या नामक टीका लिखी। उन्होंने मेलपथुर नारायण भट्टथिरी को मार्गदर्शन दिया।

मेलपथुर नारायण भट्टथिरी (1560-1646/1666)
केरल स्कूल के विद्वान्; उन्होंने प्रक्रिया-सर्वस्वम् (व्याकरण) और नारायणीयम् (भक्ति पर आधारित ग्रंथ, जो आज भी गुरुवायुर मंदिर में पाठ किया जाता है) की रचना की

के प्रमुख योगदानकर्ता

वररुचि (ईसा पूर्व 1वीं शताब्दी - ईसवी 1वीं शताब्दी)
विक्रमादित्य के दरबार के नौ रत्नों में से एक (57 ईसा पूर्व - 78 ईस्वी); चंद्र वाक्य और कटपयादी संख्या प्रणाली के जनक माने जाते हैं। लोककथाओं में भी उनका उल्लेख मिलता है (परायी पेट्टा पंथिरुकुलम)।

जीवक कुमारभच्छ (5वीं शताब्दी ईसा पूर्व)
प्रसिद्ध चिकित्सक, राजा बिंबिसार और भगवान् बुद्ध के निजी चिकित्सक, जिन्हें 'चिकित्सा सम्राट' के रूप में जाना जाता है।

पुस्तक के अतिरिक्त

'भारत के जाने-माने विज्ञान और प्रौद्योगिकी विद्वान' पर ज्ञानवर्धक पाठ्य सामग्री के लिए स्कैन करें

संगमग्राम के माधव (1340-1425)
केरल स्कूल ऑफ एस्ट्रोनॉमी ऐंड मैथमेटिक्स के संस्थापक; उन्होंने अनंत श्रेणी, त्रिकोणमिति, बीजगणित और ज्यामिति के क्षेत्र में महत्त्वपूर्ण कार्य किया।

वत्ससेरी परमेश्वर नंबूदिरी (1380-1460)
केरल स्कूल के खगोलशास्त्री, जिन्होंने खगोलीय मानों को सुधारने के लिए निरीक्षणों का उपयोग किया और दृग्गणित की रचना की।

केल्लल्लूर नीलकंठ सोमयाजी (1444-1545)
केरल स्कूल के गणितज्ञ; उन्होंने तंत्रसंग्रह की रचना की और आर्यभटीय भाष्य पर अपनी व्याख्या प्रस्तुत की।

क्षेत्रीय मार्गदर्शिका
- गणित
- चिकित्सा विज्ञान
- ज्योतिष/खगोलशास्त्र
- साहित्य

रवि वर्मा (तिथियां अस्पष्ट, मध्यकालीन काल)
महोदयपुरम से जुड़े; उन्होंने एक वेधशाला की स्थापना की और कोल्लम युग (कैलेंडर प्रणाली) की शुरुआत की।

चित्रभानु (16वीं शताब्दी)
केरल स्कूल के गणितज्ञ; उन्होंने करण नामक खगोलशास्त्र पर आधारित एक छोटा ग्रंथ लिखा।

पद्धति	विवरण
मेलपाथुर नारायण भट्टतिरी (1559-1632)	वे केरल स्कूल ऑफ़ ऐस्ट्रोनॉमी ऐंड मैथमेटिक्स से जुड़े थे। उनके उल्लेखनीय कार्यों में **प्रक्रिया-सर्वस्वम्** (पाणिनि के व्याकरण की शास्त्रीय प्रणाली पर विस्तार से बतानेवाली एक स्वयंसिद्ध प्रणाली) और **नारायणीयम्** (गुरुवायुरप्पन या भगवान् कृष्ण की स्तुति में एक भक्ति रचना, जो आज भी गुरुवायुर मंदिर में गायी जाती है) हैं।
रवि वर्मा	वे **महोदयपुरम** से संबंधित थे तथा एक वेधशाला की स्थापना के लिए जाने जाते हैं। ऐसा भी कहा जाता है कि उन्होंने एक स्थानीय कैलेंडर प्रणाली, **कोल्लम संवत** की शुरुआत की थी।

यू.पी.एस.सी. विगत वर्षों के बहुविकल्पीय प्रश्न

1. निम्नलिखित में से कौन-सा/कौन-से कथन सही है/हैं? **(CDS II, 2023)**

1. शारदा लिपि का प्रयोग करके गाथा भाषा (प्राचीन प्राकृत का परिष्कृत संस्करण) में लिखी गयी बख्शाली पांडुलिपि का संबंध भिन्न, वर्गमूल, समांतर और गुणोत्तर श्रेढ़ी जैसे विषयों से है।
2. ज्यामिति के क्षेत्र में, आर्यभट ने पाई (π) का चार दशमलव स्थान तक का अत्यधिक सही मान 3:1416 देते हुए वृत्त के विभिन्न गुणों का वर्णन किया है।
3. शार्ङ्गधर संहिता प्राचीन भारत की राजनीतिक प्रणाली पर एक महत्त्वपूर्ण ग्रंथ है।

नीचे दिये गये कूट का प्रयोग कर सही उत्तर चुनिए :

(a) 1, 2 और 3 (b) केवल 1 और 3
(c) केवल 1 और 2 (d) केवल 2

2. मध्ययुगीन दक्षिण भारत में विज्ञान के बारे में निम्नलिखित कथनों पर विचार कीजिए : **(CDS II, 2023)**

1. संख्याओं की कटपयादि पद्धति का आविष्कार, चन्द्र वाक्य के लेखक केरल के वररुचि ने किया था, जिसका उपयोग वर्ष के किसी भी दिन चंद्रमा की स्थिति का परिकलन करने के लिए किया जाता था।
2. अच्युत पिषारटि (1550 1621) ने उपरागक्रियाक्रम की रचना की, जो ग्रहण पर रचित ग्रंथ था।
3. महोदयापुरम के रवि वर्मा ने वेधशाला बनायी और यह भी कहा जाता है कि इन्होंने कोल्लम युग का शुभारंभकिया।

उपर्युक्त कथनों में से कौन-सा/कौन-से कथन सही है/हैं?

(a) केवल 1 और 3 (b) केवल 3
(c) केवल 1 और 2 (d) 1, 2 और 3

3. अश्वों के लिए प्राचीन भारतीय चिकित्सा ग्रंथ अश्वशास्त्र का श्रेय निम्नलिखित में से किस व्यक्ति को जाता है? **(CAPF, 2023)**

(a) सातवीं शताब्दी के वाग्भट्ट
(b) ऋषि शालिहोत्र
(c) सातवीं शताब्दी के भर्तृहरि
(d) छठी शताब्दी के वराहमिहिर

4. मध्यकाल में *मुंजानिक्* क्या था? **(CDS II, 2022)**

(a) तोप (कैनन) (b) गुलेल (कैटपल्ट)
(c) गन-कैरिज (d) चल शस्त्रागार (आर्मरी)

5. किस अरब वैज्ञानिक को कलन-विधि की गणितीय शाखा के नामकरण करने का श्रेय दिया जा सकता है? **(CDS I, 2019)**

(a) अल ख़्वारिज़्मी (b) इब्न अल-हेथम
(c) इब्न रश्द (d) इब्न सिना

उत्तरमाला

1. (c) 2. (d) 3. (b) 4. (b) 5. (a)

यू.पी.एस.सी. विगत वर्षों के प्रश्न - मुख्य परीक्षा

1. भारतीय रसायन शास्त्र के इतिहास के अध्ययन में रसार्णव के महत्त्व पर टिप्पणी करें। **(CSE, 2012)**

26

भारत में कैलेण्डर

अध्याय की रूपरेखा

- भारतीय कैलेण्डर के रूपों का वर्गीकरण
- भारत का राष्ट्रीय कैलेण्डर
- इतिहास के कुछ अन्य संवत्सर

कैलेण्डर सामाजिक, धार्मिक, व्यापारिक तथा प्रशासनिक उद्देश्यों के लिए दिनों को नियोजित करने की एक पद्धति होती है। इसमें **समय** के परिक्रमण काल (विशेषत: *दिन, सप्ताह, मास* तथा *वर्ष*) को नाम प्रदान किया जाता है। **'कैलेण्डर'** शब्द रोमन शब्द **'कैलेण्ड्स (Calends** or **Kalends)'** से आया है, जिसका अर्थ है महीने का पहला दिन, और यह सूर्य, पृथ्वी तथा चंद्रमा की गति पर आधारित है।

सुमेरियों को वर्ष को 29 या 30 दिनों के 12 महीनों में विभाजित करनेवाले पहले कैलेण्डर को तैयार करने का श्रेय दिया जाता है। भारत में, विभिन्न क्षेत्रों में तीन मुख्य प्रकार के कैलेण्डर का उपयोग किया जाता है, जो इस पर आधारित हैं–

- **सौर प्रणाली**
- **चन्द्र प्रणाली**
- **चन्द्र-सौर प्रणाली**

कैलेण्डर आकाशीय गतिविधियों पर नज़र रखते हैं और खगोलीय वर्षों पर आधारित होते हैं :

- **सौर वर्ष** – पृथ्वी द्वारा सूर्य की परिक्रमा करने में लगनेवाला समय लगभग 365 दिन, 5 घंटे और 48 मिनट है। यह लगभग ऋतुओं के समान है और इसे 12 महीनों में विभाजित किया गया है।
- **उष्णकटिबंधीय वर्ष (सायन वर्ष)** – यह ऋतुओं में होनेवाले परिवर्तनों पर आधारित है। इसे ग्रेगोरियन कैलेण्डर में अपनाया गया।
- **नक्षत्र वर्ष (निरयण वर्ष)** – यह निश्चित तारों के संबंध में पृथ्वी की कक्षा पर आधारित है और इसका उपयोग बंगाली कैलेण्डर में किया जाता है।
- **चंद्र वर्ष** – इसमें 12 चंद्र मास होते हैं, जिन्हें चंद्रमा की कलाओं के आधार पर मापा जाता है। यह लगभग **354** दिनों का होता है, जो सौर वर्ष की तुलना में लगभग **11 दिन कम** है।
- **चन्द्र-सौर वर्ष** – इसमें वर्षों की गणना के लिए सौर वर्ष और महीनों की गणना के लिए चन्द्र मास लिया जाता है।

चंद्र मास को सौर वर्ष के साथ संरेखित करने के लिए, लगभग प्रत्येक **ढाई साल के बाद** एक **अतिरिक्त महीना** या **अधिक मास** शामिल किया जाता है।

आइए, अब हम कैलेण्डर की इन तीनों प्रणालियों के बीच मौजूद **विविध मासों** की चर्चा करते हैं:

- **सौर मास:** सौर वर्ष में 12 महीने होते हैं तथा उनके नाम 12 राशि चक्र चिह्नों के नाम पर रखे जाते हैं। इन *राशि* चक्र चिह्नों को *राशि* या भारत के कुछ भागों में भवनों के नाम से भी जाना जाता है। ये 12 राशियाँ हैं: *मेष* (Aries), *वृषभ* (Taurus), *मिथुन* (Gemini), *कर्क* (Cancer), *सिंह* (Aquarius), *कन्या* (Virgo), *तुला* (Libra), *वृश्चिक* (Scorpio), *धनु* (Sagittarius), *मकर* (Capricorn), *कुम्भ* (Aquarius), *मीन* (Pisces)।

12 राशिचक्र चिह्न

- **चन्द्र मास:** यह मास अमावस्या या पूर्णिमा को समाप्त होता है। चन्द्र प्रणाली में मास के आरम्भ होने की दो विधियाँ होती हैं। इन्हें अमासांत या पूर्णिमांत कहते हैं, अर्थात् वे या तो क्रमशः पूर्णिमा के अगले दिन शुक्ल पक्ष या अमावस्या के अगले दिन कृष्ण पक्ष से आरम्भ होते हैं।

उपर्युक्त दो प्रकार के मासों में **चन्द्र मास ही भारत के अधिकतर भागों** में प्रचलित है।

क्या आप जानते हैं?

अधिक मास, चंद्र वर्ष में प्रत्येक 2 वर्ष और 6 महीने के बाद जोड़ा जानेवाला एक अतिरिक्त महीना है, जो इसे सौर वर्ष के साथ संरेखित करता है। चूँकि चंद्र वर्ष लगभग 354 दिनों का होता है, जो सौर वर्ष से 11 दिन छोटा होता है, इसलिए यह अतिरिक्त अवधि सुनिश्चित करती है कि प्राकृतिक घटनाएँ और ऋतुएँ एक ही महीने में रहें। इसे **मल मास** भी कहते हैं।

सूर्य हर महीने एक राशि से दूसरी राशि में प्रवेश करता है। यह गति हमेशा एक समान नहीं होती। सूर्य का किसी नयी राशि में प्रवेश संक्रमण या संक्रांति कहलाता है, जो वर्ष में 12 बार होता है। यदि किसी चंद्र मास में सूर्य किसी राशि में प्रवेश नहीं करता है, तो उस मास को **अधिक मास** (अतिरिक्त मास) कहते हैं और यदि किसी माह में दो संक्रांतियाँ हों, तो उसे **क्षय मास** (छूटा हुआ महीना) कहते हैं।

विभिन्न कैलेण्डरों के महीनों को *पक्षों* या पखवाड़ों, सप्ताहों तथा दिवसों में बाँटा जाता है। ये **दोनों पक्ष या पखवाड़े** निम्नलिखित हैं:

- ***शुक्ल पक्ष*** (दीप्त अर्द्धांश), जो अमावस्या के अगले दिन से आरम्भ होता है, तथा;

- ***कृष्ण पक्ष*** (अदीप्त अर्द्धांश), जो पूर्णमासी के अगले दिन से आरम्भ होता है।

चन्द्र दिवस को तिथि या वासर, जबकि ***सौर दिवस को दिवस*** कहा जाता है।

एक *तिथि* (चन्द्र दिवस) *दिवस* (सौर दिवस) से छोटी होती है। औसत अवधि लगभग 23 घंटे और 37 मिनट है, जो एक दिवस या सौर दिन से **23 मिनट कम है**।

क्या आप जानते हैं?

तिथि को, इसके पश्चात्, *घटिका*, *पल* और *विपल* में **विभाजित** किया जाता है तथा यह निम्न प्रकार से ग्रेगोरी कैलेण्डर से संबंधित है:

- एक दिन तथा रात्रि = 1 दिवस = 24 घंटे = 60 *घटिकाएँ*
- एक *घटिका* = 60 *पल* = 24 मिनट
- एक *पल* = 60 *विपल* = 24 सेकण्ड
- दो *घटिकाएँ* = 1 *मुहूर्त* = 48 मिनट

इस प्रकार, 2.5 *मुहूर्त* दो घंटों के बराबर होते हैं।

संस्कृति संक्षेपण

हिन्दू कैलेण्डर

पंचांग या हिन्दू कैलेण्डर में पाँच, अर्थात्, पाँच अंगों, यथा–वर्ष, मास, पक्ष, तिथि तथा घटिका या फिर, तिथि, वार, नक्षत्र, योग तथा करण को ध्यान में रखा जाता है।

सूर्य प्रत्येक वर्ष 12 राशियों (राशि चिन्हों) से होकर गुज़रता है, जिनमें से प्रत्येक राशि नक्षत्र नामक तारा समूहों से जुड़ी होती है। कुल **28 नक्षत्र** हैं, जिनका आकार असमान है, और प्रत्येक राशि में दो से तीन नक्षत्र होते हैं।

सौर वर्ष को हिन्दू कैलेण्डर के तहत दो हिस्सों में विभाजित किया गया है–

- **उत्तरायण:** मकर संक्रांति से कर्क संक्रांति तक के पहले छह महीने, अर्थात् पौष (जनवरी) से आषाढ़ (जून) - इसे देवताओं के दिन के रूप में जाना जाता है।
- **दक्षिणायन:** जुलाई से दिसंबर तक अंतिम छह महीने देवताओं की रात्रि कहे जाते हैं।

इस प्रकार, एक सौर वर्ष देवताओं के एक दिन तथा एक रात के बराबर होता है।

विरासत स्मरण

चार युग

हिंदू मान्यताओं के अनुसार, युग चार काल चक्र के साथ विशिष्टीकाल या युग को संदर्भित करता है। आरोही क्रम में चार काल चक्र या युग हैं:

1. ***सत युग या कृत युग*** 1,728,000 वर्षों के बराबर है।
2. ***त्रेता युग*** 1,296,000 वर्षों के बराबर है।
3. ***द्वापर युग*** 864,000 वर्षों के बराबर है।
4. ***कलि युग*** 432,000 वर्षों के बराबर है।

वर्तमान में कलि युग चल रहा है। जो 3102 ईसा पूर्व में आरम्भ हुआ था। चार युग एक **महायुग** बनाते हैं, जो 4.32 मिलियन मानव वर्षों के बराबर होता है। ब्रह्म के एक दिन में एक हज़ार महायुग या 4.32 अरब मानव वर्ष होते हैं। **महाकल्प** में ब्रह्म के 100 वर्ष सम्मिलित होते हैं।

1. ***कृत युग या सत्य युग :*** यह प्रथम तथा स्वर्ण युग था। यह सत्य और पूर्णता का युग था, क्योंकि केवल एक धर्म था और सभी लोग संत थे, इसलिए धार्मिक अनुष्ठान करने की कोई आवश्यकता नहीं थी। वहाँ किसी अनुष्ठान की आवश्यकता नहीं थी, कोई बीमारी नहीं थी, कोई भय नहीं था और पृथ्वी सभी आवश्यकताओं को प्राकृतिक रूप से पूरा करती थी।
2. ***त्रेता युग :*** इस दूसरे युग में पुण्य और सद्गुणों का थोड़ा ह्रास हुआ। अनेक सम्राट् हुए, युद्ध हुए, चरम मौसम आया और कृषि व खनन शुरू हो गया। मानव जीवन घटकर 1,000-10,000 वर्ष रह गया।

3 **द्वापर युग :** लोग तामसिक गुणों से दूषित हो गये। बीमारियाँ फैलने लगीं और संघर्ष बढ़ गये। मानव जीवन कुछ शताब्दियों तक ही सीमित रह गया।

4. **कलियुग :** यह अंतिम युग का प्रतीक है। इसमें सद्गुणों का ह्रास और नैतिक पतन होता है। जीवनकाल लगभग 100 वर्ष तक चलेगा और अंत तक घटकर 20 वर्ष रह जायेगा।

भारतीय कैलेण्डर के रूपों का वर्गीकरण ------------> परीक्षोपयोगी

भारत में, विभिन्न युगों में कैलेण्डर के विविध रूप प्रचलन में आये। उनकी चर्चा नीचे की गयी है :

विक्रम संवत्	शक संवत्	हिजरी कैलेण्डर	ग्रेगोरियन कैलेण्डर	भास्कराब्द	नानकशाही
↓	↓	↓	↓	↓	↓
चन्द्र-सौर	चन्द्र-सौर	चन्द्र	सौर	चन्द्र-सौर	सौर

- **विक्रम संवत्:** विक्रम युग का आरम्भ **57 ई.पू.** अर्थात् ईसा के जन्म के 57 वर्ष पूर्व हुआ तथा यह बंगाल को छोड़कर लगभग सम्पूर्ण भारत में प्रचलित है। यह नेपाल में उपयोग किये जानेवाले दो आधिकारिक कैलेण्डरों में से एक है। विक्रम संवत् की शुरुआत संभवत: उज्जैन के राजा विक्रमादित्य ने शकों पर अपनी विजय के उपलक्ष्य में की थी, हालाँकि कुछ लोगों का मानना है कि इसकी शुरुआत मालवा गणतंत्र से हुई थी और इसका नाम लगभग 400 ईसवी में चंद्रगुप्त विक्रमादित्य के नाम पर रखा गया था। यह एक चंद्र-सौर हिंदू कैलेण्डर है।

  यह कैलेण्डर सौर ग्रेगोरियन कैलेण्डर से 56.7 वर्ष आगे है। वर्ष की शुरुआत चैत्र माह के पहले दिन से होती है, जो ग्रेगोरियन कैलेण्डर के अनुसार सामान्यत: मार्च-अप्रैल में पड़ता है। इसके एक वर्ष में **12 महीने** होते हैं। महीनों के नाम चैत्र, वैशाख, ज्येष्ठ, आषाढ़, श्रावण, भाद्र, आश्विन, कार्तिक, अग्रहायण (अगहन), पौष, माघ और फाल्गुन होते हैं। विक्रम संवत् को **नेपाल** में आधिकारिक कैलेण्डर के रूप में अपनाया गया है।

  प्रत्येक मास को **दो अर्द्ध भागों** (पक्षों अर्थात् *शुक्ल पक्ष* तथा *कृष्ण पक्ष*) में विभाजित किया जाता है। सौर वर्ष के साथ **11 दिनों के अंतर** को समायोजित करने के लिए विक्रम संवत् में प्रत्येक तीसरे और पाँचवे वर्ष और 13 मास के पश्चात् एक नया मास जुड़ता है। इसे अतिरिक्त मास या **अधिक मास** के नाम से जाना जाता है। विक्रम संवत् के अंतर्गत **शून्य वर्ष 57 ईसा पूर्व** है।

- **शक संवत्:** माना जाता है कि कैलेण्डर के इस प्रारूप की शुरुआत **78 ईसवी** में राजा शालिवाहन द्वारा की गयी थी। इसे शक संवत् के रूप में भी जाना जाता है। वह इसलिए कि शालिवाहन इसी जनजाति के थे। हालाँकि इतिहासकारों में इसे लेकर भ्रम है कि क्या शालिवाहन स्वयं शक थे या उन्होंने शकों पर विजय प्राप्त की थी।

  विक्रम संवत् की तरह, शक कैलेण्डर भी चन्द्र-सौर आधारित है जिसमें 12 महीने होते हैं, लेकिन यह अलग-अलग समय पर शुरू होता है। इसका शून्य वर्ष 78 ईसवी में वसंत विषुव के आस-पास आरम्भ होता है। शक कैलेण्डर का आरम्भ ग्रेगोरी लीप वर्ष में 21 मार्च व **अन्य वर्षों में 22 मार्च** को होता है। गुजरात के **अंधौ (कच्छ)** से प्राप्त **शक 11 (89 ई.)** और **शक 52 (130 ई.)** के शिलालेख इसके प्रारंभिक उपयोग की पुष्टि करते हैं।

शक कैलेण्डर में वर्ष के प्रत्येक माह में निश्चित संख्या में दिन होते हैं। तथापि, दोनों ही कैलेण्डरों में मासों के नाम एक समान हैं। शक कैलेण्डर चैत्र महीने से आरंभ होता है। इसके बाद *वैशाख, ज्येष्ठ, आषाढ़, श्रावण, भाद्र, आश्विन, कार्तिक, अग्रहायण (अगहन), पौष, माघ* और *फाल्गुन* के महीने आते हैं। शक वर्ष में **365** दिन होते हैं।

- **हिजरी कैलेण्डर:** यह कैलेण्डर अरबी मूल का है। पहले इसे अमुल्फ़िल कहा जाता था, लेकिन बाद में इसे बदलकर हिजरी या हिजिरा कर दिया गया, जो पैग़ंबर मोहम्मद के मक्का से मदीना प्रवास (हिजरा) के उपलक्ष्य में मनाया जाता था। यह एक चंद्र कैलेण्डर है, जिसमें 12 महीने होते हैं और कुल 354 दिन होते हैं, और **622 ईसवी इसका शून्य वर्ष है**।

  इस कैलेण्डर में **दिन का आरम्भ सूर्यास्त** के साथ होता है। मुस्लिम शासकों के शासन काल में यह कैलेण्डर भारत में अपनाया गया। हिजरी युग के **12 महीने** निम्नलिखित हैं:

  मुहर्रम – प्रथम मास (**पहला मुहर्रम-इस्लामिक नव वर्ष**); ***सफ़र; रबीउल-अव्वल; रबीउल-आख़िर (या रबी उस्सानी); जुमादल ऊला; जुमादल-उख़्रा; रजब; शा'बान; रमज़ान*** – (इस माह लोग आत्मशुद्धि के लिए उपवास रखते हैं); ***शव्वाल*** – (**शव्वाल का पहला दिन ईद-उल-फ़ित्र है**); ***ज़िल क़ा'दा; ज़िलहिज्जा*** – (तीर्थयात्रा को समर्पित अंतिम माह)।

  इन बारह महीनों में से **4 पवित्र महीने माने जाते हैं: पहला, सातवाँ, ग्यारहवाँ और बारहवाँ।**

  ये महीने पूरी तरह से चन्द्र पर आधारित तथा इस क्रम में होते हैं कि इनका ऋतु चक्रों या सौर वर्ष के साथ कोई संबंध नहीं होता। हिजरी कैलेण्डर पूरी तरह से चंद्र कैलेण्डर है और यह ऋतुओं का अनुकरण नहीं करता है और प्रत्येक 3 .वर्ष में लगभग एक वर्ष खो देता है।

- **ग्रेगोरियन या ग्रेगोरी कैलेण्डर:** यह कैलेण्डर ईसाई धर्म के संस्थापक यीशू मसीह के जन्म दिवस पर आधारित है। यह जनवरी के प्रथम दिन से आरम्भ होनेवाला एक **सौर वर्ष** है तथा इसमें **365 दिन, 5 घंटे, 48 मिनट** तथा **46 सेकण्ड** होते हैं।

  चूँकि इन अतिरिक्त घंटों को एक कैलेण्डर वर्ष में सम्मिलित नहीं किया जा सका, इसलिए अंतर्निवेश की विधि अपनायी गयी तथा प्रत्येक चार वर्ष बाद फ़रवरी के महीने में एक दिन जोड़ने का तरीक़ा प्रचलन में आया। कैलेण्डर के इस अभिरूप के अंतर्गत वर्ष को **व्यावहारिक वर्ष** (Civil Year) **या अधिवर्ष** (Leep Year) के नाम से भी जाना जाता है।

- **भास्कराब्द:** 2019 में, असम सरकार ने शक और ग्रेगोरियन कैलेण्डर के अलावा, **आधिकारिक कैलेण्डर में भास्कराब्द** के उपयोग की घोषणा की। भास्कराब्द युग की **गणना कामरूप साम्राज्य के 7वीं शताब्दी के स्थानीय शासक भास्करवर्मन के राज्यारोहण** की तिथि से की जाती है, जो उत्तरी भारतीय शासक **हर्षवर्द्धन** के समकालीन थे। ग्रेगोरियन के विपरीत, जिसमें दिन आधी रात को प्रारंभ होता है, असमिया कैलेण्डर में दिन 24 घंटों में सूर्योदय पर प्रारंभ और समाप्त होता है। ग्रेगोरियन कैलेण्डर के विपरीत, जो दिन की शुरुआत आधी रात से करता है, असमिया कैलेण्डर सूर्योदय से **दिन की शुरुआत और समाप्ति** करता है। शक और भास्कराब्द **कैलेण्डर चंद्र-सौर प्रणाली** का उपयोग करते हैं।

- **नानकशाही कैलेण्डर:** यह सिख धर्म में उपयोग किया जानेवाला एक **सौर कैलेण्डर** है, जिसका नाम सिख धर्म के संस्थापक गुरु नानक देव के नाम पर रखा गया है। यह **'बारह महा'** (बारह महीने) पर आधारित है, जो सिख गुरुओं की एक रचना है, और जो वर्ष के बारह माह के चक्र में प्रकृति में होनेवाले परिवर्तनों को दर्शाती है। वर्ष का आरम्भ **चेत** माह से होता है, जिसमें 1 चेत **14 मार्च** को होता है। नानकशाही कैलेण्डर की शुरुआत **गुरु नानक देव के जन्म के वर्ष यानी 1469 ई.** से हुई। यह कैलेण्डर भारत में गुरु ग्रंथ साहिब से लिये गये 7 माह के कैलेण्डर के गुरबानी नामों पर आधारित है।

क्या आप जानते हैं?

पारसी कैलेण्डर युग **632 ईसवी** से शुरू हुआ। भारत में पारसी; ईरानियों के क़ादिमी कैलेण्डर के विपरीत **शहंशाही कैलेण्डर** का उपयोग करते हैं। शहंशाही कैलेण्डर के तहत, **नवरोज़** या नव वर्ष आमतौर पर 20/21/22 मार्च को होता है। नवरोज़ बसंत विषुव का दिन है।

इतिहास के कुछ अन्य संवत्सर

संवत्सर भारत में ऐतिहासिक युग या कैलेण्डर हैं, जिन्हें शासकों या समुदायों द्वारा महत्त्वपूर्ण घटनाओं और उपलब्धियों को चिह्नित करने के लिए शुरू किया जाता है।

संवत् के नाम	प्रारंभ वर्ष	संबंधित तथ्य
सप्तर्षि संवत्	3072 ईसा पूर्व	महाभारत काल का एक लौकिक संवत्, **सप्तर्षि संवत**, हिमाचल प्रदेश और कश्मीर में प्रचलित था। अल-बरूनी ने उल्लेख किया है कि इसे जम्मू और हिमाचल में शास्त्र संवत् और कश्मीर में लौकिक संवत् कहा जाता था।
कलि संवत्	3102 ईसा पूर्व	**कलियुग संवत्** 3102 ईसा पूर्व में शुरू हुआ, जो पांडवों के स्वर्गारोहण और परीक्षित के राज्याभिषेक का प्रतीक है। आर्यभट ने 5वीं शताब्दी में इसकी प्रामाणिकता की पुष्टि की, और इसकी तिथि महाभारत युद्ध के साथ मेल खाती है।
बौद्ध संवत्	544 ईसा पूर्व	दीपवंश और महावंश बौद्ध साहित्य के अनुसार **बुद्ध संवत्** 544 ईसा पूर्व में शुरू किया गया था।
वीर निर्वाण संवत् (जिसे महावीर संवत् भी कहा जाता है)	527 ईसा पूर्व	7 अक्टूबर 527 ईसा पूर्व से शुरू होनेवाला वीर निर्वाण संवत् जैन धर्म के 24वें तीर्थंकर भगवान् महावीर के निर्वाण का प्रतीक है।
कलचुरी चेदि संवत्	248-49 ईसा पूर्व	कलचुरी संवत् की स्थापना पश्चिमी भारत के राजा ईश्वरसेन ने की थी और बाद में मध्य प्रदेश के **कलचुरी शासकों** ने इसे कायम रखा और अपने शिलालेखों में इसका प्रयोग किया।
गुप्त संवत्	319-20 ई.	गुप्त संवत् की शुरुआत **चंद्रगुप्त प्रथम** ने 319-320 ई. में की थी और यह केवल गुप्त सम्राटों के शासनकाल के दौरान ही प्रचलन में रहा।
वल्लभी संवत्	241 शक	**अल-बिरूनी** द्वारा वर्णित **वल्लभी संवत्**, शक शासन के 241 वर्षों के बाद वल्लभ नामक शासक द्वारा प्रारंभ किया गया था। इसकी समयसीमा गुप्त काल से मेल खाती है, जिससे संकेत मिलता है कि दोनों एक ही रहे होंगे।
कोलम संवत्	825 ई.	**दक्षिण भारत** के क्षेत्र, विशेष रूप से **मालाबार**, में इस मलयालम संवत् (कोल्लम/कोल्लावर्षम संवत्) का प्रचलन देखा गया। इसकी शुरुआत 825 ईसवी में **कोल्लम (क्विलोन)** शहर की स्थापना के उपलक्ष्य में हुई थी और आज भी केरल राज्य में कैलेण्डर और त्योहारों के लिए इसका उपयोग किया जाता है।
लक्ष्मण संवत्	1190 ई.	**लक्ष्मण संवत् की शुरुआत 1190 ई** में बंगाल के सेन वंश के चौथे शासक **गौड़ेश्वर लक्ष्मण** सेन ने की थी और इसका प्रयोग कई वर्षों तक बंगाल और बिहार में किया गया। बाद में, **1583 ई. में, मुग़ल सम्राट् अकबर** ने इस्लामी और हिंदू कैलेण्डर के तत्वों को मिलाकर **इलाही संवत्** की शुरुआत की।
इलाही संवत्	1583 ई.	**इलाही संवत्** की शुरुआत **मुग़ल सम्राट् अकबर ने 1583 ई.** में की थी। यह इस्लामी चंद्र कैलेण्डर और हिंदू सौर कैलेण्डर के तत्वों को मिलाकर एक **नयी कैलेण्डर प्रणाली** थी। अकबर ने इसे विभिन्न धर्मों में **एकता** को बढ़ावा देने और अपने शासनकाल की घटनाओं को चिह्नित करने के लिए शुरू किया था। हालाँकि, इसे व्यापक स्वीकृति नहीं मिली और उनकी मृत्यु के बाद धीरे-धीरे इसका प्रचलन बंद हो गया।

क्या आप जानते हैं?

सूर्यघड़ी (Sundial): सूर्यघड़ी सबसे प्राचीन समय-सूचक यंत्र है, जो सूर्य की छाया से समय दर्शाता है। जैसे-जैसे सूर्य गति करता है, छाया समय दर्शाने के लिए स्थान बदलती है। यांत्रिक घड़ियाँ 14वीं शताब्दी में अस्तित्व में आयीं, लेकिन 19वीं शताब्दी तक इन्हें निर्धारित करने के लिए सूर्यघड़ियों का उपयोग किया जाता रहा। भारत में, सूर्यघड़ी जंतर-मंतरों में पायी जा सकती है, जो पाँच शहरों में स्थित हैं : **नयी दिल्ली, जयपुर, उज्जैन, मथुरा और वाराणसी। विश्व की सबसे बड़ी पत्थर की सूर्यघड़ी जयपुर के जंतर-मंतर में स्थित है**, जिसे राजपूत राजा सवाई जय सिंह द्वितीय ने 1734 ईसवी में बनवाया था।

भारत का राष्ट्रीय कैलेण्डर

परीक्षोपयोगी

78 ईसवी में राजा शालिवाहन के राज्याभिषेक पर आधारित **शक संवत्**, भारत का आधिकारिक राष्ट्रीय कैलेण्डर है। मूल रूप से शक संवत् कहा जानेवाला यह हिंदू कैलेंडर 365 दिनों का है, जो चैत्र माह से शुरू होता है।

शक कैलेण्डर को भारत सरकार द्वारा स्थापित **कैलेण्डर सुधार समिति** के द्वारा 22 मार्च, 1957 में राष्ट्रीय कैलेण्डर के रूप में (आधिकारिक उद्देश्यों के लिए ग्रेगोरियन कैलेण्डर के साथ) अपनाया गया। इस समिति ने इसे खगोलीय आँकड़ों के समरूप बनाकर तथा कुछ स्थानीय त्रुटियों को सुधार कर इसके प्रयोग को सुसंगत बनाने का प्रयास किया।

इसे ग्रेगोरी कैलेण्डर के वर्ष **1957 के 22 मार्च** (जो वास्तविक रूप में शक संवत् के अनुसार **चैत्र 1, 1879** था) से प्रयोग में लाया गया। यह भारत में पहले उपयोग किये जा रहे 30 विभिन्न कैलेंडरों को एकीकृत करने के लिए अपनाया गया था।

क्या आप जानते हैं?

भारत सरकार का डिजिटल कैलेण्डर और डायरी

इसे 2021 में सूचना एवं प्रसारण मंत्रालय द्वारा लॉन्च किया गया था। भारत सरकार का डिजिटल कैलेंडर '**डिजिटल इंडिया**' के विज़न के अनुरूप है और इसे किसी भी स्मार्टफ़ोन के माध्यम से मोबाइल ऐप्लिकेशन '**GOI कैलेंडर**' (भारत सरकार कैलेंडर) के द्वारा उपयोग किया जा सकता है, जो हिंदी, अँगरेज़ी और 11 क्षेत्रीय भाषाओं में उपलब्ध है। इस ऐप को नेशनल इन्फ़ॉर्मेटिक्स सेंटर (NIC) ने बनाया है।

इस ऐप्लिकेशन की निम्नलिखित विशेषताएँ हैं :

- भारत सरकार की विभिन्न योजनाओं, घटनाओं और प्रकाशनों पर नवीनतम जानकारी।
- आधिकारिक छुट्टियाँ और विभिन्न महत्त्वपूर्ण तिथियाँ।
- भारत की महान् हस्तियों के प्रेरणादायक एवं प्रेरक संदेश।
- नोट्स को डिजिटल रूप से लेने का प्रविधान, जिसे अत्याधुनिक सुरक्षा और गोपनीयता उपायों के साथ संग्रहीत किया जायेगा।
- बैठकों के कार्यक्रम और महत्त्वपूर्ण कार्यों एवं आयोजनों के लिए अनुस्मारक निर्धारित करने का प्रविधान।

यू.पी.एस.सी. विगत वर्षों के बहुविकल्पीय प्रश्न

1. शक संवत् पर आधारित राष्ट्रीय पंचांग (कैलेण्डर) का 1 चैत्र, ग्रिगरियन कैलेण्डर पर आधारित 365 दिन के सामान्य वर्ष की निम्नलिखित तिथियों में से किस एक के तदनुरूप हैं? **(CSE, 2004)**

(a) 22 मार्च (अथवा 21 मार्च)
(b) 15 मई (अथवा 16 मई)
(c) 31 मार्च (अथवा 30 मार्च)
(d) 21 अप्रैल (अथवा 20 अप्रैल)

2. निम्नलिखित कथनों पर विचार करें: **(CSE, 2004)**

(i) इस्लामिक कैलेण्डर में ग्रेगोरियन कैलेण्डर की अपेक्षा 12 दिन कम होते हैं।
(ii) इस्लामिक कैलेण्डर 632वीं ईसवी में आरम्भ हुआ।
(iii) ग्रेगोरियन कैलेण्डर एक सौर कैलेण्डर है।

उपर्युक्त में से कौन-सा/से सही है/हैं?

(a) केवल (i) (b) (i) और (ii)
(c) (i) और (iii) (d) केवल (iii)

उत्तरमाला

1. (a) 2. (d)

27

भारत के सांस्कृतिक संस्थान

अध्याय की रूपरेखा

- भारतीय पुरातत्त्व सर्वेक्षण
- ऑल इंडिया रेडियो (A.I.R.)
- सांस्कृतिक संसाधन एवं प्रशिक्षण केंद्र (CCRT)
- भारतीय राष्ट्रीय अभिलेखागार (National Archives of India)
- भारतीय सांस्कृतिक सम्बन्ध परिषद्
- साहित्य अकादेमी
- संगीत नाटक अकादेमी
- ललित कला अकादेमी
- भारतीय मानवविज्ञान सर्वेक्षण (AnSI)
- एशियाटिक सोसाइटी

भारत के संविधान ने भारत सरकार को, भारतीय संस्कृति को परिरक्षित, संरक्षित और प्रसारित करने का कार्यभार सौंपा है और ऐसे कई सरकारी और गैर-सरकारी संगठन हैं, जिन्हें भारत की दीर्घ सांस्कृतिक परंपरा की सुरक्षा करने में विशेषज्ञता प्राप्त है। इनमें से कुछ प्रमुख संस्थानों पर इस अध्याय में चर्चा की गयी है।

भारतीय पुरातत्त्व सर्वेक्षण

परीक्षोपयोगी

भारतीय पुरातत्त्व सर्वेक्षण (ASI) प्रत्यक्ष रूप से **संस्कृति मंत्रालय** के अधीन है और यह सम्पूर्ण भारत में किये जानेवाले पुरातात्त्विक अनुसंधानों के लिए प्रधान संस्थान है। इसका मुख्य कार्य प्राचीन स्मारकों एवं पुरातात्त्विक स्थलों के रूप में संचित **भौतिक एवं मूर्त विरासतों** का परिरक्षण है। एएसआई की स्थापना 1861 में अलेक्ज़ेंडर कनिंघम के नेतृत्व में की गयी थी, जिन्हें अक्सर **'भारतीय पुरातत्त्व का जनक'** माना जाता है। अलेक्ज़ेंडर कनिंघम को एएसआई के पहले महानिदेशक के रूप में भी नियुक्त किया गया था।

- यह *प्राचीन स्मारक और पुरातात्त्विक स्थल एवं अवशेष अधिनियम, 1958* और *पुरावशेष एवं कला निधि अधिनियम, 1972* के तहत कार्य करता है।
- एएसआई का मुख्यालय **नयी दिल्ली** में है, जहाँ **केंद्रीय पुरातत्त्व पुस्तकालय** 100,000 से अधिक दुर्लभ पुस्तकों और पत्रिकाओं, प्लेटों और मूल चित्रों के संग्रह के साथ स्थित है। इसका आदर्श वाक्य है – 'प्रत्नकीर्तिमपावृणु', जिसका अर्थ होता है – 'प्राचीन प्रसिद्धि को उजागर करें।'

प्रत्नकीर्तिमपावृणु

भारतीय पुरातत्त्व सर्वेक्षण का लोगो

- भारतीय पुरातत्त्व सर्वेक्षण (ASI) का एक विशेष और अनोखा विभाग उसका अन्तर्जलीय पुरातत्त्व स्कंध है।
- भारतीय पुरातत्त्व सर्वेक्षण ने संस्कृति मंत्रालय की **आदर्श स्मारक योजना** के तहत पूरे भारत में 100 स्मारकों की पहचान की। कुछ उल्लेखनीय उदाहरण - भीमबेटका (मध्य प्रदेश) के पूर्व-ऐतिहासिक शैलाश्रय; हम्पी (कर्नाटक) में स्मारकों का समूह; सूर्यमंदिर, कोणार्क (ओडिशा); एलीफेंटा गुफाएँ (महाराष्ट्र); तट मंदिर, महाबलीपुरम (तमिलनाडु); ताज महल (उत्तर प्रदेश); हुमायूँ का मक़बरा, लाल क़िला (दिल्ली); हज़ार दुआरी पैलेस, अदीना मस्जिद (पश्चिम बंगाल) हैं।

भारतीय पुरातत्त्व सर्वेक्षण (एएसआई) के मुख्य कार्य

- **सर्वेक्षण एवं उत्खनन :** पुरातात्त्विक स्थलों का अन्वेषण एवं उत्खनन।
- **सुरक्षा एवं संरक्षण :** स्मारकों, विरासत स्थलों तथा कलाकृतियों का संरक्षण करना।
- **अनुसंधान एवं प्रलेखन :** ऐतिहासिक स्थलों, शिलालेखों तथा निष्कर्षों का अध्ययन एवं अभिलेखन।
- **जीर्णोद्धार एवं प्रबंधन :** स्मारकों का जीर्णोद्धार करना तथा केन्द्रीय संरक्षित विरासत स्थलों का प्रबंधन करना।
- **जन-जागरूकता :** प्रकाशनों, प्रदर्शनियों एवं प्रशिक्षण कार्यक्रमों के माध्यम से भारत की सांस्कृतिक विरासत के ज्ञान को बढ़ावा देना।

संस्कृति संक्षेपण

राष्ट्रीय स्मारक और पुरावशेष मिशन

राष्ट्रीय स्मारक और पुरावशेष मिशन (NMMA) एक भारतीय सरकारी एजेंसी है। इसका उत्तरदायित्व भारत सरकार के संस्कृति मंत्रालय के अधीन सांस्कृतिक विरासत का डेटाबेस बनाये रखना है। यह मिशन 2007 में आरंभ किया गया था। इसका उद्देश्य भारत की सांस्कृतिक विरासत का अध्ययन, अनुसंधान और संरक्षण करना है।

पुस्तक के अतिरिक्त

'इंदिरा गांधी राष्ट्रीय कला केंद्र' से संबंधित पाठ्य सामग्री के लिए स्कैन करें।

पुस्तक के अतिरिक्त

'राष्ट्रीय स्मारक प्राधिकरण (NMA)' से संबंधित पाठ्य सामग्री के लिए स्कैन करें।

ऑल इंडिया रेडियो (A.I.R.)

ऑल इंडिया रेडियो, जिसे आधिकारिक तौर पर 1957 से **आकाशवाणी** के नाम से जाना जाता है, सूचना एवं प्रसारण मंत्रालय के **प्रसार भारती** के अंतर्गत राष्ट्रीय सार्वजनिक रेडियो प्रसारक है। इसका आदर्श वाक्य, '*बहुजन हिताय : बहुजन सुखाय*', सूचना, शिक्षा और मनोरंजन प्रदान करने के इसके उद्देश्य को दर्शाता है।

ऑल इंडिया रेडियो का लोगो

जनसांख्यिकी की दृष्टि से, आकाशवाणी लगभग 99.19 प्रतिशत जनसंख्या तक पहुँचता है। यह 23 भाषाओं और 179 बोलियों में प्रसारण करता है और इसके उद्देश्य प्रसार भारती अधिनियम (1990 में संशोधित) के अंतर्गत परिभाषित हैं।

इस अधिनियम के अनुसार, ए.आई.आर. **के मुख्य उद्देश्य** हैं:

- राष्ट्रीय अखंडता को प्रोत्साहन देने और भारतीय संविधान में प्रतिष्ठापित मूल्यों को आत्मसात् के लिए कार्यक्रमों का निर्माण करना;
- शिक्षा के प्रसार एवं साक्षरता के विस्तार, पर्यावरण, स्वास्थ्य एवं परिवार कल्याण, कृषि, ग्रामीण विकास इत्यादि पर अधिक ध्यान देना;
- महिलाओं से संबंधित समस्याओं को सामने लाना और साथ ही साथ बच्चों, विकलांग, अल्पसंख्यक समुदाय, आदिवासी या समाज के किसी अन्य संवेदनशील वर्ग पर ध्यान केन्द्रित करना;
- अनुसन्धान को प्रोत्साहित करने का प्रयास करना और प्रसारण सुविधाओं का विस्तार करना और नयी प्रसारण प्रौद्योगिकी विकसित करना; और
- भारतीय संस्कृति की विविधता को दिखाने पर विशेष ध्यान देना, युवाओं से संबंधित मामलों, जैसे–खेलकूद और अन्य खेलों को प्रोत्साहन देना।

क्या आप जानते हैं? ऑल इंडिया रेडियो का मुख्यालय नयी दिल्ली में **आकाशवाणी भवन** में है।

सांस्कृतिक संसाधन एवं प्रशिक्षण केंद्र (CCRT)

संस्कृति मंत्रालय, भारत सरकार, ने **शिक्षा को संस्कृति से जोड़ने** के लिए सांस्कृतिक संसाधन एवं प्रशिक्षण केंद्र (सी.सी. आर.टी.) की स्थापना की है। इसकी स्थापना 1979 में डॉ. कपिला वात्स्यायन और श्रीमती कमलादेवी चट्टोपाध्याय के आदेश से की गयी थी। सांस्कृतिक संसाधन एवं प्रशिक्षण केन्द्र (CCRT), जिसका मुख्यालय **नयी दिल्ली** में है तथा जिसके केन्द्र उदयपुर, हैदराबाद और गुवाहाटी में हैं, संस्कृति-आधारित शिक्षा को बढ़ावा देता है।

सांस्कृतिक संसाधन एवं प्रशिक्षण केंद्र का लोगो

इसके कुछ प्रमुख कार्य निम्नलिखित हैं:

- अध्यापकों को शिल्प से संबंधित व्यवहारिक प्रशिक्षण और ज्ञान प्रदान करने के लिए *कार्यशालाओं का आयोजन* करना, जिसे विद्यालय के पाठ्यक्रम के एक हिस्से के रूप में पढ़ाया जा सके। इन क्रियाकलापों में शास्त्रीय नृत्य से लेकर संगीत तक और तरह-तरह के कला रूप भी सम्मिलित हो सकते हैं, जो भारतीय संस्कृति की विविधता पर प्रकाश डालते हों।
- स्कूलों के लिए भारतीय कला और संस्कृति पर पाठ्यक्रम विकसित करना।
- स्क्रिप्ट, डिजिटल फ़ोटोग्राफ़, ऑडियो और विजुअल रिकॉर्डिंग आदि के रूप में संसाधनों का एक पुस्तकालय बनाना, जिसका उद्देश्य ग्रामीण भारत की कलाओं एवं शिल्पों को प्रोत्साहित करना तथा पुनर्जीवित करना है।

सीसीआरटी अपने ***विस्तार सेवाओं और सामुदायिक फ़ीडबैक (प्रतिप्राप्ति) कार्यक्रम*** के तहत सरकारी या सरकारी सहायता प्राप्त स्कूलों में पढ़नेवाले औपचारिक स्कूली छात्रों के साथ-साथ स्वैच्छिक संगठनों द्वारा संचालित ग़ैर-औपचारिक स्कूलों में पढ़नेवाले छात्रों के लिए विभिन्न प्रकार की शैक्षिक गतिविधियों का आयोजन करता है।

सीसीआरटी 1982 से राष्ट्रीय स्तर पर 10 से 14 वर्ष की आयु के लिए **सांस्कृतिक प्रतिभा खोज छात्रवृत्ति योजना (सीटीएसएसएस)** लागू कर रहा है, जिसका उद्देश्य संगीत, नृत्य, नाटक के साथ-साथ चित्रकला, मूर्तिकला, शिल्प और साहित्यिक गतिविधियों के विभिन्न पारंपरिक रूपों को बढ़ावा देना है।

भारतीय राष्ट्रीय अभिलेखागार (National Archives of India)

इंपीरियल रिकॉर्ड्स डिपार्टमेंट (IRD), जिसकी स्थापना 1891 में प्रोफ़ेसर जी.डब्ल्यू. फ़ॉरेस्ट के नेतृत्व में कलकत्ता में हुई थी, वह सबसे प्रारंभिक ब्रिटिश संस्थानों में से एक था, जो भारतीय प्रशासनिक अभिलेखों के संग्रह के रूप में कार्य करता था।

1911 में IRD को नयी दिल्ली स्थानांतरित कर दिया गया और आज़ादी के बाद इसका नाम बदलकर **भारतीय राष्ट्रीय अभिलेखागार (NAI)** कर दिया गया। इसके प्रमुख के रूप में एक निदेशक की नियुक्ति की गयी और 1939 में अभिलेखागार को शोध के लिए जनता के लिए खोल दिया गया।

इसके अतिरिक्त, भारतीय इतिहास से संबंधित इन महत्त्वपूर्ण दस्तावेज़ों को संरक्षित और परिरक्षित करने के स्पष्ट उद्देश्य से 1940 में, इस अभिलेखागार में एक संरक्षण अनुसन्धान प्रयोगशाला (सी.आर.एल.) को जोड़ दिया गया। इसने जयपुर, भुवनेश्वर और पुडुचेरी में **क्षेत्रीय केंद्र** भी स्थापित किये।

संस्कृति मंत्रालय द्वारा जारी किये गये, भारतीय राष्ट्रीय अभिलेखागार से संबंधित ज्ञापन के अनुसार, एनएआई के मुख्य **उद्देश्यों** में सम्मिलित है :

- भारतीय दस्तावेज़ी सांस्कृतिक विरासत का परिरक्षण करना, ताकि आनेवालीं पीढ़ियों को इसे सौंपा जा सके। इस सोच में अभिलेखीय सामग्रियों तक बेहतर अभिगम प्रदान करना भी सम्मिलित है।
- बहुत बड़ी मात्रा में दस्तावेज़ों का संग्रह करना और वैज्ञानिक ढंग से उन्हें प्रबंधित करना।
- राष्ट्रीय और अंतरराष्ट्रीय स्तर पर अभिलेखीय संस्थानों और अभिलेखाध्यक्षों के बीच निकट सम्बन्ध स्थापित करना और उनका पोषण करना।
- अंततः भारत की समृद्ध दस्तावेज़ी विरासत के बारे में अभिलेखाध्यक्षों, अभिरक्षकों और अभिलेखों के उपयोगकर्ताओं में एक वैज्ञानिक मनोवृत्ति विकसित करना।

अभिलेख-पटल इंटरनेट के माध्यम से भारत के राष्ट्रीय अभिलेखागार के संदर्भ मीडिया और उसके डिजिटल संग्रह तक पहुँचने के लिए एक ऑनलाइन पोर्टल है (संस्कृत शब्द 'अभिलेख' का अर्थ है प्राचीन काल के अभिलेख और '**पटल**' शब्द का अर्थ है एक मंच, बोर्ड या सतह)। 'पटल' शब्द 'अभिलेखागार और शिक्षण तक पहुँच के लिए पोर्टल' का संक्षिप्त रूप भी है।

भारतीय सांस्कृतिक सम्बन्ध परिषद्

भारतीय सांस्कृतिक संबंध परिषद् (ICCR) की स्थापना 1950 में मौलाना अबुल कलाम आज़ाद द्वारा **विदेश मंत्रालय** के तहत की गयी थी, जो भारतीय संस्कृति तथा अंतरराष्ट्रीय सांस्कृतिक आदान-प्रदान को बढ़ावा देती है।

- ICCR वैश्वीकरण के युग में सांस्कृतिक आदान-प्रदान के नये रूपों के अनुकूल कार्यक्रमों तथा नीतियों के निर्माण एवं कार्यान्वयन पर ध्यान केंद्रित करता है।

- ICCR दृश्य और प्रदर्शन कला से संबंधित विभिन्न कार्यक्रमों को वित्तपोषित करता है, जो अपनी अंतरराष्ट्रीय अपील के कारण प्रसिद्ध हैं, जैसे **जैज़ महोत्सव (नयी दिल्ली और उत्तर-पूर्व संगीत महोत्सव (गुवाहाटी)**, ताकि भारत और विदेशों में सांस्कृतिक संगठनों के साथ संबंधों को बढ़ावा दिया जा सके।
- आई.सी.सी.आर. का मुख्य उद्देश्य **अंतरराष्ट्रीय मित्रता को प्रोत्साहन देना, राष्ट्रों के बीच सांस्कृतिक आदान-प्रदान को प्रोत्साहन देना, स्वास्थ्यप्रद प्रतियोगिता और आदान-प्रदान का सर्जन करना** और इसके परिणामस्वरूप भारतीय संस्कृति की नयी और पुरानी विशेषताओं को मिश्रित करना है।
- यह विदेशी नागरिकों को **इंडोलॉजी, संस्कृत और विशिष्ट पूर्व छात्रों के लिए भारत मित्र सम्मान** जैसे पुरस्कारों से सम्मानित करता है।

Indian Council for Cultural Relations
भारतीय सांस्कृतिक सम्बंध परिषद्

भारतीय सांस्कृतिक सम्बंध परिषद् का लोगो

परीक्षोपयोगी

चलचित्र समारोह निदेशालय

भारत में **राष्ट्रीय और अंतरराष्ट्रीय चलचित्र समारोहों का आयोजन** करने के स्पष्ट उद्देश्य से 1973 में भारत सरकार द्वारा चलचित्र समारोह निदेशालय (डी.एफ.एफ़.) की स्थापना की गयी। ये वैश्विक मंचों पर भारतीय चलचित्रों की पहचान सुनिश्चित करते हैं। साथ ही, भारतीय दर्शकों के समक्ष कई उत्कृष्ट विदेशी चलचित्र प्रस्तुत किये गये हैं। डी.एफ.एफ़. को **राष्ट्रीय चलचित्र पुरस्कार समारोहों** का आयोजन करने का अतिरिक्त प्रभार भी सौंपा गया है।

चलचित्र समारोह निदेशालय (डीएफ़एफ़) के प्रमुख कार्य	**भारतीय अंतरराष्ट्रीय चलचित्र समारोह** का आयोजन।
	दादा साहेब फाल्के पुरस्कार का आयोजन और उसके विजेताओं का चयन।
	'भारतीय चित्रमाला' के लिए प्रविष्टियों का चयन।
	भारत सरकार के निर्देशानुसार विशेष **चलचित्र प्रदर्शनियों** का आयोजन।

डीएफ़एफ़ की स्थापना 1973 में **सूचना एवं प्रसारण मंत्रालय के अधीन** की गयी थी। इसका मुख्य उद्देश्य फिल्मों के माध्यम से सांस्कृतिक आदान-प्रदान को बढ़ावा देना है, यह विदेशों में भारतीय सिनेमा का प्रदर्शन करता है और एक फिल्म संग्रह एवं प्रलेखन केंद्र का रखरखाव करता है।

पुस्तक के अतिरिक्त

'इंडियन काउंसिल ऑफ हिस्टोरिकल रिसर्च (ICHR)' से संबंधित पाठ्य सामग्री के लिए स्कैन करें।

पुस्तक के अतिरिक्त

'इंडियन नेशनल ट्रस्ट फ़ॉर आर्ट ऐंड कल्चरल हेरिटेज (INTACH)' से संबंधित पाठ्य सामग्री के लिए स्कैन करें।

साहित्य अकादेमी

भारत सरकार ने **1954** में **'नेशनल अकादेमी ऑफ़ लेटर्स'** या साहित्य अकादेमी की स्थापना की। यह भारत में साहित्य तथा साहित्यिक गतिविधियों को और साथ ही राष्ट्रीय एकता को बढ़ावा देता है।

यह एक स्वायत्त संगठन है, जो **24 से भी अधिक भारतीय भाषाओं** में साहित्यिक गतिविधियों का भार उठाता है। भारतीय संविधान में उल्लिखित 22 भाषाओं के अतिरिक्त, साहित्य अकादेमी दो और भाषाओं : **अँगरेज़ी** और **राजस्थानी** को मान्यता देता है। उनके कई पुरस्कार और साहचर्य (फ़ेलोशिप) हैं, जो लेखकों द्वारा भाषा के विकास में दिये गये महान् योगदान को सम्मानित करने के लिए दिये जाते हैं। इनमें से कुछ पुरस्कार हैं :

पुरस्कार का नाम	पुरस्कार का उद्देश्य
भाषा सम्मान	जिन भाषाओं को अकादमी द्वारा मान्यता नहीं दी जाती है, उन भाषाओं में महत्त्वपूर्ण योगदान के लिए। उन लोगों को, जिन्होंने प्राचीन और मध्ययुगीन साहित्य में योगदान किया है।
डॉ. आनंद कुमारस्वामी फ़ेलोशिप	उन लोगों को, जिन्होंने विशेष रूप से प्राचीन भारत में कला के क्षेत्र में काम किया है।
प्रेमचंद फ़ेलोशिप	उन लोगों को, जिन्होंने हिंदी साहित्य में योगदान दिया है।
साहित्य अकादमी पुरस्कार	24 मान्यता प्राप्त भारतीय भाषाओं में उत्कृष्ट साहित्यिक कार्य के लिए।
साहित्य अकादमी अनुवाद पुरस्कार	किसी भी मान्यता प्राप्त भारतीय भाषा में कृतियों के असाधारण अनुवाद के लिए।
साहित्य अकादमी युवा पुरस्कार	किसी भी मान्यता प्राप्त भाषा में उल्लेखनीय कार्य करनेवाले युवा लेखकों (35 वर्ष से कम) के लिए।
अनुवाद सम्मान	शास्त्रीय और आधुनिक कृतियों के अनुवादकों के लिए विशेष सम्मान।
बाल साहित्य पुरस्कार	बाल साहित्य में उत्कृष्ट योगदान के लिए।

- विगत कुछ वर्षों तक उनका सामूहिक ध्यान **मौखिक** और **जनजातीय साहित्य** के परिरक्षण की ओर चला गया है। हमारा प्राचीन समाज और पारंपरिक ज्ञान मौखिक ज्ञान के रूप में रूपांतरित हो गया था और उसे आनेवालीं पीढ़ियों के लिए परिरक्षित करने की आवश्यकता है।
- इसने साहित्यिक सभाओं का आयोजन करके अधिक-से-अधिक श्रोताओं तक पहुँचने का प्रयास भी किया है, जैसे *संवाद*, मीट द ऑथर, *कथासंधि*, *मुलाक़ात*, *अस्मिता*, इत्यादि।
- साहित्य अकादमी राष्ट्रीय और क्षेत्रीय कार्यशालाओं और सेमिनारों का आयोजन करती है; लेखकों को अनुसंधान और यात्रा अनुदान प्रदान करती है और **भारतीय साहित्य विश्वकोश** सहित पुस्तकें और पत्रिकाएँ प्रकाशित करती है।
- यह दो द्विमासिक साहित्यिक पत्रिकाएँ प्रकाशित करती है : अँगरेज़ी में **इंडियन लिटरेचर** और हिंदी में **समकालीन भारतीय साहित्य**।

संगीत नाटक अकादेमी

संगीत नाटक अकादमी (SNA) की स्थापना **1952** में हुई थी। यह भारत की पहली राष्ट्रीय प्रदर्शन कला अकादमी है, जो देश के संगीत, नृत्य और नाटक को बढ़ावा देती है।

एस.एन.ए भारत की सांस्कृतिक विरासत को बचाने के लिए **यूनेस्को** जैसे अंतरराष्ट्रीय संगठनों के साथ भी मिलकर काम करती है।

इनके कई लक्ष्य और उद्देश्य हैं, जैसे:

- संगीत, नृत्य और नाटक के क्षेत्रों में **अनुसन्धानों** और प्रदर्शनों को प्रोत्साहन देना।
- रंगमंच केन्द्रों, विशेष रूप से क्षेत्रीय रंगमंचों को प्रोत्साहित करना तथा हस्तपुस्तिकाओं और सचित्र शब्दकोशों सहित साहित्य का दस्तावेज़ीकरण करना।

संगीत नाटक अकादेमी का लोगो

- भारतीय संगीत, नृत्य और नाटक का आयोजन करना और उन पर आधारित **साहित्य को प्रोत्साहन देना**। हस्त पुस्तिकाओं और दृष्टांत युक्त शब्दकोषों के निर्माण पर विशेष ज़ोर देना चाहिए, जिनमें तकनीकी शब्दों की व्याख्या रहती है।
- **लोक** नृत्य, संगीत और नाटक को पुनरुज्जीवित, प्रोत्साहित और परिरक्षित करना।
- नृत्य, संगीत और नाटक के क्षेत्र में **अंतरराष्ट्रीय** समुदाय के साथ सांस्कृतिक संपर्क का पोषण करना।

संगीत नाटक अकादमी की अब तीन घटक ईकाइयाँ हैं, इनमें से दो नृत्य-शिक्षण संस्थान हैं : ***इंफाल में जवाहरलाल नेहरू मणिपुर नृत्य अकादमी (जेएनएमडीए)***, और ***दिल्ली में कथक केंद्र***। एसएनए ने पिछले कुछ वर्षों में कई संस्थानों की स्थापना की है, जैसे- ***मणिपुर नृत्य अकादमी, इंफाल***, ***सत्रिय केंद्र***; ***रवीन्द्र रंगशाला***; ***कुटियाट्टम केंद्र***, तिरुवनंतपुरम, कुडियाट्टम (केरल का सदियों पुराना संस्कृत थिएटर) के समर्थन में एक राष्ट्रीय परियोजना।

एसएनए द्वारा प्रदत्त कुछ उल्लेखनीय पुरस्कार और फ़ेलोशिप हैं -

संगीत नाटक अकादमी पुरस्कार (अभ्यास करनेवाले कलाकारों, गुरुओं और विद्वानों को दी जानेवाली सर्वोच्च राष्ट्रीय मान्यता); ***संगीत नाटक अकादमी फ़ेलोशिप, रत्न सदस्य*** (कला, संगीत, नृत्य और थिएटर के क्षेत्र में उनके योगदान के लिए प्रतिष्ठित व्यक्तियों को); संगीत, नृत्य और नाटक के क्षेत्र में उनकी प्रतिभा के लिए ***उस्ताद बिस्मिल्लाह ख़ान युवा पुरस्कार*** (40 वर्ष से कम उम्र के युवा कलाकारों के लिए); ***टैगोर रत्न और टैगोर पुरस्कार*** (रवींद्रनाथ टैगोर की 150वीं जयंती के उपलक्ष्य में, संगीत नाटक अकादमी टैगोर रत्न और संगीत नाटक अकादमी टैगोर पुरस्कार प्रदान किये गये)।

इसके अतिरिक्त, संगीत नाटक अकादमी विशेष सम्मान प्रदान करती है, जैसे **रंगमंचकर्मियों के लिए सम्मान**, जो रंगमंच में उत्कृष्ट योगदान के लिए दिया जाता है; **लोक एवं जनजातीय कला पुरस्कार**, जो पारंपरिक एवं जनजातीय प्रदर्शन कलाओं में योगदान के लिए दिया जाता है और **कठपुतली कला पुरस्कार**, जो कठपुतली कला में उत्कृष्टता के लिए दिया जाता है। विद्वानों और अन्य प्रदर्शन कला योगदानकर्ताओं को **सम्मान प्रमाण पत्र** भी प्रदान किया जाता है।

परीक्षोपयोगी

राष्ट्रीय नाट्य विद्यालय (National School of Drama)

राष्ट्रीय नाट्य विद्यालय विश्व के अग्रणी रंगमंच प्रशिक्षण संस्थानों में से एक है और भारत में अपनी तरह का एकमात्र संस्थान (नयी दिल्ली में स्थित) है। यह संगीत नाटक अकादमी द्वारा **1959** में अपनी एक घटक इकाई के रूप में स्थापित किया गया था। 1975 में, यह **भारत सरकार के संस्कृति मंत्रालय** के अधीन एक स्वतंत्र इकाई और एक स्वायत्त संगठन बन गया।

इस विद्यालय की दो क्रियाशील शाखाएँ हैं - रिपर्टरी कंपनी और थिएटर-इन-एजुकेशन कंपनी (संस्कार रंग टोली)। 1999 में शुरू हुआ **भारत रंग महोत्सव (राष्ट्रीय रंगमंच महोत्सव)** एशिया का सबसे बड़ा वार्षिक रंगमंच महोत्सव है, जो जनवरी के दूसरे सप्ताह में नयी दिल्ली में आयोजित होता है। यह पूरी तरह से रंगमंच को समर्पित एशिया का सबसे बड़ा रंगमंच महोत्सव माना जाता है।

ललित कला अकादेमी

नैशनल अकादेमी ऑफ़ आर्ट या ललित कला अकादेमी की स्थापना भारत सरकार द्वारा **5 अगस्त, 1954** को भारत में **दृश्य कला** को प्रोत्साहित करने के एकमात्र उद्देश्य से की गयी थी।

ललित कला अकादेमी का लोगो

यह एक स्वायत्त निकाय संगठन है, जिसका वित्तपोषण **संस्कृति मंत्रालय** द्वारा किया जाता है। यह **कला के प्रोत्साहन** और **उसकी समझ** पर विशेष ध्यान देती हैं। यद्यपि इसका सम्बन्ध राष्ट्रीय और अंतरराष्ट्रीय कला से है, परन्तु फिर भी इसका ध्यान विशेष रूप से भारतीय कला के प्रोत्साहन और परिरक्षण पर केन्द्रित है। इसका मुख्य केंद्र **दिल्ली** में है और चेन्नई, कोलकाता, लखनऊ, शिमला, शिलोंग और भुवनेश्वर इसके **क्षेत्रीय केंद्र** हैं।

यह राष्ट्रीय तथा अंतरराष्ट्रीय प्रदर्शनियों एवं कार्यक्रमों जैसे कि राष्ट्रीय कला प्रदर्शनी और अंतरराष्ट्रीय त्रिवार्षिक भारत का आयोजन करता है, भारत की दृश्य कला परंपराओं को संरक्षित करता है और साथ ही आधुनिक एवं समकालीन भारतीय कला के स्थायी संग्रह के साथ केंद्रों का रखरखाव करता है।

राष्ट्रीय कला प्रदर्शनी (एनईए) ललित कला अकादमी द्वारा आयोजित सबसे प्रतिष्ठित वार्षिक कार्यक्रम है।

ललित कला अकादमी ने सेमिनार, कलाकार कार्यशालाओं, व्याख्यान प्रदर्शनों और प्रदर्शनियों के आयोजन के लिए एक संस्थागत सुविधा के रूप में **गढ़ी स्टूडियो** की स्थापना की है। यह प्रदर्शनियों, औपचारिक कार्यक्रमों, कलाकारों के शिविरों, सेमिनारों आदि की व्यवस्था करने का केंद्र बन गया है।

1968 में, एलकेए ने **त्रिवार्षिक-भारत प्रदर्शनियों** के साथ अंतरराष्ट्रीय कला सर्किट में प्रवेश करने के लक्ष्य के साथ अपना महत्त्वाकांक्षी कार्यक्रम का आरंभ किया। इन प्रदर्शनियों में, 3-4 वर्षों के नियमित अंतराल पर कई देशों को नयी दिल्ली में भाग लेने के लिए आमंत्रित किया गया था। **राष्ट्रीय कला मेला** त्रिवार्षिक की एक नियमित पूरक विशेषता बन गया।

ललित कला अकादमी पुरस्कार दृश्य कला के लिए भारत सरकार द्वारा दिया जानेवाला सर्वोच्च पुरस्कार है।

भारतीय मानवविज्ञान सर्वेक्षण (AnSI)

- संस्कृति मंत्रालय के अंतर्गत **भारतीय मानव विज्ञान सर्वेक्षण (AnSI)** भौतिक एवं सांस्कृतिक मानव विज्ञान में मानव विज्ञान संबंधी अध्ययन और क्षेत्रीय अनुसंधान के लिए भारत सरकार का **शीर्ष संगठन** है।
- इसकी स्थापना 1945 में वाराणसी में की गयी थी और 1948 में इसे कलकत्ता में भारतीय संग्रहालय में स्थानांतरित कर दिया गया। इसका मुख्यालय कोलकाता में है और इसकी शाखाएँ पोर्ट ब्लेयर, शिलांग, देहरादून, उदयपुर, नागपुर और मैसूर में हैं।
- भारतीय लोगों, उनकी संस्कृति, सामाजिक संस्थाओं और सबसे बढ़कर वैज्ञानिक तरीक़े से उनके नृजातीय बंधुत्व को समझने की आवश्यकता है। यह भारतीय लोगों के सामाजिक-सांस्कृतिक और जैविक पहलुओं का अध्ययन करता है तथा संस्कृति, सामाजिक संस्थाओं और जातीय समानताओं पर ध्यान केंद्रित करता है।

भारतीय मानवविज्ञान सर्वेक्षण का लोगो

- **जर्नल ऑफ़ द एंथ्रोपोलॉजिकल सर्वे ऑफ़ इंडिया** 1952 से प्रकाशित एंथ्रोपोलॉजिकल सर्वे ऑफ़ इंडिया का प्रमुख प्रकाशन है। पत्रिका सर्वेक्षण द्वारा किये गये शोध अध्ययनों को प्रसारित करने की यात्रा को प्रतिबिंबित करती है।

एशियाटिक सोसाइटी

- एशियाटिक सोसाइटी संपूर्ण एशिया महादेश में विद्या और अनुसंधान का सबसे पुराना केंद्र है। इसकी स्थापना **1784** में भारत में ईस्ट इंडिया कंपनी के शासन के दौरान हुई थी। इसके संस्थापक अध्यक्ष **सर विलियम जोन्स** की पहल पर प्राच्य अध्ययन को प्रोत्साहित करने के लिए इसकी स्थापना की गयी थी।
- इसकी स्थापना एशियाटिक सोसाइटी के रूप में हुई थी और बाद में इसका नाम बदलकर एशियाटिक सोसाइटी ऑफ़ बंगाल (1832-1935), रॉयल एशियाटिक सोसाइटी ऑफ़ बंगाल (1936-1951) और अंततः एशियाटिक सोसाइटी (1952) कर दिया गया।
- 1984 में, भारत की संसद के अधिनियम द्वारा एशियाटिक सोसाइटी को राष्ट्रीय महत्त्व की संस्था घोषित किया गया।
- एशियाटिक सोसाइटी में एक पुस्तकालय और एक संग्रहालय है, जिसमें 117,000 से अधिक पुस्तकों, 79,000 पत्रिकाओं, मानचित्रों, माइक्रोफ़िश (सूक्ष्मिका), माइक्रोफ़िल्म (सूक्ष्म फ़िल्म), पेंटिंग्स और 2500 तस्वीरों का समृद्ध संग्रह है।
- अशोक (250 ईसा पूर्व) के **बैराट लघु शिलालेख** (जिसे भाब्रू शिलालेख के नाम से भी जाना जाता है) को शुरू में **एशियाटिक सोसाइटी** के संग्रहालय में रखा गया था, लेकिन बाद में इसे भारतीय संग्रहालय, कोलकाता में स्थानांतरित कर दिया गया।

एशियाटिक सोसाइटी का लोगो

राष्ट्रीय ख्याति के कुछ अन्य संस्थान

नाम	विवरण
राष्ट्रीय आधुनिक कला संग्रहालय	**यह 1850 के दशक से आधुनिक कला की रचनाओं** को प्राप्त करने और उनका संरक्षण करने के लिए भारत सरकार के संस्कृति मंत्रालय के अधीन एक प्रमुख कला संग्रहालय है। भारत सरकार द्वारा 1954 में नयी दिल्ली में, जयपुर हाउस में मुख्य संग्रहालय स्थापित किया गया था, जिसके बाद मुंबई और बैंगलोर में इसकी शाखाओं की स्थापना की गयी थी। इसमें थॉमस डेनियल, राजा रवि वर्मा, अवनींद्रनाथ टैगोर, रवींद्रनाथ टैगोर, गगनेंद्रनाथ टैगोर, नंदलाल बोस, जैमिनी रॉय, अमृता शेरगिल आदि कलाकारों की कृतियों का संग्रह है।
नेशनल बुक ट्रस्ट	यह एक भारतीय प्रकाशन गृह है। इसकी **1957** में भारत सरकार के **शिक्षा मंत्रालय** के अधीन एक स्वायत्त निकाय के रूप में स्थापना की गयी थी। नेशनल बुक ट्रस्ट की गतिविधियों में शामिल हैं : प्रकाशन, पुस्तकों और पाठन का प्रचार-प्रसार, विदेशों में भारतीय पुस्तकों का प्रचार-प्रसार, लेखकों और प्रकाशकों को सहायता प्रदान करना और बाल साहित्य का प्रचार-प्रसार करना। नेशनल बुक ट्रस्ट कई भारतीय भाषाओं में सभी आयु समूहों के लिए पठन सामग्री प्रकाशित करता है। एनबीटी वार्षिक रूप से आयोजित किया जानेवाला प्रतिष्ठित **नयी दिल्ली विश्व पुस्तक मेला** भी आयोजित करता है।
भारत का राष्ट्रीय पुस्तकालय	यह **कोलकाता** में स्थित है और भारत सरकार के **संस्कृति मंत्रालय** के अधीन है। यह परिमाण और सार्वजनिक अभिलेख की दृष्टि से **भारत का सबसे बड़ा पुस्तकालय** है। यह पुस्तकालय भारत के भीतर उत्पादित मुद्रित सामग्री एकत्र करने, प्रसारित करने और उनका संरक्षण करने के लिए अभिहित किया गया है। यह स्वतंत्रता से पहले भारत के गवर्नर-जनरल का आधिकारिक निवास था।
खुदा बख़्श ओरिएंटल लाइब्रेरी	यह **बिहार के पटना** में स्थित भारत के राष्ट्रीय पुस्तकालयों में से एक है। यह भारत सरकार के **संस्कृति मंत्रालय** के अधीन एक स्वायत्त संगठन है और **फ़ारसी तथा अरबी पांडुलिपियों के दुर्लभ संग्रह** के लिए जाना जाता है। इसमें राजपूतकालीन और मुग़ल कालीन चित्रों का भी संग्रह है।

नाम	विवरण
सालार जंग संग्रहालय	यह हैदराबाद में स्थित एक कला संग्रहालय है। यह मूल रूप से सालार जंग परिवार का निजी कला संग्रहालय था। 1951 में इसको राष्ट्र को सौंप दिया गया। इसमें जापान, चीन, बर्मा, नेपाल, भारत, फ़ारस, मिस्र, यूरोप और उत्तरी अमेरिका की मूर्तियों, चित्रों, नक़्क़ाशियों, वस्त्रों, पांडुलिपियों, चीनी मिट्टी की चीज़ों, धातु की कलाकृतियों, क़ालीनों, घड़ियो और फ़र्नीचर का संग्रह है।
भारतीय संग्रहालय	भारतीय संग्रहालय (जिसे आज़ादी से पहले कलकत्ता का इंपीरियल संग्रहालय कहा जाता था) कोलकाता का एक विशाल संग्रहालय है, जो भारत के साथ-साथ एशिया का **सबसे पुराना और सबसे बड़ा संग्रहालय** है। यह भारत सरकार के संस्कृति मंत्रालय के अधीन एक स्वायत्त संगठन है। इसमें प्राचीन वस्तुओं, कवच और आभूषणों, जीवाश्मों, कंकालों, ममियों और मुग़ल चित्रों का दुर्लभ संग्रह है। **इसकी स्थापना 1814 में एशियाटिक सोसाइटी ऑफ़ बंगाल द्वारा की गयी थी।** संस्थापक क्यूरेटर नाथनियल वालिच, एक डेनिश वनस्पतिशास्त्री थे। इसमें छह खंड हैं, जिनमें सांस्कृतिक और वैज्ञानिक कलाकृतियों की पैंतीस गैलरियाँ (दीर्घाएँ) शामिल हैं, अर्थात् भारतीय कला, पुरातत्त्व, मानव विज्ञान, भूविज्ञान, प्राणिशास्त्र और आर्थिक वनस्पति विज्ञान।

यू.पी.एस.सी. विगत वर्षों के प्रश्न - मुख्य परीक्षा

1. स्मारकों एवं अवशेषों की सुरक्षा एवं उनके संरक्षण हेतु भारत सरकार द्वारा कौन-से क़दम उठाये गये हैं? इस संबंध में भारतीय पुरातत्त्व सर्वेक्षण के क्या उत्तरदायित्व हैं? **(CSE, 1985)**

28

पुरस्कार और सम्मान

अध्याय की रूपरेखा

- भारतरत्न
- पद्म पुरस्कार
- साहित्य अकादमी पुरस्कार
- ज्ञानपीठ पुरस्कार
- सरस्वती सम्मान
- व्यास सम्मान
- भाषा सम्मान

पुरस्कार और सम्मान; व्यक्तिगत और सामूहिक, दोनों ही स्तरों पर किसी असाधारण कार्य की सराहना के प्रतीक के रूप में प्रदान किये जाते हैं। अपने-अपने क्षेत्र में उत्कृष्ट श्रेष्ठता प्राप्त करनेवालों को भारत सरकार प्रतिवर्ष कई प्रकार के सम्मान प्रदान करती है।

भारतरत्न *(1954 में आरंभ किया गया)* ------------> परीक्षोपयोगी

भारतरत्न उपाधि का शाब्दिक अर्थ है **'भारत का रत्न'** और यह भारत गणराज्य द्वारा प्रदान किया जानेवाला **'सर्वोच्च नागरिक पुरस्कार'** है, जो उन विशिष्ट व्यक्तियों को प्रदान किया जाता है, जिन्होंने उच्चतम कोटि का कार्य किया हो। *पहली बार* यह पुरस्कार वर्ष **1954** में प्रदान किया गया था। यद्यपि मूल रूप से यह पुरस्कार उन कलाकारों को प्रदान किया जाता था, जिन्होंने कला, विज्ञान, साहित्य और जनसेवा के क्षेत्र में सर्वश्रेष्ठ उपलब्धि प्राप्त की थी, परन्तु दिसम्बर **2011** से इसके मापदंडों में **'किसी भी क्षेत्र में मानवीय प्रयास'** को सम्मिलित कर, इसे विस्तृत कर दिया गया।

भारतरत्न

भारत के प्रधानमंत्री अपनी संस्तुतियाँ भारत के राष्ट्रपति को प्रस्तुत करते हैं, जो इस पुरस्कार के लिए **किसी एक वर्ष में अधिकतम तीन व्यक्तियों** का चुनाव करते हैं। यद्यपि पुरस्कार विजेताओं को **किसी भी प्रकार का मौद्रिक अनुदान नहीं दिया जाता** है, चुने हुए व्यक्तियों को **पीपल के पत्ते** की आकृति का

एक पदक और एक प्रमाण-पत्र *(सनद)* प्रदान किये जाते हैं। भारतीय वरीयता के क्रम में *भारतरत्न* द्वारा सम्मानित व्यक्तियों को **सातवाँ स्थान** प्राप्त है। संविधान के अनुच्छेद 18(1) के अनुसार, इस पुरस्कार का उपयोग, प्राप्तकर्ता द्वारा अपने नाम के उपसर्ग या प्रत्यय (आगे या पीछे) के रूप में नहीं किया जा सकता है।

अगस्त, 2025 तक, निम्नलिखित **53** व्यक्तियों को भारत रत्न प्रदान किया जा चुका है, जिनमें 18 को मरणोपरांत यह सम्मान दिया गया है:

वर्ष	पुरस्कार विजेता का नाम
1954-1960	सी. राजगोपालाचारी, सर्वपल्ली राधाकृष्णन, और सी. वी. रमन (1954); भगवान् दास, एम. विश्वेश्वरैया, और जवाहरलाल नेहरू (1955); गोविंद बल्लभ पंत (1957); धोंडो केशव कर्वे (1958)
1961-1980	बिधान चंद्र रॉय, और पुरूषोत्तम दास टंडन (1961); राजेंद्र प्रसाद (1962); ज़ाकिर हुसैन, और पांडुरंग वामन केन (1963); लाल बहादुर शास्त्री (1966); इंदिरा गांधी (1971); वराहगिरी वेंकट गिरी (1975); के. कामराज (1976); और मदर टेरेसा (1980)
1981-2000	विनोबा भावे (1983); अब्दुल ग़फ़्फ़ार ख़ान (1987); एम. जी. रामचन्द्रन (1988); बी.आर. अम्बेडकर, और नेल्सन मंडेला (1990); राजीव गांधी, वल्लभभाई पटेल, और मोरारजी देसाई (1991); अबुल कलाम आज़ाद, जे. आर. डी. टाटा और सत्यजीत रे (1992); गुलजारीलाल नंदा, अरुणा आसफ़ अली, और ए.पी.जे. अब्दुल कलाम (1997); एम. एस. सुब्बुलक्ष्मी, और सी. सुब्रमण्यम (1998); जयप्रकाश नारायण, अमर्त्य सेन, गोपीनाथ बोरदोलोई, और रविशंकर (1999)
2001-2020	लता मंगेशकर, और बिस्मिल्लाह ख़ान (2001); भीमसेन जोशी (2008); सी. एन. आर. राव, और सचिन तेंदुलकर (2014); अटल बिहारी वाजपेयी, और मदन मोहन मालवीय (2015); नानाजी देशमुख, भूपेन हजारिका, और प्रणब मुखर्जी (2019)
2021-2024	कर्पूरी ठाकुर, लाल कृष्ण आडवाणी, चरण सिंह, पी. वी. नरसिम्हा राव, और एम. एस. स्वामीनाथन (2024)

पद्म पुरस्कार *(1954 में आरंभ किया गया)* ---------> परीक्षोपयोगी

इन पुरस्कारों को वर्ष **1954** से आरम्भ किया गया था और तब से इन्हें योग्य व्यक्तियों को उनके चुने हुए क्षेत्रो में, जैसे *खेलकूद, कला, सामाजिक कार्य, नागरिक सेवा, साहित्य और शिक्षा, जन-सामान्य कार्य, विज्ञान और प्रौद्योगिकी, व्यापार और उद्योग* आदि में प्रदान किया जाता है। इनके विजेताओं के नामों की घोषणा प्रतिवर्ष **गणतंत्र दिवस** के अवसर पर की जाती है। गृह मंत्रालय पद्म पुरस्कारों के लिए नोडल एजेंसी के रूप में कार्य करता है और प्रतिवर्ष **गणतंत्र दिवस की पूर्व संध्या पर इनकी घोषणा करता है। पद्म पुरस्कार भारत के राष्ट्रपति द्वारा प्रदान किये जाते हैं।**

पद्म पुरस्कारों से सम्बन्धित **कई नियम** हैं, उदाहरण के लिए :

1. यदि किसी व्यक्ति को लघु श्रेणी का पद्म पुरस्कार प्राप्त हो चुका है, तो उसे उससे **उच्चतम श्रेणी** का पुरस्कार, पिछले पुरस्कार की प्राप्ति के **पाँच वर्षों के उपरांत** ही प्रदान किया जा सकता है।
2. दूसरा, इन पुरस्कारों को **कदाचित् ही मरणोपरांत प्रदान** किया जाता है, परन्तु किसी विशेष योग्यता की स्थिति में अपवाद भी हो सकता है।

क्या आप जानते हैं?

पद्म पुरस्कार केवल *निम्न तीन वर्षों के* **अतिरिक्त** *अभी तक प्रतिवर्ष* ही प्रदान किये गये हैं:

- वर्ष 1978
- वर्ष 1979
- वर्ष 1993 और 1997 के बीच

3. तीसरा, चुने जानेवाले व्यक्ति की उपलब्धियों में सार्वजनिक सेवा का एक तत्त्व होना चाहिए। यह केवल किसी भी क्षेत्र में उत्कृष्टता के आधार पर ही नहीं होना चाहिए, बल्कि यह उत्कृष्टता प्लस पर आधारित होना चाहिए।
4. चौथा, **सरकारी सेवक** (डॉक्टर और विज्ञानियों को छोड़कर), जिनमें पब्लिक सेक्टर की कंपनियों में काम करनेवाले लोग भी शामिल हैं, इन पुरस्कारों के पात्र नहीं हो सकते हैं।

भारत सरकार के अनुसार इन पुरस्कारों की **तीन श्रेणियाँ** हैं :

पद्म विभूषण	विशिष्ट और विलक्षण सेवा के लिए (द्वितीय श्रेणी का सम्मान)
पद्म भूषण	उच्च कोटि की विलक्षण सेवा के लिए (तृतीय श्रेणी का सम्मान)
पद्म श्री	विलक्षण सेवा के लिए (चतुर्थ श्रेणी का सम्मान)

पद्म विभूषण *(विशिष्ट और उल्लेखनीय सेवा के लिए दिया जाता है)*

पद्म विभूषण

भारत सरकर द्वारा प्रदान किये जानेवाले सर्वश्रेष्ठ नागरिक पुरस्कारों में यह द्वितीय श्रेणी का पुरस्कार है। जिन गौरवान्वित या विशिष्ट व्यक्तियों को यह पुरस्कार प्राप्त होता है, उन्हें उद्धरण प्रमाण-पत्र के साथ एक पदक भी प्रदान किया जाता है, जिसमें एक कमल के फूल के मध्य में अभिमुख (ऊपरी हिस्से पर) पर नक़्क़ाशी से **'देश सेवा'** लिखा होता है।

पद्म भूषण *(उच्च स्तर की उल्लेखनीय सेवा के लिए दिया जाता है)*

पद्म भूषण

भारत सरकार द्वारा प्रदान किये जानेवाले सर्वश्रेष्ठ नागरिक पुरस्कारों में यह तृतीय श्रेणी का पुरस्कार है। यह उन व्यक्तियों को प्रदान किया जाता है, जिन्होंने *वैश्विक परिदृश्य पर भारत की प्रतिष्ठा वृद्धि* में योगदान दिया हो।

पद्म श्री *(उल्लेखनीय सेवा के लिए दिया जाता है)*

पद्म श्री

भारतीय गणतन्त्र में, भारत सरकार द्वारा विभिन्न विषयों (जैसे कला, साहित्य, खेलकूद, राजनीति, उद्योग, चिकित्सा, समाज सेवा आदि) के लिए प्रदान किये जानेवाले सर्वश्रेष्ठ नागरिक पुरस्कारों की श्रेणी में इनका चतुर्थ स्थान है। विजेता को कोई पुरस्कार राशि नहीं, अपितु एक प्रमाण-पत्र और पदक प्रदान किया जाता है, जिस पर एक ओर तीन पंखुड़ियोंवाला फूल और अभिमुख पर पद्म (कमल) और नीचे श्री लिखा होता है।

क्या आप जानते हैं?

दादासाहेब फाल्के पुरस्कार *(1969 में स्थापित)*

दादासाहेब फाल्के पुरस्कार भारतीय **सिनेमा का सर्वोच्च सम्मान** है, जिसे दादासाहेब फाल्के (1870-1944) की स्मृति में प्रदान किया जाता है। दादासाहेब फाल्के भारत की पहली पूर्ण लंबाईवाली फ़ीचर फ़िल्म, *राजा हरिश्चंद्र* (1913) बनानेवाले महान् फ़िल्म निर्माता थे। यह पुरस्कार **सूचना और प्रसारण मंत्रालय** के तहत स्थापित संगठन, **फ़िल्म महोत्सव निदेशालय** द्वारा दिया जाता है। यह भारतीय सिनेमा के विकास और प्रगति में उत्कृष्ट योगदान के लिए प्रदान किया जाता है। पुरस्कार विजेता का चयन भारतीय फ़िल्म उद्योग के प्रतिष्ठित व्यक्तियों की एक समिति द्वारा किया जाता है। इस पुरस्कार में एक **स्वर्ण कमल** (गोल्डन लोटस) पदक और **10 लाख रुपये** की नक़द राशि शामिल होती है। इस सम्मान को प्राप्त करनेवालीं पहली भारतीय **देविका रानी** थीं, जिन्हें 1969 में यह पुरस्कार दिया गया था।

साहित्य अकादमी पुरस्कार *(1954 में आरंभ किया गया)*

यह सम्मान उनको प्रदान किया जाता है, जिन्होंने **साहित्य में उत्कृष्टता** प्राप्त की है। इस पुरस्कार की स्थापना वर्ष **1954** में की गयी थी और इसे **'साहित्य अकादमी'** (National Academy of Letters) द्वारा प्रदान किया जाता है। यह हर वर्ष उन व्यक्तियों को प्रदान किया जाता हैं, जिन्होंने अकादमी द्वारा मान्य **24 प्रमुख भाषाओं** में अपने गद्य या पद्य की रचनाओं

को प्रकाशित कर साहित्यिक उत्कृष्टता प्राप्त की है। भारत के संविधान में वर्णित 22 भाषाओं के अतिरिक्त, साहित्य अकादमी ने **अँगरेज़ी** और **राजस्थानी** को भी उन भाषाओं के रूप में मान्यता प्रदान की है, जिन पर पुरस्कार के लिए विचार किया जा सकता है।

> **क्या आप जानते हैं?** प्रथम पुरस्कार 1955 में दिया गया था। श्री माखनलाल चतुर्वेदी पहले व्यक्ति थे, जिन्हें हिन्दी साहित्य में यह पुरस्कार मिला था। उन्हें हिन्दी कविता की पुस्तक **हिम तरंगिनी** के लिए यह पुरस्कार मिला था।

इसके तहत **एक लाख रुपये** का नक़द पुरस्कार और एक फलक प्रदान किया जाता है, जिस पर देवनागरी लिपि में **'साहित्य'** लिखा होता है। प्रसिद्ध भारतीय फ़िल्म निर्माता **सत्यजित् रे** ने इस फलक का प्रारूप बनाया था। कई अवसरों पर, इस पुरस्कार को विरोध की कार्यवाही के रूप में वापस कर दिया गया है।

ज्ञानपीठ पुरस्कार *(1961 में आरंभ किया गया)*

यह साहित्य में उत्कृष्ट उपलब्धि के लिए प्रदान किया जाता है। इसकी स्थापना वर्ष 1961 में; ***द टाइम्स ऑफ़ इंडिया*** के संस्थापक के रूप में प्रसिद्ध जैन परिवार द्वारा संचालित निधि (ट्रस्ट), भारतीय ज्ञानपीठ द्वारा की गयी थी।

ज्ञानपीठ पुरस्कार

यह उन **भारतीय नागरिकों** को प्रदान किया जाता है, जो भारतीय संविधान की अनुसूची VIII की **22 भाषाओं में से किसी एक भाषा** तथा **अँगरेज़ी** में साहित्यिक रचनाओं का सर्जन करते हैं। इस पुरस्कार में फलक के अतिरिक्त 11 लाख रुपये भी दिये जाते हैं। विजेता को देवी सरस्वती की एक कांस्य प्रतिमा भी भेंट की जाती है। यह पुरस्कार **मरणोपरांत नहीं दिया जाता**। अत: 23 भाषाएँ हैं (22 + अँगरेज़ी), जिनमें यह ज्ञानपीठ पुरस्कार दिया जाता है।

सरस्वती सम्मान *(1991 में आरंभ किया गया)*

सरस्वती सम्मान एक वार्षिक पुरस्कार है, जो भारतीय संविधान की अनुसूची VIII में सूचीबद्ध **22 भारतीय भाषाओं** में **गद्य या पद्य** की उत्कृष्ट रचनाओं के लिए प्रदान किया जाता है। इसका नाम ज्ञान की देवी सरस्वती के नाम पर रखा गया है और इसकी गिनती भारत में साहित्य के लिए दिये जानेवाले उच्चतम पुरस्कारों में होती है।

सरस्वती सम्मान की स्थापना वर्ष **1991 में के. के. बिड़ला फ़ाउंडेशन** द्वारा की गयी थी। इसमें 15 लाख रुपये नक़द, एक प्रशस्ति-पत्र और फलक प्रदान किये जाते हैं। उम्मीदवारों का चयन उनमें से किया जाता है, जिनके साहित्यिक कार्य या रचनाओं को पिछले दस वर्षों में प्रकाशित किया गया हो।

व्यास सम्मान *(1991 में आरंभ किया गया)*

व्यास सम्मान भी एक साहित्यिक पुरस्कार है। यह पहली बार वर्ष 1991 में प्रदान किया गया था। यह वार्षिक रूप से के. के. बिड़ला फ़ाउंडेशन द्वारा प्रदान किया जाता है। इसमें **4 लाख** रुपयों की नक़द राशि सम्मिलित है। इस पुरस्कार की पात्रता के लिए **रचना हिंदी में ही होनी चाहिए** और उसका प्रकाशन पिछले दस वर्षों में ही होना चाहिए।

भाषा सम्मान *(1996 में आरंभ किया गया)*

साहित्य अकादमी द्वारा यह पुरस्कार भी प्रदान किया जाता हैं। प्रत्येक वर्ष अकादमी उन लेखकों का चयन करती है, जिन्होंने साहित्य अकादमी पुरस्कार द्वारा समाविष्ट की गयीं 24 प्रमुख भाषाओं **के अतिरिक्त अन्य भारतीय भाषाओं को सार्थक**

योगदान एवं प्राचीन और मध्यकालीन साहित्य को भी योगदान दिया है। भाषा सम्मान के अंतर्गत भी एक फलक और एक लाख रुपये का नक़द पुरस्कार दिया जाता है।

विरासत स्मरण

फ़ुकुओका पुरस्कार

यह फ़ुकुओका (जापान) शहर और फ़ुकुओका सिटी इंटरनेशनल फ़ाउंडेशन द्वारा **एशियाई संस्कृति को संरक्षित करने या बनाने** में व्यक्तियों या संगठनों के उत्कृष्ट कार्य को सम्मानित करने के लिए स्थापित एक पुरस्कार है। इसमें तीन पुरस्कार श्रेणियाँ हैं: भव्य पुरस्कार, शैक्षणिक पुरस्कार, एवं कला और संस्कृति पुरस्कार।

इसके कुछ हालिया प्रमुख भारतीय विजेताओं में रामचंद्र गुहा (2015), ए.आर. रहमान (2016), तीजन बाई (2018), पालागुम्मी साइनाथ (2021) आदि शामिल हैं।

यू.पी.एस.सी. विगत वर्षों के बहुविकल्पीय प्रश्न

1. निम्नलिखित में से किसे वर्ष 2018 के लिए सरस्वती सम्मान से पुरस्कृत किया गया? **(CAPF, 2019)**
   (a) के सिवा रेड्डी (b) महाबलेश्वर सेल
   (c) पद्मा सचदेव (d) सितांशु यशश्चंद्र

2. भारत के निम्नलिखित में से किस मंदिर ने सांस्कृतिक धरोहर संरक्षण के लिए यूनेस्को एशिया प्रशांत योग्य पुरस्कार 2017 जीता? **(CDS I, 2018)**
   (a) कामाख्या मंदिर, गुवाहाटी
   (b) श्री रंगनाथस्वामी मंदिर, श्रीरंगम
   (c) मीनाक्षी मंदिर, मदुरई
   (d) केदारनाथ मंदिर, केदारनाथ

3. निम्नलिखित में से कौन दादासाहेब फाल्के पुरस्कार 2016 के विजेता हैं? **(CDS II, 2017)**
   (a) नाना पाटेकर (b) मनोज कुमार
   (c) जावेद अख़्तर (d) के. विश्वनाथ

4. निम्नलिखित में से किसने 2016 के लिए दादासाहेब फाल्के पुरस्कार जीता है? **(CAPF, 2017)**
   (a) के. विश्वनाथ (b) शशि कपूर
   (c) गुलज़ार (d) मनोज कुमार

उत्तरमाला

1. (a) 2. (b) 3. (d) 4. (a)

यू.पी.एस.सी. विगत वर्षों के प्रश्न - मुख्य परीक्षा

1. निम्नलिखित चार साहित्यिक पुरस्कारों में भेद बताइए: **(CSE, 2010)**
   (a) ज्ञानपीठ पुरस्कार
   (b) साहित्य अकादमी पुरस्कार
   (c) व्यास सम्मान
   (d) सरस्वती सम्मान

29

क़ानून और संस्कृति

अध्याय की रूपरेखा

- भारत के संविधान से
- अनुच्छेद 29 : 'अल्पसंख्यकों के हितों का संरक्षण'
- अनुच्छेद 49 : 'स्मारकों और राष्ट्रीय महत्त्ववाले स्थानों और वस्तुओं का संरक्षण'
- अनुच्छेद 51A(f) 'भारतीय संस्कृति की समृद्ध विरासत का महत्त्व और संरक्षण'
- संस्कृति से संबंधित अन्य विधान
- भारतीय ध्वज संहिता

भारतीय संविधान के तीन खंड हैं, जिन्हें विशेष रूप से भारतीय संस्कृति के सरंक्षण के लिए निर्दिष्ट किया गया है। सरकार और संविधान परिरक्षण के इस कार्य में विशिष्ट भूमिका निभाते हैं, क्योंकि इतिहास, ललित कलाएँ, साहित्यिक कलाकृतियाँ विश्व पटल पर हमारे देश की समृद्ध और सम्मिश्रित विरासत का चिरकालिक प्रभाव पैदा करती हैं। इस अध्याय में संबंधित संवैधानिक प्रविधानों एवं अधिनियमों (क़ानूनों) पर चर्चा की गयी है।

भारत के संविधान से

अनुच्छेद 29: 'अल्पसंख्यकों के हितों का संरक्षण'

यह अनुच्छेद सम्पूर्ण रूप से उन समुदायों की संस्कृति की रक्षा करने पर केन्द्रित है, जिसमें भारतीय संविधान के अनुसार अल्पसंख्यकों का समावेश है। संविधान के अनुसार :

''भारत के राज्यक्षेत्र या उसके किसी भाग में निवास करनेवाले, किसी भी वर्ग के नागरिकों को, जिनकी अपनी एक विशिष्ट भाषा, लिपि या संस्कृति हो, उसे संरक्षित करने का अधिकार प्रदान करता है।''

जैसा कि इस उद्धरण से यह स्पष्ट हो जाता है कि यह प्रविधान छत्तीसगढ़, राजस्थान, उत्तरी-पश्चिमी क्षेत्रों, ओडिशा की आदिवासी जाति के लोगों तथा संख्या की दृष्टि से छोटे समूहों, जैसे **पारसियों** को अपनी संस्कृति, भाषा और साहित्य को संरक्षित करने के लिए क़दम उठाने की अनुमति देता है।

इससे अपनी विरासत को संरक्षित करने के लिए **राज्य और किसी राज्य द्वारा वित्त पोषित एजेंसी से सहायता प्राप्त करने से संबंधित उनके अधिकार** की भी पुष्टि होती है। इससे यह भी स्पष्ट होता है कि किसी भी नागरिक को उनके धर्म, जाति, भाषा, नस्ल या उनमें से किसी भी आधार पर; राज्य द्वारा अनुरक्षित संस्थान द्वारा, सहयोग से वंचित नहीं किया जाएगा।

अनुच्छेद 49: 'स्मारकों और राष्ट्रीय महत्त्ववाले स्थानों और वस्तुओं का संरक्षण'

संविधान के इस अनुच्छेद में उन सभी स्मारकों और वस्तुओं के महत्त्व के बारे में बताया गया है, जिनका सम्बन्ध भारत की विरासत के साथ है। राष्ट्रीय महत्त्ववाली इन वस्तुओं के क्षतिग्रस्त होने की स्थिति में इनका संरक्षण राज्य के अधीन होगा। संविधान कहता है कि:

1. कलात्मक या ऐतिहासिक रुचिवाले प्रत्येक स्मारक या स्थान या वस्तु **की रक्षा करना राज्य का दायित्व** होगा।
2. जिस किसी स्मारक को संसद द्वारा या उसके द्वारा बनाये गये क़ानून के अंतर्गत राष्ट्रीय महत्त्ववाला स्मारक घोषित कर दिया गया है, उस स्मारक को विकृति, **विरूपण**, विनाश, निष्कासन, निपटान या **निर्यात**, किसी भी अवस्था में बचाना चाहिए।

अनुच्छेद 51A(f) 'भारतीय संस्कृति की समृद्ध विरासत का महत्त्व और संरक्षण'

ऊपर उल्लिखित दो अनुच्छेदों के विपरीत **अनुच्छेद 51A(f)** भारत के प्रत्येक नागरिक के **मौलिक कर्तव्यों** को बताता है। संविधान सभी लोगों को हमारी **मिश्रित संस्कृति की मूर्त और अमूर्त विरासत को महत्त्व** देने और उसकी रक्षा करने का निर्देश देता है। इससे इस बात का भी पता चलता है कि हमारे समाज की परंपराओं और उसे नियंत्रित करने के लिए बनाये गये क़ानूनों के बीच एक संबंध है। संस्कृति समाज की परिवर्तनशीलता को प्रतिबिंबित करती है और क़ानून इसे संरक्षित करता है, इसलिए नागरिकों को उसमें अपनी भूमिका निभानी चाहिए। यह अनुच्छेद व्यक्तिगत स्तर पर सांस्कृतिक विरासत की सुरक्षा का आदेश देता है, जिसका सामूहिक प्रयास समग्र सांस्कृतिक विरासत को बनाये रखने का मार्ग प्रशस्त करता है।

संस्कृति से संबंधित अन्य विधान

इन अनुच्छेदों के अतिरिक्त, संविधान और हमारे क़ानून निर्माताओं ने कई अधिनियम भी बनाये हैं, जिनके अंतर्गत हमारी संस्कृति से संबंधित क़ानूनों को तोड़नेवालों को दण्डित किया जाता है। **प्राथमिक अधिनियमों में से कुछ निम्नलिखित हैं:**

1. भारतीय गुप्त कोष अधिनियम, 1878

ब्रिटिश सरकार ने अकस्मात् प्राप्त होनेवाले ख़ज़ाने को संरक्षित करने के लिए इस अधिनियम की स्थापना की थी, क्योंकि किसी राज्य पर अधिकार करने के बाद अँगरेज़ तत्कालीन शासक के ख़ज़ाने को लूट लेते थे और उस पर अपना अधिकार स्थापित कर लेते थे। पुरातात्त्विक और ऐतिहासिक महत्त्ववाली वस्तुओं को संरक्षित किया जाता था, ताकि संचित ख़ज़ानों की एक निर्देशिका बनायी जा सके और क़ानूनी रूप से उनका निपटान किया जा सके।

इस अधिनियम से संबंधित कुछ महत्त्वपूर्ण पहलू थे:

- इसके अनुसार किसी भी ख़ज़ाने का पता चलने पर उसे संबंधित **ज़िलाधीश** या निकटतम सरकारी कोषागार के समक्ष प्रस्तुत किये जाने के साथ ही कलाकृति(यों) से संबंधित सभी प्रासंगिक जानकारी, सरकार के समक्ष प्रस्तुत की जानी चाहिए।

- यदि जिस स्थान से ख़ज़ाना मिला है, उस स्थान का स्वामी सरकार के साथ ख़ज़ाने का *कुछ प्रतिशत साझा करने में असफल* हो जाता है, तो उसे न्यायाधीश के समक्ष दोषी सिद्ध किया जाएगा और 6 महीने के लिए जेल भेज दिया जाएगा, या उस पर जुर्माना लगाया जाएगा, या दोनों दंड दिये जायेंगे।

2. प्राचीन स्मारक संरक्षण अधिनियम, 1904

ब्रिटिश सरकार ने सरकार को स्मारक पर प्रभावी संरक्षण और अधिकार प्रदान करने हेतु इस अधिनियम का गठन किया, ताकि राष्ट्रीय विरासत का संरक्षण हो सके। यह अधिनियम विशेष रूप से उन स्मारकों से संबंधित था, जो **व्यक्तिगत या निजी स्वामित्व के अधीन** थे।

केंद्र सरकार और स्वामी किसी भी संरक्षित स्मारक के संरक्षण के लिए एक समझौते पर हस्ताक्षर करेंगे। यह स्वामी को स्मारक में कुछ जोड़ने, उसे ध्वस्त करने, उसमें परिवर्तन करने या उसे विरूपित करने से भी रोकता है। यदि उस **भूमि को बेचा जा रहा है,** जिस पर वह स्मारक स्थित है, तो उस भूमि को ख़रीदने का **प्रथम अधिकार** सरकार का होगा।

प्राचीन स्मारक संरक्षण अधिनियम, जिसे पहली बार 1904 में लागू किया गया तथा 1932 में संशोधित किया गया। संशोधन के बाद यह प्राचीन स्मारक संरक्षण (संशोधन) अधिनियम बन गया। इसके अतिरिक्त 1958 में केन्द्र सरकार ने

''प्राचीन स्मारक और पुरातात्त्विक स्थल एवं अवशेष अधिनियम'' लागू करके ग्रामीण तथा शहरी पुरातात्त्विक स्थलों को भी संरक्षण क्षेत्र में सम्मिलित कर लिया। उल्लेखनीय है कि संसद ऐतिहासिक स्मारकों और राष्ट्रीय महत्त्ववाले पुरातात्त्विक स्थलों को और अच्छी तरह संरक्षित करने के लिए प्राचीन स्मारक और *''पुरातात्त्विक स्थल एवं अवशेष (संशोधन और विधिमान्यकरण) अधिनियम, 2010''* का संशोधित संस्करण ले आयी।

3. पुरावस्तु (निर्यात नियंत्रण) अधिनियम, 1947

स्वाधीनता के समय जब बहुत बड़ी संख्या में अँगरेज़ भारत छोड़कर जा रहे थे, तो उस समय वे लोग अपने साथ कई महत्त्वपूर्ण कलाकृतियाँ भी ले जा रहे थे, जिन्हें उन्होंने वर्षों तक संचय किया था। स्वतंत्रता के पश्चात्, भारत सरकार ने इस पर एक प्रकार का विनियमन लागू करने के लिए **''पुरावस्तु (निर्यात नियंत्रण) अधिनियम, 1947''** को लागू किया कि भारत की सीमा के बाहर क्या ले जाया जा सकता है। इसे भारतीय पुरातत्त्व सर्वेक्षण के महानिदेशक सर **मोर्टिमर व्हीलर** के नेतृत्व में अधिनियमित किया गया था। इस विनियमन के दो प्रमुख प्रविधान हैं:

- ASI **के महानिदेशक** को भारत से निर्यात की जा रही किसी भी वस्तु के लिए एक लाइसेंस जारी करना पड़ता है।
- ASI **के महानिदेशक** को यह निर्णय करने का भी अधिकार होता है कि कोई सामग्री, चीज़ या वस्तु एक पुरावशेष है या नहीं। इस अधिनियम की सीमा के अंतर्गत वस्तु की स्थिति के बारे में उनका निर्णय बाध्य होगा।

इसे पुरावशेष और कला ख़ज़ाना अधिनियम, 1972 द्वारा प्रतिस्थापित किया गया था।

4. प्राचीन एवं ऐतिहासिक स्मारक और पुरातात्त्विक स्थल एवं अवशेष (राष्ट्रीय महत्त्व की घोषणा) अधिनियम, 1951 एवं प्राचीन स्मारक और पुरातात्त्विक स्थल और अवशेष अधिनियम, 1958

इस अधिनियम के अंतर्गत, ऐतिहासिक महत्त्ववाले सभी स्मारकों और पुरातात्त्विक स्थलों को, जिन्हें पहले 'प्राचीन स्मारक संरक्षण अधिनियम' के अंतर्गत रखा गया था, पुनः राष्ट्रीय महत्त्व का घोषित किया गया। 1951 में, लगभग 450 स्मारकों और पुरातात्त्विक स्थलों को 1904 की मूल सूची में जोड़ दिया गया।

इस अधिनियम में कुछ कमियाँ थीं और भारतीय पुरातात्त्विक समृद्धि के संरक्षण में समता लाने के लिए, 1958 में **'प्राचीन स्मारक और पुरातात्त्विक स्थल एवं अवशेष अधिनियम 1958'** नामक एक संशोधित संस्करण पास किया गया। अधिनियम के इस संस्करण को विशेष रूप से **भौतिक कलाकृतियों**, जैसे-मूर्तियों, नक़्क़ाशियों और ऐसी अन्य वस्तुओं को संरक्षित करने की आवश्यकता को ध्यान में रखते हुए लागू किया गया था।

1958 का अधिनियम (i) प्राचीन स्मारक संरक्षण अधिनियम, 1904 (ii) प्राचीन और ऐतिहासिक स्मारक और पुरातात्त्विक स्थल और अवशेष (राष्ट्रीय महत्त्व की घोषणा) अधिनियम, 1951 और (iii) राज्य पुनर्गठन अधिनियम, 1956 की धारा 126 को निरस्त करके बनाया गया था। इस अधिनियम के प्रविधानों के अनुसार भारतीय पुरातत्त्व सर्वेक्षण को भारत के सभी प्रतिष्ठित स्मारकों का संरक्षक बनाया गया है। यह अधिनियम किसी संरक्षित स्मारक की 100 मीटर की सीमा के भीतर निर्माण पर रोक लगाता है। इसके अतिरिक्त सरकार द्वारा 100 मीटर सुरक्षा के इस दायरे को बढ़ाया भी जा सकता है।

इस अधिनियम में 2010 में संशोधन कर, इसे 'प्राचीन स्मारक और पुरातात्त्विक स्थल एवं अवशेष (संशोधन एवं विधिमान्यकरण) अधिनियम, 2010' शीर्षक दिया गया। इस अधिनियम के मुख्य प्रविधान हैं:

- केंद्र सरकार के पास प्राचीन और मध्य काल के किसी भी स्मारक या पुरातात्त्विक स्थल को राष्ट्रीय महत्त्व का कोष **घोषित** करने का अधिकार है।
- महानिदेशक को केंद्र सरकार से, ऐसे किसी स्थल या स्मारक की संरक्षकता लेने, **ख़रीदने या पट्टे पर लेने** और उसके संरक्षण एवं अनुरक्षण को सुनिश्चित करने का अधिकार प्राप्त होगा।
- यह अधिनियम, सरकार और महानिदेशक को पुरावस्तुओं के संरक्षण के लिए उन्हें अपने **अधिकार** में लेने; वस्तुओं के गमनागमन को नियंत्रित करने; भूमि, वस्तु, स्मारक इत्यादि के क्षतिग्रस्त होने पर उसकी क्षतिपूर्ति की माँग करने या अर्थदंड लगाने का अधिकार भी देता है।

क्या आप जानते हैं?

स्मारक मित्र : स्मारक मित्र एक सार्वजनिक या निजी क्षेत्र की कंपनी का नाम है जो **'एडॉप्ट ए हेरिटेज' - 'अपनी धरोहर, अपनी पहचान'** योजना के तहत सरकार के साथ सहयोग कर रही है।

मूल रूप से पर्यटन मंत्रालय द्वारा शुरू की गयी इस योजना को 2023 में नया रूप दिया गया है और संस्कृति मंत्रालय को स्थानांतरित कर दिया गया है। कॉर्पोरेट संस्थाएँ अपनी कॉर्पोरेट सामाजिक ज़िम्मेदारी पहल के हिस्से के रूप में इन स्मारकों को अपने स्वामित्व में ले सकती हैं और इस योजना के तहत स्मारक सुविधाओं को नया रूप दिया जा सकता है।

5. पुरावस्तु और बहुमूल्य कलाकृति अधिनियम, 1972

इस अधिनियम को किसी भी प्रकार की कला वस्तु और पुरावस्तुवाली **चल** सांस्कृतिक संपत्ति के प्रभावी नियंत्रण के लिए लागू किया गया। यह अधिनियम, भारतीय पुरावस्तुओं के निर्यात और तस्करी एवं कपटपूर्ण लेनदेन की रोकथाम करने के मामले में एक सकरात्मक क़दम है। इस अधिनियम की सबसे महत्त्वपूर्ण बातों में से कुछ निम्नलिखित हैं:

- कोई भी वस्तु पत्थर, मिट्टी, धातु, हाथी दाँत की मूर्तियाँ, काग़ज़, लकड़ी, कपड़े, खाल या छाल इत्यादि पर बनी पांडुलिपियाँ और चित्र जो **100 वर्ष या उससे भी पहले** से अस्तित्व में हैं, उन्हें **'पुरावस्तुएँ'** माना जाता है।
- केंद्र सरकार के गुप्तचर या केंद्र सरकार से अधिकार प्राप्त व्यक्ति के अलावा कोई भी व्यक्ति **पुरावस्तुओं का निर्यात नहीं कर सकता है।** यदि कोई व्यक्ति ऐसा करता हुआ पकड़ा जाता है, तो इसे ग़ैर-क़ानूनी माना जाएगा।
- जो भी **पुरावस्तुओं** को बेचना, ख़रीदना या किराये पर देना चाहते हैं, उन्हें केंद्र सरकार से **एक लाइसेंस प्राप्त** करना पड़ता है। उन्हें पंजीकरण अधिकारी के पास अपने व्यवसाय का पंजीकरण करा कर एक प्रमाण-पत्र भी प्राप्त करना होगा।

- यदि कोई व्यक्ति बिना अधिकार लाइसेंस के किसी कला ख़ज़ाने या **पुरावस्तु** का निर्यात करता हुआ पकड़ा जाता है, तो वह दंड का भागीदार होता है। सामान्यतया दंड के रूप में **न्यूनतम तीन महीने की क़ैद की सज़ा** दी जाएगी, जो तीन वर्ष तक भी हो सकती है।

6. सार्वजनिक अभिलेख अधिनियम, 1993

इस अधिनियम को संस्कृति विभाग के आदेश पर लागू किया गया है तथा यह सरकार के सार्वजनिक अभिलेखों को स्थायी रूप से संरक्षित करने का अधिकार प्रदान करता है।

यह अधिनियम, सार्वजनिक अभिलेखों और सरकार एवं उसके विभिन्न सांविधिक निकायों द्वारा लिये गये निर्णयों के संरक्षण एवं प्रबंधन को विनियमित करने का भी प्रयास करता है। इस अधिनियम के कुछ प्रमुख प्रविधान हैं:

- किसी मंत्रालय या सरकार से संबंधित किसी विभाग के सम्बन्ध में *कोई भी दस्तावेज़, फ़ाइल, पाण्डुलिपि, माइक्रोफ़िल्म, छवि या किसी अन्य रूप में उपलब्ध दस्तावेज़* सार्वजनिक अभिलेख अधिनियम की सीमा के अधीन है।
- ऊपर उल्लिखित प्रत्येक एजेंसी अपना स्वयं का रिकॉर्ड तैयार करेगी और अपने अधिकारियों में से किसी एक को **'अभिलेख अधिकारी'** और अपने कार्यालय में किसी स्थल को **'अभिलेख कक्ष'** के रूप में नामांकित करेगी।
- इसके अतिरिक्त, अभिलेख अधिकारी पर अभिलेखों के अनुरक्षण का उत्तरदायित्व होगा। **प्रत्येक पच्चीस वर्ष में,** भारतीय राष्ट्रीय अभिलेखागार के परामर्श से एक मूल्यांकन किया जाएगा और जिन दस्तावेज़ों का कुछ महत्त्व है, उन्हें संरक्षित किया जाएगा।

अतः, हम देखते हैं कि संविधान और सरकार ने भारत के सांस्कृतिक मूल्यों के संरक्षण के लिए कई क़दम उठाये हैं। सदैव परिवर्तनशील क़ानून हमारी मूर्त और अमूर्त विरासत के सामने आनेवालीं चुनौतियों और परिवर्तनशील समाज के साथ तालमेल बैठाने का प्रयास करते हैं। इससे हमें पता चलता है कि हमारे क़ानून और संस्कृति के बीच हमेशा एक कड़ी उपस्थित रही है।

संस्कृति संक्षेपण

राष्ट्रीय संस्कृति कोष (NCF)

भारत में कला और संस्कृति को बढ़ावा देने के लिए एक विशिष्ट वित्त पोषण तंत्र के रूप में 1996 में **चैरिटेबल एंडोमेंट ऐक्ट, 1890** के तहत एनसीएफ़ की स्थापना की गयी थी। यह चाहता है कि सरकार के साथ भागीदार के रूप में संस्थानों और व्यक्तियों को सीधे कला और संस्कृति का समर्थन करने के लिए सक्षम बनाया जाए।

कोई भी राज्य सरकार या कला और संस्कृति के क्षेत्र में सेवा के ज्ञात रिकॉर्ड रखनेवाला और सोसायटी पंजीकरण अधिनियम के तहत पंजीकृत या कम-से-कम पिछले दो वर्षों से पब्लिक ट्रस्ट के रूप में पंजीकृत स्वयंसेवी संगठन किसी विशिष्ट परियोजना के लिए एनसीएफ़ से **वित्तीय सहायता के लिए आवेदन करने के लिए पात्र है।** इस योजना के तहत **निजी व्यक्ति** वित्तीय सहायता के अधिकारी नहीं हैं।

एनसीएफ़ का प्रबंधन एक परिषद् और एक कार्यकारी समिति द्वारा किया जाता है। केंद्रीय संस्कृति मंत्री इस परिषद् का अध्यक्ष होते हैं और इसमें कॉर्पोरेट और सार्वजनिक क्षेत्र, निजी फ़ाउंडेशनों और ग़ैर-लाभकारी संगठनों का प्रतिनिधित्व करनेवाले सदस्य होते हैं। इस तरह की संरचना निर्णय लेने की प्रक्रिया में ग़ैर-सरकारी प्रतिनिधित्व बढ़ाने के उद्देश्य से बनायी गयी थी।

भारत सरकार द्वारा अधिसूचित किया गया है कि एनसीएफ़ को दान आयकर अधिनियम के तहत **कर लाभ के लिए पात्र** होगा।

भारतीय ध्वज संहिता

यह **भारतीय राष्ट्रीय ध्वज के उपयोग, प्रदर्शन और फहराने** के बारे में **क़ानूनों और सम्मेलनों का एक सेट** है, जिसे **26 जनवरी, 2002** को लागू किया गया था। ध्वज संहिता में **2021 और 2022 में संशोधन** किया गया।

भारतीय ध्वज संहिता की मुख्य विशेषताएँ

(क) भारतीय ध्वज संहिता, 2002 में 30 दिसंबर, 2021 के आदेश द्वारा संशोधन किया गया और पॉलिएस्टर या मशीन से बने राष्ट्रीय ध्वज को अनुमति दी गयी। अब, राष्ट्रीय ध्वज **हाथ से काते और हाथ से बुने या मशीन से बने, सूती/पॉलिएस्टर/ऊन/रेशम/खादी के झंडों से बना होगा।**

(ख) कोई भी **सार्वजनिक, निजी संगठन या शैक्षणिक संस्थान** का सदस्य राष्ट्रीय ध्वज की गरिमा और सम्मान के अनुरूप, सभी दिनों और अवसरों पर, औपचारिक या अन्यथा, राष्ट्रीय ध्वज फहरा/प्रदर्शित कर सकता है।

(ग) भारतीय ध्वज संहिता, 2002 को 20 जुलाई, 2022 के आदेश द्वारा संशोधित किया गया और भारतीय ध्वज संहिता के भाग-II के अनुच्छेद 2.2 के खंड (xi) को निम्नलिखित खंड (xi) द्वारा प्रतिस्थापित किया गया, "जहाँ ध्वज खुले में या किसी आम आदमी के घर पर फहराया जाता है, वहाँ **इसे दिन-रात फहराया जा सकता है।**"

(घ) **राष्ट्रीय ध्वज आयताकार** होगा। ध्वज किसी भी आकार का हो सकता है, लेकिन ध्वज की लंबाई और ऊँचाई (चौड़ाई) का अनुपात 3:2 होगा।

(ङ) जब भी राष्ट्रीय ध्वज फहराया जाए, उसे सम्मान की स्थिति में और स्पष्ट रूप से रखा जाना चाहिए।

(च) क्षतिग्रस्त या अस्त-व्यस्त ध्वज नहीं फहराया जाएगा।

(छ) ध्वज को किसी अन्य **ध्वज या झंडों के साथ एक ही मास्टहेड से नहीं फहराया** जाना चाहिए।

(ज) ध्वज संहिता के भाग III की धारा IX में उल्लिखित गणमान्य व्यक्तियों, जैसे राष्ट्रपति, उपराष्ट्रपति, प्रधानमंत्री, राज्यपाल आदि के वाहन को **छोड़कर किसी अन्य वाहन पर ध्वज नहीं फहराया** जाना चाहिए।

(झ) किसी अन्य ध्वज या पताका को राष्ट्रीय ध्वज से ऊँचा या ऊपर या उसके साथ नहीं रखा जाना चाहिए।

भारत की आज़ादी के 75 साल पूरे होने के उपलक्ष्य में **आज़ादी का अमृत महोत्सव** के जश्न के हिस्से के रूप में हर **घर तिरंगा अभियान** के संबंध में संशोधन किये गये थे।

यू.पी.एस.सी. विगत वर्षों के बहुविकल्पीय प्रश्न

1. भारत में सांस्कृतिक और शैक्षिक अधिकारों के बारे में निम्नलिखित में से कौन-सा कथन सही नहीं है? **(CDS, 2017)**
   (a) नागरिकों के हर वर्ग को अपनी भाषा, लिपि अथवा संस्कृति को बनाये रखने का अधिकार है
   (b) राज्य द्वारा पोषित या राज्य-निधि से सहायता प्राप्त करनेवाले किसी शैक्षिक संस्थान में किसी भी नागरिक को धर्म, प्रजाति या भाषा के आधार पर प्रवेश लेने से वंचित नहीं किया जाएगा
   (c) शैक्षिक संस्थानों को सहायता प्रदान करने में, राज्य किसी शैक्षिक संस्थान के प्रति इस आधार पर कि यह किसी बहुसंख्यक समुदाय के प्रधान के अधीन है भेदभाव करेगा।
   (d) धर्म या भाषा किसी पर भी आधारित सभी सब संख्याओं को अपनी रुचि के शैक्षिक संस्थानों की स्थापना करने और उनके संचालन का अधिकार होगा।

उत्तरमाला

1. (c)

30

व्यापार, व्यापारी और सांस्कृतिक आदान-प्रदान

अध्याय की रूपरेखा

- आद्यऐतिहासिक से वैदिक काल तक
- महाजनपदों का युग
- मौर्य काल
- उत्तरापथ और दक्षिणापथ
- इंडो-रोमन व्यापार
- गुप्त काल
- प्राचीन रेशम मार्ग और सांस्कृतिक आदान-प्रदान
- दिल्ली सल्तनत के अधीन व्यापार और वाणिज्य
- मुग़ल व्यापार
- प्राचीन बंगाल में व्यापारिक गतिविधियाँ
- प्राचीन गुजरात में समुद्री व्यापार
- भारत के प्रमुख प्राचीन बंदरगाह

व्यापार, व्यापार मार्ग, संस्कृति और राजनीति के मध्य बहुत घनिष्ठ संबंध रहा है। यद्यपि प्राचीन भारतीय साहित्य में ***एरिथ्रियन सागर के पेरिप्लास*** (रोमन साम्राज्य और पूर्वी दुनिया के बीच समुद्री व्यापार की परिस्थितियों का वर्णन करनेवाली एक अज्ञात यूनानी व्यापारी द्वारा रचित पुस्तक) जैसे बहुत कम काम हैं, तथापि कुछ प्राचीन भारतीय ग्रंथ जैसे ***महानिदेसा*** और ***अर्थशास्त्र*** वाणिज्यिक गतिविधियों, प्राचीन भूमि और समुद्री व्यापार मार्गों के बारे में जानकारी देते हैं। रोमन साम्राज्य की स्थापना ने लाल सागर मार्ग खोला। प्राचीन भारतीय बंदरगाहों से प्राप्त पुरातात्त्विक खोज भारत और रोमन साम्राज्य के मध्य बढ़ते व्यापार पर महत्त्वपूर्ण प्रकाश डालती है। सातवाहनों और शकों के मध्य युद्ध का एक प्रमुख कारण रोमन साम्राज्य के साथ व्यापार मार्ग पर नियंत्रण था। राजेंद्र चोल के सुवर्णभूमि पर नौसैनिक अभियान के पीछे एक कारण व्यापार था।

खनिज संसाधनों, कृषि विकास और अधिशेष ने भीतरी क्षेत्रों में भी शासक को वाणिज्य और विदेशी व्यापार को महत्त्व देने तथा वस्तु उत्पादन एवं विनिमय विकसित करने के लिए प्रेरित किया। शहरी विकास के लिए तेज़ व्यापारिक गतिविधियाँ आवश्यक थीं। ***केरलोलपथी*** के अनुसार, कई ब्राह्मण बस्तियाँ थीं, जो पूरे दक्षिण भारत में विस्तृत थीं। यहाँ कृषि का प्रसार हुआ। बेहतर तक़नीकी उपकरणों और प्रबंधकीय रणनीतियों ने कृषि के विकास और विभिन्न प्रकार की फ़सलों की शुरूआत को सुगम बनाया। भूमि प्रबंधन और खेती के प्रसार के कारण बाज़ारों में उत्पादों के आदान-प्रदान की आवश्यकता हो गयी। इससे अन्य ग़ैर-कृषि उत्पादों के उत्पादन का बाज़ार में आदान-प्रदान होने लगा, जिससे वाणिज्यिक गतिविधियों में तेज़ी आयी। हमारे पास कई पुरातात्त्विक, पुरालेख-संबंधी और साहित्यिक साक्ष्य हैं, जो रोमन दुनिया और दक्षिण भारत के मध्य वाणिज्यिक संपर्कों का विस्तृत विवरण देते हैं।

बहराम वी (420–39 ई.) के शासनकाल के पश्चात्, अरबों ने हिंद महासागर के पश्चिमी हिस्सों में तेज़ी से व्यापार गतिविधियों का लाभ प्राप्त किया। गुजरात के बारुकच्चा की बग़ल में स्थित क्रैंगनूर या **कोडुंगलूर** को रोमन व्यापार का एक महत्त्वपूर्ण केंद्र माना जाता था। ***पेरिप्लस*** के लेखक की यात्रा के दौरान दोनों भारत के पश्चिमी तट पर स्थित थे। संगम साहित्य ने यवनों द्वारा किये जानेवाले व्यापार की पुष्टि की है। **कोल्लम** मालाबार तट के सबसे प्रसिद्ध व्यापारिक केंद्रों में से एक था। व्यापार संघों, व्यापारिक संगठनों और व्यापार के संगठनात्मक पहलुओं को भी पेशेवर-वाणिज्यिक गतिविधियों से जुड़े मुद्दों का समाधान करने हेतु प्रमुखता मिली।

आद्यऐतिहासिक से वैदिक काल तक

ख़ानाबदोश लोग अपने मवेशियों के लिए चारागाह की तलाश में भटकते रहते थे। शुरुआत में व्यापारिक गतिविधियाँ सीमित थीं, किंतु भौगोलिक ज्ञान की वृद्धि के साथ, सभ्यता का विकास हुआ और व्यापारिक गतिविधियाँ बढ़ने लगीं। लंबी दूरी के व्यापारियों की कठिनाइयों को दूर करने के लिए, कारवाँ माल ले जाने का साधन बन गये। सिंधु घाटी संस्कृति के आरंभ से पहले कोट-दीजी और क्वेटा में कई उपजाऊ क्षेत्रों के निशान पाये गये हैं।

लोथल में खोदा गया बंदरगाह जहाज़ों को ठहराने के लिए सबसे प्राचीन मानव निर्मित बंदरगाहों में से एक है। हड़प्पा और मोहनजोदड़ो, दोनों वाणिज्यिक शहर थे और उन बड़े शहरों की वाणिज्यिक गतिविधियों का समर्थन करने के लिए कई छोटे बंदरगाह, बाज़ार और शहर उपस्थित थे। भारत के साथ व्यापारिक गतिविधियों के साक्ष्य पुराने बेबीलोनियन शिलालेखों में पाये गये हैं। लोथल की खुदाई से तीन प्रकार की नावें मिली हैं। सिंधु घाटी संस्कृति के **अन्य बंदरगाहों** में **टोडियो, अमरा** और **लाखबावल** शामिल थे। कारीगरों के विशिष्ट समूह थे। मोतियों का निर्माण चन्हुदड़ो और लोथल में केंद्रित था।

मुख्य आयातित वस्तुएँ क़ीमती धातुएँ, ताँबा और अर्ध-क़ीमती पत्थर थीं। **लाजवर्द या राजावर्त (Lapis lazuli)** अफ़ग़ानिस्तान (शोरतुग़ई और बदख़्शां प्रांत) से आयात किया गया था। **फ़िरोज़ा** फ़ारस से और **नीलम** महाराष्ट्र से आयात किया जाता था। मुख्य निर्यातित वस्तुएँ कृषि उत्पाद, गेहूँ और तिलहन थीं। आदान-प्रदान विनिमय प्रणाली के माध्यम से किया जाता था। ऋग्वैदिक काल में व्यापार सीमित पैमाने पर होता था और वस्तु विनिमय प्रणाली प्रचलित थी। गायें विनिमय के माध्यम के रूप में काम करती थीं। उत्तर वैदिक काल में व्यापार में वृद्धि हुई। आदान-प्रदान के अन्य माध्यम **निष्क**, **हिरण्यपिंड** और **मानस** थे। बाद की संहिताएँ इस बात की पुष्टि करती हैं कि समुद्री व्यापार नावों द्वारा किया जाता था। ऋग्वेद और वाजसनेयी **संहिता** में मार्गदर्शन के संबंध में कई तक़नीकी शब्दों पर ज़ोर दिया गया है।

महाजनपदों का युग

इस काल में जब महात्मा बुद्ध और महावीर ने वैदिक धर्म के विरुद्ध आवाज़ उठायी, भारत को सोलह महाजनपदों में विभाजित किया गया था और वे लगातार एक-दूसरे के विरुद्ध युद्ध लड़ते रहे। अजातशत्रु बहुत शक्तिशाली थे और मगध सबसे शक्तिशाली साम्राज्य बन गया। उदयभद्र, अजातशत्रु के पुत्र, ने पाटलिपुत्र की नींव रखी। यह शहर राजनीति, वाणिज्य और व्यापार का एक बड़ा केंद्र बन गया। विभिन्न महाजनपदों के बीच निरंतर युद्ध के पीछे राजनीतिक और आर्थिक कारण थे। हमें जातक कथाओं, पाली साहित्य और यहाँ तक कि पाणिनी के वृत्तांत से भी वाणिज्य, आर्थिक गतिविधियों एवं व्यापार मार्गों के विभिन्न चित्रण मिलते हैं। यात्रियों की सुविधा के लिए सड़कों के किनारे तालाब और कुएँ उपलब्ध थे। नदियों पर घाट उपलब्ध थे। कई कठिनाइयों के बावजूद, कारवाँ* नेतृत्वकर्ताओं ने अंतर्देशीय और विदेश में लंबी दूरी का व्यापार किया। उन्होंने भारतीय संस्कृति और साहसिक

---

*यात्रियों एवं व्यापारियों के दल को फ़ारसी में कारवाँ (कार्वा), अरबी में क़ाफ़िला और संस्कृत में सार्थ कहा जाता था, इनके नेता को क्रमशः कारवाँसालार, सालार क़ाफ़िला, सार्थपति या सार्थवाह कहा जाता था।

भावना को विदेशों तक पहुँचाया। कभी-कभी, बोधिसत्व कारवाँ के स्वामी के रूप में कार्य करते थे। भारतीय व्यापारियों ने इन समुद्री बंदरगाहों पर विदेशी व्यापारियों के साथ बातचीत की और दोनों ने अपनी वस्तुएँ बेचीं। जातक कथाओं में भारतीय नाविकों की अनेक समुद्री यात्राओं और कठिनाइयों का वर्णन किया गया है। जातक के अनुसार, **भरुकच्छ** और **सोपारा** पश्चिमी समुद्री तट पर मुख्य बंदरगाह थे। **गंभीरा** और **सेरिवा** बंदरगाह पूर्वी तट पर स्थित थे। वाराणसी रेशम के लिए प्रसिद्ध था और मुख्य निर्यात वस्तुएँ सूती वस्त्र थीं। एक और महत्त्वपूर्ण बाह्य एवं आंतरिक व्यापार की वस्तु **चंदन** थी।

मौर्य काल

सुविकसित कृषि अर्थव्यवस्था ने मौर्य साम्राज्य को एक ठोस आर्थिक आधार दिया था। वाणिज्यिक अर्थव्यवस्था के विस्तार ने उन्हें अपने संसाधन आधार को देश के अन्य हिस्सों तक विस्तारित करने में सक्षम बनाया। साम्राज्य के संगठनों के विकास के कारण, चौथी शताब्दी ईसा पूर्व से पहली शताब्दी ईसा पूर्व तक भारत के भव्य मार्ग में कई बदलाव हुए।

जातक कहानियों में **कारवाँ** व्यापारियों द्वारा देश के विभिन्न हिस्सों में बड़ी मात्रा में माल ले जाने का उल्लेख किया गया है। मौर्य शासन द्वारा सार्थ को सुरक्षा प्रदान की गयी थी। कई महत्त्वपूर्ण पश्चिम और मध्य एशिया के व्यापार मार्ग उत्तर-पश्चिम भारत से होकर गुज़रते थे। वे गंगा नदी और हिमालय की तलहटी के किनारे थे। प्रमुख केंद्र मगध में **राजगृह** और वर्तमान इलाहाबाद के निकट **कौशांबी** थे। मौर्यों की राजधानी **पाटलिपुत्र** एक रणनीतिक स्थान पर स्थित थी और सभी दिशाओं से नदियों और सड़कों से जुड़ी हुई थी। श्रावस्ती और कपिलवस्तु से होकर जानेवाला उत्तरी मार्ग वैशाली से जुड़ा था। आंध्र प्रदेश और कर्नाटक तक पहुँचने के लिए पूर्वी मार्ग दक्षिण की ओर मुड़ गया। पूर्वी मार्ग **ताम्रलिप्ति** से जुड़ा था, जो दक्षिण और दक्षिण-पूर्व के लिए निकास बिंदु के रूप में कार्य करता था।

कौशांबी से एक अन्य मार्ग पश्चिम में उज्जैन की ओर जाता था। यह मार्ग गुजरात के तट या नर्मदा के पार पश्चिम दक्षिण से जुड़ा था और इसे **दक्षिणापथ** माना जाता था।

उत्तर भारत में, शिल्प उत्पादन मुख्य रूप से **गिल्ड (श्रेणी)** तर्ज़ पर आयोजित किया गया था। मेगस्थनीज ने एक **वाणिज्य अधीक्षक** का उल्लेख किया था, जिसका वर्णन ***अर्थशास्त्र*** में **पण्याध्यक्ष** के नाम से भी किया गया है। उनका कर्तव्य वस्तुओं की क़ीमतें तय करना और यदि किसी वस्तु में अधिशेष हो तो हस्तक्षेप करना था। **संस्थाध्यक्ष** के कार्यालय का कर्तव्य व्यापारियों के अनुचित आचरण की जाँच करना था।

क्या आप जानते हैं?

पाली ग्रंथों में -

पाली धर्मग्रंथों के अनुसार **सेठी** (यह संस्कृत के श्रेष्ठिन का पाली रूप है) **उच्चस्तरीय व्यापारी थे, जो व्यापार तथा साहूकारी से जुड़े हुए थे**। राजगृह तथा वाराणसी में रहनेवाले अत्यंत धनी सेठियों के कई संदर्भ मिलते हैं। **गहपति**, घर का मुखिया होने के अलावा, धन संपत्ति का स्वामी और धन का उत्पादक होता था, जो विशेष रूप से **भूमि तथा कृषि** से जुड़ा होता था।

खानों (आकर) के अधीक्षक को **आकराध्यक्ष** कहा जाता था और कृषि के प्रभारी अधिकारी **सीताध्यक्ष** थे। **पौतवाध्यक्ष** बाट एवं माप (पौतवम्) के अधीक्षक थे।

पाटलिपुत्र का प्रशासन छह बोर्डों द्वारा किया जाता था, जिनमें से प्रत्येक में पाँच सदस्य होते थे। उन्हें **एस्टीनोमोई** के रूप में नामित किया गया था। **कहपना/कार्षापण** एक व्यापक रूप से उपयोग की जानेवाली सिक्का शृंखला (अक्सर चाँदी) थी। **सीता** भूमि पर सीधे राजा का स्वामित्व/नियंत्रण था।

मौर्य काल के उत्तरार्ध में समुद्री व्यापार तेज़ी से हुआ। मौर्य शासक जहाज़ निर्माण व्यवसाय में भी व्यस्त थे और व्यावसायिक उद्देश्यों के लिए जहाज़ किराये पर लेते थे। वस्तुओं, विचारों और सांस्कृतिक विशेषताओं का समुद्री मार्गों से आदान-प्रदान

हुआ। व्यापार विभिन्न मौर्य शासकों के लिए समृद्धि की धुरी रहा है। **कौटिल्य** ने अर्थशास्त्र में इस बात पर प्रकाश डाला कि कैसे समुद्री और नदी मार्ग भूमि मार्गों की तुलना में अल्पमूल्य थे। अर्थशास्त्र के अनुसार, **द्रोणमुख** एक गाँव था, जहाँ समुद्री और ज़मीनी व्यापार मार्ग मिलते थे और कर वसूला जाता था।

हैमवतमार्ग बल्ख से हिंदूकुश होते हुए भारत तक का मार्ग था। इसका उपयोग ऊनी कपड़ों, घोड़ों, खाल और फर के व्यापार के लिए किया जाता था। ***दक्षिणापथ*** का उपयोग हीरे, क़ीमती पत्थरों और मोतियों जैसी अन्य वस्तुओं के व्यापार के लिए किया जाता था।

उत्तरापथ और दक्षिणापथ .... परीक्षोपयोगी

उत्तरापथ तथा दक्षिणापथ भारतीय उपमहाद्वीप के दो प्रमुख प्राचीन पार-क्षेत्रीय मार्ग थे। ये मार्ग, साथ मिलकर, विशाल दूरी पर आर्थिक, सैन्य तथा सांस्कृतिक आदान-प्रदान के लिए महत्त्वपूर्ण गलियारों के रूप में कार्य करते थे। इन मार्गों का एक लंबा और स्थायी इतिहास था जो कई शताब्दियों तक फैला हुआ था।

उत्तरापथ उत्तर भारत का प्रमुख अंतर-क्षेत्रीय व्यापार मार्ग था। यह उत्तर-पश्चिम से लेकर सिंधु-गंगा के मैदानों से होते हुए बंगाल की खाड़ी में स्थित ताम्रलिप्ति बंदरगाह तक फैला हुआ था। पाणिनि द्वारा रचित ***अष्टाध्यायी*** में इसके किनारे स्थित विभिन्न राज्यों का उल्लेख मिलता है। इस मार्ग का विवरण ***विनय पिटक और जातक*** ग्रंथों में दिये गये संदर्भों के आधार पर तैयार किया जा सकता है।

उत्तरापथ का एक उत्तरी और एक दक्षिणी क्षेत्र था। ***उत्तरी क्षेत्र*** **लाहौर, जालंधर, सहारनपुर से होते हुए गंगा के मैदानों के साथ बिजनौर तक और फिर गोरखपुर से होते हुए बिहार और बंगाल** तक जाता था। ***दक्षिणी क्षेत्र*** **लाहौर, रायविंड, भटिंडा, दिल्ली, हस्तिनापुर, कानपुर, लखनऊ, वाराणसी और इलाहाबाद को जोड़ता था और फिर पाटलिपुत्र और राजगृह** की ओर बढ़ता था। उत्तरापथ की मुख्य धमनी से जुड़े **कई पोषक मार्ग** थे।

उत्तरापथ एक **स्थल-सह-नदी मार्ग** था। बौद्ध ग्रंथों में गंगा के किनारे व्यापारियों और वस्तुओं के नदी मार्ग से आवाजाही का उल्लेख है। इस नदी और इसकी सहायक नदियों - विशेषकर यमुना, घाघरा और सरयू - के किनारे **PGW और NBPW स्थलों** के वितरण से पता चलता है कि नदियाँ प्रमुख संचार मार्ग थीं।

उत्तरापथ, प्राचीन काल से ही अपने **उत्तम नस्ल के घोड़ों** और **घोड़ा-व्यापारियों** के लिए प्रसिद्ध था।

दक्षिणापथ, महान् दक्षिणी व्यापार मार्ग, का उल्लेख अर्थशास्त्र में मिलता है, लेकिन यह प्रारंभिक ऐतिहासिक काल से ही कार्यरत था। यह **मगध के पाटलिपुत्र से गोदावरी के तट पर स्थित प्रतिष्ठान** तक फैला हुआ था और **पश्चिमी तट के बंदरगाहों** से भी जुड़ा था। बौद्ध ग्रंथों में पाटलिपुत्र और कौशाम्बी से प्रतिष्ठान की यात्रा करनेवाले व्यापारियों का उल्लेख है। **सुत्त निपात** में कोसल के एक आचार्य बावरी की कथा है, जिन्होंने अस्सक में गोदावरी के तट पर एक आश्रम बनाया और अपने शिष्यों को बुद्ध से मिलने के लिए एक अभियान पर भेजा। उन्होंने प्रतिष्ठान, उज्जयिनी, विदिशा और श्रावस्ती होते हुए यात्रा की। **जीवक**, दक्षिणापथ के साथ-साथ अवंती की ओर बढ़े। मालवा क्षेत्र में PGW और मध्य भारत तथा दक्कन में NBPW की खोज इस मार्ग की पुरातात्त्विक पुष्टि प्रदान करती है। विन्ध्य पर्वतों ने गंगा घाटी की बस्तियों को लोहा, ताँबा और विभिन्न प्रकार के पत्थर उपलब्ध कराये, और ये कच्चे माल दक्षिणापथ के उत्तरी क्षेत्र में पहुँचे होंगे।

पाणिनी (500 ईसा पूर्व) ने अपनी अष्टाध्यायी में दक्षिणात्य और कलिंग के संबंध में अस्मक साम्राज्य का उल्लेख किया है। **दक्षिणापथ** का उल्लेख 150 ई. के इंडो-सिथियन राजा रुद्रदमन के **जूनागढ़ शिलालेख** में भी मिलता है।

बाद की शताब्दियों में इस मार्ग पर व्यापार और मेलजोल बढ़ता गया। बौद्ध ग्रंथों में 1,000 गाड़ियोंवाले कारवाँ का ज़िक्र है, जो एक जनपद से दूसरे जनपद तक, निर्जन क्षेत्रों से होकर जाते थे। कारवाँ द्वारा राजा के आदमियों को चुंगी और कर देने का भी उल्लेख है।

सीमा शुल्क अधिकारी (कम्मिक) माल पर कर लगाते थे और कर चोरी करनेवालों का सामान ज़ब्त कर सकते थे।

ऐसी कहानियाँ हैं कि लुटेरे बड़े शहरों को जोड़नेवाली सड़कों पर चलते व्यापारियों और भिक्षुओं को लूट लेते थे। ***राजभट्ट*** कहे जानेवाले **शाही अधिकारियों का काम ऐसे यात्रियों की जान-माल की रक्षा करना था।**

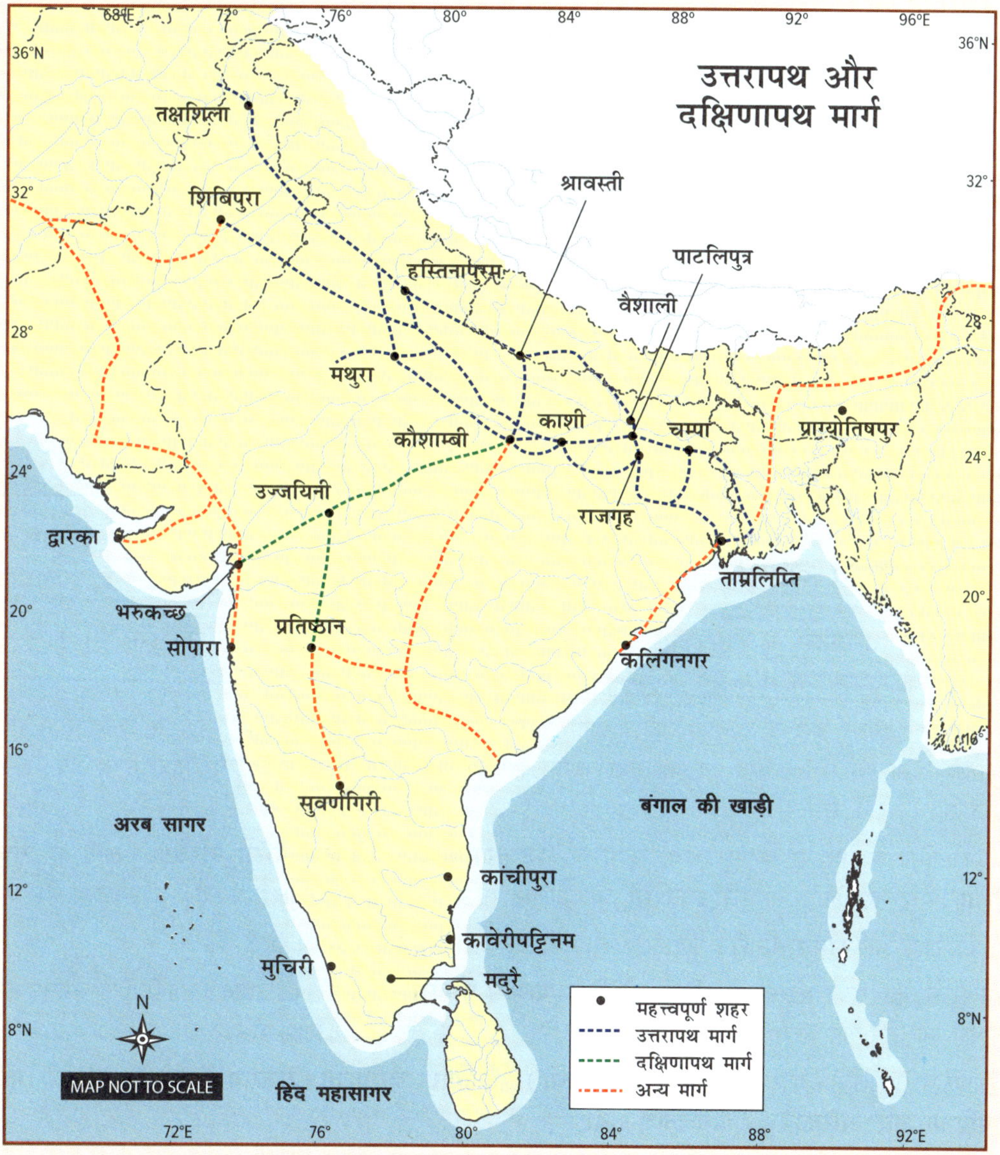

आइए, उपर्युक्त दो व्यापार मार्गों के अंतर्गत आनेवाले महत्त्वपूर्ण शहरों के बारे में जानें :

व्यापार मार्ग में प्राचीन शहर	आधुनिक स्थान	ऐतिहासिक महत्त्व
तक्षशिला	पाकिस्तान	शिक्षा एवं संस्कृति का प्रमुख केंद्र; प्रसिद्ध प्राचीन विश्वविद्यालय; मध्य एशिया को भारत से जोड़नेवाले व्यापार मार्गों का प्रमुख जंक्शन/केंद्र।
पुष्कलावती	पाकिस्तान	गांधार की प्रारंभिक राजधानी; बौद्ध ग्रंथों में प्रमुख नगर; इंडो-यूनानी काल में महत्त्वपूर्ण।
श्रावस्ती	उत्तर प्रदेश	कोशल साम्राज्य का महत्त्वपूर्ण नगर; प्रमुख बौद्ध केंद्र; गौतम बुद्ध ने यहाँ कई वर्षा ऋतुएँ बितायीं।
राजगृह/राजगीर	बिहार	पाटलिपुत्र से पहले मगध की राजधानी; बुद्ध और महावीर से संबद्ध।
पाटलिपुत्र	पटना, बिहार	मौर्य और गुप्त साम्राज्यों की राजधानी; प्रमुख राजनीतिक, सांस्कृतिक तथा वाणिज्यिक केंद्र।
वैशाली	बिहार	लिच्छवियों की राजधानी; प्रारंभिक गणतंत्रीय शासन का केंद्र; प्रारंभिक बौद्ध तथा जैन धर्म से संबद्ध।
मथुरा	उत्तर प्रदेश	धार्मिक तथा सांस्कृतिक केंद्र; कृष्ण से संबद्ध; व्यापार तथा कला का प्रमुख केंद्र (मथुरा स्कूल)।
वाराणसी	उत्तर प्रदेश	प्राचीन आध्यात्मिक शहर; शिक्षा, धर्म (हिंदू धर्म, बौद्ध धर्म) तथा व्यापार का प्रमुख केंद्र।
कौशाम्बी	उत्तर प्रदेश	वत्स साम्राज्य का महत्त्वपूर्ण नगरीय केंद्र; बौद्ध ग्रंथों में वर्णित।
चंपा भागलपुर	बिहार	अंग साम्राज्य की राजधानी; प्रारंभिक बौद्ध तथा जैन परंपराओं में महत्त्वपूर्ण।
ताम्रलिप्ति/तामलुक	पश्चिम बंगाल	भारत को दक्षिण पूर्व एशिया से जोड़नेवाला प्रमुख बंदरगाह शहर; उत्तरापथ का अंतिम बिंदु तथा समुद्री व्यापार मार्गों का आरंभ।
प्रतिष्ठान पैठन	महाराष्ट्र	सातवाहन वंश की राजधानी; प्रमुख व्यापारिक और सांस्कृतिक केंद्र; गोदावरी नदी के तट पर; अपने अंतर्देशीय तथा विदेशी व्यापार के लिए जाना जाता है।
उज्जयिनी/उज्जैन	मध्य प्रदेश	दक्षिणापथ तथा उत्तरापथ का प्रमुख संगम; प्रमुख राजनीतिक, धार्मिक एवं खगोलीय केंद्र।

इंडो-रोमन व्यापार

इंडो-रोमन व्यापार **ऑगस्टस** के शासनकाल और मिस्र पर उनकी विजय के दौरान लगभग 30 ईसा पूर्व लाल सागर के माध्यम से एशिया माइनर और मध्य पूर्व के माध्यम से कारवाँ मार्गों के माध्यम से प्रारंभ हुआ।

प्राचीन ग्रीक और लैटिन ग्रंथों के अनुसार, लाल सागर और भारत के बीच संबंध प्रारंभिक काल से अस्तित्व में थे और वे पहली शताब्दी ईसा पूर्व से विकसित हुए थे। तमिल संगम साहित्य, प्राकृत शिलालेख और प्रचुर मात्रा में अध्ययन इस व्यापार के पर्याप्त साक्ष्य प्रदान करते हैं।

प्राचीन इंडो-रोमन व्यापार पर व्यापक चर्चा स्ट्रैबो के **'जियोग्राफ़िका'**, **पेरिप्लस मैरिस एरिथ्रेई**, प्लिनी के **'नेचुरलिस हिस्टोरिया'**, **पेरिप्लस ऑफ़ द एरिथ्रियन सी** और टॉलेमी के **भूगोल** (दूसरी शताब्दी ईसवी) में उपलब्ध है।

भारतीय बंदरगाहों और **भूमध्यसागरीय** बंदरगाहों के मध्य पशु व्यापार के भी प्रमाण मिले हैं।

पूर्वी व्यापार से जुड़े रोमन बंदरगाह **अरसिनो**, **बेरेनिस**, **मायोस होर्मोस** आदि थे। कई रोमन व्यापारियों ने बेरेनिस से अपनी यात्रा आरंभ की और यह बंदरगाह पहली ईसा पूर्व में मिस्र के साथ व्यापार के लिए प्रसिद्ध था।

रोमन व्यापार से जुड़े क्षेत्रीय बंदरगाह **बार्बरिकम (कराची)**, **सौनागौरा**, **बैरीगाज़ा (गुजरात में वर्तमान भरूच)**, **मुज़िरिस**, **कावेरीपट्टिनम और अरिकामेडु (तमिलनाडु)** थे।

भारत के दक्षिण-पश्चिमी तट पर स्थित **मुज़िरिस**, चेर साम्राज्य और रोमन साम्राज्य के बीच एक प्रमुख व्यापार केंद्र था। **पट्टनम** शहर में सिक्कों के बड़े ढेर और **एम्फोरा** के कई टुकड़े पाये गये हैं। **पेरीप्लस मैरिस एरिथ्रेई पोडुके** नामक बाज़ार को संदर्भित करता है, जिसकी पहचान संभवतः तमिलनाडु में **अरिकामेडु** के रूप में की गयी है। यह **प्रारंभिक चोल** व्यापार का केंद्र था।

रोमन साम्राज्य में संकट के कारण तीसरी शताब्दी के मध्य से भारत-रोमन व्यापार में गिरावट आयी। रोम से भारत तक का समुद्री मार्ग बंद कर दिया गया। भारत में, 5वीं शताब्दी के उत्तरार्ध में हूण आक्रमणों ने **यूरोप** और **मध्य एशिया** के साथ भारत के व्यापार को नुक़सान पहुँचाया। **गुप्त साम्राज्य** को इंडो-रोमन व्यापार से काफ़ी हद तक लाभ हुआ, किंतु हूण आक्रमणों ने इन व्यापार संबंधों को बाधित कर दिया और उन्होंने इसके साथ आनेवाले कर राजस्व को दुर्बल कर दिया।

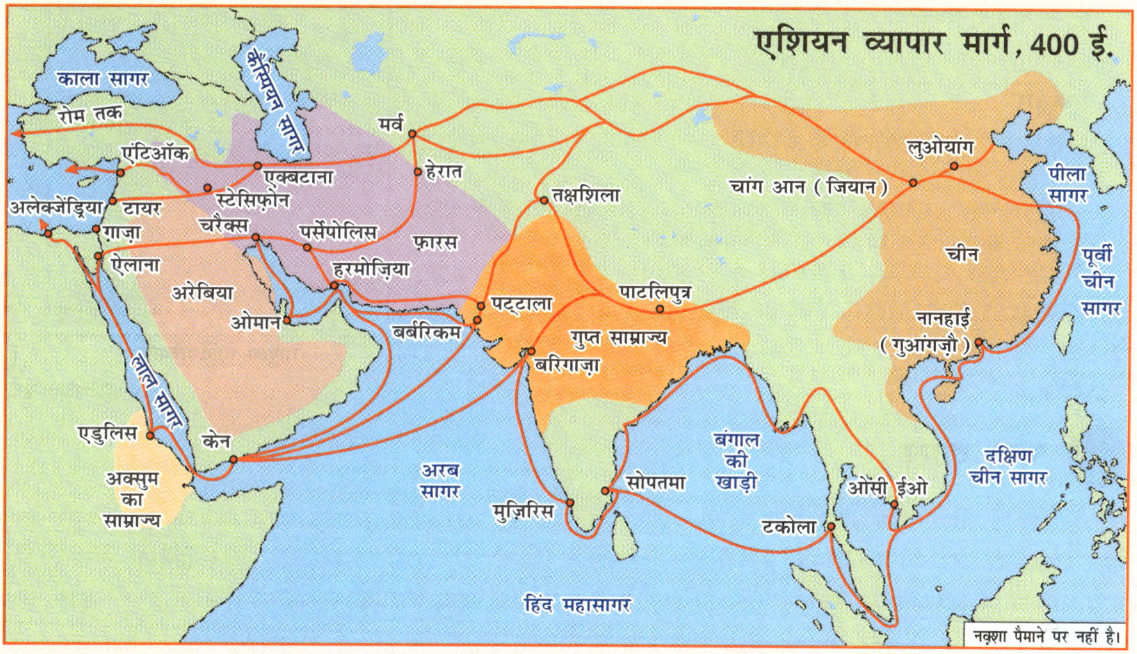

मानचित्र - एशियाई व्यापार मार्ग, 400 ई

मानसूनी हवाओं की खोज के बाद व्यापारी बड़े जहाज़ों का निर्माण करने लगे और वाणिज्य में बहुत सुधार हुआ। कोंकण और अन्य तटों के समुद्री डाकुओं का उल्लेख कई स्रोतों में मिलता है। **काली मिर्च के व्यापार पर चेरों का एकाधिकार था** और मोती का व्यापार मुख्य रूप से **पांड्यों** द्वारा किया जाता था। भारत और रोम के मध्य व्यापार में काली मिर्च को महत्त्वपूर्ण स्थान मिला। संगम साहित्य के अनुसार, यूनानी व्यापारी सोने के बदले काली मिर्च खरीदते थे। रोमन लोग हिंद महासागर के कछुआ-खोल और भारत में बने चैपलेट का आयात करते थे। रोम से भारत को निर्यात की जानेवालीं व्यापारिक वस्तुएँ काँच के बर्तन, लैंप, मूँगा और शराब थीं। भारत रोम को अदरक, इलायची, जहाज़ बनाने के लिए सागौन जैसी विभिन्न प्रकार की लकड़ियाँ, फ़र्नीचर बनाने के लिए चंदन, आबनूस, काली लकड़ी और गुलाबी लकड़ी का निर्यात करता था।

संस्कृति संक्षेपण

मुज़िरिस पपीरस

मुज़िरिस पपीरस अलेक्ज़ेंड्रिआ के एक कोषाध्यक्ष और मुज़िरिस के एक अभियान के लिए एक व्यापारी के बीच हस्ताक्षरित एक समझौता था। यह एक महत्त्वपूर्ण 'प्राथमिक दस्तावेज़' है, जो दूसरी शताब्दी ईसवी में केरल के समुद्री, सांस्कृतिक संबंधों को दर्ज करता है।

ताबुला प्यूटिंगरियाना या प्यूटिंगर टेबल

यह एक प्राचीन रोमन सड़क का मानचित्र (चौथी शताब्दी ईसवी) या रोमन साम्राज्य का सचित्र रोड नेटवर्क था।

पूम्पुहार

पूम्पुहार, जिसे कावेरीपूमपट्टिनम के नाम से भी जाना जाता है, का तमिल महाकाव्य मणिमेकलाई में उल्लेख है। इसके दक्षिण-पूर्व एशिया और मिस्र के साथ समुद्री वाणिज्यिक संबंध थे। एस.एम. रामासामी के अनुसार, "पिछले समुद्र स्तर के अध्ययन के आधार पर एक प्रमुख खोज यह है कि पूम्पुहार केवल 2,500 साल पुराना नहीं है, जैसा कि व्यापक रूप से माना जाता है और यह 15,000 साल से भी अधिक पुराना हो सकता है। संभवतः यह विश्व के सबसे पुराने बंदरगाह शहरों में से एक हो सकता है।"

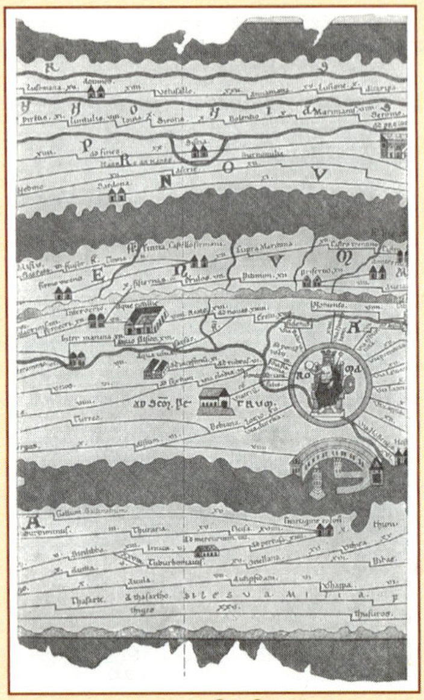

ताबुला प्यूटिंगरियाना

गुप्त काल

गुप्त साम्राज्य के दौरान उद्योग और व्यापार में उल्लेखनीय प्रगति हुई। इस काल में अंतरराष्ट्रीय व्यापार का सबसे महत्त्वपूर्ण पहलू रोमन व्यापार का पतन था। गुप्त शासकों ने बड़ी संख्या में सोने के सिक्के जारी किये। कामंदक द्वारा रचित **नीतिसार** राजनीति और राज्य संचालन पर आधारित एक महत्त्वपूर्ण ग्रंथ है। इसमें शाही ख़ज़ाने के महत्त्व और विभिन्न राजस्व स्रोतों पर प्रकाश डाला गया।

गुप्त काल में **जंबूद्वीपप्रज्ञप्ति** और **महावस्तु** जैसे ग्रंथों में विभिन्न प्रकार की श्रेणियों (गिल्ड्स) का उल्लेख मिलता है। **जंबूद्वीपप्रज्ञप्ति** में **18 पारंपरिक श्रेणियों** का वर्णन है, जैसे कुम्हार, रेशम बुनकर (पट्टइल्ला), रसोइया (सुवकारा) और गायक (गंधब्ब)।

गुप्त शासकों ने सबसे अधिक संख्या में **सोने के सिक्के** जारी किये, जिन्हें दिनार कहा जाता था। **व्यापारियों के दो प्रमुख वर्ग थे - श्रेष्ठि और सार्थवाह**। श्रेष्ठि एक स्थान पर स्थायी रूप से बसे हुए व्यापारी थे।

गुप्त काल में **सार्थवाह** नामक कारवाँ व्यापारी विभिन्न स्थानों पर माल का व्यापार करते थे। व्यापार में घोड़े, काली मिर्च, चंदन, हाथी, सोना, लोहा आदि वस्तुएँ शामिल थीं। व्यापार श्रीलंका, चीन और यूरोप के साथ किया जाता था। इस काल में रोमन साम्राज्य के साथ व्यापारिक गतिविधियाँ कम हो गयीं और दक्षिण-पूर्व एशिया एक प्रमुख व्यापार केंद्र बन गया। बौद्ध भिक्षुओं के प्रयासों से भारतीय संस्कृति गुप्त और उत्तर-गुप्त काल में मध्य एशिया और चीन तक पहुँची। चीनी यात्रियों ने बताया कि भारतीय जहाज़ अक्सर इंडोनेशिया और चीन तक जाते थे। इन मार्गों का उपयोग बौद्ध तीर्थयात्रियों और व्यापारियों द्वारा किया जाता था। सातवीं शताब्दी में चीन ने मध्य एशिया पर अपना प्रभाव खो दिया, लेकिन भारत के साथ उसका संबंध समुद्री मार्ग से बना रहा।

प्राचीन रेशम मार्ग और सांस्कृतिक आदान-प्रदान

प्राचीन रेशम मार्ग व्यापार मार्गों का एक नेटवर्क था, जो दूसरी शताब्दी ईसा पूर्व से 15वीं शताब्दी के मध्य तक सक्रिय था। यह भारतीय उपमहाद्वीप, चीन, मध्य एशिया और भूमध्य सागर को संयोजित करता था। जहाज़ वार्षिक व्यापारिक हवाओं का अनुसरण करते हुए हिंद महासागर में भी सीधे रवाना होते थे।

रेशम मार्ग नाम रेशम या वस्त्रों के आकर्षक व्यापार से आया है, जो सबसे अलग रूप से चीन में तैयार किया जाता था। सड़क नेटवर्क 114 ईसा पूर्व के आसपास **मध्य एशिया** में **हान राजवंश** के विस्तार के साथ आरंभ हुआ।

ये मार्ग वस्त्रों, मसालों, क़ीमती और अर्ध-क़ीमती पत्थरों और अन्य वैभव की वस्तुओं के व्यापार के लिए महत्त्वपूर्ण थे, जिनकी प्राचीन विश्व में अत्यधिक क़ीमत थी।

भारत में, प्राचीन रेशम मार्ग मुख्य रूप से बिहार, जम्मू और कश्मीर, लद्दाख, पंजाब, महाराष्ट्र, पुडुचेरी, तमिलनाडु, उत्तर प्रदेश और उत्तराखंड को कवर करता था।

लद्दाख भारत और मध्य एशिया के बीच रेशम मार्ग पर एक केंद्रीय बिंदु था। यह क्षेत्र बौद्ध धर्म का एक महत्त्वपूर्ण केंद्र था और कई बौद्ध मठ और सांस्कृतिक स्थल लद्दाख में स्थित हैं, जो रेशम मार्ग से जुड़े हुए थे।

विरासत स्मरण

अरिकामेडु

पेरीप्लस मैरिस एरिथ्रेई में अरिकामेडु का उल्लेख पोडुके के रूप में किया गया है। अरिकामेडु का स्थल काँच के मोती, शंख, टेराकोटा की वस्तुओं और मलमल के कपड़ों जैसी विभिन्न भारतीय वस्तुओं के निर्यात के पर्याप्त साक्ष्य प्रदान करता है। अरिकामेडु में बड़ी संख्या में भूमध्यसागरीय एम्फोरा जार, चक्रिल भाण्ड और टेरा सिगिलटा का पता लगाया गया है। **UNESCO के अनुसार, "अरीकामेडु भारत का एकमात्र स्थल है, जहाँ कम-से-कम चार अलग-अलग भाषाओं - प्राकृत, तमिल, पुरानी सिंहली और लैटिन में शिलालेखों के साथ मिट्टी के बर्तन मिले हैं।"**

दिल्ली सल्तनत के अधीन व्यापार और वाणिज्य

पुरातात्त्विक और सिक्कों से संबंधित साक्ष्य दिल्ली सल्तनत की स्थापना के बाद नगरों और व्यापारिक गतिविधियों के विस्तार का समर्थन करते हैं।

13वीं शताब्दी के अधिकांश शहर **इक़्ता** मुख्यालय थे। किसानों से राजस्व नक़द में वसूला जाता था और उन्हें अपनी उपज खेत के किनारे बेचने के लिए विवश किया जाता था। दिल्ली सल्तनत की स्थापना से शहरी शिल्प निर्माण को प्रोत्साहन मिला। शहरी निर्माताओं को नये तक़नीकी उपकरण प्राप्त हुए, जो आक्रमणकारियों के साथ भारत पहुँचे। बंगाल के बंदरगाहों के चीन और मलक्का के साथ व्यापारिक संबंध थे। बंगाल होर्मुज़ से नमक और **मालदीव** द्वीपसमूह से समुद्री सीपियाँ आयात करता था। सिंध में एक प्रसिद्ध बंदरगाह था - **दैबुल**। फ़ारस की खाड़ी के बंदरगाहों के साथ इसके प्रबल व्यापारिक संबंध थे। ख़िलजी द्वारा गुजरात पर क़ब्ज़ा करने से दिल्ली सल्तनत और फ़ारस की खाड़ी तथा लाल सागर के बीच व्यापारिक गतिविधियाँ बढ़ गयीं क्योंकि गुजरात फ़ारस की खाड़ी और लाल सागर दोनों से जुड़ा हुआ था।

सिंध, गुजरात, मालाबार, कोरोमंडल और बंगाल तटों ने क्षेत्रीय उत्पादों के विनिमय के अवसर प्रदान किये। **मुल्तान** स्थलीय व्यापार का एक महत्त्वपूर्ण व्यापारिक केंद्र था। **मुल्तान-क्वेटा मार्ग** के माध्यम से भारत अफ़ग़ानिस्तान, फ़ारस और मध्य एशिया से जुड़ा हुआ था।

आयात की प्रमुख वस्तुएँ घोड़े, सोना, चाँदी आदि थीं। ब्रोकेड और रेशम अलेक्जेंड्रिया, चीन और इराक़ से आयात किये जाते थे। सल्तनत मुख्य रूप से कपड़ा और अनाज का निर्यात करती थी। फ़ारस की खाड़ी के क्षेत्र अपने मुख्य खाद्य आपूर्ति के लिए भारत पर अत्यधिक निर्भर थे। दासों को मध्य एशिया और नील को फ़ारस में निर्यात किया जाता था।

दिल्ली सल्तनत के शासनकाल के दौरान विभिन्न स्रोतों में **दो प्रकार के वाणिज्यिक वर्गों** का उल्लेख किया गया है : **कारवानी** (या नायक) और **मुल्तानी**। **कारवानी** लोग अनाज ढोते थे और बड़ी संख्या में एक साथ चलते थे। व्यापारियों का दूसरा समूह मुल्तानी था। वे अमीर थे और सूदख़ोरी **(ऋण-विभाजन)** और वाणिज्य में संलग्न थे। **सर्राफ़** एक अन्य व्यापारिक समूह था। उन्होंने देशी और विदेशी सिक्कों की धात्विक शुद्धता का परीक्षण किया और विनिमय-अनुपात निर्धारित किया। सर्राफ़ **विनिमय पत्र** या **हुंडी** जारी करते थे।

मुग़ल व्यापार

मुग़लों ने अपनी उत्पादन क्षमता को बढ़ाकर और भारत के संसाधनों का उपयोग करके अपना साम्राज्य बनाया। उन्होंने हिंद महासागर में एक व्यापार प्रणाली विकसित की। पश्चिमी यूरोप और मुग़ल साम्राज्य के मध्य सशक्त व्यापारिक संबंध 17वीं शताब्दी की शुरुआत से आरंभ हुए। भारत में मुग़ल व्यापार मुख्यतः समुद्र तट पर केंद्रित होता था। मानक सिक्के और निश्चित वज़न के माप जारी किये गये एवं उन्होंने व्यापार और वाणिज्य को सुविधाजनक बनाया। कई नये शहर स्थापित हुए और ये शहर व्यापार और वाणिज्यिक गतिविधियों के केंद्र बन गये। यूरोपीय लोगों के आगमन से पहले, भारतीय सूती वस्त्रों के मुख्य ख़रीदार मुग़ल, खुरासान और इराक़ी थे। वे उन्हें मध्य एशिया और फ़ारस में निर्यात करते थे। भारतीय सूती कपड़ों के **मुख्य प्रकार समानिस, केलिको, खैराबादी, दरियाबादी** और **एम्बरटी** थे। मुद्रित रंग-बिरंगे छींटदार सूती वस्त्र **(चिंट्ज़)** निर्यात की सबसे पसंदीदा वस्तु थी। बारूद बनाने के लिए **साल्टपीटर** प्रमुख सामग्रियों में से एक था, जिसकी 17वीं शताब्दी में यूरोप में बहुत माँग थी। बिहार इसका सबसे महत्त्वपूर्ण आपूर्तिकर्ता था।

नीले रंग के लिए नील का उत्पादन उत्तर भारत में किया जाता था। यूरोप को आपूर्ति से पहले, गुजरात से बड़ी मात्रा में नील का निर्यात फ़ारस की खाड़ी में किया जाता था।

अंतर्देशीय कारवाँ मार्गों में से कुछ थे- आगरा से दिल्ली मार्ग, जो काबुल से जुड़ा था, बुरहानपुर से आगरा, जो सूरत से जुड़ा था और आगरा से पटना मार्ग, जो बंगाल से जुड़ा था। मध्यकाल के दौरान सबसे अधिक बार आनेवाला स्थलीय कारवाँ वाणिज्यिक मार्ग रेशम मार्ग था। मुग़ल भारत ने एक बड़ा जहाज़ निर्माण उद्योग विकसित किया, जो बंगाल प्रांत में केंद्रित था। अकबर ने बंगाल को एक समृद्ध प्रांत के रूप में विकसित करने में महत्त्वपूर्ण भूमिका निभायी।

पूतभेदन

पूतभेदन प्राचीन भारत में व्यापार का केंद्र था। यह एक ऐसे शहर को संदर्भित करता है, जहाँ सभी प्रकार के सामान तोले और बदले जाते हैं। इस शब्द का शाब्दिक अर्थ एक ऐसा वाणिज्यिक केंद्र है, जहाँ व्यापारी अपने माल का ढक्कन या सील (पूत) तोड़ते (भेदन) थे। इस शब्द का उल्लेख सोमदेव सूरी द्वारा लिखित **यासस्तिलकाकंपु** और कई अन्य ग्रंथों में एक पेंटा में वाणिज्य के चित्रण में किया गया है। इस शब्द का उल्लेख विनयपिटक के **महापरिनिवाणसुत्तन्त** में भी किया गया है।

राजश्रेष्ठि

प्रारंभिक भारतीय समाज में, श्रेष्ठी सामान्यतः अपार धन का व्यापारी होता था। राजश्रेष्ठी शाही व्यापारी था, जो राजा के साथ घनिष्ठ रूप से जुड़ा हुआ था। मौर्य साम्राज्य के दौरान, कुछ शर्तों के तहत शाही वस्तुओं का व्यापार विभिन्न चैनलों के माध्यम से किया जाता था। मौर्य साम्राज्य के तहत श्रेष्ठी में एक महत्त्वपूर्ण परिवर्तन आया। कई राजश्रेष्ठी चोल और होयसाल दरबार से जुड़े थे।

शिपिंग से संबंधित कुछ महत्त्वपूर्ण शब्द

- **प्रवाहन** - तटीय शिल्प
- **नियामक** - जहाज़ का कप्तान
- **नौविट्टाका** - जहाज़ का व्यापारी मालिक
- **वाहित्र** और **यानपत्र** - समुद्र में जानेवाला जहाज़
- **कुपस्तम्भ** - कूपदंड

भोज के ग्रंथ **युक्तिकल्पतरु** में ब्राह्मण, क्षत्रिय, वैश्य और शूद्र के लिए चार प्रकार की लकड़ियों से बने चार प्रकार के बर्तनों का वर्णन किया गया है।

मंडपिका

प्रारंभिक मध्ययुगीन भारत में, मंडपिकों का उल्लेख कई अभिलेखीय दस्तावेज़ों में थोक बाज़ारों, विनिमय केंद्रों और वाणिज्यिक टोल संग्रह के केंद्रों के रूप में किया गया है। वे बिलहरी और सियादोनी जैसे प्रमुख शहरी वाणिज्यिक केंद्रों में स्थित थे।

मंडपिकाओं का उल्लेख भरतपुर के **बयाना शिलालेख** में किया गया है।

लेखापद्धति दस्तावेज़ों में मंडपिकाओं में राजस्व संग्रह के लिए विभिन्न अधिकारियों को सूचीबद्ध किया गया है :

- मंडावी - प्रभारी अधिकारी
- पाठकिया - एकत्रित रिकॉर्ड उपकर
- उपरिहिंदिया - कर निरीक्षक

पेंथा

पेंथा प्राचीन दक्कन (600-1300 ई.) में व्यापार का केंद्र था। कई राज्यों में, पेन्था को स्थानीय प्रशासन के केंद्र/इकाई के रूप में वर्णित किया गया है। पेन्था का अस्तित्व मध्य एवं पश्चिम भारत में भी पाया गया है। सोमदेव सूरी के अनुसार, पेन्था ने टोल और सीमा शुल्क भी उत्पन्न किया।

प्राचीन बंगाल में व्यापारिक गतिविधियाँ

प्राचीन बंगाल के वंगा (मध्य डेल्टा बंगाल) और समताता (बांग्लादेश के चटगाँव, कोमिला आदि) क्षेत्रों में अनेक व्यावसायिक गतिविधियाँ थीं। कई खरोष्ठी-ब्राह्मी शिलालेखों में समृद्ध कृषि अर्थव्यवस्था पर प्रकाश डाला गया है। सूती वस्त्र और कपड़ा इस क्षेत्र के अत्यंत महत्त्वपूर्ण उत्पाद थे। ट्रैप्पागा प्रकार के जहाज़ों द्वारा बंगाल से घोड़ों का निर्यात किया जाता था। अन्य वाणिज्यिक उत्पादों में मसाले और गंगा मलमल शामिल थे। विद्याधरी नदी के तट पर स्थित **चंद्रकेतुगढ़**, तटीय और लंबी दूरी के व्यापार के लिए एक प्रमुख बंदरगाह था। प्राचीन बंदरगाह **ताम्रलिप्त** दक्षिण में बंगाल की खाड़ी, पूर्व में रूपनारायण नदी और पश्चिम में सुवर्णरेखा नदी से घिरा था। **ह्वेन त्सांग** ने 639 ई. में **ताम्रलिप्ता का दौरा किया**। प्राचीन बंगाल तट पर व्यापारिक गतिविधियाँ थीं और रोमन व्यापारियों के साथ नियमित संपर्क था। **संभंडारियाका** वह स्थान था, जहाँ वस्तुओं का भंडारण किया जाता था या भंडारण की सुविधाएँ उपलब्ध होती थीं। **नौवतक** शाही नौसेना का प्रमुख था और अर्धनौवतक नौवतक से कनिष्ठ अधिकारी था। दंडिन के **दशकुमारचरित** में ताम्रलिप्त से समुद्र में जानेवाले जहाज़ों का उल्लेख मिलता है। बंगाल के मध्यकालीन शिलालेखों में एक उत्पाद के रूप में नारियल का बार-बार उल्लेख मिलता है।

प्राचीन गुजरात में समुद्री व्यापार

लंबी तटरेखा, बंदरगाह और प्रसिद्ध कपड़ा उत्पादों जैसे कई कारकों ने प्राचीन गुजरात में तटीय, नदी, अंतर्देशीय और भूमि व्यापार गतिविधियों के लिए अनुकूल परिस्थितियाँ बनायीं। प्राचीन गुजरात कुछ व्यापारिक फ़सलों के लिए भी प्रसिद्ध था। हड़प्पा सभ्यता के दौरान लोथल बंदरगाह का विकास हुआ। **भरुकच्छ** बंदरगाह क्षत्रप युग के दौरान समृद्ध था। यह भूमि

और जल दोनों के माध्यम से व्यापार का प्रवेश द्वार था। ग्रीक और लैटिन ग्रंथों में रोमन साम्राज्य और भारुकच्छ बंदरगाह के बीच व्यापारिक गतिविधियों का उल्लेख है। तीसरी शताब्दी ईसा पूर्व से चौथी शताब्दी ईसवी के दौरान, गुजरात के समुद्र तट पर **नानी रायन**, **द्वारका**, **वल्लभी** और **हताब** जैसे कई **बंदरगाह** उपस्थित थे। *लेखापद्धति* के अनुसार, **हुंडी** का उपयोग गुजरात में व्यापक था और विनिमय के बिल को जारी होने की तारीख़ से 15 दिनों के भीतर भुनाया जाना था। **राजा-हुंडिका** या विनिमय के शाही बिल का उल्लेख *लेखापद्धति* में भी किया गया है। हुंडी मौद्रिक लेनदेन का एक वैकल्पिक तरीक़ा बनकर उभरा।

भारत के प्रमुख प्राचीन बंदरगाह

प्राचीन और मध्यकाल में विभिन्न देशों के साथ समुद्री व्यापार ने विदेशों में भारतीय संस्कृति के प्रसार में बड़ी भूमिका निभायी। प्राचीन भारत में बंदरगाहों का विस्तृत विवरण ***'पेरिप्लस ऑफ द एरीथ्रियन सी'*** और ***'जियोग्राफ़िया'*** जैसी पुस्तकों से प्राप्त किया जा सकता है। मौर्य शासन के दौरान, **नवाध्यक्ष**, अर्थात् जहाज़रानी के अधीक्षक जहाज़रानी प्रशासन की देख-रेख करते थे। अंतिम सातवाहन **राजा यज्ञ श्री सातकर्णी** के **सिक्कों में जहाज़** दर्शाये गये थे, संभवतः यह उस राजवंश की नौसेना की शक्ति का संकेत था। आइए, हम प्राचीन काल में प्रमुख बंदरगाहों की एक उदाहरण सूची देखें।

बंदरगाह का नाम	क्षेत्र	संबंधित राजवंश और समय अवधि	संक्षिप्त विवरण
लोथल	गुजरात (वर्तमान अहमदाबाद के पास)	सिंधु घाटी सभ्यता 2400 ईसा पूर्व	मेसोपोटेमिया तक ताँबे, हार्डवुड, हाथीदाँत, मोती, कार्नेलियन और सोने का निर्यात और सुमेरिया तक टिम्बरवुड और लाजवर्द का निर्यात।
बरिगज़ा	गुजरात में वर्तमान भरूच शहर	तीसरी शताब्दी ईसा पूर्व से : पश्चिमी क्षत्रपों के अंतर्गत रोमन व्यापार का प्रमुख केंद्र	अरब देशों के साथ मसाला और रेशम का व्यापार। 17वीं शताब्दी में दो बार लूटा गया, लेकिन पुनः शीघ्र तैयार हो गया। गेहूँ, चावल, तिल का तेल, सूती कपड़ों का आयात।
मुज़िरिस	मालाबार तट, केरल (वर्तमान में कोच्चि के पास)	पहली शताब्दी ईसा पूर्व सेः चेर साम्राज्य	**संगम साहित्य** में फ़ारस, रोम, यूनान और मिस्र देशों को मसालों, उपरत्नों - वैदूर्य, मोती, हीरे, नीलमणि - हाथीदाँत, चीनी रेशम, एक पुष्पीय औषधीय पादप, और कछुए के खाल के निर्यात का उल्लेख मिलता है।
कोरकई	तमिलनाडु	प्रारंभिक पांड्यन साम्राज्य	मोती, मत्स्य पालन का प्रसिद्ध केंद्र, जिसका **संगम साहित्य** में उल्लेख मिलता है।
पुहार (कावेरी पुमपट्टिनम भी कहा जाता है)	तमिलनाडु, कावेरी नदी के मुहाने पर	प्रारंभिक चोल राजवंश : 400 ईसा पूर्व - 200 ईसवी	विभिन्न वस्तुओं का आयात। *शिलप्पादिकारम* में उल्लेख मिलता है।
पोडूके	पुडुचेरी के नजदीक (मौजूदा अरीकमेडू)	दूसरी शताब्दी ईसा पूर्व - 8वीं शताब्दी ईसवी	रोम के साथ व्यापार करने के लिए यूनानी व्यापार बंदरगाह। निर्यात के सामान में जवाहिर, मोती, मसाले और रेशम सम्मिलित हैं। शराब का आयात प्रचलित था।
बर्बरिकों	कराची, पाकिस्तान के पास	पार्थियन्स और सिथियन	लिनेन, पुखराज, मूँगा, पेटी, लोबान, काँच के सामान, चाँदी और सोने की प्लेट और शराब का आयात। निर्यात में फ़िरोज़ा, लाजवर्द, रेशमी, सूती कपड़े, रेशम यार्न और नील सम्मिलित हैं।
सोनगरा	वारी वर्तमान बांग्लादेश में बैतेश्वर	450-300 ईसा पूर्व; मौर्य राजवंश	भूगोलज्ञ **टॉलेमी** की पुस्तक ***जियोग्राफ़िया*** में उल्लिखित।
मैसोलिया या मसूलीपट्नम	मछलीपट्टनम, आंध्र प्रदेश	सातवाहन के शासनकाल के दौरान तीसरी शताब्दी ईसा पूर्व से।	प्राचीन यूनानियों द्वारा मस्लिन (Muslin) कपड़े का कारोबार किया जाता था। 15वीं से 17वीं शताब्दियों तक **गोलकुंडा राज्य** का प्रमुख समुद्री बंदरगाह।

बंदरगाह का नाम	क्षेत्र	संबंधित राजवंश और समय अवधि	संक्षिप्त विवरण
ताम्रलिप्ति	वर्तमान में तामलुक, पश्चिम बंगाल	मौर्य राजवंश	दक्षिण और दक्षिण-पूर्व एशिया के लिए मौर्य व्यापार मार्ग का निकास बिंदु। आठवीं शताब्दी के उदयमान के दुधपानी चट्टान शिलालेख में प्राचीन दक्षिण एशिया के एक बंदरगाह के रूप में ताम्रलिप्ति का अंतिम रिकॉर्ड है। यूनानी भूगोलज्ञ टॉलेमी ने अपनी पुस्तक जियोग्राफ़िया में ताम्रलिप्ति के बारे में बताया। चीनी तीर्थयात्री **ह्वेन-त्सांग** ने शहर को तान-मो-लिह-ती कहा। 639 ई. में ह्वेन-त्सांग द्वारा यहाँ का दौरा किया गया था। फाह्यान दो साल के लिए यहाँ ठहरे थे।
पलूर	ओडिशा का गंजम ज़िला	दूसरी शताब्दी ई; कलिंग राजवंश	दक्षिण-पूर्व एशिया और चीन के लिए यात्रा की शुरुआत करनेवाला बंदरगाह। टॉलेमी और ह्वेन त्सांग द्वारा इसका उल्लेख क्रमशः दूसरी और सातवीं शताब्दी ई. में किया गया था।
घंटाशाला	आंध्र प्रदेश	मौर्य और सातवाहन काल	यह मसालों, सूती कपड़ों के व्यापार और पुरातत्व धरोहरों का केंद्र हुआ करता था
चौल	महाराष्ट्र में कोंकण तट	सातवाहन और गुप्त काल	यह ख़ासकर मोतियों और मोतियों के व्यापार के लिए जाना जाता है
कडूरा	महाराष्ट्र में कोंकण तट के पास	सातवाहन काल	कपास, मसाले और हाथी दाँत जैसे सामानों का निर्यात, साथ ही रोमन और फ़ारसी सामानों का आयात भी।
सोपारा (सुपारका)	महाराष्ट्र में कोंकण तट	मौर्य, सातवाहन और गुप्त काल	भारत को फ़ारस की खाड़ी, अरब, पूर्वी अफ़्रीका और रोमन साम्राज्य से जोड़नेवाले व्यापार मार्गों का मुख्य बिंदु। इस बंदरगाह से नदियों के ज़रिए अंदरूनी व्यापार होता था, जो दूसरे शहरी केंद्रों से जुड़ता था।

यू.पी.एस.सी. विगत वर्षों के बहुविकल्पीय प्रश्न

1. प्राचीन दक्षिण भारत के संदर्भ में, कोरकई, पूमपुहार और मुचीरि किस रूप में सुविख्यात थे? **(CSE, 2023)**
   (a) राजधानी नगर (b) पत्तन
   (c) लौह और इस्पात निर्माण के केंद्र
   (d) जैन तीर्थंकरों के चैत्य

2. निम्नलिखित में से कौन-सा एक महत्त्वपूर्ण पांड्य बंदरगाह था, जिसकी प्रसिद्धि संगम काव्यों तथा यूनानी वृत्तांतों में मोतियों के लिए लिपिबद्ध है? **(CDS II, 2021)**
   (a) मुसीरी (b) कोरकाई
   (c) पुहार (d) अरिकामेडु

3. निम्नलिखित में से कौन-सा उपवाक्य, उत्तर-हर्षकालीन स्रोतों में प्रायः उल्लिखित 'हुंडी' के स्वरूप की परिभाषा बताता है? **(CSE, 2020)**
   (a) राजा द्वारा अपने अधीनस्थों को दिया गया परामर्श
   (b) प्रतिदिन का लेखा-जोखा अंकित करनेवाली बही
   (c) विनिमय पत्र
   (d) सामन्त द्वारा अपने अधीनस्थों को दिया गया आदेश

4. प्राचीन भारतीय गुप्त राजवंश के समय के संदर्भ में, नगर घंटाशाला, कदूरा तथा चौल किसलिए विख्यात थे? **(CSE, 2020)**
   (a) विदेशी व्यापार करनेवाले बंदरगाह
   (b) शक्तिशाली राज्यों की राजधानियाँ
   (c) उत्कृष्ट स्तर कला तथा स्थापत्य से संबंधित स्थान
   (d) बौद्ध धर्म के महत्त्वपूर्ण तीर्थस्थल

उत्तरमाला

1. (b) 2. (b) 3. (c) 4. (a)

31

विदेशी यात्रियों की नज़र से भारत

अध्याय की रूपरेखा

- मेगस्थनीज । इंडिका
- डिमाकस
- हेलियोडोरस । खंबा बाबा
- फाह्यान । बौद्ध राज्यों के रिकॉर्ड
- ह्वेनत्सांग । सी-यू-की
- इ-त्सिंग । बौद्ध धर्म का एक अभिलेख
- सुलेमान अल-ताजिर
- अल-मसूदी । मुरुज-उल-ज़ेहाब
- अल-बिरूनी । किताब-उल-हिन्द
- मार्कोपोलो । सर मार्कोपोलो की पुस्तक
- इब्नबतूता । रेहला
- शिहाबुद्दीन अल-उमरी । मसालिक अलबसर फ़ि-मामलिक
- निकोलो डे-कॉन्टी
- अब्दुर रज़्ज़ाक़ । मातला-उस-सादैन-वा-मजमा-उल-बहरीन
- अफ़ानसी निकितिन । तीन समुद्रों से परे की यात्रा
- दुआर्ते बारबोसा । दुआर्ते बारबोसा की पुस्तक
- डोमिंगो पेस । क्रोनिका डॉस रीस डी बिसनागा
- सेसारे फ़ेडेरिसी
- फ़र्नाओ नुनिज़ । बिसनागा के दो राजाओं का इतिहास
- सईदी अली रईस
- जान ह्युघेन वान लिंसचोटेन । इटिनेरेरियो
- विलियम हॉकिन्स
- एंटोनियो मोनसेरेट । अकबर के दरबार की उनकी यात्रा पर टिप्पणी
- सर थॉमस रो
- पीटर मुंडी
- जीन-बैप्टिस्ट टैवर्नियर
- निकोलो मनुची । स्टोरिया डो मोगोर
- फ्रेंकोइस बर्नियर । मुग़ल साम्राज्य में यात्राएँ
- जीन-एंटोनी डुबोइस । हिंदू शिष्टाचार, रीति-रिवाज़ और समारोह

इतिहास की प्रक्रिया के दौरान, भारत शासकों और दुनिया भर के यात्रियों के आकर्षण का केंद्र रहा है। वे हमेशा पर्याप्त अवसरों के प्रति आकर्षित हुए हैं। हमारे देश ने अपनी विविध संस्कृति, धर्मों और परंपराओं से उनमें कौतूहल की सृष्टि की है। भारत आनेवाले इन यात्रियों में से अधिकतर ने अपने स्वयं के वृत्तांत लिखे, जो इसके अनोखे एकाग्र क्षेत्रों से संबंधित हैं। कुछ यात्रियों ने राजदरबार के मामलों के विषय में लिखा, जबकि कुछ वास्तुकला और स्मारकों की समकालीन शैली या सामाजिक व आर्थिक जीवन के चित्रण पर ध्यान केंद्रित करते हैं। ऐसा हर वृत्तांत तत्कालीन भारतीय सभ्यता की वास्तविक तस्वीर प्रस्तुत करता है।

प्राचीन और मध्ययुगीन काल में, कई प्रमुख यात्रियों ने भारत का दौरा किया और अपनी टिप्पणियों को दर्ज किया। एक महत्त्वपूर्ण बात यह है कि **किसी भी महिला यात्री का**

वीडियो अंतर्दृष्टि

विदेशी यात्रियों पर वैचारिक वीडियो के लिए स्कैन करें

कोई भी महत्त्वपूर्ण वृत्तांत उपलब्ध नहीं है।

आइए, अब उनकी यात्राओं के पीछे के संभावित कारणों को समझते हैं :

a. **दस्तावेज़ीकरण के लिए :** भारत की समृद्ध सांस्कृतिक परंपराओं को संरक्षित करने के लिए। उदाहरण : टॉलेमी का उद्देश्य भारत के भौगोलिक परिप्रेक्ष्य को संरक्षित करना था।

b. **सांस्कृतिक आदान-प्रदान के लिए :** चूँकि विदेशी यात्री भारत की समृद्ध सांस्कृतिक प्रथाओं की ओर बहुत आकर्षित थे, जिससे सांस्कृतिक निमज्जन हुआ।

c. **व्यापारिक हितों के लिए :** भारतीय व्यापारियों ने विदेशों में व्यापक व्यापार किया, जिससे विदेशी व्यापारी अपने व्यापारिक दायित्वों को पूरा करने के लिए भारत आने के लिए आकर्षित हुए।

d. **धार्मिक गतिविधियाँ :** कई विदेशी यात्री भारत की धार्मिक परंपराओं और सामाजिक रीति-रिवाज़ों के बारे में बहुमूल्य जानकारी प्राप्त करने के लिए भारत आये।

e. **राजनीतिक हित :** अक्सर, विदेशी राजदूतों को देशों के बीच राजनीतिक और आर्थिक हितों को विकसित करने के लिए भारतीय राज्यों में भेजा जाता था।

क्या भारत के बारे में उनका आकलन या प्रक्षेपित धारणा सही थी?

यद्यपि विदेशी यात्रियों ने अपने वृत्तांतों में भारत की समृद्ध सांस्कृतिक परंपराओं को संरक्षित किया, फिर भी उनके वृत्तांत पूर्वाग्रह से पूरी तरह मुक्त नहीं हैं और अति-सरलीकरण से भी ग्रस्त हैं।

a. **चयनात्मक अवलोकन :** विदेशी यात्री भारत की समृद्ध सांस्कृतिक और सामाजिक-राजनीतिक परंपरा का अवलोकन करने में असमर्थ थे, क्योंकि वे मूल्यवान पहलुओं का अवलोकन करने में बहुत चयनात्मक थे। उन्होंने केवल भारतीय राज्यों के प्रशासन, उसकी क़ानून-व्यवस्था, भौगोलिक सीमाओं आदि का अवलोकन करने में अपना प्रयास लगाया, सामाजिक जीवन के अन्य मूल्यवान पहलुओं की उपेक्षा की।

b. **भाषा एक प्रमुख बाधा :** भारतीय जीवन के कई पहलुओं का अवलोकन करते हुए, विदेशी यात्री स्थानीय जानकारी में गहरी अंतर्दृष्टि प्राप्त करने में असमर्थ थे, क्योंकि वे स्थानीय भाषा के बारे में नहीं जानते थे, जो एक प्रमुख बाधा थी।

c. **सांस्कृतिक पूर्वाग्रह :** कई बार, वे भारत के सामाजिक रीति-रिवाज़ों का वर्णन यूरोपीय/विदेशी दृष्टिकोण से करते थे, जिससे भारत में प्रचलित सांस्कृतिक प्रथाओं और सामाजिक रीति-रिवाज़ों की ग़लत व्याख्या होती थी।

d. **ग़लत सूचना :** विदेशी यात्री अक्सर सामाजिक प्रथाओं के पहलुओं और महत्त्व को जाने बिना उनके बारे में ग़लत जानकारी देते थे।

एक नज़र में विदेशी यात्री

क्र. सं.	नाम (राष्ट्रीयता)	समय सीमा	(राजवंश / शासक) के शासनकाल के दौरान देखा गया
1.	मेगस्थनीज (ग्रीक/यूनानी)	302-298 ईसा पूर्व	मौर्य काल (चंद्रगुप्त मौर्य)
2.	दाइमेकस (ग्रीक/यूनानी)	तीसरी ईसा पूर्व	मौर्य काल (बिन्दुसार)
3.	हेलियोडोरस (ग्रीक/यूनानी)	113 ईसा पूर्व	शुंग वंश (भागभद्र)
4.	फाह्यान (चीनी)	402-411 ईसवी	गुप्त (चंद्रगुप्त द्वितीय)
5.	ह्वेन-त्सांग (चीनी)	627-643 ईसवी	पुष्यभूति (हर्षवर्धन)

क्र. सं.	नाम (राष्ट्रीयता)	समय सीमा	(राजवंश/शासक) के शासनकाल के दौरान देखा गया
6.	**इत्सिंग (चीनी)**	671-695 ईसवी	हर्षवर्धन काल
7.	**अल-सुलेमान (फ़ारसी)**	850 ईसवी	प्रतिहार वंश (मिहिर भोज)
8.	**अल-मसूदी (अरब)**	956 ईसवी	-
9.	**अल-बिरुनी (ख़्वारिज़्म)**	1024-1030 ईसवी	-
10.	**मार्कोपोलो (इतालवी)**	1289-1293 ईसवी	दक्षिण के पांड्य और काकतीय साम्राज्य (रुद्रमादेवी) के दौरान भी
11.	**इब्नबतूता (मोरक्को)**	1333-1347 ईसवी	तुग़लक़ वंश (मुहम्मद-बिन-तुग़लक़)
12.	**शिहाबुद्दीन अल-उमरी (दमस्कस)**	1348 ईसवी	-
13.	**निकोलो डे कोंटी (इतालवी)**	1420-1421 ईसवी	विजयनगर साम्राज्य (देवराय प्रथम)
14.	**अब्दुर रज़्ज़ाक़ (फ़ारसी)**	1443-1444 ईसवी	विजयनगर साम्राज्य (देवराय द्वितीय)
15.	**अथानासियस निकितिन (रूसी)**	1470-1474 ईसवी	बहमनी राज्य (मुहम्मद तृतीय)
16.	**बार्थोलोम्यू डियाज़ (इतालवी)**	1503-1508 ईसवी	
17.	**दुआर्ते बारबोसा (पुर्तगाली)**	1516-1518 ईसवी	विजयनगर साम्राज्य (कृष्णदेव राय)
18.	**डोमिंगो पेस (पुर्तगाली)**	1520-1522 ईसवी	विजयनगर साम्राज्य (कृष्णदेव राय)
19.	**फ़र्नाओ नुनिज़ (पुर्तगाली)**	1535-1537 ईसवी	विजयनगर साम्राज्य (अच्युतदेव राय)
20.	**सेयदी अली रीस**	1554-1557 ईसवी	मुग़ल साम्राज्य (हुमायूँ और अकबर)
21.	**सीज़र फ्रेडरिक (इतालवी)**	1563-1581 ईसवी	विजयनगर साम्राज्य
22.	**एन्टोनियो मोंसेरेट (पुर्तगाली)**	1578-1582 ईसवी	मुग़ल साम्राज्य (अकबर)
23.	**जान ह्युधेन वान लिंसचोटेन (डच)**	1583-1588 ईसवी	गोवा का दौरा किया। यात्राओं के विस्तृत मानचित्रोंवाली '**इटिनरेरियो**' पुस्तक लिखी।
24.	**राल्फ़ फ़िच (पहला अँगरेज़ यात्री)**	1585-1591 ईसवी	मुग़ल साम्राज्य (अकबर)
25.	**विलियम हॉकिन्स (ब्रिटिश)**	1608-1611 ईसवी	मुग़ल साम्राज्य (जहाँगीर)
26.	**विलियम फ़िश (ब्रिटिश)**	1608-1612 ईसवी	मुग़ल साम्राज्य (जहाँगीर)
27.	**थॉमस कोरियट (अँगरेज़ी)**	1612-17 ईसवी	मुग़ल साम्राज्य (जहाँगीर)
28.	**सर थॉमस रो (ब्रिटिश)**	1615-19 ईसवी	मुग़ल साम्राज्य (जहाँगीर)
29.	**पाल कैनिंग (अँगरेज़ी)**	1615-25 ईसवी	मुग़ल साम्राज्य (जहाँगीर)
30.	**एडवर्ड टेरी (अँगरेज़ी)**	1616 ईसवी	मुग़ल साम्राज्य (जहाँगीर)
31.	**पिएट्रो डेल्ला वले (इतालवी)**	1622 ईसवी	दक्षिण भारत मे केलादी के राजा वेंकटप्पा नायक
32.	**फ्रांसिस्को पेल्सार्ट (डच)**	1620-27 ईसवी	-
33.	**जॉन फ्रायर (अँगरेज़ी)**	1627-1681 ईसवी	मुग़ल साम्राज्य (शाहजहाँ)
34.	**पीटर मुंडी (इतालवी)**	1630-1634 ईसवी	मुग़ल सम्राज्य (शाहजहाँ)
35.	**जोहान अल्ब्रेख्ट डी मैंडेल्सो (जर्मन)**	1638 ईसवी	मुग़ल साम्राज्य (शाहजहाँ)
36.	**जीन बैप्टिस्ट टेवर्नियर (फ्रांसीसी)**	1638-1643 ईसवी	मुग़ल साम्राज्य (शाहजहाँ)

क्र. सं.	नाम (राष्ट्रीयता)	समय सीमा	(राजवंश/शासक) के शासनकाल के दौरान देखा गया
37.	निकोलो मनुची (इतालवी)	1653-1708 ईसवी (वापस नहीं लौटा)	तिमुरिद राजवंश (दारा शिकोह)
38.	फ्रेंकोइस बर्नियर (फ्रांसीसी)	1656-1717 ईसवी	तिमुरिद राजवंश (दारा शिकोह)
39.	जीन डे थेवेनोट (फ्रांसीसी)	1666 ईसवी	मुग़ल साम्राज्य (औरंगज़ेब)
40.	जेमेली कैरेरी (इतालवी)	1695 ईसवी	मुग़ल साम्राज्य (औरंगज़ेब)
41.	जीन-एंटोनी डुबोइस (फ्रांसीसी)	1792-1823 ईसवी	-

सबसे महत्त्वपूर्ण यात्रियों में से कुछ का संक्षिप्त विवरण

मेगस्थनीज । इंडिका

वह एक **हेलेनिस्टिक काल** में प्राचीन **यूनानी इतिहासकार**, राजनयिक और खोजकर्ता थे। उनका जन्म लगभग 350 ईसा पूर्व में हुआ था। मेगस्थनीज ने 302 से 288 ईसा पूर्व के बीच यूनानी योद्धा **सेल्यूकस प्रथम निकेटर** के राजदूत के रूप में भारत का दौरा किया। उन्होंने **चंद्रगुप्त मौर्य** के शासनकाल के दौरान मौर्य राजधानी **पाटलिपुत्र** का दौरा किया। उन्होंने अपनी पुस्तक ***इंडिका*** में भारत का वर्णन किया है। इंडिका भारत का सबसे प्रारंभिक और विस्तृत विदेशी विवरणों में से एक है। इंडिका मौर्यकालीन भारत का पहला विदेशी विवरण है। यह मौर्यों के इतिहास को जानने का एक प्रमुख स्रोत है और इसमें देश, उसका आकार और स्वरूप, नदियाँ, मिट्टी, जलवायु, पौधे, जानवर, उत्पादन, प्रशासन, समाज और किंवदंतियों का वर्णन किया गया है। दुर्भाग्यवश, इस पुस्तक की मूल प्रति खो गयी थी। बाद में, प्रसिद्ध ग्रीक लेखकों जैसे एरियन, स्ट्रैबो, डायोडोरस और प्लिनी ने अपने कार्यों में इंडिका का उल्लेख किया। आधुनिक ग्रीक विद्वान् ई. ए. श्वानबेक ने मेगस्थनीज के कार्यों के कई अंश एकत्रित किये और उनकी संग्रहित सामग्री के आधार पर जॉन वॉटसन मैकक्रिंडल ने 1887 में इंडिका का पुनर्निर्मित संस्करण प्रकाशित किया। इंडिका ने उपमहाद्वीप को एक चतुर्भुज आकार के देश के रूप में वर्णित किया, जो दक्षिण और पूर्वी दिशा में समुद्र से घिरा हुआ है। इसमें भारत की मिट्टी, नदियाँ, पौधे, जानवर, प्रशासन और सामाजिक तथा धार्मिक जीवन का विवरण भी दिया गया है।

इसमें भारतीयों द्वारा डायोनिसस और हेराक्लीज (वे नाम जो उन्होंने वासुदेव कृष्ण को दिए थे) की पूजा का उल्लेख किया गया था और भारतीय समाज को **सात (07) वर्गों** में विभाजित किया गया था-दार्शनिक, किसान, चरवाहे और शिकारी, कारीगर और व्यापारी, सैनिक, अधिदर्शक और राजाओं के सलाहकार। व्यावसायिक समूहों तथा प्रशासनिक पदों का यह संग्रह न तो वर्णों से और न ही जातियों से मेल खाता है। **मेगस्थनीज के विवरण में भूमि अनुदान का कोई संदर्भ नहीं है।** उसने भारतीय जाति व्यवस्था के दो प्रमुख पहलुओं की स्थापना की, अर्थात् ***अंतर्विवाह तथा वंशानुगत व्यवसाय***। मेगस्थनीज ने दावा किया कि भारत में दास प्रथा नहीं थी और यहाँ अकाल की घटनाएँ नहीं थीं। वह **हेरोडोटस** के **मिस्र के समाज** के वर्गीकरण से प्रभावित थे। उसने दार्शनिकों में **सती प्रथा** (विधवाओं का दाह), सत्यवादिता और शाकाहार का ज़िक्र किया। वनस्पतियों और जीवों में उसने हाथियों, बंदरों, **कपास** ('ऊनवाले वृक्ष'), चावल और गन्ने का ज़िक्र किया। उसने **पाटलिपुत्र** शहर का वर्णन लकड़ी की दीवारों, 64 द्वारों, 570 मीनारोंवाले एक बड़े क़िलेबंद शहर के रूप में किया। उसने राजा की महिला अंगरक्षकों का उल्लेख किया। उतना ही दिलचस्प है मेगस्थनीज का संदर्भ कि राजा स्वयं को हत्यारों से बचाने के लिए रात में कई बार अपना बिस्तर बदलते थे। उसने एग्रोनोमोई या ज़िला अधिकारियों के बारे में उल्लेख किया, पाटलिपुत्र के प्रशासन की देखभाल के लिए पाँच-पाँच सदस्योंवालीं छह समितियाँ (नगर अधिकारी - **'एस्टिनोमोई'**) थीं। ये समितियाँ

निम्नलिखित का ध्यान रखती थीं : 1. उद्योग 2. विदेशी 3. जन्म और मृत्यु 4. व्यापार 5. वस्तुओं का निर्माण और बिक्री 6. बिक्री कर का संग्रह। सेना प्रशासन के बारे में मेगस्थनीज के विवरण में पाँच-पाँच सदस्योंवाली छह समितियों का उल्लेख है। ये समितियाँ नौसेना, पैदल सेना, घुड़सवार सेना, रथों तथा हाथियों, उपकरणों एवं परिवहन की देखरेख का कार्य करती थीं।

राजा अपनी प्रजा को न्याय प्रदान करते थे। दंड-क़ानून कठोर थे। मान्यता प्राप्त दंडों में से एक अंग-भंग भी था। **कोई लिखित क़ानून नहीं था। पांड्यों** का पहला उल्लेख मेगस्थनीज ने किया है, जहाँ उसने मोतियों के लिए प्रसिद्ध पांड्य साम्राज्य का उल्लेख किया है, जिस पर एक महिला का शासन था। इससे यह संकेत मिलता है कि पांड्य समाज मातृसत्तात्मक था। उसने यह भी दावा किया कि **भारतीय कभी विदेश यात्रा नहीं करते थे**, जो कि सत्य नहीं है। इतिहासकारों द्वारा आलोचना किये जाने के बावजूद, उनका विवरण कई विसंगतियों और अशुद्धियों से भरा है।

भारत के साथ रोमन व्यापार पर चर्चा करनेवाले शास्त्रीय लेखकों की सूची

लेखक	कार्य	भारत तथा व्यापार पर मुख्य बिंदु
प्लिनी द एल्डर (23-79 ई.)	प्राकृतिक इतिहास (Natural History)	मसालों, मोतियों और रेशम के लिए **रोमन सोने के भारत में आने** की शिकायत की गयी; भारतीय व्यापार, बंदरगाहों और विलासिता की वस्तुओं का विस्तृत विवरण दिया गया।
स्ट्रेबो (64 ई.पू.-24 ई.)	भूगोल (Geography)	भारत के भूगोल, व्यापार मार्गों और संपदा का वर्णन; भारत और रोमन जगत् के बीच वाणिज्य का उल्लेख किया।
डायोडोरस सिकुलस (पहली शताब्दी ई.पू.)	बिब्लियोथेका हिस्टोरिका	भारत की संपदा और मसालों, हाथीदाँत तथा रत्नों जैसी विदेशी वस्तुओं के व्यापार का विवरण प्रदान किया।
एरियन (लगभग 86 ई.-160 ई.)	इंडिका	भारतीय रीति-रिवाज़ों और व्यापार, विशेष रूप से समुद्री मार्गों के बारे में; भारत की संपदा पर जोर दिया।
टॉलेमी (लगभग 100-170 ई.)	जियोग्राफ़िया	भारत का मानचित्रण किया और रोमनों और अरबों द्वारा उपयोग किये जानेवाले महत्त्वपूर्ण बंदरगाहों और व्यापार केंद्रों का वर्णन किया।
एरिथियन सागर का पेरिप्लस (पहली शताब्दी ई.)	अज्ञात व्यापारी मार्गदर्शिका	रोमन मिस्र से भारत तक के समुद्री व्यापार मार्गों, व्यापार की जानेवाली वस्तुओं और भ्रमण किये गये बंदरगाहों का विस्तृत विवरण; रोम से स्वर्ण के प्रवाह पर ज़ोर।
डायोनिसियस पेरीगेट्स (लगभग दूसरी शताब्दी ई.)	विश्व का वर्णन (Description of the World)	भारत को विलासिता की वस्तुओं की एक दूरस्थ भूमि के रूप में उल्लेखित करता है, जो व्यापारिक संपदा के विचार को पुष्ट करता है।

संस्कृति संक्षेपण

'भारत में रोमन सोने का प्रवाह या निष्कासन' एक अवधारणा है, जिस पर प्राचीन रोमन तथा यूनानी लेखकों और बाद के आर्थिक इतिहासकारों ने चर्चा की है, जिसमें विलासिता की वस्तुओं, विशेष रूप से मसालों, रत्नों एवं रेशम के बदले में रोमन साम्राज्य से भारत में सोने और चाँदी के बड़े पैमाने पर प्रवाह का उल्लेख है।

इतिहासकार और भूगोलवेत्ता **प्लिनी द एल्डर** (23-79 ई.) ने अपनी पुस्तक नेचुरल हिस्ट्री में इसका स्पष्ट उल्लेख किया है। उसने शिकायत की थी कि रोम भारत के हाथों भारी मात्रा में स्वर्ण खो रहा था, क्योंकि रोमन मसाले, मोती, रेशम और अन्य विदेशी वस्तुओं के आयात के लिए बहुत उत्सुक थे।

इसका उल्लेख करनेवाले अन्य स्रोतों में **डियो क्राइसोस्टोम** भी शामिल है, लेकिन प्लिनी सबसे प्रसिद्ध टिप्पणीकार हैं।

डिमाकस

प्लाटिया के डिमाकस चंद्रगुप्त मौर्य के पुत्र और उत्तराधिकारी बिन्दुसार या अमृतघाट के राजदूत के रूप में आये थे। उन्होंने समसामयिक समाज और उस समय की प्रचलित राजव्यवस्था के बारे में कुछ महत्त्वपूर्ण जानकारी दी थी। उन्हें एंटिओकस प्रथम (सेल्यूकस निकेटर के पुत्र) ने भेजा था। डिमेकस और **बिंदुसार** के बीच हुई बातचीत का एक उल्लेखनीय क़िस्सा यह है कि सम्राट् **एण्टियोकस प्रथम** ने मीठी मदिरा, सूखे अंजीर और एक दार्शनिक की माँग की। एण्टियोकस ने मदिरा और अंजीर भेजने की हामी तो भर दी, लेकिन मज़ाक़िया लहजे में कहा कि यूनानी क़ानून में दार्शनिक की बिक्री वर्जित है। यह बातचीत बिंदुसार की यूनानी दर्शन और ज्ञान में रुचि को दर्शाती है।

हेलियोडोरस । खंबा बाबा

वह वर्तमान के मध्य प्रदेश के विदिशा में शुंग वंश के 5वें शासक भागभद्र के राजदरबार में भेजा गया **हिंद-यूनानी राजदूत** था। हेलियोडोरस को एंटियालसिदास (तक्षशिला का हिंद-यूनानी राजा) ने लगभग 113 ईसा पूर्व में उसके दरबार में भेजा था।

हेलियोडोरस स्तंभ

वह मध्य प्रदेश के विदिशा में एक स्तंभ का निर्माण करने के लिए विख्यात है। यह स्तंभ (जो अभी भी वर्तमान है) स्थानीय रूप से **"खंबा बाबा"** या **"हेलियोडोरस स्तंभ"** कहा जाता है। यह गरुड़ स्तंभ हिंदू भगवान् वासुदेव (विष्णु) के सम्मान में हेलियोडोरस द्वारा स्थापित किया गया था। इस स्तंभ स्थल पर उत्कीर्णित अभिलेख को **बेसनगर अभिलेख** के रूप में जाना जाता है।

वीडियो अंतर्दृष्टि

हेलियोडोरस स्तंभ पर वैचारिक वीडियो के लिए स्कैन करें

इन अभिलेखों से ज्ञात होता है कि हेलियोडोरस ने **हिंदू धर्म** (वैष्णव) अपना लिया था और अपने आपको **"भागवत"** (वैष्णव संप्रदाय का अनुयायी) बना लिया था। उसका समर्पण किसी विदेशी द्वारा **भारतीय धर्म अपनाने के सबसे शुरुआती दर्ज उदाहरणों में से एक** है। यह स्तंभ **भारत-यूनानी संबंधों** को दर्शानेवाला एक महत्त्वपूर्ण पुरातात्त्विक और ऐतिहासिक स्मारक बना हुआ है।

फाह्यान । बौद्ध राज्यों के रिकॉर्ड

गुप्त काल (लगभग 399-414 ई.) के दौरान **फा-हियान या फाह्यान** ने **चीन से भारत** की यात्रा की। उनकी यात्रा मुख्यत: **धार्मिक** थी, जिसका उद्देश्य प्रामाणिक **बौद्ध ग्रंथों** को प्राप्त करना और बौद्ध मठवासी प्रथाओं को समझना था। उसने कई बार अपने उद्देश्य को स्पष्ट रूप से बताया है - चीन में **विनय** अधूरा था; इसलिए, वह **विनय ग्रंथों** को प्राप्त करने के लिए भारत आया था। उसने **मध्य एशिया, गांधार, पंजाब, मथुरा, पाटलिपुत्र** (आधुनिक पटना), **मगध और दक्कन** सहित कई क्षेत्रों की यात्रा की और अंतत: **श्रीलंका** पहुँचा। वह अक्सर पैदल या कारवाँ से यात्रा करता था, और उसे रेगिस्तान, बाढ़ और राजनीतिक अशांति जैसी बड़ी कठिनाइयों का सामना करना पड़ा। उसकी पुस्तक **'फुगुओ जी (बौद्ध राज्यों का अभिलेख)'** बौद्ध धर्म, मठवासी

जीवन, राजनीतिक परिस्थितियों और पाँचवीं शताब्दी के आरंभिक भारत के समाज के बारे में बहुमूल्य जानकारी प्रदान करती है। फाह्यान की *'फुगुओ जी'* भारत के **पवित्र बौद्ध स्थलों का पहला विस्तृत चीनी विवरण** था। फाह्यान ने अपने समकालीन किसी भी भारतीय शासक का नाम नहीं लिया है। गुप्त वंश या उस समय के किसी अन्य शासक वंश का कोई उल्लेख नहीं है। आश्चर्य की बात है कि इस पुस्तक में **राजा चंद्रगुप्त द्वितीय का नाम नहीं है, हालाँकि फाहियान ने उनके शासनकाल में ही यहाँ का दौरा किया था**। लेकिन इसमें अतीत के कई राजाओं, जैसे *अशोक, कनिष्क, बिम्बिसार, अजातशत्रु और प्रसेनजित,* का उल्लेख है। जिस राजा को सबसे अधिक महत्त्व दिया गया है, वह अशोक है। वह स्पष्ट रूप से बौद्ध संरक्षक के रूप में आदर्श राजा हैं, जिसे फाहियान प्रस्तुत करना चाहते थे।

फाहियान ने बताया कि **उत्तर भारत में मृत्युदंड नहीं दिया जाता था**, बल्कि अधिकांश अपराधों के लिए **जुर्माने** और गंभीर विद्रोह पर केवल एक हाथ काटने की सज़ा दी जाती थी। फाँसी की सज़ाएँ दुर्लभ थीं। लोग क़ानून का पालन करते थे। समाज में **धार्मिक सहिष्णुता** थी। इसके अलावा, **जाति व्यवस्था भी थी**, लेकिन सद्भाव अच्छी तरह स्थापित था। फाहियान के अनुसार, **शूद्रों को शहर के बाहर रखा जाता था** और वे लाठी से शोर मचाकर शहर में प्रवेश करते थे। वे कसाई, शिकारी और मछुआरे थे। **बौद्ध धर्म** के बारे में, फाहियान ने उत्तर भारत में मठों की समृद्ध स्थिति और संपत्ति का उल्लेख किया है। वह संकेत करता है कि हीनयान सिद्धांत गांधार, बन्नू, कन्नौज और कौशाम्बी क्षेत्रों में लोकप्रिय थे। हीनयान और महायान दोनों ही संप्रदाय अफ़ग़ानिस्तान, पंजाब, मथुरा और पाटलिपुत्र में फले-फूले।

5वीं सदी की शुरुआत में फाक्सियन के भारत में संभावित यात्रा मार्ग का सारांश

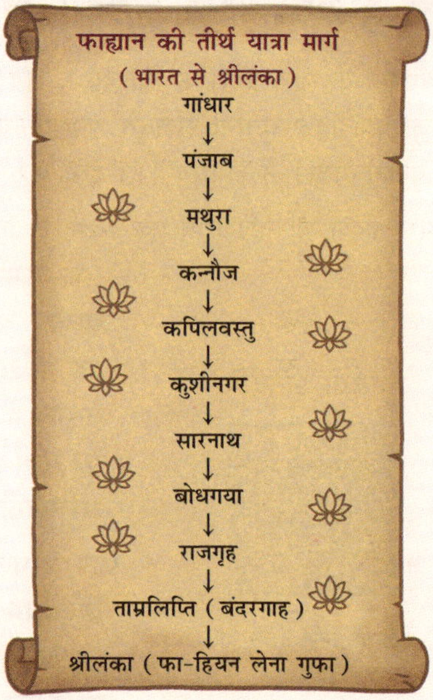

दूसरी ओर, **खोतान में**, वह कहता हैं कि केवल महायान भिक्षु थे। उसने सारिपुत्र, महामोग्गलाना, आनंद और अन्य महान् आचार्यों जैसे भिक्षुओं की स्मृति में निर्मित स्तूपों का उल्लेख किया। वह बताता हैं कि भिक्षुणियाँ आनंद के स्तूप पर भेंट चढ़ाती थीं, क्योंकि **आनंद** ने *भिक्षुणी संघ* की स्थापना में महत्त्वपूर्ण भूमिका निभायी थी, और अभिधम्म और विनय से जुड़े भिक्षु राहुल के स्तूप की पूजा करते थे। फाहियान के अनुसार, **महायान मार्ग का अनुसरण करनेवाले प्रज्ञापारमिता (अर्थात्, प्रज्ञा देवी), तारा, मंजुश्री और अवलोकितेश्वर की पूजा करते थे**। फाहियान ने अपनी पुस्तक में **खोतान और पाटलिपुत्र** में प्रतिमाओं के जुलूस से जुड़े एक समारोह का भी उल्लेख किया है।

ह्वेनत्सांग | सी-यू-की

वह एक चीनी यात्री, बौद्ध विद्वान् भिक्षु और अनुवादक था। वह **हर्षवर्द्धन** के शासनकाल के दौरान **629-644 ईसवी** के बीच **रेशम मार्ग** से भारत आया था। उसे **'तीर्थयात्रियों का राजकुमार'** कहा जाता है। वह **भारत में 17 वर्षों** तक रहा, जो चीनी तीर्थयात्रियों में सबसे लंबा समय है। उसने लगभग पूरे भारतीय उपमहाद्वीप - उत्तर, पूर्व, पश्चिम और दक्षिण - को शामिल करते हुए 100 से ज़्यादा राज्यों की यात्रा की। उसने बुद्ध के जीवन से जुड़े सभी पवित्र स्थलों (लुम्बिनी, कपिलवस्तु, बोधगया, सारनाथ और कुशीनगर) का भ्रमण किया। उन्हें **जुआनजांग** और **तीर्थयात्रियों के राजकुमार**

के रूप में भी जाना जाता था। उनकी प्रसिद्ध पुस्तक **"सी-यू-की : *बुद्धिस्ट रिकॉर्ड ऑफ़ द वेस्टर्न वर्ल्ड*"** से, भारत में उन दिनों के दौरान प्रशासनिक, राजनीतिक, धार्मिक, आर्थिक और सामाजिक स्थितियों के कई विवरण मिलते हैं। हालाँकि, वर्णन पक्षपाती थे, ताकि बौद्ध धर्म का महिमामंडन किया जा सके और राजा हर्षवर्द्धन की प्रशंसा की जा सके।

याद रखने के लिए कुछ महत्त्वपूर्ण बिंदु :

- सी-यू-की में, उन्होंने मुख्य रूप से भारत में **शहर के जीवन** का वर्णन किया (विभिन्न प्रकार के घरों, शहर-सड़कों आदि के निर्माण के संदर्भ में) (विशेष रूप से कन्नौज के)।
- उनके वृत्तांत के अनुसार, प्रयाग एक प्रमुख शहर था और पाटलिपुत्र का महत्त्व हर्षवर्धन की राजधानी **कन्नौज** ने कम कर दिया था।
- श्रावस्ती और कपिलवस्तु धार्मिक महत्त्व खो चुके थे और इसके बजाए, **नालंदा (बिहार) और वल्लभी (गुजरात)** शिक्षा के केंद्र बन गये।
- अपने पाठ के अनुसार, हर्ष ने राज्य की आमदनी को चार भागों में विभाजित किया :
  - (i) नियमित प्रशासनिक व्यय के लिए 1/4वाँ।
  - (ii) सरकारी कर्मचारियों का भुगतान करने के लिए 1/4वाँ।
  - (iii) विद्वानों को 1/4वाँ।
  - (iv) 1/4वाँ ब्राह्मण और बौद्ध भिक्षुओं को दान के रूप में।
- हालाँकि, उन्होंने वर्णन किया कि उस दौरान यात्रा करना सुरक्षित नहीं था। ह्वेनत्सांग ने कहा था कि **उसे दो बार लूटा गया था**, जिसका अर्थ है कि **हर्ष काल में क़ानून-व्यवस्था की समस्याएँ थीं**। **क्रूर दंड के लिए चार प्रकार की अग्नि परीक्षाएँ प्रचलित थीं** - जल द्वारा, अग्नि द्वारा, तौल द्वारा और विष द्वारा।
- ह्वेनत्सांग के अनुसार, हर्ष काफ़ी मेहनती और कल्याणकारी राजा था।
- अपने प्रवास के दौरान, ह्वेनत्सांग ने कश्मीर, पंजाब, कपिलवस्तु, बोध-गया, सारनाथ और कुशीनगर का दौरा किया। उन्होंने दक्कन, ओडिशा और बंगाल की भी यात्रा की।
- उन्होंने 5 साल **नालंदा विश्वविद्यालय** में बिताये और आचार्य शीलभद्र के अधीन अध्ययन किया। ह्वेनत्सांग का भारतीय नाम 'मोक्षदेव' था।
- उसकी भारत यात्रा का विस्तृत विवरण क्लासिक चीनी ग्रंथ '**सी-यू-की**' (जिसे **दा तांग शियू जी** भी कहा जाता है, अर्थात् *महान् तांग* के पश्चिमी क्षेत्रों का अभिलेख) में दर्ज किया गया है।

फाहियान और ह्वेनत्सांग की यात्रा के बीच तुलना ------→ **परीक्षोपयोगी**

विषय	फाहियान	ह्वेनत्सांग
भ्रमण काल	5वीं शताब्दी ईसवी के प्रारंभ में, गुप्त काल (चंद्रगुप्त द्वितीय के शासनकाल) के दौरान	7वीं शताब्दी ईसवी में, हर्षवर्धन के शासनकाल के दौरान
उत्पत्ति एवं उद्देश्य	चीनी भिक्षु, विनय (मठवासी नियम) और बौद्ध ग्रंथों को एकत्रित करने आये थे	चीनी भिक्षु-विद्वान्, बौद्ध धर्म का गहन अध्ययन करने और पवित्र स्थलों की यात्रा करने आये थे।
भारत में अवधि	14 वर्ष	17 वर्ष
शामिल क्षेत्र	मुख्यतः उत्तर और पूर्वी भारत → पंजाब, मथुरा, पाटलिपुत्र, बोधगया, ताम्रलिप्ति	संपूर्ण उपमहाद्वीप → उत्तर, पूर्व, पश्चिम, दक्षिण, मध्य भारत (100+ साम्राज्य)

विषय	फाहियान	ह्वेनत्सांग
राजनीतिक अवलोकन	गुप्त शासक न्यायप्रिय, क़ानून का पालन करनेवाले, उदार थे → शांतिपूर्ण साम्राज्य	शांतिपूर्ण साम्राज्य की ह्वेनत्सांग ने न्यायप्रिय और उदार के रूप में प्रशंसा की; कई छोटे राज्यों के अस्तित्व का उल्लेख किया।
धर्म	बौद्ध धर्म पर ध्यान केंद्रित; कुछ क्षेत्रों में इसके पतन का उल्लेख किया, लेकिन मगध में इसके फलने-फूलने का उल्लेख किया।	बौद्ध धर्म और हिंदू धर्म दोनों का वर्णन किया गया; बौद्ध धर्म के पतन और हिंदू धर्म के उदय का अवलोकन किया गया।
मठवासी जीवन	भिक्षुओं के कठोर अनुशासन, अनुष्ठानों और सादा जीवन की प्रशंसा की।	शीलभद्र के अधीन नालंदा विश्वविद्यालय में अध्ययन किया; महायान और हीनयान दोनों का वर्णन किया।
कार्य	'फो-गुओ-जी' (बौद्ध साम्राज्यों का अभिलेख)	'सी-यू-की' (पश्चिमी क्षेत्रों के महान् तांग रिकॉर्ड्स)

इ-त्सिंग । बौद्ध धर्म का एक अभिलेख

इजिंग/इत्सिंग **एक चीनी बौद्ध भिक्षु** था। वह नालंदा महाविहार में अध्ययन करने के लिए 671-695 ईसवी तक भारत में रहा। उसने **समुद्री मार्ग** से यात्रा की (फाहियान और ह्वेन त्सांग के विपरीत, जो ज़मीनी रास्ते आये थे) और चीन → सुमात्रा (श्रीविजय, इंडोनेशिया) → भारत की यात्रा की। वह नालंदा महाविहार (673 ई. में) पहुँचा और वहाँ **10+ वर्षों** तक अध्ययन किया।

वह **ह्वेनत्सांग से ज़्यादा समय तक नालंदा** में रहा और विनय पर ध्यान केंद्रित किया। उसने चालुक्य और पल्लव शासन के दौरान भारत का दौरा किया। उसने बताया कि उत्तरी भारत और दक्षिणी सागर के द्वीपों के बौद्ध हीनयान बौद्ध धर्म का पालन करते थे और चीन तथा मलय के बौद्ध महायान बौद्ध धर्म का पालन करते थे। उसने अनुसार, पारंपरिक बौद्ध धर्म का पालन करनेवाले केवल चार प्रमुख संप्रदाय थे।

ये संप्रदाय थे : **महासंघिक, स्थविर, मूलसर्वास्तिवाद और सामितीय निकाय**। ह्वेनत्सांग या ह्वेनत्सांग के विपरीत, इत्सिंग ने राजनीति और भूगोल पर कम और **मठवासी जीवन** एवं **विनय** (भिक्षुओं के नियम) पर अधिक ध्यान केंद्रित किया। उसने 400 से अधिक पाली और संस्कृत बौद्ध ग्रंथों का चीनी भाषा में अनुवाद किया, जिनमें मूलसर्वास्तिवाद विनय, स्वर्णिम ज्योति सूत्र, वलय सूत्र और अवदान शामिल हैं। उसकी रचनाओं में '*भारत और मलय द्वीपसमूह में प्रचलित बौद्ध धर्म का अभिलेख*' (**नानहाई जिगुई नेइफा झुआन**) शामिल है।

सुलेमान अल-ताजिर

वह 9वीं शताब्दी के ईरान का फ़ारसी मुस्लिम व्यापारी, यात्री और लेखक था। उसने भारत और चीन की यात्रा की थी और 850 ईसवी के आसपास अपनी समुद्री यात्राओं का विवरण लिखा था। उसने गुआंगझाऊ, तांग चीन की यात्रा की और वहाँ **चीनी मिट्टी के बर्तनों** की उत्कृष्ट गुणवत्ता को देखकर आश्चर्यचकित हुआ। उसने महान् **पाल साम्राज्य** के शासनकाल के दौरान भारत का भ्रमण किया, जिसका उस समय वर्तमान पश्चिम बंगाल, असम और बांग्लादेश पर शासन था। उसने पाल साम्राज्य को **रूहमा** कहा था। उसने मिहिर भोज को महानतम गुर्जर सम्राटों में से एक माना था। **मिहिर भोज** अरब आक्रमणकारियों का कटु शत्रु था। उसके अवलोकन अरबी ग्रंथ '**अख़बार अल-सिन वाल-हिंद**' (चीन और भारत का विवरण) में संरक्षित हैं, जिसे बाद में अबू जैद अल-सिराफ़ी ने संकलित किया। यह 9वीं शताब्दी के भारत को अपार धन, उन्नत विज्ञान, समृद्ध बंदरगाहों और अंतरराष्ट्रीय व्यापार की भूमि के रूप में दर्शाता है, जो अरब और चीनी दुनिया से गहराई से जुड़ा हुआ था। **अल-जुजर** वह अरबी शब्द है, जिसका प्रयोग सुलेमान ने गुर्जर क्षेत्रों या **मिहिर भोज** के अधीन प्रतिहार राज्य के लिए किया था।

अल-मसूदी । मुरुज-उल-ज़ेहाब

वह एक अरब इतिहासकार, भूगोलवेत्ता और खोजकर्ता थे। साथ-साथ वह एक बहुमुखी लेखक थे और उन्होंने धर्मशास्त्र, इतिहास, भूगोल, प्राकृतिक विज्ञान, दर्शन आदि जैसे विभिन्न विषयों पर लिखा था। उन्हें **"अरबों के हेरोडोटस"** के रूप में भी जाना जाता था।

उनका जन्म बग़दाद में हुआ था और वह **पैगंबर मुहम्मद** के साथी **अब्दुल्ला इब्न मसूद** के वंशज थे।

उसने 10वीं शताब्दी ईसवी में भारत का दौरा किया और अपनी प्रसिद्ध कृति '**मुरुज अल-दहाब वा मा**' आदिन अल-जवाहिर' (सोने के मैदान और रत्नों की खदानें) में उपमहाद्वीप के कुछ सबसे समृद्ध अरबी विवरण छोड़े। इसमें **गणित, खगोल विज्ञान और चिकित्सा** में भारत के योगदान पर उसने ज़ोरदार प्रकाश डाला और भारत को बौद्धिक और वैज्ञानिक शिक्षा के वैश्विक केंद्र के रूप में मान्यता दी। वह हिंदू दर्शन, अनुष्ठान, कर्म, पुनर्जन्म और ब्रह्मांड विज्ञान का विस्तृत विवरण देनेवाला पहला अरब यात्री था। अल-मसूदी ने गुर्जर-प्रतिहार वंश के **मिहिर भोज (राजा बौरा)** को एक शक्तिशाली, धनी और धर्मनिष्ठ हिंदू शासक के रूप में वर्णित किया है, जिसके पास मज़बूत सेना, कुशल प्रशासन और सांस्कृतिक संरक्षण था, जो 9वीं शताब्दी के उत्तर भारत पर एक मूल्यवान अरब परिप्रेक्ष्य प्रदान करता है।

अल-बिरूनी । किताब-उल-हिन्द

अल-बिरूनी का जन्म ख़्वारज़्म (वर्तमान उज़्बेकिस्तान) में हुआ था, जो उस समय का एक महत्त्वपूर्ण केंद्र था। वे एक ऐसे विद्वान् थे, जो सीरिया, अरबी, फ़ारसी, हिब्रू और संस्कृत के अच्छे जानकार थे। **1017 में**, सुल्तान महमूद ने ख़्वारज़्म पर आक्रमण किया और कई विद्वानों और कवियों को अपने साथ अपनी राजधानी ले गया। वह उनमें से एक थे। इस तरह उन्होंने भारत में रुचि विकसित की। इसके अलावा, पंजाब को ग़ज़नवी साम्राज्य में शामिल करने के कारण, उन्होंने ब्राह्मण पुजारियों और विद्वानों की संगति में वर्षों बिताये, जहाँ उन्होंने **संस्कृत सीखी**। उन्होंने **कई संस्कृत कृतियों का अनुवाद किया**, जिनमें पतंजलि के व्याकरण पर काम भी शामिल है। इसके विपरीत, उन्होंने यूक्लिड (ग्रीक गणितज्ञ) के कार्यों का संस्कृत में अनुवाद किया। उन्होंने पंजाब और भारत के अन्य उत्तरी हिस्सों में व्यापक रूप से यात्रा की। वह लगभग 13 वर्षों तक भारत में रहा। उसने **पतंजलि के योग सूत्र** और अन्य संस्कृत रचनाओं का अरबी में अनुवाद किया।

अल-बिरूनी का **किताब-उल-हिंद** एक सरल पाठ है, जो **अरबी** में लिखा गया है। इसे 80 अध्यायों में विभाजित किया गया है और इसमें धर्म, दर्शनशास्त्र, त्योहार, खगोल विज्ञान, कीमिया, शिष्टाचार और रीति-रिवाज़, सामाजिक जीवन, वज़न, आइकोनोग्राफी, क़ानून और मेट्रोलॉजी जैसे **विषयों की विस्तृत शृंखला शामिल है**। इसे किसी विदेशी द्वारा भारत का **सबसे पहला वस्तुनिष्ठ और वैज्ञानिक अध्ययन** माना जाता है। उस अध्याय का निष्कर्ष अन्य संस्कृतियों के साथ तुलना के तौर पर किया जाता था। अल-बिरूनी को तीन प्रमुख बाधाओं का सामना करना पड़ा, जो पहले देखी गयीं बातों से अलग थीं और उनकी समझ में रुकावट डालती थीं।

- अल-बिरूनी आगे कहता हैं कि भारतीयों के अलगाववादी रवैये को **श्रेष्ठता की झूठी भावना** ने और बल दिया।
- अपने शुरुआती अध्याय में ही, अल-बिरूनी लिखते हैं कि "**भारतीयों का मानना था कि उनके जैसा कोई देश नहीं, उनके जैसा कोई राष्ट्र नहीं, उनके जैसा कोई राजा नहीं, उनके जैसा कोई धर्म नहीं, उनके जैसा कोई विज्ञान नहीं।**"

उसने भारतीय समाज में व्याप्त कुप्रथाओं जैसे बाल-विवाह, विधवा पुनर्विवाह पर प्रतिबंध, सती प्रथा, सामान्य रूप से महिलाओं और विशेष रूप से विधवाओं की निम्न स्थिति का उल्लेख किया। उसने सभी महत्त्वपूर्ण त्योहारों को बिना किसी विशेष टिप्पणी के सूचीबद्ध किया। उसने चैत्र (एक कश्मीरी त्योहार), गुरु तृतीया, वसंत आदि का उल्लेख किया। उसने इस तथ्य पर विशेष ध्यान दिया कि अधिकांश त्योहार **केवल महिलाओं और बच्चों द्वारा ही मनाये** जाते हैं।

ये थे :

- भाषा
- धार्मिक मान्यताएँ और प्रथाएँ
- स्थानीय आबादी की संकीर्णता।

क्या आप जानते हैं? कुछ ऐसी चीज़ें थीं, जैसे **नारियल और पान के पत्ते**, जो कई विदेशी यात्रियों को अनोखी लगीं।

अल-बिरूनी ने प्रचलित जाति व्यवस्था को अलग तरह से देखा, जो उनके विशिष्ट संस्कृत ग्रंथों के अध्ययन से प्रभावित थी, जिसने ब्राह्मणों के दृष्टिकोण से प्रणाली को नियंत्रित करनेवाले नियमों को निर्धारित किया। उसने **जाति प्रथा को** उसके द्वारा ज्ञात अन्य समाजों में समानता की तलाश करके समझाने की कोशिश की। अधिकांश यात्रियों के विपरीत, **वह अतिशयोक्ति या पूर्वाग्रह से बचता था।**

अल-मसूदी और अल-बिरूनी के वृत्तांतों की तुलना

विषय	अल-मसूदी (896-956 CE)	अल-बिरूनी (973-1048 CE)
पृष्ठभूमि	अरब इतिहासकार और भूगोलवेत्ता, बग़दाद में जन्मे।	फ़ारसी बहुश्रुत (खगोलशास्त्री, गणितज्ञ, भाषाविद्) ख़्वारेज़्म से।
यात्रा का समय	10वीं शताब्दी के आरंभ में भारत का दौरा किया।	11वीं शताब्दी के आरंभ में, महमूद ग़ज़नवी के शासनकाल के दौरान आया।
प्रमुख कृतियाँ	*मुरुज अल-दहाब* (सोने के मैदान)	*किताब-उल-हिंद* (तहक़ीक़-ए-हिंद).
उद्देश्य	ऐतिहासिक-भौगोलिक सर्वेक्षण, राजाओं, व्यापार और संस्कृति का अभिलेखन।	भारत के धर्म, दर्शन, विज्ञान और समाज का वैज्ञानिक अध्ययन।
मुख्य क्षेत्र	राजा और राजवंश (जैसे, मिहिर भोज)। भारत की संपत्ति (मोती, हाथी, रत्न)। समुद्री व्यापार और भूगोल।	हिंदू धर्म, बौद्ध धर्म और जैन धर्म। जाति व्यवस्था और सामाजिक प्रथाएँ। गणित, खगोल विज्ञान, चिकित्सा,भूगोल।
विधि	वर्णनात्मक, कथात्मक, कभी-कभी उपाख्यानात्मक।	विश्लेषणात्मक, तुलनात्मक (मानवविज्ञानी की तरह)।
अद्वितीय अवलोकन	भारत की राजनीतिक शक्ति और समृद्धि की प्रशंसा की। नौसेना शक्ति और मोती मत्स्य पालन का उल्लेख किया। **भारत के सबसे पुराने अरबी विवरणों में से एक।**	जाति पदानुक्रम की आलोचनात्मक जाँच की। ज्ञान की भाषा के रूप में **संस्कृत की प्रशंसा की**। भारतीय विज्ञान की तुलना यूनानी/इस्लामी परंपराओं से की।
योगदान	ग़ज़नवी काल से पहले के भारत का एक राजनीतिक-आर्थिक चित्र प्रस्तुत किया।	भारतीय सभ्यता का पहला व्यवस्थित विद्वत्तापूर्ण अध्ययन प्रस्तुत किया।

मार्कोपोलो । सर मार्कोपोलो की पुस्तक

मार्कोपोलो एक **इतालवी व्यापारी** और लेखक थे। उनका जन्म 1254 ईसवी में वेनिस गणराज्य में हुआ था। एक देश से दूसरे देश की उसकी यात्राओं का विवरण उसकी पुस्तक '**II मिलियन**' (द मिलियन) में मिलता है, जिसे '**मार्को पोलो की यात्राएँ**' भी कहा जाता है। उसकी पुस्तक में उल्लेख है कि चीन के पास एक विशाल क्षेत्र और अपार धन-संपदा थी। इसी पुस्तक ने **क्रिस्टोफ़र कोलंबस** को प्रेरित किया।

मार्को पोलो ने रेशम मार्ग और हिंद महासागर के व्यापार मार्गों के साथ-साथ भूमि और समुद्र से यात्रा की और दक्षिण भारत (तमिलनाडु, केरल), मालाबार तट और उत्तर-पश्चिमी बंदरगाहों तक पहुँचा। उसने **मुख्यत: एक व्यापारी** के रूप में यात्रा की, व्यापार, बंदरगाहों और संसाधनों का अवलोकन किया। 1271 ईसवी में मार्कोपोलो की भारत यात्रा ने यूरोप में बहुत प्रसिद्धि अर्जित की, जिसका कारण पूर्वी दुनिया की वाणिज्यिक, धार्मिक और सामाजिक स्थितियों का विवरण था।

मार्कोपोलो ने रानी **रुद्रमादेवी के शासनकाल** में लगभग 1289 ईसवी के दौरान **काकतीय साम्राज्य** का दौरा किया। उनके कार्यों से यह पाया गया कि रुद्रमादेवी नाम की एक महिला ने अपने पिता की गद्दी सँभाली थी और राजवंश को एक दयालु और परोपकारी शासक के रूप में शासित किया था। उसने मुत्फिली (या मोटुपल्ली) को एक समृद्ध शहर और समुद्री व्यापार केंद्र के रूप में वर्णित किया है। उसने भारत को 'अत्यधिक धन और संपदा की भूमि' बताया और यहाँ सोने, रत्नों, मोतियों और उत्तम वस्त्रों की प्रचुरता का उल्लेख किया। उसने रामप्पा मंदिर को **'मंदिरों की आकाशगंगा का सबसे चमकीला तारा'** कहा। अपनी भारत यात्रा के दौरान, उसने बताया कि - यहाँ का **मौसम इतना गर्म था** कि पुरुष और महिलाएँ केवल लंगोटी ही पहनते थे। स्थानीय अनाज के रूप में केवल **चावल** ही उगाया जाता था।

क्या आप जानते हैं? **मार्को पोलो** ने **अंडमान और निकोबार** द्वीप समूह को 'आदमख़ोरों की भूमि' कहा था।

इन किताबों के अलावा, उन्होंने कई पाण्डुलिपियाँ लिखीं, जैसे ***द कस्टम्स ऑफ़ इंडिया, फ़्लोरिडा मार्को पोलो, ट्रैवल्स इन द लैंड ऑफ़ सर्पेंट्स ऐंड पर्ल आदि।***

इब्नबतूता । रेहला

इब्नबतूता **मोरक्को का यात्री** था, जो टेन्गियर में पैदा हुआ था। वह इस्लामिक धार्मिक क़ानून या शरिया में अपनी विशेषज्ञता के लिए पहचाने जानेवाले सम्मानित परिवारों में से एक था। अपने पूरे जीवन के दौरान, इब्न ने सीरिया, इराक़, फ़ारस, यमन, ओमान और पूर्वी अफ़्रीका के तट पर कुछ व्यापारिक बंदरगाहों की यात्रा की। वह **1332-33 ईसवी में मुहम्मद बिन तुग़लक़ के शासनकाल** के दौरान भारत आया था, जिसने उसे **"क़ाज़ी" या दिल्ली का न्यायाधीश नियुक्त किया** था। 1342 ईसवी में, उन्होंने सुल्तान के दूत के रूप में **चीन की यात्रा** की। उन्होंने बताया कि यात्रा के दौरान उन पर कई बार **लुटेरों के एक गिरोह** ने हमला किया और लंबी यात्राओं में लुटेरे ही एकमात्र ख़तरा नहीं थे। यात्रियों को घर की याद भी आती थी या वे बीमार भी पड़ सकते थे। उन्होंने जो मार्ग लिया, उसे नीचे दिये गये चित्र में दिखाया गया है :

दिल्ली → मालाबार तट → माल्दीव → श्रीलंका → चिट्टागोंग (चटगाँव) → सुमात्रा → ग्वांगझोउ (चीन)

दिल्ली: यहाँ वह क़ाज़ी के रूप मे कुछ वर्षों के लिए रहे

माल्दीव: यहाँ वह क़ाज़ी के रूप मे 18 महीनों के लिए रहे

इब्नबतूता के लेख की **तुलना अक्सर मार्कोपोलो से की जाती** है, जिन्होंने भारत और चीन, दोनों का दौरा किया।

इब्नबतूता ने अरबी भाषा में **"रिहला"** नामक पुस्तक लिखी। यह **14 वीं शताब्दी में दिल्ली सल्तनतकाल के दौरान भारत के सामाजिक और सांस्कृतिक जीवन** के विषय में विशद विवरण प्रदान करता है। पुस्तक अत्यधिक सावधानीपूर्वक लिखी गयी है, जहाँ नयी संस्कृतियों, लोगों, विश्वासों, मूल्यों आदि के बारे में गहरी टिप्पणियों को दर्ज किया गया है। उसने अपनी पुस्तक में विजयनगर के राजा **हरिहर प्रथम** के शासनकाल का विवरण लिखा है।

इब्नबतूता, **पान** और **नारियल** से मोहित हो गये थे और उन्होंने अपने लेख में उनके बारे में वर्णन किया। यहाँ तक कि उन्होंने इसके बारे में लिखते हुए नारियल की तुलना मानव के सिर से की।

उन्होंने दिल्ली को एक विशाल शहर बताया है, जिसकी आबादी बहुत अधिक थी और यह भारत का सबसे बड़ा शहर था। महाराष्ट्र में स्थित **दौलताबाद** भी इससे कम नहीं था और आकार में दिल्ली से आसानी से मुक़ाबला कर सकता था। **दौलताबाद में गायकों के लिए एक बाज़ार** था, जिसे उनके अनुसार *तरबाबाद* के नाम से जाना जाता था।

उसके अनुसार, वहाँ सती प्रथा प्रचलित थी - विधवाओं को जलाना (सुल्तान की अनुमति से) और जाति व्यवस्था भी प्रचलित थी।

इब्न बतूता ने लिखा है कि उस समय की मिट्टी बहुत उपजाऊ थी और किसान साल में दो फ़सलें उगा पाते थे - रबी और ख़रीफ़। उसने यह भी बताया कि चावल साल में तीन बार बोया जाता था। पूर्व में **चावल और गन्ना** बोया जाता था, जबकि उत्तर में गेहूँ और तिलहन उगाये जाते थे। **तिल, कपास और जौ** भी बोये जाते थे।

उन्होंने **भारतीय शहरों के बारे में भी लिखा**, जो उनके अनुसार जीवंत और घनी आबादीवाले थे। उन्होंने **विशेष रूप से दिल्ली के बारे में विस्तार से लिखा।**

उन्होंने यह भी उल्लेख किया है कि **डाक प्रणाली** बहुत कुशल थी, जिसका उपयोग न केवल सूचना भेजने और लंबी दूरी तक क्रेडिट भेजने के लिए किया जाता था, बल्कि माल भेजने के लिए भी किया जाता था। उनके अनुसार, मध्यकाल में **भारतीय डाक प्रणाली दो प्रकार** की थी - घोड़ा डाक जिसे **'उलूक'** कहा जाता था और पैदल डाक जिसे **'दावा'** कहा जाता था। उलूक को हर 4 मील की दूरी पर तैनात घोड़ों द्वारा चलाया जाता था और पैदल डाक में प्रति मील तीन स्टेशन होते थे, जहाँ एक-तिहाई मील को दावा के नाम से जाना जाता था। एक हाथ में **घंटी ढोने** के लिए इस्तेमाल किया जानेवाला फ़ुट-पोस्ट। यह **फ़ुट-पोस्ट घोड़े के पोस्ट से तेज़** था।

विरासत स्मरण

1400 और 1800 के बीच की शताब्दियों में, भारत आनेवाले विदेशी पर्यटकों ने फ़ारसी में कई यात्रा वृत्तांत लिखे। इसी समय, मध्य एशिया, ईरान और ओटोमन साम्राज्य की यात्रा करनेवाले भारतीय पर्यटकों ने भी कभी-कभी अपने अनुभवों के बारे में लिखा। ये लेखक **अल-बिरूनी और इब्न बतूता के पदचिन्हों पर चलते** थे और उन्होंने कभी-कभी इन पूर्ववर्ती लेखकों को पढ़ा भी था।

इन लेखकों में सबसे प्रसिद्ध थे अब्दुर्रज़्ज़ाक समरकंदी, जिन्होंने 1440 के दशक में दक्षिण भारत का दौरा किया, महमूद वली बल्ख़ी, जिन्होंने 1620 के दशक में व्यापक यात्राएँ कीं और शेख़ अली हाजिन, जो 1740 के दशक में उत्तर भारत आये। इनमें से कुछ लेखक भारत से मोहित थे, और उनमें से एक, महमूद बल्ख़ी, कुछ समय के लिए एक प्रकार के संन्यासी भी बन गये थे। हाजिन जैसे अन्य लेखक भारत से निराश और यहाँ तक कि विरक्त भी थे, जहाँ उन्हें लाल क़ालीनवाले स्वागत की उम्मीद थी। उनमें से अधिकांश भारत को अजूबों की भूमि मानते थे।

शिहाबुद्दीन अल-उमरी । मसालिक अलबसर फ़ि-मामलिक

शिहाबुद्दीन अल-उमरी दमिश्क़ से राजदूत के रूप में आये। उन्होंने अपनी मामलुक प्रशासन पर लिखी पुस्तक ***'मसालिक अलबसर फ़ि-मामलिक अल-अमसर'*** में भारत का विशद विवरण दिया है।

निकोलो डे-कॉन्टी

निकोलो डे-कॉन्टी एक **इतालवी व्यापारी** और खोजकर्ता थे। उन्होंने अरब सागर को गुजरात के कैम्बे से पार किया और **1420-1421 ईसवी** में भारत में प्रवेश किया। उन्होंने पकामुरिया, हेल्ली और **विजयनगर राज्य** की यात्रा की। उस समय, **देवराय I** ने **विजयनगर** के सिंहासन पर शपथ ली थी।

मायलापुर (चेन्नई में) में, उन्होंने **सेंट थॉमस** का मक़बरा पाया, जिन्होंने भारत में **ईसाई समुदाय** की उपस्थिति सुनिश्चित की। उन्होंने भारत, सुमात्रा और चीन के बीच **सोने और मसाले के व्यापार** की पुष्टि की।

उन्होंने तेलुगू भाषा को **"पूर्व का इतालवी"** कहा। डे-कॉन्टी की पाण्डुलिपि का पहला मुद्रित संस्करण **क्रिस्टोफ़ोरो दा बोलेट** द्वारा मूल लैटिन में 1492 में निक़ला था। डे-कॉन्टी ने दक्षिण-पूर्व एशिया को **"धन, संस्कृति और भव्यता के मामले में अन्य सभी क्षेत्रों से आगे निक़लने"** के रूप में वर्णित किया।

अब्दुर रज़्ज़ाक़ । मातला-उस-सादैन-वा-मजमा-उल-बहरीन

वह एक **फ़ारसी** विद्वान् थे, जिन्होंने **देवराय द्वितीय** के समय विजयनगर साम्राज्य का दौरा किया था। उन्होंने **देवराय द्वितीय** के शासनकाल का विवरण दिया।

वह 1442 ईसवी में शाहरुख़ (फ़ारस के तैमूरी राजवंश का शासक) के राजदूत के रूप में कालीकट के राजा जमोरिन के दरबार में आये। उसने **1442-44** के आसपास एक राजनयिक और दूत के रूप में भारत का दौरा किया, लेकिन राजनीति, अर्थव्यवस्था और संस्कृति का भी अवलोकन किया। उसकी यात्रा का मुख्य उद्देश्य **विजयनगर साम्राज्य** में एक राजनयिक मिशन था।

विजयनगर साम्राज्य की राजधानी **हम्पी** के बारे में, उसने अपने संस्मरणों में उल्लेख किया है कि "*आँख की पुतली ने कभी इसके जैसी जगह नहीं देखी और बुद्धि के कान को कभी यह पता नहीं चला कि दुनिया में इसके बराबर कुछ भी मौजूद है*"।

हम्पी के बाज़ारों के बारे में, अब्दुर रज़्ज़ाक ने उल्लेख किया कि यहाँ **हर जगह गुलाब बिकते हैं**, और लोग गुलाब के बिना नहीं रह सकते।

उन्होंने भारत के लिए 45 पेज का आख्यान लिखा। यह उनकी पुस्तक **मातला-उस-सादैन-वा-मजमा-उल-बहरीन** में एक अध्याय के रूप में दिखाई देता है।

अफ़ानसी निकितिन । तीन समुद्रों से परे की यात्रा

अफ़ानसी निकितिन टवर के एक **रूसी व्यापारी** थे और भारत आनेवाले पहले यूरोपीय (निकोलो डे-कॉन्टी के बाद) में से एक थे। उसने 15वीं शताब्दी में भारत का दौरा किया और अपनी पुस्तक '***ए जर्नी बियॉन्ड द थ्री सीज***' में बहमनी सल्तनत और विजयनगर साम्राज्य के बारे में वर्णन किया।

अपनी यात्रा के दौरान, निकितिन ने भारत की जनसंख्या, सामाजिक व्यवस्था, अर्थव्यवस्था, सेना, धर्म, जीवन शैली, सरकार और प्राकृतिक संसाधनों का अध्ययन किया। निकितिन के तथ्यात्मक विवरण की प्रचुरता उस समय के भारत के बारे में जानकारी का मूल्यवान् स्रोत प्रदान करती है।

उन्होंने मुहम्मद तृतीय (1463-82) के अधीन बहमनी साम्राज्य की स्थिति का वर्णन किया।

दुआर्ते बारबोसा । दुआर्ते बारबोसा की पुस्तक

वे एक पुर्तगाली यात्री थे, जो 16 वर्षों (1500-1516 ई.) तक भारत में रहे, अधिकतर समय केरल और विजयनगर साम्राज्य में रहे। बारबोसा ने मलयालम का अध्ययन किया और भारत में प्रचलित जाति संस्कृति के साथ-साथ सामाजिक जीवन के बारे में भी लिखा। उन्होंने *'बुक ऑफ़ दुआर्ते बारबोसा'* लिखी, जो विदेशी संस्कृतियों का विस्तृत विवरण देती है। विजयनगर साम्राज्य के बारे में उसने कहा कि - **राजा ऐसी स्वतंत्रता देता था** कि हर व्यक्ति कहीं भी आ-जा सकता है और अपने धर्म के अनुसार रह सकता है, बिना किसी परेशानी के और बिना किसी पूछताछ के, चाहे वह ईसाई, यहूदी, मूर या हिंदू हो, जो उत्कृष्ट **धार्मिक सहिष्णुता** का संकेत देता है।

डोमिंगो पेस । क्रोनिका डॉस रीस डी बिसनागा

वह एक **पुर्तगाली** व्यापारी, लेखक और खोजकर्ता थे, जिन्होंने **1520-1522 ईसवी** के बीच भारत का दौरा किया और विजयनगर साम्राज्य के तहत तुलुव राजवंश के राजा **कृष्णदेव राय** के शासनकाल के दौरान हम्पी नामक प्राचीन शहर का विस्तृत विवरण दिया।

उन्होंने अपनी यात्रा को ***"Chronica dos reis de Bisnaga"*** नाम से अपनी पुस्तक में दर्ज किया, जहाँ उन्होंने विजयनगर साम्राज्य के बारे में गहराई से जानकारी दी।

उन्होंने उस साम्राज्य के बारे में **निम्नलिखित विशेषताएँ** बतायीं :

- उन्नत **सिंचाई तकनीक**, जिसने किसानों को बहुत कम क़ीमतों पर उच्च उपजवाली फ़सलों का उत्पादन करने को प्रेरित किया।
- फ़सलों और वनस्पतियों में विविध प्रकार की संस्कृतियों को दिखाया गया।
- उन्होंने **क़ीमती पत्थरों के एक व्यस्त बाज़ार** का वर्णन किया।
- शहर समृद्ध था और **इसका आकार रोम के साथ तुलनीय स्थिति में था**, जिसमें प्रचुर मात्रा में वनस्पति, नहर (aqueducts) और कृत्रिम झीलें थीं।
- उसने विजयनगर शहर को दुनिया का सबसे बेहतर सुविधा संपन्न शहर बताया, जहाँ बाज़ार अनाज और दालों से भरपूर थे। यहाँ सस्ते दामों पर फलों की प्रचुरता थी और विभिन्न जानवरों और पक्षियों का मांस भी उपलब्ध था।
- उन्होंने **देवदासी प्रथा** का भी ज़िक्र किया।

क्या आप जानते हैं?

डोमिंगो पेस ने **कृष्णदेवराय** को मध्यम क़द, गोरे रंग और बढ़िया शारीरिक संरचनावाला व्यक्ति बताया, जो दुबले-पतले होने के बजाए सपाट थे और उनके **चेहरे पर चेचक के निशान** थे।

सेसारे फ़ेडेरिसी

उन्हें सीज़र फ्रेडरिक के नाम से भी जाना जाता है। विजयनगर साम्राज्य का दौरा करनेवाले सभी यात्रियों में फ़ेडेरिसी सबसे दुर्भाग्यपूर्ण थे। तालीकोटा की लड़ाई के उपरांत इसके खंडहर हो जाने के 2 साल बाद, उन्होंने वर्ष 1567 में इसका दौरा किया था। उन्होंने 1563 से 1581 ईसवी तक पूर्व की यात्रा की और उस अवधि के दौरान भारत में लोगों के सामाजिक, आर्थिक और सांस्कृतिक जीवन का विवरण दिया है।

उनके अपने शब्दों में, विजयनगर के खंडहरों का वर्णन इस प्रकार किया गया था :

"बेज़ेनेगर (विजयनगर) शहर पूरी तरह से नष्ट नहीं हुआ है, फिर भी घर अभी भी खड़े हैं, लेकिन ख़ाली हैं और जैसा कि बताया गया है, उनमें बाघों और अन्य जंगली जानवरों के अलावा कुछ भी नहीं है।"

फ़र्नाओ नुनिज़ । बिसनागा के दो राजाओं का इतिहास

फ़र्नाओ नुनिज़ एक पुर्तगाली व्यापारी थे, जो **विजयनगर साम्राज्य** के तुलुव राजवंश के अच्युतदेव राय के शासनकाल के दौरान आये थे। उन्होंने अच्युतदेव राय के शासनकाल के अंतिम वर्षों के प्रारंभिक समय से साम्राज्य का इतिहास लिखा।

फ़र्नाओ नुनिज़ ने 1535-1537 ई. की समयावधि में विजयनगर साम्राज्य का दौरा किया। उन्होंने देखा कि राज्य में ऐसी स्त्रियाँ थीं, जो ज्योतिषी और भविष्यवक्ता थीं, जो कुश्ती लड़ती थीं और ख़र्चों का लेखा-जोखा लिखती थीं। उसने विजयनगर साम्राज्य में **सती प्रथा और बहुविवाह के प्रचलन** का संकेत दिया। उसने डोमिंगो पेस के साथ मिलकर ***क्रॉनिका डॉस रीस डे बिस्नागा*** का सह-लेखन किया।

सईदी अली रईस

सईदी अली रईस (1498-1563 ई.) **तुर्की** के एक ओटोमन एडमिरल, नाविक और लेखक थे। उन्हें सुल्तान सुलेमान द मैग्निफ़िसेंट ने **अरब सागर में पुर्तगालियों** से लड़ने के लिए भेजा था। 1554 ई. में खंभात (कैम्बे, गुजरात) के पास आये तूफ़ानों में उनका बेड़ा नष्ट हो गया और इसके बाद उन्हें लगभग 3 वर्ष (1554-1557 ई.) भारत में ही रहना पड़ा। वे **गुजरात** पहुँचे, फिर उत्तर भारत की यात्रा की और **हुमायूँ और अकबर** के मुग़ल दरबारों में रहे। उन्होंने ओटोमन तुर्की भाषा में '**मिरात उल-ममालिक**' (देशों का दर्पण) लिखा, जिसमें उन्होंने इस्ताँबुल → अरब सागर → गुजरात → मुग़ल भारत → मध्य एशिया → इस्ताँबुल तक की अपनी यात्रा का वर्णन किया है और यह 16वीं शताब्दी के भारत पर एक **दुर्लभ ओटोमन दृष्टिकोण** प्रदान करता है। उनकी पुस्तक भारतीय जलक्षेत्र में **पुर्तगाली-तुर्क नौसैनिक प्रतिद्वंद्विता** का प्रत्यक्ष विवरण है। सैय्यदी, मुग़ल शासकों के साथ सीधे संपर्क में थे, जबकि अरब व्यापारी ज़्यादातर तटीय क्षेत्रों में ही रहते थे।

जान ह्युघेन वान लिंसचोटेन । इटिनरेरियो

वे 16वीं सदी के **डच** यात्री थे, जिन्होंने दक्षिण भारत (मुख्यतः गोवा) के सामाजिक और आर्थिक जीवन का बहुमूल्य विवरण दिया है। इस पुस्तक '***इटिनरेरियो***' में उन्होंने पूर्वी इंडीज़, विशेष रूप से भारत, की यात्राओं के विस्तृत मानचित्र प्रदर्शित किये।

विलियम हॉकिन्स

वह अँगरेज़ी ईस्ट इंडिया कंपनी के प्रतिनिधि और **ब्रिटिश राजा जेम्स-प्रथम** के राजदूत थे। वह **सूरत** में एक कारख़ाने की स्थापना के बारे में बातचीत करने के लिए मुग़ल सम्राट् **जहाँगीर** के दरबार में **1608** में आगरा आये। जहाँगीर द्वारा दी गयी यह अनुमति पूर्व में अँगरेज़ी वाणिज्य की पहली मान्यता थी।

एंटोनियो मोनसेरेट । अकबर के दरबार की उनकी यात्रा पर टिप्पणी

उन्हें एंटोनियो डी मोनसेरेट के नाम से भी जाना जाता है। मोनसेरेट एक **स्पेनिश** खोजकर्ता थे, जिन्होंने 16वीं शताब्दी में भारत की यात्रा की थी। वे अपने विवरणों और दस्तावेज़ों के लिए प्रसिद्ध हैं, जो भारत की स्थानीय संस्कृति और रीति-रिवाज़ों को दर्शाते हैं।

मोनसेरेट 1578 ईसवी में भारत के पश्चिमी तट पर पुर्तगाली उपनिवेश गोवा पहुँचे। उन्होंने भारतीय उपमहाद्वीप के भीतर अपनी यात्राएँ आरंभ कीं, जिसमें प्राथमिक उद्देश्य मुग़ल साम्राज्य और उसके शासक, सम्राट् अकबर, को समझने के साथ-साथ आगरा, फ़तेहपुर सीकरी और लाहौर (वर्तमान पाकिस्तान में) जैसे शहरों की महत्त्वपूर्ण यात्राएँ शामिल थीं। उन्होंने अकबर के दरबार का दौरा किया और ***द कमेंटरी ऑफ़ फ़ादर मोनसेरेट, एस. जे., ऑन हिज जर्नी टू द कोर्ट ऑफ़ अकबर*** में अकबर के प्रशासन, धार्मिक नीतियों और सांस्कृतिक प्रथाओं का विवरण दिया, जो भारतीय इतिहास के उस काल की बहुमूल्य जानकारी प्रदान करता है।

सर थॉमस रो

वह **महारानी एलिजाबेथ *I*** के शासनकाल के दौरान एक अँगरेज़ी राजनयिक और **हाउस ऑफ़ कॉमन्स** के सदस्य थे। **1615 से 1619 ईसवी तक**, वह मुग़ल सम्राट् जहाँगीर के दरबार में रहे। उनके मिशन का मुख्य उद्देश्य **सूरत में ब्रिटिश ईस्ट इंडिया कंपनी के कारख़ाने का संरक्षण प्राप्त करना था।** ***द एम्बेसी ऑफ़ सर थॉमस रो टू द कोर्ट ऑफ़ द ग्रेट मोगुल,*** 1615-19, पुस्तक जैसा कि उनकी दैनिकी और पत्राचार में वर्णित है, 17वीं शताब्दी की शुरुआत में भारत के इतिहास में एक महत्त्वपूर्ण योगदान है।

उनका **"जर्नल ऑफ़ मिशन टू दी मुग़ल एम्पायर"** भारत के इतिहास में एक क़ीमती योगदान है।

पीटर मुंडी

पीटर मुंडी 17वीं सदी का एक **ब्रिटिश** व्यापारी, यात्री और लेखक था। उसने भारत, चीन और जापान की यात्रा की थी। **सर विलियम कर्टन** द्वारा चार जहाज़ों और दो नावों का बेड़ा भेजा गया था और ऐसा प्रतीत होता है कि उसमें मुंडी एक कारिन्दा (फ़ैक्टर) के रूप में रखा गया था।

वह 1628 में सूरत पहुँचा और उसके बाद 1630 में उसने आगरा की यात्रा की और 1631 तक वहीं रहा और उसके बाद वह पटना के लिए रवाना हुआ। बाद में, वह आगरा और सूरत लौट आया और वहाँ लगभग 1634 तक रहा।

उसने अपने लेखन में **बंजारा समुदाय** का वर्णन किया है। बंजारे दिल्ली सल्तनत और मुग़ल काल के दौरान महत्त्वपूर्ण ख़ानाबदोश व्यापारी थे। उनके कारवाँ को *टांडा* कहा जाता था।

जीन-बैप्टिस्ट टैवर्नियर

वे 17वीं शताब्दी के फ़्रांसीसी **रत्न (विशेषकर हीरा)** व्यापारी और यात्री थे। अपने जीवन में, उन्होंने फ़ारस और भारत की 06 यात्राएँ कीं। 1638-1643 ईसवी के बीच अपनी दूसरी यात्रा के दौरान, वह भारत आये और वहाँ से आगरा एवं गोलकुंडा साम्राज्य की यात्रा की। 1665 में वाराणसी की अपनी यात्रा करते समय उन्होंने वर्णन किया कि वाराणसी में मकान और अन्य संरचनाएँ अधिकतर मिट्टी से बनी थीं, जबकि कुछ का पत्थरों, स्लेट और लकड़ी का उपयोग करके निर्माण किया गया था। उन्होंने **शाहजहाँ** के दरबार का भी दौरा किया और हीरे की खानों की अपनी पहली यात्रा की। अपनी पुस्तक में

उन्होंने **हीरे और भारत की हीरे की खानों** के बारे में विस्तार से चर्चा की है। वह **ब्लू डायमंड** की अपनी खोज/ख़रीदी के लिए लोकप्रिय हैं, जिसे बाद में उन्होंने फ्रांस के लुइस XIV को बेच दिया।

निकोलो मनुची । स्टोरिया डो मोगोर

निकोलो मनुची एक **इतालवी** लेखक, चिकित्सक और यात्री था। वह 1653 में (17 वर्ष की आयु में) भारत आया था और उसके बाद **उसने अपना पूरा जीवन भारत में बिताया।** वह कभी इटली वापस नहीं लौटा। वह सूरत में उतरा और उसे मुग़ल शहज़ादे दारा शिकोह की सेना में **तोपची** के रूप में नियोजित किया गया था। औरंगज़ेब से दारा शिकोह की हार के बाद, उसने प्रसिद्ध राजपूत शासक मिर्ज़ा राजा जय सिंह के लिए काम किया, लेकिन यह लंबे समय तक नहीं चला। मनुची की यात्राएँ और रोज़गार की तलाश उसे पूरे भारत में ले गयी - कश्मीर से लेकर बंगाल, गोवा से लेकर मद्रास तक। **दक्षिण भारत** जाने के बाद, उसने **सिद्ध चिकित्सक** के रूप में भी ख्याति अर्जित की, जो दक्षिण भारत की चिकित्सा पद्धति है। इसके अलावा, वह कई भाषाओं, विशेष रूप से फ़ारसी में पारंगत था।

1698 में लिखी अपनी पुस्तक, ***Storia do Mogor*** (या मुग़लों की कहानी) में, उसने मुग़ल बादशाह शाहजहाँ (उसका उत्तरकालीन समय) के शासनकाल और मुख्य रूप से औरंगज़ेब के दरबारी जीवन का वर्णन किया है। उसने औरंगज़ेब के जीवन का भी वर्णन किया और अपने आपको लंबे समय से पीड़ित नायक और **औरंगज़ेब** को दुष्ट खलनायक के रूप में प्रस्तुत किया।

फ्रेंकोइस बर्नियर । मुग़ल साम्राज्य में यात्राएँ

फ्रेंकोइस बर्नियर एक **फ्रांसीसी व्यक्ति** थे, जो एक डॉक्टर, राजनीतिक दार्शनिक और इतिहासकार थे। राजकुमार **दारा शिकोह के चिकित्सक** के रूप में, वे **1656** में भारत आये और **12 वर्षों तक** मुग़ल दरबार में रहे। उन्होंने अपना प्रमुख लेखन फ्रांस के **राजा लुई चौदहवें** को समर्पित किया। वे अक्सर **मुग़ल सेना के साथ आलीशान सुख-सुविधाओं** के बीच यात्रा करते थे और ताज़ा पेय नींबू पानी और दही के बहुत शौकीन थे। **'ट्रैवल्स इन द मुग़ल/मुग़ल एम्पायर, 1656-1668'** (मूल रूप से फ्रेंच में, बाद में अँगरेज़ी में अनुवादित) में उनके लेखन अक्सर यूरोप में प्रचलित प्रथाओं और विकास का तुलनात्मक विवरण देते थे। उन्होंने **समकालीन यूरोप के साथ मुग़ल भारत की तुलना** लगातार की, विशेष रूप से फ्रांस को श्रेष्ठ के रूप में चित्रित करने की कोशिश की। उन्होंने ज़्यादातर **सामाजिक और आर्थिक जीवन** के बारे में लिखा। मुख्य बिंदु इस प्रकार हैं :

- उन्होंने **मुग़ल साम्राज्य की कड़ी आलोचना** की और उसे '**भिखारियों और बर्बरों**' का राजा बताया। उन्होंने मुग़ल साम्राज्य के बारे में आगे कहा कि उसके शहर और क़स्बे बर्बाद हो गये थे और 'बुरी हवा' से दूषित हो गये थे, और उसके खेत 'झाड़ियों से भरे' और 'महामारीवाले दलदलों' से भरे हुए थे। और यह सब एक ही कारण से था : **भूमि पर शाही स्वामित्व।**
- मुग़ल भारत में भूमि पर निजी संपत्ति का अभाव था।
- उनका मानना था कि कारीगरों के पास अपने उत्पादों की गुणवत्ता सुधारने के लिए कोई प्रोत्साहन नहीं था, क्योंकि लाभ राज्य द्वारा हड़प लिया जाता था।
- उन्होंने भारत की अर्थव्यवस्था की तुलना यूरोप की अर्थव्यवस्था से की और प्राकृतिक उर्वरता के बावजूद भारत को '**कृत्रिम अभाव**' का देश बताया।

- उन्होंने मुग़ल शहरों को '**शिविर नगर**' बताया, क्योंकि नगरों का अस्तित्व शाही शिविरों के कारण था।
- उन्होंने कार्यशालाओं या शाही कारख़ानों के बारे में भी विस्तार से लिखा।
- *व्यापारी महाजन, सेठ और नगरसेठ* जैसे जाति-सह-व्यवसायिक समूहों में संगठित थे।
- बर्नियर ने उस समय प्रचलित सती प्रथा का विस्तृत विवरण दिया।

जीन-एंटोनी डुबोइस । हिंदू शिष्टाचार, रीति-रिवाज़ और समारोह

वह दक्षिण भारत की यात्रा करनेवाला फ़्रांसीसी **कैथोलिक** धर्मप्रचारक था। उसे स्थानीय लोग डोड्डा स्वामी कहकर बुलाते थे। वह भारतीयों को ईसाई बनाने के उद्देश्य से आया था। हालाँकि, वह विफल रहा। इसके बजाए, वह हिंदू भिक्षु की जीवन शैली, वस्त्र, भोजन (शाकाहार) और भाषा अपनाने के लिए याद किया जाता है। उसकी पुस्तक ***"हिंदू शिष्टाचार, रीति-रिवाज़ और समारोह"*** में तीन भाग हैं : भारत में समाज का और विशेष रूप से जाति व्यवस्था का एक सामान्य अवलोकन; ब्राह्मण जीवन की चार अवस्थाएँ; धार्मिक प्रथाएँ - त्यौहार, भोज, मंदिर, पूजा की वस्तुएँ। वह अपनी पुस्तक में यह उद्धृत करके बहुत ख़ुश होता है कि - *"एक हिंदू स्त्री अकेले कहीं भी जा सकती है, यहाँ तक कि सबसे अधिक भीड़-भाड़वाली जगहों पर भी और उसे शोहदों की ढीठ दृष्टि और फ़ब्तियों से कभी डरने की ज़रूरत नहीं होती है। ... जिस घर में केवल महिलाएँ रहती हैं, वह महिला अभयारण्य होता है, जिसकी पवित्रता भंग करने के बारे में लंपट भी सोच नहीं सकता है।"*

क्या आप जानते हैं?
1750 के बाद शेख इतिसामुद्दीन और मिर्ज़ा अबू तालिब जैसे भारतीय थे, जिन्होंने यूरोप का दौरा किया और यूरोपीय यात्रियों द्वारा वहाँ बनायी गयी भारत की छवि का सामना किया तथा उन्होंने अपने स्वयं के संस्करण प्रस्तुत करके इसे प्रभावित करने का प्रयास किया।

यू.पी.एस.सी. विगत वर्षों के बहुविकल्पीय प्रश्न

1. चीनी तीर्थयात्री फाहियान (फाहियान) ने किसके शासनकाल में भारत की यात्रा की थी? **(CSE, 2025)**

(a) समुद्रगुप्त (b) चंद्रगुप्त द्वितीय
(c) कुमारगुप्त प्रथम (d) स्कंदगुप्त

2. भारत-रोमन व्यापार के संदर्भ में, इनमें से किन्होंने भारत में रोमन सोने के प्रवाह का उल्लेख किया है? **(CAPF, 2025)**

1. स्ट्रैबो 2. प्लिनी
3. टॉलेमी 4. डियो क्राइसोस्टोम

नीचे दिये गये कूट का प्रयोग कर उत्तर चुनिए।

(a) 1 और 2 (b) 2 और 3
(c) 2 और 4 (d) 1 और 3

3. इनमें से किस यात्री ने कर्नाटक के तटीय क्षेत्र में बीज बोने की मशीन (सीड ड्रिल) के उपयोग के बारे में उल्लेख किया है, जो भारत में इस उपकरण के विद्यमान होने का सबसे पुराना संदर्भ है? **(CAPF, 2025)**

(a) दुआर्ते बरबोसा (b) अब्दुर रज्जाक
(c) अफानसी निकितिन (d) निकोलो कॉन्टी

4. भारत में आने वाले निम्नलिखित विदेशी यात्रियों को सबसे पहले से आरंभ करते हुए कालक्रमानुसार व्यवस्थित कीजिए : **(NDA II, 2025)**

1. पीटर मुंडी
2. एंटोनियो मोनसेरेट
3. अफानसी निकितिच निकितिन
4. इब्न बतूता

नीचे दिये गये कूट का प्रयोग कर उत्तर चुनिए :

(a) 2-1-4-3 (b) 2-3-4-1
(c) 4-3-2-1 (d) 3-4-1-2

5. डोमिंगो पेस ने किसी राजा का वर्णन इन शब्दों में किया : 'मझला क़द, गोरा रंग और अच्छी काठी, कुछ मोटा, राजा के चेहरे पर चेचक के दाग हैं'। नीचे दिये गये विकल्पों में से राजा को पहचानिए। **(NDA II, 2024)**

(a) कृष्णदेव राय (b) राम राय
(c) देवराय I (d) देवराय II

6. इब्न बतूता ने भारत के पोस्टल सिस्टम की कौन सी खासियतें बतायीं हैं? **(NDA I, 2024)**

1. पैदल डाक के एक हाथ में घंटी होती है।
2. घोड़े की डाक को उलूक कहते हैं, जो हर चार मील की दूरी पर होती है।
3. पैदल डाक या दावा का हर चार कोस की दूरी पर एक स्टेशन होता है।
4. पैदल डाक घोड़े की डाक से ज़्यादा तेज़ होती है।

नीचे दिये गये कूट का प्रयोग कर उत्तर चुनिए :

(a) 1, 2 और 4 (b) केवल 1 और 2
(c) केवल 2 और 3 (d) 1, 3 और 4

7. विजयनगर का भ्रमण करने वाले यात्री अब्दुर्रज़्ज़ाक ने विजयनगर में अनेक पुष्प व्यापारियों की उपस्थिति का उल्लेख किया था और एक विशेष पुष्प का उल्लेख किया था, जो वहाँ के लोगों को भोजन जितना आवश्यक प्रतीत होता था। अब्दुर्रज़्ज़ाक द्वारा किस प्रजाति के पुष्पका उल्लेख किया गया? **(CAPF, 2024)**

(a) चमेली (b) कमल
(c) गुड़हल (d) गुलाब

8. फारस के शासक के राजदूत अब्दुर रज़्ज़ाक को पंद्रहवीं शताब्दी में कालीकट भेजा गया था। वह किस बात से अत्यंत प्रभावित हुआ था? **(CDS II, 2023)**

(a) कालीकट के क़िलेबंदी से
(b) उस तटीय शहर की जलवायुवीय स्थितियों से
(c) उस स्थान के उच्च गुणतायुक्त मसालों से
(d) उस स्थान की संगीत परंपराओं से

9. प्राचीन भारत में किस चीनी यात्री ने 'मध्य भारत की यात्रा के अभिलेख' नामक दैनिकी (डायरी) लिखी थी? **(NDA I, 2022)**

(a) वांग हुएन-सी (Wang Xuance)
(b) ह्वेनत्सांग (Xuanzang)
(c) इत्सिंग (Yijing)
(d) ली यिबियाओ (Li Yibiao)

10. इनमें से किसने मध्यकालीन भारतीय डाक व्यवस्था का दो प्रकार के होने का वर्णन किया है - अश्व डाक व्यवस्था जिसे 'उलुक' कहा जाता है और पैदल डाक व्यवस्था जिसे 'दावा' कहा जाता है? **(NDA II, 2022)**

(a) अल बिरूनी (b) दुआर्ते बरबोसा
(c) इब्न बतूता (d) सैयदी अली रईस

11. पुर्तगाली लेखक नूनिज़ के अनुसार, विजयनगर साम्राज्य में महिलाएँ निम्नलिखित में से किन क्षेत्रों में निपुण थीं? **(CSE, 2021)**

1. कुश्ती 2. ज्योतिषशास्त्र
3. लेखाकरण 4. भविष्यवाणी

नीचे दिये गये कूट का प्रयोग कर सही उत्तर चुनिए।

(a) केवल 1, 2 और 3 (b) केवल 1, 3 और 4
(c) केवल 2 और 4 (d) 1, 2, 3 और 4

12. निम्नलिखित में से किस दिल्ली सुल्तान के दूत के रूप में इब्न बतूता चीन गया था? **(CDS II, 2020)**

(a) अलाउद्दीन ख़िलजी (b) मुहम्मद बिन तुग़लक़
(c) इल्तुतमिश (d) फ़िरोज़ शाह तुग़लक़

13. अल-बिरूनी ने किस भाषा में किताब-उल-हिंद लिखी थी? **(CDS II, 2020)**

(a) अरबी (b) फ़ारसी
(c) उर्दू (d) तुर्की

14. किस यूरोपीय यात्री ने कहा था, "एक हिंदू स्त्री अकेले कहीं भी जा सकती है, यहाँ तक कि सबसे अधिक भीड़-भाड़वालीं जगहों पर भी, और उसे शोहदों की ढीठ दृष्टि और फ़ब्तियों से कभी डरने की ज़रूरत नहीं होती है।" **(CDS I, 2020)**

(a) फ़्रेंकोइस बर्नियर (b) जीन बैप्टिस्ट टैवर्नियर
(c) थॉमस रो (d) अब्बे जे ए डुबोइस

15. निम्नलिखित में से कौन सा युग्म यात्रियों और उनकी राष्ट्रीयता का सही मेल नहीं खाता है?

(a) इब्न बतूता-मोरोकेन
(b) डुर्ट बारबोसा-पुर्तगाली
(c) जीन बेप्टिस्ट टवेर्नियर-डच
(d) निकोलो मनुची-विनीशियन

16. निम्नलिखित में से कौन-से युग्म सही रूप से मेल खाते हैं? **(NDA I, 2018)**

	यात्री	- देश से
1.	मार्को पोलो	- इटली
2.	इब्न बतूता	- मोरक्को
3.	निकितिन	- रूस
4.	सैदी अली रीस	- तुर्की

नीचे दिये गये कोड का उपयोग करके सही उत्तर चुनें:

(a) केवल 1, 2 और 3 (b) केवल 2 और 3
(c) 1, 2, 3 और 4 (d) केवल 1 और 4

17. निम्नलिखित में से कौन-सा यात्री इटली से था और 15वीं शताब्दी में विजयनगर साम्राज्य का दौरा किया? **(NDA II, 2018)**

(a) निकितिन (b) फा-हियेन
(c) बर्नियर (d) निकोलो कॉन्टी

18. निम्नलिखित में से किस विदेशी यात्री ने भारत के हीरों और हीरे की खानों पर विस्तार से चर्चा की है? **(CSE, 2018)**

(a) फ़्रेंकोइस बर्नियर (b) जीन-बैप्टिस्ट टैवर्नियर
(c) जीन डी थेवेनोट (d) अब्बे बार्थेलेमी कैरे

19. निम्नलिखित कथन पर विचार कीजिए :
"किसानों से इतना ग़लत हुआ है कि उनका पेट भरने के लिए सूखी रोटी भी मुश्किल से नहीं बची है।"
निम्नलिखित में से किस यूरोपीय यात्री ने मुग़ल साम्राज्य में किसानों की स्थिति के बारे में उपरोक्त बातें कहीं थीं? **(CDS I, 2018)**
(a) फ़्रांसिस्को पेल्सार्ट (b) फ़्रेंकोइस बर्नियर
(c) जीन बैप्टिस्ट टैवर्नियर (d) निकोलो मनुची

20. निम्नलिखित में से कौन-सा यूरोपीय यात्री कभी यूरोप नहीं लौटा और भारत में बस गया? **(CDS II, 2018)**
(a) दुआर्ते बारबोसा (b) मनुची
(c) टेवर्नियर (d) बर्नियर

21. फ़्रांसीसी यात्री टेवर्नियर के अनुसार, 17वीं शताब्दी के दौरान वाराणसी में अधिकांश घर बने थे- **(CDS II, 2018)**
(a) ईंट और मिट्टी से (b) पत्थर और छप्पर से
(c) लकड़ी और पत्थर से (d) ईंट और पत्थर से

22. निम्नलिखित में से कौन-सा/से कथन सत्य है/हैं?
1. फाह्यान का "गाओसेंग फाह्यान जुआन" भारत में बौद्ध स्थलों और प्रथाओं का सबसे पहला चीनी विवरण था।
2. फाह्यान यह मूलपाठ लिखने के समय केवल 25 वर्ष का था।
3. भारत आने का फाह्यान का मुख्य उद्देश्य मठवासी नियमोंवाले ग्रंथों को प्राप्त करना और वापस ले जाना था।
नीचे दिये गये कूट का प्रयोग कर सही उत्तर चुनिए: **(CDS I, 2018)**
(a) 1, 2 और 3 (b) केवल 2
(c) केवल 1 और 3 (d) केवल 3

23. निम्नलिखित में से किस एक यात्रा-वृत्तांत ने मुहम्मद बिन तुग़लक़ के शासनकाल पर एक अंतर्दृष्टि दी है? **(NDA II, 2017)**
(a) इब्न बतूता का रिहला
(b) मुग़ल साम्राज्य में फ़्रेंकोइस बर्नियर यात्रा-वृत्तांत
(c) निकोलो मनुची स्टोरिया डो मोगोर
(d) भारत में टैवर्नियर की यात्राएँ

24. निकोलो डे कॉन्टी, अब्दुर्रज़्ज़ाक, अफ़ानासियस निकितिन और फ़र्नाओ नुनिज़ ने किस साम्राज्य का भ्रमण किया था? **(CDS I, 2015)**
(a) कन्नौज साम्राज्य (b) विजयनगर साम्राज्य
(c) होयसाल साम्राज्य (d) राष्ट्रकूट साम्राज्य

25. मार्को पोलो की भारत यात्रा (1271 ईसवी) ने यूरोप मे काफ़ी ख्याति अर्जित की **(CDS II, 2014)**
(a) उसके द्वारा भारत में सुरक्षित मौन की खोज के कारण
(b) उसके द्वारा भारत के कई राजाओं के साथ सौहार्दपूर्ण संबंध स्थापित करने के कारण।
(c) पूर्व की वाणिज्यिक, धार्मिक और सामाजिक परिस्थितियों के उसके विवरण के कारण।
(d) उपर्युक्त सभी

26. 1355 में पूरी हुई इब्न बतूता की कृति रिहला है **(CDS I, 2013)**
(a) आत्मकथा
(b) ऐबक से लेकर ग़ियास-उद-दीन तुग़लक़ तक दिल्ली के सुल्तानों का विवरण
(c) धार्मिक ग्रंथ
(d) मोरक्को के साथ व्यापार का विवरण

उत्तरमाला

1. (b)	2. (c)	3. (d)	4. (c)	5. (a)	6. (a)	7. (d)	8. (a)
9. (b)	10. (c)	11. (d)	12. (b)	13. (a)	14. (d)	15. (c)	16. (c)
17. (d)	18. (b)	19. (a)	20. (b)	21. (a)	22. (c)	23. (a)	24. (b)
25. (c)	26. (b)						

यू.पी.एस.सी. विगत वर्षों के प्रश्न - मुख्य परीक्षा

1. भारत के इतिहास के पुनर्निर्माण में **चीनी और अरब यात्रियों के वृत्तांतों** के महत्त्व का आकलन करें। **(CSE, 2018)**